Lobos de Calla

STEPHEN KING

A TORRE NEGRA

Lobos de Calla

TRADUÇÃO
Alda Porto

Grafia atualizada segundo o Acordo Ortográfico da Língua Portuguesa de 1990, que entrou em vigor no Brasil em 2009.

Título original
The Dark Tower v: Wolves of the Calla

Capa
Estúdio Nono

Ilustração de capa
Weberson Santiago

Ilustração de orelha
Estúdio Nono baseado em foto de Shane Leonard

Preparação
Stella Carneiro

Revisão
Gabriele Fernandes
Patricia Calheiros

Dados Internacionais de Catalogação na Publicação (CIP)
(Câmara Brasileira do Livro, SP, Brasil)

King, Stephen
Lobos de Calla / Stephen King ; tradução Alda Porto. — 2ª ed. — Rio de Janeiro : Suma, 2025.

Título original: The Dark Tower v : Wolves of the Calla
ISBN 978-85-5651-269-7

1. Ficção de suspense 2. Ficção norte-americana. I. Título. II. Série.

25-291955 CDD-813

Índice para catálogo sistemático:
1. Ficção de suspense : Literatura norte-americana 813

Cibele Maria Dias – Bibliotecária – CRB-8/9427

EDITORA SCHWARCZ S.A.
Praça Floriano, 19, sala 3001 — Cinelândia
20031-050 — Rio de Janeiro — RJ
Telefone: (21) 3993-7510
www.companhiadasletras.com.br
www.blogdacompanhia.com.br
facebook.com/editorasuma
instagram.com/editorasuma

Este livro é para Frank Muller, que ouve as vozes em minha cabeça.

O ARGUMENTO FINAL

Lobos de Calla é o quinto volume de uma história mais longa inspirada pelo poema narrativo "Childe Roland à Torre Negra Chegou", de Robert Browning.

O primeiro volume, *O pistoleiro*, conta como Roland Deschain de Gilead perseguia e acaba encontrando Walter, o homem de preto — que fingia ser amigo de seu pai, mas na verdade servia ao Rei Rubro no distante Fim do Mundo. Capturar o semi-humano Walter é para Roland um passo no caminho da Torre Negra, onde ele espera poder deter ou até mesmo reverter a destruição cada vez mais rápida do Mundo Médio e a lenta morte dos Feixes. O subtítulo desse romance é RECOMEÇO.

A Torre Negra é a obsessão de Roland, o seu graal, sua única razão de viver quando o encontramos. Ficamos sabendo que Marten tentou, quando Roland ainda era um garoto, fazer com que o mandassem para o Oeste em desgraça, eliminado do tabuleiro do grande jogo. Roland, contudo, frustrou os seus planos, devido sobretudo à escolha da arma que fez em sua prova de maturidade.

Steven Deschain, pai de Roland, envia o filho e dois amigos (Cuthbert Allgood e Alain Johns) para o baronato de Mejis, no litoral, com a principal intenção de deixá-lo longe do alcance de Walter. Ali, Roland conhece e se apaixona por Susan Delgado, que atraiu para si a ira de uma bruxa. Rhea do Cöos inveja a beleza da garota, e é particularmente perigosa, por ter obtido um dos grandes globos de vidro conhecidos como Curvas do Arco-Íris... ou os Globos do Mago. Existem treze destes ao todo, sendo o mais poderoso e perigoso o Treze Preto. Roland e seus amigos têm muitas aventuras em Mejis, e embora escapem com vida (e com a Curva do Arco-Íris cor-de-rosa), Susan Delgado, a linda moça na janela, é queimada na fogueira. Essa história é contada no quarto volume, *Mago e Vidro*. O subtítulo desse romance é RESPEITO.

No curso das histórias da Torre, descobrimos que o mundo do pistoleiro está relacionado com o nosso de maneiras fundamentais e terríveis. O primeiro desses elos é revelado quando Jake, um garoto da Nova York de 1977, conhece Roland em um posto de parada, muitos anos após a morte de Susan Delgado. Há portas entre o mundo de Roland e o nosso, e uma delas é a morte. Jake se descobre no posto de parada depois de ser empurrado na rua 43 e atropelado por um carro. O motorista é um sujeito chamado Enrico Balazar, e o empurrador um criminoso sociopata, Jack Mort, representante de Walter no nível de Nova York da Torre Negra.

Antes de Jake e Roland alcançarem Walter, o garoto torna a morrer... desta vez porque o pistoleiro, diante de uma agonizante escolha entre seu filho simbólico e a Torre Negra, opta pela Torre. As últimas palavras de Jake antes de mergulhar no abismo são: "Vá então. Há outros mundos além deste".

O confronto final entre Roland e Walter ocorre próximo ao mar Ocidental. Em uma longa noite de confabulação, o homem de preto revela o futuro de Roland com um estranho baralho de cartas de tarô. Três cartas — o Prisioneiro, a Dama das Sombras e a Morte ("mas não para você, pistoleiro") — chamam em especial a atenção dele.

A escolha dos três, com o subtítulo RENOVAÇÃO, começa à margem do mar Ocidental não muito depois que Roland acorda do confronto com Walter. O exausto pistoleiro é atacado por uma horda de carnívoras "lagostrosidades", e antes que possa escapar perde dois dedos da mão direita, sendo gravemente envenenado. Roland retoma sua jornada pela borda do mar Ocidental, embora doente e talvez à beira da morte.

Nessa caminhada, encontra três portas que se erguem sozinhas na praia. Elas se abrem para Nova York em diferentes *quandos*. De 1987, Roland escolhe Eddie Dean, um prisioneiro da heroína; de 1964, escolhe Odetta Susannah Holmes, uma mulher que perde as pernas quando o sociopata Jack Mort a empurra na frente de um trem do metrô. Ela é a Dama das Sombras, com uma "outra" violenta escondida no seu cérebro. Essa mulher oculta, a brutal e ardilosa Detta Walker, decide matar Roland e Eddie quando o pistoleiro a leva para o Mundo Médio.

Roland acha que talvez a escolha dos seus três tenham sido apenas Eddie e Odetta, já que esta tem na verdade duas personalidades, mas, quando as duas se fundem em uma só em Susannah (graças em grande parte ao amor e à coragem de Eddie Dean), o pistoleiro sabe que não é bem assim. Também se dá conta de mais uma coisa: está sendo atormentado pelos pensamentos de Jake, o garoto que falou de outros mundos na hora da morte.

As terras devastadas, cujo subtítulo é REDENÇÃO, começa com um paradoxo: para Roland, Jake parece ao mesmo tempo vivo e morto. Na Nova York de fins da década de 1970, Jake Chambers é assombrado pela mesma questão: vivo ou morto? Em qual está ele? Após matarem um gigantesco urso conhecido como Mir (assim chamado pelo Povo Antigo que o temia) ou como Shardik (pelos Grandes Anciãos que o construíram), Roland, Eddie e Susannah refazem o rastro da fera e descobrem o Caminho do Feixe conhecido como Shardik a Maturin, Urso a Tartaruga. Havia outrora seis desses Feixes, percorrendo os doze portais que marcam as bordas do Mundo Médio. No ponto onde os Feixes se cruzam, no centro do mundo de Roland (e de todos os mundos), fica a Torre Negra, o nexo de todo *onde* e *quando*.

A essa altura, Eddie e Susannah não são mais prisioneiros no mundo de Roland. Apaixonados e no caminho para se tornarem pistoleiros eles mesmos, abraçaram para si a missão e seguem Roland, o último seppe-sai (vendedor da morte), pelo Caminho de Shardik, a Via de Maturin.

Em um círculo falante não longe do Portal do Urso, o tempo se conserta, o paradoxo acaba, e o *verdadeiro* terceiro é escolhido. Jake reentra no Mundo Médio no fim de um perigoso ritual em que todos os quatro — ele, Eddie, Susannah e Roland — se lembram do rosto de seus respectivos pais e se absolvem honrosamente. Não muito depois, o quarteto se torna um quinteto, quando Jake se torna amigo de um billy-malhado. Os billys-malhados, que parecem uma combinação de guaxinim, texugo e cachorro, têm uma capacidade limitada de fala. Jake dá ao novo amigo o nome de Oi.

O caminho dos peregrinos leva-os à cidade de Lud, onde os degenerados sobreviventes de duas antigas facções continuam travando um conflito infindável. Antes de chegarem à cidade, na pequena aldeia de River Crossing, encontram alguns sobreviventes anciãos dos velhos tempos. Eles reconhecem Roland como um colega sobrevivente daqueles dias, antes de o mundo haver seguido adiante, e o homenageiam e a seus companheiros. O Povo Antigo também lhes fala de um monotrilho que talvez ainda corra de Lud para as terras devastadas, ao longo do Caminho do Feixe e em direção à Torre Negra.

Jake fica assustado, mas não surpreso, com essa notícia; antes de ser tirado de Nova York, comprou dois livros de uma livraria cujo dono tem o nome instigante de Calvin Tower (Torre). O primeiro é um livro de adivinhações com as respostas rasgadas fora. O outro, *Charlie Chuu-Chuu*, é um livro de histórias infantis com sombrios ecos do Mundo Médio. Por exemplo, a palavra *char* significa *morte* na Língua Superior, falada por Roland em Gilead.

Tia Talitha, a matriarca de River Crossing, dá a Roland uma cruz de prata para usar, e os viajantes prosseguem em sua jornada. Ao atravessarem a destruída ponte que cruza o rio Send, Jake é sequestrado por um proscrito moribundo (e muito perigoso) chamado Gasher. Este leva seu jovem prisioneiro ao subterrâneo para o Homem do Tique-Taque, o último líder da facção conhecida como os Grays.

Enquanto Roland e Oi partem em busca de Jake, Eddie e Susannah encontram o Berço de Lud, onde o Mono Blaine acorda. Blaine é a última máquina acima da superfície da terra de um vasto sistema de computadores que se estende sob Lud, e resta-lhe apenas um único interesse: adivinhações. Ele promete levar os viajantes à parada final do monotrilho... *se* conseguirem lhe propor uma adivinhação que ele não consiga resolver. Do contrário, diz, a viagem deles vai terminar na morte: a *árvore de charyou*, a árvore dos mortos.

Roland resgata Jake, deixando o Homem do Tique-Taque como morto.

Mas Andrew Quick não está morto. Zarolho, medonhamente ferido em todo o rosto, é salvo por um homem que diz se chamar Richard Fannin. Mas

Fannin também se identifica como o Estranho Sem Idade, um demônio sobre o qual Roland foi advertido.

Os peregrinos continuam sua jornada na cidade em extinção de Lud, desta vez de monotrilho. O fato de a verdadeira mente que governa o mono existir em computadores decrépitos cada vez mais distantes não fará a menor diferença de uma forma ou de outra quando o projétil cor-de-rosa tomar os trilhos desgastados ao longo do Caminho do Feixe à excessiva velocidade de 1300 quilômetros por hora. A única chance de sobrevivência do grupo é propor a Blaine uma adivinhação que o computador não saiba responder.

No início de *Mago e Vidro*, Eddie consegue propor tal adivinhação, destruindo Blaine com uma arma singularmente humana: a falta de lógica. O mono para em uma versão de Topeka, Kansas, que foi esvaziada por uma doença chamada "supergripe". Quando recomeçam a jornada ao longo do Caminho do Feixe (agora uma versão apocalíptica da Interestadual 70), veem placas perturbadoras. TODOS SALVEM O REI RUBRO, avisa uma. CUIDADO COM O CARA QUE ANDA, informa outra. E, como saberão os leitores alertas, o cara que anda tem um nome muito semelhante ao de Richard Fannin.

Após contar aos amigos a história de Susan Delgado, Roland e seus companheiros chegam a um palácio de vidro verde construído do outro lado da Interestadual 70, e que tem grande semelhança com o que Dorothy Gale procurava em *O mágico de Oz*. Na sala do trono desse enorme castelo, eles encontram não o Grande e Terrível Oz, mas o Homem do Tique-Taque, o último refugiado da esplêndida cidade de Lud. Com a morte de Tique-Taque, o *verdadeiro* Mago se apresenta. É o antigo arqui-inimigo de Roland, Marten Broadcloak — conhecido em alguns mundos como Randall Flagg, em outros como Richard Fannin e em outros como John Farson (o Bom Homem). Roland e seus companheiros não conseguem matar essa aparição, que os avisa uma última vez para que desistam de sua busca da Torre ("Só tiros falhos contra *mim*, Roland, velho amigo", diz Marten ao pistoleiro), mas conseguem bani-lo.

Após uma última viagem ao Globo do Mago e uma terrível revelação derradeira — que Roland de Gilead matou a própria mãe, confundindo-a com a bruxa Rhea —, os andarilhos novamente se encontram no Mundo Médio, e mais uma vez no Caminho do Feixe. Eles retomam sua busca, e é nesse ponto que os encontraremos nas primeiras páginas de *Lobos de Calla*.

Este argumento de modo algum resume os quatro primeiros livros do ciclo da Torre; se você não os leu antes de começar este, exorto-o a fazê-lo ou deixar de lado *Lobos de Calla*. Esses livros são apenas partes de uma única história mais longa, e melhor seria lê-los do início ao fim do que começar no meio.

"Senhor, nosso negócio é chumbo."
Steve McQueen, em *Sete homens e um destino*

"Primeiro chegam sorrisos, depois mentiras. Por último, o tiroteio."
Roland Deschain, de Gilead

O sangue que flui em ti
também flui em mim,
quando olho qualquer espelho
é o teu rosto que vejo.
Toma-me a mão,
apoia-te em mim,
estamos quase livres,
menino errante.
Rodney Crowell

RESISTÊNCIA

19

Prólogo
ROONT

1

Tian foi abençoado (embora poucos fazendeiros teriam usado tal palavra) com três tratos de terra: o Campo do Rio, onde sua família cultivara arroz desde tempos imemoriais; o Campo da Beira da Estrada, onde ka-Jaffords cultivara tubérculos, abóboras e milho durante esses mesmos longos anos e gerações; e o Filho da Puta, um trato ingrato que produzia sobretudo pedras, bolhas e esperanças desfeitas. Tian não foi o primeiro Jaffords determinado a arrancar alguma coisa dos oito hectares atrás da casa natal; seu grand-père, seu avô, perfeitamente são na maioria dos outros aspectos, convencera-se de que havia ouro ali. A mãe de Tian estivera igualmente certa de que a terra podia dar porim, um tempero muito valioso. A loucura particular de Tian era madrigal. Claro que daria madrigal no Filho da Puta. *Tinha* de dar. Ele conseguira mil sementes (o que lhe custara um dinheirinho bom), e que agora estavam escondidas sob as tábuas do assoalho de seu quarto. Restava apenas, antes do plantio no ano seguinte, preparar a terra no Filho da Puta. Dessa árdua tarefa, era mais fácil falar do que fazer.

O clã dos Jaffords era abençoado com gado, incluindo três mulas, mas precisaria ter perdido o juízo para tentar usar uma mula no Filho da Puta; o animal que desse o azar de ter tal tarefa atribuída a si provavelmente estaria caído de perna quebrada ou morto a ferroadas ao meio-dia do primeiro dia. Um dos tios de Tian quase encontrara esse último destino alguns anos antes.

Voltara correndo para casa, gritando a plenos pulmões e perseguido por enormes vespas mutantes com ferrões do tamanho de pregos.

Haviam encontrado o ninho (bem, Andy encontrara; as vespas não o incomodavam, tivessem o tamanho que tivessem) e queimaram-no com querosene, mas talvez houvesse outros. E havia buracos. Sim, senhor, *muitos* buracos, e não se podia queimá-los, podia-se? Não. O Filho da Puta ficava no que os antigos chamavam de "terra solta". Tinha portanto quase tantos buracos quanto pedras, para não falar em pelo menos uma gruta que expelia rajadas de ar nojento, cheirando a matéria em decomposição. Quem sabia que monstros e almas do diabo se escondiam em sua goela sombria?

E os piores buracos não ficavam onde um homem (ou uma mula) pudesse vê-los. Não, senhor, não mesmo. Os quebra-canelas estavam sempre ocultos entre touceiras de ervas daninhas e mato alto. A mula pisava, ouvia-se um estalido seco como um galho se partindo, e aí a maldita coisa jazia no chão, dentes à mostra, revirando os olhos, zurrando em agonia para o céu. Até alguém precisar acabar com a miséria dela, quer dizer, e o gado era valioso em Calla Bryn Sturgis, mesmo o gado não exatamente amarrado.

Tian, portanto, plantava com a irmã colada em suas pegadas. Não havia motivo para não fazê-lo. Tia era roont, então não tinha muita utilidade. Era uma mocetona — os roonts em geral atingiam dimensões prodigiosas — e disposta. O Homem Jesus a amava. O Velho fizera-lhe uma árvore de Jesus, que chamava de *crusie-fix*, e ela usava-o aonde quer que fosse. A coisa balançava de um lado para o outro, batendo na pele suada enquanto ela puxava.

O arado era amarrado aos ombros dela por um arreio de couro cru. Atrás, guiando o arado pelos cabos de pau-ferro e a irmã pelas rédeas, Tian grunhia e puxava quando a lâmina afundava e ameaçava atolar-se. Era o fim da Terra Plena, mas quente como o verão ali no Filho da Puta. O macacão de Tia era escuro, molhado e ficava grudado nas coxas longas e carnudas. Toda vez que Tian jogava a cabeça para tirar os cabelos dos olhos o suor voava da cabeleira.

— Cuidado, sua cadela! — gritava. — Essas pedras quebram a lâmina, você está cega?

Cega, não; nem surda; apenas roont. Ela puxava para a esquerda, com força. Atrás, Tian tropeçava para a frente com uma torção do pescoço e arranhava a perna contra outra pedra, que não vira e o arado, por milagre, evitara. Ao sentir as primeiras gotas de sangue escorrerem pelos tornozelos, imaginava (e não pela primeira vez) que loucura que trouxera os Jaffords até ali. No mais fundo do coração, sabia que o madrigal não daria mais que o porim antes, embora se pudesse cultivar a erva do diabo; sim, poderia ter cultivado todos os oito hectares com aquela merda, se quisesse. O segredo era mantê-la *longe*, sempre a primeira tarefa na Terra Plena. Ela...

O arado balançou para a direita e em seguida para a frente, quase arrancando os braços de Tian no processo.

— *Arr!* — gritou. — Devagar, menina! Eu não posso fazê-los crescer de novo se você arrancá-los, posso?

Tia voltou a cara larga, suada e vazia para o céu cheio de nuvens baixas e zurrou uma gargalhada. Homem Jesus, mas ela até *soava* como uma jumenta. Mas era risada, risada humana. Tian se perguntava, como às vezes não podia deixar de fazer, se aquela risada tinha algum significado. Ela entendia algo do que ele dizia ou apenas respondia ao tom da sua voz? Será que algum dos roonts...

— Bom dia, sai — disse uma voz alta e quase sem tom atrás dele. O dono da voz ignorou o grito de surpresa de Tian. — Belos dias, e que eles sejam longos sobre a terra. Eu vim aqui de uma boa peregrinação para me pôr à disposição de vocês.

Tian girou e viu Andy ali parado — em todos os seus dois metros e dez — e quase caiu de cara no chão quando a irmã deu outro de seus arrancos para a frente. As rédeas do arado foram arrancadas de suas mãos e voaram em torno do pescoço com um estalo audível. Tia, ignorando esse desastre potencial, deu outro passo à frente. Ao fazê-lo, cortou o fôlego do irmão. Ele lançou um arquejo tossido, engasgado, e mordeu as correias. Andy observou a tudo isso com seu sorriso largo e inócuo de sempre.

Tia tornou a arrancar e Tian foi erguido do chão. Caiu em cima de uma pedra que se enterrou violentamente no rego de suas nádegas, mas pelo menos tinha voltado a respirar. Por enquanto, pelo menos. Maldito campo infeliz! Sempre fora assim! Sempre seria!

Tian tornou a agarrar a correia de couro, antes que ela se apertasse de novo em seu pescoço, e berrou:

— Aguenta aí, sua cadela! Ôoa, se não quer que eu torça esses peitões inúteis do seu corpo!

Tia parou de muito boa vontade e olhou para trás para ver o que era. Seu sorriso aumentou. Ergueu o braço musculoso — reluzente de suor — e apontou.

— Andy! — disse. — Andy veio!

— Eu não sou cego — disse Tian, levantando-se e esfregando os fundilhos. Estaria sangrando também aquela parte dele? Ó bom Homem Jesus, achava que sim.

— Bom dia, sai — disse Andy a ela, e bateu três vezes na garganta metálica com os três dedos de metal. — Longos dias e belas noites.

Embora Tia houvesse sem dúvida ouvido a resposta padrão a isso — *E que você tenha isso em dobro* — mil vezes ou mais, pôde apenas erguer a cara idiota e zurrar sua risada de jumento. Tian sentiu um surpreendente momento de dor, não nos braços, na garganta ou no ofendido traseiro, mas no coração. Lembrava-se vagamente dela quando menina: bonitinha e esperta como um vaga-lume, tão inteligente quanto se poderia desejar. Depois...

Mas antes que pudesse terminar o pensamento, veio-lhe uma premonição. Sentiu o coração afundar. *A notícia ia* chegar *enquanto ele estava ali fora*, pensou. *Ali naquele trato esquecido por Deus onde nada é bom e toda sorte é má.* Era hora, não era? *Passava da hora.*

— Andy — disse.

— Sim! — respondeu Andy, sorrindo. — Andy, seu amigo! De volta de um ótimo passeio e às suas ordens. Gostaria do seu horóscopo, sai Tian? É a Terra Cheia. A lua está vermelha, o que se chamava de Lua da Caçadora no Mundo Médio, quer dizer. Vai chegar um amigo. Os negócios vão prosperar! Você terá duas ideias, uma boa e outra ruim...

— A ruim foi vir aqui arar este campo — disse Tian. — Esqueça meu maldito horóscopo, Andy. Por que está aqui?

O sorriso de Andy não tinha como passar a sensação de estar desconfortável — era um robô afinal, o último em Calla Bryn Sturgis por quilômetros e quilômetros em volta —, mas a Tian ele pareceu ficar desconfortável mesmo assim. O robô parecia uma figura de adulto desenhada com traços, incrivelmente alto e magro. Pernas e braços prateados. A cabeça era um barril de aço inoxidável com olhos elétricos. O corpo, que não passava de um cilindro, era dourado. Gravada no meio — no que seria o peito de um homem —, sua legenda:

NORTH CENTRAL POSITRONICS, LTD.
EM ASSOCIAÇÃO COM
INDÚSTRIAS LaMERK
APRESENTA

ANDY

Design: MENSAGEIRO (Muitas Outras Funções)
Série # DNF-44821-V-63

Por que ou como aquela coisinha tola sobrevivera, quando todo o resto dos robôs desaparecera — havia gerações —, Tian nem sabia nem ligava. Podia-se vê-lo em Calla (não se aventurava além de suas fronteiras) andando sobre as pernas prateadas incrivelmente finas, olhando para toda parte, de vez em quando dando estalidos para si mesmo quando armazenava (ou talvez expurgava — quem sabia?) informação. Cantava cantigas, passava adiante fuxicos e boatos de uma ponta a outra da aldeia — o Robô Mensageiro era um andarilho incansável — e parecia gostar de oferecer horóscopos sobre tudo, embora todos concordassem que estes faziam pouco sentido.

Mas tinha uma outra função, e de grande relevância.

— Por que veio aqui, seu saco de pregos e raios? Me responda! São os Lobos? Eles estão vindo do Trovão?

Tian ficou ali parado, olhando de baixo para a estúpida face metálica sorridente de Andy, o suor esfriando na pele, rezando com toda a força para que a coisa idiota dissesse não e oferecesse seu horóscopo de novo, ou talvez cantasse "The Green Corn A-Dayo", todos os vinte ou trinta versos.

Mas tudo que Andy disse, ainda sorrindo, foi:

— Sim, sai.

— Cristo e o Homem Jesus — disse Tian (obtivera do Velho a ideia de que os dois nomes se referiam à mesma coisa, mas jamais se dera ao trabalho de perguntar). — Quanto tempo?

— Uma lua de dias antes que eles cheguem — respondeu Andy, ainda sorrindo.

— De cheia a cheia?

— Por aí assim, sai.

Cerca de trinta dias, então. Trinta dias até os Lobos. E não havia sentido em torcer para que Andy estivesse errado. Ninguém sabia como o robô podia saber que eles estavam vindo do Trovão com tanta antecedência, mas ele *sabia*. E jamais se enganava.

— Para a puta que pariu com a sua má notícia! — gritou Tian furioso com o tremor que ouviu na própria voz. — Pra que serve você?

— Sinto muito que a notícia seja ruim — disse Andy. Suas entranhas estalaram audivelmente, os olhos faiscaram um azul mais forte, e ele deu um passo à frente. — Não gostaria que eu lhe dissesse o seu horóscopo? É o fim da Terra Plena, um momento particularmente propício para concluir um negócio e conhecer novas pessoas.

— E para a puta que pariu com a sua falsa profecia também!

Tian abaixou-se, pegou um torrão de terra e atirou-o no robô. Uma pedra enterrada no torrão ressoou no couro metálico de Andy. Tia arquejou e se pôs a chorar. Andy recuou um passo, a sombra arrastando-se no campo do Filho da Puta. Mas o sorriso detestável e idiota continuou.

— Que tal uma cantiga? Eu aprendi uma engraçada com os mannis do norte da aldeia: se chama "Em Época de Perda, que Deus Seja seu Patrão". — Em algum ponto no fundo das entranhas de Andy veio o trêmulo apito de um cano, seguido por uma onda de teclas de piano. — É assim...

O suor escorrendo pelo rosto e fazendo seus colhões grudarem nas coxas. O fedor de sua própria obsessão tola. Tia soluçando com a cara idiota voltada para o céu. E aquele robô idiota portador de más notícias preparando-se para cantar alguma espécie de hino dos mannis.

— Cale a boca, Andy. — Falou bastante calmo, mas por entre dentes cerrados.

— Sai — concordou o robô, e caiu em misericordioso silêncio.

Tian foi até a irmã que berrava, abraçou-a e sentiu o forte (mas não desagradável) cheiro dela. Não havia nenhuma obsessão nisso, apenas o cheiro do trabalho e obediência. Deu um suspiro e começou a alisar o trêmulo braço da moça.

— Deixe disso, sua escrota chorona — disse.

As palavras podem ter sido feias, mas o tom era bondoso ao extremo, e foi ao tom que ela reagiu. Começou a se acalmar. O irmão ficou com o quadril aninhado logo abaixo de sua caixa torácica (Tia tinha quase trinta centímetros a mais que ele), e é provável que qualquer estranho que parasse para olhá-los ficasse espantado com a semelhança dos rostos e a grande dessemelhança dos tamanhos. A semelhança pelo menos se justificava: os dois eram gêmeos.

Ele consolou a irmã com uma mistura de carinhos e xingamentos — nos anos desde que ela voltara roont do leste, os dois modos de expressão eram a mesma coisa para Tian Jaffords —, e finalmente ela parou de chorar. E quando um pardal cruzou o céu voando, fazendo volteios e emitindo a habitual série de trinados, ela apontou para ele e riu.

Surgia em Tian uma sensação tão estranha à sua natureza que ele nem a reconhecia.

— Isso não está certo — disse. — Não, senhor. Pelo Homem Jesus e todos os deuses que existem, não está, não. — Olhou para o leste, onde as colinas ondulavam para longe em uma crescente e membranosa escuridão que podiam ser nuvens, mas não eram. Eram as bordas do Trovão.

— Não é certo o que eles fazem com a gente.

— Tem certeza de que não gostaria de ouvir seu horóscopo, sai? Eu vejo reluzentes moedas e uma bela dama negra.

— As damas negras vão ter que se virar sem mim — disse Tian, e pôs-se a tirar o arreio dos largos ombros da irmã. — Eu sou casado, como você bem sabe.

— Muitos homens casados dão os seus pulinhos — observou Andy. A Tian, pareceu quase presunçoso.

— Não os que amam as esposas. — Tian colocou o arreio nos ombros (ele próprio o fizera, pois havia uma acentuada escassez de tachas para seres humanos na maioria dos celeiros de ferramentas) e pegou o caminho de volta para casa. — E não os fazendeiros, de qualquer modo. Me mostre um fazendeiro que pode dar os seus pulinhos que eu beijo seu rabo brilhante. Vamos, Tia. Tire-os e os coloque no chão.

— Pra casa?

— Isso mesmo.

— Almoçar em casa? — Ela olhava-o com uma expressão confusa e esperançosa. — Batatas? — Uma pausa. — *Molho de carne?*

— Claro — disse Tian. — Por que não, diabos? — Tia deu um grito de animação e pôs-se a correr para a casa. Havia alguma coisa quase assombrosa nela quando corria. Como observara um dia o pai, não muito antes da queda que o levara para sempre: "Inteligente ou parva, aí está um monte de carne em movimento".

Tian saiu andando devagar atrás dela, cabisbaixo, atento aos buracos que a irmã parecia evitar sem sequer olhar, como se uma parte profunda dela houvesse mapeado o local de cada um. A estranha sensação nova continuava a crescer e crescer. Ele conhecia a raiva — qualquer fazendeiro que perdera vacas para a doença do leite ou visse uma tempestade de granizo abater seu milho a conhecia bem —, mas aquilo era mais profundo. Era fúria, uma coisa nova. Andava devagar, cabisbaixo, punhos cerrados. Não teve consciência de que Andy vinha atrás até o robô dizer:

— Tem outra notícia, sai. No noroeste da aldeia, no Caminho do Feixe, estranhos do Mundo Exterior...

— Foda-se o Feixe, fodam-se os estranhos e foda-se você também — disse Tian. — Me deixe em paz, Andy.

Andy ficou ali parado por um instante, cercado pelas pedras, matos e montículos inúteis do Filho da Puta, o ingrato trato de terra dos Jaffords. Dentro dele estalaram relés. Os olhos faiscaram. E ele decidiu ir conversar com o Velho. O Velho jamais o mandava se foder. O Velho sempre estava disposto a ouvir seu horóscopo.

E sempre estava interessado em estranhos.

Andy partiu para a aldeia e para Nossa Senhora da Serenidade.

2

Zalia Jaffords não viu o marido e a cunhada voltando do Filho da Puta; não ouviu Tia mergulhar a cabeça repetidas vezes no barril de água de chuva do lado de fora do celeiro e soprar a umidade dos lábios como um cavalo. Zalia estava no lado sul da casa, pendurando a roupa e de olho nas crianças. Só soube que Tian voltara ao vê-lo olhando-a pela janela da cozinha. Ficou surpresa ao vê-lo ali e ainda mais surpresa com a sua aparência. Tinha o rosto de uma palidez cinza, a não ser pelos dois borrões de cor no alto das bochechas e um terceiro brilho no centro da testa parecendo uma marca a fogo.

Ela largou os poucos pregadores que ainda trazia presos na roupa na cesta e encaminhou-se para a casa.

— Aonde vai, mamãe? — gritou Heddon.

— Aonde vai, mamãe? — ecoou Hedda.

— Não se importem com isso — disse ela. — Só fiquem de olho nos ka-bebês.

— Puur-quê? — choramingou Hedda.

Fizera desse choramingo uma ciência. Um dia desses ia esticá-lo um pouco demais e a mãe lhe daria uma pancada na cabeça.

— Porque vocês são os mais velhos — ela disse.

— Mas...

— Cale a boca, Hedda Jaffords.

— A gente toma conta deles, mãe — disse Heddon. Seu Heddon era sempre certinho; não tão inteligente quanto a irmã, mas inteligência não era tudo. Longe disso. — Quer que a gente termine de pendurar a roupa?

— Hed-donnn... — disse a irmã.

O irritante choramingo de novo. Mas Zalia não tinha tempo para eles. Apenas lançou um olhar aos outros; Lyman e Lia, que tinham cinco anos, e Aaron, dois. Aaron sentava-se nu no chão, batendo feliz duas pedras uma na outra. Era um raro não gêmeo, e como as mulheres da aldeia a invejaram por isso! Porque Aaron sempre estaria seguro. Os outros, porém, Heddon e Hedda... Lyman e Lia...

De repente compreendeu o que podia significar, ele de volta à casa no meio do dia daquele jeito. Rezou aos deuses para estar errada, mas quando chegou à cozinha e viu a maneira como ele olhava para as crianças, teve quase certeza.

— Diga que não são os Lobos — pediu em uma voz seca e frenética. — Diga que não são.

— São — respondeu Tian. — Trinta dias... Andy disse: de lua a lua. E nisso Andy nunca...

Antes que prosseguisse, Zalia Jaffords levou a palma das mãos às têmporas e deu um grito. No pátio ao lado, Hedda deu um salto. Mais um instante e estaria correndo para a casa, mas Heddon a conteve.

— Eles não vão levar ninguém tão jovem como Lyman e Lia, vão? — perguntou Zalia. — Hedda ou Heddon, talvez, mas certamente não os pequenos. Ora, eles só farão seis anos dentro de meio ano!

— Os Lobos já levaram crianças até de três anos, e você sabe disso — falou Tian.

Abria e fechava as mãos, abria e fechava. A sensação dentro dele continuava a crescer — uma sensação mais profunda que a simples raiva.

Ela olhou-o, as lágrimas escorrendo pelo rosto.

— Talvez seja hora de dizer não — disse Tian em uma voz que mal reconhecia como sua.

— Como podemos? — sussurrou ela. — Como, em nome de Deus, podemos?

— Não sei — disse ele. — Mas venha cá, mulher, estou pedindo.

Ela foi, lançando uma última olhada aos cinco filhos lá atrás no quintal — como para assegurar-se de que ainda estavam todos lá, que nenhum Lobo os levara ainda —, e depois atravessou a sala. O grand-père sentava-se em sua poltrona do canto ao lado da lareira, cabeça baixa, cochilando e sibilando pela boca murcha desdentada.

Daquela sala, via-se o celeiro. Tian puxou a esposa até a janela e apontou:

— Ali — disse. — Está vendo, mulher? Está vendo bem?

Claro que ela via. A irmã de Tian, com quase dois metros de altura, estava de pé com as alças do macacão abaixadas e os peitos reluzindo com água do barril de chuva com que os borrifava. Parado na porta do celeiro via-se Zalman, irmão da própria Zalia. Quase dois metros e vinte, do tamanho de lorde Perth, alto como Andy, e com uma expressão no rosto tão vazia quanto a da moça. Um belo rapaz olhando uma bela moça com os peitos de fora daquele jeito bem podia estar exibindo um volume nas calças, mas não havia nenhum nas de Zally. Nem haveria jamais. Ele era um roont.

Zalia se voltou para Tian. Os dois se olharam, um homem e uma mulher não roonts, mas apenas por pura sorte. Até onde sabiam, poderiam facilmente ter sido Zalman e Tia ali parados olhando Tian e Zalia junto ao celeiro, maiores no corpo e vazios na cabeça.

— Claro que estou vendo — disse ela. — Você acha que eu sou cega?

— Isso não faz você às vezes desejar ser? — perguntou ele. — Vê-los desse jeito?

Zalia não respondeu.

— Não é certo, mulher. Não é certo. Nunca esteve.

— Mas desde tempos imemoriais...

— Fodam-se os tempos imemoriais também! — gritou Tian. — São crianças! *Nossas* crianças!

— Quer que os Lobos incendeiem Calla até o chão, então? Que nos deixem de garganta cortada, os olhos fritos na cara? Foi o que aconteceu antes. Você sabe que foi.

Ele sabia, claro. Mas quem daria um jeito, senão os homens de Calla Bryn Sturgis? Certamente não havia autoridade, nem mesmo um xerife, alta ou baixa, naquelas paragens. Estavam por conta própria. Mesmo muito tempo atrás, quando os Baronatos Interiores fulgiam com luz e ordem, muito pouco daquela vida brilhante chegava até ali. Aquelas eram as terras de fronteira, e a vida sempre fora estranha. Então os Lobos haviam começado a aparecer, e a vida tornara-se muito mais estranha. Havia quanto tempo começara aquilo? Quantas gerações? Tian não sabia, mas achava "tempos imemoriais" tempo demais. Os Lobos já saqueavam as aldeias de fronteira quando o grand-père era jovem, sem dúvida — o próprio irmão gêmeo do grand-père fora levado quando os dois estavam sentados no chão, brincando.

— Eles levaro ele purquê ele tava mais perto da istrada — dissera-lhes muitas vezes o grand-père. — Se eu saio de casa primêro que ele, ficava mais perto da istrada e eles levava *eu*, Deus é bom!

Então beijava o crucifixo de madeira que o Velho lhe dera, olhava para o céu e cacarejava.

Mas o próprio avô de seu avô lhe dissera que em *seu* tempo — o que haveria sido cinco ou talvez seis gerações atrás, se os cálculos de Tian estavam corretos — não havia Lobos atacando vindos do Trovão em seus cavalos cinzentos. Certa vez perguntara a ele: *E quase todos os bebês eram gêmeos naquele tempo? Algum dos anciões já falou sobre isso?* O grand-père pensara um pouco e balançara a cabeça. Não lembrava o que os anciões diziam a respeito, sim ou não.

Zalia olhava-o ansiosa.

— Você não está em estado de pensar nessas coisas, eu aposto, depois de passar a manhã naquele terreno pedregoso.

— Meu estado de espírito não vai mudar a hora da chegada nem quem irão levar — disse Tian.

— Você não vai fazer nenhuma tolice, Ti, vai? Nenhuma tolice, e ainda por cima sozinho.

— Não — disse ele.

Sem hesitação. *Ele já começou a fazer planos*, ela pensou, e permitiu-se um tênue brilho de esperança. Certamente não tinha como ele fazer nada contra os Lobos — *nenhum* deles tinha —, mas Tian estava longe de ser idiota. Em uma aldeia camponesa onde a maioria dos homens não pensava além de quando plantaria a próxima leira (ou plantar as sementes em uma cama quente nas noites de sábado), Tian era uma certa anomalia. Sabia escrever o próprio nome; sabia escrever palavras que diziam EU TE AMO, ZALLIE (e a conquistara com elas, mesmo ela não sabendo lê-las ali no chão); sabia somar os números e também contá-los dos pequenos para os grandes, que ele dizia ser ainda mais difícil. Seria possível...?

Parte dela não queria concluir o pensamento. Mas mesmo assim, quando voltou o coração e a mente de mãe para Hedda e Heddon, Lia e Lyman, parte dela quis ter esperança.

— E aí?

— Vou convocar uma Assembleia da Cidade. Vou mandar a pena.

— Eles virão?

— Quando souberem da notícia, cada homem de Calla vai aparecer. Discutiremos a questão. Talvez desta vez eles queiram lutar. Talvez queiram lutar por seus bebês.

Atrás deles, uma velha voz rachada disse:

— Seu idiota assassino.

Tian e Zalia voltaram-se, de mãos dadas, para olhar o velho. *Assassino* era uma palavra forte, mas Tian achou que o velho os olhava — olhava para *ele* — com um ar bondoso.

— Por que diz isso, grand-père? — ele perguntou.

— Os home sai dessa assembreia qui tu pensa e vai queimar metade dos campo, se são bebum — disse o velho. — Home sóbrio... — Balançou a cabeça. — Tu nunca qui vai incontrá um.

— Acho que desta vez você talvez esteja errado, grand-père — disse Tian, e Zalia sentiu um gélido terror apertar seu coração. Mas bem lá no fundo, quente, existia a esperança.

3

Teria havido menos resmungos se ele lhes desse pelo menos um aviso de uma noite, mas Tian não faria isso. Eles não podiam se dar ao luxo nem de uma noite de repouso. E quando mandou Heddon e Hedda com a pena, eles *vieram*. Tian sabia que viriam.

O Salão da Assembleia de Calla ficava no fim da rua Alta da aldeia, além do Armazém Geral de Took e na esquina do Pavilhão, agora empoeirado e escuro com o fim do verão. Logo as senhoras da aldeia começariam a decorá-lo para a Colheita, mas a Noite da Colheita de Calla nunca era um grande evento. As crianças sempre adoravam ver os homens de palha jogados na fogueira, claro, e os mais ousados roubavam seu quinhão de beijos ao se aproximar a noite, mas só isso. Os enfeites e festivais podiam servir para o Mundo Médio e o Mundo Interior, mas ali não era nenhum dos dois. Ali tinham coisas mais sérias com que se preocupar que Festivais do Dia da Colheita.

Coisas como os Lobos.

Alguns dos homens — dos ricos fazendeiros do oeste às três fazendas de gado do sul — vieram a cavalo. Eisenhart da Rocking B chegou a trazer o rifle e as bandoleiras cruzadas no peito. (Tian Jaffords duvidava que as balas servissem para alguma coisa, ou que o velho rifle fosse disparar, mesmo que alguma delas servisse.) Uma delegação dos mannis veio amontoada em uma carroça puxada por uma parelha de mutantes castrados — um com três olhos, o outro com uma coluna de carne rósea brotando das costas. A maioria dos homens de Calla veio em jumentos e burros, metidos em calças brancas e longas camisas coloridas. Tiravam os empoeirados sombreiros pelos cordões ao entrarem no Salão da Assembleia, trocando olhares nervosos uns com os outros. Bancos de pinho simples. Sem mulheres e nenhum dos roonts, encheram menos de trinta dos noventa bancos. Conversava-se um pouco, mas ninguém ria.

Tian postou-se de pé na frente com a pena na mão, olhando o sol descer para os lados do horizonte, o ouro aprofundando-se firme para uma cor que parecia sangue infectado. Quando tocou a terra, Tian deu uma outra olhada na rua Alta. Estava vazia, a não ser por três ou quatro roonts sentados nos degraus do Took's. Todos enormes e inúteis, exceto para levantar pedras do chão. Não viu mais homens nem mais jumentos chegando. Inspirou fundo, soltou o ar, tornou a inspirar e ergueu o olhar para o céu que escurecia.

— Homem Jesus, eu não acredito em ti — disse. — Mas se está aí, me ajude agora. Agradeça a Deus.

Entrou e fechou as portas do Salão da Assembleia com um pouco mais de força do que seria necessário. A conversa cessou. Cento e quarenta homens, a maioria de fazendeiros, viram-no andar até a frente da sala, as largas pernas da calça branca drapejando, as botas rangendo no piso de pau-ferro. Esperava estar apavorado àquela altura, talvez até sem fala. Era um fazendeiro, não um ator de palco nem um político. Então se lembrou dos filhos, e quando ergueu o olhar para os homens, descobriu que não tinha dificuldade para encará-los. A pena em sua mão não tremeu. Quando falou, as palavras seguiam-se facilmente umas às outras, com naturalidade e coerência. Talvez não fizessem o que ele esperava — talvez o grand-père tivesse razão sobre isso —, mas eles pareciam bastante dispostos a escutar.

— Vocês todos sabem quem eu sou — começou ali parado, com as mãos entrelaçadas em torno do cabo da antiquada pena avermelhada. — Tian Jaffords, filho de Luke, marido de Zalia Hoonik, como era seu nome de solteira. Ela e eu temos cinco filhos, dois pares e um não gêmeo.

Ouviram-se murmúrios, com muita probabilidade devido à sorte de Tian e Zalia terem o seu Aaron. Ele esperou que as vozes cessassem.

— Eu vivi em Calla a minha vida inteira. Partilhei do khef de vocês como vocês partilharam do meu. Agora peço que escutem o que tenho a dizer.

— Nós agradecemos, sai — murmuraram eles. Pouco menos que uma resposta padrão, mas Tian se sentiu encorajado.

— Os Lobos estão chegando — disse. — Eu soube disso por Andy. Trinta dias de lua a lua e eles estarão aqui.

Mais murmúrios. Tian ouviu consternação e revolta, mas não surpresa. Quando se tratava de espalhar notícias, Andy era muitíssimo eficiente.

— Mesmo aqueles entre nós que sabem ler e escrever um pouco quase não têm papel para escrever — disse Tian —, por isso eu não posso lhes dizer com nenhum grau de certeza quando vieram a última vez. Não há registros, apenas o boca a boca. Eu sei que eu estava bem crescido... Faz mais de vinte anos...

— Vinte e quatro — disse uma voz no fundo da sala.

— Não, vinte e três — corrigiu outra mais à frente. Reuben Caverra levantou-se. Era um homem gordo, com uma cara redonda bem-humorada. O bom humor não estava presente agora, porém, e via-se apenas angústia. — Levaram Ruth, minha mana, peço que me escutem.

Um murmúrio — na verdade não mais que um vocalizado suspiro de concordância — veio dos homens amontoados nos bancos. Os homens podiam ter escolhido ficar espalhados, mas preferiram ficar ombro a ombro. Às vezes havia conforto no desconforto, calculou Tian.

Reuben disse:

— A gente estava brincando debaixo do grande pinheiro no pátio da frente quando eles chegaram. Eu fiz uma marca naquela árvore cada ano depois. Mesmo depois que eles a trouxeram de volta, continuei marcando. São vinte e três marcas e vinte e três anos. — E com isso, sentou-se.

— Vinte e três ou vinte e quatro, não faz diferença — disse Tian. — Aqueles que eram crianças quando os Lobos vieram da última vez estão adultos agora e eles próprios tiveram filhos. Há uma bela colheita aqui para aqueles malditos. Uma bela colheita de crianças. — Fez uma pausa, dando-lhes uma chance de pensar na ideia seguinte por si mesmos antes de dizê-la em voz alta. — *Se* deixarmos que isso aconteça — falou por fim. — Se nós deixarmos os Lobos levarem nossos filhos para o Trovão, para depois devolvê-los como roonts.

— Que mais diabos a gente pode fazer? — gritou um homem sentado em um dos bancos do meio. — Eles não são humanos!

A isso, ouviu-se um murmúrio geral (e infeliz) de concordância. Um dos mannis se levantou, ajeitando a capa azul-escura nos ombros. Olhou os outros em volta com um olhar melancólico. Não eram loucos aqueles olhos, mas a Tian ele parecia muito longe de racional.

— Eu peço que me escutem — disse o homem.

— Nós agradecemos, sai. — Respeitoso, mas reservado. Ver um manni na aldeia era um acontecimento raro, e ali havia oito, todos em um bando. Tian alegrara-se com a vinda deles. Quando nada, o aparecimento dos mannis acentuava o grau mortal de seriedade da questão.

A porta do Salão da Assembleia se abriu e um homem entrou. Ele usava um longo casaco preto e havia uma cicatriz em sua testa. Nenhum dos homens, incluindo Tian, prestou atenção nele. Eles estavam observando o manni.

— Escutem o que o Livro dos mannis diz: Quando o Anjo da Morte passou por Ayjip, matou o primogênito de cada casa onde não se espalhara o sangue de um cordeiro sacrificial nos umbrais. Assim diz o Livro.

— Louvado seja o Livro — disseram os outros mannis.

— Talvez devêssemos fazer o mesmo — prosseguiu o porta-voz deles. Tinha a voz calma, mas uma veia pulsava freneticamente em sua testa. — Talvez devamos transformar os próximos trinta dias em uma festa cheia de alegria pelos pequenos, e depois botá-los para dormir, e deitar seu sangue sobre a terra. Que os Lobos levem os cadáveres para o leste, se quiserem.

— Você é louco — disse Benito Cash, indignado e ao mesmo tempo quase rindo. — Você e toda a sua gente. Nós não vamos matar nossos bebês.

— Não seria melhor que os que voltam estivessem mortos? — perguntou o manni. — Não passam de grandes cascas inúteis. Favas debulhadas.

— Ié, e os irmãos e irmãs deles? — perguntou Vaughn Eisenhart. — Pois os Lobos só levam um de cada dois, como você bem sabe.

Levantou-se um segundo manni, este com uma sedosa barba branca batendo no peito. O primeiro se sentou. O velho Henchick olhou para os outros em volta, depois para Tian.

— Você está com a pena, meu jovem. Eu posso falar?

Tian fez-lhe sinal para que fosse em frente. Não era, de modo algum, um mau começo. Que examinassem inteiramente o caixão onde estavam metidos, examinassem até os cantos. Confiava que veriam que no fim havia apenas duas alternativas: que os Lobos levassem um em cada dois abaixo da idade da puberdade, como sempre fizeram, ou que eles ficassem e lutassem. Mas para ver isso precisavam entender que todas as outras opções eram becos sem saída.

O velho falou pacientemente. Até com pesar.

— Essa é uma ideia terrível, é, sim. Mas pensem nisso, sais: se os Lobos chegassem e nos encontrassem sem filhos, quem sabe poderiam nos deixar em paz para todo o sempre.

— Ié, poderiam, sim — roncou um dos pequenos fazendeiros, que se chamava Jorge Estrada. — E talvez não. Manni-sai, você mataria de fato todas as crianças de uma aldeia pelo que *pode* ser?

Um forte rumor de concordância percorreu a multidão. Outro pequeno fazendeiro, Garrett Strong, levantou-se. Tinha uma expressão truculenta em sua cara de cachorro. Enfiara os polegares no cinto.

— É melhor nós matarmos todos — disse. — Bebês e adultos igualmente.

O manni não pareceu revoltado com isso. Nem qualquer dos outros de capa azul à sua volta.

— É uma opção — disse o velho. — Nós discutiríamos isso se outros quisessem. — Sentou-se.

— Eu, não — disse Garrett. — Seria como cortar a porra da cabeça para se poupar de ter que se barbear, peço que me escutem.

Houve risadas e gritos de *Bem falado*. Garrett tornou a sentar-se, parecendo um pouco menos tenso, e colocou o chapéu ao lado do de Vaughn Eisenhart. Um dos outros fazendeiros, Diego Adams, escutava, os olhos pretos atentos.

Ergueu-se outro pequeno fazendeiro — Bucky Javier. Tinha olhos azuis intensos, em uma pequena cabeça que parecia pender para trás do queixo com uma barbicha.

— E se fôssemos embora por um tempo? — perguntou. — Se levássemos nossos filhos e voltássemos para o oeste? Até o braço oeste do Grande Rio, talvez?

Houve um momento de reflexão diante dessa ideia ousada. O braço oeste do Whye ficava quase no Mundo Médio... onde, segundo Andy, surgira recentemente e desaparecera mais recentemente ainda um grande palácio de vidro verde. Tian já ia responder quando Eben Took, o dono do armazém, o fez por ele. Tian sentiu um alívio. Esperava ficar em silêncio pelo máximo de tempo possível. Quando acabassem de discutir, lhes diria o que restava.

— Vocês perderam o juízo? — perguntou Eben. — Os Lobos vêm, veem que partimos e queimam tudo até o chão: fazendas e ranchos, safras e depósitos, raiz e galho. O que sobraria para nós quando voltássemos?

— E se eles forem atrás de *nós*? — interveio Jorge Estrada. — Você acha que seria difícil nos seguir para tipos como os Lobos? Eles tocariam fogo na aldeia, como diz Took, nos seguiriam e levariam as crianças do mesmo jeito.

Mais ruidosa concordância. Batidas de botas nas tábuas de pinho do assoalho. E alguns gritos de *Escutem ele, escutem ele!*

— Além disso — disse Neil Faraday, levantando-se e segurando o enorme e imundo sombreiro na frente —, eles nunca roubam *todas* as nossas crianças.

Falou em um tom assustado de "sejam razoáveis" que deixou Tian irritado. Era a opinião que temia acima de todas as outras. O apelo à razão de uma falsidade mortal.

Um dos mannis, este mais jovem e sem barba, deu uma risada alta de desdém.

— Ah, uma salva em cada duas. E isso torna tudo certo, torna? Deus o abençoe!

Podia ter falado mais, mas Henchick baixou a mão retorcida sobre o braço do rapaz, que não disse mais nada, embora tampouco baixasse a cabeça em submissão. Tinha os olhos ardentes, os lábios uma fina linha branca.

— Não digo que isso esteja certo — disse Neil. Começara a girar o sombreiro de uma maneira que deixava Tian meio tonto. — Mas temos de enfrentar os fatos, não temos? Ié. Eles não levam todos. Ora, minha filha, Georgina, é tão capaz e esperta...

— É, sim, e seu filho George é um desastrado de cabeça oca — disse Ben Slightman. Era o capataz de Eisenhart, e não tinha muita paciência com idiotas. Tirou os óculos, limpou-os com um lenço e tornou a colocá-los.

— Eu o vejo sentado nos degraus do Took's quando passo a cavalo pela rua. Vejo muito bem. Ele e alguns outros igualmente cabeças-ocas.

— Mas...

— Eu sei — disse Slightman. — É uma decisão difícil. Talvez seja melhor algumas cabeças ocas do que todos mortos. — Fez uma pausa. — Ou todos levados em vez de apenas metade.

Gritos de *Escutem ele* e *Nós agradecemos* quando Ben Slightman se sentou.

— Eles sempre nos deixam alguns para seguirmos adiante, não deixam? — perguntou um pequeno fazendeiro cuja casa ficava logo a oeste da de Tian perto da fronteira de Calla. Chamava-se Louis Haycox, e falou em um tom de voz pensativo e amargo. Por baixo do bigode, os lábios curvavam-se em um sorriso que não demonstrava muita alegria. — Nós não vamos matar nossos filhos — disse, olhando para os mannis. — E a bênção de Deus para vocês, cavalheiros, mas eu não acredito que mesmo *vocês* seriam capazes de fazer isso, chegar até o matadouro. Ou não todos. Não podemos pegar mala e cuia e ir para o oeste... ou para outro lado... porque deixaríamos as fazendas para trás.

Eles iriam incendiar tudo, claro, e viriam atrás das crianças do mesmo jeito. Precisam delas, sabe Deus por quê.

"Sempre retornamos à mesma questão: somos fazendeiros, a maioria. Fortes quando colocamos a mão no solo, fracos quando não. Eu tenho dois guris, de quatro anos, e os amo muito. Odiaria perder qualquer um dos dois. Mas eu daria um para ficar com o outro. E a minha fazenda. — Murmúrios de concordância. — Que outra escolha temos nós? Eu digo o seguinte: seria o pior erro do mundo enfurecer os Lobos. A não ser, claro, que possamos resistir a eles. Se fosse possível, eu resistiria. Mas não vejo como."

Tian sentiu o coração murchar a cada palavra de Haycox. Quanto das palavras de Tian o homem roubara? Deuses e o Homem Jesus!

Wayne Overholser levantou-se. Era o mais bem-sucedido fazendeiro de Calla Bryn Sturgis, e tinha uma vasta pança inclinada para provar isso.

— Peço que me escutem.

— Nós agradecemos, sai — murmuraram os outros.

— Digo a vocês o que vou fazer — disse ele, olhando em volta. — O que nós *sempre* fizemos, é isso. Algum de vocês quer falar em resistir aos Lobos? Será algum de vocês tão louco a esse ponto? Com o quê? Lanças e pedras, alguns arcos e bahs? Talvez quatro velhos calibres como aquele ali? — Apontou o dedo para o rifle de Eisenhart.

— Não faça pouco do meu pau de fogo, filho — disse Eisenhart, mas com um sorriso triste.

— Eles vão vir e levar as crianças — disse Overholser, olhando em volta. — *Algumas*. Depois vão nos deixar em paz durante uma geração ou até mais tempo. Assim é, assim tem sido, e minha opinião é que deixem pra lá. — Elevaram-se rumores de desaprovação, mas ele esperou que cessassem. — Vinte e três ou vinte e quatro anos, não importa — continuou, quando todos se calaram de novo. — De qualquer modo é um longo tempo. Um longo tempo de *paz*. Será que vocês esqueceram de algumas coisas, gente? Uma é que as crianças são uma safra como outra qualquer. Deus sempre manda mais. Eu sei que isso parece duro. Mas é como temos vivido e como temos de continuar.

Tian não esperou por nenhuma das respostas-padrão. Se fossem mais adiante por esse caminho, qualquer chance que ele pudesse ter de dissuadi-los estaria perdida. Ergueu a pena de opopânax e disse:

— Escutem o que eu digo! Querem ouvir, eu peço?

— Nós agradecemos, sai — responderam eles. Overholser olhava-o desconfiado.

E tem razão de me olhar desse jeito, pensou Tian. *Pois eu estou de saco cheio desse bom senso covarde, estou mesmo.*

— Wayne Overholser é um homem esperto e bem-sucedido — disse —, e eu detesto falar contra o posicionamento dele por esses motivos. E por outros também: ele é velho o bastante para ser meu pai.

— Cuidado para que ele *não* seja seu pai — gritou o único trabalhador da fazenda de Garrett Strong, que se chamava Rossiter, e houve uma risada geral. Até Overholser sorriu com a piada.

— Filho, se você detesta mesmo falar contra mim, não fale — disse Overholser. Continuava a sorrir, mas apenas com a boca.

— Mas eu devo — rebateu Tian. Começou a andar devagar de um lado para outro diante dos bancos. Em suas mãos, a pena cor de ferrugem de opopânax oscilava. Ele ergueu a voz ligeiramente, para que entendessem que não mais falava apenas ao grande fazendeiro. — Eu devo, *porque* sai Overholser é velho suficiente para ser meu pai. Os filhos *dele* estão crescidos, vocês sabem disso, uma moça e um rapaz. — Fez uma pausa, depois fulminou: — Nascidos com dois anos de diferença.

Ambos individuais, não gêmeos, em outras palavras. Ambos a salvo dos Lobos, embora ele não precisasse dizer isso em voz alta. A multidão murmurou.

Overholser corou com um vermelho forte e perigoso.

— Isso é uma coisa dos diabos para se falar. Minha opinião não tem nada a ver com esse negócio de individual ou duplo! Me dê essa pena, Jaffords. Eu preciso dizer mais algumas coisas.

Mas as botas começaram a bater nas tábuas, primeiro devagar, e depois ganhando velocidade até chocalharem como granizo. Overholser olhou em volta furioso, tão rubro agora que estava quase roxo.

— Eu quero falar! — gritou. — Vocês não me escutariam, eu peço.

Gritos de *Não, não, Agora não, Jaffords está com a pena* e *Sente-se e escute* soaram em resposta. Tian teve um vislumbre de que Overholser estava aprendendo — e surpreendentemente tarde na vida — que muitas vezes havia um profundo ressentimento contra o mais rico e mais bem-sucedido da aldeia. Os menos afortunados ou menos espertos (a maioria das vezes eram os mesmos) podiam levantar os chapéus quando a gente rica passava em suas buckas ou carruagens baixas, podiam mandar um porco ou vaca mortos como agradecimento quando a gente rica emprestava seus empregados para ajudar na construção de uma casa ou celeiro, os ricos podiam ser aplaudidos na Assembleia de Fim de Ano por ajudarem a comprar o piano que agora estava na *musica* do Pavilhão. Mas os homens de Calla batiam agora com as botas para abafar a voz de Overholser com uma certa satisfação selvagem.

Overholser, não acostumado a ser barrado dessa maneira — estando no momento perplexo, na verdade —, tentou mais uma vez.

— *Eu gostaria de ter a pena, eu lhes peço!*

— Não — disse Tian. — Mais tarde se quiser, mas agora, não.

Isso chegou a receber *aplausos*, sobretudo dos mais modestos dos pequenos fazendeiros e alguns de seus trabalhadores. Os mannis não se juntaram. Estavam agora amontoados de forma tão compacta que pareciam uma mancha de tinta azul no meio do salão. Era visível que se sentiam espantados com aquela reviravolta. Vaughn Eisenhart e Diego Adams, enquanto isso, aproximaram-se para ladear Overholser e falar-lhe em voz baixa.

Você tem uma chance, pensou Tian. *É melhor aproveitá-la ao máximo.*

Ergueu a pena, e eles se calaram.

— Todos terão a oportunidade de falar — disse. — Quanto a mim, digo o seguinte: não podemos prosseguir desse jeito, simplesmente curvando a cabeça e ficando quietos enquanto os Lobos levam nossas crianças. Eles...

— Sempre as devolvem — disse timidamente um trabalhador chamado Farren Posella.

— *Elas voltam como meras cascas!* — gritou Tian, e ouviram-se alguns gritos de *Escutem ele*. Ainda não é o suficiente, porém, pensou Tian. Não é nem de perto o suficiente. Ainda não.

Tornou a baixar a voz. Não queria discutir com eles. Overholser tentara isso e não chegara a lugar algum, não importava quão grande fosse a sua fazenda.

— Elas voltam como cascas. E o que acontece com a gente? O que isso está fazendo para nós? Alguns podem dizer que nada, que os Lobos sempre fizeram parte de nossa vida em Calla Bryn Sturgis, como se fossem um ciclone ou tremor de terra que ocorrem de vez em quando. Mas não é verdade. Eles vêm há seis gerações, no máximo. Mas Calla está aqui há mil anos ou mais.

O velho manni de ombros ossudos e olhos malignos, meio rosados.

— Ele diz a verdade. Houve fazendeiros aqui... e muita gente manni entre eles... quando a escuridão no Trovão ainda não havia baixado, muito menos os Lobos.

Eles receberam isso com ares de espanto. Isso pareceu satisfazer o velho, que assentiu e sentou-se.

— Assim, quando se pensa no tempo, os Lobos são quase uma coisa nova — disse Tian. — Seis vezes eles vieram e durante talvez cento e vinte ou cento e quarenta anos. Quem pode saber ao certo? Como sabem, o tempo está diferente, de algum modo.

Murmúrios baixos. Alguns assentimentos.

— Em todo caso, uma vez a cada geração — continuou Tian. Tinha consciência que se formava um contingente hostil em torno de Overholser,

Eisenhart e Adams. Ben Slightman podia ou não estar com eles; provavelmente estava. Aqueles homens ele não faria mudarem de ideia mesmo que fosse dotado de uma língua de anjo. Bem, podia passar sem eles, talvez. Se pegasse o resto. — Eles vieram uma vez em cada geração. E quantas crianças levaram? Três dúzias? Quatro?

"Sai Overholser pode não ter bebês agora, mas *eu* tenho; não um par de gêmeos, mas dois. Heddon e Hedda, Lyman e Lia. Amo os quatro, mas em um mês redondo dois deles serão levados. E quando voltarem, serão roont. Qualquer faísca que torne completo um ser humano estará apagada para sempre."

Escutem ele, escutem foram as palavras que varreram a sala como um suspiro.

— Quantos de vocês têm gêmeos sem cabelos além dos da cabeça? — perguntou Tian. — Levantem as mãos.

Seis homens ergueram a mão. Depois oito. Uma dúzia. Toda vez que Tian começava a pensar que eram só aqueles, outra mão relutante se erguia. No fim, contou vinte e dois, e claro que nem todos que tinham filhos estavam ali. Via que Overholser estava consternado com um número tão grande. Diego Adams levantara a mão, e Tian ficou contente por ver que ele se afastara um pouco de Overholser, Eisenhart e Slightman. Três dos mannis haviam erguido a mão. Jorge Estrada, Louis Haycox. Muitos outros ele conhecia, o que não era surpreendente, na verdade; conhecia quase todos aqueles homens. Provavelmente todos, a não ser alguns sujeitos errantes que trabalhavam em pequenas fazendas por salários modestos e comida quente.

— Cada vez que eles vêm e levam nossas crianças, levam um pouco mais de nosso coração e nossa alma — disse Tian.

— Ora, vamos — disse Eisenhart. — Isso é um pouco de exagero...

— Cale a boca, fazendeiro — disse uma voz. Era de um homem que chegara atrasado, o da cicatriz na testa. Era chocante em sua raiva e desdém. — Ele está com a pena. Deixe-o falar até o fim.

Eisenhart virou-se para marcar quem lhe falara desse jeito. Viu, e não deu resposta. E Tian não se surpreendeu.

— Obrigado, père — respondeu Tian, em voz calma. — Já estou quase acabando. Fico pensando nas árvores. A gente tira as folhas de uma árvore forte e ela vive. Talha muitos nomes na casca e a casca torna a crescer. A gente pode até tirar um pouco do miolo, que ela vive. Mas se continuar tirando o miolo, vai chegar uma hora em que mesmo a árvore mais forte morre. Eu já vi isso acontecer na minha fazenda, e não é nada bonito. Elas morrem de dentro pra fora. A gente vê nas folhas, que vão ficando amarelas do tronco até a ponta dos galhos. E é isso que os Lobos estão fazendo a esta pequena cidade. O que estão fazendo com nossa Calla.

— Escutem ele! — gritou Freddy Rosario, da fazenda vizinha. — Escutem muito bem ele.

Ele próprio tinha gêmeos, embora ainda fossem de peito e provavelmente estivessem a salvo. Tian prosseguiu:

— Vocês dizem que se resistirmos e lutarmos eles matarão todos nós e incendiarão Calla da fronteira leste à oeste.

— *É* — disse Overholser. — É o que eu digo. E não sou o único. — De toda a sua volta vieram rumores de concordância.

— No entanto, toda vez que simplesmente ficamos de lado, de cabeça baixa e mãos abertas enquanto os Lobos levam o que nos é mais caro que nossas colheitas, casas ou celeiros, eles tiram um pouco mais do miolo da árvore que é esta aldeia! — Tian falou forte, agora de pé, ainda com a pena erguida em uma das mãos. — Se não nos levantarmos e lutarmos logo, nós mesmos seremos roonts!

Brados de *Escutem ele!* Botas batendo no chão com força. Até mesmo alguns aplausos.

George Telford, outro fazendeiro de gado, sussurrou brevemente para Eisenhart e Overholser. Eles escutaram e balançaram a cabeça. Telford levantou-se. Tinha cabelos prateados, era bronzeado e bonitão, naquela maneira curtida que as mulheres pareciam gostar.

— Já acabou, filho? — perguntou bondosamente, como se perguntaria a uma criança se já brincara o bastante por uma tarde e estava pronta para ir dormir.

— É, acho que sim — disse Tian.

Sentia-se de repente desanimado. Telford não era um fazendeiro na mesma escala de Vaughn Eisenhart, mas tinha uma língua de prata. Tian sentiu que ia perder aquela, afinal.

— Pode me dar a pena, então?

Tian pensou em retê-la, mas de que ia adiantar? Falara o melhor que pudera. Tentara. Talvez ele e Zalia devessem arrumar a trouxa e ir para o oeste eles próprios, de volta às Médias. Lua a lua até os Lobos chegarem, segundo Andy. Podia-se ter uma boa dianteira em relação ao problema em trinta dias.

Passou a pena.

— Todos apreciamos o ardor do jovem sai Jaffords, e certamente ninguém duvida de sua coragem — disse George Telford. Falava com a pena colada no lado esquerdo do peito, sobre o coração. Os olhos percorriam a plateia, parecendo encarar, encarar com *simpatia*, cada homem. — Mas temos de pensar tanto nas crianças que ficariam quanto nas que seriam levadas, não temos? Na verdade, temos de proteger todas as crianças, sejam gêmeos, trigêmeos ou individuais, como o sai Aaron de Jaffords.

Voltou-se então para Tian.

— Que dirão vocês a seus filhos quando os Lobos atirarem nas mães deles e talvez atearem fogo aos grand-pères com suas varas de fogo? Que podem dizer para normalizar o barulho daqueles gritos a noite toda? Para suavizar o cheiro de peles e colheitas queimadas? São essas as *almas* que estaremos salvando? Ou o miolo da *árvore* de uma árvore de faz de conta?

Fez uma pausa, dando a Tian uma chance de responder, mas Tian não tinha uma resposta a dar. Quase os conquistara... mas não contara com Telford. O filho da puta da língua de veludo, que também havia muito passara da idade em que precisaria se preocupar com a batida dos Lobos na sua porta, nos grandes cavalos cinzentos.

Telford assentiu como se o silêncio de Tian não fosse mais que o esperado, e tornou a voltar-se para os bancos.

— Quando os Lobos chegam — disse —, vêm com armas que despejam fogo... as varas de fogo, como sabem... e armas, e coisas voadoras de metal. Não me lembro do nome dessas...

— Bolas que zumbem — gritou alguém.

— Bolas de fogo — gritou outro.

— Invisíveis! — gritou um terceiro.

Telford balançava a cabeça e sorria cordialmente. Um professor com bons alunos.

— Sejam o que forem, cruzam o ar voando e buscam os alvos, e quando localizam, lançam lâminas voadoras afiadas como navalhas. Podem despir uma pessoa da cabeça aos pés em cinco segundos, não deixando nada em cima além de um círculo de sangue e pelos. Não duvidem de mim, *pois eu vi*.

— *Escutem ele, escutem bem ele!* — gritaram os homens nos bancos. — Tinham os olhos arregalados e assustados.

— Os próprios Lobos são terríveis — prosseguiu Telford, passando suavemente de uma história de beira de fogueira para outra. — Parecem um pouco com os homens, mas não são homens, mas algo maior e muito mais aterrorizante. E aqueles a quem eles servem no distante Trovão são ainda mais terríveis. Vampiros, eu soube. Homens com cabeça de pássaro e outros animais, talvez. Ronins insepultos com capacete quebrado. Guerreiros do Olho Escarlate.

Os homens murmuraram. Até Tian sentiu um arrepio na espinha à menção do Olho.

— Os Lobos eu vi; o resto me contaram — continuou Telford. — E embora eu não acredite em tudo, acredito em muita coisa. Mas esqueçam o Trovão e o que pode estar vivendo lá. Fiquemos com os Lobos. Eles é que são nosso problema, e são problema suficiente. Sobretudo quando aparecem armados até os dentes! — Balançou a cabeça, com um sorriso sombrio. — Que faríamos nós? Será que podemos derrubá-los dos cavalos cinzentos com foices, sai Jaffords? Você acha?

Uma risada de escárnio acolheu isso.

— Não temos armas que resistam contra eles — disse Telford. Era agora seco e prático, um homem dizendo ao que tudo se resumia. — Mesmo que as tivéssemos, somos camponeses, fazendeiros e criadores de gado, não guerreiros. Nós...

— Pare com essa conversa de covarde, Telford. Devia envergonhar-se.

Arquejos chocados receberam esse arrepiante pronunciamento. Costas e pescoços estalaram, quando os homens se voltaram para ver quem falara. Devagar, pois, como para dar-lhes exatamente o que esperavam, o recém-chegado de cabelos prateados e barba longa, usando um longo capote de gola dobrada, levantou-se lentamente do banco no fundo da sala. A cicatriz em sua testa — em forma de cruz — brilhava à luz das lâmpadas de querosene.

Era o Velho.

Telford recuperou-se com relativa rapidez, mas quando falou, Tian achou que ele ainda parecia estar chocado.

— Peço perdão, père Callahan, mas sou eu que estou com a pena...

— Para o inferno com sua pena infiel e com seu covarde conselho — disse père Callahan.

Desceu o corredor central, andando com o sombrio balanço da artrite. Não era tão velho quanto o sábio manni, nem o grand-père de Tian (que diziam ser a pessoa mais velha não apenas ali, mas em Calla Lockwood ao sul), mas parecia de algum modo até mais velho que os dois. Mais velho que as eras. Alguma coisa disso sem dúvida tinha a ver com os olhos apreensivos que viam o mundo debaixo da cicatriz na testa (Zalia dizia que ele mesmo a fizera). Também tinha a ver com o *som* da sua voz. Embora estivesse ali havia anos suficientes para construir aquela estranha igreja do Homem Jesus e converter metade de Calla à sua doutrina espiritual, nem mesmo um estranho chegaria a acreditar que père Callahan era *dali*. A estrangeirice estava na fala carregada e anasalada e no muitas vezes obscuro jargão que usava ("gíria de rua", como a chamava). Sem dúvida viera de um daqueles outros mundos de que os mannis viviam falando, embora nunca mencionasse isso e Calla Bryn

Sturgis agora fosse a sua terra. Tinha aquela autoridade seca e inquestionável que tornava difícil negar seu direito a falar, com ou sem a pena.

Mais jovem que o grand-père de Tian ele podia ser, mas père Callahan ainda era o Velho.

4

Agora ele examinava os homens de Calla Bryn Sturgis, sem sequer olhar para George Telford. A pena cedia na mão deste. Ele se sentou no primeiro banco, ainda segurando-a.

Callahan começou com um dos seus termos de gíria, mas eles eram fazendeiros e ninguém precisou pedir explicações para entender.

— Isso é titica de galinha.

Examinou-os por mais tempo. A maioria não retribuiu o seu olhar. Após um instante, até Eisenhart e Adams baixaram os olhos. Overholser manteve a cabeça erguida, mas sob o duro olhar do Velho parecia mais petulante que desafiador.

— Titica de galinha — repetiu o homem de capote preto e gola dobrada, enunciando cada sílaba.

Uma pequena cruz de ouro luziu sob a dobra da gola dobrada para trás. Na testa, a outra cruz — a que Zalia dizia que ele fizera na própria carne com a unha do polegar, como parte da penitência por algum pecado terrível — fulgia sob as lâmpadas como uma tatuagem.

— Este rapaz não é um dos meus, mas ele tem razão, e eu acho que todos vocês sabem disso. Sabem em seu coração. Mesmo você, sr. Overholser. E você, George Telford.

— Não sei nada disso — disse Telford, mas a voz era fraca e despida daquele outrora encanto persuasivo.

— Todas as suas mentiras vão deixá-los zarolhos, era o que minha mãe lhes teria dito.

Callahan deu a Telford um sorriso fino que Tian não queria dirigido a si. E então Callahan se voltou para ele.

— Eu nunca vi a coisa mais bem posta do que da maneira que você colocou esta noite, filho. Nós agradecemos, sai.

Tian ergueu a mão débil e conseguiu dar um sorriso mais débil ainda. Sentia-se como uma personagem em uma peça bobinha de um festival, salvo no último instante por uma improvável intervenção sobrenatural.

— Eu sei um pouco sobre covardia, e que isso sirva a vocês — disse Callahan aos homens no banco. Ergueu a mão direita, deformada e retorcida por uma velha queimadura, olhou-a fixo e deixou-a cair ao lado. — Pode-se dizer que tenho experiência pessoal. Sei como uma decisão covarde leva a outra... e a outra... e a outra... até ser tarde demais para voltar atrás, tarde demais para mudar. Sr. Telford, eu lhe garanto que a árvore da qual o jovem sr. Jaffords falou não é faz de conta. Calla corre sério perigo. Suas *almas* correm perigo.

— Ave-Maria, cheia de graça — disse alguém no lado esquerdo da sala —, o Senhor é convosco. Bendito o fruto do vosso ventre, Je...

— Pare com isso — cortou Callahan. — Guarde pro domingo. — Seus olhos, faíscas azuis, estudavam os homens. — Por esta noite, esqueçam Deus, Maria e o Homem Jesus. Esqueçam também os bastões de luz e as bolas que zumbem dos Lobos. Vocês têm de lutar. São os homens de Calla, não são? Então *ajam* como homens. Parem de se comportar como cachorros se arrastando de barriga no chão para lamber as botas de um amo cruel.

Overholser ruborizou intensamente com isso, e começou a levantar-se. Diego Adams agarrou o seu braço e falou-lhe ao ouvido. Por um instante, Overholser permaneceu como estava, paralisado em uma espécie de agachamento, e depois voltou a sentar-se. Adams levantou-se.

— Soa bem, *padrone* — disse com seu sotaque pesado. — Soa corajoso. Mas ainda sobram algumas perguntas, talvez. Haycox fez uma delas. Como podem fazendeiros e camponeses levantar-se contra assassinos armados?

— Contratando assassinos armados nossos — respondeu Callahan.

Houve um momento de absoluto e pasmo silêncio. Era quase como se o Velho houvesse passado para outra língua. Finalmente Adams disse, cautelosamente:

— Eu não compreendo.

— Claro que não — disse o Velho. — Então ouçam e aprendam, fazendeiro Adams e todos vocês, escutem e aprendam. A menos de seis dias de cavalo a noroeste de nós, e seguindo para sudeste pelo Caminho do Feixe, vêm três pistoleiros e um "aprendiz". — Sorriu do espanto deles. Depois se voltou para Slightman. — O "aprendiz" não é muito mais velho que seu filho Ben, mas já é tão rápido quanto uma serpente e mortal como um escorpião. Os outros são de longe mais rápidos e mortais. Eu soube por Andy, que os viu. Querem chumbo grosso? Estão à disposição. Sei e garanto o que estou dizendo.

Desta vez, Overholser se levantou. O rosto ardia como se estivesse febril, e a grande barriga tremia.

— Que história de ninar é essa? — perguntou. — Se é que já existiram tais homens, deixaram de existir com Gilead. E Gilead é poeira no vento há mil anos.

Não houve murmúrios de apoio ou contestação. Não houve murmúrios de espécie alguma. A multidão continuava paralisada, presa na reverberação daquela única palavra mítica: *pistoleiros*.

— Você está errado — disse Callahan —, mas não precisamos brigar por isso. Vamos ver por nós mesmos. Um pequeno grupo já vai servir, eu acho. O Jaffords aqui... eu próprio... e que tal você, Overholser? Quer vir?

— *Não existem pistoleiros* — rugiu Overholser.

Às suas costas, levantou-se Jorge Estrada.

— Père Callahan, que a graça de Deus recaia sobre o senhor...

— ... e sobre você, Jorge.

— ... mas mesmo que *existissem* pistoleiros, como poderiam três deles resistir a quarenta ou sessenta? E não quarenta ou sessenta homens normais, mas quarenta ou sessenta *Lobos*?

— Escutem ele, o que ele diz faz sentido! — gritou Eben Took, o dono do armazém.

— E por que eles iriam lutar por nós? — continuou Estrada. — Nós conseguimos viver de um ano para outro, não mais. Que poderíamos oferecer a eles, além de algumas refeições quentes? E quem aceita morrer por comida?

— *Escutem ele, escutem ele!* — gritaram em uníssono Telford, Overholser e Eisenhart. Os outros bateram com as botas nas tábuas.

O Velho esperou até que a balbúrdia cessasse e disse:

— Eu tenho livros na casa paroquial. Meia dúzia.

Embora a maioria deles soubesse disso, a ideia de livros — todo aquele papel — ainda provocou um suspiro geral de admiração.

— Segundo um deles, os pistoleiros eram proibidos de aceitar recompensas. Supõe-se que seja por serem descendentes de Arthur Eld.

— O Eld! O Eld! — sussurraram os mannis, e vários ergueram punhos no ar com o primeiro e o quarto dedos esticados.

O sinal do chifre, pensou o Velho. *Vai, Texas*. Conseguiu abafar uma risada, mas não o sorriso que aflorou aos seus lábios.

— Estamos falando dos homens de lei que vagam pela terra, fazendo boas ações? — perguntou Telford em uma voz ligeiramente zombeteira. — Certamente que você já passou da idade para cair nessas histórias, Père.

— Não são homens da lei — disse pacientemente Callahan. — São *pistoleiros*.

— Como podem três homens resistir aos Lobos, père? — ouviu-se perguntar Tian.

Segundo Andy, um dos pistoleiros era na verdade uma mulher, mas Callahan não viu necessidade de turvar as águas mais ainda (mesmo que uma parte travessa dele ficasse com vontade).

— Isso é uma questão para o dinh deles, Tian. Vamos perguntar a ele. E eles não estariam lutando apenas por um prato de comida, você sabe. De jeito nenhum.

— Por que mais, então? — perguntou Bucky Javier.

Callahan achava que eles iam querer a coisa que estava debaixo do assoalho de sua igreja. E isso era bom, porque aquela coisa acordara. O Velho, que um dia fugira de um lugar chamado Jerusalem's Lot em outro mundo, queria livrar-se dela. Se não se livrasse dela em breve, ela ia matá-lo.

O ka chegara a Calla Bryn Sturgis. Ka como o vento.

— Tudo em seu tempo, sr. Javier — disse. — Tudo na hora certa, sai.

Enquanto isso, começara um sussurro no Salão da Assembleia. Percorreu os bancos de boca em boca, uma brisa de esperança e medo.

Pistoleiros.

Pistoleiros a oeste, vindos do Mundo Médio.

E era verdade, que Deus os ajudasse. Os últimos filhos letais de Arthur Eld, avançando para Calla Bryn Sturgis pelo Caminho do Feixe. Ka como o vento.

— Hora de ser homens — disse-lhes père Callahan. Por baixo da cicatriz na testa, os olhos ardiam como lâmpadas. Mas seu tom não deixava de expressar compaixão. — Hora de resistir, cavalheiros. Hora de resistir e ser verdadeiros.

PARTE 1
TODASH

1. O ROSTO NA ÁGUA

1

O tempo é um rosto na água: era um provérbio de muito tempo atrás, na distante Mejis. Eddie Dean jamais estivera lá.

Só que estivera, de certa forma. Roland carregara todos os quatro companheiros — Eddie, Susannah, Jake, Oi — para Mejis uma noite, contando uma longa história quando acamparam na Interestadual 70, no Pedágio do Kansas, em um Kansas que jamais existira. Naquela noite contara-lhes a história de Susan Delgado, seu primeiro amor. Talvez seu único amor. E como a perdera.

O ditado poderia ter sido verdadeiro quando Roland era um garoto não muito mais velho do que Jake Chambers, mas Eddie o achava ainda mais verdadeiro agora, quando o mundo se enrolava como a mola principal de um relógio antigo. Roland contara-lhes que não se podia confiar nem mesmo em coisas básicas como os pontos cardeais no Mundo Médio; o que era inequivocadamente oeste hoje podia ser *sudoeste* amanhã, por mais loucura que isso parecesse. Havia dias que Eddie juraria que duravam quarenta horas, alguns deles seguidos por noites (como aquela em que Roland os levara a Mejis) que pareciam ainda mais compridas. Mas então havia tardes em que parecia que quase era possível ver a escuridão se precipitando pelo horizonte ao seu encontro. Eddie se perguntou se o tempo se perdera.

Haviam viajado (através de adivinhações) para fora de uma cidade chamada Lud no Mono Blaine. *Blaine é um saco,* dissera Jake em várias ocasiões, mas ele — ou a coisa — revelara ser muito mais que um saco; o Mono Blaine era completamente insano. Eddie matara-o com falta de lógica ("Uma coisa em que você é bom sem precisar se esforçar, docinho", dissera-lhe Susannah), e haviam desembarcado do trem em uma Topeka que não fazia exatamente parte do mundo do qual vinham Susannah, Jake e ele. O que era bom, na verdade, porque aquele mundo — em que o time profissional de beisebol Kansas City se chamava Os Monarcas, a Coca-Cola se chamava Nar-izz-Cola e o grande fabricante de carros japoneses era Takuro e não Honda — fora arrasado por algum tipo de peste que matara quase todo mundo. *Então, mete* essa *no seu Takuro Spirit e pé no acelerador*, pensou Eddie.

Ele conseguira sentir bem a passagem do tempo durante tudo isso. A maior parte do tempo ele estivera se cagando de medo — achava que todos eles haviam estado, com exceção talvez de Roland —, mas, sim, parecera real e tangível. Ele não tivera aquela sensação de tempo escorrendo pelas mãos nem mesmo quando andava pela I-70 com as balas servindo como tampão para os ouvidos, olhando o tráfego paralisado e ouvindo o zumbido do que Roland chamara de lúmina.

Mas após o confronto no palácio de cristal com o velho amigo de Jake, o Homem do Tique-Taque, e o velho amigo de Roland (Flagg... ou Marten... ou — apenas talvez — Maerlyn), o tempo mudara.

Não imediatamente, porém. Nós viajamos naquela porra daquele projétil cor-de-rosa... vimos Roland matar a própria mãe por engano... e quando voltamos...

Sim, fora quando acontecera. Haviam despertado em uma clareira a uns cinquenta quilômetros do Palácio Verde. Ainda podiam vê-lo, mas todos haviam compreendido que ficava em outro mundo. Alguém — ou alguma força — transportara-os sobre ou através da lúmina de volta ao Caminho do Feixe. Quem ou o que houvesse sido na verdade tivera consideração suficiente para preparar um lanche para cada um, completo até com refrigerantes Nar-izz-Cola e pacotes mais reconhecíveis de cookies Keebler.

Perto deles, grudado em um tronco de árvore, estava um bilhete do ser que Roland quase conseguira matar no Palácio: "Renuncie à Torre. Este é seu último aviso". Até parece. Roland renunciaria à Torre tanto quanto mataria o billy-malhado de estimação de Jake, e depois o assaria em um espeto para o jantar. *Nenhum* deles renunciaria à Torre Negra de Roland. Que Deus os ajudasse, estavam naquilo para ir até o fim.

Ainda temos um pouco de luz do dia, dissera Eddie no dia em que encontraram o bilhete de advertência de Flagg. *Quer aproveitá-la ou não?*

Sim, respondera Roland de Gilead. *Vamos aproveitá-la.*

E assim haviam feito, seguindo o Caminho do Feixe pelos intermináveis campos abertos separados uns dos outros por cinturões de mato baixo emaranhado, irritante. Não havia sinal de outras pessoas. Os céus haviam permanecido baixos e nublados dia após dia e noite após noite. Como seguiam o Caminho do Feixe, as nuvens diretamente acima às vezes rolavam e abriam-se, revelando pedaços de azul, mas nunca por muito tempo. Uma noite abriram-se o suficiente para revelar uma lua cheia, com uma feição visível no meio: o desagradável e cúmplice sorriso de olhos entrecerrados do Mascate. Pelos cálculos de Roland isso queria dizer que estavam se aproximando do final do verão, mas para Eddie parecia metade de tempo nenhum, o mato na maior parte derreado ou até mesmo morto, as árvores (as poucas que havia) nuas, o matagal esquálido e pardo. Havia pouca caça, e pela primeira vez em semanas — desde que deixaram a floresta governada por Shardik, o urso ciborgue — às vezes iam para a cama com a barriga não inteiramente cheia.

Mas nada disso, pensava Eddie, era tão irritante quanto a sensação de haverem perdido a noção do tempo: horas, dias, semanas, *estações*, pelo amor de Deus. A lua podia ter dito a Roland que era fim de verão, mas o mundo em volta deles parecia mais a primeira semana de novembro, cochilando sonolenta rumo ao inverno.

O tempo, concluiu Eddie nesse período, era em grande parte criado por fatores externos. Quando coisas interessantes aconteciam, o tempo parecia passar rápido. Se se ficava atolado em nada além da merda habitual de sempre, ele reduzia a marcha. E quando *tudo* parava, o tempo aparentemente cessava por completo. Simplesmente fazia as malas e ia para Coney Island. Estranho, mas verdade.

Havia tudo parado de acontecer?, questionou-se Eddie (e com nada a fazer além de empurrar a cadeira de rodas de Susannah por um modorrento campo após o outro, havia tempo de sobra para pensar). A única singularidade em que podia pensar desde que retornara do Globo do Mago era o que Jake chamara de Número Misterioso, e isso provavelmente não queria dizer nada. Haviam precisado resolver uma charada matemática no Berço de Lud para chegar a Blaine, e Susannah sugerira que o Número Misterioso fosse um remanescente disso. Eddie estava longe de ter certeza de que ela tivesse razão, mas, bem, era uma teoria.

E, realmente, o que poderia haver de tão especial no número dezenove? O Número Misterioso, de fato. Após pensar um pouco, Susannah salientara que era ao menos um número primo, como os que haviam aberto o portão entre eles e o Mono Blaine. Eddie acrescentara que era o único que vinha entre o dezoito e o vinte toda vez que a gente contava. Jake rira disso e lhe dissera para deixar de ser babaca. Eddie, sentado junto à fogueira do acampamento a esculpir um coelho (quando terminasse ia juntá-lo ao gato e ao cachorro já na sua mochila), mandara-o parar de sacanear o seu único verdadeiro talento.

2

Talvez fizesse umas cinco ou seis semanas desde que haviam retornado ao Caminho do Feixe quando chegaram a dois sulcos duplos antigos, que haviam sem dúvida alguma sido um dia uma estrada. Não acompanhava exatamente o Caminho do Feixe, mas Roland desviou-se um pouco e conduziu-os por ali assim mesmo. Tinha semelhança o suficiente com o Feixe para servir ao propósito deles, disse o pistoleiro. Eddie achou que o fato de estarem mais uma vez na estrada poderia rearrumar as coisas, ajudá-los a sacudir aquela enlouquecedora sensação de pasmaceira nas Latitudes do Cavalo, mas isso não aconteceu. A estrada levou-os acima para o outro lado de uma série ascendente de campos que pareciam degraus. Acabaram chegando ao topo de um longo cume norte-sul. Quase uma floresta de conto de fadas, pensou Eddie ao passarem por suas sombras. Susannah acertou com a pistola um pequeno gamo no segundo dia na floresta (ou talvez fosse o terceiro... ou quarto), e a carne era deliciosa, após uma constante dieta de burritos vegetarianos, mas não se viam quaisquer ogros ou duendes travessos nas profundas sendas, nem elfos — Keebler ou outra forma. E tampouco mais gamos.

— Eu não paro de procurar a casinha de doces — disse Eddie. Àquela altura, já fazia vários dias que vinham serpeando por entre as esplêndidas árvores antigas. Ou talvez já tivesse passado até uma semana. Tudo que ele sabia com certeza era que continuavam relativamente próximos do Caminho do Feixe. Viam-no no céu... e sentiam-no.

— Que casinha de doces é esta? — perguntou Roland. — É outra história? Se for, gostaria de ouvir.

Claro que gostaria. O cara era fanático por histórias, sobretudo aquelas que começavam com um "Era uma vez, quando todo mundo morava na floresta". Mas a maneira como ouvia era um tanto esquisita. Meio distanciado. Eddie comentara isso com Susannah, e ela acertara em cheio com uma única explicação, como muitas vezes fazia. Tinha uma capacidade poética misteriosa, quase estranha, de pôr sentimentos em palavras, encaixando-os no lugar.

— É porque ele não as escuta com olhos arregalados como uma criança na hora de dormir — disse. — Assim é só como você *quer* que ele escute, docinho.

— E como *é* que ele escuta?

— Como um antropólogo — respondeu ela prontamente. — Como um antropólogo tentando entender uma cultura estranha por meio de seus mitos e suas lendas.

Ela estava certa. E se a maneira de escutar de Roland o deixava incomodado, provavelmente era porque em seu coração Eddie achava que se alguém devia ouvir histórias como cientistas, seriam ele, Suze e Jake. Pois os três vinham de um onde e um quando mais sofisticados. Não vinham?

Se vinham ou não, os quatro haviam descoberto que uma grande quantidade de histórias era comum aos dois mundos. Roland conhecia uma chamada "O Sonho de Diana", estranhamente semelhante a "A Dama ou o Tigre", que todos os três nova-iorquinos exilados haviam lido na escola. A de Lorde Perth parecia-se muito com a história de Davi e Golias, da Bíblia. Roland ouvira muitos relatos do Homem Jesus, que morrera na cruz para redimir os pecados do mundo, e disse a Eddie, Susannah e Jake que Jesus tinha Sua razoável parcela de seguidores no Mundo Médio. Também havia músicas comuns aos dois mundos. "Careless Love" era uma. "Hey Jude", outra, embora no mundo de Roland a primeira frase da letra fosse: "Hey Jude, I see you, lad".

Eddie passou no mínimo uma hora contando a Roland a história de João e Maria, transformando a perversa bruxa comedora de crianças em Rhea do Cöos quase sem perceber. Quando chegou à parte em que ela tentava engordar as crianças, ele se interrompeu e perguntou a Roland:

— Conhece esta? Uma versão desta?

— Não — disse Roland —, mas é uma bela história. Conte até o fim, por favor.

Eddie contou, concluindo com o protocolar *E viveram felizes para sempre*, e o pistoleiro aquiesceu.

— Ninguém nunca vive feliz para sempre, mas deixamos as crianças aprenderem isso por conta própria, não é?

— Sim — disse Jake.

Oi trotava nos calcanhares do menino, olhando para Jake com a expressão habitual de pacata adoração nos olhos debruados de dourado.

— Sim — disse o malhado, copiando exatamente a inflexão um tanto melancólica do garoto.

Eddie passou um braço pelos ombros de Jake.

— É uma pena você estar aqui e não em Nova York — disse. — Se estivesse na Big Apple, menino Jake, na certa teria seu próprio psiquiatra infantil a esta altura. Estaria resolvendo esses problemas com seus pais. Indo ao fulcro dos conflitos não resolvidos. Talvez tomando alguns remédios também. Ritalina, essas coisas.

— No todo, eu prefiro estar aqui — disse Jake, e baixou o olhar para Oi.

— Sim — disse Eddie. — Eu não o culpo.

— Essas histórias se chamam "contos de fada" — disse Roland.

— Sim — repetiu Eddie.

— Mas não havia fadas nessa.

— Não — concordou Eddie. — Isso é mais como uma categoria do que qualquer outra coisa. Em nosso mundo, a gente tem as histórias de detetive e suspense... de ficção científica... faroestes... os contos de fada. Sacou?

— É — disse Roland. — As pessoas do seu mundo sempre querem apenas histórias de um só sabor? Só um gosto na boca?

— Eu acho que isso chega bastante perto — disse Susannah.

— Ninguém come ensopado? — perguntou Roland.

— Às vezes uma ceia — disse Eddie —, mas quando se trata de diversão, a gente tende a ficar com um sabor de cada vez, e não deixa coisa nenhuma tocar em outra no prato. Embora pareça chato quando se diz assim.

— Quantas dessas histórias de contos de fada você diria que existem?

Sem hesitação — e certamente sem conluio —, Eddie, Susannah e Jake disseram a mesma palavra exatamente na mesma hora:

— Dezenove!

E um instante depois Oi repetia em sua voz rouca:

— De-enove!

Olharam-se uns aos outros e riram, porque "dezenove" se tornara uma espécie de palavra-chave entre eles, substituindo "cascata", que Jake e Eddie haviam desgastado demais. Mas o riso tinha um traço de nervosismo, porque aquele negócio de dezenove se tornara meio esquisito. Eddie vira-se talhando-o no lado de seu mais recente animal de madeira, como uma marca: *Ei, você, chapa, bem-vindo à nossa farra! Nós a chamamos de Bar-Dezenove*. Susannah e Jake haviam confessado que traziam lenha para a fogueira noturna em braçadas de dezenove achas. Nenhum deles soube dizer por quê; apenas parecia correto fazer assim, de alguma forma.

Depois houvera a manhã em que Roland os parara na borda da mata pela qual viajavam então. Apontara para o céu, onde uma árvore particularmente antiga deitara os galhos. A forma que os galhos tomavam contra o céu era o número 19. Visivelmente 19. Todos o tinham visto, mas Roland o vira primeiro.

Contudo Roland, que acreditava em presságios e portentos tão rotineiramente quanto Eddie acreditava em lâmpadas elétricas e baterias AA, tinha uma tendência de descartar a curiosa e súbita paixão do seu ka-tet pelo número. Eles haviam se tornado próximos, disse, tão próximos quanto seria possível para qualquer ka-tet, assim os pensamentos, hábitos e pequenas obsessões tendiam a espalhar-se entre eles todos, como um resfriado. Ele achava que Jake facilitava isso em certa medida.

— Você tem o toque, Jake — disse. — Não sei se é tão forte em você quanto em meu velho amigo Alain, mas, pelos deuses, eu creio que pode ser.

— Eu não sei do que você está falando — respondeu Jake, franzindo o cenho intrigado.

Eddie sabia — mais ou menos — e calculava que Jake ia saber, com o tempo. Se o tempo algum dia recomeçasse a andar normalmente, quer dizer.

E no dia em que Jake trouxe os bolinhos, isso aconteceu.

3

Haviam parado para o almoço (mais burritos vegetarianos sem graça, a carne de gamo acabara e os cookies Keebler nada mais eram que uma gostosa lembrança), quando Eddie percebeu que Jake desaparecera e perguntou ao pistoleiro se sabia aonde fora o garoto.

— Deu o fora cerca de meia roda atrás — disse Roland, e apontou a estrada com os dois dedos restantes da mão direita. — Ele está bem. Se não estivesse, nós todos sentiríamos.

Roland olhou o seu burrito e deu uma mordida desanimada.

Eddie abriu a boca para dizer outra coisa, mas Susannah se adiantou.

— Aí está ele. Ei, doçura, que é que tem aí?

Jake tinha os braços cheios de umas coisas redondas do tamanho de bolas de tênis. Só que aquelas jamais iriam ricochetear; pequenos chifres brotavam delas. Quando o garoto se aproximou mais, Eddie sentiu o cheiro das bolas, e era maravilhoso — como pão recém-assado.

— Acho que podem ser boas de comer — disse Jake. — Cheiram à massa de pão fermentada que minha mãe e a sra. Shaw… a governanta… compravam no Zabar's. — Olhou para Susannah e Eddie, sorrindo um pouco. — Vocês conhecem o Zabar's?

— Eu com certeza — disse Susannah. — O melhor de tudo, huummm. E cheiram *mesmo* bem. Ainda não comeu nenhum, comeu?

— Nem pensar. — Lançou um olhar interrogador a Roland.

O pistoleiro pôs fim ao suspense pegando uma, quebrando os chifres e mordendo o que restou.

— Bolinhas de muffin — disse. — Não vejo uma há sabe Deus quanto tempo. São maravilhosas. — Os olhos azuis brilhavam. — Não comam os chifres; não são venenosos, mas azedos. Podemos fritá-los, se restou um pouco da gordura do gamo. Assim pegarão o gosto de carne.

— Parece uma boa ideia — disse Eddie. — Pode ficar com eles. Quanto a mim, acho que vou passar os bolinhos de cogumelo, ou seja lá o que forem.

— Não são cogumelos — disse Roland. — Parecem mais uma espécie de fisális.

Susannah pegou um, mordiscou-o e deu uma dentada maior.

— Você não vai querer passar isto, querido — disse. — O amigo do meu pai, tio Mose, diria: "Estas são de *primeira*". — Pegou outra das bolinhas de muffin de Jake e correu o dedo pela superfície sedosa.

— Talvez — disse Eddie —, mas eu li um livro para uma resenha no ensino médio… acho que se chamava *Sempre vivemos no castelo*… em que uma garota maluca envenenava a família toda com coisas parecidas com essas. — Curvou-se para Jake, erguendo as sobrancelhas e esticando os cantos da boca no que esperava ser um sorriso sombrio. — Envenenou a família inteira e eles morreram em *A-gonia*!

Eddie caiu do tronco em que se sentava e começou a rolar sobre as agulhas de pinheiro e folhas caídas, fazendo caretas e ruídos de engasgamento. Oi corria em volta dele, repetindo o nome de Eddie em uma série de latidos agudos.

— Pare com isso — disse Roland. — Onde encontrou essa coisa, Jake?

— Lá atrás — respondeu Jake. — Em uma clareira que avistei da trilha. Está *cheia* dessas coisas. E também, se estão querendo carne... eu sei que eu quero... há todo tipo de sinais. Muitos frescos. — Vasculhou com os olhos o rosto de Roland. — Muito... frescos. — Falou devagar, como a alguém não fluente na língua.

Um sorriso brincou nos cantos da boca de Roland.

— Fale baixo mas claro — disse. — Que é que o preocupa, Jake?

Quando Jake respondeu, os lábios mal davam a forma das palavras.

— Tinha uns homens me vigiando enquanto eu colhia os bolinhos. — Fez uma pausa e acrescentou: — Estão nos vigiando agora.

Susannah pegou um dos bolinhos, admirou-o, depois se inclinou como se para cheirá-lo.

— Lá atrás por onde a gente veio? À direita da trilha?

— É — disse Jake.

Eddie levou o punho fechado à boca, como para abafar uma tosse, e disse:

— Quantos?

— Acho que quatro.

— Cinco — disse Roland. — Talvez até seis. Um é uma mulher. Outro um menino não muito mais velho que Jake.

Jake olhou-o, espantado. Eddie perguntou:

— Há quanto tempo estão lá?

— Desde ontem — disse Roland. — Passaram a seguir-nos desde o leste.

— E você não falou pra gente? — perguntou Susannah, um tanto severamente, sem se dar ao trabalho de cobrir a boca e disfarçar a forma das palavras.

Roland olhou-a com o mais tênue brilho no olhar.

— Eu estava curioso em saber quem de vocês seria o primeiro a farejá-los. Na verdade, apostava em você, Susannah.

Ela lançou-lhe um olhar frio e não disse nada. Eddie pensou que havia mais que um pouco de Detta Walker naquele olhar, e sentiu-se contente por não vê-lo dirigido a si próprio.

— O que fazemos com eles? — perguntou Jake.

— Por enquanto, nada — disse o pistoleiro.

Jake visivelmente não gostou disso.

— E se eles forem iguais ao ka-tet de Tique-Taque? Gasher, Hoots e aqueles caras?

— Não são.

— Como você sabe?

— Porque já teriam nos atacado e virado comida de moscas.

Não parecia haver uma boa resposta para isso, então pegaram a estrada de novo. A trilha serpenteava por entre sombras profundas, abrindo caminho no meio de árvores seculares. Não haviam andado mais que vinte minutos quando Eddie ouviu o barulho de seus perseguidores (ou seguidores): galhos partidos, mato baixo farfalhando, uma vez até uma voz baixa. Dicas, na terminologia de Roland. Eddie estava irritado consigo mesmo por não tê-los percebido durante tanto tempo. Também ficou pensando no que aqueles caras faziam para ganhar a vida. Se era seguir a caça e deitar armadilhas, não eram lá muito bons nisso.

Eddie Dean tornara-se parte do Mundo Médio de muitas formas, algumas tão sutis que ele mesmo não tinha consciência delas, mas ainda pensava nas distâncias mais em quilômetros que em rodas. Calculava que haviam feito uns vinte e tantos desde o local onde Jake tornara a juntar-se a eles com os bolinhos e a notícia, quando Roland encerrou o dia. Pararam no meio da estrada, como sempre faziam desde que entraram na floresta; desse modo as brasas da fogueira do acampamento tinham pouca chance de atear fogo à mata.

Eddie e Susannah recolheram uma boa coleção de galhos caídos, enquanto Roland e Jake faziam um pequeno acampamento e passavam a dividir o tesouro de bolinhos do garoto. Susannah rolou sem esforço sua cadeira de rodas pelo solo embaixo das árvores, com os galhos no colo. Eddie andava perto, trauteando baixinho.

— Olhe para a esquerda, docinho — disse ela.

Ele o fez, e viu um distante piscar laranja. Uma fogueira.

— Não são muito bons, né? — perguntou.

— É. A verdade é que tenho um pouco de pena deles.

— Alguma ideia do que estão aprontando?

— Hum-hum, mas acho que Roland tem razão: vão nos dizer quando estiverem prontos. Ou isso, ou decidirão que não somos o que querem e simplesmente desaparecerão na paisagem. Vamos, vamos voltar.

— Só um instante. — Ele catou mais um galho, hesitou e pegou outro. Então estava certo. — Tudo bem — disse.

Quando voltavam, ele contou as achas que pegara, depois as do colo de Susannah. O número total chegava a dezenove em cada caso.

— Suze — disse, e quando ela o olhou: — O tempo recomeçou.

Ela não lhe perguntou o que queria dizer, apenas assentiu.

4

A decisão de Eddie de não comer os bolinhos não durou muito; cheiravam demasiado bem fritando no torrão de gordura de gamo que Roland (uma alma sovina e assassina) guardara na sua velha bolsa surrada. Eddie pegou seu quinhão em um dos velhos pratos que haviam encontrado nas matas de Shardik e devorou-os.

— São tão bons quanto lagostas — disse, e depois se lembrou dos monstros na praia que haviam comido os dedos de Roland. — Quer dizer, gostosos como os cachorros-quentes de Nathan. Desculpe por provocá-lo, Roland.

— Não se preocupe com isso — disse Jake, sorrindo. — Você nunca provoca demais.

— Uma coisa que vocês precisam saber — disse Roland. Ele sorria, algo que agora fazia mais, muito mais, porém tinha os olhos sérios. — Todos vocês. Os bolinhos às vezes trazem sonhos muito vívidos.

— Quer dizer que deixam a gente doidão? — perguntou Jake, meio nervoso.

Pensava em seu pai. Elmer Chambers experimentara muitas dessas coisas esquisitas na vida.

— Doidão? Eu não sei se...

— Chapado. Alucinado. Vendo coisas... Como quando você tomou mescalina e entrou no círculo de pedra onde aquela coisa... você sabe... quase me machucou.

Roland fez uma pausa, lembrando. Havia uma espécie de súcubo aprisionado naquele círculo de pedras. Deixado à própria sorte, sem dúvida teria iniciado Jake sexualmente, depois fodido com ele até matá-lo. Mas na verdade Roland o fizera falar. Para castigá-lo, ele lhe mandara uma visão de Susan Delgado.

— Roland? — Jake olhava-o com um ar de ansiedade.

— Não se preocupe, Jake. Alguns cogumelos fazem o que você está pensando... mudam a consciência, aumentam-na... mas não esses bolinhos. São bagas, apenas boas pra comer. Se seus sonhos forem particularmente vívidos, basta lembrar que está sonhando.

Eddie achou isso um discursinho bastante estranho. Para começar, não era do feitio de Roland se preocupar tanto com a saúde mental deles. E tampouco desperdiçar palavras.

Começou tudo de novo, e ele também sabe disso, pensou. *Houve uma ligeira folga em algum momento, mas agora o relógio está andando de novo. Hora do jogo, como dizem.*

— Vamos ficar de vigia, Roland? — perguntou Eddie.

— Por mim, não — disse com tranquilidade o pistoleiro, e começou a enrolar um cigarro para si.

— Você realmente não acha que eles são perigosos, não é? — perguntou Susannah, e ergueu os olhos para a mata, onde as árvores individuais agora se perdiam na escuridão do anoitecer. A pequena faísca que era a fogueira do acampamento apagara-se, mas as pessoas que os seguiam continuavam lá. Ela as sentia. Quando baixou o olhar para Oi e viu-o olhando na mesma direção, não ficou surpresa.

— Acho que talvez esse seja problema deles — disse Roland.

— O que *isso* quer dizer? — perguntou Eddie, mas Roland não quis falar mais.

Simplesmente se deitou na estrada com um pedaço de couro de gamo enrolado embaixo do pescoço, olhando o céu escuro e fumando.

Mais tarde, o seu ka-tet dormiu. Não ficaram de vigia e nem foram perturbados.

5

Os sonhos, quando vieram, não foram sonhos de modo algum. Todos sabiam disso, com exceção de Susannah, que em um sentido bastante real não estava ali de jeito nenhum naquela noite.

Meu Deus, estou de volta a Nova York, pensou Eddie. E, em seguida: Realmente *de volta a Nova York. Isto está realmente acontecendo.*

Estava mesmo. Ele estava em Nova York. Na Segunda Avenida.

Foi quando Jake e Oi dobraram a esquina, vindos da rua Quarenta e Quatro.

— Ei, Eddie — disse Jake, sorrindo. — Bem-vindo de volta ao lar.

Hora do jogo, pensou Eddie. *Hora do jogo.*

2. A AGITAÇÃO DE NOVA YORK

1

Jake pegou no sono olhando a escuridão total — não havia estrelas nem lua na noite nublada. Ao ir adormecendo, teve a sensação de queda que reconheceu com consternação: em sua vida anterior como uma suposta criança normal, muitas vezes sonhava com quedas, sobretudo na época das provas, mas isso cessara desde seu violento renascimento no Mundo Médio.

Então a sensação de queda desapareceu. Ele ouviu uma breve melodia tilintada de algum modo bonita *demais*: três notas e a gente queria que parasse, uma dúzia e a gente pensava que nos mataríamos se não parasse. Cada toque parecia fazer os ossos vibrarem. *Parece uma coisa havaiana, não parece?*, ele pensou, pois embora a melodia não se parecesse de jeito nenhum com o terrível gorjeio da lúmina, de algum modo parecia.

Parecia.

Então, exatamente quando sentiu que a melodia se tornava insuportável, o terrível e belo som cessou. A escuridão por trás dos olhos fechados dele de repente se iluminou em um forte vermelho-escuro.

Ele os abriu cautelosamente para o sol forte.

E ficou boquiaberto.

Diante de Nova York.

Táxis passavam apressados, brilhando com um amarelo forte à luz do sol. Um jovem negro com fones de ouvido de um walkman passou por ele, batendo as sandálias um pouco ao ritmo da música e dizendo: "Cha-da-ba, cha-da-ba-bu!". Uma britadeira martelava nos tímpanos de Jake. Pedaços de cimento despencaram em um caminhão de entulho com um baque que ecoou de uma face de rochedo de prédios a outra. O mundo ressoava com estrondos. Ele se acostumara aos profundos silêncios do Mundo Médio sem nem mesmo perceber. Não, ia além disso. Passara a amá-los. Contudo, aquele barulho e agitação também tinham o seu lado interessante, e Jake não podia negá-lo. De volta à agitação de Nova York. Sentiu um sorrisinho esticar os seus lábios.

— Aque! Aque! — gritou uma voz baixa e angustiada.

Jake olhou para baixo e viu Oi sentado na calçada com a cauda enrolada em volta de si. O malhado não usava botinhas vermelhas, nem Jake os sapatos vermelhos (graças a Deus), mas ainda era muito como a visita deles à Gilead de Roland, que eles haviam alcançado viajando no Vidro cor-de-rosa do Mago. O globo de vidro que causara tanta encrenca e infelicidade.

Não havia vidro agora... ele apenas adormecera. Mas aquilo não era um sonho. Era mais intenso do que qualquer sonho que ele já tivera, e mais vívido. E também...

E também as pessoas continuavam a contorná-lo e a Oi, parados à esquerda de um bar do centro chamado Kansas City Blues. Enquanto ele observava tudo isso, uma mulher chegou a levantar o pé para passar por cima de Oi, levantando a saia preta reta um pouco acima do joelho para fazê-lo. Seu rosto preocupado (*Eu sou apenas mais uma nova-iorquina cuidando da minha vida, logo não enche o meu saco*, era o que dizia o rosto a Jake) não se alterou.

Eles não veem a gente, mas de algum modo nos sentem. E se podem nos sentir, devemos estar mesmo aqui.

A primeira pergunta lógica era: Por quê? Jake pensou nisso um instante e decidiu deixar de lado. Suspeitava de que a resposta surgiria. Enquanto isso, por que não desfrutar Nova York enquanto a tinha?

— Vamos lá, Oi — disse, e dobrou a esquina.

O malhado, que certamente não estava acostumado a uma cidade, andava tão próximo de Jake que ele sentia a sua respiração fazendo cócegas em seus calcanhares.

Segunda Avenida, pensou. E depois: *Deus do céu...*

Antes que pudesse concluir o pensamento, viu Eddie Dean parado diante do guarda-bagagens Barcelona, parecendo atordoado e mais que um pouco deslocado em um jeans surrado, camisa de pele de gamo e mocassins do mesmo material. Tinha os cabelos limpos, mas caídos nos ombros, de uma forma que sugeria que nenhum profissional cuidava dele havia bastante tempo. Jake compreendeu que ele próprio não devia estar com uma aparência muito melhor; também usava uma camisa de pele de gamo e, na metade de baixo, os restos esbagaçados dos tênis que calçava no dia em que deixara para sempre o lar, navegando para o Brooklyn, Dutch Hill e outro mundo.

Ainda bem que ninguém consegue nos ver, pensou, e decidiu que isso não era verdade. Se as pessoas os vissem, eles provavelmente estariam ricos com trocados antes do meio-dia. A ideia o fez sorrir.

— E aí, Eddie — disse. — Bem-vindo de volta ao lar.

Eddie balançou a cabeça, parecendo achar graça.

— Vejo que trouxe seu amigo.

Jake baixou a mão e deu um tapinha afetuoso em Oi.

— É minha versão do American Express Card. Eu não vou para casa sem ele.

Ia prosseguir — sentia-se espirituoso, borbulhante, cheio de coisas divertidas para dizer — quando alguém dobrou a esquina, passou por eles sem olhar (como todos os demais) e mudou tudo. Era um garoto usando uns tênis que pareciam os de Jake, e isso porque *eram* os de Jake. Não o par que ele calçava agora, mas eram dele, sem dúvida. Eram os que Jake perdera em Dutch Hill. O homem de reboco que guardava a porta entre os mundos os arrancara de seus pés.

O garoto que acabava de passar por eles era John Chambers, era *ele*, só que aquela versão parecia mais suave, inocente e inteiramente jovem. *Como você sobreviveu?*, ele perguntou às suas próprias costas que se afastavam. *Como você sobreviveu à tensão mental de perder o juízo, e fugir de casa, e àquela casa horrível no Brooklyn? Sobretudo, como sobreviveu ao guardião? Você deve ser mais durão do que parece.*

Eddie olhou de um pra outro de um jeito tão cômico que Jake riu apesar de sua própria surpresa. Lembrou a ele daqueles painéis de revistas de história em quadrinhos em que Archie ou Jughead tentavam olhar para dois lados ao mesmo tempo. Baixou o olhar e viu uma expressão semelhante na cara de Oi. De algum modo, aquilo tornava a coisa toda ainda mais engraçada.

— Mas que *caralho*? — perguntou Eddie.

— Reprise instantânea — disse Jake, e riu mais ainda. Saiu engraçado como o diabo, mas ele não ligava. *Sentia-se* engraçado. — É como quando nós olhávamos Roland no Grande Salão de Gilead, só que isto é em Nova York, e estamos em 31 de maio de 1977. Foi o dia em que me ausentei sem licença do Piper! Reprise instantânea, baby!

— Ausência... — começou Eddie, mas Jake não lhe deu chance de concluir. Foi atingido por outra percepção. Só que *atingido* era uma palavra fraca demais. Foi *soterrado* por ela, como um homem que por acaso está na praia quando vem uma onda rolando. Seu rosto fulgiu tão forte que Eddie chegou a dar um passo atrás.

— A rosa! — sussurrou ele. Sentiu-se fraco demais para falar mais alto, e tinha a garganta tão seca quanto uma tempestade de areia. — Eddie, *a rosa*!

— Que é que tem?

— Este é o dia em que a vi! — Estendeu o braço e tocou o antebraço de Eddie com a mão trêmula. — Eu vou à livraria... e depois ao terreno baldio. Acho que havia uma delicatéssen...

Eddie balançava a cabeça e começava a parecer excitado ele próprio.

— A Déli Artesanal Tom e Jerry, esquina da Segunda com a Quarenta e Seis...

— A Déli desapareceu, mas a rosa está lá! Aquele meu eu andando pela calçada está indo vê-la, *e nós podemos vê-la, também*!

A isso, os olhos de Eddie se iluminaram.

— Vamos, então — disse ele. — Não queremos perder você. Ele. Quem caralho for.

— Não se preocupe — disse Jake. — Eu sei pra onde ele está indo.

2

O Jake à frente deles — o de Nova York, o da primavera de 1977 — andava devagar, olhando para todos os lados, claramente curtindo o dia. O Jake do Mundo Médio se lembrava exatamente de como aquele garoto se sentia: o súbito alívio quando as vozes que discutiam em sua mente

(*Eu morri!*)

(*Eu não morri!*)

haviam finalmente parado o bate-boca. Na cerca de tábuas que havia, onde dois comerciantes jogavam o jogo da velha com uma caneta Mark Cross. E, claro, o alívio de estar longe do Colégio Piper e da insanidade que fora a sua redação final para a aula de inglês da sra. Avery. A redação final contava vinte e cinco por cento para a nota total de cada aluno, a sra. Avery deixara isso perfeitamente claro, e a de Jake não fizera o menor sentido. O fato de sua professora ter depois lhe dado um dez não mudava o fato, apenas deixava claro que não era só ele; todo mundo estava pirando, indo de dezenove.

Estar livre disso tudo — mesmo que por pouco tempo — fora sensacional. Claro que ele estava curtindo o dia.

Só que tem alguma coisa errada com o dia, pensou Jake — o Jake que andava atrás de seu velho eu. *Alguma coisa ali...*

Olhou em volta, mas não descobriu o que era. Final de maio, sol forte de verão, montes de gente a passear e olhar vitrines na Segunda Avenida, muitos táxis, de vez em quando uma limusine preta comprida passando; nada errado com essas coisas.

Só que havia.

Tudo estava errado naquilo.

3

Eddie sentiu o garoto puxar sua manga.

— O que tem de errado com esse cenário? — perguntou Jake.

Eddie olhou em volta. Apesar de seus problemas de adaptação (o seu envolvia o retorno a uma Nova York que estava claramente alguns anos atrás do seu próprio quando), sabia o que Jake queria dizer. *Alguma coisa* estava errada.

Olhou ao longo da calçada, subitamente certo de que não teria uma sombra. Haviam perdido suas sombras como os meninos em uma das histórias... uma das dezenove histórias de contos de fada... ou seria talvez alguma coisa mais recente, tipo *O leão, a feiticeira e o guarda-roupa* ou *Peter Pan*? Uma do que poderia se chamar dos Dezenove Contemporâneos?

De uma forma ou de outra, não importava, porque suas sombras estavam ali.

Mas não deviam estar, pensou Eddie. *Não devíamos poder ver nossas sombras no escuro.*

Mas que bobagem. Não *estava* escuro, pelo amor de Deus, era de *manhã*, uma luminosa manhã de maio, o sol faiscando no cromo dos carros que passavam e nas vitrinas das lojas no lado leste da Segunda Avenida com força suficiente para fazer com que se precisasse cerrar os olhos. Contudo, de algum modo parecia escuro para Eddie, como se tudo não passasse de uma frágil superfície, como o pano de fundo de um cenário teatral. "Ao alvorecer veremos a Floresta de Arden." Ou um Castelo na Dinamarca. Ou a Cozinha da Casa de Willy Loman. Neste caso, estamos vemos a Segunda Avenida, no centro de Nova York.

É, algo desse tipo. Só que atrás daquele cenário não iriam encontrar a oficina e os depósitos dos bastidores, apenas uma profunda escuridão. Um vasto universo morto onde a Torre de Roland já teria ruído.

Por favor, faça com que eu esteja errado, pensou Eddie. *Por favor, que isso seja apenas um caso de choque cultural ou o puro e velho cagaço.*

Não achava que fosse.

— Como chegamos aqui? — perguntou a Jake. — Não havia porta... — Perdeu o fio e depois perguntou com certa esperança: — Será que *é* um sonho?

— Não — disse Jake. — Parece mais quando viajamos no Globo do Mago. Só que desta vez não havia globo. — Ocorreu-lhe uma ideia. — Mas você ouviu música? Sinos? Pouco antes de baixar aqui?

Eddie assentiu.

— Foi meio esmagador. Fez meus olhos lacrimejarem...

— Certo — disse Jake. — Exatamente.

Oi farejava um hidrante. Eddie e Jake pararam para deixá-lo levantar a pata e deixar o seu legado no que já era um lugar bastante visitado. À frente deles, o outro Jake — o Garoto Setenta e Sete — ainda andava devagar, olhando boquiaberto para todos os lados. Para Eddie, parecia um turista de Michigan. Até esticava o pescoço para olhar o alto dos prédios, e ocorreu a Eddie a ideia de que se a Câmara do Cinismo Nova-Iorquina o pegasse fazendo aquilo, tomariam o cartão de crédito da Bloomingdale's do cara. Não que ele estivesse reclamando; facilitava o trabalho de seguir o garoto.

E justo enquanto pensava isso, o Garoto Setenta e Sete desapareceu.

— Aonde você foi? Nossa, aonde você foi?

— Relaxa — disse Jake. (Em seus calcanhares, Oi contribuiu com "Axa!") O garoto sorria. — Eu simplesmente entrei na livraria... hum... É chamada de Restaurante da Mente de Manhattan.

— Onde você comprou *Charlie Chuu-Chuu* e o livro de adivinhações?

— O próprio.

Eddie adorou o sorriso confuso e deslumbrado na cara de Jake. Iluminava o seu rosto todo.

— Lembra-se de como Roland ficou excitado quando eu disse o nome do dono?

Eddie lembrava. O dono do Restaurante da Mente de Manhattan era um cara chamado Calvin Tower.

— Depressa — disse Jake. — Eu quero ver.

Não precisou pedir duas vezes. Eddie também queria ver.

4

Jake parou na entrada da livraria. O sorriso não desapareceu, mas vacilou.

— Que foi? — perguntou Eddie. — Qual é o problema?

— Sei lá. Acho que tem alguma coisa diferente. É só que... aconteceu tanta coisa desde que estive aqui...

Olhava o quadro-negro de avisos na vitrine, que Eddie julgou uma maneira esperta de vender livros. Parecia o tipo de coisa que se via em restaurantes, ou talvez nas peixarias.

ESPECIAIS DO DIA

Do Mississippi! — William Faulkner frito
Capa dura — Preço de mercado

Brochuras da Vintage Library — 75 centavos cada
Do Maine! — Stephen King gelado
Capa dura — Preço de mercado
Promoções do Clube do Livro
Brochuras — 75 centavos

Da Califórnia! — Raymond Chandler bem-passado
Capa dura — Preço de mercado
Brochuras — 7 por $ 5,00

Eddie olhou mais à frente e viu o outro Jake — o outro sem o bronzeado e sem a expressão de força nos olhos — parado em uma mesinha de exposição. Livros infantis. Provavelmente tanto as Dezenove Histórias de Contos de Fada quanto os Dezenove Contemporâneos.

Para com isso, disse a si mesmo. *Está ficando obcecado e você sabe disso.*

Talvez, mas o bom e velho Jake Setenta e Sete estava prestes a fazer uma compra daquela mesa que mudara — e muito provavelmente salvara — suas vidas. Ele se preocuparia com o número 19 depois. Ou não, se conseguisse evitar.

— Vamos — ele disse a Jake. — Vamos entrar.

O garoto se recusou.

— Qual é o problema? — perguntou Eddie. — Tower não vai poder nos ver, se é com isso que está preocupado.

— *Tower* não vai poder — disse Jake —, mas e se *ele* puder?

Apontou para seu outro eu, o que ainda não conhecera Gasher e Tique-Taque e as pessoas idosas de River Crossing. O que ainda não conhecera o Mono Blaine e Rhea de Cöos.

Jake olhava para Eddie com um ar de assustada curiosidade.

— E se eu vir a *mim* mesmo?

Eddie achou que talvez essa fosse uma possibilidade real. Cacete, qualquer coisa podia acontecer. Mas isso não mudava o que ele sentia no coração.

— Acho que devemos entrar, Jake.

— Ié… — Saiu com um suspiro profundo. — Eu também.

5

Entraram e não foram vistos, e Eddie sentiu alívio em contar vinte e um livros na mesinha de exposição que chamara a atenção do garoto. Só que, claro, quando Jake pegou os dois que queria — *Charlie Chuu-Chuu* e o livro de adivinhações —, sobraram dezenove.

— Encontrou alguma coisa, filho? — perguntou uma voz tranquila. Era um sujeito gorducho com uma camisa branca de gola aberta.

Atrás dele, em um balcão que poderia ter sido roubado de uma lanchonete vintage da virada do século, um trio de caras velhos tomava café e comia doces. Havia um tabuleiro de xadrez com um jogo em andamento no balcão de mármore.

— O cara sentado na ponta é Aaron Deepneau — sussurrou Jake. — Vai me explicar o enigma de Sansão.

— Xiu! — fez Eddie.

Queria escutar a conversa entre Calvin Tower e o Garoto Setenta e Sete. De repente, parecia muito importante... só que, por que estava tão *escuro* ali dentro, porra?

Só que não está nada escuro. O lado leste da rua pega bastante sol a esta hora, e com a porta aberta este lugar recebe toda luz dele. Como você pode dizer que está escuro?

Pois de algum modo estava. A luz do sol — o *contraste* da luz do sol — só a tornava pior... O fato de que não se podia *ver* exatamente a escuridão tornava pior ainda... e Eddie percebeu uma coisa terrível: aquelas pessoas corriam perigo. Tower, Deepneau, o Garoto Setenta e Sete. Provavelmente, ele e Jake do Mundo Médio, e Oi também.

Todos eles.

6

Jake viu o seu outro eu, mais jovem, recuar um passo do dono da livraria, os olhos arregalados de surpresa. *Porque ele se chamava Tower*, pensou. *Foi isso que me surpreendeu. Mas não por causa da Torre de Roland — eu ainda não sabia disso —, mas por causa da imagem que botei na última página da minha redação final.*

Colara uma foto da Torre Inclinada de Pisa na última página, depois a rabiscara com giz de cera preto, escurecendo-a o melhor que pôde.

Tower perguntou como ele se chamava. Jake Setenta e Sete disse-lhe e o homem fez piadinha com ele. Eram piadinhas bem-humoradas, dessas que se recebe de adultos que gostam de crianças.

— Bom nome, parceiro — dizia Tower. — Parece o herói errante de um romance de faroeste, o sujeito que chega em Black Fork, no Arizona, limpa a cidade e depois segue em frente. Uma história de Wayne D. Overholser, talvez.

Jake chegou um passo mais perto do seu velho eu (uma parte dele pensava que maravilhoso quadro aquilo tudo daria no *Saturday Night Live*) e arregalou ligeiramente os olhos.

— Eddie!

Ainda sussurrava, embora soubesse que as pessoas na livraria não podiam...

Só que, talvez em algum nível, pudessem. Lembrou-se da senhora na rua Quarenta e Quatro, puxando a saia até o joelho para passar por cima de Oi. E agora Calvin Tower desviava ligeiramente os olhos na direção de Jake do Mundo Médio, antes de voltar à outra versão dele.

— Talvez seja bom não chamar desnecessariamente atenção — murmurou Eddie no ouvido de Jake.

— Eu sei — disse o garoto —, mas veja *Charlie Chuu-Chuu*, Eddie!

Ele olhou, e por um momento não viu nada — a não ser o próprio Charlie, claro: Charlie com o olho de farol e o sorriso não exatamente digno de confiança. Depois Eddie ergueu as sobrancelhas.

— Eu achava que *Charlie Chuu-Chuu* tinha sido escrito por uma senhora chamada Beryl Evans — sussurrou.

Jake assentiu.

— Eu também.

— Então quem é essa... — Eddie deu outra olhada. — Quem é essa Claudia y Inez Bachman?

— Não faço a menor ideia — disse Jake. — Nunca ouvi falar dela.

7

Um dos velhos no balcão veio serelepe para o lado deles. Eddie e Jake afastaram-se. Ao recuarem, as costas de Eddie se arrepiaram. Jake ficou muito pálido, e Oi emitia uma série de baixos e angustiados gemidos. Alguma coisa ali estava errada, sem dúvida. De certa forma, eles *haviam* perdido suas sombras. Eddie simplesmente não sabia como.

O Garoto Setenta e Sete tirara a carteira e pagava pelos dois livros. Houve mais algumas conversas e risadas bem-humoradas, e depois ele se dirigiu para a porta. Quando Eddie foi atrás dele, o Jake do Mundo Médio agarrou-lhe o braço.

— Não, ainda não, eu vou voltar.

— Não dou a mínima se você ficar pra ler tudo que tem aqui — disse Eddie. Vamos esperar na calçada.

Jake pensou nisso, mordendo o lábio, e assentiu. Encaminharam-se para a porta, pararam e saíram da frente quando o outro Jake voltou. O livro de adivinhações estava aberto. Calvin Tower voltara a se concentrar no tabuleiro de xadrez no balcão. Olhou em volta com um sorriso simpático.

— Mudou de ideia sobre o café, ó Hiperbóreo Errante?

— Não, eu queria perguntar...

— É a parte do enigma de Sansão — disse o Jake do Mundo Médio. — Acho que não tem importância. Embora o tal Deepneau cante uma cantiga muito bonitinha, se você quiser ouvi-la.

— Eu passo — disse Eddie. — Vamos embora.

Saíram. E embora tudo na Segunda Avenida ainda estivesse errado — aquela sensação de interminável escuridão nos bastidores, atrás do próprio *céu* —, era de algum modo melhor do que dentro do Restaurante da Mente de Manhattan. Pelo menos havia ar fresco.

— Vamos fazer o seguinte — disse Jake. — A gente pode descer a Segunda com a Quarenta e Seis agora mesmo. — Indicou com a cabeça a versão dele que escutava Aaron Deepneau cantar. — Eu nos alcanço.

Eddie pensou e balançou a cabeça.

O rosto de Jake se abateu um pouco.

— Não quer ver a rosa?

— Com certeza quero — disse Eddie. — Estou doido para vê-la.

— Então...

— Acho que ainda não acabamos aqui. Não sei por quê, mas tenho a sensação que não.

Jake — a versão Garoto Setenta e Sete — deixara a porta aberta quando voltara lá para dentro, e agora Eddie entrava novamente. Aaron Deepneau contava a Jake um enigma que eles iriam depois testar com o Mono Blaine: O que é o que é, que corre mas não anda, tem boca mas não fala. O Jake do Mundo Médio, enquanto isso, olhava mais uma vez o quadro de avisos na vitrina da loja (*William Faulkner frito, Raymond Chandler bem-passado*). Tinha um daqueles ares que expressam mais dúvida e ansiedade que mau gênio.

— Aquela placa também está diferente — disse.

— Como?

— Não me lembro.

— É importante?

Jake voltou-se para ele. Tinha os olhos atordoados abaixo da testa franzida.

— Não sei. É outro enigma. Eu *detesto* enigmas!

Eddie solidarizou-se com ele. *Quando uma Beryl não é uma Beryl?*

— Quando é Claudia — respondeu.

— Hum?

— Deixa pra lá. Melhor recuar, Jake, senão vai atropelar a si mesmo.

Jake lançou um olhar sobressaltado à versão de John Chambers que avançava, depois fez o que Eddie sugerira. E quando o Garoto Setenta e Sete começou a descer a Segunda Avenida com os novos livros na mão esquerda, o Jake do Mundo Médio deu a Eddie um sorriso cansado.

— Eu me lembro de uma coisa — disse. — Quando deixei essa livraria, tinha certeza de que jamais tornaria a voltar aqui. Mas voltei.

— Considerando-se que somos mais fantasmas que pessoas, eu diria que isso é discutível. — Deu um tapinha amistoso na nuca de Jake. — E se você esqueceu de alguma coisa importante, talvez Roland possa fazê-lo lembrar. Ele é bom nisso.

Jake sorriu aliviado. Sabia por experiência própria que o pistoleiro realmente *era* bom em ajudar as pessoas a lembrarem. O amigo dele, Alain, podia ter sido o que tinha a capacidade mais forte de tocar outras mentes, e o amigo Cuthbert tinha ficado com todo o senso de humor daquele ka-tet, mas Roland se transformara com os anos em um hipnotizador do cacete. Podia ter feito uma fortuna em Las Vegas.

— Podemos me seguir agora? — perguntou Jake. — Dar uma conferida na rosa?

Olhou de um lado para o outro da Segunda Avenida — uma rua que era ao mesmo tempo escura e iluminada — com uma espécie de infeliz perplexidade. É provável que tudo esteja melhor por lá. A rosa torna tudo melhor.

Eddie ia dizer tudo bem quando um sedã Lincoln cinza parou na frente da livraria de Calvin Tower. Estacionou no meio-fio amarelo na frente de um hidrante de incêndio sem absolutamente qualquer hesitação. Abriram-se as portas da frente, e quando Eddie viu quem saltava de trás do volante agarrou o ombro de Jake.

— Ai! — disse Jake. — Cara, isso dói!

Eddie não lhe deu atenção. Na verdade, apertou ainda mais a mão no ombro de Jake.

— Nossa! — sussurrou Eddie. — Minha Nossa Senhora, que é isso?

Que porra é *essa*?

8

Jake viu Eddie empalidecer. Os olhos saltavam das órbitas. Não sem dificuldade, o garoto retirou a mão cravada em seu ombro. Eddie fez menção de apontar com aquela mão, mas pareceu não ter a força necessária. Deixou-a cair ao lado da perna com um pequeno baque.

O homem que saltara do lado do carona do sedã contornou-o até a calçada, enquanto o motorista abria a porta traseira do lado do meio-fio. Mesmo para Jake os movimentos deles pareciam treinados, quase como passos em uma dança. O homem que saltou do banco traseiro usava um caro terno executivo, mas isso não mudava o fato de que era basicamente um homenzinho gorducho, com uma pança e cabelos pretos ficando grisalhos nas laterais. Cabelo preto cheio de *caspa*, pela aparência dos ombros do terno.

Para Jake, o dia de repente pareceu mais escuro do que nunca. Ergueu o olhar para ver se o sol desaparecera atrás de uma nuvem. Não desaparecera, mas quase lhe pareceu que se formava uma corona preta em torno do círculo brilhante, como um círculo de rímel em torno de um olho arregalado.

Meio quarteirão abaixo na direção do centro, sua versão de 1977 olhava a vitrine de um restaurante, e Jake lembrava o nome do lugar: Chew Chew Mama's. Não muito adiante ficava a Torre da Power Records, onde ele pensaria *só está dando Towers hoje*. Se aquela versão dele olhasse para trás, teria visto o sedã cinza... mas não olhara. O Garoto Setenta e Sete tinha a mente firmemente fixada no futuro.

— É Balazar — disse Eddie.

— *Quê?*

Eddie apontava o homenzinho gorducho, que parara para ajeitar a gravata Sulka. Os outros dois o ladeavam agora. Pareciam ao mesmo tempo relaxados e vigilantes.

— Enrico Balazar. E parecendo muito mais jovem. Nossa, ele é quase de meia-idade!

— Estamos em 1977 — lembrou-lhe Jake. Depois, quando a ficha caiu: — É o cara que você e Roland *mataram*?

Eddie contara-lhe a história do tiroteio na boate de Balazar em 1987, deixando de fora as partes mais sangrentas. A parte, por exemplo, em que Kevin Blake jogara a cabeça do irmão de Eddie no escritório de Balazar, para forçar Eddie e Roland a irem para o espaço aberto. Henry Dean, o tremendo sábio e viciado de primeira.

— Sim — disse Eddie. — O cara que Roland e eu matamos. E o que estava dirigindo, Jack Andolini. O Velho Duplo-Horror como as pessoas o chamavam, embora jamais na cara dele. Ele passou por uma daquelas portas comigo pouco antes de começar o tiroteio.

— Roland o matou também. Não matou?

Eddie fez que sim com a cabeça. Era mais simples que tentar explicar que Jack Andolini morrera cego e desfigurado sob as patas vorazes das lagostrosidades na praia.

— O outro guarda-costas é George Biondi. Focinhão. Eu mesmo o matei. *Vou* matá-lo. Daqui a dez anos. — Eddie parecia que ia desmaiar a qualquer segundo.

— Eddie, você está bem?

— Acho que sim. Acho que tenho de estar.

Haviam-se afastado da entrada da livraria. Oi ainda se agachava junto aos calcanhares de Jake. Segunda Avenida abaixo, o outro eu anterior de Jake desaparecera. *Agora já estou correndo*, pensou Jake. *Talvez saltando por cima do carrinho do cara da UPS. Saltando disparado para a delicatéssen, porque tenho certeza de que é esse o caminho de volta ao Mundo Médio. O caminho de volta para* ele.

Balazar espiou o seu reflexo na vitrina ao lado do quadro de avisos do ESPECIAIS DO DIA, deu uma última ajeitada no cabelo com a ponta dos dedos e cruzou a porta aberta. Andolini e Biondi foram atrás.

— Caras durões — disse Jake.

— Os piores — concordou Eddie.

— Do Brooklyn.

— Bem, sim.

— Por que sujeitos durões do Brooklyn estão visitando um sebo de livros em Manhattan?

— Acho que é para descobrir isso que estamos aqui. Jake, eu machuquei o seu ombro?

— Eu estou bem. Mas na verdade não quero voltar lá.

— Nem eu. Então, vamos.

Voltaram a entrar no Restaurante da Mente de Manhattan.

9

Oi continuava nos calcanhares de Jake, ainda gemendo. O garoto não gostava muito do barulho, mas compreendia. O cheiro de medo na livraria era palpável. Deepneau sentava-se atrás do tabuleiro de xadrez, olhando infeliz para Calvin Tower e os recém-chegados, que não pareciam nada com bibliófilos em busca de uma rara primeira edição. Os outros dois homens mais velhos ao balcão tomavam o resto de seu café em grandes goles, com o ar de sujeitos que acabaram de se lembrar de compromissos importantes em outra parte.

Covardes, pensou Jake com um desprezo que não reconheceu como uma coisa relativamente nova em sua vida. *Cagões. Ser velho perdoa parte disso, mas não tudo.*

— Temos umas duas coisinhas a discutir, sr. Toren — dizia Balazar. Falava com uma voz baixa, calma, razoável, sem sequer um traço de sotaque. — Por favor, se pudermos passar ao seu escritório...

— Nós não temos negócios — disse Tower. Não parava de olhar para Andolini. Jake julgava saber por quê. Jack Andolini parecia o psicótico com o machado em um filme de horror. — No próximo 15 de julho podemos negociar. *Podemos*. Portanto, podemos conversar depois do dia 4. Eu acho. Se você quisesse. — Sorriu, para mostrar que estava sendo razoável. — Mas agora? Puxa, eu não vejo por quê. Nem é junho ainda. E para sua informação, meu nome não é...

— Ele não vê o porquê — disse Balazar. Olhava para Andolini; olhou para o narigudo; ergueu as mãos até os ombros, depois deixou-as cair. *Qual é o problema deste nosso mundo?*, dizia o gesto. — Jack? George? Esse homem recebeu um cheque meu... a quantia antes do ponto decimal era seguida por cinco zeros... e agora diz que não vê por que conversar comigo.

— Inacreditável — disse Biondi.

Andolini não disse nada. Simplesmente olhava para Calvin Tower, os turvos olhos castanhos espiando por baixo do desagradável volume do crânio como animaizinhos maus espiando de dentro de uma gruta. Com uma cara daquelas, supunha Jake, não era preciso falar muito para fazer-se entender. Tratando-se de intimidação.

— *Eu* quero conversar com *você* — disse Balazar. Falou em um tom de voz paciente, sensato, mas fixava os olhos no rosto de Tower com terrível intensidade. — Por quê? Porque meus empregados neste caso *querem* que eu converse com você. Pra mim, isso basta. E sabe o quê? Acho que você pode me dar cinco minutos de papo pelos cem mil paus. Não pode?

— Os cem mil paus já se foram — disse Tower de cara fechada. — Como tenho certeza que você e quem quer que o contratou sabem.

— Isso não me interessa — disse Balazar. — Por que interessaria? O dinheiro era seu. O que me interessa é se você vai ou não nos levar ao seu escritório. Se não, vamos ter nossa conversa aqui mesmo, na frente de todo mundo.

Todo mundo agora consistia em Aaron Deepneau, um malhado e dois nova-iorquinos expatriados que ninguém na livraria conseguia ver. Os amigos de Deepneau haviam corrido como os cagões que eram.

Tower fez uma última tentativa.

— Não tenho ninguém pra tomar conta da loja. A hora do almoço está chegando e muitas vezes temos alguns clientes durante...

— Este lugar não fatura cinquenta dólares por dia — disse Andolini e todos sabemos disso, sr. Toren. Se está mesmo preocupado em perder uma grande venda, deixe que *ele* fique na caixa registradora alguns minutos.

Durante um terrível segundo, Jake pensou que o cara que Eddie chamara de "Velho Duplo-Horror" se referia a ninguém mais que John "Jake" Chambers. Depois entendeu que Andolini apontava para Deepneau, atrás do dono da livraria.

Tower cedeu. Ou Toren.

— Aaron? — perguntou. — Se incomoda?

— Não se você não — disse Deepneau. Parecia perturbado. — Tem certeza de que quer conversar com esses caras?

Biondi lançou-lhe uma olhada. Jake pensou que Deepneau aguentou esse olhar de uma maneira admirável. De uma forma estranha, sentia-se orgulhoso do velho.

— Sim — disse Tower. — Sim, tranquilo.

— Não se preocupe. Ele não vai perder a virgindade do cu por sua causa — disse Biondi, e riu.

— Cuidado com a língua, você está em um lugar de intelectuais — disse Balazar, mas Jake achou que ele deu um sorrisinho. — Vamos lá, Toren. Só um papinho.

— Meu nome não é este! Eu o mudei legalmente em...

— Que seja — disse Balazar em um tom tranquilizador.

Chegou a dar um tapinha no braço de Tower. Jake ainda tentava acostumar-se à ideia de que todo aquele... todo aquele *melodrama*... se passara depois de ele deixar a loja com os dois novos livros (novos para ele, pelo menos) e retomar sua jornada. Que tudo acontecera por trás de suas costas.

— Um cabeçudo é sempre um cabeçudo, certo, chefe? — perguntou jovialmente Biondi. — Não passa de um holandês. Não importa que nome se dê.

Balazar disse:

— Se eu quiser que você fale, George, eu lhe digo o que quero que diga. Sacou?

— Tudo bem — disse Biondi. Depois, talvez após concluir que isso não pareceu suficientemente entusiástico: — Sim! Claro.

— Ótimo.

Balazar, agora segurando o braço no qual dera um tapinha, guiava Tower para o fundo da loja. Livros empilhavam-se em desordem ali; o ar pesava com o cheiro de um milhão de páginas mofadas. Uma porta tinha a inscrição APENAS FUNCIONÁRIOS. Tower pegou um molho de chaves, que chocalharam levemente quando ele escolheu uma entre elas.

— As mãos dele estão tremendo — murmurou Jake.

Eddie assentiu.

— As minhas também estariam.

Tower encontrou a chave desejada, girou-a na fechadura, abriu a porta. Deu outra olhada nos três homens que tinham vindo visitá-lo — caras durões do Brooklyn — e conduziu-os para a sala dos fundos. A porta fechou-se atrás deles, e Jake ouviu o barulho de um ferrolho sendo corrido. Duvidava que o próprio Tower houvesse feito aquilo.

Jake olhou o espelho convexo antirroubo no canto da loja, viu Deepneau pegar o telefone ao lado da caixa registradora, pensar um pouco e tornar a colocá-lo no lugar.

— O que fazemos agora? — perguntou Jake.

— Vou tentar fazer uma coisa — disse Eddie. — Vi em um filme uma vez. — Postou-se diante da porta fechada e deu uma piscadela para Jake. — Lá vou eu. Se não fizer nada além de bater com a cabeça, fique à vontade pra me chamar de babaca.

Antes que Eddie pudesse perguntar-lhe do que falava, Eddie entrou pela porta. Jake viu-o fechar os olhos e franzir a boca em uma careta. Era a expressão de alguém que espera levar uma baita trombada.

Só que não *houve* nenhuma baita trombada. Eddie simplesmente passou através da porta. Por um momento, um dos mocassins ficou para fora, depois passou também. Ouviu-se um longo barulho rascante, como a mão de alguém correndo por madeira áspera.

Jake curvou-se e pegou Oi.

— Feche os olhos — disse.

— Olus — concordou o malhado, mas continuou a olhar para Jake com aquela expressão de tranquila adoração.

Jake fechou os olhos, apertando-os. Quando tornou a abri-los, Oi imitava-o. Sem perda de tempo, Jake atravessou a porta com a inscrição APENAS FUNCIONÁRIOS. Fez-se um momento de escuridão e ele sentiu cheiro de madeira. No fundo da cabeça, ouviu dois daqueles angustiantes sinos de novo. E já atravessara.

10

Era uma área de depósito muito maior do que Jake esperava — quase tão grande quanto um armazém com altas pilhas de livros para todos os lados. Ele calculou que algumas daquelas pilhas, presas no lugar por pares de caibros em pé que mais escoravam que serviam de prateleira, deviam ter de três a cinco metros de altura. Alas estreitas e tortuosas passavam entre elas. Em duas ele viu plataformas rolantes que lembravam as escadas de embarque móveis de alguns pequenos aeroportos. O cheiro de livros velhos era o mesmo que na frente, mas muito mais forte, quase esmagador. Acima delas pendiam lâmpadas com protetores espalhadas, que proporcionavam uma iluminação amarelada e desigual. As sombras de Tower, Balazar e dos companheiros deste saltavam de forma grotesca na parede à esquerda deles. Tower seguiu naquela direção, levando os visitantes para um canto que na verdade era um escritório: havia uma mesa com máquina de escrever e fichário Rolodex, três gabinetes de aparência antiga e uma parede coberta com vários pedaços de papel. E um calendário com um cara do século XIX na folha de maio que Jake não reconheceu... e então reconheceu. Robert Browning. Jake o citara na sua redação final.

Tower sentou-se atrás de sua escrivaninha, e logo pareceu arrependido de tê-lo feito. Jake solidarizou-se com ele. A maneira como os outros três se amontoaram à sua volta não podia ser muito agradável. As sombras dos homens saltaram na parede atrás da escrivaninha como gárgulas.

Balazar meteu a mão no paletó e tirou uma folha dobrada de papel. Abriu-a e largou-a na escrivaninha de Tower.

— Tá reconhecendo isso?

Eddie adiantou-se. Jake agarrou-o.

— Não chegue perto! Eles vão sentir você!

— Não me importa — disse Eddie. — Eu preciso ver esse papel.

Jake seguiu-o, sem saber o que mais fazer. Oi mexeu-se em seus braços e gemeu. Jake mandou-o calar-se e ele piscou os olhos.

— Desculpe, companheiro — disse Jake —, mas precisa ficar calado.

Estaria ainda a sua versão 1977 no terreno baldio? Uma vez lá dentro, Jake anterior escorregara de algum modo e perdera os sentidos. Será que isso já acontecera? Não adiantava adivinhar. Eddie tinha razão. Jake não gostava, mas sabia que era verdade: eles deviam estar *ali*, não lá, e ver o papel que Balazar mostrava agora a Calvin Tower.

11

Eddie pegou as duas primeiras linhas antes que Jack Andolini dissesse:

— Chefe, eu não estou gostando disso. Algo parece errado.

Balazar assentiu.

— Eu concordo. Tem alguém aqui com a gente, sr. Toren?

Ainda parecia calmo e cortês, mas tinha os olhos em toda parte, avaliando o potencial do grande cômodo para esconder alguma coisa.

— Não — disse Tower. — Bem, tem Sergio; é o gato da loja. Imagino que esteja em algum lugar por aqu...

— Isto aqui não é loja — disse Biondi —, é um buraco onde você joga o seu dinheiro. Um desses designers frescos teria problema para cobrir o orçamento em um lugar deste tamanho, e *livraria* ainda por cima? Cara, quem você tá querendo enganar?

Ele mesmo, pensou Eddie. *Está querendo enganar a si mesmo.*

Como se a ideia os invocasse, os terríveis sinos recomeçaram. Os bandidos reunidos no escritório de Tower não os ouviam, mas Jake e Oi sim; Eddie podia enxergar isso no rosto angustiado dos dois. E de repente o cômodo, já escuro, começou a ficar mais escuro ainda.

Estamos voltando, pensou Eddie. *Nossa, estamos voltando! Mas não antes...*

Curvou-se para a frente entre Andolini e Balazar, ciente de que os homens olhavam em volta com olhos arregalados e assustados, mas estava se lixando. O que o interessava era o papel. Alguém contratara Balazar primeiro para fazê-lo assinar (provavelmente) e depois empurrá-lo debaixo do nariz de Tower/Toren quando chegasse a hora (certamente). Na maioria dos casos, *Il Roche*, A Rocha, se satisfaria em mandar dois de seus durões — que ele chamava de seus "cavalheiros"— em uma missão daquela. Este serviço, porém, era importante o suficiente para merecer sua atenção pessoal. Eddie queria saber por quê.

MEMORANDO DE ACORDO

Este documento constitui um Pacto ou Acordo entre o sr. Calvin Tower, **residente no estado de Nova York, dono de propriedade imobiliária que é principalmente** um terreno baldio, **identificado como Lote** nº 298 **e Bloco** nº 19, **localizado...**

Os sinos tocavam de novo em sua cabeça, causando-lhe arrepios. Desta vez mais alto. As sombras adensavam-se, saltando pelas paredes do depósito. A escuridão que Eddie sentira lá fora na rua irrompia ali dentro, e seria pior, claro que seria, estar afogado em escuridão seria uma maneira terrível de partir.

E se existissem *coisas* naquela escuridão? Coisas famintas como o guardião?

Existem. Era a voz de Henry. Pela primeira vez em quase dois meses. Eddie imaginava Henry parado logo atrás dele com um pálido sorriso de viciado: olhos injetados e amarelos, dentes estragados. *Você sabe que existem. Mas quando ouve os sinos tem de partir, irmãozinho, como acho que você sabe.*

— Eddie! — gritou Jake. — Está voltando! Está ouvindo?

— Agarre meu cinto — disse Eddie. Correu os olhos de um lado para o outro sobre o papel nas mãos de Tower. Balazar, Andolini e o Narigudo ainda olhavam em volta. Biondi chegara a sacar a arma.

— Seu...?

— Talvez não sejamos separados — disse Eddie.

Os sinos tocavam mais alto que nunca, e ele gemeu. As palavras do acordo borraram-se na sua frente. Eddie estreitou os olhos, trazendo de volta a letra impressa.

> ... **identificado como Lote** nº 298 **e Bloco** nº 19, **localizado em** Manhattan, **cidade de Nova York, na** rua Quarenta e Seis **com a** Segunda Avenida, **e a** Corporação Sombra, **corporação que negocia com o estado de Nova York.**
>
> **Neste dia,** 15 de julho de 1976, **a** Sombra **está pagando uma soma não retornável de** 100 mil dólares **a** Calvin Tower, **cujo recibo é reconhecido em relação à sua propriedade. Em consideração ao aqui exposto,** Calvin Tower **concorda em não...**

Dia 15 de julho de 1976. Nem bem um ano atrás.

Eddie sentiu a escuridão baixando sobre eles, e tentou socar o resto dela pelos olhos adentro até o cérebro: o suficiente, talvez, para entender o que se passava ali. Se conseguisse isso, seria pelo menos um passo para descobrir o que significava tudo aquilo.

Se os sinos não me levarem à loucura. Se as coisas na escuridão não nos devorarem na volta.

— Eddie! — disse Jake. Aterrorizado, a julgar pela voz. Eddie ignorou-o.

> **...** Calvin Tower **concorda em não vender, alugar ou de outro modo empenhar a propriedade durante um período de** um ano,

a contar desta data e terminar a 15 de julho de 1977. **Fica entendido que a** Corporação Sombra **terá a preferência na compra da propriedade anteriormente mencionada, como definido a seguir.**

Durante esse período, Calvin Tower **preservará e protegerá plenamente o interesse declarado da** Corporação Sombra **e não permitirá nenhum comprometimento ou outros empenhos...**

Havia mais, porém agora os sinos estavam hediondos, de estourar a cabeça. Por apenas um momento Eddie compreendeu — diabos, quase podia *ver* — como este mundo se tornara tênue. Todos os mundos, na certa. Tênue e desgastado como seus jeans. Pegou uma frase final do acordo: **... satisfeitas estas condições, terá o direito de vender ou dispor de outra forma da propriedade à** Sombra **ou qualquer outra parte**. E aí as palavras sumiram, tudo sumiu, rodopiando em um redemoinho escuro. Jake agarrava o seu cinto com uma das mãos e Oi com a outra. O malhado latia feito um louco agora, e Eddie teve outra imagem confusa de Dorothy sendo levada pelo tufão para a Terra de Oz.

Havia coisas na escuridão: vultos que assomavam por trás de olhos estranhamente fosforescentes, aquelas coisas que se via nos filmes sobre a exploração das mais profundas fendas do leito do mar. Só que nesses filmes os exploradores sempre se achavam dentro de uma campânula de mergulho, enquanto ele e Jake...

Os sinos atingiram um volume de rachar os tímpanos. Eddie sentia-se como se o tivessem mergulhado de cabeça no mecanismo do Big Ben ao bater da meia-noite. Gritava sem ouvir a própria voz. E então parou, tudo sumiu — Jake, Oi, o Mundo Médio —, e ele flutuava em algum ponto além das estrelas e galáxias.

Susannah!, ele gritou. *Cadê você, Suze?*

Não houve resposta. Só escuridão.

3. MIA

1

Era uma vez, nos idos dos anos 60 (antes que o mundo seguisse adiante), uma mulher chamada Odetta Holmes, uma jovem muito simpática e com uma excelente consciência social, rica, bonita e inteiramente disposta a cuidar do próximo (ou da próxima). Sem sequer percebê-lo, essa mulher partilhava o corpo com uma criatura muito menos simpática chamada Detta Walker, que estava cagando para o próximo (ou próxima). Rhea do Cöos teria reconhecido Detta e a chamado de irmã. Do outro lado do Mundo Médio, Roland de Gilead, o último pistoleiro, escolhera essa mulher dividida e criara uma terceira, que era muito melhor e mais forte do que qualquer uma das duas anteriores. Era a mulher pela qual Eddie Dean se apaixonara. Ela o chamava de marido, e assim a si mesma pelo nome do pai dele. Havendo perdido os arranca-rabos feministas das décadas posteriores, fazia isso de muito bom grado. Se não se chamava Susannah Dean com orgulho assim como com felicidade, era apenas porque sua mãe lhe ensinara que o orgulho precede a queda.

Agora havia ainda uma quarta mulher. Ela nascera da terceira em mais um período de tensão e transformação. Pouco estava ligando para Odetta, Detta ou Susannah; não ligava para nada além do carinha que estava a caminho. O lugar do banquete estava próximo. Era o que importava e só o que importava para ela.

Essa nova mulher, tão perigosa à sua maneira quanto fora Detta, era Mia. Não usava o nome do pai de ninguém, só a palavra que na Língua Superior significa *mãe*.

2

Ela andava devagar por um corredor para o lugar do banquete. Passou pelos aposentos em ruínas, as naves e nichos vazios, as galerias esquecidas onde os apartamentos eram ocos e nenhum tinha número. Em algum lugar daquele castelo havia um velho trono encharcado de sangue antigo. Em algum lugar escadarias conduziam a criptas emparedadas com ossos de uma profundidade que só Deus sabia. Mas *havia* vida ali; vida e comida abundante. Mia sabia tanto disso quanto sabia que tinha pernas embaixo de si e a saia estruturada e de muitas camadas roçando nelas. Comida abundante. Vida para a gente e nossa safra, como dizia o ditado. E estava com tanta fome agora. Claro! Não estava comendo por dois?

Chegou a uma ampla escadaria. Um barulho, leve mas forte, subiu até ela: a batida de máquinas de trens lentos sepultadas na terra abaixo da mais profunda das criptas. Mia pouco ligava para elas, ou para a North Central Positronics Ltd., que as construíra e colocara em movimento dezenas de milhares de anos antes. Pouco ligava para computadores bipolares, ou portas, ou os Feixes, ou a Torre Negra que ficava no centro de tudo.

Importava-se com os cheiros. Eles vagavam para ela, densos e maravilhosos. Frango, molho e assado de porco temperados em gordura a estalar. Fatias de bife sangrentas, rodelas de queijo úmido, imensos camarões Calla Fundy parecendo gordos gomos de laranja. Peixe no espeto com olhos pretos a mirar o nada, a barriga empanturrada de molho. Grandes potes de jambalaia e fanata, os vastos ensopados de *caldo largo* do extremo sul. Acrescentem-se a isso cem frutas e mil doces, e ainda não se estaria nem no começo! Os tira-gostos! Os primeiros bocados do primeiro prato!

Mia correu apressada a larga escadaria central, a palma da mão passando com rapidez pelo corrimão, os pequenos pés em sapatilhas descendo os degraus. Uma vez ela sonhara sobre ter sido jogada na frente de um trem por um homem horrível, e tivera as pernas cortadas na altura do joelho. Mas sonhos não passavam de bobagens. Seus pés estavam ali, e as pernas acima deles, não é mesmo? Sim! Assim como estava o bebê na sua barriga. O carinha, querendo ser alimentado. Ele estava com fome, e ela também.

3

Do pé da escadaria, um largo corredor coberto de mármore preto polido seguia uns trinta metros até um par de portas duplas. Mia apressou-se a percorrê-lo. Viu seu reflexo flutuando embaixo, e as chamas elétricas que ardiam nas profundezas do mármore como tochas embaixo d'água, mas não viu o homem que vinha atrás dela, descendo a ampla curva da escadaria não com escarpins elegantes, mas com botas velhas e surradas. Ele usava jeans desbotados e uma camisa de cambraia azul, em vez de roupas da corte. Uma arma, uma pistola com um gasto cabo de sândalo, pendia-lhe do lado esquerdo, o coldre amarrado com couro cru. Tinha o rosto bronzeado e curtido. Cabelos pretos, embora agora semeados de crescentes faixas brancas. Os olhos eram a feição mais impressionante. Azuis, frios e firmes. Detta Walker não temia homem algum, nem mesmo esse, mas temera aqueles olhos de atirador.

Havia um saguão antes das portas duplas. Coberto de quadrados de mármore vermelhos e pretos. Retratos desbotados de antigos senhores e senhoras cobriam as paredes de lambris de madeira. No centro, via-se uma estátua feita de mármore e cromo de aço imbricados. Parecia ser um cavaleiro errante, com o que poderia ter sido um revólver de seis balas ou uma pequena espada acima da cabeça. Embora tivesse o rosto quase liso — o escultor pouco mais fizera que insinuar as feições —, Mia sabia quem era ele, sem dúvida. Quem só podia ser.

— Eu vos saúdo, Arthur Eld — disse, e fez sua mais profunda mesura. — Por favor, abençoai estas coisas que vou levar para meu uso. E para uso de meu carinha. Boa noite a vós.

Não podia desejar-lhe longos dias sobre a terra, pois os dias dele — e os da maioria da sua espécie — haviam passado. Em vez disso, tocou os próprios lábios sorridentes com a ponta dos dedos e soprou-lhe um beijo. Após tais cumprimentos, entrou no salão de jantar.

Tinha quarenta metros de largura e setenta de comprimento, o salão. Fortes tochas elétricas em bainhas de cristal enfileiravam-se nos dois lados. Centenas de cadeiras postas em uma imensa mesa de pau-ferro carregada de iguarias quentes e frias. Havia um prato branco com delicadas teias azuis, um prato *especialíssimo,* diante de cada cadeira. As cadeiras estavam vazias, os pratos *especialíssimos* vazios, e as taças de vinho também, embora o vinho para enchê-las repousasse em baldes de ouro a intervalos ao longo da mesa, gelado e no ponto. Era como ela sabia que seria, como vira em suas fantasias mais queridas e nítidas, como descobrira repetidas vezes, e que descobriria até quando ela (e o carinha) precisasse. Onde quer que estivesse, o castelo estava perto. E se havia um cheiro de umidade e mofo antigo, e daí? Se vinham das sombras embaixo da mesa barulhos de correrias — talvez de ratos ou mesmo doninhas —, que lhe importava isso? Acima da mesa tudo era exuberante e iluminado, fragrante, maduro e pronto para ser comido e bebido. Que as sombras embaixo da mesa cuidassem de si mesmas. Isso não era da sua conta, não, senhor.

— Eis que aqui chega Mia, filha de ninguém! — gritou alegremente para o salão vazio com uma centena de aromas de carnes, molhos, cremes e frutas. — Estou faminta, e serei alimentada. Além disso, alimentarei meu carinha! Se alguém quer dizer alguma coisa contra mim, que dê um passo à frente! Deixe-me vê-lo muito bem, e ele a mim!

Ninguém se adiantou, claro. Os que poderiam ter um dia se banqueteado ali haviam partido muito tempo atrás. Agora só restava a batida profunda e sonolenta de máquinas de trens lentos (e os fracos e desagradáveis barulhos de correria da Terra Embaixo da Mesa). Atrás dela, o pistoleiro permanecia calado, observando. Tampouco era a primeira vez. Ele não via castelo algum, mas via-a; ele a via muito bem.

— Quem cala, consente — gritou ela. Apertou com a mão a barriga, que começava a estufar-se. Curvar-se. Depois, com uma risada, tornou a gritar: — Ié, consente mesmo! Aqui vem Mia para o banquete. Que a sirva bem, e ao carinha que cresce dentro dela. Que os sirva muito bem!

E banqueteou-se, mas não em um só lugar e jamais de um dos pratos. Detestava os pratos, os pratos *especialíssimos* azul e branco. Não sabia por quê, nem queria saber. O que a interessava era a comida. Percorreu a mesa como uma mulher no maior bufê do mundo, pegando as coisas com os dedos e atirando-as à boca, às vezes mastigando carne quente e macia direto do osso e jogando as sobras de volta nos pratos. Algumas vezes errava e os nacos de carne saíam rolando pela branca toalha de linho da mesa, deixando salpicos de molho e manchas que pareciam sangramento de nariz. Uma dessas carnes derrubou um recipiente de molho. Uma despedaçou um prato de cristal cheio de geleia de cranberry. Uma terceira rolou para fora do outro extremo da mesa, onde Mia ouviu alguma coisa arrastá-la para baixo. Ouviu-se um breve e agudo bochincho, seguido por um uivo de dor, quando uma coisa enterrou os dentes em outra. Depois silêncio. Breve, porém, e logo quebrado pela risada de Mia. Ela limpou os dedos gordurosos no colo, bem devagar. Gostando da forma como as manchas das carnes e molhos errados se espalhavam sobre a seda cara. Gostando das curvas de seus seios que amadureciam e a sensação dos mamilos sob a ponta dos dedos, ásperos, duros e excitados.

Dirigiu-se devagar até a mesa, falando consigo mesma em muitas vozes, criando uma espécie de tagarelice delirante.

Como estão indo eles, doçura?

Ah, estão indo muito bem, obrigada por perguntar, Mia.

Você realmente acha que Oswald estava agindo sozinho quando atirou em Kennedy?

Nem em um milhão de anos, querida — foi um serviço da CIA desde o começo. Eles, ou aqueles caipiras milionários do crescente de aço do Alabama.

Bombingham, Alabama, doçura, não é verdade?

Já ouviu o novo disco de Joan Baez?

Meu Deus, sim, a voz dela não é perfeita? Eu soube que ela e Bob Dylan vão se casar...

E por aí vai, fuxicos e fofocas. Roland ouvia a voz culta de Odetta e os rudes mas pitorescos palavrões de Detta. Ouvia a voz de Susannah, e muitas outras também. Quantas mulheres em sua cabeça? Quantas personalidades, formadas e meio formadas? Viu-a estender a mão por cima dos pratos vazios que não estavam ali e as taças vazias (também ausentes), comendo direto das bandejas de servir, mastigando tudo com o mesmo prazer faminto, o rosto assumindo aos poucos o brilho da gordura, o corpete do vestido (que ele não via mas sentia) escurecendo quando ela os limpava os dedos repetidas vezes ali, espremendo o tecido, colando-o aos seios — os movimentos eram claros demais para não serem compreendidos. E a cada parada, antes de passar adiante, ela pegava o ar vazio à sua frente e jogava um prato que ele não via ou no chão a seus pés ou para o outro lado da mesa, em uma parede que devia existir em seus sonhos.

— *Pronto!* — gritava com a voz desafiante de Detta Walker. — *Pronto, Dama Azul, sua velha desagradável, eu o quebrei de novo! Quebrei a porra do prato, e o que acha disso? Que acha disso agora?*

Depois, passando ao lugar seguinte, podia dar uma simpática risada meio forçada e perguntar a fulano de tal se seu menino fulano ia vir até ali em Morehouse, e não era maravilhoso ter uma escola tão boa para pessoas de cor, simplesmente uma *maravilhosíssima*!... *coisa*! E como vai sua mãe, querido? Ah, sinto muito saber, vamos todos rezar para que se recupere logo.

Estendia o braço para pegar mais um daqueles pratos de faz de conta enquanto falava. Pegava uma grande terrina cheia de caviar reluzente com rodelas de limão. Baixava o rosto para ele como um porco metendo a cara no cocho. Engolia. Tornava a erguer o rosto, com um sorriso delicado e tímido no fulgor das tochas elétricas, as ovas de peixe destacando-se como suor escuro na pele marrom, pontilhando a face e a testa, aninhando-se em torno das narinas como coágulos de sangue seco — *Ah, sim, acho que estamos fazendo um excelente progresso, gente como aquele Bull Connor vive no pôr do sol já faz anos, e a melhor vingança deles é que o sabem* —, e depois atirava a terrina para trás por cima da cabeça como uma jogadora de vôlei tresloucada, parte das ovas chovendo sobre os cabelos (Roland quase podia vê-lo), e quando a terrina se espatifava na pedra, sua polida cara de mas-não-é-uma-festa-maravilhosa contraía-se em um vampiresco rosnado de Detta Walker, e ela talvez gritasse: *Pronto, sua insuportável velha Dama Azul, que tal acha disso? Quer enfiar um pouco desse caviar na buceta véia, vá em frente! Vá em frente! Vai ser ótimo, craro!*

E então passava para o lugar seguinte. E o seguinte. E o seguinte. Alimentando-se no grande salão de banquete. Alimentando a si mesma e ao seu carinha. Não se voltando uma vez sequer para ver Roland. Jamais percebendo que aquele lugar nem existia, estritamente falando.

4

Eddie e Jake andavam longe da mente e das preocupações de Roland quando os quatro (cinco, se se contasse Oi) se deitaram naquela noite após banquetear-se com as bolinhas de muffin fritas. Ele estava concentrando em Susannah. O pistoleiro estava convicto de que ela ia novamente sair a vagar nessa noite, e de novo ele ia segui-la quando o fizesse. Não para ver o que ela estava aprontando; sabia o que seria de antemão.

Não, sua preocupação principal era protegê-la.

No início daquela tarde, por volta do momento em que Jake retornara com a braçada de comida, Susannah começara a mostrar sinais que ele reconhecia: a fala truncada e curta, movimentos um tanto bruscos para serem naturais, tendência a esfregar, ausente, a têmpora ou acima da sobrancelha esquerda, como se sentisse uma dor ali. Eddie não enxergava esses sinais?, perguntava-se Roland. Quando o conhecera, Eddie realmente era um observador tapado, mas mudara muito desde então.

E ele a amava. *Amava-a*. Como não via o que Roland via? Os sinais podiam não ser tão óbvios quanto haviam sido na praia do mar Ocidental, quando Detta se preparava para saltar e tomar o controle de Odetta, mas estavam ali sem dúvida, e não tão diferentes, aliás.

Por outro lado, a mãe de Roland tinha um ditado: *O amor tropeça*. Talvez fosse por Eddie estar demasiado próximo dela para ver. *Ou não queira ver*, pensou Roland. *Não queria enfrentar a ideia de precisar passar por tudo isso de novo. Fazê-la enfrentar a si mesma e à sua natureza dividida.*

Só que desta vez não se tratava *dela*. Roland suspeitava disso havia muito tempo — desde antes da confabulação deles com a gente de River Crossing, na verdade — e agora ele sabia. Não, não se tratava *dela*.

E assim ficara deitado ali, ouvindo a respiração deles se aprofundar ao pegarem no sono um a um: Oi, depois Jake, depois Susannah. Eddie por último.

Bem... não *exatamente* por último. Fraco, muito fraco, Roland ouvia um murmúrio de conversa das pessoas do outro lado da colina sul, as que os vinham seguindo e vigiando. Tomando coragem para chegar e se apresentarem, provavelmente. Roland tinha a audição aguçada, mas não o suficiente para pegar o que eles diziam. Trocaram talvez meia dúzia de diálogos antes que alguém emitisse um longo psiu. Depois houve silêncio, a não ser pelo baixo sussurrar intermitente do vento no topo das árvores. Roland jazia imóvel, olhando a escuridão acima, onde nenhuma estrela brilhava, à espera de que Susannah se levantasse. Ela acabou por fazê-lo.

Mas antes disso Jake, Eddie e Oi entraram em todash.

5

Roland e seus amigos haviam ficado sabendo do todash (o que existia para saber) por Vannay, o tutor da corte no longínquo tempo em que eram jovens. Eram de início um quinteto: Roland, Alain, Cuthbert, Jamie e Wallace, filho de Vannay. Wallace, de uma grande inteligência mas sempre doentio, morrera do mal da queda, às vezes chamado de mal do rei. Então haviam sobrado quatro, e sob o guarda-chuva do verdadeiro ka-tet. Vannay conhecera-o muito bem, e esse conhecimento sem dúvida fazia parte do seu pesar.

Cort ensinara-os a navegar pelo sol e pelas estrelas; Vannay mostrara-lhes a bússola, o quadrante, o sextante, e ensinara-lhes a matemática necessária para usá-los. Cort ensinara-os a lutar. Com a história, com problemas de lógica e com tutoriais do que chamava " verdades universais", Vannay ensinara-lhes que às vezes podiam evitar ter de fazê-lo. Cort ensinara-os a matar se tivessem de fazê-lo. Vannay, com o manquejar e o sorriso doce mas distraído, ensinara-lhes que na maioria das vezes a violência piorava mais os problemas do que os resolvia. Chamava-a de câmara oca, onde todos os verdadeiros sons são distorcidos por ecos.

Ensinara-lhes física — a que havia. Ensinara-lhes química — a que restara. Ensinara-os a terminar frases como "A árvore é igual a", "Quando eu corro me sinto tão contente quanto" e "Não pudemos deixar de rir porque". Roland detestava esses exercícios, mas Vannay não o deixava fugir deles.

— Sua imaginação é fraca, Roland — disse-lhe o tutor certa vez. Roland devia ter uns onze anos na época. — Não vou deixar que você a alimente com rações pobres e a torne mais fraca ainda.

Ensinara-lhes os Sete Mostradores da Magia, recusando-se a dizer se acreditava em algum deles, e Roland achou que fora de passagem em uma daquelas lições que Vannay falara do todash. Não sabia ao certo. Sabia que Vannay falara da seita manni, as pessoas que viajavam longas distâncias. E não falara também do Arco-Íris do Mago?

Roland achava que sim, mas tivera duas vezes a curva rósea do arco-íris em suas mãos, uma vez quando menino e outra já homem, e embora tivesse viajado nela nas duas vezes — com os amigos na segunda ocasião —, isso jamais o levara a todash.

Ah, mas como você saberia?, perguntou a si mesmo. *Como você saberia, Roland, quando estava lá dentro?*

Porque Cuthbert e Alain lhe teriam dito, aí está por quê.

Tem certeza?

Um sentimento tão estranho que chegava a não ser identificável subiu no peito do pistoleiro — seria indignação? horror? talvez mesmo um sentimento de traição? —, quando compreendeu que não, *não tinha* certeza. Sabia apenas que o globo o levara para o fundo de si mesmo, e ele tivera sorte de sair de novo.

Não há globo aqui, pensou, e mais uma vez foi aquela outra voz — a voz seca, implacável, de seu velho tutor capenga, cuja dor pelo filho único jamais passara— que lhe respondeu, e com as mesmas palavras:

Tem certeza?

Pistoleiro, você tem certeza?

6

Começou com um longo estalo. O primeiro pensamento de Roland foi a fogueira do acampamento: um deles pusera alguns galhos verdes de pinheiro nela, e eles faziam aquele barulho quando as agulhas pegavam fogo. Mas...

O barulho aumentou, tornou-se uma espécie de zumbido elétrico. Roland sentou-se e olhou além do fogo que morria. Arregalou os olhos e seu coração começou a bater mais forte.

Susannah se virara para longe de Eddie, afastando-se um pouco. Eddie estendera o braço e Jake o imitou. Tocaram-se as mãos. E, quando Roland os olhava, eles começaram a sumir da existência em uma série de pulsações bruscas. Oi fazia o mesmo. Quando desapareceram, foram substituídos por um baço fulgor cinza que se aproximava das formas e posições de seus corpos, como se alguma coisa mantivesse seus lugares na realidade. Cada vez que retornavam, vinha o zumbido estalado. Roland conseguia ver as pálpebras fechadas ondularem quando os globos rolavam embaixo.

Sonhavam. Mas não *apenas* sonhavam. Aquilo era todash, a passagem entre dois mundos. Diziam que os mannis podiam fazê-lo. E que alguns pedaços do Arco-Íris do Mago podiam possibilitar à pessoa fazê-lo também, quer se quisesse ou não. Um pedaço em especial.

Eles podiam ficar presos lá dentro e cair, pensou Roland. *Vannay também falou isso. Ele disse que todash era cheio de perigos.*

O que mais ele dissera? Roland não teve tempo de lembrar, pois naquele momento Susannah se sentou, enfiou os soquetes de couro macio que ele fizera para ela nos cotocos das pernas e içara-se para a cadeira de rodas. Um momento depois, saía rolando para as árvores antigas no lado norte da estrada. Diretamente oposto ao lugar onde os vigilantes se encontravam acampados; por esse tanto devia-se agradecer.

Roland permaneceu onde estava por um instante, dividido. Mas no fim sentiu que sabia o que precisava fazer. Não podia acordá-los enquanto se achavam em estado todash; fazer isso seria um risco terrível. Só lhe restava seguir Susannah, como fizera outras noites, e esperar que ela não se metesse em encrenca.

Você podia também pensar um pouco sobre o que vai acontecer em seguida. Era a voz seca e professoral de Vannay. Agora que estava de volta, parecia que o velho tutor aparentemente pretendia ficar por um tempo. *A razão nunca foi o seu ponto forte, mas você tem de fazer, mesmo assim. Vai querer esperar até que os visitantes se façam conhecer, claro — mas no fim, Roland, você tem de agir. Mas pense primeiro. Mais cedo será melhor do que mais tarde.*

Sim, mais cedo é sempre melhor do que mais tarde.

Ouviu outro estalo, mais alto. Eddie e Jake estavam de volta, Jake deitado com o braço enrolado em torno de Oi, e depois tornaram a desaparecer, não restando nada além de fraco brilho ectoplásmico. Bem, que fosse. O trabalho dele era seguir Susannah. Quanto a Eddie e Jake, haveria água se Deus quisesse.

E se você voltar e eles tiverem desaparecido? Acontece, Vannay disse. Que vai dizer a ela se ela acordar e descobrir que os dois desapareceram, o marido e o filho adotivo?

Não dava para se preocupar com aquilo agora. No momento tinha Susannah com quem se preocupar, Susannah para manter em segurança.

7

No lado norte da estrada, antigas árvores com troncos enormes erguiam-se a consideráveis distâncias umas das outras. Os galhos podiam entrançar-se e criar um sólido dossel acima, mas no solo havia bastante espaço para a cadeira de rodas de Susannah, e ela seguia em boa marcha, serpeando por entre os vastos paus-ferro e pinheiros, rolando ladeira abaixo por cima de uma fragrante camada de musgos e agulhas.

Não era Susannah. Nem Detta ou Odetta, tampouco. Esta se chama Mia.

Roland pouco estava ligando se ela se chamava Rainha dos Dias Verdes, desde que voltasse salva, e que os outros dois ainda estivessem lá quando o fizesse.

Ele começou a sentir o cheiro de verde mais forte, mais novo; juncos e plantas aquáticas. Com ele vieram o odor de lama, o martelar das rãs, a sarcástica saudação, *huul! huul!*, de uma coruja, o espadanar na água de alguma coisa que saltara. Isso foi seguido por um grito agudo de alguém que morria, talvez o saltador, talvez aquele em que ele saltou. O mato baixo começava a cobrir musgos e agulhas, primeiro pontilhando-os e depois os tomando completamente. A cobertura de árvores adelgaçava-se. Mosquitos e muriçocas zumbiam. Besouros costuravam o ar. Os cheiros de pântano tornavam-se mais fortes.

As rodas da cadeira haviam passado por cima do manto de folhas no chão sem deixar rastros. À medida que o manto dava lugar ao espalhado mato baixo, Roland começou a ver galhos quebrados e folhas arrancadas, marcando a passagem dela. E então, quando ela chegou ao terreno baixo mais ou menos plano, as rodas começaram a afundar na terra cada vez mais fofa. Vinte passos adiante, ele começou a ver água entrando nos rastros. Ela era inteligente demais para ficar atolada, porém — muito esperta. Vinte passos além dos primeiros sinais de umidade, ele deu com a própria cadeira, abandonada. Sobre o assento havia a calça e a blusa dela. Entrara no pântano nua, a não ser pelas luvas que cobriam seus cotocos.

Lá embaixo viam-se tiras de neblina pairando sobre poças de água parada. Erguiam-se montículos cobertos de mato; em um deles, amarrado com arame a um toro seco fincado em pé, via-se o que Roland a princípio tomou por um antigo espantalho. Quando chegou mais perto, percebeu que era um esqueleto humano. A testa da caveira fora afundada, deixando um triângulo escuro entre as órbitas vazias. O ferimento fora feito por alguma espécie de tacape primitivo, sem dúvida, e o cadáver (ou o *espírito* que ficara) fora deixado para assinalar aquele ponto como o limite de algum território tribal. Deviam estar mortos havia muito tempo, ou haviam se mudado, mas a cautela era uma verdadeira virtude. Roland sacou o revólver e continuou a procurar a mulher, passando de um montículo a outro e piscando com uma ou outra fisgada de dor no quadril esquerdo. Foi preciso toda a sua concentração e agilidade para acompanhá-la. Isso se devia em parte ao fato de ela não ter o interesse dele de manter-se tão seca quanto possível. Estava tão nua quanto uma sereia, e movia-se como tal, tão à vontade na lama e água do pântano quanto em terra seca. Arrastava-se sobre os montículos maiores, deslizava pela água entre eles, parando de vez em quando para desgrudar uma sanguessuga. Na escuridão, o andar e deslizar pareciam fundir-se em um único movimento perturbador e coleante de uma enguia.

Ela adentrou meio quilômetro, talvez, no pântano úmido, com o pistoleiro seguindo paciente logo atrás. Roland mantinha-se o mais silencioso possível, embora duvidasse que fosse necessário; a parte dela que via, sentia e pensava estava longe dali.

Finalmente ela parou, erguida em cima das pernas truncadas e segurando-se a emaranhados de galhos de cada lado para equilibrar-se. Olhou por cima da superfície escura de uma poça, cabeça erguida, corpo imóvel. O pistoleiro não sabia se a poça era grande ou pequena; os limites perdiam-se na neblina. Mas havia luz ali, uma espécie de fraca iluminação desfocada que parecia jazer logo abaixo da superfície da própria água, talvez emanando de troncos podres em lenta decomposição.

Ficou ali parada, examinando o bosque coberto de musgo como uma rainha examinando um... um o quê? Um salão de banquete? Foi a conclusão que chegou. Quase era capaz de ver. Era um sussurro da mente dela para a dele, e condizia com o que ela dizia e fazia. O salão de banquete era a maneira engenhosa de manter a mente dela separada de Mia, como mantivera Odetta separada de Detta aqueles anos todos. Mia podia ter muitos motivos para querer manter sua existência em segredo, mas certamente o maior deles tinha a ver com a vida que trazia dentro de si.

O carinha, como ela o chamava.

Então, com uma rapidez que o assustou (embora também já houvesse visto isso antes), ela começou a caçar, deslizando em espadanos silenciosos e perturbadores primeiro ao longo da borda da poça, depois um pouco para dentro dela. Roland observava-a com uma expressão que continha horror e desejo quando ela tricotava e tecia seu caminho entrando e saindo nos juncos, por entre e por cima dos montículos. Agora, em vez de desgrudar as sanguessugas da pele e jogá-las fora, ela jogava-as na boca, como pedaços de bala. Os músculos das coxas ondulavam. A pele marrom luzia como seda molhada. Quando ela se voltou (Roland já se escondera atrás de uma árvore e tornara-se uma das sombras), ele viu como os seios dela haviam amadurecido.

O problema, claro, ia além do "carinha". Era preciso pensar em Eddie também. *Que diabos há de errado com você, Roland?*, ele podia ouvi-lo dizendo. *Esse pode ser o* nosso *filho. Quer dizer, não tem como afirmar com certeza que não é. Tá, tá, eu sei que alguma coisa a possuiu enquanto a gente puxava o Jake, mas isso não quer necessariamente dizer...*

E por aí seguia, blá-blá-blá, como diria o próprio Eddie, e por quê? Porque ele a amava e ia querer o filho da sua união. E porque discutir era tão natural para Eddie Dean quanto respirar. Cuthbert fora igual.

Nos juncos, a mão da mulher nua saltou para a frente e agarrou uma rã de bom tamanho. Ela apertou, e a rã explodiu, esguichando entranhas e uma reluzente carga de ova entre os dedos dela. A cabeça estourou. Ela levou-a à boca e comeu-a gulosamente enquanto as pernas esverdeadas ainda tremelicavam, lambendo o sangue e os fios brilhantes de tecido dos nós dos dedos.

Depois imitou alguma coisa e gritou: "*Que tal acha isso, sua Dama Azul fedorenta?* ", em uma voz baixa e gutural que causou arrepios em Roland. Era a voz de Detta Walker. Detta em seu estado mais perverso e insano.

Quase sem pausa, ela seguiu em frente de novo, buscando. Em seguida veio um peixinho... depois outra rã... e então o verdadeiro prêmio: um rato--d'água que guinchou, contorceu-se e tentou morder. Ela esmagou a vida dele e meteu-o na boca, com patas e tudo. Um instante depois, curvou- se e regurgitou os restos — uma massa retorcida de pele e ossos lascados.

Mostre isso a ele, então — sempre supondo que ele e Jake voltem de qualquer aventura onde estejam, quer dizer. E diga: "Eu sei que as mulheres podem ter desejos estranhos quando estão grávidas, Eddie, mas isso não parece um pouco estranho demais? *Olhe pra ela, buscando no meio dos juncos e lama como uma espécie de jacaré humano. Olhe pra ela e me diga se está fazendo aquilo para alimentar a criança.* Qualquer *criança humana*".

Mas ainda assim ele argumentaria. Roland sabia disso. O que *não* sabia era o que a própria Susannah poderia fazer quando Roland lhe dissesse que ela estava gerando uma coisa que ansiava por carne crua no meio da noite. E como se já não fosse preocupante o suficiente, agora havia todash. E estranhos que tinham ido em busca deles. Mas os estranhos eram o menor dos seus problemas. Na verdade, achava a presença deles quase reconfortante. Não sabia o que eles queriam, e no entanto *sabia*. Encontrara-os antes, muitas vezes. No fundo, sempre queriam a mesma coisa.

8

Agora a mulher que se chamava Mia começava a falar enquanto caçava. Roland também já conhecia aquela parte de seu ritual, mas mesmo assim causava--lhe arrepios. Ele olhava direto para ela, mas ainda assim era difícil acreditar que aquelas diferentes vozes viessem da mesma garganta. Ela se perguntava como ela própria estava. Respondia-se que estava ótima, muito obrigada. Falava em alguém chamado Bill, ou talvez fosse Bull. Perguntava pela mãe de alguém. Perguntava a alguém sobre um lugar chamado Morehouse, e depois, em uma voz profunda e grave — uma voz nitidamente masculina —, dizia a si mesma que não iria para Morehouse, ou *nenhuma* casa. Riu disso com a voz rouca, logo devia ser alguma espécie de piada. Apresentou-se várias vezes (como fizera nas outras noites) como Mia, um nome que Roland conhecia bem de sua vida anterior em Gilead. Era quase um nome santo. Duas vezes fez mesura, erguendo invisíveis saias de uma maneira que dava pontadas no coração do pistoleiro — a primeira vez que vira aquele tipo de mesura foram em Mejis, quando fora mandado lá pelos pais, junto de seus amigos Alain e Cuthbert.

Ela voltou com esforço à borda da

(*salão*)

poça, reluzindo e molhada. Ficou ali imóvel por cinco minutos, depois dez. A coruja uivou sua desdenhosa saudação de novo — *huul!* — e como em resposta a lua saiu das nuvens para dar uma breve olhada em volta. Quando o fez, desapareceu a sombra que escondia um animalzinho. Ele tentou passar correndo pela mulher. Ela pegou-o impecavelmente e enterrou a cara na barriga peluda. Ouviu-se um úmido barulho de mastigação, seguido por várias mordidas estaladas. Ergueu os restos para o luar, suas mãos e pulsos negros úmidos mais escurecidos com o sangue. Deu um sonoro arroto e rolou de volta à água. Desta vez fez um grande espadano, e Roland soube que o banquete dessa noite acabara. Ela comera até alguns mosquitos, agarrando-os no ar. Ele só podia esperar que nada do que comera lhe fizesse mal. Até agora, não fizera.

Enquanto ela fazia sua toalete rústica, lavando a lama e o sangue, Roland retornou por onde viera, ignorando as dores mais frequentes no quadril esquerdo e andando com toda a sua destreza. Observara-a passar por aquilo três vezes antes, e uma delas fora o bastante para ver como tinha os sentidos aguçados estando naquele estado.

Parou ao lado da cadeira de rodas dela, olhando em volta para assegurar-se de que não deixara vestígios. Viu a pegada de uma bota, alisou-a e jogou algumas folhas em cima para garantir. Não muitas; muitas teriam sido pior do que nenhuma. Feito isso, dirigiu-se de volta à estrada e ao acampamento, sem mais pressa. A própria Mia teria o seu momento de limpar as coisas antes de seguir em frente. O que veria Mia enquanto limpava a cadeira de rodas? Uma espécie de carrinho motorizado? Não importava. O que importava era o grau de esperteza dela. Se ele não tivesse despertado com a necessidade de fazer xixi justo quando ela partia em uma de suas expedições anteriores, era muito provável que ainda não soubesse das viagens de caça, e ele devia ser esperto com essas coisas.

Não tão esperto quanto ela, verme. Agora, como se não bastasse o fantasma de Vannay, lá vinha Cort pregar-lhe um sermão. *Ela mostrou a você antes, não mostrou?*

Sim. Ela mostrou-lhe astúcia suficiente como três mulheres. Agora havia uma quarta.

9

Quando Roland viu a brecha nas árvores à frente — a estrada que vinham seguindo e o lugar onde haviam acampado para a noite —, inspirou fundo duas vezes. Tinham a intenção de acalmá-lo, porém não foi muito bem-sucedido.

Água se Deus quiser, lembrou a si mesmo. *Sobre as grandes coisas, Roland, você não tem voz.*

Não era uma verdade agradável, sobretudo para um homem em uma jornada como a dele, mas aprendera a conviver com ela.

Inspirou de novo e andou. Soltou o ar em um longo e aliviado suspiro ao ver Eddie e Jake em sono profundo ao lado da fogueira apagada. A mão direita do garoto, que estava entrelaçada com a de Eddie quando o pistoleiro seguira Susannah para fora do acampamento, agora abraçava o corpo de Oi.

O malhado abriu um olho e encarou Roland. Depois tornou a fechá-lo.

Roland não a ouviu se aproximar, mas sentiu-a do mesmo jeito. Apressou-se a deitar-se, rolou para um lado e pôs o rosto na curva do cotovelo. E dessa posição observou quando a cadeira de rodas saiu do meio das árvores. Ela a limpara rapidamente, mas bem. Roland não viu uma única mancha de lama. As rodas brilhavam ao luar.

Ela estacionou a cadeira onde estava antes, deslizou para fora com a graça de sempre e foi até onde jazia Eddie. Roland viu-a aproximar-se da forma adormecida do marido com certa ansiedade. Porque a mulher que se chamava *mãe* estava próxima demais do que fora Detta.

Ficando completamente imóvel, como alguém no mais profundo sono, Roland preparou-se para mexer-se.

Então ela afastou o cabelo do lado do rosto de Eddie e beijou a sua testa. A ternura desse gesto disse ao pistoleiro tudo que ele precisava saber. Era seguro dormir. Fechou os olhos e deixou que a escuridão o envolvesse.

4. CONFABULAÇÃO

1

Quando Roland acordou pela manhã, Susannah ainda dormia, mas Eddie e Jake estavam acordados. Eddie fizera uma pequena fogueira nova sobre os resquícios cinzentos da outra. Ele e o garoto sentavam-se perto dela pelo calor, comendo o que Eddie chamava de burritos. Pareciam ao mesmo tempo empolgados e preocupados.

— Roland — disse Eddie. — Acho que a gente precisa ter uma conversa. Aconteceu uma coisa ontem de noite...

— Eu sei — disse Roland. — Eu vi. Vocês ficaram todash.

— Todash? — perguntou Jake. — O que é isso?

Roland começou a explicar-lhes, depois balançou a cabeça.

— Se vamos confabular, Eddie, é melhor você ir acordar Susannah. Assim não teremos de repetir a primeira parte. — Olhou para o sul. — E com sorte nossos amigos não vão nos interromper até termos tido nossa conversa. Eles não têm nada com isso.

Mas já estava tendo dúvidas a respeito.

Observou com mais interesse que o habitual quando Eddie sacudiu Susannah, inteiramente seguro, mas de modo algum confiante de que *seria* ela quem abriria os olhos. Foi. Ela se sentou, espichou-se, correu os dedos pelos cachos crespos.

— Qual é seu problema, docinho? Eu queria dormir mais uma hora, no mínimo.

— A gente precisa conversar, Suze — disse Eddie.

— Todos vocês precisam, mas ainda não — ela disse. — *Meu Deus*, como estou dolorida.

— Dormir em chão duro às vezes leva a isso — disse Eddie.

Pra não falar em caçar nua nos pântanos e lama, pensou Roland.

— Me dê um pouco d'água, querido. — Estendeu as palmas e Eddie encheu-as com água de uma das bolsas. Ela jogou-a no rosto e nos olhos, deu um gritinho de arrepio e disse: — Gélida.

— Véia! — disse Oi.

— Ainda não — ela disse ao malhado —, mas me dê mais alguns meses como os últimos que eu *estarei*. Roland, vocês do Mundo Médio já ouviram falar em café, certo?

Roland fez que sim com a cabeça.

— Da fazenda do Arco Externo. Lá do sul.

— Se encontrarmos algum, pegamos, não pegamos? Quero que me prometa, agora.

— Eu prometo — disse Roland.

Susannah, enquanto isso, examinava Eddie.

— O que aconteceu? Vocês não parecem muito bem.

— Mais sonhos — disse Eddie.

— Eu também — disse Jake.

— Sonhos, não — disse o pistoleiro. — Como *você* dormiu, Susannah?

Ela o olhou com um ar franco. Roland não sentiu nem uma sombra de mentira na resposta.

— Feito uma pedra, como sempre faço. Uma coisa pra que serve essa viagem toda: pode jogar fora a porra do seu Nembutal.

— Que coisa todashesca é essa, Roland? — perguntou Eddie.

— Todash — ele corrigiu, e explicou-lhes o melhor que pôde. O que mais lembrava das doutrinas de Vannay era que os mannis faziam longos períodos de jejum, para induzir o estado de espírito certo, e como viajavam por aí, em busca do lugar exato em que induzir o estado todash. Era uma coisa que determinavam com ímãs e grandes pesos de chumbo.

— Está me parecendo que esses caras se sentiriam em casa em Needle Park — disse Eddie.

— Em qualquer lugar de Greenwich Village — acrescentou Susannah.

— "Parece uma coisa havaiana, não parece?" — perguntou Jake com uma voz grave e profunda, e todos riram. Até Roland riu um pouco.

— Todash é outra maneira de viajar — disse Eddie quando cessaram as risadas. — Que nem as portas. E os globos de vidro. Correto?

Roland ia dizer sim, mas hesitou.

— Acho que todos podem ser variações da mesma coisa — disse. — E segundo Vannay, os globos de vidro... pedaços do Arco-Íris do Mago... facilitam entrar em todash. Às vezes facilitam *demais*.

Jake disse:

— Nós realmente tremulamos e apagamos... como lâmpadas elétricas? O que você chama de faíscas?

— Sim... vocês apareciam e desapareciam. Quando desapareciam, ficava um fulgor baço onde haviam estado, quase como se alguma coisa estivesse guardando o lugar pra vocês.

— Graças a Deus que estava — disse Eddie. — Quando acabou… quando aqueles sinos recomeçaram a tocar e nós nos soltamos… vou ser honesto com você, eu achava que não íamos voltar.

— Nem eu — disse Jake em voz baixa. O céu tornara a ficar nublado, e à fraca luz da manhã ele parecia muito pálido. — Eu perdi você.

— Eu nunca fiquei tão feliz por ver um lugar na minha vida como quando abri os olhos e vi esse pedacinho de estrada — disse Eddie. — E você junto de mim, Jake. Até o malhado foi uma boa visão. — Lançou uma olhada a Oi, e depois a Susannah. — Nada parecido lhe aconteceu ontem à noite, querida?

— Nós a teríamos visto — disse Jake.

— Não se ela todashasse para outro lugar — disse Eddie.

Susannah balançou a cabeça, parecendo perturbada.

— Eu simplesmente dormi a noite inteira. Como disse a vocês. E você, Roland?

— Nada a declarar — disse Roland.

Como sempre, guardaria sua opinião até seu instinto dizer-lhe que era hora de dá-la. E, além disso, o que disse não era exatamente uma mentira. Olhou atentamente para Eddie e Jake.

— Há problema, não há? — disse o pistoleiro.

Eddie e Jake entreolharam-se, depois de volta para Roland. Eddie deu um suspiro.

— Sim, provavelmente.

— É muito sério? Vocês sabem?

— Acho que não. Sabemos, Jake?

Jake balançou a cabeça.

— Mas tenho algumas ideias — continuou Eddie —, e se estiver certo, nós temos um problema. E dos *grandes*. — Engoliu. Com força. Jake tocou-lhe a mão e o pistoleiro ficou preocupado ao ver com que rapidez e firmeza Eddie segurou os dedos do garoto.

Roland estendeu a mão e puxou a de Susannah para dentro da dele. Teve uma breve visão daquela mão agarrando a rã, espremendo-a e esguichando as entranhas. Afastou-a logo da mente. A mulher que fizera isso não estava agora ali.

— Contem — ele disse a Eddie e Jake. — Contem tudo. Gostaríamos de ouvir tudo.

— Cada palavra — concordou Susannah. — Em nome dos seus pais.

2

Eles contaram o que lhes acontecera na Nova York de 1977. Roland e Susannah escutavam, fascinados, quando os dois falaram sobre seguir Jake até a livraria, e verem Balazar e seus cavalheiros encostarem na frente.

— Hum! — disse Susannah. — Os mesmos bandidões! É quase como um romance de Dickens.

— Quem é Dickens, e o que é um romance? — perguntou Roland.

— Romance é uma longa história contada em um livro — disse ela. — Dickens escreveu cerca de uma dúzia. Foi talvez o melhor que já teve. Em suas histórias, pessoas em uma cidade grande chamada Londres viviam encontrando outras que conheciam de muito tempo atrás. Eu tinha um professor na faculdade que detestava a forma como isso sempre acontecia. Dizia que as histórias de Dickens eram cheias de falsas coincidências.

— Um professor que não sabia do ka ou que não acreditava nele — disse Roland.

Eddie assentiu.

— Aham, isso é ka, sem dúvida.

— Eu estou mais interessado na mulher que escreveu *Charlie Chuu-Chuu* do que nesse contador de história Dickens — disse Roland. — Jake, eu me pergunto se você...

— Já pensei nisso — disse Jake, desafivelando as correias de sua mochila.

Quase com reverência, retirou o velho livro esfarrapado contando as histórias da locomotiva Charlie e seu amigo, o Maquinista Bob. Todos olharam a capa. O nome embaixo do título ainda era Beryl Evans.

— Cara — disse Eddie. — Isso é muito esquisito. Quer dizer, eu não quero me desviar nem nada assim... — Fez uma pausa, compreendendo que acabara de fazer um trocadilho ferroviário, e prosseguiu. Roland não estava muito interessado em trocadilhos e piadas. — ... mas isso é *esquisito*. O que Jake comprou, o Jake Setenta e Sete, era de Claudia alguma coisa Bachman.

— Inez — disse Jake. — Também tinha um y. Alguém sabe o que isso quer dizer?

Ninguém sabia, mas Roland disse que havia nomes parecidos em Mejis.

— Creio que era uma espécie de título honorífico que acrescentavam. E não sei ao certo se *é* se desviar do assunto. Jake, você disse que o cartaz na vitrine era diferente do de antes. Como?

— Não me lembro. Mas quer saber de uma coisa? Acho que se você me hipnotizasse de novo... sabem como é, com a bala, eu me lembraria.

— E quem sabe com o tempo eu faça isso — disse Roland —, mas esta manhã o tempo é curto.

Voltamos a isso de novo, pensou Eddie. *Ontem, mal existia, e agora é curto. Mas é tudo sobre o tempo, de alguma forma, não é? Os velhos tempos de Roland, os nossos velhos tempos e estes novos tempos. Estes perigosos novos tempos.*

— Por quê? — perguntou Susannah.

— Nossos amigos — disse Roland, e indicou o sul com a cabeça. — Estou com a sensação de que eles não vão demorar a se apresentar.

— *São* amigos nossos? — perguntou Jake.

— Isso realmente *é* um desvio do assunto — disse Roland, e mais uma vez se perguntou se era de fato verdade. — Por enquanto, voltemos o pensamento de nosso khef para essa Livraria da Mente, ou como quer que se chame. Vocês viram as harpias da Torre Inclinada bicando o dono, não viram? Esse tal Tower ou Toren.

— Fazendo pressão sobre ele, quer dizer? — perguntou Eddie. — Torcendo o braço dele?

— É.

— Com certeza que estavam — disse Jake.

— Estavam — interveio Oi. — Certeza que estavam.

— Eu aposto qualquer coisa que Tower e Toren são na verdade o mesmo nome — disse Susannah. — Esse *toren* é "torre" em holandês. — Ela viu Roland preparando-se para falar e ergueu a mão. — É a maneira como as pessoas fazem as coisas em nosso pedaço do universo, Roland: trocar o nome estrangeiro por um mais... bem... americano.

— Sim — disse Eddie. — Assim, Stempowicz se torna Stamper... Yakov se torna Jacob... ou...

— Ou Beryl Evans se torna Claudia y Inez Bachman — disse Jake. Sorriu, mas não parecia estar achando graça.

Eddie tirou um graveto meio queimado da fogueira e pôs-se a rabiscar com ele no chão. Uma a uma, formaram-se as Grandes Letras: C... L... A... U...

— Focinhão chegou a *dizer* que Tower era holandês. "Um cabeçudo é sempre um cabeçudo, certo, chefe?"

Olhou para Jake, em busca de confirmação. Jake assentiu, depois pegou o graveto e continuou com D... I... A.

— O fato de ele ser holandês faz muito sentido, sabe — disse Susannah. — Em determinada época os holandeses foram donos da maior parte de Manhattan.

— Quer outro toque de Dickens? — perguntou Jake. Escreveu y no chão depois de CLAUDIA, então ergueu os olhos para Susannah. — Que tal aquela casa mal-assombrada por onde eu entrei neste mundo?

— A Mansão — disse Eddie.

— A Mansão em *Dutch Hill*. — disse Jake.

— Que significa Colina Holandesa. É, isso mesmo. Porra.

— Vamos ao centro da questão — disse Roland. — Acho que é o papel do acordo que vocês viram. E sentiram que *tinham* de vê-lo, não foi?

Eddie fez que sim com a cabeça.

— Essa necessidade pareceu algo relacionado à jornada pelo Feixe?

— Roland, eu acho que *era* o Feixe.

— O caminho para a Torre, em outras palavras.

— Aham — disse Eddie.

Pensava em como as nuvens fluíam ao longo do Feixe, como as sombras se curvavam em sua direção. Tudo serve ao Feixe, dissera-lhes Roland, e a necessidade que Eddie sentira de ver o papel que Balazar pusera diante de Calvin Tower parecera mesmo como uma necessidade, dura e imperativa.

— Conte-me o que dizia.

Eddie mordeu o lábio. Não se sentia tão assustado sobre isso quanto sobre o entalhamento da chave que no fim lhes permitira resgatar Jake e puxá-lo para o outro lado, mas fora por pouco. Porque, como a chave, aquilo era importante. Se ele esquecesse alguma coisa, mundos podiam despencar.

— Cara, eu não me lembro de tudo, palavra por palavra...

Roland fez um gesto de impaciência.

— Se eu precisasse disso, eu o hipnotizaria e *conseguiria* palavra por palavra.

— Acha que isso tem importância? — perguntou Susannah.

— Eu acho que *tudo* tem — respondeu Roland.

— E se a hipnose não funcionar comigo? — perguntou Eddie. — E se eu for, tipo, um bom paciente?

— Deixe isso comigo — disse Roland.

— Dezenove — disse Jake abruptamente. Todos se voltaram para ele, que olhava as letras no chão desenhadas por ele e Eddie ao lado da fogueira extinta. — Claudia y Inez Bachman. Dezenove letras.

3

Roland pensou um instante e deixou passar. Se o número 19 *fazia* de algum modo parte daquilo, o sentido se mostraria com o tempo. Por enquanto, havia outros assuntos a considerarem.

— O papel — disse. — Vamos focar nisso por enquanto. Me falem tudo que lembrarem a respeito.

— Bem, era um acordo legal, com selo embaixo e tudo. — Eddie fez uma pausa, subitamente dominado por uma dúvida. Roland *provavelmente* sabia sobre isso, afinal, fora uma espécie de agente da lei, mas não machucaria ter certeza.

— Você sabe sobre advogados, não sabe?

Roland respondeu em seu tom mais seco:

— Você esquece que eu venho de Gilead, Eddie. O mais interior dos Baronatos Interiores. Tínhamos mais mercadores, camponeses e manufaturadores do que advogados, eu acho, mas não por muito.

Susannah deu uma risada.

— Você me faz pensar em uma cena de Shakespeare, Roland. Duas personagens... podem ter sido Falstaff e o príncipe Hal... estão conversando sobre o que vão fazer quando ganharem a guerra e assumirem o comando. E um deles diz: "Primeiro mataremos todos os advogados".

— Seria uma maneira justíssima de se começar — disse Roland, e Eddie achou seu tom pensativo um tanto arrepiante. Então o pistoleiro tornou a voltar-se para ele. — Continue. Se pode acrescentar alguma coisa, Jake, por favor faça. E relaxem, vocês dois, por amor a seus pais. Por enquanto eu quero apenas um esboço.

Eddie supunha que já soubesse disso, mas ouvir Roland dizê-lo o fez sentir-se melhor.

— Tudo bem. Era um Memorando de Acordo. Isso estava bem no topo, em letras grandes. No pé, dizia *Acordado com*, e havia duas assinaturas. Uma era de Calvin Tower. A outra era de Richard alguma coisa. Lembra, Jake?

— Sayre — disse Jake. — Richard Patrick Sayre. — Fez uma breve pausa, movendo os lábios, e balançou a cabeça. — Dezenove letras.

— E que dizia o tal acordo? — perguntou Roland.

— Não muita coisa, se quer saber a verdade — disse Eddie. — Ou pelo menos foi o que me pareceu. Basicamente, dizia que Tower possuía um terreno baldio na esquina da rua Quarenta e Seis com a Segunda Avenida...

— O terreno baldio — disse Jake. — Aquele que tinha a rosa.

— Sim, esse mesmo. De qualquer modo, Tower assinou o acordo em 15 de julho de 1976. A Corporação Sombra deu-lhe cem mil paus. O que ele deu em troca, até onde pude ver, foi a promessa de não vender o terreno a ninguém além da Sombra no ano seguinte, cuidar dele... pagar os impostos e essas coisas... e depois dar à Sombra preferência de venda, supondo que não o houvesse vendido a eles até então, de qualquer modo. O que ele não tinha feito quando estávamos lá, mas o acordo ainda tinha um mês e meio de vigência.

— O sr. Tower disse que tinha gasto todos os cem mil paus — interveio Jake.

— Havia alguma coisa no acordo sobre a preferência de compra dessa Corporação Sombra? — perguntou Susannah.

Eddie e Jake pensaram no assunto, trocaram um olhar e balançaram a cabeça.

— Têm certeza? — perguntou Susannah.

— Não absoluta, mas *bastante* — disse Eddie. — Acha que isso tem importância?

— Eu não sei — disse Susannah. — Esse tipo de acordo de que você fala... bem, sem a preferência no topo, não parece fazer muito sentido. É ao que tudo se resume, quando se para pra pensar. "Eu, Calvin Tower, concordo em pensar em vender meu terreno baldio. Você me paga cem mil dólares e eu pensarei no assunto por todo um ano. Quando não estiver tomando café nem jogando xadrez com meus amigos, quer dizer. E quando o ano acabar, talvez eu o venda a você, e talvez o mantenha, e talvez simplesmente o leiloe a quem der o melhor lance. E se você não o pegar, docinho, é só cuspir".

— Você esqueceu uma coisa — disse Roland, em um tom suave.

— O quê? — perguntou Susannah.

— Essa Sombra não é uma empresa comum cumpridora da lei. Pergunte a si mesma se uma empresa cumpridora da lei iria contratar alguém como Balazar para dar seus recados.

— Você tem razão — disse Eddie. — Tower estava *mucho* assustado.

— Seja como for — disse Jake —, torna pelo menos algumas coisas mais claras. O cartaz que eu vi no terreno baldio, por exemplo. A Corporação Sombra também tinha o direito de "anunciar projetos futuros" ali pelos seus cem mil paus. Você viu essa parte, Eddie?

— Acho que sim. Logo depois da parte que proibia Tower de qualquer ônus à propriedade, por causa do "interesse declarado" da Sombra, não era?

— Certo — disse Jake. — O cartaz que eu vi no terreno dizia... — Parou, pensou, ergueu as mãos, como se lesse um cartaz que apenas ele visse: — A CONSTRUTORA MILLS E A IMOBILIÁRIA SOMBRA E ASSOCIADOS CONTI-

NUAM A REFAZER A FACE DE MANHATTAN. E depois: EM BREVE NESTE LOCAL: OS CONDOMÍNIOS DE LUXO BAÍA DA TARTARUGA.

— Então é para isso que eles o querem — disse Eddie. — Condomínios. Mas...

— O que são condomínios? — perguntou Susannah, franzindo a testa. — Parece algum tipo de armário de especiarias.

— É uma espécie de oferta de apartamentos com serviços e áreas de lazer comuns — disse Eddie. — Provavelmente já existiam no seu tempo, mas com um nome diferente.

— Sim — disse Susannah com certa aspereza. — Nós os chamávamos cooperativas. Ou então íamos bem até o centro e os chamávamos de prédios de apartamentos.

— Não importa, porque jamais se tratava de condomínios — disse Jake. — Jamais foi sobre o prédio que o cartaz dizia que seria erguido, aliás. Tudo isso é apenas, vocês sabem... como é mesmo que se chama?

— Camuflagem? — sugeriu Roland.

Jake deu um sorriso.

— Isso, camuflagem. É sobre a *rosa*, não o prédio! E eles não podem pegá-la enquanto não possuírem o terreno onde ela brota. Eu tenho certeza.

— Você pode estar certo sobre o prédio não significar nada — disse Susannah —, mas o nome Baía da Tartaruga tem certa ressonância, você não diria? — Olhou para o pistoleiro. — Aquela parte de Manhattan chama-se Turtle Bay, que significa a mesma coisa, Baía da Tartaruga, Roland.

Ele assentiu, sem surpresa. A Tartaruga era um dos Doze Guardiães, e quase certamente ficava no extremo oposto do Feixe em que eles agora viajavam.

— O pessoal da Construtora Mills pode não saber da rosa — disse Jake —, mas aposto que o da Corporação Sombra sabe. — Passou a mão no pelo do pescoço de Oi, que era denso o suficiente para fazer seus dedos desaparecerem inteiramente. — Acho que em algum ponto de Nova York... em algum prédio comercial, provavelmente em Turtle Bay no East Side... há uma porta com a inscrição CORPORAÇÃO SOMBRA. E em algum lugar por trás dessa porta há *outra* porta. Do tipo que traz a gente pra cá.

Durante um minuto, ficaram pensando a respeito — sobre mundos a girar em um único eixo em agonizante harmonia —, e ninguém disse nada.

4

— Eis o que acho que está acontecendo — disse Eddie. — Suze, Jake, sintam-se livres para interromper se acharem que estou entendendo errado. Esse tal Cal Tower é uma espécie de guardião da rosa. Talvez não saiba disso em um nível consciente, mas só pode ser. Ele e talvez a família dele toda antes. Isso explica o nome.

— Só que ele é o último — disse Jake.

— Você não tem certeza disso, doçura — disse Susannah.

— Não tem aliança — respondeu Jake, e Susannah assentiu, dando-lhe pelo menos uma aprovação provisória.

— Talvez em certa época houvesse muitos Torens donos de imóveis em Nova York — disse Eddie —, mas esses dias passaram. Agora a única coisa que se interpõe entre a Corporação Sombra e a rosa é um cara gordo quase falido que mudou de nome. É um... como se chama alguém que adora livros?

— Bibliófilo — disse Susannah.

— Isso, um desses. E George Biondi pode não ser nenhum Einstein, mas disse pelo menos uma coisa inteligente quando estávamos escutando. Disse que o lugar de Tower não era uma loja de verdade, mas apenas um buraco onde se enterra dinheiro. O que está acontecendo com ele é uma história manjada de onde nós viemos, Roland. Quando minha mãe via um cara rico na TV... Donald Trump, por exemplo...

— Quem? — perguntou Susannah.

— Você não o conhece, ele era um garoto em 1964. E isso não importa. "De manga de camisa a manga de camisa em três gerações", costumava dizer minha mãe. "É o estilo americano, meninos."

"Portanto, aí está Tower, um tipo Roland... o último de sua linhagem. Vende um pedaço de propriedade aqui, um pedaço ali, pagando os impostos, as prestações da casa, os cartões de crédito e as contas médicas, as ações. E sim, estou inventando isso tudo... só que não parece o caso."

— É — disse Jake. Falou em um tom baixo, fascinado. — Não parece.

— Talvez você partilhasse o khef dele — disse Roland. — O mais provável é que o tenha tocado. Como fazia meu velho amigo Alain. Vá em frente, Eddie.

— E todo ano ele diz a si mesmo que a livraria vai dar retorno. Pegar no tranco, talvez, como às vezes acontece com as coisas em Nova York. Saem do vermelho e entram no azul, e aí estará tudo bem. E finalmente resta apenas uma coisa para vender: o terreno dois-nove-oito no Bloco 19 em Turtle Bay.

— Dois-nove-oito somam dezenove — disse Susannah. — Eu gostaria de poder decidir se isso significa alguma coisa ou é apenas a Síndrome do Carro Azul.

— O que é essa Síndrome do Carro Azul? — perguntou Jake.

— Quando se compra um carro azul, a pessoa vê carros azuis por toda parte.

— Aqui não — disse Jake.

— Aqui não — entoou Oi, e todos o olharam.

Passavam-se dias, às vezes semanas, sem que Oi fizesse nada além de dar um ou outro eco da conversa deles. Então dizia alguma coisa que quase podia ser produto de um pensamento original. Mas não tinha como se saber. Não ao certo. Nem mesmo Jake sabia ao certo.

Como não sabemos ao certo sobre o dezenove, pensou Susannah, e deu um tapinha na cabeça do malhado. Oi respondeu com uma piscadela amistosa.

— Ele se aferra àquele terreno até o amargo fim — disse Eddie. Quer dizer, ora, nem sequer é dono do prédio de merda onde fica a livraria, só o aluga.

Jake assumiu.

— A Déli Artesanal Tom e Jerry fechou as portas, e Tower mandou demoli-la. Porque parte dele quer vender o terreno. Essa parte diz que ele seria maluco se não vendesse.

Jake calou-se um instante, pensando em algumas ideias que lhe vinham no meio da noite. Ideias malucas, pensamentos e vozes malucas que não se calavam.

— Mas há *outra* parte dele, outra voz...

— A voz da Tartaruga — interveio Susannah baixinho.

— Sim, a Tartaruga e o Feixe — concordou Jake. — É provável que sejam a mesma coisa. E a voz o manda aferrar-se ao terreno a qualquer custo. — Olhou para Eddie. — Acha que ele sabe da rosa? Acha que vai lá às vezes dar uma olhada?

— Um coelho caga na mata? — respondeu Eddie. — É claro que vai. E claro que *sabe*. Em algum nível ele *deve* saber. Porque um terreno de esquina em Manhattan... quanto valeria uma coisa dessas, Susannah?

— Na minha época, provavelmente um milhão de dólares — disse ela. — Em 1977, só Deus sabe. Três? Cinco? — Deu de ombros. — O bastante para permitir ao sai Tower continuar vendendo livros levando prejuízo pelo resto da vida, desde que tivesse um cuidado razoável sobre o que faria com o dinheiro.

Eddie disse:

— Tudo isso mostra o quanto ele está relutante em vender. Quer dizer, Suze já demonstrou como a Sombra ganhou pouco em troca pelos seus cem mil paus.

— Mas eles ganharam alguma coisa — disse Roland. — Uma coisa muito importante.

— Um pé na porta — disse Eddie.

— Você diz a verdade. E agora, quando expira o termo do acordo deles, mandam a versão de seu mundo dos Grandes Caçadores de Caixão. Caras durões. Se a cobiça ou a necessidade não obrigam Tower a vender-lhes o terreno com a rosa, eles o aterrorizarão para fazê-lo.

— Aham — disse Jake. E quem ficaria do lado de Tower? Talvez Aaron Deepneau. Talvez ninguém. — Então o que faremos?

— A compraremos nós mesmos — disse prontamente Susannah. Claro.

5

Fez-se um momento de silêncio atordoado, e depois Eddie balançou a cabeça pensativamente.

— Claro, por que não? A Corporação Sombra tem preferência no acordozinho deles... provavelmente tentaram, mas Tower não quis. Logo, claro, compraremos. Quantas peles de gamo você acha que ele vai querer? Quarenta? Cinquenta? Se ele tentar dificultar a coisa, quem sabe a gente não inclui algumas relíquias do Povo Antigo. Vocês sabem, xícaras, pratos e pontas de flechas. Seria algo para contar em uma festa.

Susannah olhava-o com um ar reprovador.

— Tudo bem, talvez não tenha muita graça — disse Eddie. — Mas temos de encarar os fatos, doçura. Nós não passamos de um bando de maltrapilhos peregrinos atualmente acampados em uma outra realidade... quer dizer, isto nem é mais o Mundo Médio.

— E também — disse Jake em um tom de desculpa — nem estávamos de fato lá, pelo menos não da maneira como se está quando se cruza uma das portas. Eles nos sentiram, mas basicamente éramos invisíveis.

— Vamos por partes — disse Susannah. — No que se refere à grana, eu tenho bastante. Se pudéssemos pegá-la, quer dizer.

— Quanto? — perguntou Jake. — Eu sei que é meio indelicado, mas...

— Já fizemos coisas demais juntos pra se preocupar em ser polido — disse Susannah. — A verdade, doçura, é que eu não sei ao certo. Meu pai inventou dois processos dentais que tinham a ver com capas para os dentes, e explorou-os ao máximo. Abriu uma empresa chamada Indústrias Dentais Holmes e cuidou sozinho da maior parte do lado financeiro até 1959.

— O ano em que Mort a empurrou na frente do vagão do metrô — disse Eddie.

Ela assentiu.

— Isso foi em agosto. Cerca de um mês e meio depois meu pai teve um ataque cardíaco... o primeiro de muitos. Parte daquilo foi provavelmente tensão com o que aconteceu comigo, mas não vou assumir tudo. Ele era muito esforçado, puro e simples.

— Você não tem de assumir *nada* — disse Eddie. — Quer dizer, não é a mesma coisa como se você tivesse *saltado* na frente do vagão do metrô, Suze.

— Eu sei. Mas como a gente se sente e por quanto tempo nos sentimos assim nem sempre têm muito a ver com a verdade objetiva. Com mamãe já falecida, era meu trabalho cuidar dele, e eu não consegui... jamais consegui tirar completamente da cabeça a ideia de que foi minha culpa.

— Dias passados — disse Roland, sem muita empatia.

— Obrigada, querido — disse Susannah. — Você tem *muito* jeito para colocar as coisas em perspectiva. De qualquer maneira, meu pai passou a parte financeira da empresa para o seu contador, depois do primeiro ataque cardíaco... um velho amigo chamado Moses Carver. Depois que meu pai faleceu, tio Moses cuidou das coisas para mim. Eu diria que quando Roland me puxou de Nova York para este encantador pedaço de lugar nenhum, talvez eu valesse oito ou dez milhões de dólares. Seria isso o bastante para comprar parte do terreno do sr. Tower, sempre supondo-se que ele o venderia pra gente?

— Ele provavelmente o venderia por peles de gamo, se Eddie tem razão em relação ao Feixe — disse Roland. — Eu creio que uma parte profunda da mente e do espírito de Tower, o ka que o fez apegar-se ao terreno por tanto tempo, estava à nossa espera.

— À espera da cavalaria — disse Eddie com a sombra de um sorriso no rosto. — Como o Forte Ord nos últimos dez minutos de um filme de John Wayne.

Roland olhou-o, sem sorrir.

— Ele está à espera do Branco.

Susannah levou as mãos marrons ao rosto marrom e olhou-os.

— Então eu acho que ele não está esperando por mim — disse.

— Sim — disse Roland —, ele está. — E perguntou-se, ligeiramente, de que cor era a outra. Mia.

— Nós precisamos de uma porta — disse Jake.

— Precisamos de pelo menos duas — disse Eddie. — Uma pra lidar com Tower, claro. Mas antes que possamos fazer isso, temos de retornar ao tempo de Susannah. E que seja tão perto ao tempo em que Roland a pegou quanto possível. Seria péssimo retornar a 1977, entrar em contato com esse tal de Carver e descobrir que ele fez declararem Odetta Holmes legalmente morta em 1971. Que todos os bens foram entregues aos parentes em Green Bay ou San Berdoo.

— Ou retornar a 1968 e descobrir que o sr. Carver desapareceu — disse Jake. — Desviou tudo para suas próprias contas e aposentou-se em Costa del Sol.

Susannah olhava-o com uma expressão tão chocada que teria sido cômica em outras circunstâncias.

— O tio Moses jamais faria uma coisa dessas! Ele era o meu padrinho!

Jake pareceu embaraçado.

— Desculpe. Eu li romances policiais demais: Agatha Christie, Ed McBain, Rex Stout... e coisas assim vivem acontecendo nessas histórias.

— Além disso — disse Eddie —, uma bela grana pode fazer as pessoas tomarem atitudes bizarras.

Ela lançou-lhe um olhar frio e avaliador que pareceu estranho, quase de outra pessoa, em seu rosto. Roland, que sabia uma coisa que Eddie e Jake não sabiam, achou-o um olhar de espremedora de rã.

— Como *você* saberia? — perguntou ela. — Ah, querido, desculpe. Isso não era necessário.

— Tudo bem — disse Eddie. Sorriu. O sorriso pareceu rígido e inseguro. — É o calor do momento. — Estendeu o braço, tomou a mão dela e apertou-a.

Ela retribuiu o aperto. O sorriso no rosto de Eddie se ampliou um pouco, começando a parecer que seu lugar era ali mesmo.

— É apenas que eu conheço Moses Carver. Ele é realmente honesto.

Eddie ergueu a mão, menos em crença e mais em uma vontade de deixar a questão de lado.

— Deixa ver se estou entendendo sua ideia — disse Roland. — Primeiro, depende de nossa capacidade de retornar ao seu mundo de Nova York não em um determinado ponto no tempo, mas em dois.

Fez uma pausa, enquanto pensavam nisso, depois Eddie assentiu.

— Certo. Vamos em 1964, pra começar. Susannah teria estado desaparecida há uns dois meses, mas ninguém teria ainda aberto mão da esperança nem nada assim. Ela aparece, todo mundo fica feliz. Retorno da filha pródiga. Pegamos a grana, o que pode levar um tempinho...

— A parte complicada vai ser fazer o tio Moses abrir mão dela — disse Susannah. — Quando se trata de dinheiro no banco, aquele homem tem o punho fechado. E tenho toda a certeza de que, no fundo, ele ainda me vê como tendo oito anos.

— Mas legalmente é seu, certo? — perguntou Eddie.

Roland via que ele ainda agia com certa cautela. Não superara inteiramente a alfinetada — como *você* saberia? — ainda. E o olhar que a acompanhara.

— Quer dizer — continuou Eddie — que ele não pode impedi-la de pegar o dinheiro, pode?

— Não, doçura — disse ela. — Meu pai e o tio Moses abriram um fundo para mim, mas isso acabou em 1959, quando eu fiz vinte e cinco anos.

Virou os olhos, negros e de surpreendente beleza e sentimento, para ele.

— Pronto. Não precisa mais me aporrinhar sobre a minha idade, precisa? É só subtrair que você pode fazer as contas por si mesmo.

— Isso não importa — disse Eddie. — O tempo é um rosto na água.

Roland sentiu um arrepio correr-lhe pelos braços. Em algum ponto — talvez em um chamejante campo de flores de rosas cor de sangue ainda longe dali — alguém acabara de caminhar sobre sua cova.

6

— Tem de ser dinheiro vivo — disse Jake, com um tom seco e objetivo.

— Hum? — Eddie desviou o olhar de Susannah com esforço.

— Dinheiro vivo — repetiu Jake. — Ninguém aceitaria um cheque, mesmo um cheque administrativo, de treze anos atrás. Ainda mais um cheque de um milhão de dólares.

— Como você sabe dessas coisas, docinho? — perguntou Susannah.

Jake deu de ombros. Gostasse ou não (em geral não gostava), ele era filho de Elmer Chambers, que não era um dos mocinhos do mundo — Roland jamais o chamaria de parte dos Brancos —, mas fora um mestre no que os executivos dos canais de televisão chamam de "matar". *Um Grande Caçador de Caixão na Terra da TV*, pensou Jake. Talvez isso fosse meio injusto, mas dizer que Elmer Chambers sabia negociar jogadas difíceis decididamente *não* era injusto. E, sim, ele era Jake, filho de Elmer. Não esquecera o rosto do pai, embora às vezes desejasse que sim.

— Dinheiro vivo, com certeza — disse Eddie, quebrando o silêncio. — Um negócio desses tem de ser com dinheiro vivo. Se houver um cheque, a gente saca em 1964, não 1977. Enfia em uma mochila de ginástica… já tinha mochila de ginástica em 1964, Suze? Deixa pra lá. Não importa. A gente enfia na mochila e leva pra 1977. Não precisa ser no mesmo dia em que Jake comprou *Charlie Chuu-Chuu* e *O Que É o Que É?*, mas tem de ser próximo.

— E não pode ser depois de 15 de julho de 1977 — apontou Jake.

— Nossa, não — concordou Eddie. — Seria muito provável descobrirmos que Balazar convencera Tower a vender, e lá estaríamos nós, mochila de grana em uma das mãos e cara de pastel, sorrindo e de mãos abanando.

Fez-se um momento de silêncio — talvez pensassem nessa lúgubre imagem —, e então Roland disse:

— Vocês fazem parecer muito fácil, e por que não? Pra vocês três, a ideia de portas entre este mundo e o mundo de vocês parece quase tão comum quanto é para mim montar em uma mula. Ou engatilhar um revólver de seis balas. E há um bom motivo para se sentirem assim. Cada um de vocês cruzou uma porta dessas. Eddie já até cruzou nos dois sentidos... neste mundo e de volta ao dele.

— Devo dizer a você que a viagem de volta a Nova York não foi muito divertida — disse Eddie. — Muito uso de armas.

Pra não falar da cabeça do meu irmão rolando pelo chão do escritório de Balazar.

— Tampouco foi cruzar a porta em Dutch Hill — acrescentou Jake.

Roland assentiu, cedendo esses pontos sem abrir mão dos seus.

— Durante toda a minha vida eu aceitei o que você disse da primeira vez que nos conhecemos, Jake... o que você disse quando estava morrendo.

Jake baixou os olhos, pálido, e não respondeu. Não gostava de lembrar disso (era misericordiosamente nebuloso, em qualquer caso), e sabia que Roland também não. *Ótimo!*, pensou. *Você* deveria *querer lembrar. Você me deixou cair! Você me deixou* morrer*!*

— Você disse que havia outros mundos além desses — disse Roland —, e há mesmo. Nova York, com todos os seus múltiplos tempos, é um entre muitos. O fato de sermos atraídos repetidas vezes para lá tem a ver com a rosa. Eu não tenho dúvidas sobre isso, nem de que, de alguma maneira que não entendo, a rosa é a Torre Negra. Ou isso, ou...

— Ou é outra porta — murmurou Susannah. — Uma que dá para a própria Torre Negra.

Roland assentiu.

— A ideia fez mais que cruzar minha mente. Seja como for, os mannis sabem sobre esses outros mundos, e de algum modo dedicaram suas vidas a eles. Acreditam que todash é o mais sagrado dos ritos e o mais exaltado dos estados. Meu pai e os amigos dele havia muito conheciam os globos de vidro; isso eu já lhes contei. Que o Arco-Íris do Mago, todash e essas portas mágicas podem muito bem ser a mesma coisa é algo que deduzimos.

— Aonde você quer chegar com isso, docinho? — perguntou Susannah.

— Estou simplesmente lembrando a vocês que eu vaguei por muito tempo — disse Roland. — Devido a mudanças no tempo, um *enfraquecimento* do tempo que eu sei que vocês sentiram, venho procurando a Torre Negra há mais de mil anos, às vezes saltando gerações inteiras como uma ave marinha cruza do topo de uma onda para outra, apenas molhando os pés na espuma. Jamais, em todo esse tempo, encontrei uma dessas portas entre os mundos até me deparar com uma delas na praia à beira do mar Ocidental. Não fazia ideia do que eram, embora pudesse dizer a vocês alguma coisa do todash e das curvas do arco-íris.

Roland olhou-os com um ar sério.

— Vocês falam como se meu mundo fosse tão cheio de portas mágicas quanto o seu é de... — pensou um pouco — de aviões ou ônibus-diligências. Não é.

— O lugar onde estamos agora é um lugar onde você nunca esteve antes, Roland — disse Susannah. Tocou o pulso bronzeado dele com dedos delicados. — Não estamos mais em seu mundo. Você mesmo disse isso, lá naquela versão de Topeka onde Blaine finalmente perdeu as estribeiras.

— Verdade — disse ele. — Eu só quero que percebam que tais portas podem ser muito mais raras do que compreendem. E agora vocês falam não de uma, mas de duas. Portas que podem mirar no tempo, como se mira um revólver.

Eu não miro com a mão, pensou Eddie, e teve um leve arrepio.

— Quando você põe a coisa desse jeito, Roland, *parece* meio difícil.

— Então, que fazemos agora? — perguntou Jake.

— Talvez eu possa ajudá-los com isso — disse uma voz.

Todos se voltaram, e apenas Roland o fez sem ter um sobressalto. Ele ouvira o estranho chegar, mais ou menos na metade da conversa. Porém se voltou com interesse, e uma olhada ao homem parado a uns cinco metros deles na beira da estrada bastava para lhe informar que o recém-chegado era do mundo dos seus novos amigos ou de um exatamente ao lado.

— Quem é você? — perguntou Eddie.

— Onde estão seus amigos? — perguntou Susannah.

— De onde você é? — perguntou Jake, com os olhos iluminados de ansiedade.

O estranho usava um longo casaco preto aberto sobre uma camisa preta com gola abotoada. Tinha os cabelos compridos e brancos, espetados dos lados e na frente, como se em pânico. Trazia na testa uma cicatriz em forma de T.

— Meus amigos ainda estão um pouco lá atrás — disse ele, e indicou com o polegar por cima dos ombros a mata, de uma maneira deliberadamente não específica. — Eu agora chamo Calla Bryn Sturgis de meu lar. Antes disso, Detroit, Michigan, onde eu trabalhava em um abrigo de pessoas em situação de rua, fazendo sopa e organizando reuniões de AA. Trabalho que eu conhecia muito bem. Antes disso... por pouco tempo... Topeka, Kansas.

Observou com uma espécie de divertido interesse como os três mais jovens se sobressaltaram ao ouvirem isso.

— Antes, Nova York. E, antes *disso*, uma cidadezinha chamada Jerusalem's Lot, no estado do Maine.

7

— Você está do nosso lado — disse Eddie. Falou quase em um suspiro. — Santo Deus, você está mesmo do nosso lado!

— É, acho que estou — disse o homem de gola virada. — Eu me chamo Donald Callahan.

— Você é padre — disse Susannah.

Olhou da cruz que lhe pendia do pescoço — pequena e discreta, mas de ouro reluzente — para a maior, mais grosseira, na testa.

Callahan balançou a cabeça.

— Não sou mais. Já fui. Talvez um dia de novo, com a bênção, mas agora não. Agora sou apenas um homem de Deus. Posso perguntar... de onde são vocês?

— De 1964 — disse Susannah.

— De 1977 — disse Jake.

— De 1987 — disse Eddie.

Os olhos de Callahan brilharam.

— De 1987. E eu vim para cá em 1983, contando como fazíamos então. Por isso me diga uma coisa, rapaz, uma coisa muito importante. O Red Sox já havia ganhado a World Series quando você partiu?

Eddie jogou a cabeça para trás e riu. O som era ao mesmo tempo surpreso e alegre.

— Não, cara, foi mal. Eles foram vice no ano anterior... no estádio Shea, contra o Mets... e aí um tal de Bill Buckner, que jogava na primeira base, deixou uma fácil passar por ele. Vai assombrá-lo pro resto da vida. Venha e sente-se aqui, que tal? Não temos café, mas Roland... o cara acabado à minha direita... faz um chá de ervas bem decente.

Callahan voltou a atenção para Roland e então fez uma coisa espantosa: caiu sobre um dos joelhos, baixou levemente a cabeça e levou o punho à testa cicatrizada.

— Salve, pistoleiro, que nosso encontro seja fortuito.

— Salve — disse Roland. — Adiante-se, bom estranho, e fale-nos do que precisa.

Callahan ergueu o olhar para ele, surpreso.

Roland devolveu-lhe o olhar calmamente e assentiu.

— Fortuito ou não, que você encontre o que procura.

— E você também — disse Callahan.

— Então adiante-se — disse Roland. — Adiante-se e junte-se à nossa confabulação.

8

— Antes que comecemos pra valer mesmo, posso fazer uma pergunta?

Era Eddie. Ao lado dele, Roland fizera uma fogueira e remexia nos pertences do grupo em busca da pequena panela de barro — um artefato do Povo Antigo — em que gostava de fazer o chá.

— Claro, rapaz.

— Você é Donald Callahan.

— Sou.

— Qual é seu nome do *meio*?

Callahan virou um pouco a cabeça, ergueu uma sobrancelha e sorriu.

— Frank. Do meu avô. Isso significa alguma coisa?

Eddie, Susannah e Jake entreolharam-se. O pensamento que acompanhou esse olhar fluiu fácil entre eles: Donald Frank Callahan. Dezenove letras.

— Significa, *sim* — disse Callahan.

— Talvez — disse Roland. — Talvez não.

Despejou a água para o chá, manejando a bolsa d'água com facilidade.

— Você parece ter sofrido um acidente — disse Callahan, olhando a mão direita do pistoleiro.

— Eu me viro — disse Roland.

— Se vira com uma ajudinha dos amigos, pode-se dizer — acrescentou Jake, sério.

Callahan assentiu, sem compreender e sabendo que não era necessário: eles eram ka-tet. Ele poderia não conhecer o termo, mas o termo não era importante. Estava no jeito como se olhavam e se moviam em torno uns dos outros.

— Vocês sabem meu nome — disse Callahan. — Posso ter o prazer de saber os de vocês?

Eles se apresentaram: Eddie e Susannah Dean, de Nova York; Jake Chambers, de Nova York; Oi, do Mundo Médio; e Roland Deschain, de Gilead, que um dia existira. Callahan assentiu para cada um deles, levando o punho fechado à testa.

— E a vocês vem Callahan, de Lot — disse quando acabaram as apresentações. — Ou que era de lá. Agora acho que sou apenas o Velho. É como me chamam em Calla.

— Seus amigos não vêm se juntar a nós? — perguntou Roland. — Não temos muita coisa pra comer, mas sempre há chá.

— Talvez ainda não.

— Ah — disse Roland, e assentiu como se entendesse.

— De qualquer modo, nós comemos bem — disse Callahan. — Foi um ano bom em Calla... até agora, pelo menos... e teremos prazer em dividir o que temos. — Fez uma pausa, pareceu pensar que fora longe demais, rápido demais, e acrescentou: — Talvez. Se tudo correr bem.

— Se — disse Roland. — Um velho mestre meu dizia que esta era a única palavra de mil letras.

Callahan riu.

— Não falou errado! Seja como for, nós na certa estamos melhor em termos de comida do que vocês. Também temos bolinhos frescos... Zalia os encontrou... mas acho que vocês já os conhecem. Ela disse que o trato de terra, embora grande, tinha um ar de que fora remexido.

— Jake os encontrou — disse Roland.

— Na verdade foi Oi — disse Jake, e alisou a cabeça do malhado. — Acho que é uma espécie de farejador de bolinho.

— Há quanto tempo vocês sabem que estamos aqui? — perguntou Callahan.

— Dois dias.

Callahan deu um jeito de parecer ao mesmo tempo divertido e exasperado.

— Desde que começamos a segui-los, em outras palavras. E tentamos ser tão ardilosos.

— Se não achassem que precisavam de alguém mais ardiloso do que são, não teriam vindo — disse Roland.

Callahan deu um suspiro.

— Você diz a verdade, eu lhe agradeço.

— Vêm em busca de ajuda e socorro? — perguntou Roland.

Havia apenas uma leve curiosidade em sua voz, mas Eddie Dean sentiu um profundo arrepio. As palavras pareceram ficar pairando ali, cheias de ressonância. E ele não estava sozinho nessa sensação. Susannah segurou sua mão direita. Um momento depois, Jake deslizou a sua na esquerda.

— Isso não cabe a mim dizer.

Callahan pareceu de repente hesitante e inseguro de si. Com medo, talvez.

— Você sabe que veio à linhagem do Eld? — perguntou Roland com a mesma voz curiosamente gentil. Estendeu a mão para Eddie, Susannah e Jake. Até para Oi. — Pois estes são meus, claro. Como eu sou deles. Somos redondos, e rodamos como rodamos. E você sabe o que nós somos.

— São *mesmo*? — perguntou Callahan. — *Todos* vocês?

Susannah disse:

— Roland, em que é que você está metendo a gente?

— Que nada seja zero, que nada seja livre — disse ele. — Eu não devo a vocês, nem vocês devem a mim. Pelo menos por enquanto. Eles não decidiram pedir.

Vão pedir, pensou Eddie. Sonhos com a rosa e a déli, e as viagens meio todash à parte, não se julgava particularmente mediúnico, mas não precisava ser mediúnico para saber que eles — as pessoas das quais esse Callahan viera como representante — *iam* pedir. Em alguma parte castanhas haviam caído no fogo, e era Roland quem devia tirá-las.

Mas não *apenas* Roland.

Você cometeu um erro aqui, cara, Eddie pensou. *Perfeitamente compreensível, mas um erro ainda assim. Não somos a cavalaria. Não somos a patrulha de cidadãos. Não somos* pistoleiros. *Somos apenas almas perdidas da Big Apple que…*

Mas não. Não. Eddie soubera quem eram eles desde River Crossing, quando o povo antigo se ajoelhara na rua para Roland. Diabos, soubera desde a floresta (em que ainda pensava como a Floresta de Shardik), onde Roland os ensinara a mirar com o olho, atirar com a mente, matar com o coração. Não três, não quatro. Um. O fato de Roland acabá-los, *completá-los* desse jeito, era horrível. Ele estava cheio de veneno e beijara-os com os lábios envenenados. Tornara-os pistoleiros, e Eddie realmente achara que não restava serviço para a linhagem de Arthur Eld naquela casca de mundo vazia? Que simplesmente os deixariam seguir pelo Caminho do Feixe até chegarem à Torre Negra de Roland e consertarem qualquer injustiça que houvesse lá? Bem, melhor rever as coisas.

Foi Jake quem disse o que se passava pela mente de Eddie, que não gostou nem um pouco do ar de empolgação nos olhos do garoto. Imaginava que muitos garotos haviam ido para muitas guerras com o mesmo ar de hora-de--arrebentar na cara. O pobre menino não sabia que fora envenenado, e isso o fazia bastante burro, porque ninguém devia saber melhor que ele.

— Eles vão, sim — disse Jake. — Não é verdade, sr. Callahan? Eles vão pedir.

— Eu não sei — disse Callahan. — Seria preciso convencê-los...

Não completou a frase, olhando para Roland, que sacudia a cabeça.

— Não é assim que funciona — disse o pistoleiro. — Não sendo do Mundo Médio, você talvez não saiba disso, mas não é assim que funciona. Convencer não é conosco. Nosso negócio é chumbo.

Callahan deu um profundo suspiro e assentiu.

— Eu tenho um livro — disse. — Chama-se *Histórias de Arthur*.

Os olhos de Roland brilharam.

— Tem? Tem mesmo, de fato? Eu gostaria de ver esse livro. Gostaria muito.

— Talvez veja — disse Callahan. — As histórias que contém certamente não são como as da Távola Redonda que eu li quando menino, mas... — Balançou a cabeça. — Eu entendo o que você está me dizendo, vamos deixar por aí. São três perguntas, estou certo? E você acaba de me fazer a primeira.

— Três, sim — disse Roland. — Três é um número de poder.

Eddie pensou: *Se quer mesmo um* verdadeiro *número de poder, Roland, companheiro, tente dezenove.*

— E todos as três precisam ser respondidas com sim.

Roland fez que sim com a cabeça.

— E se forem, não se pode pedir mais. Nós podemos ser enviados, sai Callahan, mas ninguém pode nos impedir depois. Assegure-se de que sua gente... — indicou com a cabeça a mata ao sul deles — entenda isso.

— Pistoleiro...

— Me chame de Roland. Estamos em paz, você e eu.

— Tudo bem, Roland. Escute-me bem, está bem, eu peço. Pois assim dizemos em Calla. Nós que viemos a vocês somos apenas meia dúzia. Nós seis não podemos decidir. Só Calla pode decidir.

— Democracia — disse Roland.

Empurrou o chapéu da testa, esfregou-a e deu um suspiro.

— Mas se nós seis concordarmos... especialmente sai Overholser... — Interrompeu-se, olhando meio cauteloso para Jake. — O quê? Eu disse alguma coisa?

Jake balançou a cabeça e fez sinal a Callahan para que continuasse.

— Se nós seis concordarmos, é praticamente negócio fechado.

Eddie cerrou os olhos, como em estado de felicidade.

— Diga isso de novo, cara.

Callahan olhou-o, intrigado e cauteloso.

— Como?

— Negócio fechado. Ou qualquer coisa de seu onde e quando. — Fez uma pausa. — Nosso lado do grande ka.

Callahan pensou um pouco e começou a sorrir.

— Eu fiquei de cu na mão — disse. — Meti o pé na jaca, botei pra quebrar, chutei o balde, soltei a franga, entrei numa fria, fiquei trincado. Coisas assim?

Roland parecia intrigado (talvez até meio entediado), mas o rosto de Eddie Dean era pura felicidade. Susannah e Jake pareciam estar em algum ponto entre a diversão e uma espécie de surpresa e tristeza nostálgica.

— Manda brasa, chapa — disse Eddie com a voz rouca, e fez um gesto de *vamos lá*, cara, com as mãos. Parecia como se falasse através de uma garganta cheia de lágrimas. — Manda brasa pra valer.

— Talvez outra hora — disse Callahan delicadamente. — Outra hora a gente pode sentar e ter nossa conversa sobre os velhos lugares e expressões. Beisebol, se você quiser. Mas agora o tempo é curto.

— Em mais aspectos do que você talvez saiba — disse Roland. — O que quer de nós, sai Callahan? E agora deve falar objetivamente, pois eu já lhe disse de todas as maneiras possíveis que não somos errantes que seus amigos podem entrevistar e contratar ou não como seus trabalhadores de roça ou vagabundos montados.

— Por enquanto eu só peço que fiquem onde estão e permitam-me trazê-los a vocês — disse ele. — Tem o Tian Jaffords, que é a pessoa responsável por estarmos aqui, e a mulher dele, Zalia. Tem Overholser, que é quem mais precisa ser convencido de que precisamos de vocês.

— Não vamos convencer a ele nem a ninguém — disse Roland.

— Eu compreendo — apressou-se a dizer Callahan. — Sim, você já deixou perfeitamente claro. E tem Ben Slightman e seu garoto, Benny. O jovem Ben é um caso curioso. A irmã dele morreu há quatro anos, quando os dois tinham dez anos. Ninguém sabe se isso faz do jovem Ben um gêmeo ou um individual. — Parou de repente. — Eu me desviei. Desculpe.

Roland fez um gesto com a mão aberta, para indicar que estava tudo bem.

— Você me deixa nervoso, escute-me, eu lhe peço.

— Não precisa nos pedir nada, doçura — disse Susannah.

Callahan sorriu.

— É apenas a nossa maneira de falar. Em Calla, quando se encontra alguém, há o costume de dizer: "Como vai da cabeça aos pés, hem, eu lhe peço?". E a resposta: "Eu estou ótimo, sem ferrugem, dê graças-sai aos deuses". Ainda não ouviu isso?

Eles balançaram a cabeça. Embora algumas das palavras fossem conhecidas, as expressões em geral apenas acentuavam o fato de que vinham de algum outro lugar, um lugar onde a conversa era estranha e os costumes talvez mais ainda.

— O que interessa — disse Callahan — é que as fronteiras estão sendo aterrorizadas por criaturas chamadas Lobos, que vêm do Trovão uma vez a cada geração e roubam crianças. Tem mais, mas esse é o problema crucial. Tian Jaffords, que tem a perder não apenas um filho desta vez, mas dois, resolveu que é hora de dar um basta, de se levantar e lutar. Outros, homens como Overholser, afirmam que fazer isso seria uma tragédia. Acho que ele e outros como ele levaram a melhor, mas a chegada de vocês mudou tudo. — Curvou-se para a frente, avidamente. — Wayne Overholser não é um mau homem, apenas um homem com medo. É o maior fazendeiro de gado em Calla, e assim tem mais a perder que alguns dos demais. Mas se pudesse ser convencido de que nós somos capazes de repelir os Lobos, que podemos de fato vencê-los, acho que ele também se levantaria e lutaria.

— Eu disse a você... — começou Roland.

— Você não convence — interrompeu Callahan. — Sim, eu entendo. Entendo. Mas se eles virem vocês, ouvirem vocês falarem e depois se convencerem...?

Roland deu de ombros.

— Haverá água se Deus quiser, como dizemos.

Callahan fez que sim com a cabeça.

— Também falam isso em Calla. Posso passar para outro assunto, relacionado?

Roland ergueu as mãos, de leve — como, pensou Eddie, para dizer a Callahan que isso era com ele.

Por um instante, o homem da cicatriz na testa não disse nada. Quando o fez, a voz baixara. Eddie se aproximou para escutá-lo.

— Eu tenho uma coisa. Uma coisa que vocês querem. Que podem precisar. Algo que inclusive já chegou até vocês, eu acho.

— O que o leva a achar isso? — perguntou Roland.

Callahan umedeceu os lábios e então falou uma única palavra:

— Todash.

9

— E daí? — perguntou Roland. — O que é que tem com todash?

— Vocês não entraram? — Callahan pareceu inseguro por um instante. — *Nenhum* de vocês entrou?

— Digamos que sim — disse Roland. — Que é que você tem com isso, e que tem isso a ver com seu problema nesse lugar que você chama de Calla?

Callahan deu um suspiro. Embora ainda fosse cedo no dia, parecia cansado.

— Isto é mais difícil do que eu achei que seria — disse. — E de longe. Você é consideravelmente mais... qual é a palavra?... forte, creio. Mais forte do que eu esperava.

— Você esperava encontrar apenas vagabundos montados de mãos rápidas e cabeças ocas, não é mais ou menos isso? — perguntou Susannah. Parecia irritada. — Bem, se deu mal, docinho. De qualquer modo, podemos ser vagabundos, mas não temos selas. Não precisamos de selas se não temos cavalos.

— Nós trouxemos cavalos para vocês — disse Callahan, e isso foi o bastante.

Roland não entendia tudo, mas achava que agora tinha o bastante para esclarecer um bocado a situação. Callahan soubera que eles viriam, soubera quantos seriam e que vinham a pé, não montados. Algumas dessas coisas poderiam ter sido passadas por espiões, mas não tudo. E todash... sabendo que alguns deles haviam entrado em todash...

— Quanto a cabeças ocas, podemos não ser os quatro mais brilhantes do planeta, mas...

Ela se interrompeu de repente, estremecendo. Levou as mãos à barriga.

— Suze? — perguntou Eddie, na mesma hora preocupado. — Suze, que foi? Você está bem?

— Apenas gases — disse ela, e deu-lhe um sorriso. Para Roland, aquele sorriso não parecia muito autêntico. E ele julgou ver minúsculas linhas de tensão em torno dos cantos dos olhos dela. — Bolinhos demais ontem de noite. — E antes que Eddie pudesse fazer-lhe mais perguntas, ela se voltou de novo para Callahan. — Se tem mais alguma coisa a dizer, diga, doçura.

— Tudo bem — disse Callahan. — Eu tenho um objeto de grande poder. Embora vocês ainda estejam a muitas rodas de distância da minha igreja em Calla, onde o objeto está escondido, acho que ele já chegou a vocês. A indução ao estado de todash é apenas uma das coisas que ele faz. — Inspirou fundo e expirou. — Se você nos prestar... pois Calla é minha cidade agora, também, sabem, onde espero acabar meus dias e ser enterrado... o serviço que eu peço, eu lhe darei essa... coisa.

— Pela última vez, eu lhe peço que não fale mais assim — disse Roland. O tom era tão áspero que Jake olhou em volta consternado. — Isso desonra a mim e ao meu an-tet. Temos de fazer o que você pede, se julgarmos sua Calla como parte do Branco e aqueles a quem chama Lobos agentes das trevas externas: quebradores de feixes, se entende isso. Não podemos aceitar *nenhuma* recompensa por nossos serviços, e você não deve oferecer. Se um de seus próprios companheiros sugerisse isso... o que você chama Tian ou o que você chama Overholster...

(Eddie pensou em corrigir a pronúncia do pistoleiro, e depois decidiu ficar de boca fechada — quando Roland estava zangado, em geral era melhor ficar calado.)

— ... então seria diferente. Eles não sabem nada além de lendas. Mas você, sai, tem pelo menos um livro, que devia tê-lo ensinado melhor. Eu já lhe disse que o nosso negócio é chumbo, e é mesmo. Mas isso não faz de nós pistoleiros de aluguel.

— Tudo bem, tudo bem...

— Quanto ao que você tem — disse Roland, a voz erguendo-se e sobrepondo-se à de Callahan —, gostaria de ver-se livre dele, não gostaria? Aterroriza você, não aterroriza? Mesmo que decidamos passar ao lado de sua cidade, você nos imploraria para levá-lo conosco, não? *Não pediria?*

— Sim — disse Callahan, com um ar infeliz. — Você diz a verdade, e eu agradeço. Mas... é apenas que entreouvi um pouco de sua confabulação... o bastante para saber que retornar... passar para o outro lado, como dizem os mannis... e não apenas para um lugar, mas dois... ou talvez mais... e tempo... Eu os ouvi falar em mirar o tempo, como com uma arma...

O rosto de Jake encheu-se de entendimento e horrorizada surpresa.

— Qual deles é? — perguntou ele. — Não pode ser o rosa de Mejis, porque Roland já entrou lá, ele jamais o colocou em todash. Logo, qual?

Uma lágrima escorreu pela face direita de Callahan, depois outra.

Ele enxugou-as meio ausente.

— Eu jamais me atrevi a manuseá-lo, mas o vi. Senti seu poder. Cristo Homem Jesus me ajude, eu tenho o Treze Preto debaixo das tábuas do assoalho da minha igreja. E ganhou vida. Está me entendendo? — Olhou-os com os olhos marejados. — *Ganhou vida.*

Callahan enterrou o rosto nas mãos, escondendo-o deles.

10

Quando o homem santo da cicatriz na testa partiu para buscar seus companheiros de trilha, o pistoleiro ficou observando-o sem se mover. Tinha os polegares enfiados no cós do velho jeans remendado, e parecia poder ficar assim até a próxima era. No momento em que Callahan desapareceu, ele voltou-se para seus próprios companheiros e fez um gesto urgente, quase de urso, de agarrar alguma coisa no ar: *Venham a mim*. Quando eles o fizeram, ele se acocorou. Eddie e Jake fizeram o mesmo (para Susannah, ficar de cócoras era quase um estilo de vida). O pistoleiro falou quase com brusquidão.

— O tempo é curto, por isso me digam, cada um de vocês, e sem frescura: honesto ou não?

— Honesto — disse logo Susannah, depois deu outra estremecida e esfregou o ponto abaixo seu seio esquerdo.

— Honesto — disse Jake.

— Ones — disse Oi, embora não lhe houvessem perguntado.

— Honesto — concordou Eddie —, mas olhem.

Pegou um graveto não queimado da beira da fogueira, espanou a penugem de pinho e escreveu na terra negra embaixo:

Calla Callahan

— Ao vivo ou gravado? — disse Eddie. Então, vendo a confusão de Susannah: — É coincidência, ou isso significa alguma coisa?

— Quem sabe? — perguntou Jake. Falavam todos em voz baixa, cabeças juntas sobre a escrita no chão. — É como dezenove.

— Acho que é apenas coincidência — disse Susannah. — Certamente, nem *tudo* que encontramos em nosso caminho é ka, é? Quer dizer, nem *soam* parecido. — E pronunciou as palavras. *Calla* com a língua para cima, fazendo um som de a largo. *Callahan* com a língua para baixo, com um som de a muito mais cortante. — *Calla* é espanhol em nosso mundo... como muitas das palavras que você se lembra de Mejis, Roland. Significa rua ou praça, eu acho... não me cobrem isso, porque já deixei para trás há muito o espanhol do colégio. Mas, se estou certa, usar a palavra como prefixo do nome de uma aldeia, ou de toda uma série de outras, como parece acontecer por aqui, faz bastante sentido. Não perfeito, mas muito bom. Callahan, por outro lado... — Deu de ombros. — Que é? Irlandês? Inglês?

— Tenho certeza de que não é espanhol — disse Jake. — Mas essa coisa de dezenove...

— Ao caralho com dezenove — disse Roland, com grosseria. — Isso não é hora para jogo de números. Ele logo estará de volta aqui com os amigos, e eu gostaria de falar com vocês an-tet de outro assunto antes que ele volte.

— Você acha possível que ele tenha razão sobre o Treze Preto? — perguntou Jake.

— Acho — disse Roland. — Com base apenas no que aconteceu com você e Eddie ontem à noite, acho que a resposta é sim. É perigoso para nós ter uma coisa dessas se ele estiver certo, mas precisamos tê-la. Receio que esses Lobos do Trovão a peguem se nós não o pegarmos. Deixa pra lá, não precisamos nos preocupar com isso agora.

Mas a verdade é que parecia muito preocupado. Voltou o olhar para Jake.

Você se assustou quando ouviu o nome do grande fazendeiro. Você também, Eddie, embora tenha dissimulado melhor.

— Desculpe — disse Jake. — Esqueci o rosto de...

— Não esqueceu nem um pouco — disse Roland. — A não ser que eu tenha esquecido também. Porque eu próprio ouvi o nome, e recentemente. Só não lembro onde. — Depois, com relutância: — Estou ficando velho.

— Foi na livraria — disse Jake. Pegou a mochila, mexeu nervosamente nas correias, desatou-as. Abriu-a enquanto falava. Era como se quisesse assegurar-se de que *Charlie Chuu-Chuu* e *O Que É o Que É?* ainda estavam ali. — O Restaurante da Mente de Nova York. É tão esquisito. Uma vez aconteceu comigo, e uma vez eu *vi* acontecer comigo. Isso em si já é um enigma muito bom.

Roland fez um rápido gesto giratório com a mão direita estropiada, mandando-o prosseguir e ser rápido.

— O sr. Tower se apresentou — disse Jake — e depois eu fiz o mesmo. Jake Chambers, eu disse. E *ele* disse...

— Bom nome, parceiro — interveio Eddie. — Foi o que ele disse. Depois disso Jake Chambers soava como o nome de um herói de um romance de faroeste.

— "O sujeito que chega em Black Fork, no Arizona, limpa a cidade e depois segue em frente" — citou Jake. — E depois ele disse: "Uma história de Wayne D. Overholser, talvez." — Olhou para Susannah e disse: — *Wayne D. Overholser.* E se você me disser que *isso* é uma coincidência, Susannah... — Interrompeu-se em um luminoso e súbito sorriso. — Eu a mandarei beijar meu rabo branquela.

Susannah riu.

— Não é preciso isso, engraçadinho. Não creio que seja coincidência. E quando encontrarmos o amigo fazendeiro de Callahan, pretendo perguntar a ele qual é o seu segundo nome. Aposto que não apenas começa com D, mas será alguma coisa como Dean ou Dane, apenas quatro letras... — Levou a mão ao ponto embaixo do seio. — Esses *gases*! O que eu não daria por uma cartela de Tums ou mesmo uma garrafa de... — Ela se interrompeu de novo. — Jake, o que foi? Algo errado?

Jake tinha *Charlie Chuu-Chuu* nas mãos, e seu rosto tornara-se de uma palidez mortal. Olhos arregalados, chocados. A seu lado, Oi gania nervoso. Roland curvou-se para olhar, e também arregalou os olhos.

— Bons deuses — disse.

Eddie e Susannah olharam. O título era o mesmo. A ilustração era a mesma: uma locomotiva antropomórfica soltando fumaça enquanto subia uma colina, o limpa-trilhos em forma de sorriso, o farol um alegre olho. Mas as letras amarelas que corriam no pé da página, História e Ilustrações de Beryl Evans, haviam desaparecido. Não havia nenhum crédito de autoria.

Jake virou o livro e olhou a lombada. Dizia *Charlie Chuu-Chuu* e McCauley House, Editora. Nada mais.

Ouviram vozes ao sul. Callahan aproximava-se com seus amigos.

Callahan de Calla. Callahan de Lot, como ele também se chamara.

— Página de rosto, doçura — disse Susannah. — Olhe lá, rápido.

Jake olhou. Mais uma vez, havia apenas o título da história e o nome da editora, desta vez com um colofão.

— Olhe a página de copyright — disse Eddie.

Ele virou a página. Ali, no verso da página de rosto e ao lado de onde a história começava, estava a informação sobre direitos autorais. Só que na verdade *não* havia nenhuma informação.

Copyright 1936,

estava escrito. Números que somavam dezenove.

O resto estava em branco.

5. OVERHOLSER

1

Susannah pôde observar muita coisa naquele longo e interessante dia, porque Roland lhe deu a oportunidade e porque, depois que passara a náusea da manhã, ela se sentiu inteira de novo.

Pouco antes de Callahan e seu grupo se aproximarem, Roland murmurou a ela:

— Fique perto de mim, e não fale nada, a não ser que eu pergunte. Se a tomarem por minha sh'veen, que seja.

Em outras circunstâncias, ela poderia ter algumas palavras a dizer sobre a ideia de ser a esposinha calada dele, seu confortinho noturno, mas não havia tempo nessa manhã, e de qualquer modo estava longe de ser o momento para brincadeiras; a seriedade no rosto dele deixava isso claro. E, também, a parte da fiel e calada subordinada atraía-a. Na verdade, qualquer parte atraía-a. Mesmo quando era criança, raramente se sentira tão feliz como quando fingia ser outra pessoa.

O que provavelmente explica tudo que é preciso saber sobre você, doçura, ela pensou.

— Susannah? — chamou Roland. — Está me ouvindo?

— Muito bem — disse ela. — Não se preocupe comigo.

— Se sair como eu quero, eles a verão pouco e você os verá muito.

Como uma mulher que crescera negra nos Estados Unidos de meados do século XX (Odetta rira e aplaudira-a durante toda a leitura de *O homem invisível*, de Ralph Ellison, muitas vezes balançando de um lado para o outro na cadeira como alguém que recebeu uma revelação divina), Susannah sabia exatamente o que ele queria. E ela lhe daria isso. Uma parte dela — uma detestável parte Detta Walker — sempre se ressentiria do lugar de Roland em seu coração e sua mente, mas na maior parte ela o reconhecia como o que era: o último de sua espécie. Talvez mesmo um herói.

2

Vendo Roland fazer as apresentações (ela foi deixada por último, após Jake, e quase negligentemente), Susannah teve tempo de refletir sobre como se sentia bem, agora que as irritantes pontadas por causa de gases no lado esquerdo haviam desaparecido. Diabos, até a dor de cabeça seguira seu caminho, e *aquela* escrota a tinha acompanhado — às vezes na nuca, às vezes em uma têmpora ou noutra, às vezes logo acima do olho esquerdo, como uma enxaqueca esperando para dar as caras — por uma semana ou mais. E, claro, havia as manhãs. Sempre acordava se sentindo nauseada e com um sério caso de perna bamba durante mais ou menos a primeira hora. Ela jamais vomitava, mas naquela primeira hora sempre se sentia à beira de fazê-lo.

Não era estúpida a ponto de se enganar com tais sintomas, mas tinha motivo para saber que não significavam nada. Apenas esperava que não fosse constranger-se inchando como Jessica, a amiga de sua mãe, não uma, mas duas vezes. Duas gravidezes falsas, e nos dois casos a mulher parecera pronta para expelir gêmeos. Trigêmeos, até. Mas claro que Jessica Beasley tinha parado de menstruar, e isso tornava muito fácil a mulher acreditar que estava grávida. Susannah sabia que não estava grávida pelo simples motivo de que ainda menstruava. Ficara menstruada no mesmo dia em que haviam despertado no Caminho do Feixe, com o Palácio Verde uns quarenta ou sessenta quilômetros atrás. Já tivera outro ciclo desde então. Os dois haviam sido bastante fortes, necessitando o uso de trapos para conter o fluxo escuro, e antes suas regras sempre eram leves, alguns meses não mais que alguns fios do que sua mãe chamava "rosas de dama". Mas ela não se queixava, porque antes de sua chegada a este mundo suas regras em geral eram dolorosas e às vezes excruciantes. As duas que tivera desde que retornara ao Caminho do Feixe não haviam doído nada. Não fosse pelos trapos encharcados que ela enterrava cuidadosamente em algum canto da trilha, nem saberia que era aquele período do mês. Talvez fosse a pureza da água.

Claro que ela sabia do que se tratava; não era preciso ser um cientista de foguetes, como às vezes dizia Eddie. Os sonhos malucos e embolados de que não conseguia se lembrar, a fraqueza e a náusea pela manhã, as dores de cabeça passageiras, as dores agudas de gases e uma ou outra cólica, tudo se resumia à mesma coisa: ela queria aquele bebê. Mais que qualquer outra coisa no mundo, queria o carinha de Eddie Dean crescendo em sua barriga.

O que ela *não* queria era inchar em uma humilhante gravidez falsa.

Esqueça isso tudo agora, ela pensou quando Callahan se aproximava com os outros. *Neste momento, tem de ficar atenta. Tem de ver o que Roland, Eddie e*

Jake não veem. Assim não deixamos passar nada. E sentia que podia fazer bem esse trabalho.

Realmente, jamais se sentira melhor em sua vida.

3

Primeiro veio Callahan. Seguido de dois homens, um que parecia ter uns trinta anos e outro que para Susannah tinha quase o dobro disso. O mais velho tinha bochechas gordas que seriam dobras em mais uns cinco anos, e rugas abriam caminho dos lados do nariz até o queixo. Seu pai chamava esses de "quero rugas" (e Dan Holmes tinha ele mesmo um belo conjunto delas). O mais jovem usava um sombreiro esbagaçado, o mais velho um chapéu Stetson limpo e branco que a fez querer sorrir — parecia daqueles que o mocinho usava em um filme antigo de faroeste em preto e branco. Contudo, ela achava que um chapéu daqueles não saía barato, e que o homem que o usava devia ser Wayne Overholser. "O grande fazendeiro", como o chamara Roland. O que precisava ser convencido, segundo Callahan.

Mas não por nós, pensou Susannah, o que era uma espécie de alívio. A boca franzida, os olhos astutos e, acima de tudo, todas aquelas rugas profundas (outra cortava verticalmente a testa logo acima dos olhos) sugeriam que sai Overholser ia ser um pé no saco quando se tratasse de convencimento.

Logo atrás desses dois — especificamente atrás do mais jovem — vinha uma mulher alta e bonita, provavelmente não negra, mas ainda assim com a pele quase tão escura quanto a da própria Susannah. Fechando a retaguarda, um homem de ar sério, óculos e roupas de fazendeiro, e um rapaz provavelmente dois ou três anos mais velho do que Jake. Era impossível não perceber a semelhança entre os dois; tinham de ser Slightman pai e filho.

O garoto pode ser mais velho que Jake em idade, ela pensou, *mas tem uma aparência molenga*. Verdade, embora não necessariamente uma coisa ruim. Jake vira demasiado para um garoto que ainda não chegara à adolescência. *Fizera* demasiado também.

Overholser olhou as armas deles (Roland e Eddie traziam cada um grandes revólveres com cabo de sândalo e a Ruger .44 de Nova York pendia da axila de Jake, no que Roland chamava muleta de estivador) e depois para Roland. Fez uma saudação de praxe, o punho quase fechado passando em algum ponto perto da testa. Não fez mesura. Se Roland se sentiu ofendido com isso, não o mostrou no rosto. Nada mostrava no rosto além de um polido interesse.

— Salve, pistoleiro — disse o homem que vinha andando ao lado de Overholser, e este caiu sobre um dos joelhos, com a cabeça baixa e a testa apoiada no punho. — Eu sou Tian Jaffords, filho de Luke. Esta senhora é minha esposa Zalia.

— Salve — disse Roland. — Que eu seja Roland para você, se lhe apraz. Que seus dias sejam longos sobre a terra, sai Jaffords.

— Tian. Por favor. E que você e seus amigos tenham duas vezes...

— Eu sou Overholser — interrompeu bruscamente o homem de Stetson branco. — Viemos ao seu encontro, e de seus amigos, a pedido de Callahan e do jovem Jaffords. Eu abriria mão das formalidades e entraria no assunto o mais breve possível, não se ofenda, peço-lhe.

— Perdão, mas isso não é bem assim — disse Jaffords. — Nós fizemos uma assembleia, e os homens de Calla votaram...

Overholser tornou a interromper. Susannah achava que ele era exatamente esse tipo de homem. Duvidava que ele ao menos percebesse que o fazia.

— A cidade, sim. Calla. Eu vim com todo o desejo de agir corretamente com minha cidade e meus vizinhos, mas estou muito ocupado no momento, nunca estive tanto...

— A árvore de charyou — disse Roland em voz baixa, e embora Susannah conhecesse um sentido mais profundo para a expressão, um que lhe dava calafrios, os olhos de Overholser se iluminaram. Ela teve então seu primeiro sinal de como ia ser aquele dia.

— Vem a colheita, sim, senhor, eu lhe agradeço.

Afastado para um lado, Callahan olhava a mata com uma paciência que parecia ser calculada. Atrás de Overholser, Tian Jaffords e a esposa trocaram um olhar constrangido. Os Slightman apenas esperavam e observavam.

— De qualquer modo, até aí você entende — disse Overholser.

— Em Gilead, nós éramos cercados por fazendas e terras livres — disse Roland. — Eu tinha meu quinhão no trigo e milho no celeiro. Ié, e raízes também.

Overholser deu a Roland um sorriso que Susannah achava francamente ofensivo. Dizia: *Nós sabemos bem, não sabemos, sai? Afinal, somos ambos homens do mundo.*

— De onde você realmente é, sai Roland?

— Meu amigo, está precisando ir a um otorrino — disse Eddie.

Overholser olhou-o, intrigado.

— Perdão, meu ouvido?

Eddie fez um gesto de *Aí, tá vendo?*, e balançou a cabeça.

— Exatamente o que quero dizer.

— Fique quieto, Eddie — disse Roland. Ainda suave como leite. — Sai Overholser, podemos por um momento trocar nomes e fazer um ou dois bons votos, sem dúvida. Pois é assim que as pessoas civilizadas e bondosas se comportam, não é? — Fez uma pausa, de inflexão, e então disse: — Com bandidos é diferente, mas não há bandidos aqui.

Overholser estreitou os lábios e olhou duro para Roland, pronto para se ofender. Não viu nada no rosto do pistoleiro que justificasse isso e tornou a relaxar.

— Obrigado — disse. — Tian e Zalia Jaffords, como já disse... — Zalia fez uma mesura, espalhando saias invisíveis de cada lado de gastas calças de cotelê. — ... e aqui estão Ben Slightman pai e Benny Slightman filho.

O pai levou o punho à testa e assentiu. O filho, com uma expressão de total admiração no rosto (sobretudo pelas armas, supôs Susannah), curvou-se com a perna direita estendida rígida à frente e o calcanhar firme no chão.

— O Velho você já conhece — concluiu Overholser, falando com exatamente aquele seco desdém com o qual ele próprio se ofenderia, se dirigido ao seu estimado ego.

Susannah supôs que quando se era o grande fazendeiro, se acostumava a falar simplesmente tudo o que queria. Perguntava-se até onde ele podia empurrar Roland antes de descobrir que não empurrara coisa alguma. Porque alguns homens não podiam ser empurrados. Podem até te fazer acreditar nisso por um tempo, mas então...

— Estes são meus companheiros de trilha — disse Roland. — Eddie Dean e Jake Chambers, de Nova York. E esta é Susannah.

Fez um gesto com as mãos sem voltar-se para ela. O rosto de Overholser lançou uma expressão intensamente masculina e conhecedora que Susannah já tinha visto antes. Detta Walker tinha um jeito de varrer aquela expressão da cara dos homens que ela não achava que sai Overholser fosse gostar.

Apesar disso, ela lançou a Overholser e ao resto deles um sorrisinho pudico e fez a mesura da saia invisível. Achou a sua tão graciosa quanto a de Zalia Jaffords, mas claro que uma mesura não era exatamente a mesma quando não se tinham as pernas e os pés. Os recém-chegados haviam observado as partes que lhe faltavam, claro, mas os sentimentos deles a esse respeito não a interessavam muito. Mas o que se perguntou *de fato* foi o que acharam de sua cadeira de rodas, a que Eddie pegara para ela em Topeka, onde o Mono Blaine tivera o seu fim. Aquela gente jamais teria visto coisa do tipo.

Callahan talvez tenha, pensou. *Porque ele é do nosso lado. Ele...*

O garoto perguntou:

— Esse é um malhado?

— Quer calar a boca? — disse Slightman, parecendo quase chocado pelo fato de o filho ter falado.

— Está tudo bem — disse Jake. — Sim, é um malhado. Oi, vá até ele.

Apontou para Ben. O malhado trotou em torno da fogueira até onde o recém-chegado estava de pé e encarou o garoto com seus olhos debruados de dourado.

— Eu nunca vi um domesticado antes — disse Tian. — Já ouvi falar, claro, mas o mundo seguiu adiante.

— Talvez nem todo ele tenha seguido — disse Roland. Olhou para Overholser. — Talvez ainda vigorem alguns dos velhos costumes.

— Posso fazer carinho nele? — perguntou o rapaz a Jake. — Não vai me morder?

— Pode, e ele não morde.

Quando Slightman filho se acocorou diante de Oi, Susannah certamente esperou que Jake tivesse razão. Se o malhado desse uma mordida no nariz do garoto, as coisas poderiam complicar para eles.

Mas Oi deixou-se afagar, chegando a esticar o pescoço para cima, a fim de experimentar o cheiro do rosto de Slightman. O menino riu.

— Como disse que era o nome dele?

Antes que Jake pudesse responder, o próprio malhado falou:

— Oi!

Todos riram. E simples assim já estavam todos juntos, encontros fortuitos naquela trilha que seguia o Caminho do Feixe. A ligação era frágil, mas até Overholser a sentia. E quando riu, o grande fazendeiro parecia que poderia ser um bom sujeito. Talvez assustado, e pomposo sem dúvida, mas havia alguma coisa ali.

Susannah não sabia se devia ficar satisfeita ou assustada.

4

— Eu gostaria de trocar uma palavrinha a sós com você, se não se importa — disse Overholser.

Os dois garotos haviam se afastado um pouco com Oi, Slightman filho perguntando a Jake se o malhado sabia contar, como ele ouvira dizer que alguns sabiam.

— Acho que não, Wayne — foi logo dizendo Jaffords. — Ficou combinado que voltaríamos para nosso acampamento, dividiríamos o pão e explicaríamos a essa gente o que precisamos.

— Eu não faço objeção a trocar uma palavra com sai Overholser — disse Roland —, nem você, sai Jaffords, eu acho. Pois não é ele seu dinh? — E, então, antes que Tian pudesse fazer outras objeções (ou negá-las): — Dê chá a essa gente, Susannah. Eddie, venha aqui conosco um pouco, se estiver tudo bem por você.

Essa frase, nova a todos os ouvidos, saiu da boca de Roland parecendo perfeitamente natural. Susannah ficou maravilhada com ela. Se houvesse tentado dizer aquilo, teria parecido estar puxando o saco.

— Temos sempre comida no sul — disse timidamente Zalia. — Comida, bebida e café. Andy...

— Nós comeremos com prazer e tomaremos seu café com alegria — disse Roland. — Mas primeiro tome o chá, eu lhe peço. Não vai demorar muito, não é, sai?

Overholser fez que sim com a cabeça. Não ostentava mais sua expressão de inquietação e rigidez. E também sua tensão corporal. Do outro lado da estrada (perto de onde a mulher chamada Mia deslizara para dentro da mata ainda na noite passada), os garotos riram quando Oi fez alguma coisa esperta — Benny com surpresa, Jake com orgulho evidente.

Roland segurou o braço de Overholser e levou-o um pouco adiante na estrada. Eddie acompanhou-os. Jaffords, de testa franzida, fez menção de ir com eles. Susannah tocou o seu ombro.

— Não vá — disse em voz baixa. — Ele sabe o que faz.

Jaffords olhou-a em dúvida por um instante e foi com ela.

— Talvez eu pudesse fazer um fogo para você, sai — disse Slightman pai com um olhar de simpatia às suas pernas amputadas. — Ainda vejo algumas fagulhas, vejo, sim.

— Por favor — disse Susannah, pensando como era maravilhoso aquilo.

Como era maravilhoso, como era estranho. E potencialmente mortal também, claro, mas aprendera que isso também tinha o seu encanto. A possibilidade de escuridão é que fazia o dia parecer tão luminoso.

5

Adiante na estrada, a uns dez metros dos outros, os três homens sentaram-se juntos. Overholser parecia ser o único a falar, às vezes gesticulando violentamente para acentuar um argumento. Falava como se Roland não passasse de um pistoleiro vagabundo que aparecera por acaso na estrada com alguns companheiros bêbados aleatórios atrás. Explicava-lhe que Tian Jaffords era um tolo (embora bem-intencionado) que não compreendia as verdades da vida. Afirmou que Jaffords precisava ser contido, esfriar a cabeça, não apenas para o próprio bem, mas também para o de Calla. Insistiu que, se houvesse algo que *pudesse* ser feito, Wayne Overholser, filho de Alan, seria o primeiro na fila a fazê-lo; jamais se furtara a uma tarefa em sua vida, mas ir contra os Lobos era loucura. E, por falar em loucura, acrescentou baixando a voz, havia o Velho. Quando se atinha à sua igreja e rituais, era ótimo. Nessas coisas, um pouco de loucura vinha a calhar. Aquilo, no entanto, era um pouco diferente. Ié, e de longe.

Roland ouviu tudo, balançando de vez em quando a cabeça. Quase nada falou. E quando Overholser por fim acabou, o grande fazendeiro de Calla Bryn Sturgis simplesmente ficou a olhar com uma espécie de fascinação o pistoleiro à sua frente. Sobretudo os olhos azuis baços.

— Você é mesmo o que diz? — perguntou finalmente. — Fale a verdade, sai.

— Eu sou Roland de Gilead — disse o pistoleiro.

— Da linhagem do Eld? Você diz isso?

— Por direito e mandato — disse Roland.

— Mas Gilead... — Overholser fez uma pausa. — Gilead desapareceu há muito.

— Eu — disse Roland — não.

— Você mataria todos nós ou faria com que nos matassem? Diga-me, eu lhe peço.

— Que faria *você*, sai Overholser? Não depois; nem um dia, uma semana ou uma lua a partir de agora, mas neste minuto?

Overholser ficou parado um longo tempo, olhando de Roland para Eddie e de novo para Roland. Ali estava um homem não acostumado a mudar de ideia; se mudasse, isso o machucaria como uma ferida aberta. De mais abaixo na estrada veio a risada dos garotos quando Oi foi pegar alguma coisa que Benny jogara — um pau quase tão grande quanto o próprio malhado.

— Eu escutaria — disse Overholser por fim. — Isso eu faria, que os deuses me ajudem, e agradeceria.

— Em outras palavras, ele explicou os motivos pelos quais era um caso perdido — disse mais tarde Eddie a Susannah — e depois fez exatamente o que Roland queria que fizesse. Pareceu coisa de magia.

— Às vezes Roland *é* mágico — disse ela.

6

O grupo de Calla acampara em um aprazível topo de uma colina não muito ao sul da estrada, mas um pouco fora do Caminho do Feixe, de modo que nuvens ainda pairavam imóveis no céu, parecendo ao alcance da mão. A trilha ali no meio da mata fora cuidadosamente assinalada; algumas das fogueiras que Susannah via tinham o tamanho da sua palma. Aquelas pessoas podiam ser camponeses rudes e trabalhadores braçais, mas era claro que a floresta os deixava inquietos.

— Posso empurrar um pouco essa cadeira pra você, meu rapaz? — perguntou Overholser a Eddie quando começaram o estirão final encosta acima.

Susannah sentia o cheiro de carne assando e se perguntou quem estaria cuidando da comida se todo o grupo de Callahan-Overholser viera ao encontro deles. Havia a mulher falado em alguém chamado Andy? Um empregado, talvez? Falara, sim. O criado pessoal de Overholser? Talvez. Certamente, um homem que podia comprar um Stetson tão elegante quanto o agora jogado para trás em sua cabeça podia ter um criado.

— Tome — disse Eddie. Não ousava ainda acrescentar "eu lhe peço" (*Ainda lhe soa falso*, pensou Susannah), mas se afastou para um lado e entregou as barras da cadeira a Overholser. O fazendeiro era um homem grande, a encosta considerável, e agora ele empurrava uma mulher que pesava perto de sessenta e cinco quilos, mas sua respiração, embora forte, permaneceu regular.

— Posso lhe fazer uma pergunta, sai Overholser? — perguntou Eddie.

— Claro — respondeu Overholser.

— Qual é seu segundo nome?

Houve um ligeiro afrouxamento na condução da cadeira; Susannah atribuiu-o a mera surpresa.

— É uma pergunta curiosa, meu jovem; de onde ela vem?

— Ah, é uma espécie de passatempo meu — disse Eddie. — Na verdade, eu digo a sorte com eles.

Cuidado, Eddie, cuidado, pensou Susannah, mas estava se divertindo apesar de si mesma.

— Ah, ié?

— É — disse Eddie. — Agora você, aposto que seu segundo nome começa com... — pareceu refletir — com a letra D. — Só que ele pronunciou *Dei*, como as Grandes Letras da Língua Superior. — E eu diria que é curto. Cinco letras? Talvez apenas quatro?

De novo o afrouxamento na marcha da cadeira.

— Com os diabos! — disse Overholser. — Como você sabe? Me diga!

Eddie deu de ombros.

— É só conta e palpite, de verdade. Sendo honesto, eu erro quase tanto quanto acerto.

— Mais — disse Susannah.

— Eu lhe digo que o meu segundo nome é Dale — disse Overholser —, embora se alguém um dia me explicou por quê, eu esqueci. Perdi meus pais quando era jovem.

— Sinto muito pela sua perda — disse Susannah, feliz por ver que Eddie se afastava. Provavelmente para contar a Jake que ela estivera certa sobre o segundo nome: Wayne Dale Overholser. Igual a dezenove.

— Esse jovem é são ou um idiota? — perguntou Overholser a Susannah. — Me diga, eu lhe peço, porque não sou capaz de dizer.

— Um pouco das duas coisas — disse ela.

— Mas não há dúvida sobre essa cadeira, não é? É certeira feito uma bússola.

— Agradeço-lhe — ela disse, e sentiu-se aliviada. O dialeto saíra direito, provavelmente porque ela não planejara exatamente como falar.

— De onde veio isso?

— De uma boa distância lá atrás — disse ela.

Esse tópico de conversa não lhe agradava muito. Achava que era tarefa de Roland contar a história (ou não). Ele era o dinh deles. Além disso, o que era contado apenas por um não podia ser contradito. Ainda assim, pensou que podia dizer mais alguma coisa.

— Existe uma lúmina. Nós viemos do outro lado dela, onde tudo é muito diferente. — Esticou o pescoço em volta para olhá-lo. Ele tinha a face e o pescoço ruborizados, mas na verdade, ela pensou, estava se saindo muito bem para um homem já bem adentro da casa dos cinquenta. — Sabe do que estou falando?

— Ié — disse ele, boquiaberto, e cuspiu para a esquerda. — Não que eu tenha visto ou ouvido pessoalmente, você entende. Nunca vaguei para muito longe; muita coisa para fazer na fazenda. Os de Calla em geral não são de gostar da floresta, você sabe.

Ah, sim, eu acho que sei, pensou Susannah, vendo outro clarão mais ou menos do tamanho de um prato de jantar. A infeliz árvore assim assinalada teria sorte se sobrevivesse ao próximo inverno.

— Andy falou muitas vezes da lúmina. Faz um barulho, ele diz, mas não sabe dizer o que é.

— Quem é Andy?

— Você vai conhecê-lo pessoalmente muito em breve. Você não é dessa Calla York, como seus amigos?

— Sou — ela disse, mais uma vez precavida. Ele virou a cadeira de rodas em torno de um pau-ferro esbranquiçado. As árvores eram mais esparsas agora e o cheiro de algo sendo cozido era muito mais forte. Carne... e café. A barriga dela roncou.

— E eles não são pistoleiros — disse Overholser, indicando Jake e Eddie com a cabeça. — Você não me dirá isso, certamente.

— Você deve decidir por si mesmo quando chegar a hora — disse Susannah.

Ele não respondeu por alguns instantes. Depois a cadeira de rodas sacolejou em um trecho rochoso. À frente deles, Oi andava entre Jake e Benny Slightman, que haviam feito amizade com a rapidez dos garotos. Ela se perguntava se era uma boa ideia. Pois os dois garotos eram diferentes. O tempo mostraria aos dois quanto, e para mágoa deles.

— Ele me assustou — disse Overholser. Falou em uma voz quase baixa demais para ser escutada. Como para si mesmo. — São os olhos dele, eu acho. Sobretudo os olhos.

— Gostaria que as coisas continuassem como estavam antes? — perguntou Susannah. A pergunta estava longe de ser tão leve quanto ela esperava que parecesse, mas ainda se surpreendeu com a veemência da reação dele.

— Você ficou maluca, mulher? Claro que não... não se eu enxergasse uma saída da caixa em que nós estamos. Me escute bem. Aquele rapaz... — Apontou para Tian Jaffords, que caminhava à frente com a esposa — ... aquele rapaz praticamente me acusou de covardia. Tinha de assegurar que todos soubessem que eu não tinha filhos da idade que os Lobos gostam. Não como *ele* tem, você sabe. Mas você acha que eu sou algum idiota que não sabe fazer contas?

— Eu, não — disse Susannah, tranquila.

— Mas *ele* acha? Eu tenho minhas dúvidas. — Overholser falava como um homem que vive uma batalha pessoal entre seu orgulho e medo. — Eu lá quero entregar os bebês aos Lobos? Bebês que são mandados de volta como roonts para serem eternamente um atraso de vida na cidade? Não! Mas tampouco quero que algum cabeça-dura nos leve a um erro sem saída!

Ela olhou para ele por cima do ombro e se deparou com uma visão fascinante. Overholser agora queria aceitar. Encontrar um motivo para aceitar. Roland fizera isso com ele, e com poucas palavras. Ele tinha apenas... bem, ele tinha apenas olhado para o fazendeiro.

Ela percebeu movimentos pelo canto do olho.

— Nossa mãe! — gritou Eddie.

A mão de Susannah voou para o revólver que não estava ali. Ela tornou a se virar para a frente na cadeira. Andando pela ladeira em direção a eles, movendo-se com um cuidado afetado que ela não pôde deixar de achar divertido, mesmo em seu espanto, vinha um homem de metal de pelo menos dois metros e meio de altura.

Jake levara a mão ao coldre de estivador e à arma ali pendurada.

— Calma, Jake! — disse Roland.

O homem de metal, olhos luzindo em azul, parou na frente deles. Ficou perfeitamente imóvel por talvez dez segundos, tempo suficiente para Susannah ler o que trazia gravado no seu peito. *North Central Positronics*, pensou, *de volta para o bis. Para não falar na LaMerk Industries.*

Então o robô ergueu um braço prateado e pôs a mão prateada na testa de aço inoxidável.

— Salve, pistoleiro, que vem de longe — disse. — Longos dias e belas noites.

Roland levou os dedos à própria testa.

— Que você tenha tudo isso em dobro, Andy-sai.

— Obrigado.

Ouviu-se o tilintar de suas incompreensíveis entranhas. Então ele se curvou para Roland, olhos azuis faiscando mais forte. Susannah viu a mão de Eddie esgueirar-se para o cabo de sândalo do antigo revólver que usava. Roland, porém, nem piscou.

— Eu preparei uma saborosa refeição, pistoleiro. Muitas coisas boas da abundância da terra, ié.

— Eu lhe agradeço, Andy.

— Que lhe sirva bem. — As entranhas do robô tornaram a tilintar. — Enquanto isso, será que não quer ouvir seu horóscopo?

6. O CAMINHO DO ELD

1

Por volta das duas da tarde daquele dia, os dez se sentaram para o que Roland chamou de almoço de rancheiro.

— Durante as tarefas matinais, você tem ânsia dela, com amor — disse aos amigos depois. — Nas da noite, olha para trás com nostalgia.

Eddie achou que ele estava brincando, mas com Roland nunca se podia ter completa certeza. O pouco humor que ele tinha era seco ao ponto da desidratação.

Não foi a melhor refeição que Eddie já tivera, o banquete servido pela velha gente de River Crossing ainda mantinha o posto de honra nesse aspecto, mas após semanas nas matas, subsistindo com os burritos do pistoleiro (e cagando duro como pacotes de excremento de coelho às vezes duas vezes por semana), era boa comida de fato. Andy serviu bifes sensacionais ao ponto e cobertos com molho de cogumelo. Acompanhados de feijão, coisas enroladas como tacos e milho assado. Eddie experimentou uma espiga e achou-a dura mas gostosa. Havia ainda a salada de repolho cru, Tian Jaffords fez questão de dizer-lhes que fora feita pelas mãos de sua esposa. E também um maravilhoso pudim chamado sensação de morango. E, claro, café. Eddie calculava que eles quatro juntos haviam mandado para dentro pelo menos uns quatro litros. Até Oi bebeu um pouco. Jake serviu-lhe um pires de café escuro e forte. Oi farejou, disse: "Caffe!", e bebeu com grande rapidez e eficiência.

Não houve conversa séria durante a refeição ("Comida e confabulação não se misturam" era apenas um dos muitos ditados sábios de Roland), e, no entanto, Eddie ficou sabendo muita coisa sobre Jaffords e sua esposa, sobretudo como se era a vida ali, no que Tian e Zalia chamavam de "terras de fronteira". Esperava que Susannah (sentada ao lado de Overholser) e Jake (com o jovem em quem Eddie já pensava como o Garoto Benny) estivessem aprendendo tanto quanto ele. Teria esperado que Roland se sentasse com Callahan, mas o padre não se sentou com ninguém. Levou a comida para uma certa distância de todos eles, benzeu-se e comeu sozinho. E não muito. Irritado com Overholser por roubar o espetáculo ou apenas solitário por natureza? Difícil saber em tão pouco tempo, mas se alguém houvesse encostado um revólver em sua cabeça Eddie teria votado na última hipótese.

O que mais impressionou Eddie foi como era *civilizada* aquela parte do mundo, cacete. Fazia Lud, com seus Grays e Pubes em guerra, parecer as ilhas Canibal em uma história marítima juvenil. Aquelas pessoas tinham estradas, agentes da lei e um sistema de governo que fazia Eddie lembrar-se das assembleias da Nova Inglaterra. Havia um Salão de Assembleia Municipal e uma pena que parecia ser algum tipo de símbolo de autoridade. Se alguém quisesse convocar uma assembleia, tinha-se de fazer circular a pena. Se um número suficiente de pessoas a tocasse quando chegasse na sua vez, a reunião acontecia. Se não, nada feito. Mandavam-se duas pessoas levar a pena, e a contagem delas era aceita sem questionar. Eddie duvidava que fosse funcionar em Nova York, mas para um lugar como aquele parecia uma maneira ótima de governar.

Havia pelo menos mais setenta outras Callas, que se estendiam em um leve arco ao norte e ao sul de Calla Bryn Sturgis. Calla Bryn Lockwood ao sul e Calla Amity ao norte eram também fazendas e ranchos pecuários. Também eram vítimas dos ataques periódicos dos Lobos. Mais ao sul ficavam Calla Bryn Bouse e Calla Staffel, contendo grandes extensões de terra agrícola, e Jaffords dizia que também elas sofriam com os Lobos... pelo menos ele achava que sim. Mais ao norte, Calla Sen Pinder e Calla Sen Chre, de fazendas e ovinos.

— Fazendas de bom tamanho — disse Tian —, mas vão ficando menores à medida que se avança para o norte, você sabe, até chegarmos a terras onde cai neve... pelo que me dizem; eu nunca vi... e faz-se um queijo maravilhoso.

— Os do norte usam tamancos de madeira, ou é o que dizem — explicou Zalia a Eddie, parecendo meio nostálgica. Ela própria usava uns tamancões velhos chamados botas de praia.

As pessoas das Callas viajavam pouco, mas as estradas estavam lá se quisessem viajar, e o comércio era ativo. Além delas, havia o Whye, também chamado de Grande Rio, que corria ao sul de Calla Bryn Sturgis até os mares do Sul, ou assim diziam. Havia Callas de mineração e Callas de manufatura (onde se faziam as coisas com prensas a vapor e até mesmo, ié, com eletricidade), e até uma Calla dedicada a nada mais que o prazer: jogatina e cavalgadas loucas e divertidas, e...

Mas nesse ponto Tian, que era quem vinha falando, sentiu os olhos de Zalia sobre ele e voltou à panela para buscar mais feijão. E um conciliador prato da salada da esposa.

— Então — disse Eddie, e riscou uma curva no chão. — Essas são as terras de fronteira. As Callas. Um arco que vai para norte e sul por... que distância, Zalia?

— Isso é coisa para homens, é mesmo — disse ela. Então, vendo que seu próprio homem estava ainda junto ao fogo em brasa, examinando as panelas, curvou-se um pouco para Eddie: — Você mede por quilômetros ou rodas?

— Um pouco dos dois, mas sou melhor com quilômetros.

Ela assentiu.

— Talvez uns três mil quilômetros, mais ou menos. — Apontou para o norte. — E o dobro disso, para *lá*. — Apontou para o sul.

Continuou assim, apontando para direções opostas, e depois baixou os braços, cruzou as mãos no colo e retomou a pose recatada de antes.

— E essas cidades, essas Callas, se estendem por toda a distância?

— Assim nos dizem, se faz favor, e os comerciantes vêm e vão. A noroeste daqui, o Grande Rio se divide em dois. Nós chamamos o braço esquerdo de Devar-Tete Whye... o Pequeno Whye, pode-se dizer. Claro que vemos mais viagens fluviais vindas do norte, pois o rio corre do norte para o sul, entende.

— Entendo. E para leste?

Ela baixou os olhos.

— Trovão — disse em uma voz que Eddie mal pôde ouvir. — Ninguém vai lá.

— Por quê?

— É escuro lá — disse ela, ainda sem erguer os olhos do colo. Então ergueu o braço. Desta vez apontou na direção de onde tinham vindo Roland e seus companheiros. Na direção do Mundo Médio. — Lá — disse — o mundo está acabando. Ou assim nos dizem. E lá... — Apontou para o leste e ergueu os olhos para Eddie. — Lá, no Trovão, *já* acabou. No meio ficamos nós, que apenas queremos seguir nossas vidas em paz.

— E acha que isso vai acontecer?

— Não.

E Eddie viu que ela chorava.

2

Pouco depois disso, Eddie pediu licença e entrou em uma touceira de árvores para um momento a sós. Quando se levantou, pegando algumas folhas para limpar-se, uma voz falou bem atrás dele.

— Essas, não, sai, se faz favor. Essas são plantas venenosas. Limpe-se com elas e vai ficar se coçando até não poder mais.

Ele saltou e girou, agarrando o cós da calça jeans com uma das mãos e estendendo a outra para o revólver de Roland, pendurado em uma árvore próxima. Então viu quem tinha falado — ou o *que* tinha falado — e relaxou um pouco.

— Andy, não é muito gente fina se esgueirar por trás de pessoas quando elas estão dando uma cagada. — Apontou então para um colmo de baixo mato verde. — E aquelas? Que problemas eu vou ter se me limpar com elas?

Seguiram-se pausas e ruídos.

— Como? — perguntou Eddie. — Eu fiz alguma coisa errada?

— Não — disse Andy. — Eu apenas estou processando informação, sai. *Gente fina*: expressão desconhecida. *Esgueirar*: eu não fiz isso, eu andei, se está bom pra você. *Dando uma cagada*: provavelmente gíria para excreção de...

— Sim — disse Eddie —, é isso aí. Mas escute: se você não se esgueirou até onde eu estava, Andy, como foi que não o ouvi? Quer dizer, tem *mato baixo*. A maioria das pessoas faz barulho quando atravessa vegetação rasteira.

— Eu não sou uma pessoa, sai — disse Andy.

Eddie achou que ele soava satisfeito consigo mesmo.

— Cara, então. Como pode um cara grandalhão como você ser tão silencioso?

— Programação — disse Andy. — Essas folhas servem muito bem, pode pegá-las.

Eddie revirou os olhos e agarrou um punhado.

— Ah, programação. Claro. Eu devia saber. Obrigado, sai, longas noites, pode beijar o meu rabo e ir pro céu.

— Céu — disse Andy. — Lugar para onde vamos depois da morte; uma espécie de paraíso. Segundo o Velho, os que vão para o céu se sentam à direita de Deus Pai Todo-Poderoso, para todo o sempre.

— É mesmo? Quem vai se sentar à esquerda? Todos os vendedores de Tupperware?

— Sai, eu não sei. *Tupperware* é uma palavra desconhecida para mim. Gostaria de ouvir seu horóscopo?

— Por que não? — disse Eddie.

Começou a voltar para o acampamento, guiado pelas risadas dos meninos e latidos do malhado. Andy seguiu-o, reluzindo mesmo debaixo do céu nublado e parecendo não fazer barulho. Era assustador.

— Qual a sua data de nascimento, sai?

Eddie achou que devia estar preparado para esta.

— Eu sou Lua de Cabra — disse, e pensou mais um pouco. — Cabra de barbicha.

— A neve do inverno traz muita infelicidade, o frio do inverno é forte e bárbaro — disse Andy. Sim, havia satisfação em sua voz, sem dúvida.

— Forte e bárbaro, esse sou eu — disse Eddie. — Não tomo um banho de verdade há mais de um mês, então pode acreditar que sou forte e bárbaro. De que mais você precisa, Andy, meu chapa? Quer ver a palma da minha mão, ou alguma coisa assim?

— Não é preciso, sai Eddie. — O robô parecia inequivocamente feliz e Eddie pensou: *Esse sou eu, espalhando felicidade por onde eu passo. Até os robôs me amam. É o meu ka.* — Estamos na Terra Plena, sai, todos agradecemos. A lua está rubra, o que se chama Lua da Caçadora no Mundo Médio que um dia foi. Você vai viajar, Eddie! Vai viajar para longe! Você e seus amigos! Esta noite mesmo você retornará a Calla Nova York. Encontrará uma dama negra. Vai...

— Eu quero saber mais sobre essa viagem a Nova York — disse Eddie, detendo-o. O acampamento estava logo à frente, e ele estava próximo o bastante para ver as pessoas se movimentando. — Nada de brincadeiras, Andy.

— Você entrará em todash, sai Eddie! Você e seus amigos. Deve tomar cuidado. Vai ouvir os *kammen*... os sinos, você conhece bem... todos devem se concentrar uns nos outros. Para evitar se perderem.

— Como você sabe essas coisas? — perguntou Eddie.

— Programação — disse Andy. — Horóscopo está feito, sai. De graça. — E, depois, o que pareceu a Eddie o auge da loucura. — Sai Callahan... o Velho, você sabe... diz que eu não tenho licença para dizer a sorte, por isso eu nunca cobro.

— Sai Callahan fala a verdade — disse Eddie, e então, quando Andy recomeçou a andar: — Mas espere um instante, Andy. Espere, eu lhe peço. — Era estranhíssimo como falar assim começara a parecer normal.

Andy parou de bom grado e voltou para Eddie os olhos azuis fulgentes. Eddie tinha umas mil perguntas sobre todash, mas no momento estava mais curioso sobre outra coisa.

— Você sabe sobre esses Lobos.

— Ah, sim. Eu disse a sai Tian. Ele ficou indignado.

Mais uma vez, Eddie detectou alguma coisa semelhante a satisfação na voz de Andy... mas sem dúvida era apenas impressão sua, certo? Um robô, mesmo um sobrevivente dos velhos tempos, não podia ter sentimentos humanos. Podia?

Já se esqueceu do mono, é mesmo, querido?, perguntou em sua cabeça a voz de Susannah. E foi seguida pela de Jake: *Blaine é um saco*. E depois, apenas a sua própria: *Se você tratar esse cara como nada mais que uma máquina que diz a sorte como uma atração de circo, Eddie, meu amigo, você merece o que lhe acontecer.*

— Me fale dos Lobos.

— O que quer saber, sai Eddie?

— De onde eles vêm, para começar. O lugar onde acham que podem pôr os pés pra cima e peidar alto. Para quem trabalham. Por que levam as crianças. E por que as que levam voltam arruinadas. — Então lhe ocorreu outra pergunta. Talvez a mais óbvia. — E, também, como vocês sabem que eles estão para vir?

Estalidos dentro de Andy. Muitos desta vez, talvez durante um minuto inteiro. Quando o robô voltou a falar, foi com uma voz diferente. Fez Eddie lembrar-se do guarda Bosconi, do bairro. A Brooklyn Avenue era onde Bosco Bob fazia as suas rondas. Se você esbarrava com ele, andando pela rua e rodando o cassetete, ele falava com você como se você fosse um ser humano e ele também — como anda a vida, Eddie, como vai sua mãe atualmente, como vai seu irmão imprestável, você vai se inscrever no campeonato esportivo da polícia, tudo bem, vejo na academia, fique longe do cigarro, tenha um bom dia. Mas se ele achava que talvez você houvesse feito algo de errado, Bosco Bob virava um cara que a gente não queria trombar. Esse não sorria, e os olhos por trás dos óculos pareciam poças de gelo em fevereiro (o que por acaso era o Tempo da Cabra deste lado aqui do Grande Seja Lá O Que For). Bosco Bob jamais batera em Eddie, mas umas duas vezes — uma pouco depois de alguns garotos atearem fogo ao mercadinho de Woo Kim — ele tivera certeza de que o filho da puta de uniforme azul ia espancá-lo, se ele fosse estúpido o bastante para ficar por perto. Não era esquizofrenia — pelo menos não do tipo clássico de Detta/Odetta —, mas chegava perto. Havia duas versões do guarda Bosconi. Uma delas era um cara legal. A outra era um policial.

Quando Andy tornou a falar, não mais parecia o tio bem-intencionado mas meio burro, que acreditava que as histórias de tabloide no estilo menino-jacaré e de Elvis-está-vivo-em Buenos Aires eram absolutamente verdadeiras. Aquele Andy soava sem emoção e meio morto.

Parecia um robô *de verdade*, em outras palavras.

— Qual é a sua senha, Eddie?

— Como?

— Senha. Você tem dez segundos. Nove... oito... sete...

Eddie lembrou-se dos filmes de espião que assistira.

— Você quer que eu diga alguma coisa tipo "As rosas florescem no Cairo" e aí *você* diz "Só no jardim da sra. Wilson", e aí *eu* digo...

— Senha incorreta, sai Eddie... dois... um... zero.

De dentro de Andy veio o barulho de baque que Eddie achou singularmente desagradável. Parecia uma lâmina de um cutelo cortando carne e penetrando na tábua de cortar embaixo. Viu-se pensando pela primeira vez no Povo Antigo, que certamente construíra Andy (ou talvez o povo antes do Povo Antigo, vamos chamá-los de Povo Antigo De Verdade — quem vai saber?). Não um povo que o próprio Eddie quisesse conhecer, se os últimos remanescentes de Lud fossem um exemplo.

— Você pode tentar mais uma vez — disse a voz fria. Tinha uma semelhança com a que perguntara a Eddie se ele gostaria de ouvir o seu horóscopo, mas isso era o melhor que se podia dizer: uma semelhança. — Quer tentar de novo, Eddie de Nova York?

Eddie pensou rápido.

— Não — disse —, está tudo bem. A informação é restrita, certo?

Vários estalos. Depois:

— *Restrita*: confinada, mantida dentro de certos limites, como a informação em um determinado documento ou disco-q; limitada aos autorizados a usar essa informação; os autorizados anunciam-se informando a senha. — Outra pausa para pensar, e depois: — É, Eddie. Essa informação é restrita.

— Por quê? — quis saber Eddie.

Não esperava resposta, mas Andy deu-lhe uma:

— Diretriz 19.

Eddie deu-lhe um tapinha no flanco metálico.

— Meu amigo, isso não me surpreende nem um pouco. Diretriz 19 é o que há.

— Gostaria de ouvir um horóscopo estendido, Eddie-sai?

— Eu acho que vou passar.

— Que tal uma música chamada "The Jimmy Juicy I Drank Last Night"? Tem muitos versos divertidos.

A nota rachada de uma flauta aguda veio de algum ponto no diafragma de Andy.

Eddie, que achava alarmante a ideia de muitos versos divertidos, acelerou o passo para junto dos outros.

— Por que não deixamos isto pra outra hora? — perguntou. — No momento eu acho que preciso de outra xícara de café.

— Dê-se o prazer de uma — disse Andy.

A Eddie ele pareceu meio triste. Como Bosco Bob quando a gente lhe dizia que ia estar ocupado para a Liga da polícia naquele verão.

3

Roland sentava-se em um afloramento de pedra, tomando sua xícara de café. Ouvia Eddie sem dizer nada, e apenas com uma leve mudança de expressão: um mínimo erguer das sobrancelhas às palavras Diretriz 19.

Do outro lado da clareira, defronte deles, o jovem Slightman sacara uma espécie de canudo que produzia bolhas extraordinariamente duras. Oi corria atrás delas, estourando várias com os dentes. Depois começou a entender o que o garoto parecia querer, que era que ele as amontoasse em uma pequena pilha de luz. A pilha de bolhas fez Eddie lembrar-se do Arco-Íris do Mago, os perigosos globos de vidro. Será que Callahan realmente tinha um? O pior de todos?

Mais adiante dos garotos, na borda da clareira, Andy permanecia parado com os braços cruzados sobre a curva de aço inoxidável do peito. Esperando para arrumar as sobras do jantar que ele trouxera e cozinhara para o grupo, supunha Eddie. O criado perfeito. Cozinha, limpa, fala da dama negra que você vai encontrar. Só não espere que ele vá violar a Diretriz 19. Não sem a senha, pelo menos.

— Venha cá, pessoal, por favor — disse Roland, erguendo levemente a voz. — É hora de confabularmos um pouco. Não vai demorar muito, o que é bom, pelo menos para nós, pois já tivemos a nossa, antes de Callahan nos procurar, e após algum tempo as conversas cansam, de verdade.

Eles se aproximaram e sentaram-se perto dele, obedientes como crianças, os de Calla e os de mais distante e que dali iriam mais distante ainda.

Primeiro eu gostaria de ouvir o que vocês sabem desses Lobos. Eddie me disse que Andy não pode contar como descobre as coisas que sabe.

— Você fala a verdade — murmurou o Slightman pai. — Os que o fizeram ou os que vieram depois o impediram de falar sobre o assunto, embora ele sempre nos avise da vinda deles. Sobre as outras coisas, a boca dele não para de tagarelar.

Roland olhou o grande fazendeiro de Calla.

— Você falará conosco, sai Overholser?

Tian Jaffords pareceu decepcionado por não ser chamado. A esposa também. Slightman pai assentiu, como se a escolha de Roland fosse apenas o óbvio. O próprio Overholser não se envaideceu como Eddie poderia ter esperado. Em vez disso, baixou os olhos para as pernas cruzadas e as botas por uns trinta segundos, e esfregou o lado do rosto, pensando. A clareira estava tão silenciosa que Eddie ouvia o raspar da palma da mão do fazendeiro na barba a fazer de três dias. Por fim Overholser deu um suspiro, assentiu e ergueu o olhar para Roland.

— Eu agradeço. Você não é o que eu esperava, devo dizer. Nem o seu tet. — Voltou-se para Tian. — Você tinha razão em nos trazer até aqui, Tian Jaffords. Esta é uma reunião que precisávamos ter, e eu agradeço.

— Não fui eu quem trouxe você aqui — disse Jaffords. — Foi o Velho.

Overholser fez um cumprimento a Callahan. Este retribuiu, e em seguida descreveu a forma de uma cruz no ar com a mão cicatrizada — como a dizer, pensou Eddie, que não fora ele tampouco, mas Deus. Talvez fosse, mas quando se tratava de puxar brasas do fogo ele apostava dois dólares em Roland para cada um que apostava em Deus e no Homem Jesus, pistoleiros celestiais.

Roland esperou, o rosto calmo e perfeitamente polido.

Finalmente Overholser se pôs a falar. Falou durante quase quinze minutos, devagar mas sempre objetivo. Havia o negócio dos gêmeos, para começar. Os moradores das terras Callas perceberam que as crianças nascidas aos pares eram mais exceção que a regra em outras partes do mundo e outras épocas anteriores, mas na área deles do Grande Crescente eram os filhos individuais, como o Aaron dos Jaffords, que eram as raridades. As *grandes* raridades.

E, a partir de uns cento e vinte anos atrás (ou talvez cento e cinquenta; com o tempo como estava, era impossível precisar esse tipo de coisa com qualquer certeza), os Lobos haviam começado suas incursões. Não vinham exatamente uma vez a cada geração; isso teria sido a cada vinte anos mais ou menos, e demorava mais do que isso. Mas não muito.

Eddie pensou em perguntar a Overholser e Slightman como o Povo Antigo poderia ter impedido Andy de falar qualquer coisa sobre como sabia dos Lobos se eles só vinham atacando a partir do Trovão havia menos de dois séculos, mas deixou pra lá. Perguntar o que não podia ser respondido era perda de tempo, teria dito Roland. Ainda assim, era interessante, não era? Interessante imaginar quando alguém (ou alguma *coisa*) programara o Mensageiro Andy (Muitas Outras Funções) pela última vez.

E por quê.

As crianças, disse Overholser, uma de cada par, entre as idades de três e catorze anos talvez, eram levadas para o leste, para a terra do Trovão. (Slightman pai passou o braço pelos ombros do filho durante esta parte da história, notou Eddie.) Eles ficavam lá por um período relativamente curto — talvez um mês, talvez dois. Depois, a maioria era devolvida. Sobre os que não voltavam, supunha-se que houvessem morrido na Terra das Trevas, que qualquer ritual diabólico que fizessem com eles matava alguns em vez de apenas arruiná-los.

Os que retornavam eram na melhor das hipóteses idiotas com algumas utilidades. Uma criança de cinco anos voltava sem a capacidade duramente conquistada de fala, reduzida a nada mais que balbucios e a pegar o que queria. Fraldas que não eram mais necessárias fazia dois ou três anos antes voltavam a ser usadas e podiam continuar em uso até o roont ter dez ou até mesmo doze anos.

— Sim, senhor, Tia *ainda* se mija a cada seis dias, e uma vez por lua pode também ter certeza de que ela vai se cagar — disse Jaffords.

— Ouçam o que ele diz — concordou Overholser com ar sombrio. Meu próprio irmão, Welland, foi assim até morrer. E eles precisam ficar sendo vigiados, pois se virem alguma coisa que gostem, comem até estourar. Quem está vigiando o seu, Tian?

— Minha prima — disse Zalia antes que Tian pudesse falar. — Hedda e Heddon também já ajudam um pouco; chegaram a uma idade bastante provável...

Interrompeu-se e pareceu perceber o que dizia. Torceu a boca e calou-se. Eddie julgou entender. Heddon e Hedda já podiam ajudar, claro. No ano seguinte, um deles ainda poderia. Mas o outro...

Uma criança levada com dez anos podia voltar com um pouco de capacidade de fala, mas nunca iria além disso. As levadas mais velhas eram de algum modo piores, pois pareciam voltar com uma vaga compreensão do que acontecera a elas. Do que lhes fora roubado. Essas tendiam a chorar muito, ou simplesmente desligar-se de si mesmas e ficar olhando para o leste, como coisas perdidas. Como se pudessem ver seus pobres cérebros lá, circulando como aves no céu escuro. Meia dúzia dessas tinham chegado a se suicidar. (Neste momento, Callahan se benzeu mais uma vez.)

Os roonts permaneciam crianças em estatura também, como na fala e no comportamento, até cerca de dezesseis anos. Então, de maneira inteiramente repentina, a maioria assumia o tamanho de jovens gigantes.

— Vocês não podem ter ideia de como é, se não verem com os próprios olhos e passarem por isso na própria pele — disse Tian. Olhava as cinzas da fogueira. — Não têm ideia do sofrimento que isso causa a eles. Quando nascem os dentes dos bebês, sabe como eles choram?

— Sei — disse Susannah.

Tian assentiu.

— É como se brotassem dentes do corpo inteiro deles.

— Ouçam o que ele diz — disse Overholser. — Durante dezesseis ou dezoito meses, tudo que meu irmão fez foi dormir, comer, chorar e crescer. Eu me lembro dele chorando até no sono. Eu me levantava da cama e lá estava aquele choramingo dentro do peito, das pernas, da cabeça dele. Era o barulho dos ossos crescendo de noite, me escutem.

Eddie pensou no horror da situação. Ouviam-se histórias de gigantes — fi-fi-fo-fum e tudo o mais —, porém até agora ele jamais pensara em como poderia ser tornar-se um gigante. *Como se brotassem dentes do corpo inteiro deles*, pensou com um arrepio.

— Um ano e meio, não mais que isso, e acaba, mas imagino quanto tempo deva parecer para eles, devolvidos sem mais noção de tempo que pássaros ou insetos.

— Interminável — disse Susannah. Tinha o rosto muito pálido e parecia nauseada. — Deve parecer interminável.

— O sussurro à noite quando os ossos crescem — disse Overholser. — A dor de cabeça quando o *crânio* cresce.

— Zalman gritou uma vez durante nove dias seguidos, sem parar — disse Zalia. A voz era neutra, mas Eddie viu o horror nos olhos dela; viu muito bem. — As maçãs do rosto se estufavam. A gente via acontecer. A testa curvava-se cada vez mais para fora, e se a gente encostava a orelha, dava para ouvir o crânio estalando ao expandir-se. Parecia um galho de árvore sob o peso da neve.

"Gritou durante nove dias. Nove. De manhã, à tarde e no silêncio da noite. Gritava e gritava. Os olhos esguichavam água. Nós rezávamos a todos os deuses para que ele perdesse a voz… que até ficasse mudo… mas nada disso aconteceu, digo graças. Se a gente tivesse uma arma, acho que teria matado ele ali deitado no catre, só para acabar com a dor. Na verdade, meu velho e bom pai estava pronto para cortar a garganta quando isso parou. Os ossos continuaram crescendo por algum tempo… o esqueleto, vocês sabem… mas a cabeça era o pior e finalmente parou, deem graças a Deus, e ao Homem Jesus também."

Balançou a cabeça em direção a Callahan. Ele retribuiu e ergueu a mão para ela, estendida no ar por um instante. Zalia voltou-se para Roland e seus amigos.

— Agora eu tenho cinco meus — disse. — Aaron está a salvo, e eu agradeço, mas Heddon e Hedda têm dez anos, idade perfeita. Lyman e Lia têm só cinco, mas cinco já é o suficiente. Cinco é…

Ela cobriu o rosto com as mãos e nada mais disse.

4

Assim que o surto de crescimento parava, disse Overholser, alguns deles tinham condições de trabalhar. Outros — a maioria — não conseguiam nem mesmo fazer tarefas básicas como arrancar tocos ou cavar buracos de estaca. Ficavam sentados nos degraus do Armazém Geral de Took ou às vezes atravessando os campos em grupos, rapazes e moças de enorme altura, peso e estupidez, às vezes rindo uns para os outros e balbuciando, outras vezes apenas de olhos grudados no céu.

Não se acasalavam, o que era algo para se ficar grato. Embora nem todos atingissem proporções imensas, e suas capacidades mentais e físicas variassem um pouco, parecia haver um padrão universal: retornavam sexualmente mortos.

— Peço perdão a vocês pela crueza — disse Overholser —, mas não acredito que meu irmão ficou de pau duro uma única vez depois que o trouxeram. Zalia? Você algum dia viu seu irmão com... você sabe...

Ela balançou a cabeça.

— Que idade tinha você quando eles vieram, sai Overholser? — perguntou Roland.

— A primeira vez, você quer dizer. Welland e eu tínhamos nove anos. — Ele agora falava rápido. Isso deu ao que disse o ar de um discurso ensaiado, mas Eddie não achava que era isso. Overholser era uma pessoa importante em Calla Bryn Sturgis; era, Deus nos salve e apedreje os corvos, o grande fazendeiro. Era difícil para ele voltar e lembrar de uma época em que fora criança, pequena, impotente e aterrorizada. — Nossa mãe e nosso pai tentaram nos esconder no celeiro. Pelo menos foi o que me disseram. Eu mesmo não me lembro de nada, claro. Me treinei pra não lembrar, acho. É, é bem provável. Uns lembram melhor que outros, Roland, mas todas as histórias têm o mesmo fim: um é levado, outro deixado para trás. O levado volta roont, talvez capaz de trabalhar um pouco, mas morto da cintura para baixo. Aí... quando chegam aos trinta anos...

Quando chegavam aos trinta anos, os gêmeos roont envelheciam de repente, de uma maneira chocante. Os cabelos embranqueciam e muitas vezes caíam por completo. Os olhos embaçavam-se. Músculos que haviam sido prodigiosos (como eram agora os de Tia Jaffords e Zalman Hoonik) afrouxavam e desgastavam-se. Às vezes eles morriam em paz, durante o sono. Mas na maioria das vezes, porém, o fim não era pacífico. Surgiam as feridas, às vezes na pele, mas em geral no estômago ou na cabeça. No cérebro. Todos morriam muito antes da idade natural, não fosse pelos Lobos, e muitos morriam da maneira em que haviam crescido do tamanho de crianças normais para o de gigantes: gritando de dor. Eddie se perguntava quantos desses idiotas, morrendo do que lhe parecia ser câncer terminal, eram simplesmente sufocados, ou talvez lhes fossem ministrados fortes sedativos que os levavam muito além da dor, do sono. Não era o tipo de pergunta que se fizesse, mas imaginava que a resposta teria sido muitos. Roland às vezes empregava a palavra *delah*, sempre dita com um ligeiro movimento de cabeça para os lados do horizonte.

Muitos.

Os visitantes de Calla, as línguas e lembranças unidas pela angústia, poderiam ter continuado por um bom tempo, amontoando uma triste recordação em cima da outra, mas Roland não os deixou.

— Agora falem dos Lobos, eu lhes peço. Quantos são os que vêm?

— Quarenta — disse Tian Jaffords.

— Espalhados por toda Calla? — perguntou o Slightman pai. — Não, mais de quarenta. — E, para Tian, em um tom de desculpa: — Você não tinha mais de nove anos quando eles vieram a última vez. Quarenta na aldeia, talvez, porém mais vieram às cidades e ranchos em volta. Eu diria sessenta no total, Roland-sai, talvez oitenta.

Roland olhou para Overholser, as sobrancelhas erguidas.

— Isso foi há vinte e três anos, veja bem — disse o fazendeiro —, mas eu diria que sessenta é uma boa estimativa.

— Vocês os chamam de Lobos, mas o que são eles realmente? São homens? Ou outra coisa?

Overholser, Slightman, Tian e Zalia: por um instante, Eddie sentiu-os partilhando khef, quase podia ouvi-los. Isso o fez sentir-se solitário e deixado de fora, como quando se via um casal se beijando em uma esquina, envoltos nos braços um do outro ou olhando-se dentro dos olhos, totalmente perdidos em si mesmos. Bem, ele não tinha de sentir-se mais assim, tinha? Tinha seu próprio ka-tet, seu próprio khef. Para não falar de sua própria esposa.

Enquanto isso, Roland fazia o impaciente gesto de girar os dedos que Eddie passara a conhecer bem. *Vamos lá, gente*, dizia, *o dia está passando*.

— Não há como dizer ao certo o que são eles — disse Overholser. — *Parecem* homens, mas usam máscaras.

— Máscaras de lobo — disse Susannah.

— Isso, dona, máscaras de lobo, cinzentas como os cavalos.

— Está dizendo que todos vêm em cavalos cinzentos? — perguntou Roland.

O silêncio foi mais breve desta vez, mas Eddie ainda teve aquela sensação de khef e ka-tet, mentes consultando-se por meio de alguma coisa tão elementar que nem podia ser considerada telepatia; era mais elementar do que isso.

— Pode apostar! — disse Overholser, uma gíria que parecia significar "Pode apostar, não me insulte perguntando isso de novo". — Todos em cavalos cinzentos. Usam calças cinzentas que parecem pele. Botas pretas com cruéis esporas grandes de aço. Capas e capuzes verdes. E as máscaras. Sabemos que são máscaras porque foram encontradas deixadas para trás. Parecem de aço, mas apodrecem ao sol como carne, coisas malditas.

— Ah.

Overholser lançou-lhe um olhar de lado quase ofensivo, desses que perguntam: *Você é um tolo ou apenas ruim de lógica?* Então Slightman disse:

— Os cavalos cavalgam feito o vento. Alguns levam uma criança na sela e outra atrás.

— Você afirma isso? — perguntou Roland.

Slightman assentiu enfaticamente a cabeça.

— Dou graças aos deuses. — Viu Callahan fazer de novo o sinal da cruz no ar e suspirou. — Perdão, Velho.

Callahan deu de ombros.

— Você estava aqui antes de mim. Convoque todos os deuses que queira, desde que saiba que eu acho que eles são falsos.

— E vêm do Trovão — disse Roland, ignorando a última observação.

— Ié — disse Overholser. — Dá para ver onde fica para aquele lado a cerca de cem rodas. — Apontou para o sudeste. — Pois nós saímos da mata na última montanha antes do Crescente. Podemos ver toda a Planície Oriental de lá, e depois uma grande escuridão, como uma nuvem de chuva sobre o horizonte. Dizem, Roland, que no passado muito distante era possível ver as montanhas ali.

— Como as Rochosas de Nebraska — murmurou Jake.

Overholser olhou-o.

— Como, Jake-soh?

— Nada — disse Jake, e deu um sorrisinho embaraçado.

Eddie, enquanto isso, registrava do que Overholser o chamara. Não sai, mas soh. Apenas mais uma coisa interessante.

— Nós ouvimos falar do Trovão — disse Roland. Sua voz era um pouco assustadora em sua falta de emoção, e Eddie ficou feliz ao sentir a mão de Susannah deslizar para dentro da sua.

— É uma terra de vampiros, bichos-papões e taheen, dizem as histórias — contou Zalia. A voz era tênue, à beira do tremor. — Claro, são histórias antigas...

— São verdadeiras — disse Callahan. Tinha a voz firme, mas Eddie sentiu o medo nela. Ouviu muito bem. — *Existem* vampiros... outras coisas também, muito provavelmente... e o Trovão é o ninho deles. Podemos falar mais sobre isso outra hora, pistoleiro, se lhe apraz. Por enquanto, apenas me escute, eu lhe peço: de vampiros eu sei bem. Não sei se os Lobos levam as crianças de Calla para eles... acredito que não... mas sim, *existem* vampiros.

— Por que você fala como se eu duvidasse? — perguntou o pistoleiro.

Callahan baixou os olhos.

— Porque muitos duvidam. Eu mesmo duvidava. Duvidava muito e... — Sua voz falhou. Ele pigarreou, e quando concluiu foi quase em um sussurro. —... foi a minha desgraça.

Roland permaneceu calado alguns instantes, agachado sobre as botas antigas e com os braços em torno dos joelhos ossudos, balançando um pouco para a frente e para trás. Depois, para Overholser:

— A que horas eles vêm?

— Quando levaram Welland, meu irmão, era de manhã — disse o fazendeiro. — Não muito depois do desjejum. Eu me lembro, porque Welland perguntou à nossa mãe se podia levar a xícara de café consigo para o celeiro. Na última vez, porém, quando vieram e pegaram a irmã de Tian, o irmão de Zalia e muitos outros...

— Eu perdi duas sobrinhas e um sobrinho — disse Slightman pai.

— Daquela vez não foi muito depois do sino do meio-dia no Salão da Assembleia. Sabemos o dia porque *Andy* sabe, e até aí ele nos conta. Então ouvimos o trovão dos cascos quando veem do leste e vimos a crista de galo de poeira que levantam...

— Então vocês sabem quando eles vêm — disse Roland. — Na verdade, sabem de três jeitos: Andy, o som dos cascos dos cavalos, a onda de poeira.

Overholser, entendendo a insinuação do pistoleiro, ficou com as bochechas e o pescoço vermelhos.

— Eles vêm armados, Roland, você sabe. Com armas... fuzis e revólveres como os que seu tet carrega, granadas também... e outros instrumentos. Armas terríveis do Povo Antigo. Bastões de luz que matam com um toque, bolas metálicas que zumbem e são chamadas de drones ou pomos dourados. As varas queimam a pele e param o coração... elétricas, talvez, ou talvez...

Eddie ouviu a palavra seguinte de Overholser como *ant-NÔMICO*. A princípio pensou que o homem tentava dizer "anatomia". Um momento depois percebeu que provavelmente era "atômico".

— Assim que os drones farejam a gente, te perseguem não importam o quanto você corra — interveio o filho de Slightman—, por mais que a gente tente dar voltas.

— Pode apostar — disse o Slightman pai. — Depois eles acionam lâminas que giram tão rápido que não dá nem pra ver, e que nos cortam em pedaços.

— Tudo em cavalos cinzentos — meditou Roland. — Todos da mesma cor. Que mais?

Ao que parecia, nada. Já haviam contado tudo. Eles vinham do leste no dia que Andy previa, e durante uma hora terrível — talvez mais — Calla se enchia do trovejante bater dos cascos dos cavalos cinzentos e dos gritos dos pais desolados. Capas verdes rodopiavam. Máscaras de lobo parecendo metal e apodrecidas ao sol como pele rosnavam. As crianças eram levadas. Às vezes alguns pares passavam despercebidos e eram deixados intactos, sugerindo que a presciência dos Lobos não era perfeita. Ainda assim, devia ser muito boa, pensou Eddie, porque se as crianças eram mudadas de lugar (como muitas vezes eram) ou escondidas em casa (como quase *sempre* eram), eles as descobriam mesmo assim, e com rapidez. Mesmo no fundo dos montes de madeira ou feno as crianças eram descobertas. Aqueles de Calla que tentavam resistir eram fuzilados, fritados pelos bastões de luz — alguma espécie de laser? — ou cortados em pedaços pelos drones voadores. Quando mais tarde tentou visualizá-los, ficou vindo à mente de Eddie um filmezinho sangrento a que Henry o arrastara para ver, *Phantasm*. No velho Majestic. Esquina da Brooklyn com a avenida Markey. Como boa parte de sua vida pregressa, o Majestic cheirava a mijo e pipoca, e àquele tipo de vinho que vinha em sacos pardos. Às vezes havia agulhas nos corredores. Não eram lembranças boas, mas às vezes — em geral à noite, quando o sono tardava — uma parte dele, bem lá no fundo, ainda chorava pela antiga vida da qual o Majestic fizera parte. Chorava por ela como uma criança roubada poderia chorar pela mãe.

As crianças eram levadas, o bater dos cascos recuava na direção de onde tinham vindo, e isso era o fim.

— Não, não pode ser — disse Jake. — Eles devem trazê-las de volta, não é mesmo?

— Não — disse Overholser. — Os roonts voltam no trem, escutem, posso lhe mostrar um grande monturo e... Como? Qual é o problema?

Jake ficara boquiaberto e empalidecera.

— Tivemos uma experiência bem desagradável com um trem não faz muito tempo — disse Susannah. — São monos os trens que trazem suas crianças de volta?

Não eram. Overholser, os Jaffords e os Slightman não tinham a menor ideia do que era um mono, na verdade. (Callahan, que fora à Disneylândia quando adolescente, tinha.) Os trens que traziam as crianças de volta eram puxados por simples locomotivas velhas (*espero que nenhuma chamada Charlie*, pensou Eddie), sem maquinistas e engatadas a um ou talvez dois vagões abertos. As crianças vinham amontoadas neles. Quando chegavam, em geral vinham chorando de medo (e de queimaduras de sol também, se o clima a oeste do Trovão estivesse quente e claro), cobertas de comida e sua própria merda seca, e desidratadas ainda por cima. Não havia estação na estrada de ferro, embora Overholser tenha sugerido que elas podiam ter existido, séculos antes. Assim que as crianças eram descarregadas, usavam-se parelhas de cavalos para puxar os trens dos trilhos enferrujados. Ocorreu a Eddie que eles podiam deduzir o número de vezes que os Lobos tinham vindo pelo número de máquinas no ferro-velho, como calcular a idade de uma árvore pela contagem dos anéis do tronco.

— Qual a distância, vocês diriam? — perguntou Roland. — A julgar pela condição deles quando chegam?

Overholser olhou para Slightman, depois para Tian e Zalia.

— Dois dias? Três?

Eles deram de ombros e assentiram.

— Dois ou três dias — Overholser disse para Roland, falando com mais convicção do que talvez fosse justificada, a julgar pela expressão dos outros. — O bastante para queimaduras de sol e para comer a maior parte das porções que lhes são deixadas...

— Ou para se recobrirem com elas — grunhiu Slightman.

— ... mas não o bastante para morrer de insolação — concluiu Overholser. — Se formos tentar usar isso para tentar julgar a distância a que são levados de Calla, então eu desejo boa sorte a quem se prestar a adivinhar, pois ninguém sabe a que velocidade o trem chega quando cruza as planícies. Chega devagar e com velocidade constante até o outro lado do rio, mas isso não quer dizer muito.

— Não — disse Roland. — Não quer. — Pensou um pouco. — Restam vinte e sete dias?

— Vinte e seis agora — disse Callahan em voz baixa.

— Uma coisa, Roland — disse Overholser.

Falou em tom de desculpa, mas projetava o queixo. Eddie achou que voltara ao papel do tipo de cara que a gente pode desgostar à primeira vista. Quer dizer, se a pessoa tivesse um problema com figuras de autoridade, e Eddie sempre tivera.

Roland ergueu as sobrancelhas em uma pergunta silenciosa.

— Nós não dissemos sim — disse Overholser.

Olhou para Slightman pai, como em busca de apoio, e Slightman o deu com um aceno de cabeça.

— Você deve saber que nós não temos como saber que vocês são quem dizem ser — disse Slightman em um tom de desculpa. — Minha família não foi educada com livros, e não há nenhum na fazenda... sou capataz da Rocking B de Eisenhart... a não ser os livros de contabilidade, mas quando era menino eu ouvi tantas histórias de Gilead, pistoleiros e Arthur Eld quanto qualquer outra criança... ouvi falar da Colina de Jericó e histórias fantasiosas de sangue e raios... mas nunca soube de um pistoleiro sem dois dedos, ou de uma pistoleira negra, ou de alguém que ainda vai levar anos até precisar fazer a barba.

O filho dele pareceu chocado, e também totalmente constrangido. O próprio Slightman pareceu embaraçado, mas continuou.

— Imploro o seu perdão se o ofendo, realmente imploro...

— Escutem-no, escutem-no — disse Overholser.

Eddie começava a pensar que, se o queixo do cara se projetasse mais um pouco, ia partir-se e cair.

— ... mas qualquer decisão que tomemos terá grandes impactos. Você deve ver que é assim. Se tomarmos a errada, pode significar a morte da nossa cidade, e de tudo nela.

— Eu não acredito no que estou ouvindo! — gritou indignado Tian Jaffords. — Você acha que eles são uma fraude? Deus do céu, homem, você já *olhou* para ele? Você não...

A esposa pegou-o pelo braço com força bastante para deixar marcas da ponta de seus dedos na pele queimada de sol. Ele olhou-a e calou-se, embora apertasse os lábios com força.

Em algum ponto ao longe, um corvo crocitou, e um rustie respondeu em um som ligeiramente mais agudo. Então todos se calaram. Um a um, voltaram-se para Roland de Gilead, para ver o que ele ia responder.

5

Era sempre a mesma coisa, e isso o cansava. Eles queriam ajuda, mas exigiam referências. Um desfile de testemunhas, se pudessem obtê-las. Queriam o resgate sem risco, simplesmente fechar os olhos e ser salvos.

Roland balançou devagar para a frente e para trás, abraçado aos joelhos. Depois assentiu para si mesmo e ergueu a cabeça.

— Jake — disse. — Venha cá.

Jake olhou para Benny, seu novo amigo, levantou-se e foi até Roland. Oi seguiu em seus calcanhares, como sempre.

— Andy — disse Roland.

— Sai?

— Traga-me quatro dos pratos em que comemos. — Enquanto o robô obedecia, ele falou a Overholser: — Você vai perder alguma cerâmica. Quando os pistoleiros chegam à aldeia, sai, as coisas se quebram. É uma simples verdade da vida.

— Roland, não creio que precisemos...

— Calado — disse Roland, e embora a voz fosse gentil, Overholser calou-se imediatamente. — Você contou sua história; agora nós contaremos a nossa.

A sombra de Andy recaiu sobre ele. O pistoleiro ergueu o olhar e viu os pratos que não haviam sido lavados e ainda brilhavam de gordura. Depois se voltou para Jake, que estava mudado. Sentado com o garoto Benny, vendo Oi fazer seus truques espertos e sorrindo de orgulho, Jake parecia um garoto qualquer de doze anos — despreocupado e sem se preocupar com os mais velhos, provavelmente. Agora o sorriso desaparecera e era difícil dizer qual seria a sua idade exata. Os olhos azuis olhavam os de Roland, quase do mesmo tom. Abaixo dos ombros, a Ruger que Jake pegara na escrivaninha do pai pendia no coldre. O gatilho estava preso em um laço de couro cru que ele afrouxou sem precisar olhar. Bastou um único puxão.

— Diga sua lição, Jake, filho de Elmer, e seja verdadeiro.

Roland quase esperava que Eddie ou Susannah fossem interferir, mas nenhum dos dois o fez. Ele os olhou. Tinham o rosto frio e sério como o de Jake. Ótimo.

A voz de Jake também não expressava nenhum sentimento, mas as palavras saíram duras e firmes.

— Eu não miro com a mão; aquele que mira com a mão esqueceu o rosto do seu pai. Eu miro com o olho. Eu não atiro com a mão...

— Eu não vejo o que isso... — começou Overholser.

— Calado — disse Susannah, e apontou o dedo para ele.

Jake pareceu não ter ouvido. Não tirava os olhos de Roland. Tinha a mão direita em cima do peito, os dedos abertos.

— Aquele que atira com a mão esqueceu o rosto do seu pai. Eu atiro com a mente. Eu não mato com a arma; aquele que mata com a arma esqueceu o rosto do seu pai.

Parou. Inspirou fundo. E concluiu.

— Eu mato com o coração.

— Mate estes — disse Roland, e, sem mais aviso, jogou todos os quatro pratos para cima. Eles voaram e separaram-se, formas escuras contra o céu branco.

A mão de Jake, a que repousava no peito, tornou-se um borrão. Puxou a Ruger do coldre, ergueu-a e começou a puxar o gatilho enquanto a de Roland ainda se erguia no ar. Os pratos não pareceram explodir um atrás do outro, mas todos juntos. Os cacos choveram sobre a clareira. Alguns caíram na fogueira, levantando cinzas e fagulhas. Um ou dois bateram na cabeça metálica de Andy.

Roland ergueu os braços, as mãos abertas movendo-se em um borrão. Embora ele não lhes houvesse ordenado, Eddie e Susannah fizeram o mesmo, no momento em que os visitantes de Calla Bryn Sturgis se encolhiam, chocados pelo barulho dos tiros, assim como pela rapidez.

— Olhem aqui pra nós, está bem, e agradeçam — disse Roland.

Estendeu as mãos. Eddie e Susannah fizeram o mesmo. Eddie pegara três cacos de cerâmica. Susannah tinha cinco (e um corte superficial em um dos dedos). Roland agarrara uma dúzia inteira de pedaços de fragmentos caídos. Parecia quase o suficiente para fazer um prato inteiro, se os pedaços fossem colados uns nos outros.

Os seis de Calla olhavam fixo, incrédulos. O garoto Benny, que continuava com as mãos nos ouvidos, baixou-as devagar. Olhava para Jake como se olharia para um fantasma ou aparição vindos do céu.

— Meu... *Deus* — disse Callahan. — Parece um truque em um espetáculo do Oeste Selvagem.

— Não é truque — disse Roland —, jamais pense isso. É o Caminho do Eld. Nós pertencemos a esse an-tet, khef e ka, vigiar e cumprir. Pistoleiros, entendem? E agora vou lhes dizer o que faremos. — Buscou Overholser com os olhos. — O que *vamos* fazer, digo, porque ninguém nos dá ordens. Contudo, acho que nada do que digo vai deixá-los demasiado desconfortáveis. Se porventura deixar... — Deu de ombros. *Se deixar, problema de vocês*, dizia o gesto.

Deixou cair os cacos de cerâmica entre as botas e espanou as mãos.

— Se esses cacos fossem Lobos — disse —, só restariam cinquenta e seis para perturbá-los, em vez de sessenta. Quatro deles caídos mortos no chão antes que vocês pudessem pegar fôlego. Mortos por um garoto. — Olhou para Jake. — O que vocês *chamariam* de um garoto, talvez. — Fez uma pausa. — Estamos acostumados às probabilidades estarem contra nós.

— O carinha é um atirador daqueles, isso eu admito — disse Slightman pai. — Mas há uma diferença entre pratos de barro e Lobos a cavalo.

— Para você, sai, talvez. Não para nós. Não na hora que começa o tiroteio. Quando começa o tiroteio, matamos qualquer coisa que se mexa. Não foi para isso que vocês nos procuraram?

— E se eles não puderem ser mortos a tiros? — perguntou Overholser. — Se não puderem ser derrubados mesmo pelos mais duros dos grossos calibres?

— Por que vocês desperdiçam um tempo tão curto? — perguntou Roland. — Vocês *sabem* que eles podem ser mortos, senão jamais teriam vindo nos procurar, para início de conversa. Eu não perguntei, porque é claro por si mesmo.

Overholser enrubescera profundamente mais uma vez.

— Eu rogo o seu perdão — disse.

Benny, enquanto isso, continuava a fitar Jake com olhos arregalados, e Roland sentiu uma pequena pontada de arrependimento pelos dois meninos. Ainda podiam estabelecer algum tipo de amizade, mas o que acontecera a mudaria em aspectos fundamentais, a transformaria em uma coisa inteiramente diferente do habitual khef descontraído compartilhado por garotos. O que era uma pena, porque quando Jake não era chamado a ser pistoleiro, ainda era apenas uma criança. Perto da idade que o próprio Roland tinha quando lhe haviam imposto o ritual de maioridade. E foi uma pena.

— Agora me escutem — disse — e me escutem muito bem. Vamos deixá-los por um breve período para voltar ao nosso acampamento e conversar entre nós. Amanhã, quando chegarmos à sua cidade, falaremos com um de vocês...

— Venham a Seven-Mile — disse Overholser. — Nós os receberemos e agradeceremos, Roland.

— Nossa casa é muito menor — disse Tian —, mas Zalia e eu...

— Teríamos muito prazer em recebê-los — disse Zalia. Corara tanto quanto Overholser. — É, teríamos, sim.

Roland disse:

— Você tem uma casa, além de uma igreja, sai Callahan?

Callahan sorriu.

— Tenho, sim, e agradeço a Deus.

— Talvez pudéssemos ficar em sua casa na primeira noite em Calla Bryn Sturgis — disse Roland. — Seria possível?

— Claro, e sejam bem-vindos.

— Poderia nos mostrar sua igreja. Apresentar-nos aos mistérios dela.

O olhar de Callahan foi firme.

— Muito me alegraria a oportunidade de fazer isso.

— Nos dias seguintes — disse Roland, sorrindo —, vamos aceitar a hospitalidade da cidade.

— Vão encontrá-la em abundância — disse Tian. — Isto eu lhes prometo. — Overholser e Slightman assentiam em concordância.

— Se a comida que acabamos de compartilhar é um indicativo, tenho certeza de que isso é verdade. Nós agradecemos, sai Jaffords; obrigado a um e a todos. Durante uma semana, nós quatro iremos circular por sua cidade, metendo o nariz aqui e ali. Talvez um pouco mais de tempo, porém não deve passar de uma semana. Vamos examinar o traçado da terra e a forma como se distribuem os prédios nela. Ficar de olho na chegada dos Lobos. Vamos falar com o povo de Calla, e o povo de Calla vai falar conosco... Vocês aqui presentes poderiam cuidar disso pra nós?

Callahan assentia.

— Não posso falar pelos mannis, mas tenho certeza de que o restante se mostrará mais que disposto a falar com vocês sobre os Lobos. Deus e o Homem Jesus sabem que eles não são nenhum segredo. E as pessoas do Crescente morrem de medo dos Lobos. Se eles virem que talvez vocês tenham condições de nos ajudar, farão tudo o que pedirem.

— Os manni também vão falar comigo — disse Roland. — Já confabulei com eles antes.

— Não se deixe levar pelo entusiasmo do Velho, Roland — disse Overholser. Ergueu as mãos rechonchudas no ar, um gesto de cautela. — Há outros na cidade que vocês terão de convencer...

— Vaughn Eisenhart, por exemplo — disse Slightman.

— Ié, e Eben Took, sem dúvida — disse Overholser. — O Armazém Geral é a única coisa que leva seu nome, sabe, mas ele é dono da pensão e do restaurante defronte dela... além de metade dos lucros no aluguel de cavalos e carruagens... e papéis de crédito na maioria das pequenas propriedades por aqui.

"Por falar em pequenas propriedades, não podemos esquecer de Bucky Javier — ressoou Overholser. — Ele só não é o maior deles porque deu metade do que tinha à irmã caçula quando ela se casou. — Overholser curvou-se para Roland, o rosto iluminado por um fragmento da história da cidade prestes a ser transmitida. — Roberta Javier, irmã de Bucky, deu sorte. Quando os Lobos vieram a última vez, ela e o irmão gêmeo tinham apenas um ano. Por isso nenhum deles foi pego."

— O próprio irmão gêmeo do Bucky foi levado da vez anterior — disse Slightman. — Já faz quase quatro anos que Bully morreu. Da doença. Desde então, Bucky faz de tudo e mais um pouco para aqueles dois caçulas. Mas devia falar com ele, sim. Só tem pouco mais de trinta hectares, mas é peixe grande.

Roland pensou: *Eles continuam não entendendo.*

— Obrigado — disse. — O que temos a fazer a seguir se resume sobretudo a ver e ouvir. Feito isto, vamos pedir a quem estiver encarregado da pena que a circule para que se possa convocar uma assembleia. Nessa reunião, diremos a vocês se a cidade pode ser defendida e de quantos homens vamos precisar para nos ajudar, se for possível.

Roland viu Overholser preparando-se para falar e fez-lhe que não com a cabeça.

— Não precisaremos de muito, em todo caso — disse. — Somos pistoleiros, não um exército. Pensamos diferente e agimos diferente de um exército. Talvez a gente peça no máximo que cinco fiquem conosco. Provavelmente, menos... só dois ou três. Mas podemos precisar de mais homens pra nos ajudar a preparar.

— Por quê? — perguntou Benny.

Roland sorriu.

— Isto eu ainda não posso dizer, pois não vi como são as coisas em sua Calla. Mas, em casos assim, a surpresa é sempre a arma mais poderosa, e em geral são necessárias muitas pessoas para preparar uma boa surpresa.

— A maior surpresa pros Lobos — disse Tian — seria se oferecêssemos qualquer tipo de resistência.

— E se vocês decidirem que Calla *não* pode ser defendida? — perguntou Overholser. — Me diga isso, eu lhe peço.

— Então eu e meus amigos agradeceremos sua hospitalidade e seguiremos adiante — disse Roland —, pois temos nossos assuntos mais adiante no Caminho do Feixe. — Observou o rosto abatido de Tian e Zalia por um momento, e acrescentou: — Não acho isso provável, sabem. Em geral, há um jeito.

— Que a assembleia receba favoravelmente sua decisão — disse Overholser.

Roland hesitou. Aquele era o momento em que ele poderia ser brutalmente honesto, se assim quisesse. Se aquelas pessoas ainda acreditavam que um tet de pistoleiros abaixaria a cabeça para o que camponeses e fazendeiros decidissem em uma assembleia pública, eles *realmente* haviam perdido a forma do mundo como fora outrora. Mas seria isso tão ruim assim? No fim, tudo se desenrolaria e faria parte de sua longa história. Ou não. Se não, ele acabaria sua história e sua busca em Calla Bryn Sturgis, mofando embaixo de uma lápide. Talvez nem isso; talvez acabasse morto embaixo de um monturo em algum ponto a leste da aldeia, ele e seus amigos, muita carne podre para ser picada pelos corvos e pelos rusties. Ka diria. Sempre dizia.

Enquanto isso, eles o olhavam.

Roland levantou-se, contraindo-se com a pontada intensa de dor no quadril direito. Acompanhando o seu movimento, Eddie, Susannah e Jake também se levantaram.

— Tivemos um encontro fortuito — disse Roland. — Quanto ao que está à frente, haverá água se Deus quiser.

— Amém — disse Callahan.

7. TODASH

1

— Cavalos cinzentos — disse Eddie.

— Ié — concordou Roland.

— Cinquenta ou sessenta, todos em cavalos cinzentos.

— Ié, foi o que disseram.

— E não acharam isso nem um pouco estranho — ruminou Eddie.

— Não, não pareceram achar.

— E é estranho?

— Cinquenta ou sessenta cavalos, todos da mesma cor? Eu diria que sim.

— Esse pessoal de Calla cria cavalos eles mesmos.

— Ié.

— Trouxeram alguns para cavalgarmos. — Eddie, que jamais montara um cavalo na vida, estava agradecido por pelo menos isso ter sido adiado, mas não mencionou nada.

— Ié, amarrados na colina.

— Tem certeza disso?

— Senti o cheiro deles. Imagino que era o robô que cuidava deles.

— Por que deveriam achar cinquenta ou sessenta cavalos, todos da mesma cor, importante?

— Porque eles na verdade não pensam sobre os Lobos nem em nada relacionado a eles — disse Roland. — Estão muito ocupados sentindo medo.

Eddie assobiou cinco notas que não chegavam a formar uma melodia. Depois disse:

— Cavalos cinzentos.

Roland assentiu:

— Cavalos cinzentos.

Por um momento, ficaram olhando um para o outro, e então caíram no riso. Eddie adorava quando Roland ria. O som era seco, tão feio quanto os chamados dos gigantescos pássaros pretos que ele chamava de rusties... mas ele adorava. Talvez fosse porque Roland ria muito raramente.

Era fim de tarde. Acima, as nuvens haviam-se adelgaçado o suficiente, tornando-se de um azul-claro quase da cor do céu. O grupo de Overholser voltara ao acampamento deles. Susannah e Jake haviam retornado à estrada da floresta para catar mais bolinhos. Após o banquete que fizeram, ninguém queria comer nada pesado. Eddie sentou-se em um toro, talhando. Roland sentou-se a seu lado, com todas as suas armas desmontadas no chão diante deles, sobre um pedaço de pele de gamo. Ele lubrificava as peças uma a uma, virando cada ferrolho, cilindro e cano para a luz do dia, para uma olhada final antes de colocá-las de lado para tornar a montá-las.

— Você disse a eles que estava fora das mãos deles — disse Eddie —, mas eles não entenderam isso mais do que entenderam do negócio dos cavalos cinzentos. E você não insistiu no caso.

— Isso só iria angustiá-los — disse Roland. — Havia um ditado em Gilead: Que o mal espere pelo dia em que irá se abater.

— Hum-hum — disse Eddie. — Havia um ditado no Brooklyn: Não se tira fuligem de um casaco de pele. — Ergueu o objeto que estava fazendo. Seria um pião, pensou Roland, um brinquedo para um bebê. E mais uma vez se perguntou o quanto Eddie saberia sobre a mulher com quem se deitava toda noite. As *mulheres*. Não na frente de sua mente, mas embaixo. — Se você decidir que a gente *pode* ajudá-los, então *temos* de ajudá-los. É a isso que na verdade se resume o Caminho do Eld, não é?

— Sim — disse Roland.

— E se não conseguirmos que nenhum deles resista conosco, resistiremos sozinhos.

— Ah, não estou preocupado com isso — disse Roland. Tinha um pires cheio de óleo de arma leve e cheiroso. Mergulhou nele a ponta de um trapo de camurça, pegou a mola do carregador da Ruger de Jake e começou a limpá-la. — Tian Jaffords resistiria conosco, se chegasse a isso. Ele certamente deve ter um ou dois amigos que fariam o mesmo, independentemente do que a assembleia decida. No aperto, tem a esposa dele.

— E se a gente fizer com que os dois sejam mortos, que será das crianças? Eles têm cinco. Acho que há também um idoso na história. Um desses avôs. Provavelmente cuidam dele também.

Roland deu de ombros. Alguns meses atrás, Eddie haveria interpretado erroneamente esse gesto — e o rosto impassível do pistoleiro — como indiferença. Agora sabia que não. Roland era tão prisioneiro de suas próprias regras e tradições quanto Eddie fora da heroína.

— E se *nós* formos mortos nesta aldeiazinha, enfrentando esses Lobos? — perguntou Eddie. — Seu último pensamento não vai ser: "Eu não acredito que idiota eu fui, jogando fora minha chance de chegar à Torre Negra a fim de ajudar um bando de moleques remelentos". Ou algo nesse tipo.

— A menos que continuemos verdadeiros a nós mesmos, jamais chegaremos nem a mil quilômetros da Torre — disse Roland. — Vai me dizer que não sente isso?

Eddie não podia, porque sentia. E também sentia outra coisa: uma espécie de avidez sanguinária. Queria lutar. Ter alguns daqueles Lobos, fossem lá o que fossem, na mira de um dos grandes revólveres de Roland. Não havia sentido em tentar se enganar: queria arrancar alguns escalpos.

Ou máscaras de lobo.

— O que é que realmente o está perturbando, Eddie? Eu gostaria que falasse enquanto estamos só eu e você. — O pistoleiro torceu a boca em um sorriso tênue, enviesado. — Fale, eu lhe peço.

— Tá na cara, né?

Roland deu de ombros e esperou.

Eddie pensou na pergunta. Era uma *grande* pergunta. Enfrentá-la fazia-o sentir-se angustiado e incompetente, muito parecido com o que sentira diante da tarefa de talhar a chave que levaria Jake Chambers ao mundo deles. Só que na época ele tivera o fantasma do irmão mais velho para culpar, Henry sussurrando no fundo de sua cabeça que ele não prestava, nunca prestara, nunca prestaria. Agora era apenas a enormidade do que Roland estava sugerindo. Porque tudo o perturbava, estava tudo errado. *Tudo*. Ou talvez errado fosse a palavra errada, e pelo avesso. Porque, em outro aspecto, tudo parecia demasiado *certo*, demasiado perfeito também...

— Aarrgh — disse Eddie. Agarrou tufos de cabelos dos dois lados da cabeça e puxou. — Não consigo encontrar as palavras pra dizer.

— Então diga a primeira coisa que lhe vier à mente. Não hesite.

— Dezenove — disse Eddie. — Toda essa coisa virou dezenove.

Caiu para trás sobre o fragrante chão da mata, cobriu os olhos e esperneou como uma criança dando chilique. Pensou: *Talvez matar alguns Lobos dê um jeito em mim. Talvez seja só o que eu precise.*

2

Roland deu-lhe um minuto inteiro contado e depois disse:

— Está se sentindo melhor?

Eddie sentou-se.

— Na verdade estou.

Roland assentiu, com um leve sorriso.

— Então pode falar mais? Se não pode, deixamos pra lá, mas eu aprendi a respeitar suas intuições, Eddie... muito mais do que você compreende... e se falar, eu escutarei.

O que ele dizia era verdade. Os sentimentos iniciais do pistoleiro por Eddie haviam oscilado entre a cautela e o desprezo pelo que via como fraqueza de caráter. O respeito viera mais lentamente. Começara no escritório de Balazar, quando Eddie lutara nu. Conhecera poucos homens que poderiam ter feito isso. O respeito crescera com a compreensão do quanto Eddie se parecia com Cuthbert. Depois, no mono, Eddie agira com uma espécie de criatividade desesperada que Roland podia admirar mas nunca igualar. Eddie Dean tinha o senso de ridículo sempre intrigante, mas às vezes irritante, de Cuthbert Allgood; e também os rápidos e profundos lampejos de intuição de Alain Johns. Mas no fim não se parecia com nenhum dos velhos amigos de Roland. Às vezes podia ser fraco e autocentrado, mas dono de profundas reservas de coragem e do bom irmão da coragem, o que o próprio Eddie chamava às vezes de "coração".

Mas era a intuição dele que Roland queria saber agora.

— Tudo bem então — disse Eddie. — Não me detenha. Não faça perguntas. Só escute.

Roland fez que sim com a cabeça. E torceu para que Susannah e Jake não voltassem, pelo menos ainda não.

— Eu olho para o céu... lá em cima, onde as nuvens rompem neste mesmo minuto... e vejo o número 19 escrito em azul.

Roland ergueu o olhar. E, sim, lá estava. Ele o via também. Mas também via uma nuvem que parecia uma tartaruga, e outro buraco no fiapo evanescente que parecia um vagão de artilharia.

— Eu olho para as árvores e vejo 19. Para o fogo, vejo 19. Os nomes formam 19, como os de Overholser e Callahan. Mas é só isso que posso *dizer*, o que posso *ver*, o que posso compreender. — Falava com uma rapidez aflita, olhando diretamente dentro dos olhos de Roland. — E mais uma coisa. Tem a ver com todash. Eu sei que às vezes vocês acham que tudo me faz lembrar como é ficar chapado, mas, Roland, entrar em todash é como estar drogado.

Eddie sempre lhe falava dessas coisas como se Roland jamais houvesse posto nada mais forte que graf no cérebro e no corpo em toda a sua vida, o que estava longe de ser verdade. Ele podia lembrar isso a Eddie outra hora, mas não agora.

— Só estar aqui em seu mundo já é como entrar em todash. Porque... ah, cara, isso é difícil... Roland, tudo aqui é real, mas não é.

Roland pensou em lembrar-lhe que aquele não era o *seu* mundo, não mais — para ele a cidade de Lud fora o fim do Mundo Médio e o princípio de todos os mistérios que esperavam além —, mas de novo manteve a boca fechada.

Eddie pegou um punhado de folhas, enchendo as mãos com as agulhas e deixando cinco marcas pretas em forma de mão no chão da mata.

— Real — disse. — Eu sinto o toque e o cheiro. — Levou o punhado de agulhas à boca e esticou a língua para tocá-las. — Sinto o gosto. E, ao mesmo tempo, é tão irreal quanto o 19 que a gente vê na fogueira, ou aquela nuvem no céu que parece uma tartaruga. Entende o que estou dizendo?

— Entendo muito bem — murmurou Roland.

— As pessoas são reais. Você... Susannah... Jake... o tal Gasher que pegou Jake... Overholser e os Slightman. Mas a maneira como as coisas do meu mundo ficam aparecendo aqui, isso *não* é real. Não é sensato nem lógico tampouco, mas não é isso que eu quero dizer. *Simplesmente não é real*. Por que as pessoas aqui cantam "Hey Jude"? Eu não sei. Aquele urso ciborg, Shardik... de onde eu conheço esse nome? Por que aquilo me lembrou de coelhos? Toda aquela merda sobre o Mágico de Oz, Roland... tudo isso aconteceu com a gente, não tenho dúvida, mas ao mesmo tempo não me parece real. Parece todash. Como dezenove. E que acontece depois do Palácio Verde? Ora, nós entramos na mata, como João e Maria. Há uma estrada para caminharmos. Bolinhos para catar. A civilização acabou. Tudo está vindo abaixo. Foi você que nos disse. Nós vimos em Lud. Só que, adivinha? Não existe! Te peguei de novo!

Eddie deu uma breve risada. Soou aguda e doentia. Quando ele tirou o cabelo da testa, deixou nela uma marca escura de terra da mata.

— A piada é que, aqui, a bilhões de quilômetros de lugar nenhum, nós demos de cara com uma aldeia tirada de um conto de fadas. Civilizada. Decente. O tipo de gente que a gente sente como se conhecesse. Talvez não goste de todos eles... Overholser é meio duro de engolir... mas a gente sente como se os conhecesse.

Estava certo nisso também, pensou Roland. Ainda nem vira Calla Bryn Sturgis e a cidade já o lembrava de Mejis. Em alguns aspectos, parecia perfeitamente razoável — aldeias camponesas no mundo inteiro tinham semelhanças umas com as outras —, mas em outros era perturbador. Perturbador como o diabo. O sombreiro que Slightman usava, por exemplo. Seria possível que ali, a milhares de quilômetros de Mejis, os homens usassem chapéus semelhantes? Supunha que sim. Mas era provável que o sombreiro de Slightman fosse lhe lembrar tão fortemente o usado por Miguel, o velho *mozo* à Beira-mar de Mejis, tantos anos antes? Ou era apenas sua imaginação?

Quanto a isso, Eddie diz que eu não tenho nenhuma, pensou.

— A aldeia de contos de fadas tem um problema de história da carochinha — continuava Eddie. — E assim as pessoas de conto de fadas chamam um bando de heróis de cinema para salvá-las dos vilões das histórias da carochinha. Eu sei que é real... gente vai morrer, muito provavelmente, e o sangue será real, os gritos, o choro depois serão reais... mas ao mesmo tempo alguma coisa nisso não parece mais real do que um cenário de palco.

— E Nova York? — perguntou Roland. — Como lhe pareceu?

— A mesma coisa — disse Eddie. — Quer dizer, pense só. Dezenove livros deixados na mesa depois que Jake pegou *Charlie Chuu-Chuu* e o livro de adivinhações... e depois, de todos os bandidos de Nova York, aparece logo o Balazar! Aquele escroto!

— Vamos, vamos, ora! — chamou Susannah, alegremente, detrás deles. — Nada de palavrões, garotos.

Jake empurrava-a pela estrada, o colo dela cheio de bolinhos. Os dois pareciam animados e felizes. Roland supôs que o fato de terem se alimentando bem mais cedo tivesse alguma coisa a ver com isso. Disse:

— Às vezes essa sensação de irrealidade passa, não passa?

— Não é exatamente irrealidade, Roland. É...

— Deixe as sutilezas pra lá. Às vezes passa, não passa?

— Passa — disse Eddie. — Quando eu estou com ela.

Foi em direção a ela. Curvou-se. Beijou-a. Roland observava-os, perturbado.

3

A luz do dia ia desaparecendo. Eles sentavam-se em torno da fogueira e relaxaram. O pouco apetite que haviam conseguido reunir fora facilmente satisfeito com os bolinhos que Susannah e Jake haviam trazido para o acampamento. Roland vinha meditando sobre uma coisa que Slightman dissera, e com mais profundidade do que talvez seria saudável. Afastou a coisa então ainda mal digerida e disse:

— Alguns de nós, ou todos, podemos nos encontrar mais tarde, esta noite, na cidade de Nova York.

— Eu só espero chegar a ir desta vez — disse Susannah.

— Será como o ka quiser — disse Roland, sem expressão. — O importante é que fiquem juntos. Se apenas um fizer a viagem, acho que pode ser você quem vai, Eddie. Se só um fizer a viagem, esse deve ficar exatamente onde ele... ou talvez *ela*... está até os sinos recomeçarem.

— Os *kammen* — disse Eddie. — Foi como Andy os chamou.

— Vocês todos entenderam isso?

Eles assentiram, e olhando os seus rostos Roland percebeu que cada um deles se reservava o direito de decidir o que fazer quando chegasse a hora, com base nas circunstâncias. O que era o certo. Ou eram pistoleiros ou não eram, afinal.

Surpreendeu-se dando uma risada breve.

— Qual é a graça? — perguntou Jake.

— Simplesmente pensar que uma vida longa traz estranhos companheiros — disse Roland.

— Se está se referindo a nós — disse Eddie —, vou te dizer uma coisa, Roland... você mesmo não é lá muito normal.

— Acho que não — disse Roland. — Se atravessarmos em grupo... dois, três, talvez todos... devemos nos dar as mãos quando os sinos começarem.

— Andy disse que tínhamos de nos concentrar uns nos outros — disse Eddie. — Para evitar que nos percamos.

Susannah surpreendeu a todos começando a cantar. Só que, para Roland, parecia mais um coro de galés — uma coisa para ser gritada verso por verso — do que uma canção. Mas mesmo sem ser habilidosa, a voz dela era melodiosa:

— *Filhos, quando ouvirem a música do clarinete... Filhos, quando ouvirem a música da flauta! Filhos, quando ouvirem a música do pan-dei-ro... Vocês devem se curvar e adorar o ííí-DOLO!*

— O que é isso?

— Um hino da roça — disse ela. — Uma daquelas coisas que meus avós e bisavós cantavam quando catavam o algodão do velho senhor. Mas os tempos mudam. — Sorriu. — Eu a ouvi pela primeira vez em um café de Greenwich Village, em 1962. E o homem que a cantava era um branco berrador de blues chamado Dave Van Ronk.

— Aposto que Aaron Deepneau também estava lá— murmurou Jake. — Sério, aposto que estava sentado na *mesa* ao lado.

Susannah voltou-se para ele, surpresa e pensativa.

— Por que diz isso, docinho?

Eddie disse:

— Porque ele ouviu Calvin Tower dizer que esse tal de Deepneau frequentava o Village desde... que foi que ele disse, Jake?

— O Village não, Bleecker Street — disse Jake, com uma risada curta. — O sr. Tower disse que o sr. Deepneau vinha frequentando a Bleecker Street antes de Bob Dylan saber como se soprava mais que uma nota sol em sua Hohner. Devia ser uma gaita de boca.

— É — disse Eddie —, e embora eu possa não apostar uma fortuna no que Jake diz, ficaria tranquilo em colocar mais que uns trocados. Claro, Deepneau estava lá. Não me surpreenderia nem que Jack Andolini estivesse atendendo no bar, porque é assim que tudo funciona na Terra do Dezenove.

— Seja como for — disse Roland —, aqueles de nós que cruzarem devem permanecer juntos. E quero dizer ao alcance da mão, o tempo todo.

— Eu acho que não vou estar lá — disse Jake.

— Por que diz isso, Jake? — perguntou o pistoleiro, surpreso.

— Porque não vou pegar no sono — disse Jake. — Estou empolgado demais.

Mas todos acabaram adormecendo.

4

Ele sabe que é um sonho, algo causado nada mais que por uma observação casual de Slightman, e no entanto não consegue escapar. Procure sempre a porta dos fundos, *dizia-lhes Cort, mas se houver uma porta dos fundos neste sonho, Roland não consegue encontrá-la.* Eu sabia da Colina de Jericó e de histórias sangrentas e trovões de faz de conta, *foi o que disse o capataz de Eisenhart. Só que a Colina de Jericó parecera bastante real para Roland. Por que não pareceria? Ele estivera lá. Fora o fim deles. O fim de todo um mundo.*

O dia está de um calor sufocante; o sol chega ao zênite e parece ficar lá parado, como se as horas tivessem sido suspensas. Abaixo deles, estende-se um longo campo em descida, cheio de grandes faces de pedra cinza-escuro, estátuas corroídas por erosão, deixadas por pessoas há muito desaparecidas, e os homens de Grissom avançam implacáveis entre elas, enquanto Roland e seus poucos companheiros derradeiros se retiram sempre para cima, atirando sem parar. A fuzilaria é constante, interminável, o barulho das balas assobiando nas faces de pedra um agudo contraponto que entra em suas cabeças como o sanguinário zumbido de mosquitos. Jamie DeCurry foi morto por um franco-atirador, talvez o filho do próprio Grissom, com seu olho de águia, ou pelo próprio Grissom. Com Alain, o fim foi muito pior; levou um tiro de seus dois melhores amigos na escuridão da noite antes da batalha final, um erro estúpido, uma morte horrível. Não houve socorro. A coluna de DeMullet foi emboscada e massacrada em Rimrocks, e quando Alain cavalgou de volta após a meia-noite para contar-lhes, Roland e Cuthbert... o barulho de suas armas... e, ah, quando Alain gritou o nome deles...

E agora estão no topo e não resta lugar para correr. Atrás deles, a leste, há um precipício de argila xistosa para o Salt — o que a seiscentos quilômetros dali se chama de mar Limpo. A oeste fica a colina das faces de pedra, e os homens de Grissom que avançam gritando. Roland e seus homens mataram centenas, mas ainda restam dois mil, e esse é um cálculo por baixo. Dois mil homens, as caras uivantes pintadas de azul, alguns com armas de fogo e uns poucos até com flechas — contra uma dúzia. É tudo o que lhes resta agora, ali no topo da Colina de Jericó, sob o sol ardente. Jamie morto, Alain morto sob as armas de seus amigos — o impassível Alain, digno de confiança, que podia ter cavalgado para a segurança mas preferiu não fazê-lo — e Cuthbert, que fora baleado. Quantas vezes? Cinco? Seis? A camisa está encharcada rubra sobre a pele. Um lado do rosto afundou em sangue; o olho desse lado projeta-se ligeiramente sobre a bochecha. Mas ainda segura a trombeta de Roland, aquela que foi soprada por Arthur Eld, ou assim contavam as histórias. Não a devolverá. "Porque eu a sopro mais doce do que você jamais soprou", ele diz a Roland, rindo. "Pode tê-la de volta quando eu morrer. Não esqueça de pegá-la, Roland, pois é sua propriedade."

Cuthbert Allgood, que um dia cavalgou para o Baronato de Mejis com a caveira de um corvo montada no cabeçote da sela. "A vigia", chamava-a, e conversava com ela como se estivesse viva, pois era assim que ele era, e às vezes tirava Roland do sério com seu jeito tolo, e ali estava sob o sol ardente, cambaleando para ele com um revólver fumegante em uma das mãos e a Trombeta de Eld na outra, coberto de flechas, meio cego e agonizando... mas ainda rindo. Ah, bons deuses, rindo e rindo.

— Roland! — grita. — Fomos traídos! Eles têm mais homens. Estamos recuados contra o mar! Nós os temos exatamente onde os queremos. Vamos atacar?

E Roland entende que ele tem razão. Se sua busca pela Torre Negra deve realmente terminar ali na Colina de Jericó — traídos por um dos seus e depois esmagados por aquele bárbaro resto do exército de John Farson —, que seja um fim esplêndido.

— Ié! — grita ele. — Ié, muito bem. Vocês do castelo, a mim! Pistoleiros, a mim! A mim, estou dizendo!

— Quanto a pistoleiros, Roland — diz Cuthbert —, eu estou aqui. E nós somos os últimos.

Roland primeiro olha para ele, depois o abraça sob aquele céu horrendo. Sente o corpo ardente de Cuthbert, a trêmula magreza suicida. E no entanto ele ri. Bert ainda ri.

— Tudo bem — diz Roland com voz rouca, olhando os poucos homens que lhe restam em volta. — Vamos para cima deles. E não aceitaremos quartel.

— Neca, nada de quartel, absolutamente nenhum — diz Cuthbert.

— Não aceitaremos a rendição deles, se oferecerem.

— Em nenhuma circunstância! — concorda Cuthbert, rindo mais do que nunca. — Nem mesmo se todos os dois mil deposerem as armas.

— Então toque a porra dessa trombeta.

Cuthbert leva a trombeta aos lábios ensanguentados e sopra uma grande explosão — a explosão final, pois quando o instrumento cai dos seus dedos um minuto depois (ou talvez cinco, ou dez; o tempo não tem significado nessa batalha derradeira), Roland a deixará caída no pó. Em sua dor e sede de sangue esquecerá tudo sobre a Trombeta de Eld.

— E agora, meus amigos, avante!

— Avante! — grita a última dúzia sob o sol escaldante.

É o fim deles, o fim de Gilead, o fim de tudo, e ele não liga mais. A velha fúria rubra, seca e enlouquecedora abate-se sobre sua mente, afogando todo pensamento. Uma última vez, então, *pensa.* Que assim seja.

— A mim! — grita Roland de Gilead. — Adiante! Pela Torre!

— A Torre! — grita Cuthbert a seu lado, cambaleando para trás.

Ergue a Trombeta de Eld para o céu em uma das mãos, o revólver na outra.

— Sem prisioneiros! — berra Roland. — SEM PRISIONEIROS!

Correm para baixo rumo à horda de rostos azuis de Grissom, ele e Cuthbert à frente, e quando passam pelas primeiras faces cinza-escuro, que se apoiam no mato alto, lanças, flechas e balas voando em toda a sua volta, os sinos começam. É uma melodia que ultrapassa os limites da beleza; ameaça rasgá-lo em pedaços com o quanto é adorável.

Agora, não, *ele pensa.* Ah, deuses, agora, não — deixem-me acabar com isso. Deixem-me acabar com isso e com meu amigo ao lado, e ter paz finalmente. Por favor.

Estende o braço para pegar a mão de Cuthbert. Por um instante, sente o toque dos dedos viscosos de sangue do amigo, ali na Colina de Jericó, onde a valente e risonha existência dele foi apagada... e então os dedos que tocam os seus desaparecem. Ou melhor, os seus derreteram-se entre os de Bert. Está caindo, está caindo, o mundo escurece, *ele está caindo, os sinos tocam, os* kammen *tocam ("Parecem uma coisa havaiana, não parece?"), e ele está caindo, a Colina de Jericó desapareceu, a Trombeta de Eld desapareceu, há escuridão e letras rubras na escuridão, algumas são Grandes Letras, o bastante para ele poder ler o que dizem, as palavras dizem...*

5

Diziam PARE. Embora Roland visse que as pessoas atravessavam a rua apesar do sinal. Davam uma rápida olhada na direção do fluxo de tráfego e se mandavam. Um sujeito atravessou apesar de um taquisi amarelo que vinha. O taquisi desviou-se e buzinou. O pedestre gritou para ele sem medo, depois ergueu o dedo médio da mão direita para cima e sacudiu-o atrás do veículo que se afastava. Roland imaginou que o gesto provavelmente não significava longos dias e belas noites.

Era noite na cidade de Nova York, e embora tivesse gente por todos os lados, ninguém era do seu ka-tet. Ali, ele admitiu para si mesmo, estava uma contingência que Roland não tinha previsto: que a única pessoa a aparecer fosse ele próprio. Não Eddie, mas ele. Aonde, em nome de todos os deuses, deveria ele ir agora? E que deveria fazer quando chegasse lá?

Lembre-se do seu próprio conselho, pensou. "Se aparecer sozinho", dissera-lhes, "fiquem exatamente onde estão."

Mas seria isso simplesmente ficar plantado na... ergueu os olhos para o sinal verde... na esquina da Segunda Avenida com a rua Cinquenta e Quatro, sem fazer nada além de olhar um sinal mudar de PARE em vermelho para SIGA em branco?

Enquanto refletia sobre isso, uma voz gritou às suas costas, alta e delirante de alegria.

Roland! Meu favo de mel! Se vire e olhe pra mim! Me veja muito bem!

Ele se virou, já sabendo o que ia ver, mas sorrindo mesmo assim. Como fora terrível reviver aquele dia na Colina de Jericó, mas que antídoto era aquele — Susannah Dean voando pela rua Cinquenta e Quatro abaixo em sua direção, sorrindo e chorando de alegria, os braços abertos.

— *Minhas pernas!* — ela gritava. — *Minhas pernas! Elas voltaram! Ah, Roland, favinho de mel, louvado Homem Jesus.* EU RECUPEREI AS MINHAS PERNAS!

6

Lançou-se ao abraço dele, beijando-lhe o rosto, o pescoço, a testa, o nariz, os lábios, sempre a repetir:

— Minhas pernas, ah, Roland, você está vendo, eu posso andar, eu posso correr, eu tenho as minhas pernas, louvados sejam Deus e todos os santos. *Eu recuperei as minhas pernas.*

— Dê-se toda a alegria delas, coração querido! — disse Roland. Adotar o dialeto do local onde se encontrava no momento era uma antiga artimanha sua, ou talvez um hábito. E por ora era o dialeto de Calla. Imaginou que se passasse muito tempo ali em Nova York logo se veria erguendo o dedo médio para os taquisis.

Mas eu sempre seria um forasteiro, pensou. *Ora, não consigo nem dizer "aspirina". Toda vez que tento, a palavra sai errada.*

Ela tomou a mão direita dele, arrastou-a com surpreendente força e botou-a em sua perna.

— Está sentindo? — perguntou. — Quer dizer, não estou só imaginando, estou?

Roland riu.

— Você não correu para mim como se tivesse asas tipo Raf? Correu, sim, Susannah. — Colocou a mão esquerda, a com todos os dedos, na perna esquerda dela. — Uma e duas pernas, cada uma com um pé embaixo. — Olhou com ar de reprovação. — Mas precisamos comprar uns sapatos para você.

— Pra quê? Isto é um sonho. Tem de ser.

Ele olhou para ela com firmeza, e aos poucos o sorriso de Susannah se esvaneceu.

— Não? Não mesmo?

— Entramos em todash. Estamos realmente aqui. Se você cortar seu pé, Mia, vai ficar com um corte amanhã, quando acordar junto à fogueira do acampamento.

O outro nome saíra quase, mas não exatamente, por si mesmo. Agora ele esperava, todos os músculos retesados, para ver se ela ia notar. Se isso acontecesse, ele se desculparia e diria que entrara em todash direto de um sonho com alguém que conhecera muito tempo antes (embora só houvesse existido uma mulher de alguma importância após Susan Delgado, e não se chamava Mia).

Mas ela *não* notou, e Roland não ficou muito surpreso.

Porque ela estava se preparando para ir em mais uma de suas expedições de caça — como Mia —, quando soaram os kammen. *E, ao contrário de Susannah, Mia tem pernas. Banqueteia-se de comidas chiques ricas em açúcar e gordura em um grande salão, fala com todos os amigos, ela não ia a Morehouse nem à casa de ninguém, e tinha pernas. Portanto esta tinha pernas. Esta é as duas mulheres, embora não o saiba.*

De repente Roland viu-se desejando que não encontrassem Eddie. Talvez ele sentisse a diferença, mesmo que a própria Susannah não sentisse. E isto podia ser ruim. Se Roland tivesse três desejos naquele momento, como um príncipe em uma história de conto de fadas, todos os três teriam sido a mesma coisa: resolver aquele problema de Calla Bryn Sturgis antes que a gravidez de Susannah — a gravidez de *Mia* — ficasse aparente. Ter de lidar com as duas coisas ao mesmo tempo ia ser difícil.

Talvez impossível.

Ela encarava-o com olhos arregalados, inquisidores. Não porque ele a chamara de um nome que não era o seu, mas por querer saber o que eles deveriam fazer em seguida.

— Esta é a sua cidade — disse ele. — Eu gostaria de visitar a livraria. E o terreno baldio. — Fez uma pausa. — E a rosa. Você pode me levar?

— Bem — disse ela, olhando em volta —, é a minha cidade, sem a menor dúvida, mas a Segunda Avenida não parece igual ao que era nos dias em que Detta partia em expedições de furtos na Macy's.

— Então não consegue encontrar a livraria e o terreno baldio?

Embora decepcionado, Roland não chegou nem perto de ficar aflito. Haveria um meio. Sempre havia um...

— Ah, problema nenhum — disse ela. — As ruas são as mesmas. Nova York é apenas uma grade, Roland, com as avenidas correndo em uma direção e as ruas na outra. Mais fácil que isso só dois disso. Vamos.

O sinal voltara a PARE, mas após uma rápida olhada em frente Susannah pegou o braço dele e atravessaram a rua Cinquenta e Quatro. Ela caminhava a passos largos, destemida, apesar dos pés descalços. Os quarteirões eram curtos, mas cheios de lojas exóticas. Roland não pôde deixar de admirá-las com olhos arregalados, mas sua falta de atenção não parecia ser um problema; embora as calçadas estivessem apinhadas de gente, ninguém esbarrava neles. Ouvia os saltos das próprias botas batendo na calçada, contudo, e via as sombras que projetavam na luz das vitrinas em exposição.

Quase lá, pensou. *Se a força que nos trouxe fosse um pouco mais poderosa*, estaríamos *lá*.

E se deu conta de que a força poderia de fato ficar mais poderosa, se Callahan tivesse razão sobre o que se encontrava escondido debaixo do piso de sua igreja. Ao se aproximarem da cidade e da fonte da coisa que fazia aquilo...

Susannah segurou seu braço e ele parou de chofre.

— São seus pés? — perguntou ele.

— Não — disse ela, e Roland viu que estava assustada. — Por que está tão *escuro*?

— Susannah, é de noite.

Ela deu-lhe um puxão impaciente no braço.

— Eu sei, não sou cega. Você não... — Hesitou. — Não consegue *sentir*?

Roland percebeu que sim. Primeiro, a escuridão na Segunda Avenida não chegava a ser escura. O pistoleiro ainda não conseguia compreender a forma chocante como aquelas pessoas de Nova York desperdiçavam as coisas que as de Gilead guardavam como as mais raras e preciosas. Papel; água; petróleo refinado; luz artificial. Esta última se via em toda parte. O lume das vitrinas das lojas (embora a maioria estivesse fechada, os artigos expostos continuavam iluminados), o brilho ainda mais forte de um lugar que vendia popkins chamado Blimpie's, e acima de tudo isso, peculiares lâmpadas elétricas alaranjadas pareciam encharcar de luz o próprio ar. Mas Susannah tinha razão. Uma sensação soturna emanava do ar apesar das lâmpadas alaranjadas. Parecia rodear as pessoas que andavam na rua. Fez com que se lembrasse do que Eddie dissera antes: *Toda essa coisa virou dezenove.*

Mas aquela escuridão, mais sentida do que vista, nada tinha a ver com dezenove. Era preciso subtrair seis para entender o que ocorria ali. E pela primeira vez Roland acreditou realmente que Callahan tivesse razão.

— Treze Preto — disse ele.

— Como?

— Foi o que nos trouxe aqui, nos fez ir à todash, e o sentimos em toda a nossa volta. Não é o mesmo de quando eu entrei do globo rosa, mas é *parecido*.

— Passa uma sensação ruim — disse ela, em voz baixa.

— *É* ruim. O Treze Preto com quase toda probabilidade talvez seja o mais terrível objeto dos dias do Eld que ainda permanece na face da Terra. Não que o Arco-Íris do Mago fosse dessa época; tenho certeza de que existia antes...

— Roland! Ei, Roland! Suze!

Eles ergueram o olhar, e apesar de seus receios anteriores, Roland ficou imensamente aliviado ao ver não só Eddie, mas Jake e Oi também, uma quadra adiante. Eddie acenava. Susannah retribuiu o aceno com empolgação. Roland agarrou seu braço antes que ela se pusesse a correr, o que evidentemente estava prestes a fazer.

— Cuidado com os pés — disse ele. — Não precisa pegar alguma infecção e levá-la para o outro lado.

Acertaram um passo rápido. Eddie e Jake, os dois calçados, correram ao encontro deles. Os pedestres se afastavam sem olhá-los, nem mesmo interrompendo suas conversas, viu Roland, e então observou que isso não era bem verdade. Um menininho, que não devia ter mais do que três anos, caminhava vigorosamente ao lado da mãe. A mulher não pareceu notar nada, mas quando Eddie e Jake os contornaram, o garotinho observou-os com olhos imensos e maravilhados... e chegou mesmo a estender a mão para afagar Oi, que trotava rapidamente.

Eddie passou à frente de Jake e chegou primeiro. Segurou Susannah à distância do braço, admirando-a. Sua expressão, viu Roland, era exatamente igual à do menininho.

— Então? O que acha, doçura? — perguntou Susannah, parecendo nervosa, como uma mulher que chega em casa ao encontro do marido com um penteado novo e radical.

— Uma bela de uma melhoria— disse Eddie. — Eu não preciso delas pra amar você, mas são mais do que boas chegando ao ponto de excelente. Nossa, agora você é uns dois centímetros mais alta que eu!

Susannah constatou a verdade da afirmação e riu. Oi farejou o tornozelo que não estava ali na última vez que vira aquela mulher, e depois também riu. Um estranho latido-ganido, mas claramente uma risada.

— Eu gosto das suas pernas, Suze — disse Jake, e as palavras fizeram Susannah rir novamente. O garoto nem notou; já se virara para Roland. — Quer ver a livraria?

— Tem mais alguma coisa pra ver lá?

O rosto de Jake anuviou-se.

— Na verdade, não muito. Está fechada.

— Eu gostaria de ver o terreno baldio, se houver tempo antes de sermos mandados embora de volta — disse Roland. — E a rosa.

— Elas doem? — Eddie perguntou a Susannah. Olhava-a com intensidade.

— A sensação é ótima — respondeu ela, rindo. — *Ótima*.

— Você parece diferente.

— Imagino! — disse ela, e deu uns passinhos de dança. Fazia luas e luas desde que dançara pela última vez, mas a grande alegria que tão visivelmente sentia compensou qualquer falta de graça. Uma mulher de terninho e balançando uma pasta se deparou com o grupo de viajantes e afastou-se com uma guinada brusca, chegando até a avançar alguns passos na rua para contorná-los. — Pode apostar que estou, eu tenho *pernas*!

— Igual à letra da música — disse-lhe Eddie.

— Hã?

— Esqueça — disse ele, e passou-lhe um braço em volta da cintura.

Porém mais uma vez Roland viu-o dando a ela aquele olhar perscrutador, inquisitivo. *Mas, com sorte, ele vai deixá-la em paz*, pensou Roland.

E foi o que Eddie fez. Beijou-lhe o canto da boca, depois se virou para Roland.

— Então você quer ver o famoso terreno baldio e a ainda mais famosa rosa, né? Bem, eu também. Vá em frente, Jake.

7

Jake conduziu-os pela Segunda Avenida, parando apenas para darem uma olhada rápida no Restaurante da Mente de Manhattan. Ninguém desperdiçava luz naquele estabelecimento, contudo, e na verdade não havia muito para ser visto. Roland esperava ver a tabuleta com o menu, mas desaparecera.

Lendo a sua mente à maneira prosaica como fazem as pessoas que partilham khef, Jake disse:

— Ele deve mudar todo dia.

— Talvez — disse Roland.

Olhou através da vitrine mais um pouco, enxergando nada além de prateleiras escuras, algumas mesas e o balcão que Jake mencionara, aquele onde se sentavam os velhos tomando café e jogando a versão de Castelos daquele mundo. Nada a ver, mas alguma coisa a sentir, mesmo através do vidro: desespero e perda. Se fosse um cheiro, pensou Roland, teria sido amargo e um tanto rançoso. O cheiro do fracasso. Talvez de sonhos que nunca se realizaram. O que o tornava a perfeita alavanca para alguém como Enrico "*Il Roche*" Balazar.

— Já viu o bastante? — perguntou Eddie.

— Sim. Vamos embora.

8

Para Roland, o passeio de oito quarteirões da Segunda com a Cinquenta e Quatro até a Segunda com a Cinquenta e Seis foi como visitar um país no qual até aquele momento acreditava apenas com um pé atrás. *Quão estranho deve ser para Jake?*, perguntou-se. O mendigo que pedira ao garoto uma moeda se fora, mas o restaurante junto ao qual ele se sentara estava lá: Chew Chew Mama's. Ficava na esquina da Segunda com a Cinquenta e Dois. Uma quadra adiante, a loja de discos, Torre da Power Records. Continuava aberta — segundo um relógio acima que dava as horas em grandes pontos elétricos, faltavam catorze minutos para as oito da noite. Sons altos vazavam da porta aberta. Guitarras e tambores. A música daquele mundo. Levou-o a se lembrar da música sacrificial tocada pelos Grays na cidade de Lud, e por que não? Ali *era* Lud, de alguma maneira distorcida de outro onde e quando. Tinha certeza disso.

— São os Rolling Stones — disse Jake —, mas não a música que tocava no dia em que vi a rosa. Aquela era "Paint It Black".

— Não reconhece esta? — perguntou Eddie.

— Sim, mas não me lembro do nome.

— Ah, mas devia — disse Eddie. — É "Nineteenth Nervous Breakdown", o colapso nervoso dos dezenove anos.

Susannah parou, olhou em volta.

— Jake?

Jake assentiu.

— Ele está certo.

Eddie, enquanto isso, pescara uma folha de jornal da porta gradeada da entrada da Torre da Power Records. Uma parte do *New York Times*, na verdade.

— Benzinho, sua mãe não lhe ensinou que não é de bom-tom ficar pegando coisas da sarjeta? — perguntou Susannah.

Eddie ignorou-a.

— Olhe só isto — disse ele. — Todos vocês.

Roland curvou-se para mais perto, quase esperando ver a notícia de outra peste, mas não era nada tão perturbador. Pelo menos não pelo que entendera.

— Leia pra mim o que diz — pediu a Jake. — As letras são difusas na minha mente. É porque estamos todash... colhidos no meio...

— FORÇAS RODESIANAS ESTREITAM CERCO A ALDEIAS MOÇAMBICANAS — leu Jake. — DOIS PORTA-VOZES DE CARTER PREVEEM UMA ECONOMIA DE BILHÕES NO PLANO DE BEM-ESTAR SOCIAL. E aqui embaixo: CHINESES REVELAM QUE O TERREMOTO DE 1976 FOI O MAIS MORTAL EM QUATRO SÉCULOS. E também...

— Quem é Carter? — perguntou Susannah. — O presidente antes de *Ronald Reagan*?

Disse as duas últimas palavras com uma piscadela. Eddie até então não conseguira convencê-la de que falava a sério sobre Reagan ser presidente. Nem ela acreditara em Jake quando o garoto lhe dissera que podia parecer loucura, mas a ideia era ao menos levemente plausível, porque Reagan fora governador da Califórnia. Susannah apenas rira disso e assentira, como lhe dando pontos pela criatividade. Sabia que Eddie convencera Jake a entrar na brincadeira, mas ela não engolira. Até conseguia enxergar Paul Newman como presidente, quem sabe até Henry Fonda, que parecera bastante presidencial em *Limite de segurança*, mas o anfitrião de *Death Valley Days*? Nunquinha.

— Esqueçam sobre Carter — disse Eddie. — Vejam a *data*.

Roland tentou, mas as letras continuavam entrando e saindo de compreensão.

— Qual é, pelo seu pai?

— Dois de junho — disse Jake. Olhou para Eddie. — Mas se o tempo é o mesmo aqui e lá no outro lado, não devia ser *primeiro* de junho?

— Mas *não* é o mesmo — disse Eddie, implacável. — Não é. O tempo passa mais rápido deste lado. Jogo começado. E o relógio do jogo está correndo rápido.

Roland pensou.

— Se voltarmos de novo aqui, vai ser mais tarde toda vez, não é?

Eddie assentiu.

Roland continuou, falando tanto consigo mesmo quanto com os outros.

— Cada minuto que passarmos no outro lado, no de Calla, vai transcorrer aqui um minuto e *meio*. Ou talvez dois.

— Não, dois não — disse Eddie. — Tenho certeza de que não é o dobro. — Mas seu olhar nervoso de volta à data no jornal sugeria que não tinha certeza alguma.

— Mesmo que você tenha razão — disse Roland —, só o que podemos fazer agora é seguir adiante.

— Para 15 de julho — disse Susannah. — Quando Balazar e seus cavalheiros deixarem de jogar limpo.

— Talvez a gente deva simplesmente deixar a gente de Calla resolver as próprias questões — disse Eddie. — Detesto dizer isso, Roland, mas talvez devêssemos fazer isso.

— Não podemos fazer isso, Eddie.

— Por que não?

— Porque Callahan tem o Treze Preto — disse Susannah. — Nossa ajuda é o preço dele para ele nos dar aquilo. E precisamos disso.

Roland fez que não com a cabeça.

— Ele vai nos dar de qualquer modo... Achei que tivesse sido claro sobre isso. Está apavorado com a coisa.

— Sim — disse Eddie. — Eu também tive a mesma sensação.

— Temos de ajudá-los porque é o Caminho do Eld — disse Roland a Susannah. — E porque o caminho do ka é sempre o caminho do dever.

Julgou ver um lampejo no fundo dos olhos dela, como se ele tivesse dito alguma coisa engraçada. Imaginou que tivesse, mas não fora Susannah quem se divertira. Fora Detta ou Mia quem achara aquilo engraçado. A questão era qual das duas. Ou haviam sido as duas?

— Odeio a sensação daqui — disse Susannah. — Essa sensação *sombria*.

— Vai ser melhor no terreno baldio — disse Jake. Saiu andando, e os outros o seguiram. — A rosa torna tudo melhor. Vocês vão ver.

9

Quando Jake atravessou a rua Cinquenta, começou a apressar o passo. No lado do centro da cidade da Quarenta e Nove, começou a trotar rapidamente. Na esquina da Segunda com a Quarenta e Oito pôs-se a correr. Não pôde evitar.

Conseguiu uma ajudinha do SIGA na Quarenta e Oito, mas o sinal no poste começou a piscar vermelho assim que chegou ao meio-fio da calçada.

— Jake, espere! — gritou Eddie de trás, mas o garoto não parou. Talvez não pudesse. Sem dúvida, Eddie sentiu a influência da coisa; assim como sentiram Roland e Susannah. Um zumbido elevava-se no ar, fraco e agradável. Era tudo o que não era a terrível sensação sombria à volta deles.

Para Roland, o zumbido trouxe lembranças de Mejis e Susan Delgado. De beijos trocados em um leito de relva macia.

Susannah lembrou-se de estar com o pai, na infância, arrastando-se para o colo dele e colocando a pele lisa da face junto à áspera trama de seu suéter. Lembrou-se de que fechava os olhos e inspirava fundo o cheiro que era dele e só dele: tabaco de cachimbo, gaultéria e o unguento que esfregava nos pulsos, onde a artrite começara a incomodá-lo na revoltante idade de vinte e cinco anos. O que aqueles cheiros significavam para ela era que tudo estava bem.

Eddie viu-se lembrando de uma viagem a Atlantic City quando era muito pequeno, não mais que cinco ou seis anos. A mãe os levara, e em um determinado ponto do dia ela e Henry haviam saído para comprar casquinhas de sorvete. A sra. Dean apontara a calçada larga e dissera: *Deixe a sua bunda bem ali, senhor, e fique ali até a gente voltar*. E ele fizera isso. Poderia ter ficado ali o dia todo, olhando a descida até a praia e a maré. As gaivotas sobrevoando logo acima da espuma, chamando umas às outras. Cada vez que as ondas recuavam, deixavam uma escorregadia imensidão de areia marrom tão brilhante que ele mal conseguia olhá-la sem franzir os olhos. O barulho das ondas era ao mesmo tempo enorme e acalentador. *Eu poderia ficar aqui para sempre*, lembrou-se de pensar. *Eu poderia ficar aqui para sempre, porque é lindo e pacífico... e está tudo bem. Tudo aqui está bem.*

Era isso o que todos os cinco mais sentiam (pois Oi também sentia o mesmo): a sensação de que tudo estava incrível e maravilhosamente bem.

Roland e Eddie seguraram Susannah pelos cotovelos sem precisarem nem se olhar. Ergueram seus pés descalços da calçada e a carregaram. Na Segunda com a Quarenta e Sete o trânsito ia na direção contrária a eles, mas Roland ergueu uma das mãos aos faróis que se aproximavam e gritou:

— *Salve! Parem em nome de Gilead!*

E eles obedeceram. Houve uma balbúrdia de freios, uma batida de para-lama dianteiro com traseiro e o tinido de vidro caindo, mas pararam. Roland e Eddie atravessaram em um clarão de refletor de faróis e uma cacofonia de buzinas. Susannah entre eles com os pés recuperados (e já muito sujos) a dez centímetros do chão. A sensação de felicidade e tranquilidade foi ficando mais forte à medida que se aproximavam da esquina da Segunda com a Quarenta e Seis. Roland sentiu o zumbido da rosa a correr-lhe delirantemente no sangue.

Sim, pensou. *Por todos os deuses, sim. É isto. Talvez não apenas a porta de entrada para a Torre Negra, mas a própria Torre. Deuses, que força! Que* atração! *Cuthbert, Alain, Jamie — ah, se vocês estivessem aqui!*

Jake estava na esquina da Segunda com a Quarenta e Seis, olhando para uma larga cerca de um metro e cinquenta de altura. Lágrimas escorriam-lhe pelas faces. Da escuridão além da cerca vinha um forte zumbido harmônico. O zunzum de várias vozes, todas cantando juntas. Cantando uma nota ampla e aberta. *E aqui, sim*, diziam as vozes. *Eis a sua possibilidade. Eis a o momento oportuno, o encontro afortunado, a febre que vai embora pouco antes do amanhecer, deixando o seu sangue calmo. Eis o desejo que se torna verdade e o olho compreensivo. Eis a bondade que lhe foi dada e assim aprendida a passar adiante. Eis a clareza e a sanidade que você julgava perdidas. Eis onde está tudo bem.*

Jake se virou para eles.

— Estão sentindo? — perguntou. — Estão?

Roland fez que sim com a cabeça, assim como Eddie.

— Suze? — perguntou o garoto.

— É quase a coisa mais linda do mundo, não? — disse ela.

Quase, pensou Roland. *Ela disse quase*. Nem lhe escapou o fato de que ela levou a mão à barriga e acariciou-a ao dizer isso.

10

Os cartazes de que Jake se lembrava estavam ali — Olivia Newton-John no Radio City Music Hall, um grupo chamado G. Gordon Liddy e os Grots em um lugar chamado Mercury Lounge, um filme de terror intitulado *Guerra dos zumbis*, NÃO ULTRAPASSE. Mas...

— *Aquele* não é o mesmo — disse ele, apontando uma pichação cor-de-rosa esmaecida. — É da mesma cor, e as letras de fôrma parecem escritas pelo mesmo grafiteiro, mas quando estive aqui antes, era um poema sobre a tartaruga. "Veja a enorme TARTARUGA, no casco ela carrega a Terra." E depois alguma coisa sobre seguir o Feixe.

Eddie avançou mais um pouco e leu o seguinte: "SUSANNAH-MIO, minha moça dividida, Done foi parar no DIXIE PIG, no ano de 99". Ele olhou para Susannah.

— Que diabos quer dizer *isso*? Alguma ideia, Suze?

Ela fez que não com a cabeça. Tinha os olhos arregalados. Olhos assustados, pensou Roland. Mas qual das mulheres estava assustada? Ele não soube dizer. Só sabia que Odetta Susannah Holmes fora dividida desde o início, e aquele "mio" era muito próximo de Mia. O zumbido que vinha da escuridão atrás da cerca dificultava pensar nessas coisas. Ele queria ir direto e já para a origem do zumbido. *Precisava* ir, como um homem morrendo de sede para a água.

— Vamos — disse Jake. — A gente pode pular pro outro lado, é fácil.

Susannah baixou os olhos para os pés descalços, sujos, e recuou um passo.

— Eu não — disse. — Não posso. Sem sapatos, não.

O que fazia todo sentido, mas Roland achou que tinha algo além. Mia não *queria* ir lá. Sabia que alguma coisa terrível poderia acontecer se o fizesse. Com ela e seu bebê. Por um momento, esteve à beira de insistir, de deixar a rosa cuidar da coisa que brotava dela e da sua problemática personalidade nova, tão forte que Susannah aparecera ali com as pernas de Mia.

Não, Roland. Era a voz de Alain. O amigo que sempre fora mais forte no toque. *Hora errada, lugar errado.*

— Vou ficar com ela — disse Jake.

Falou com imenso pesar, mas sem qualquer hesitação, e Roland foi inundado por seu amor pelo garoto que certa vez deixara morrer. A ampla voz da escuridão além da cerca cantava palavras daquele amor; ele a ouviu. E do simples perdão, em vez da difícil marcha forçada da expiação? Achou que sim.

— Não — disse ela. — Você vai, favinho de mel. Vou ficar ótima. — Sorriu. — Esta também é a minha cidade, sabem. Posso cuidar de mim mesma. E além disso... — Baixou a voz como se confidenciasse um grande segredo. — Acho que a gente é meio invisível.

Eddie olhava-a mais uma vez daquela maneira perscrutadora, como se a perguntar como é que ela poderia *não* ir com eles, pés descalços ou não, mas dessa vez Roland não se preocupou. O segredo de Mia estava seguro, pelo menos por ora; o chamado da rosa era forte demais para que Eddie conseguisse pensar em outras coisas. Não via a hora de prosseguir.

— Devíamos ficar juntos — disse Eddie, relutante. — Para a gente não se perder quando voltar. Você mesmo disse isso, Roland.

— A que distância fica a rosa daqui, Jake? — perguntou o pistoleiro.

Era difícil falar com aquele zumbido como um vento nos ouvidos. Difícil pensar.

— Fica bem no meio do terreno. Talvez uns trinta metros, mas provavelmente menos.

— No segundo em que ouvirmos os sinos — disse Roland —, a gente corre para a cerca e Susannah. Todos os três. Combinado?

— Combinado — disse Eddie.

— Todos os três e Oi — disse Jake.

— Não, Oi fica com Susannah.

Jake fez um ar de reprovação, claramente não gostando da ideia. Roland não esperava que fosse diferente.

— Jake, Oi também tem os pés nus... e você não disse que tem vidro quebrado lá?

— Sim... — Arrastado. Relutante. Em seguida, Jake apoiou-se em um joelho e encarou Oi nos olhos debruados de dourado. — Fique com Susannah, Oi.

— Oi! Ica! — *Oi fica*. Isso bastava para Jake. Ele levantou-se, virou-se para Roland e assentiu.

— Suze? — perguntou Eddie. — Tem certeza?

— Sim.

Enfática. Sem hesitação. Roland teve quase certeza de que era Mia no controle, puxando as alavancas e girando os mostradores. *Quase*. Mesmo então não era capaz de dizer ao certo. O zumbido da rosa tornava impossível ter certeza de qualquer coisa, além de que tudo... *tudo*... poderia estar bem.

Eddie assentiu, beijou-lhe o canto da boca dela e avançou para a cerca de ripas com seu estranho poema Ó SUSANNAH-MIO, minha moça dividida. Enlaçou os dedos formando um degrau. Jake apoiou o pé, içou-se e desapareceu em um piscar de olhos.

— Aque! — ganiu Oi, e calou-se, sentando-se ao lado de um dos pés descalços de Susannah.

— Você é o próximo, Eddie — disse Roland.

Enlaçou os dedos restantes, pretendendo dar a Eddie o mesmo calço que ele dera a Jake, mas Eddie simplesmente agarrou-se ao alto da grade e saltou para o outro lado. O viciado que Roland vira pela primeira vez em um avião chegando ao aeroporto Kennedy jamais poderia ter feito aquilo.

O pistoleiro disse:

— Fiquem onde estão. Os dois. — Talvez se dirigisse à mulher e ao malhado, mas só olhava para a mulher.

— Vamos ficar bem — disse ela, e curvou-se para afagar o pelo sedoso de Oi. — Não vamos, garotão?

— Oi!

— Vá ver sua rosa, Roland. Enquanto ainda consegue.

Roland lançou-lhe um olhar pensativo e agarrou-se à cerca. Um momento depois, desaparecera, deixando Susannah e Oi sozinhos na mais vital e vibrante esquina de todo o universo.

11

Coisas estranhas aconteceram-lhe enquanto ela esperava.

Lá atrás no caminho por onde tinham vindo, perto da Torre da Power Records, o relógio de um banco piscava sinais alternados de hora e temperatura: 8h27, 17º, 8h27, 17º, 8h27, 17º. Então, de repente, piscava 8h34, 17º, 8h34, 17º. Podia jurar que não tinha desviado os olhos dele. Teria ocorrido alguma avaria com a maquinaria do relógio?

Deve ter, ela pensou. *Que mais poderia ser?* Nada, imaginou, mas por que tudo de repente parecia diferente? Até *ficava* diferente? *Talvez seja a* minha *maquinaria que ficou avariada.*

Oi ganiu e esticou o longo pescoço para ela. Quando fez isso, ela percebeu por que tudo parecia diferente. Além de algum modo perder sete minutos, o mundo recuperara sua perspectiva anterior, muito familiar. Uma perspectiva mais *baixa*. Estava mais próxima de Oi por estar mais próxima do chão. As esplêndidas pernas inferiores e pés que usara quando abrira os olhos em Nova York haviam desaparecido.

Como acontecera isso? E quando? Nos sete minutos perdidos?

Oi ganiu mais uma vez. Desta vez foi quase um latido. Olhava além dela, no lado oposto. Ela virou-se para lá. Seis pessoas atravessavam a Quarenta e Seis em direção a eles. Cinco eram normais. A sexta, uma mulher de rosto branco com um vestido manchado de musgo. Tinha as cavidades dos olhos vazias e pretas. A boca abria-se aparentemente até o esterno, e enquanto Susannah observava, um verme verde rastejou pelo seu lábio inferior. Os que atravessavam com ela abriam um espaço para ela, assim como os outros pedestres na Segunda Avenida haviam feito para Roland e seus amigos. Susannah imaginou que nos dois casos os transeuntes mais normais sentiam alguma coisa fora do comum e evitavam passar perto. Só que aquela mulher não estava todash.

Aquela mulher estava morta.

12

O zumbido ia aumentando cada vez mais enquanto os três tropeçavam no ermo cheio de tijolos e lixo do terreno baldio. Como antes, Jake via rostos em cada ângulo e sombra. Viu Gasher e Hoots; Tique-Taque e Flagg; as armas de Eldred Jonas, Depape e Reynolds; a mãe, o pai e Greta Shaw, a governanta deles, que parecia um pouco com Edith Bunker na TV, e que sempre se lembrava de tirar as cascas de seu sanduíche. Greta Shaw, que às vezes o chamava de 'Bama, embora isso fosse um segredo só entre os dois.

Eddie viu pessoas do antigo bairro: Jimmie Pólio, o garoto do pé deformado, e Tommy Fredericks, que sempre ficava tão nervoso ao assistir aos jogos de beisebol de rua que fazia caretas e a garotada o chamava de Tommy Halloween. Havia Skipper Brannigan, que puxaria uma briga com o próprio Al Capone, se este houvesse revelado suficiente falta de sensatez para ir ao bairro deles, e Csaba Drabnik, o Porra Louca húngaro. Viu o rosto da mãe em uma pilha de tijolos quebrados, os olhos luminosos dela recriados dos cacos quebrados de uma garrafa de refrigerante. Viu sua amiga Dora Bertollo (toda a garotada do quarteirão a chamava de Tetas Bertollo, pois as tinha realmente grandes, gigantes de verdade). E, claro, Henry. O irmão em pé bem ao longe no fundo, nas sombras, olhando-o. Só que Henry sorria em vez de estar de cara fechada, e parecia estar bem. Estendia a mão e mostrava a Eddie o que parecia um polegar erguido. *Vá*, parecia sussurrar o zumbido, cada vez mais alto e agora parecendo falar com a voz de Henry Dean. *Vá, Eddie, mostre a eles do que você é feito. E eu não falei para aqueles caras? Quando estávamos atrás da Dahlie fumando os cigarros de Jimmie Pólio, não falei para eles? "Meu maninho convenceria até o diabo a atear fogo em si mesmo", eu disse*. Sim. Ele dissera. *E isto foi o que eu sempre achei, sussurrou o zumbido. Eu sempre amei você. Às vezes eu te deixava pra baixo, mas sempre o amei. Você era o meu homenzinho.*

Eddie caiu em prantos. E eram lágrimas boas.

Roland viu todos os fantasmas de sua vida naquela ensombrada ruína cheia de entulhos, desde a mãe e sua ama-seca até os visitantes de Calla Bryn Sturgis. E à medida que seguiam andando, aumentava aquela sensação de acerto. O sentimento de que todas as suas decisões difíceis, toda a dor e o sangue derramado não haviam, afinal, sido em vão. Havia um motivo. Havia um propósito. Havia vida e amor. Ouvia tudo isso na cantiga da rosa, e também ele se pôs a chorar. Sobretudo de alívio. Chegar até ali fora uma jornada difícil. Muitos haviam morrido. No entanto, ali eles viviam: ali entoavam uma cantiga com a rosa. Sua vida não fora um sonho árido, afinal.

Deram-se as mãos e avançaram aos tropeções, ajudando uns aos outros a evitar as tábuas cheias de pregos e os buracos onde podiam enfiar, torcer e até quebrar um tornozelo. Roland não sabia se era possível quebrar um osso no estado todash, mas preferia não descobrir.

— Isto aqui vale tudo — disse, a voz rouca.

Eddie assentiu.

— Nunca mais vou parar. Talvez não pare nem que morra.

Jake fez-lhe o gesto de o.k. com o polegar e o indicador, e riu. O som era doce aos ouvidos de Roland. Embora fosse mais escuro ali do que na rua, as lâmpadas cor de laranja da Segunda com a Quarenta e Seis eram fortes o bastante para proporcionar ao menos alguma iluminação. Jake apontou uma placa caída em uma pilha de tábuas.

— Veem isto? É a placa da delicatessén. Eu a arranquei das ervas daninhas. Por isso é que está aqui. — Olhou em volta, depois apontou o outro lado. — E olhem!

A placa ainda estava de pé. Roland e Eddie viraram-se para lê-la. Embora nenhum deles a houvesse visto antes, sentiram mesmo assim uma forte sensação de déjà-vu.

A CONSTRUTORA MILLS E A IMOBILIÁRIA SOMBRA E ASSOCIADOS
CONTINUAM A REFAZER A CARA DE MANHATTAN!
EM BREVE NESTE LOCAL:
OS CONDOMÍNIOS DE LUXO BAÍA DA TARTARUGA!
LIGUE 555-6712 PARA INFORMAÇÕES!
VAI FICAR MUITO FELIZ POR TER LIGADO!

Como Jake dissera, a placa parecia velha, necessitando de restauração ou substituição imediata. Jake lembrara-se da pichação pintada sobre a placa, e Eddie se lembrava dela da história de Jake, não porque significasse alguma coisa para ele, mas apenas por ser estranha. E ali estava, igual à relatada: BANGO SKANK. O cartão de visita de algum grafiteiro há muito desaparecido.

Eu acho que o número do telefone na placa é diferente — disse Jake.

—É? — perguntou Eddie. — Qual era o antigo?

— Não me lembro.

— Então como pode ter certeza de que é diferente?

Em outro lugar e em outro tempo, Jake talvez tivesse se irritado com aquelas perguntas. Agora, relaxado pela proximidade da rosa, sorria, em vez disso.

— Não sei. Acho que não posso ter certeza. Mas parece diferente. Igual ao cartaz na vitrine da livraria.

Roland mal ouvia. Avançava sobre as pilhas de tijolos, tábuas e vidro quebrado com suas surradas botas de caubói, os olhos brilhantes mesmo nas sombras. Vira a rosa. Alguma coisa jazia a seu lado, no local onde Jake encontrara sua versão da chave, mas Roland não deu atenção a isso. Só via a rosa, brotando de um tufo de grama que fora manchado de roxo com tinta derramada.

Ajoelhou-se diante dela. Um instante depois Eddie juntava-se à esquerda dele, Jake à direita.

A rosa estava encolhida dentro de si contra a noite. Então, enquanto eles estavam ali ajoelhados, as pétalas começaram a se abrir, como se viessem lhes cumprimentar. O zumbido aumentou ao redor deles, como uma canção de anjos.

13

A princípio Susannah estava bem. Conseguiu se manter tranquila apesar de ter perdido um pé e uma metade de si mesma — o ser que chegara ali, em todo caso —, e agora voltava a assumir a antiga e conhecida postura (e odiosamente subserviente), semi-ajoelhada e semissentada na imunda calçada e encostada na cerca de tábuas em torno do terreno baldio. Um pensamento sarcástico cruzou sua mente: *Tudo o que preciso é de uma placa de cartolina e uma caneca de estanho.*

Não perdeu a calma, mesmo após a visão da mulher morta atravessando a rua Quarenta e Seis. A cantoria — o que ela entendia ser a voz da rosa — ajudava. Oi também ajudava, aconchegando seu calor junto à ela. Acariciava-lhe o pelo sedoso, usando a presença física dele como um ponto de apoio. Dizia a si mesma repetidas vezes que *não* era maluca. Tudo bem, perdera sete minutos. *Talvez.* Ou talvez os mecanismos dentro daquele moderníssimo relógio ali houvessem acabado de ter um piripaque. Tudo bem, ela vira uma mulher morta atravessando a rua. Talvez. Ou talvez fosse só uma viciada nas últimas, Deus sabe que não havia escassez delas em Nova York...

Uma viciada com um verme verde saindo da boca?

— Posso ter imaginado essa parte — disse ela ao malhado. — Certo?

Oi dividia sua atenção inquieta entre Susannah e os faróis que passavam a toda, que talvez lhe parecessem animais de olhos luminosos, enormes e predatórios. Gania nervosamente.

— Além disso, os meninos logo vão voltar.

— Ninos — concordou o malhado, parecendo esperançoso.

Por que não fui com eles? Eddie teria me levado nas costas, Deus sabe que ele já fez isso antes, tanto com o arreio quanto sem.

— Eu não podia — sussurrou. — Eu simplesmente não podia.

Porque alguma parte dela temia a rosa. Temia chegar perto demais da flor. Teria aquela parte assumido o controle durante os sete minutos que haviam desaparecido? Susannah temia que sim. Se assim fosse, já fora embora àquela altura. Levara de volta as pernas e simplesmente saíra andando com elas para a Nova York de cerca de 1977. Nada bom. Mas levara consigo seu medo da rosa, e isso *era* bom. Ela não queria ter medo de uma coisa tão forte e maravilhosa.

Outra personalidade? Você acha que a dama que trouxe as pernas era outra personalidade?

Outra versão de Detta Walker, em outras palavras?

A ideia deu-lhe vontade de gritar. Pensou que agora entendia como se sentiria uma mulher se, mais ou menos cinco anos depois de uma operação de câncer aparentemente bem-sucedida, o médico lhe dissesse que um raio X de rotina detectara uma sombra em seu pulmão.

— De novo, não — ela murmurou, a voz baixa e frenética, enquanto passava um novo grupo de pedestres. Todos se afastaram um pouco da cerca de tábuas, embora isso reduzisse consideravelmente o espaço entre eles. — Não, de novo, não. Não pode ser. Estou inteira. Estou... estou *consertada*.

Fazia quanto tempo que seus amigos haviam partido?

Olhou o relógio piscando, na rua abaixo. Dizia 8h42, mas não tinha certeza se podia confiar nele. Parecia ter passado mais tempo. Muito mais. Talvez devesse falar com eles. Só um grito de olá. Como estão se saindo aí?

Não. Nada disso. Você é uma pistoleira, menina. Pelo menos é isso o que ele *diz. O que acha. E não vai mudar o que ele pensa de você gritando como uma garotinha que acabou de ver uma cobra sob um arbusto. Só vai ficar sentada aqui e esperar. Pode fazer isso. Você tem a companhia de Oi e...*

Então viu o homem parado do outro lado da rua. Apenas parado junto a uma banca de jornal. Nu. Um malfeito corte em Y, costurado com grandes pontos industriais, começava na virilha, subia e bifurcava-se no esterno. Os olhos vazios fitavam-na. Através dela. Através do mundo.

Qualquer possibilidade de que aquilo fosse uma alucinação terminou quando Oi começou a latir. Olhava diretamente o homem nu no outro lado da rua.

Susannah desistiu do silêncio e pôs-se a gritar por Eddie.

14

Quando a rosa se abriu, revelando a fornalha escarlate no interior de suas pétalas e o sol em chamas no centro, Eddie viu tudo que importava.

— Ah, meu Deus — suspirou Jake a seu lado, mas era como se estivesse a mil quilômetros de distância.

Eddie via coisas fantásticas e coisas que quase haviam acontecido. Albert Einstein na infância, por pouco deixando de ser atropelado por uma caminhonete de leite ao atravessar. Um adolescente chamado Albert Schweitzer saindo de uma banheira e por pouco não pisando no sabonete ao lado da tampa da banheira. Um *Oberleutnant* nazista queimando uma folha de papel com a data e o local da invasão do Dia D escritos. Viu um homem que pretendia envenenar todo o abastecimento de água de Denver morrer de um ataque cardíaco em um restaurante à beira da estrada Interestadual 80 em Iowa, com um saco de batata frita do McDonald's no colo. Viu um terrorista revestido de explosivos desviar-se de repente de um restaurante em uma cidade que poderia ter sido Jerusalém. O terrorista ficara hipnotizado por nada mais que o céu e o pensamento de que ele pairava igualmente acima dos justos e dos injustos. Viu quatro homens resgatarem um menino de um monstro, cuja cabeça inteira parecia consistir em um único olho.

Porém, mais importante que tudo isso, era o imenso peso acumulado de pequenas coisas, desde aviões que não haviam caído sobre homens e mulheres que haviam chegado ao lugar certo na hora perfeita e assim fundado gerações. Viu beijos trocados em vãos de porta, carteiras devolvidas e homens que haviam chegado a um caminho que se bifurcava e escolhido a bifurcação certa. Viu milhares de encontros fortuitos nada fortuitos, dez milhares de decisões acertadas, uma centena de milhares de respostas certas, um milhão de atos de bondade. Viu a velha gente de River Crossing e Roland ajoelhando-se na poeira para a bênção de tia Talitha; mais uma vez ouviu-a dando a bênção livre e alegremente. Ouviu-a dizer-lhe que colocasse a cruz que lhe dera aos pés da Torre Negra e falasse em nome de Talitha Unwin no outro lado da Terra. Viu a própria Torre nas dobras em chamas da rosa, e por um momento compreendeu seu propósito: que distribuía suas linhas de força a todos os mundos que existiam e mantinha-os coesos na grande hélice do tempo. Para cada tijolo que caía no chão e não na cabeça de um menino, para cada furacão que não atingia o acampamento de trailers, para cada míssil que não decolara, para cada mão afastada da violência, havia a Torre.

E a voz cantando baixo da rosa. A melodia que prometia que tudo ia dar certo, que tudo podia dar certo, que todo tipo de coisa ia dar certo.

Mas tem alguma coisa errada com ela, pensou.

Uma dissonância cacofônica enterrada no zumbido, como cacos de vidro quebrado. Havia um desagradável clarão roxo a tremeluzir no núcleo quente, uma luz fria que não pertencia ali.

— Há dois centros de existência — ouviu Roland dizer. — *Dois!* — Como Jake, era como se estivesse a milhares de quilômetros de distância. — A Torre... e a rosa. Mas são a mesma coisa.

— A mesma coisa — disse Jake.

O garoto tinha o rosto pintado de luz brilhante, vermelho-escura e amarelo-ouro. Mas Eddie achou que ele também via a outra luz, um reflexo roxo a tremeluzir igual a um hematoma. Ora dançava na testa de Jake, ora na face, ora nadava em seu olhar; ora desaparecia, ora reaparecia na testa como a manifestação de uma má ideia.

— O que há de errado com ela? — Eddie ouviu-se perguntando, mas não obteve resposta. Nem de Roland, nem de Jake, nem da rosa.

Jake ergueu um dedo e começou a contar. Contar as pétalas, viu Eddie. Mas era desnecessário contar. Todos os três sabiam quantas pétalas havia ali.

— *Precisamos* ter este terreno — disse Roland. — Ser donos dele e protegê-lo. Até os Feixes se restabelecerem e a Torre tornar-se mais uma vez segura. Porque, enquanto a Torre Negra enfraquece, isto é o que mantém tudo coeso. E também está enfraquecendo. Está doente. Vocês sentem?

Eddie abriu a boca para dizer que claro que sentia, e foi quando Susannah começou a gritar. Um momento depois Oi juntou sua voz à dela, latindo ferozmente.

Eddie, Jake e Roland entreolharam-se como pessoas a dormir que são despertadas do mais profundo dos sonhos. Eddie foi o primeiro a levantar-se. Virou-se e saiu aos tropeços de volta à cerca e à Segunda Avenida, gritando o nome dela. Jake seguiu-o, parando só o bastante para arrancar alguma coisa do emaranhado de bardana onde antes se encontrava a chave.

Roland se permitiu um último e agonizante olhar à rosa silvestre que crescia tão bravamente ali naquela tombada terra devastada de tijolos, tábuas, ervas daninhas e lixo. Ela já começava a enrolar as pétalas de novo, escondendo a luz que ardia dentro.

Eu voltarei, disse a ela. *Juro pelos deuses de todos os mundos, por minha mãe e meu pai e meus amigos que já existiram, que eu voltarei.*

Mas sentia medo.

Roland se virou e correu para a cerca de tábuas, escolhendo o caminho pelo lixo tombado com inconsciente agilidade, apesar da dor no quadril. Ao correr, foi atingido por um pensamento que lhe martelava a mente como um coração: *Dois. Dois centros de existência. A rosa e a Torre. A Torre e a rosa.*

Todo o resto se mantinha entre elas duas, girando em frágil complexidade.

15

Eddie precipitou-se para a cerca, caindo sem jeito, de braços e pernas abertos; levantou-se de um salto e avançou diante de Susannah sem sequer pensar. Oi continuava latindo.

— Suze? O que foi? O que aconteceu?

Estendeu a mão para pegar o revólver de Roland e nada encontrou. Parecia que armas não entravam em todash.

— Ali! — gritou ela, apontando o outro lado da rua. — Ali! Está vendo? Por favor, Eddie, *por favor diga que está*!

Eddie sentiu a temperatura do sangue despencar. O que ele via era um homem nu que fora aberto e depois costurado novamente até em cima, no que só poderia ser a marca de uma autópsia. Outro homem — vivo — comprou um jornal na banca ao lado, verificou o tráfego e atravessou a Segunda Avenida. Embora sacudisse o jornal para abri-lo e ver a manchete ao fazê-lo, Eddie viu a maneira como contornou o cadáver. *Do mesmo jeito que as pessoas nos contornam*, pensou.

— Também tinha outro — sussurrou ela. — Uma mulher. Andando. E um verme ras-ras-rastejando...

— Olhe à direita — disse Jake, tenso.

Apoiado em um joelho, acariciava Oi para que o animal se acalmasse. Na outra mão, segurava uma coisa rosa amassada, o rosto pálido.

Eles olharam. Uma criança vagava devagar em sua direção. Só era possível dizer que era uma menina por causa do vestido vermelho e azul que usava. Quando ela se aproximou, Eddie viu que o azul devia ser o mar. Os pingos grossos vermelhos revolviam-se em pequenos barcos a vela cor de bala. Tivera a cabeça esmagada em algum acidente cruel, esmagada até ficar mais larga que comprida. Os olhos eram uvas espremidas. Sobre um dos braços pálidos, trazia uma bolsa de plástico branco. A melhor bolsa vou-a-um-acidente-de--carro-e-não-sei de uma menina.

Susannah inspirou para gritar. A escuridão que apenas sentira antes agora era quase visível. Sem a menor dúvida, palpável; comprimia-a como terra. E no entanto ela queria gritar. *Precisava* gritar. Gritar ou enlouquecer.

— Nem um pio — sussurrou-lhe no ouvido Roland de Gilead. — Não a perturbe, pobre coisa perdida. Por sua vida, Susannah! — O grito expirou em um longo e horrorizado suspiro.

— Estão mortos — disse Jake em uma voz frágil, controlada. — Os dois.

— Os mortos errantes — respondeu Roland. — Ouvi falar deles pelo pai de Alain. Não deve ter sido muito depois que voltamos de Mejis, porque após isso não se passou muito tempo até tudo... como é que você diz, Susannah? Antes de tudo ir pro inferno em uma cesta de mão. Em todo caso, foi Burning Chris quem nos avisou que se algum dia entrássemos em todash, talvez víssemos os errantes. — Apontou o outro lado da rua onde o morto continuava parado. — Os que como esses aí que morreram tão de repente que não compreendem o que aconteceu com eles ou simplesmente se recusam a aceitar o fato. Cedo ou tarde, seguem adiante. Não creio que sejam muitos.

— Graças a Deus — disse Eddie. — Parece uma coisa saída de um filme de zumbi de George Romero.

— Susannah, o que aconteceu com as suas pernas?

— Eu não sei. Em um minuto eu as tinha, e no seguinte fiquei como antes. — Pareceu tomar consciência do olhar de Roland e virou-se para ele. — Está vendo alguma coisa engraçada, doçura?

— Somos ka-tet, Susannah. Conte o que realmente aconteceu.

— Que porra você está querendo insinuar? — perguntou Eddie. Talvez houvesse dito mais, porém, antes que começasse, Susannah agarrou-lhe o braço.

— Você me sacou, não foi? — ela perguntou a Roland. — Tudo bem, vou contar a vocês. Segundo aquele relógio chique, eu perdi sete minutos enquanto esperava vocês. Sete minutos e as minhas belas pernas novas. Não quis dizer nada porque... — A voz vacilou, depois continuou. — Porque tive medo de que pudesse estar enlouquecendo.

Não é disso que você tem medo, pensou Roland. *Não exatamente.*

Eddie deu-lhe um breve abraço e um beijo na face. Lançou um olhar nervoso ao cadáver nu no outro lado da rua (a menina com a cabeça esmagada seguira vagando, felizmente, pela rua Quarenta e Seis em direção às Nações Unidas) e desviou-o para o pistoleiro:

— Se o que disse antes é verdade, Roland, então esse negócio do tempo correr é uma péssima notícia. E se em vez de sete minutos, pulasse três meses? E se na próxima vez que voltarmos aqui, Calvin Tower tiver vendido o terreno? Não podemos deixar que isso aconteça. Porque aquela rosa, cara... — Lágrimas haviam começado a escorrer de seus olhos.

— É a melhor coisa do mundo — disse Jake, baixinho.

— De todos os mundos — disse Roland.

Acalmaria Eddie e Jake saber que aquele particular lapso de tempo ocorrera provavelmente na cabeça de Susannah? Que Mia saíra durante sete minutos, dera uma olhada em volta e depois tornara a mergulhar em seu buraco, como Punxsutawney Phil no Dia da Marmota? Provavelmente não. Mas uma coisa ele viu no rosto abatido de Susannah: ela sabia o que estava acontecendo, ou tinha fortes suspeitas. *Deve ser terrível para ela*, pensou.

— Temos que fazer algo melhor do que isso se formos realmente mudar as coisas — disse Jake. — Desse jeito não somos muito melhores que errantes.

— Também precisamos chegar a 1964 — disse Susannah. — Se quisermos colocar a mão na minha grana. Podemos, Roland? Se Callahan pegou o Treze Preto, isto vai funcionar como uma porta?

O que vai funcionar é diabrura, pensou Roland. *Diabrura e coisa pior*. Mas antes que pudesse dizê-lo (ou qualquer outra coisa), os sinos todash começaram. Os pedestres na Segunda Avenida não os ouviam mais do que viam os peregrinos reunidos perto da cerca de tábuas, mas o cadáver do outro lado da rua levou lentamente as mãos mortas aos ouvidos, a boca contraindo-se para baixo em uma careta de dor. E então eles conseguiram ver através dele.

— Segurem-se uns nos outros — disse Roland. — Jake, coloque a mão no pelo de Oi, e fundo! Não faz mal se doer!

Jake fez como mandou Roland, os sinos mergulhando no fundo de sua cabeça. Belos mas dolorosos.

— Como fazer um canal sem anestesia — disse Susannah.

Virou a cabeça, e por um momento viu através da cerca de tábuas. Tornara-se transparente. Além dela, estava a rosa, as pétalas agora fechadas mas ainda emanando seu brilho silenciosamente maravilhoso. Sentiu o braço de Eddie deslizar em volta de seus ombros.

— Segure-se, Suze... não importa o que faça, segure-se.

Ela tomou a mão de Roland. Por mais um instante, viu a Segunda Avenida, e então tudo desapareceu. Os sinos devoraram o mundo e ela voava através da escuridão ofuscante com o braço de Eddie nos ombros e a mão de Roland apertando a sua.

16

Quando a escuridão os libertou, estavam na estrada, a quase treze metros do acampamento. Jake sentou-se devagar, depois se virou para Oi.

— Tudo bem com você, garoto?

— Oi.

Jake acariciou a cabeça do malhado. Olhou em volta para os outros. Todos ali. Suspirou, aliviado.

— O que é isto? — perguntou Eddie.

Pegara a outra mão de Jake quando começaram os sinos. Agora, colhido nos dedos entrelaçados, havia um objeto rosa amassado. Parecia tecido; e também metal.

— Não sei — respondeu Jake.

— Você pegou no terreno, logo depois de Susannah começar a gritar — disse Roland. — Eu o vi.

Jake assentiu.

— Sim, acho que peguei. Porque era o lugar onde estava a chave, antes.

— O que é, docinho?

— Uma espécie de sacola. — Ergueu-o pelas tiras. — Eu diria que era minha sacola de boliche, mas ela ficou atrás, nas pistas, com a minha bola dentro. Em 1977.

— O que está escrito do lado? — perguntou Eddie.

Mas não conseguiam enxergar. As nuvens estavam novamente cerradas, e não havia luar. Voltaram a pé para o acampamento, lentamente, trêmulos como inválidos, e Roland acendeu a fogueira. Então olharam para o texto na lateral da sacola de boliche rosa.

NADA ALÉM DE STRIKES NAS PISTAS DO MUNDO MÉDIO

era o que dizia.

— Não está certo — disse Jake. — Quase, mas não por completo. O que diz na minha sacola é NADA ALÉM DE STRIKES NAS PISTAS DO CENTRO DA CIDADE. Timmy me deu quando atingi uma pontuação de 2-8-2. Disse que eu não tinha idade suficiente pra me pagar uma cerveja.

— Um pistoleiro do boliche — disse Eddie, e balançou a cabeça. — A gente nunca para de se surpreender, não é?

Susannah pegou a sacola e correu os dedos pela superfície.

— Que tipo de tecido é este? Parece metal. E é *pesado*.

Roland, que tinha uma ideia da utilidade da sacola, embora não de quem — ou o que — a deixara para eles, disse:

— Coloque na sua mochila com os livros, Jake. E guarde tudo com muita segurança.

— O que vamos fazer em seguida? — perguntou Eddie.

— Dormir — disse Roland. — Acho que vamos ficar muito ocupados durante as próximas semanas. Temos de aproveitar nosso sono quando e onde o encontrarmos.

— Mas...

— Durmam — disse Roland, e estendeu suas peles.

Todos acabaram adormecendo, e todos sonharam com a rosa. Exceto Mia, que se levantou na última hora antes do amanhecer e saiu de mansinho para empanturrar-se no grande salão de banquete. E lá se banqueteou muito bem.

Afinal, comia por dois.

PARTE 2
CONTANDO HISTÓRIAS

1. O PAVILHÃO

1

Se alguma coisa na ida à cavalo para Calla Bryn Sturgis surpreendeu Eddie, foram a facilidade e a naturalidade com que ele se adaptou à montaria. Ao contrário de Susannah e Jake, que haviam cavalgado em acampamentos de verão, ele jamais sequer *acariciara* um cavalo. Quando ouvira o pocotó dos cascos a se aproximar na manhã após o que chamava de Todash Número Dois, sentira uma pontada de pavor. Não era andar a cavalo que temia nem os animais em si, mas a possibilidade — diabos, a forte *probabilidade* de fazer papel de idiota. Que tipo de pistoleiro jamais andara a cavalo?

Mas ainda assim encontrou tempo para trocar uma palavra com Roland, antes de os animais chegarem.

— Não foi a mesma coisa ontem à noite.

Roland ergueu as sobrancelhas.

— Não foi dezenove ontem à noite.

— O que quer dizer com isto?

— Não sei o que quero dizer.

— Eu também não sei — interveio Jake —, mas ele tem razão. Ontem à noite Nova York parecia a coisa verdadeira. Quer dizer, sei que estávamos em todash, mas mesmo assim...

— Verdadeira — meditou Roland. E Jake, sorrindo, disse:

— Verdadeira como as rosas.

2

Os Slightman encabeçavam o grupo de Calla desta vez, cada um trazendo duas montarias puxadas por longos cabrestos. Não havia nada de muito intimidador nos cavalos de Calla Bryn Sturgis, sem dúvida não eram muito parecidos com os que Eddie imaginara galopando pela Baixa nas histórias de Roland sobre a Mejis de outrora. Aqueles animais eram criaturas atarracadas, pernas robustas, com pelos desgrenhados e olhos grandes, inteligentes. Embora maiores que os potros de Shetland, nada tinham a ver com os garanhões de olhos ferozes que ele estivera esperando. Não apenas haviam sido seladas, mas cada uma das montarias trazia amarrado um conveniente colchonete.

Ao se encaminhar para o seu (não precisou que lhe dissessem qual era, ele sabia: o ruão, de pelo branco malhado com manchas escuras e arredondadas), todas as suas dúvidas e receios se desfizeram. Eddie fez uma única pergunta, dirigida a Ben Slightman filho, após examinar os estribos.

— Estes vão ficar curtos demais para mim, Ben... pode me mostrar como encompridar?

Quando o jovem desmontou para fazê-lo ele mesmo, Eddie abanou a cabeça.

— É melhor que eu aprenda — disse, sem o menor constrangimento.

Enquanto o jovem lhe mostrava, percebeu que na verdade não precisava da lição. Viu como se fazia quase no mesmo momento em que Benny deslizou os dedos pelo estribo, revelando o tirante de couro atrás. Não se tratava de conhecimento oculto, inconsciente, e tampouco lhe pareceu uma coisa sobrenatural. Foi só que, com o cavalo ali diante de si, vivo e real, ele entendeu como tudo funcionava. Só tivera uma única experiência exatamente igual àquela desde que chegara ao Mundo Médio, e fora a primeira vez que pegara em uma das armas de Roland.

— Precisa de ajuda, doçura? — perguntou Susannah.

— Só me levante se eu cair do outro lado — grunhiu ele, mas claro que não fez nada disso. O cavalo manteve-se firme, oscilando levemente quando Eddie enfiou o pé no estribo e subiu na sela preta simples feita na fazenda de gado.

Jake perguntou a Benny se tinha um poncho. O filho do capataz olhou em dúvida para o céu nublado acima.

— Não acho mesmo que vá chover — respondeu. — É quase sempre assim durante os dias na época da colheita...

— Eu o quero para Oi.

Perfeitamente calmo, perfeitamente seguro. *Ele se sente exatamente como eu*, pensou Eddie. *Como se houvesse feito isso milhares de vezes antes*.

O jovem retirou um impermeável enrolado de um de seus alforjes e entregou-o a Jake, que lhe agradeceu, vestiu-o e depois acomodou Oi no espaçoso bolso na frente, como uma bolsa de canguru. Tampouco houve sequer um protesto do malhado. Eddie pensou: *Se eu dissesse a Jake que esperava que Oi trotasse atrás de nós, como um cão pastor, será que ele responderia: "Mas ele sempre viaja assim?". Não... mas poderia pensar nisso.*

Ao partirem, Eddie percebeu o que tudo aquilo lhe lembrava: as histórias que ouvira de reencarnação. Tentara afastar a ideia, resgatar o garoto prático, realista e resoluto do Brooklyn, criado à sombra de Henry Dean, mas não conseguira. A ideia de reencarnação talvez fosse menos aflitiva se lhe houvesse ocorrido de cara, mas não. O que pensou foi que não podia ser da linhagem de Roland, simplesmente não podia. A não ser que Arthur Eld tivesse a certa altura parado perto do Bronx. Talvez para uma bala de canela e uma rosquinha frita de Dahlie Lundgren. Que burrice projetar uma ideia dessas pela capacidade de cavalgar sem aulas um cavalo obviamente dócil. Mas a ideia retornara-lhe em momentos ocasionais durante todo o dia, e o acompanhara até no sono na noite anterior: o Eld. A linhagem do Eld.

3

Almoçaram ao meio-dia na sela, e enquanto comiam popkins e tomavam café frio, Jake afrouxou o passo de sua montaria para ficar junto à de Roland. Do bolso do poncho, Oi espichou a cabeça com olhos brilhantes para o pistoleiro. Jake dava de comer ao malhado pedaços de seu popkin, e haviam migalhas presas nos bigodes de Oi.

— Roland, posso falar com você como dinh? — Jake parecia meio sem graça.

— Claro. — Roland tomou o café e olhou para o garoto, interessado, balançando satisfeito para a frente e para trás na sela.

— Ben... isto é, os dois Slightman, mas principalmente o jovem... perguntaram se eu gostaria de passar a noite com eles. Lá na Rocking B.

— Você quer ir? — perguntou Roland.

As bochechas do garoto coraram.

— Bem, eu pensei que se vocês forem até a cidade com o Velho e eu for até o campo... no sul da cidade, entende... teríamos duas perspectivas diferentes do lugar. Meu pai diz que a gente não vê nenhuma coisa muito bem se só a olha de um ponto de vista.

— É a pura verdade — disse Roland, e desejou que nem sua voz nem sua expressão traíssem a tristeza e o remorso que de repente sentiu.

Ali estava um garoto que agora se sentia envergonhado por ser menino. Fizera um amigo, e o amigo o convidara para hospedar-se na casa dele, como às vezes fazem os amigos. Benny havia sem a menor dúvida prometido que ele poderia ajudar na alimentação dos animais, e talvez atirar com seu arco (ou seu bah, se este atira raios em vez de flechas). Haveria lugares que Benny gostaria de partilhar, lugares secretos a que talvez poderia ter ido com sua irmã gêmea em outros tempos. Uma plataforma na árvore, quem sabe, ou um lago de peixes nos juncos especial para ele, ou um trecho da margem do rio onde se dizia que piratas de Eld haviam enterrado ouro e joias. Esses tipos de lugares aonde meninos vão. Mas grande parte de Jake Chambers se sentia agora envergonhado por querer fazer essas coisas. Era a parte que fora arruinada pelo porteiro da Mansão em Dutch Hill, por Gasher, pelo Homem do Tique-Taque. E pelo próprio Roland, claro. Se aceitasse o pedido de Jake agora da maneira errada — mesmo com o menor traço de indulgência na voz, por exemplo —, o garoto mudaria de ideia.

O garoto. O pistoleiro se deu conta do quanto gostaria de continuar chamando Jake assim, e de quão pouco tempo tinha ainda para fazer. Sentia um mau pressentimento sobre Calla Bryn Sturgis.

— Vá com eles depois que jantarem conosco no Pavilhão esta noite — disse Roland. — Vá e passe bem, como dizem por aqui.

— Tem certeza? Porque se achar que poderia precisar de mim...

— O ditado de seu pai é dos bons. Meu velho mestre...

— Cort ou Vannay?

— Cort. Ele nos dizia que um zarolho vê plano. São necessários dois olhos, meio separados um do outro, para ver as coisas como realmente são. Portanto, sim. Vá com eles. Faça do menino seu amigo, se isso parece natural. Ele parece bastante agradável.

— Sim — disse brevemente Jake. Mas o rubor descia-lhe mais uma vez pela face. Roland ficou feliz ao ver isso.

— Passe o dia de amanhã com eles. E os amigos dele, se tiver um bando com quem costuma andar.

Jake fez que não com a cabeça.

— Fica longe no campo. Ben disse que Eisenhart tem bastante ajuda no lugar, e há alguns garotos de sua idade, mas não o deixam brincar com eles. Porque é filho do capataz, imagino.

Roland assentiu. Isso não o surpreendeu.

— Vão-lhe oferecer aquela cerveja graf esta noite no Pavilhão. Preciso lhe dizer que vai ser chá gelado assim que passarmos do primeiro brinde?

Jake balançou a cabeça.

Roland tocou a têmpora, os lábios, o canto de um olho e mais uma vez os lábios.

— Cabeça clara. Boca fechada. Veja muito. Fale pouco.

Jake deu-lhe um breve sorriso e o polegar erguido.

— E vocês?

— Nós três vamos nos hospedar com o padre esta noite. Espero que amanhã possamos talvez ouvir a história dele.

— E ver... — Haviam ficado um pouco atrás dos outros, mas mesmo assim Jake baixou a voz. — Ver a coisa de que ele nos falou?

— Isto eu não sei — respondeu Roland. — Depois de amanhã, vamos os três partir a cavalo até a Rocking B. Talvez ao meio-dia nos encontraremos com sai Eisenhart e tenhamos uma pequena confabulação. Depois, durante os próximos dias, nós quatro vamos dar uma olhada nesta cidade, por dentro e por fora. Se tudo correr bem com você lá na fazenda, Jake, eu pediria que fique lá durante o tempo que quiser e que eles o recebam.

— Verdade? — Embora conservasse a expressão composta, o pistoleiro achou que Jake estava muito satisfeito com esse pedido.

— Sim. Pelo que deduzo... o que *percebo*... há três grandes pessoas de importância em Calla Bryn Sturgis. Overholser é um deles. Took, o lojista, outro. O terceiro é Eisenhart. Vou querer saber com muito interesse o que você acha dele.

— Vai saber — disse Jake. — E obrigado-sai.

Deu três tapinhas na garganta. Depois sua seriedade desfez-se em um largo sorriso. Um sorriso de menino. Incitou o cavalo a trotar, avançando para contar ao novo amigo que sim, ia poder passar a noite, sim, ia poder ficar e brincar.

4

— Nossa mãe! — exclamou Eddie.

As palavras saíram baixas e lentas, quase a exclamação de uma personagem de quadrinhos impressionada. Mas após quase dois meses nas matas a paisagem justificava uma exclamação. E havia o elemento surpresa. Em um momento, estavam apenas cavalgando pela trilha da floresta, em geral em pares (Overholser cavalgava sozinho à frente do grupo, Roland, solitário, seguia-o atrás). No seguinte, as árvores haviam desaparecido e a própria terra se afastado para o norte, sul e leste. Foram assim presenteados com uma repentina vista, de tirar o fôlego e afundar o estômago, da cidade cujas crianças eles deviam salvar.

Mas a princípio Eddie não estava olhando para o que se descortinava diretamente abaixo dele, e quando olhou para Susannah e Jake, viu que eles também olhavam além de Calla. Eddie não precisou desviar o olhar para Roland, para saber que também o pistoleiro tinha a vista cravada na frente. *Definição de um viajante*, pensou Eddie, *um sujeito que está sempre olhando além.*

— Sim, uma belíssima paisagem, damos graças aos deuses — comentou Overholser, complacente; e, então, com uma olhada a Callahan: — Ao Homem Jesus, também, claro, todos os deuses são um só quando se trata de dar graças, assim eu ouvi, e este é um ditado bastante bom.

Ele poderia ter continuado a tagarelar. Na certa o fez; quando se era o grande fazendeiro de gado, a gente tinha em geral de fazer-se ouvir, e do começo ao fim. Eddie não prestou a mínima atenção. Retornara a atenção à paisagem.

Adiante deles, além da aldeia, via-se uma faixa cinzenta de rio correndo para o sul. O braço do grande rio conhecido como Devar-Tete Whye, lembrou-se Eddie. Onde saía da floresta, o Devar-Tete corria entre margens íngremes, mas baixavam quando o rio penetrava nos primeiros campos cultivados, depois desapareciam de todo. Ele viu alguns renques de palmeiras, verdes e destoantemente tropicais. Além da aldeia de dimensões moderadas, a terra a oeste do rio era um brilhante verde por todo lado com mais cinza. Eddie teve certeza de que em um dia ensolarado aquele cinza se transformava em um resplandecente azul, e de que quando o sol estava a pino o clarão seria forte demais para se olhar. Contemplou os campos de arroz. Ou talvez fossem chamados de arrozais.

Além desses e a leste do rio ficava o deserto, estendendo-se por quilômetros. Eddie via riscos de metal correndo para dentro deles, e deduziu que eram trilhos de ferrovia.

E além do deserto — ou obscurecendo o resto dele — via-se apenas escuridão. Erguia-se no céu como uma muralha vaporosa, parecendo varar as nuvens que flutuavam baixas.

— O Trovão, sai — disse Zalia Jaffords.

Eddie assentiu com a cabeça.

— Terra dos Lobos. E Deus sabe do que mais.

— Pode apostar — acrescentou Slightman filho.

Tentava parecer descontraído e prosaico, mas para Eddie parecia muito assustado, talvez à beira das lágrimas. Mas os Lobos não o levariam, com certeza... se o seu gêmeo morria, isto o tornava um filho individual à revelia, não era assim? Bem, isso sem dúvida funcionou para Elvis Presley, mas claro que o Rei não viera de Calla Bryn Sturgis. Nem de Calla Lockwood ao sul.

— Não, o Rei era um garoto do Mississippi — disse Eddie, em voz baixa.

Tian virou-se na sela para olhá-lo.

— Como disse, sai?

Eddie, sem perceber que falara em voz alta, respondeu:

— Desculpe. Estava falando comigo mesmo.

Andy, o Robô Mensageiro (Muitas Outras Funções), chegou a passos largos do atalho adiante deles a tempo de ouvir isto:

— Os que mantêm conversa consigo mesmos viram triste companhia. Este é um velho ditado de Calla, sai Eddie, eu lhe peço que não o tome pessoalmente.

— E, como disse antes e sem a menor dúvida tornarei a dizer, não se pode limpar o catarro de um paletó de camurça, meu amigo. Um velho ditado de Calla Bryn Brooklyn.

As entranhas de Andy estalaram. Os olhos azuis lampejaram.

— *Catarro*: muco do nariz. Também uma pessoa rabugenta. *Camurça*: produto de couro curtido que...

— Não ligue, Andy — interveio Susannah. — Meu amigo só está sendo tolo. Faz isso com muita frequência.

— Ah, sim — disse Andy. — É um filho do inverno. Gostaria que eu dissesse seu horóscopo, Susannah-sai? Vai encontrar um belo homem! Terá duas ideias, uma ruim e uma boa! Terá um de cabelos escuros...

— Fora daqui, seu idiota — disse Overholser. — Direto para a cidade, linha reta, sem desvios. Verifique se está tudo certo no Pavilhão. Ninguém quer saber de seus malditos horóscopos, peço seu perdão, Velho.

Callahan não deu qualquer resposta. Andy curvou-se, deu três tapinhas na garganta metálica e partiu de volta pela trilha, que era íngreme mas de uma largura confortável. Susannah viu-o afastar-se com o que talvez fosse alívio.

— Pegou um pouco pesado com ele, não? — perguntou Eddie.

— Ele não passa de uma peça de maquinaria — respondeu Overholser, dividindo as últimas palavras em sílabas, como estivesse falando com uma criança.

— E às vezes sabe ser irritante — disse Tian. — Mas me digam, sais, que acham de nossa Calla?

Roland conduziu devagar seu cavalo, pondo-o entre o de Eddie e o de Callahan.

— É muito bela — disse. — Sejam quais forem os deuses, eles favoreceram este lugar. Vejo milho, tubérculos, feijão e... batatas? São batatas ali?

— Ié, são batatas, sim — respondeu Slightman, claramente contente com o olho de Roland.

— E adiante fica todo aquele magnífico arroz — disse Roland.

— Todas as pequenas propriedades junto ao rio — disse Tian —, onde a água é doce e lenta. E sabemos como somos afortunados. Quando o arroz fica pronto, para plantar ou para colher, todas as mulheres se juntam. Há cantoria nos campos, e até dança.

— Isso-isso é commala — disse Roland. Pelo menos foi o que Eddie entendeu.

As expressões de Tian e Zalia se iluminaram de surpresa e reconhecimento. Os Slightman trocaram um olhar e sorriram.

— Onde foi que ouviu "A canção do arroz"? — perguntou o mais velho. — Quando?

— Em casa — respondeu Roland. — Há muito tempo. Isso-isso é commala, brote, brote o arroz, ô camaradas. — Apontou para oeste, distante do rio. — Lá está a maior fazenda, mergulhada no trigo. É a sua, sai Overholser?

— É sim, sai, obrigado.

— E além, para o sul, mais fazendas... e depois as de pasto. Aquela é de gado... aquela lá, ovelha... aquela outra, gado... mais gado... mais ovelha.

— Como pode saber a diferença de tão longe? — perguntou Susannah.

— As ovelhas comem a grama mais perto da terra, dama-sai — disse Overholser. — Assim, onde você vê as manchas de terra marrom-claro, é a terra de pasto das ovelhas. As outras... o que vocês chamariam de ocre, imagino, é o pasto do gado.

Eddie pensou em todos os filmes de faroeste que vira no Majestic: Clint Eastwood, Paul Newman, Robert Redford, Lee Van Cleef.

— Na minha terra, contam lendas de guerras serranas entre os criadores de gado e os criadores de ovelha — disse. — Porque, diziam, as ovelhas comiam a grama rente demais. Arrancavam até as raízes, vocês sabem como é, de modo que não tornaria a crescer.

— Isso é uma tolice completa, com o seu perdão — disse Overholser. — As ovelhas ceifam rente, sim, mas depois mandamos as vacas até lá pra aguar. O estrume que elas defecam é cheio de raízes.

— Ah — disse Eddie.

Não pensou em mais nada para dizer. Explicada assim, toda a ideia de guerras entre os criadores parecia extremamente estúpida.

— Vamos indo — disse Overholser. — A luz do dia está se dissipando, está sim, e há um banquete preparado para nós no Pavilhão. A cidade inteira vai estar lá para receber vocês.

E para dar uma boa examinada em nós, também, pensou Eddie.

— Mostre o caminho — disse Roland. — Podemos estar lá no final do dia. Ou estou enganado?

— Não — respondeu Overholser, lançando então os pés nos lados do cavalo e puxando-lhe bruscamente a cabeça em volta (só ver isso fez Eddie estremecer). Partiu à frente pelo caminho. Os outros o seguiram.

5

Eddie nunca esqueceu esse primeiro encontro com o povo de Calla; era uma lembrança sempre de fácil alcance. Pois tudo o que aconteceu foi uma surpresa, imaginava, e quando tudo é uma surpresa, a experiência adquire uma característica onírica. Lembrava-se de como as tochas mudaram quando se parou de falar — a luz estranha e variada. Lembrava-se da inesperada saudação de Oi à multidão. Os rostos voltados para cima, seu pânico sufocante e a raiva que sentiu de Roland. Susannah içando-se sozinha ao banco do piano, no que os locais chamavam de *musica*. Ah, sim, sempre essa lembrança. Pode apostar. Porém, ainda mais vívida que sua lembrança de sua amada era a do pistoleiro.

A de Roland dançando.

Mas antes de qualquer dessas coisas acontecerem, veio o passeio pela rua Alta de Calla, e a sensação de pressentimento. Sua premonição de dias ruins a caminho.

6

Chegaram à cidade propriamente dita uma hora antes do pôr do sol. As nuvens se separaram e deixavam passar a última luz vermelha do dia. A rua estava vazia. A superfície estava impregnada de óleo. Os cascos dos cavalos faziam baques abafados na terra marcada de rodas. Eddie viu uma estrebaria, um lugar chamado Repouso dos Viajantes, que parecia uma combinação de pensão e restaurante, e, na extremidade da rua, um prédio de dois andares que só podia ser o Salão da Assembleia de Calla. Afastado, à direita deste, o clarão das tochas, então supôs que as pessoas esperavam ali, mas na extremidade norte da cidade, por onde eles entraram, não havia ninguém.

O silêncio e as calçadas vazias começaram a dar-lhe arrepios. Lembrou-se da história de Roland sobre o percurso final de Susan dentro de Mejis na parte de trás de uma carroça, em pé com as mãos amarradas na frente e um laço corrediço ao pescoço. A rua *dela* também estivera vazia. A princípio. Depois, não longe do cruzamento da Grande Estrada com a estrada do Rancho de Silk, Susan e seus captores haviam passado por um único fazendeiro, um homem que Roland descrevera como tendo olhos de abatedor de ovelhas. Depois ela seria bombardeada com legumes e paus, até mesmo pedras, mas aquele fazendeiro solitário fora o primeiro, ali parado com a mão cheia de cascas de milho, que jogou quase com delicadeza nela quando passou a caminho de... bem, a caminho da *árvore de charyou*, a Feira da Colheita do Povo Antigo.

Enquanto cavalgavam para Calla Bryn Sturgis, Eddie estava na expectativa de se deparar com aquele homem, aqueles olhos de abatedor de ovelhas, e o punhado de cascas de milho. Porque aquela cidade lhe dava a impressão de ruim. Não má — maus como os Mejis na certa haviam sido na noite da morte de Susan Delgado —, mas ruim de uma forma mais simples. Ruim como má sorte, más escolhas, maus presságios. Mau ka, talvez.

Curvou-se para Slightman pai.

— Onde diabos está todo mundo, Ben?

— Lá adiante — disse Slightman, e apontou para o clarão das tochas.

— Por que estão tão quietos? — perguntou Jake.

— Eles não sabem o que esperar — disse Callahan. — Estamos isolados aqui. Os forasteiros que vemos de vez em quando são o ocasional mascate, vagabundos, apostadores... ah, e os mercados flutuantes do lago que às vezes param no alto verão.

— O que é um mercado flutuante do lago? — perguntou Susannah.

Callahan descreveu um barco retangular a vapor, movido a roda propulsora e pintado com cores chamativas, coberta de lojinhas. Estas prosseguiam devagar pelo Devar-Tete Whye abaixo, parando em Callas do Meio Crescente até todas as suas mercadorias acabarem. A maior parte não passa de quinquilharias, disse Callahan, mas Eddie não teve certeza se confiava inteiramente nele, pelo menos no que se referia aos mercados flutuantes do lago; ele falava com a aversão quase inconsciente dos religiosos de longa data.

— E os outros forasteiros vêm para roubar seus filhos — concluiu Callahan. Apontou para a esquerda, onde um comprido prédio de madeira parecia ocupar quase metade da rua Alta. Eddie contou não dois ou quatro corrimãos aos quais amarrar animais, mas oito. Dos *longos*. — O Armazém Geral de Took, que lhes faça bem — acrescentou, com o que talvez fosse sarcasmo.

Chegaram ao Pavilhão. Eddie mais tarde calculou o número de presentes em setecentos ou oitocentos, mas quando os viu pela primeira vez uma massa de chapéus, toucas, botas e mãos calejadas abaixo da extensa luz vermelha do sol do cair da tarde daquele dia — a multidão parecia enorme, inenarrável.

Eles vão *jogar bosta em nós*, pensou. *Jogar bosta em nós e gritar*: "Árvore de Charyou". Embora ridícula, a ideia também era forte.

As pessoas de Calla afastaram-se recuando para os dois lados, criando uma passarela de relva verde que levava a uma plataforma suspensa de madeira. Contornando em círculo o Pavilhão, viam-se tochas presas em gaiolas de ferro. A essa altura, continuavam todas emitindo uma chama amarela bastante comum. O nariz de Eddie captou o forte cheiro de óleo.

Overholser desmontou. O mesmo fizeram os demais do grupo. Eddie, Susannah e Jake olharam para Roland, sentado como estava por um momento, curvado levemente para a frente, um dos braços lançado sobre a parte mais alta da sela, parecendo perdido nos próprios pensamentos. Então ele tirou o chapéu e estendeu-o para a multidão. Bateu na garganta três vezes. A multidão murmurou. De apreciação ou surpresa? Eddie não soube dizer. Não com raiva, contudo, decididamente não com raiva, e isso era bom. O pistoleiro ergueu um pé calçado de bota por cima da sela e desmontou com agilidade. Eddie saltou do cavalo com mais cuidado, ciente de todos os olhos cravados nele. Pendurara o arreio de Susannah antes, e agora se punha de costas ao lado da montaria dela. A multidão murmurou mais uma vez quando viu que lhe faltavam as pernas desde pouco acima dos joelhos.

Overholser avançou a passos vivos pela abertura, apertando algumas mãos ao longo do caminho. Callahan postou-se diretamente atrás dele, desenhando de vez em quando o sinal da cruz no ar. Outras mãos estenderam-se da multidão para segurar os cavalos. Roland, Eddie e Jake seguiram lado a lado. Oi continuava no largo bolso da frente do poncho que Benny emprestara a Jake, olhando em volta, interessado.

Eddie percebeu que conseguia sentir o cheiro da multidão — suor, cabelos, pele queimada de sol e o ocasional aroma do que as personagens nos filmes de faroeste em geral chamavam (com desprezo semelhante ao de Callahan pelos mercados flutuantes do lago) de "colônia barata". Também sentia cheiro de comida: carne de porco e bife, pão fresco, cebola frita, café e graf. Embora seu estômago roncasse, ele não estava com fome. Não, definitivamente sem fome. A ideia de que o caminho por onde andavam ia desaparecer e aquelas pessoas iriam se fechar à volta deles não lhe deixava a mente. Estavam tão *caladas*! Em algum lugar próximo, ele ouviu os primeiros noitibós e curiangos sintonizando-se para a noite.

Overholser e Callahan subiram na plataforma. Eddie ficou alarmado ao ver que nenhum dos outros do grupo que saíra para encontrá-los fez o mesmo. Mas Roland galgou sem hesitação os três largos degraus de madeira. Eddie seguiu-o, consciente de que seus joelhos estavam meio fracos.

— Tudo bem com você? — murmurou Susannah em seu ouvido.

— Por enquanto.

À esquerda da plataforma havia um palco redondo com sete homens, todos vestindo camisas brancas, calças jeans azuis e faixas na cinta. Eddie reconheceu os instrumentos que seguravam, e embora o bandolim e o banjo o fizessem achar que a música na certa iria ser no estilo meio brega, a visão deles era tranquilizadora. Não se contratavam bandas para tocar em sacrifícios humanos, contratavam-se? Talvez só um ou dois tocadores de tambor, para instigar os espectadores.

Eddie voltou-se para encarar a multidão com Susannah nas costas. Ficou abalado ao ver que a passagem que se abrira no fim da rua Alta agora tinha desaparecido. Rostos erguiam-se para olhá-lo. Mulheres e homens, velhos e jovens. Sem nenhuma expressão nos semblantes, nem crianças entre eles. Rostos que passavam quase o tempo todo ao sol e tinham as fissuras para prová-lo. Aquela sensação de pressentimento não o deixava.

Overholser parou ao lado de uma mesa simples de madeira. Em cima dela havia uma pena grande. O fazendeiro a pegou e levantou-a em seguida. A multidão, já quieta antes, caiu então em um silêncio tão profundo que Eddie conseguia escutar o catarro no peito de alguém, quando a pessoa respirava.

— Coloque-me no chão, Eddie — disse Susannah, baixinho. Embora não gostasse da ideia, ele obedeceu.

— Sou Wayne Overholser, da fazenda Seven-Mile — disse Overholser, avançando até a borda do palco com a pena na frente. — Eu peço agora que me ouçam.

— Nós agradecemos-sai — eles murmuraram.

Overholser virou-se e estendeu uma das mãos para Roland e seu tet, ali em pé, as roupas manchadas da viagem (Susannah não em pé, exatamente, mas sentada entre Eddie e Jake nos quadris e apoiada em uma das mãos). Eddie achava que jamais se sentira examinado com tamanha ansiedade.

— Nós, homens de Calla, ouvimos Tian Jaffords, George Telford, Diego Adams e todos os demais que falaram no Salão da Assembleia — disse Overholser. — Ali eu mesmo falei. "Eles vão vir e levar as crianças", disse, me referindo aos Lobos, claro: "Depois vão nos deixar mais uma vez em paz por uma geração ou mais tempo. Assim é, assim tem sido, e minha opinião é que deixem isso pra lá". Agora acho que aquelas palavras talvez tenham sido meio apressadas.

Murmúrio da multidão, suave como uma brisa.

— Naquela mesma assembleia, ouvimos père Callahan dizer que havia pistoleiros ao norte de nós.

Outro murmúrio. Este foi um pouco mais alto. *Pistoleiros... Mundo Médio... Gilead.*

— Ficou decidido entre nós que um grupo devia ir ver. Foi essa gente que encontramos, foi sim. Eles afirmam ser... o que père Callahan disse que eram. — Overholser agora parecia desconfortável, quase como se reprimindo um peido. Eddie já vira essa expressão, sobretudo na TV, quando políticos eram confrontados com algum fato que não podiam fingir inocência sobre, e eram então obrigados a retroceder. — Eles afirmam ser do mundo extinto. Quer dizer...

Continue, Wayne, pensou Eddie, *desembuche. Você consegue.*

— ... quer dizer, da linhagem de Eld.

— Os deuses sejam louvados — esganiçou uma mulher. — Os deuses os mandaram para salvar nossos bebês, mandaram sim!

Ouviram-se xius. Overholser esperou o silêncio com uma expressão atormentada no rosto.

— Eles podem falar por si mesmos... e devem... mas já vi o suficiente para crer que talvez tenham condições de nos ajudar com nosso problema. Portam boas armas, como vocês podem ver, e sabem como usá-las. Eu aposto meu relógio e garanto, agradeço.

Desta vez o murmúrio da multidão foi mais alto, e Eddie sentiu boa vontade nele e relaxou um pouco.

— Tudo bem, então, que eles se apresentem a vocês, um por um, para que possamos ouvir suas vozes e ver muito bem seus rostos. Este é o dinh deles. — Ergueu a mão para Roland.

O pistoleiro avançou. O pôr do sol vermelho deixava o lado esquerdo do seu rosto em chamas; o direito, tingido de amarelo com o lume da tocha. Deu um passo à frente. O baque do salto da bota surrada nas tábuas foi muito nítido no silêncio; sem motivo algum, Eddie pensou em um punho batendo na tampa de um caixão. Roland curvou-se profundamente, palmas abertas estendidas para eles.

— Roland de Gilead, filho de Steven — disse. — A Linhagem de Eld.

Todos suspiraram.

— Que nosso encontro seja fortuito. — Ele recuou um passo e lançou um olhar para Eddie.

Aquela parte ele podia fazer.

— Eddie Dean, de Nova York — disse. — Filho de Wendell. — *Pelo menos é isto que mamãe sempre afirmou*, pensou. Então, sem ter consciência de que ia dizê-lo: — A Linhagem de Eld. O ka-tet do 19.

Deu um passo atrás, e Susannah avançou até a borda da plataforma.

Costas eretas, olhando-os calmamente, disse:

— Sou Susannah Dean, esposa de Eddie, filha de Dan, a Linhagem de Eld, o ka-tet do 19, que nosso encontro seja fortuito e vocês passem bem. — Fez uma mesura, erguendo os lados da saia imaginária.

Diante disso, ouviram-se risadas e aplausos.

Enquanto ela se apresentava, Roland curvou-se para sussurrar alguma coisa breve no ouvido de Jake. O garoto assentiu e depois se adiantou, confiante. Parecia muito jovem e belo à luz final do dia.

Estendeu o pé e curvou-se sobre ele. O poncho projetou-se comicamente para a frente com o peso de Oi.

— Sou Jake Chambers, filho de Elmer, a Linhagem de Eld, o ka-tet do 99.

Noventa e nove? Eddie olhou para Susannah, que lhe ofereceu um mínimo encolher de ombros. *Que merda é esta de noventa e nove?* Então pensou, que diabos. Ele também não sabia o que era o ka-tet do 19, e o dissera.

Mas Jake não havia terminado. Ergueu Oi do bolso do poncho de Ben Slightman. A multidão murmurou à visão do animal. Jake lançou uma rápida olhada a Roland que perguntava... *Tem certeza?*... e Roland assentiu com a cabeça.

A princípio, Eddie não achou que o amiguinho peludo de Jake fosse fazer alguma coisa. O povo de Calla, mais uma vez, havia se calado por completo, tão silenciosos que desta vez se voltou a ouvir com grande nitidez o canto vespertino dos pássaros.

Então Oi ergueu-se em suas pernas traseiras, esticou uma delas para a frente e de fato se curvou sobre ela. Oscilou, mas manteve o equilíbrio. Estendia as patinhas pretas com a palma virada para cima, como a de Roland. Houve arquejos, risadas, aplausos. Jake parecia estupefato.

— Oi! — disse o malhado. — Eld! Agadeço!

Cada palavra clara. Manteve a vênia por mais um instante, caiu então sobre as quatro patas e saiu correndo apressado para junto de Jake. O aplauso foi estrondoso. De um gesto brilhante e simples, Roland (pois, quem mais, pensou Eddie, poderia ter ensinado o malhado a fazer aquilo) tornara aquelas pessoas amigas e admiradoras. Por esta noite, ao menos.

Assim, essa foi a primeira surpresa: Oi fazendo uma reverência para o povo de Calla e declarando-se ele mesmo an-tet com seus companheiros viajantes. A segunda veio logo em seguida.

— Não sou um orador — disse Roland, avançando mais uma vez. — Minha língua se enrola mais que a de um bêbado na Noite da Colheita. Mas tenho certeza de que Eddie vai nos brindar com algumas palavras.

Foi a vez de Eddie ficar estupefato. Abaixo deles, a multidão aplaudia e batia apreciativamente os pés no chão. Houve gritos de *Obrigada-sai*, *Fale bem* e *Escutem ele, escutem ele*. Até a banda entrou no meio, tocando um floreio capenga, mas alto.

Eddie teve tempo de fuzilar Roland com um único olhar frenético e furioso. *Por que caralho está fazendo isto comigo?* O pistoleiro retribuiu-lhe o olhar com brandura, cruzando depois os braços no peito.

O aplauso se extinguia. Assim como sua raiva, substituída por terror. Overholser observava-o com interesse, os braços cruzados em imitação consciente ou inconsciente de Roland. Abaixo dele, Eddie via alguns rostos individuais na frente da multidão: os Slightman, os Jaffords. Olhou para o outro lado e lá estava Callahan, os olhos azuis estreitados. Acima destes, a irregular cicatriz cruciforme na testa parecia brilhar intensamente.

Que porra se espera que eu diga a eles?

Melhor dizer alguma coisa, Eds, falou mais alto a voz de Henry. *Eles estão esperando.*

— Perdão se sou um pouco lento para dar a partida — disse. — Percorremos quilômetros e rodas e mais quilômetros e rodas, e vocês são a primeira gente que vemos em vários..

Vários o quê? Semana, mês, ano, década?

Eddie riu. Parecia a si mesmo o maior idiota do mundo, um cara em que não se podia confiar para controlar o próprio pau na hora de mijar, quanto mais uma arma.

— Em várias luas azuis.

Todos riram disso, e com *vontade*. Alguns chegaram até a aplaudir. Ele atingira o senso de humor da cidade sem se dar conta. Relaxou, e quando o fez se viu falando com bastante naturalidade. Ocorreu-lhe, de passagem, que não muito tempo atrás o pistoleiro armado em pé ali diante daquelas setecentas pessoas assustadas, esperançosas, estivera sentado em frente da TV, usando apenas uma cueca amarelada, comendo Cheetos, chapado de heroína, e vendo *Zé Colméia*.

— Viemos de muito longe — disse ele — e ainda temos uma grande distância a percorrer. Nosso tempo aqui será breve, mas faremos o que pudermos, eu peço que me escutem.

— Continue, estranho! — gritou alguém. — São belas as suas palavras!

É mesmo?, pensou Eddie. *Novidade pra mim, cara.*

Alguns gritos de *Ié* e *São, sim.*

— Os curandeiros em meu baronato têm um ditado — contou-lhes Eddie. — "Primeiro, não faça mal." — Ele não tinha certeza se era um lema de advogado ou um lema de médico, mas o ouvira em muitos filmes e programas de TV, e parecia ótimo. — Nós não faremos mal algum aqui, saibam vocês, mas ninguém jamais arrancou uma bala, nem sequer uma farpa da unha do dedo de um garoto, sem derramar algum sangue.

Ouviram-se murmúrios de concordância. Overholser, contudo, exibia a expressão indecifrável de jogador de pôquer, e na multidão Eddie viu olhares de dúvida. Sentiu um surpreendente rompante de raiva. Não tinha o menor direito de sentir raiva daquelas pessoas, que não lhe haviam feito absolutamente mal algum, nem lhes haviam recusado absolutamente nada (pelo menos até o momento), mas mesmo assim sentiu.

— Temos outro ditado no baronato de Nova York — disse-lhes. — "Ninguém come de graça." Pelo que sabemos, a situação de vocês é séria. Resistir e lutar contra esses Lobos seria perigoso. Mas às vezes não fazer nada faz as pessoas se sentirem enojadas e famintas.

— Escutem ele, escutem ele! — gritou o mesmo sujeito atrás na multidão. Eddie viu o robô Andy lá no fundo, e perto dele uma grande carroça cheia de homens com volumosas capas pretas ou azul-escuras. Ele supôs que fossem os mannis.

— Vamos dar uma olhada na cidade, e assim que entendermos o problema, vamos ver o que pode ser feito. Se acharmos que a resposta é nada, nós tocaremos a aba de nossos chapéus e seguiremos adiante.

Duas ou três fileiras atrás, estava um homem de chapéu surrado de caubói branco. Tinha sobrancelhas brancas desgrenhadas e um bigode branco combinando. Eddie achou que ele se parecia um pouco com o pai Cartwright naquele antigo seriado, *Bonanza*. Aquela versão do patriarca Cartwright não parecia muito encantada com o que Eddie dizia.

— Se pudermos ajudar, ajudaremos — continuou, agora com a voz inteiramente seca. — Mas não faremos isso sozinhos, camaradas. Peço que me escutem. Escutem muito bem. É melhor que defendam o que precisam. É melhor que estejam prontos para lutar pelas coisas que querem manter.

Com isto, bateu um dos pés esticado para a frente — o mocassim que usava não produziu a mesma batida de punho fechado na tampa de caixão, mas foi o que de qualquer maneira passou pela sua cabeça... e curvou-se. Fez-se um silêncio mortal. Então Tian Jaffords começou a aplaudir. Zalia juntou-se a ele. Benny também aplaudiu. Seu pai cutucou-o, mas o garoto continuou aplaudindo, e após um momento o velho Slightman também.

Eddie lançou um olhar faiscante a Roland. A expressão suave do pistoleiro não se alterou. Susannah puxou-lhe a perna da calça e Eddie curvou-se para ela.

— Saiu-se muito bem, amor.

— Não graças a *ele*. — Eddie indicou Roland com a cabeça.

Mas agora que chegara ao fim, sentia-se surpreendentemente bem. E sabia que falar não era mesmo o forte de Roland. Podia fazê-lo quando não tinha apoio algum, mas não gostava de fazê-lo.

Então agora você sabe o que é, pensou. *O porta-voz de Roland de Gilead.*

Mas seria isso tão ruim assim? Não cumprira Cuthbert Allgood a mesma função muito antes dele?

Callahan adiantou-se.

— Talvez pudéssemos recebê-los um pouco melhor do que fizemos, meus amigos... dar-lhes as verdadeiras boas-vindas de Calla Bryn Sturgis.

Ele começou a aplaudir. A gente reunida juntou-se imediatamente desta vez. O aplauso foi longo e vigoroso. Ouviram-se vivas, assobios, batidas de pés (a batida de pés um tanto menos satisfatória sem um piso de madeira para amplificar o ruído). A bandinha tocou não apenas um floreio, mas toda uma série deles. Susannah segurou uma das mãos de Eddie. Jake a outra. Os quatro curvaram-se em sinal de cortesia como algum grupo de rock ao final de uma apresentação, e os aplausos redobraram.

Por fim, Callahan silenciou-os erguendo as mãos.

— Temos um bom trabalho pela frente, pessoal — disse. — Coisas sérias em que pensar, coisas sérias a fazer. Mas, por ora, vamos comer. Mais tarde, dançar, cantar e alegrarmo-nos. — Recomeçaram a aplaudir novamente e Callahan mais uma vez os silenciou. — Chega! — gritou, rindo. — E vocês, mannis aí atrás, sei que trazem sua própria comida, mas não há motivo algum na terra para que não comam e bebam o que têm conosco. Juntem-se a nós, façam isso, sim! Que passem bem!

Que seja bom para nós todos, pensou Eddie, e ainda assim aquela sensação de pressentimento não o deixava. Era como um convidado parado na periferia do grupo, logo além do brilho das tochas. E era como um ruído. O salto de bota em um piso de madeira. Um punho na tampa de um caixão.

7

Embora houvesse bancos e longas mesas de cavalete, só os mais velhos comeram seus jantares sentados. E que jantar foi, com literalmente duzentos pratos entre os quais escolher, a maioria comida caseira e deliciosa. Os procedimentos começaram com um brinde à terra de Calla. Foi proposto por Vaughn Eisenhart, que se ergueu com uma caneca cheia até a borda em uma das mãos e a pena na outra. Eddie julgou que talvez aquela fosse a versão do Crescente de um Hino Nacional.

— Que ela sempre esteja bem! — gritou o rancheiro, e esvaziou sua caneca de graf em um longo gole. Eddie admirou a goela do homem; a cerveja de maçã de Calla Bryn Sturgis era tão forte que só cheirá-la fez seus olhos lacrimejarem.

— BEBAM! — responderam os presentes, dando vivas e bebendo.

Naquele momento, as tochas que contornavam o Pavilhão ficaram da cor rubro-escura do sol que havia pouco se fora. A multidão exclamou oohhs, aahhs e aplaudiu. Quanto à tecnologia, Eddie achou que não era grande coisa — certamente não se comparava ao Mono Blaine, ou aos computadores bipolares que governavam Lud —, mas projetava uma agradável luz sobre a multidão e parecia inócua. Ele aplaudiu com os demais. Susannah também. Andy trouxera-lhe e desdobrara a cadeira de rodas com uma cortesia (também oferecera falar-lhe do belo estranho que logo iria conhecer). Agora ela a girava avançando com um prato de comida no colo no meio dos grupinhos de pessoas, papeando aqui, seguindo adiante, e mais uma vez papeando ali, seguindo adiante. Eddie deduziu que ela tivera sua cota de coquetéis não muito diferentes daquele, e sentiu uma certa inveja de sua desenvoltura.

Começou a notar crianças na multidão. Parecia que os locais haviam decidido que os visitantes não iriam pegar nas armas e dar início a um massacre. Permitiu-se que a garotada mais velha perambulasse sozinha. Circulavam em bandos protetores que Eddie se lembrava de sua própria infância, recolhendo volumosas quantidades de comida das mesas (embora nem sequer os apetites de adolescentes vorazes chegassem a criar uma baixa naquela fartura). Eles observavam os viajantes, mas nenhum ousava aproximar-se.

As crianças pequenas permaneciam junto aos pais. As da dolorosa idade intermediária amontoavam-se em volta do escorrega, dos balanços e do intricado trepa-trepa na extremidade mais afastada do Pavilhão. Algumas usavam a construção, mas a maioria apenas olhava a festa com os olhos perplexos daqueles que são de algum modo apanhados desprevenidos. Eddie ficou comovido com elas. Ele viu quantos pares havia — era assustador — e deduziu que eram aquelas crianças perplexas, apenas um pouco grandes demais para usar o equipamento do playground, que seriam pegas pelos Lobos... se permitissem que os Lobos fizessem o de sempre. Não viu nenhum dos roont, e imaginou que haviam sido deliberadamente mantidos separados, para não sombrear a festa. Eddie até entendia isso, mas esperava que estivessem tendo sua própria festa em algum lugar. (Mais tarde, descobriu que foi exatamente o que ocorreu — biscoitos e sorvetes atrás da igreja de Callahan.)

Jake teria se encaixado perfeitamente no grupo intermediário de crianças, fosse ele de Calla, mas claro que não era. E fizera um amigo que lhe caía sob medida: mais velho em idade, mais novo em experiência. Os dois circulavam de mesa a mesa, ciscando ao acaso. Oi seguia atrás de Jake bastante contente, sempre balançando a cabeça de um lado para outro. Eddie não tinha a menor dúvida de que se alguém fizesse um gesto agressivo em direção a Jake de Nova York (ou de seu novo amigo Benny de Calla), o sujeito ia ver que lhe faltavam dois dedos. A certa altura, viu os dois garotos se entreolharem, e embora não houvessem trocado uma palavra desataram a rir no mesmo momento. E isso fez Eddie lembrar-se tão vividamente de suas próprias amizades da infância que lhe doeu.

Não que pudesse permitir-se muito tempo para introspecção. Sabia pelos relatos de Roland (e por tê-lo visto em ação algumas vezes) que os pistoleiros de Gilead haviam sido muito mais que oficiais da paz. Também eram mensageiros, guarda-livros, às vezes espiões, de vez em quando até executores. Mais que tudo, porém, haviam sido diplomatas. Eddie, criado pelo irmão e amigos com ditados sábios como: *Por que não pode me comer como faz sua irmã* e *Eu fodi sua mãe e claro que ela foi ótima*, para não mencionar a sempre popular: *Não me calo, cresço, e quando olho pra você, vomito*, jamais se julgaria um diplomata, mas no geral achou que saiu bem. Só Telford foi grosso, mas a banda fechou-lhe a matraca, por sorte.

Sabia Deus que era um caso de afundar ou nadar; as pessoas de Calla podiam sentir medo dos Lobos, mas não se acanhavam em chegar para perguntar como Eddie e os outros de seu tet iam cuidar deles. Eddie se deu conta de que Roland lhe fizera um grande favor, forçando-o a falar diante de todos. Foi como um aquecimento para o que viria a seguir.

Dizia a todos as mesmas coisas, repetidas vezes. Seria impossível falar de estratégia antes de haverem dado uma boa olhada na cidade. Impossível dizer quantos homens de Calla seriam necessários para juntar-se a eles. O tempo diria. Eles espreitariam à luz do dia. Haveria água se Deus quisesse. Mais todos os outros clichês que lhe ocorriam. (Até lhe passou pela mente prometer-lhes uma galinha em cada panela depois que os Lobos fossem vencidos, mas segurou a língua antes que fosse tão longe.) O fazendeiro de uma pequena propriedade chamado Jorge Estrada quis saber o que eles fariam se os Lobos decidissem pôr fogo na aldeia. Outro, Garrett Strong, pediu que Eddie lhes dissesse onde as crianças seriam mantidas em segurança quando os Lobos chegassem.

— Pois não podemos deixá-las aqui, como você deve saber muito bem — disse.

Eddie, que percebeu que sabia muito pouco, sorveu sua cerveja e foi evasivo. Um sujeito chamado Neil Faraday (Eddie não soube dizer se era dono de uma pequena propriedade ou apenas um trabalhador braçal) aproximou-se e disse-lhe que tudo aquilo já tinha ido longe demais.

— Eles nunca levam *todas* as crianças, você sabe.

Eddie pensou em perguntar a Faraday o que ele pensaria de alguém que dissesse: "Bem, só *dois* deles estupraram minha mulher", e decidiu guardar o comentário para si mesmo. Um sujeito de pele escura, bigodudo, chamado Louis Haycox, apresentou-se e disse a Eddie que decidira que Tian Jaffords tinha razão. Passara várias noites insones desde a assembleia, pensando bem em tudo, e finalmente decidira que ia resistir e lutar. Se o quisessem, claro. A combinação de sinceridade e terror que Eddie viu na expressão do homem tocou-o profundamente. Não era nenhum jovem empolgado que não sabia o que estava fazendo, mas um adulto maduro que na certa sabia tudo bem demais.

Então eles chegavam com suas perguntas e se iam sem quaisquer respostas verdadeiras, porém parecendo mesmo assim mais satisfeitos. Eddie falou até ficar com a boca seca, depois trocou a caneca de madeira com graf por chá gelado, não querendo se embriagar. Também não queria comer mais; estava empanturrado. Mas eles ainda continuaram chegando. Cash e Estrada. Strong e Echeverria. Winkler e Spalter (primos de Overholser, disseram). Freddy Rosario e Farren Posella... ou era Freddy Posella e Farren Rosario?

A cada dez ou quinze minutos, as tochas mudavam mais uma vez de cor. De vermelho para verde, de verde para laranja, de laranja para azul. Os jarros de graf circulavam. A conversa ficou mais alta. Assim como as risadas. Eddie passou a ouvir gritos mais frequentes de *Pode apostar* e alguma coisa que soava como *Vá fundo!*, sempre seguidos de gargalhadas.

Viu Roland conversando com um velho de capa azul. O ancião tinha a barba mais espessa, mais longa e mais branca que já vira fora de um épico bíblico na TV. Ele falava sério, encarando o rosto de Roland, maltratado pela vida. Uma vez chegou a tocar no braço do pistoleiro, puxando-o um pouco. Roland escutava, assentia, nada dizia — em todo caso, não enquanto Eddie o observava. *Mas ele está interessado*, pensou Eddie. *Ah, está; o velho compridão e feio ouvia alguma coisa que lhe interessava muito.*

Os músicos voltavam em bando para o coreto, quando mais alguém avançou para Eddie. Era o sujeito que o fizera se lembrar do Cartwright pai.

— George Telford — disse. — Que passe bem, Eddie de Nova York.

Deu em sua testa um tapa superficial com o lado do punho fechado, depois abriu a mão e estendeu-a. Usava acessório de cabeça de um rancheiro, um chapéu de caubói em vez do sombreiro de rancheiro, mas a palma da mão parecia admiravelmente macia, a não ser por uma linha de calos correndo na base dos dedos. *É aí que segura as rédeas*, pensou Eddie, *e provavelmente é o máximo de trabalho que ele faz.*

Eddie fez-lhe uma pequena mesura.

— Longos dias e belas noites, sai Telford.

Ocorreu-lhe perguntar se Adam, Hoss e Little Joe, de Bonanza, estavam de volta na Ponderosa, mas decidiu de novo manter sua boca espertinha calada.

— Que você tenha tudo isso em dobro, filho, em dobro. — Olhou a arma na coxa e depois o rosto de Eddie. Tinha os olhos astuciosos e não particularmente amistosos. — Percebo que o seu dinh usa o par desta.

Eddie sorriu, mas nada disse.

— Wayne Overholser contou que seu ka-babby apresentou uma senhora exibição de tiroteio com outra arma. Creio que sua esposa a está usando esta noite?

— Creio que sim — disse Eddie, não gostando muito daquela coisa de ka-babby.

Sabia muito bem que Susannah tinha a Ruger. Roland decidira que seria melhor se Jake não fosse armado para a Rocking B de Eisenhart.

— Quatro contra quarenta seria um baita desafio, não acha? — perguntou Telford. — Sim, senhor, seria um desafio da pesada. Ou talvez sejam sessenta chegando do leste; ninguém parece se lembrar com exatidão, e por que se lembrariam? Vinte e três anos é um longo tempo de paz, agradeça a Deus e ao Homem Jesus.

Eddie sorriu e nada disse por mais algum tempo, torcendo para que Telford mudasse de assunto. Torcendo para que Telford desse o fora, na verdade.

Não teve sorte. Os chatos não desgrudam da gente: isso era quase uma lei da natureza.

— Claro que quatro *armados* contra quarenta... ou sessenta... seria uma ideia melhor do que três armados e um em pé por perto para dar apoio moral. Sobretudo quatro armados com calibres pesados, ouça-me, por favor.

— Escuto-o bem — disse Eddie.

Próximo à plataforma, onde eles haviam sido apresentados, Zalia Jaffords dizia alguma coisa a Susannah. Eddie achou que Suze também parecia interessada. *Ela tem a esposa do fazendeiro, Roland, o Senhor das porras dos Anéis, Jake ganha um amigo, e que é que eu tenho? Um cara que se parece com Cartwright pai e interroga com uma minúcia e rigor iguais a Perry Mason.*

— Vocês *têm* mais armas? — perguntou Telford. — Sem dúvida devem ter mais, se acham que podem fazer frente aos Lobos. Quanto a mim, acho essa ideia uma loucura; não fiz o menor segredo disso. Vaughn Eisenhart acha a mesma coisa...

— Overholser também pensava assim e mudou de ideia — disse Eddie, como uma maneira de só passar o tempo. Tomou o chá e olhou para Telford por cima da borda da caneca, esperando uma reprovação. Talvez até um breve olhar de exasperação. Não obteve nenhuma das duas coisas.

— O Cata-Vento Wayne — disse Telford, e riu consigo mesmo. — Sim, sim, vira pra cá, vira pra lá. Eu não teria tanta certeza dele ainda, jovem sai.

Eddie pensou em dizer: *Se acha que isso é uma eleição, é melhor repensar as coisas*, e depois não o fez. Boca fechada, veja muito, fale pouco.

— Vocês têm armas rápidas, talvez? — perguntou Telford. — Ou grenados?

— Ah... bem — disse Eddie —, quem sabe.

— Nunca ouvi falar de mulher pistoleira.

— Não?

— Nem de garoto, aliás. Sequer como aprendiz. Como vamos saber que vocês são o que dizem ser? Peço-lhe que me diga.

— Bem, esta é uma pergunta difícil de responder — disse Eddie. Passara a sentir forte aversão por Telford, que parecia velho demais para ter filhos em risco.

— Mas as pessoas vão querer saber — disse Telford. — Certamente antes que tragam a tempestade.

Eddie se lembrou do que Roland dissera: Nós podemos ser enviados, mas ninguém pode nos impedir depois. Era óbvio que eles ainda não haviam entendido isso. Telford com certeza não. Claro que havia perguntas a serem respondidas, e respondidas de maneira positiva; Callahan mencionara isso e Roland o confirmara. Três delas. A primeira era alguma coisa sobre ajuda e socorro. Eddie achou que essas perguntas ainda não haviam sido feitas, e não via como poderiam ter sido, mas achou, sim, que seriam feitas no Salão da Assembleia quando chegasse a hora. As respostas talvez fossem dadas por pessoas simples como Posella e Rosario, que nem sequer sabiam o que estavam dizendo. Pessoas que tinham *de fato* filhos em risco.

— Quem é você realmente? — perguntou Telford. — Diga-me, eu lhe peço.

— Eddie Dean de Nova York. Espero que não esteja questionando minha honestidade. Espero por *Deus* que não esteja fazendo isso.

Telford deu um passo atrás, de repente cauteloso. Eddie sentiu uma alegria sombria ao ver isso. Medo não era melhor que respeito, mas por Deus era melhor do que nada.

— Não, de jeito nenhum, meu amigo! Por favor! Mas me diga isto... você já usou alguma vez a arma que leva aí? Diga-me, eu lhe peço.

Eddie viu que Telford, embora apreensivo com ele, não acreditava de verdade. Talvez ainda lhe restasse muito do antigo Eddie Dean, daquele que *realmente* fora de Nova York, no semblante e na atitude para aquele vaqueiro-sai acreditar, mas Eddie não achava que fosse isso. Não a essência disso, de qualquer modo. Ali estava um sujeito que decidira ficar de lado vendo as criaturas do Trovão levarem os filhos dos seus vizinhos, e talvez um homem como aquele simplesmente não pudesse acreditar nas respostas simples e finais que uma arma permitia. Eddie, contudo, passara a conhecer essas respostas. Até a amá-las. Lembrou-se do único e terrível dia deles em Lud, empurrando Susannah a toda em sua cadeira de rodas sob um céu cinzento, enquanto os tambores dos deuses martelavam. Lembrou-se de Frank, de Luster e do Marinheiro Topsy; pensou em uma mulher chamada Maud ajoelhando-se para beijar um dos lunáticos que Eddie matara a tiros. O que foi que ela dissera? *Você não devia ter baleado Winston, pois hoje era o aniversário dele*. Uma coisa dessas.

— Eu usei esta, a outra e a Ruger também — respondeu ele. — E jamais ouse falar comigo assim de novo, meu amigo, como se nós dois fôssemos os únicos a entender alguma piada.

— Se o ofendi de alguma maneira, pistoleiro, eu rogo seu perdão.

Eddie relaxou um pouco. *Pistoleiro*. Pelo menos o filho da puta de cabelos grisalhos teve a presença de espírito para dizê-lo, embora talvez não acreditasse.

A banda musical apresentou outro floreio. O líder deslizou a tira da guitarra pela cabeça e gritou:

— Agora, venham todos! Já chega de comida! Hora de gastá-la e suá-la dançando, é isso aí!

Vivas e gritos estridentes. Ouviu-se também um matraquear de explosões que fez Eddie deixar cair a mão, como vira Roland fazer em muitas ocasiões.

— Calma, meu amigo — disse Telford. — São só bombinhas de estalo. — Crianças soltando busca-pés de Festa da Colheita, você sabe como é.

— É mesmo — disse Eddie. — Eu rogo seu perdão.

— Não precisa. — Telford sorriu.

Um belo sorriso de Cartwright pai, e nele Eddie viu uma coisa clara: aquele homem jamais ficaria do lado deles. Pelo menos não até cada Lobo vindo do Trovão jazer morto para a inspeção da cidade naquele mesmo Pavilhão. E se isso acontecesse, ele ia afirmar que sempre estivera do lado deles desde o início.

8

A dança continuou até o nascer da lua, e naquela noite a lua surgiu clara. Eddie revezou-se com várias mulheres da cidade. Dançou duas vezes com Susannah nos braços, e quando dançaram a quadrilha, ela se virou e cruzou allemande esquerda, allemande direita — com bela precisão na cadeira de rodas. Junto à luz das tochas sempre a mudar, tinha o rosto suado e maravilhado.

Roland também dançou, cavalheiresco, mas (achou Eddie) sem nenhum verdadeiro prazer nem jeito para a coisa. Certamente, não havia nada ali que os preparasse para o que fechou a noite. Jake e Benny Slightman haviam sumido perambulando sozinhos, mas uma vez Eddie os vira ajoelhados embaixo de uma árvore e jogando finca, só que com canivete, em vez dos ferrinhos de ponta afiada.

Quando acabou a dança, houve cantoria. Esta começou com a própria banda — uma balada de amor chorosa e depois um número de ritmo rápido e animado, tão carregado da gíria de Calla que Eddie não conseguiu acompanhar a letra. Não teve de fazê-lo para saber que era no mínimo levemente obscena; ouviam-se berros e gargalhadas dos homens e gritinhos de alegria das mulheres. Algumas das mais idosas tapavam os ouvidos.

Após essas duas melodias, várias pessoas de Calla subiram ao coreto para cantar. Eddie achou que nenhuma teria chegado muito longe em uma competição de canto, mas cada uma foi saudada com entusiasmo ao avançar para a banda e aplaudida vigorosamente (e no caso de uma jovem e bonita matrona, com muita lascívia) ao descer. Duas meninas de uns nove anos, obviamente gêmeas idênticas, cantaram uma balada chamada "Ruas de Campara" em perfeita e pungente harmonia, acompanhadas por apenas um violão que uma delas tocava. Eddie ficou impressionado com o silêncio arrebatado no qual as pessoas ouviam. Embora a maioria dos homens estivesse em profunda embriaguez, nenhum deles quebrou o silêncio atento. Nem se soltaram bombinhas. Muitos (entre eles, o tal Haycox) ouviam com lágrimas escorrendo-lhes pelas faces. Se perguntado antes, Eddie teria dito que claro que entendia o peso emocional que pairava sob a cidade. Ele não tinha ideia. Agora entendia.

Quando terminou a música sobre a mulher sequestrada e o caubói moribundo, fez-se um momento de absoluto silêncio. Eddie pensou: *Se eles levantassem as mãos para votar no que fazer sobre os Lobos naquele momento, nem mesmo o Cartwright pai ousaria votar por não fazer nada.*

As meninas fizeram uma reverência e pularam lepidamente para a relva. Eddie achou que isso seria suficiente para encerrar a noite, mas então, para sua surpresa, Callahan subiu ao palco e disse:

— Aqui vai uma música ainda mais triste que minha mãe me ensinou. — E então o padre lançou-se em uma alegre balada irlandesa chamada "Pague pra mim mais uma rodada, seu escroto". Era tão obscena quanto a que a banda tocara antes, mas desta vez Eddie entendeu a maioria das palavras. Ele e os outros da cidade juntavam-se em grande animação no último verso de cada estrofe: *Antes que tenha me posto no chão, pague pra mim mais uma rodada, seu escroto!*

Susannah levou a cadeira de rodas até o coreto e ajudaram-na a subir durante os aplausos que se seguiram à apresentação do Velho. Ela falou brevemente com os três guitarristas e mostrou-lhes alguma coisa no braço de um dos instrumentos. Todos assentiram com a cabeça. Eddie imaginou que eles conheciam a música ou uma versão dela.

A multidão aguardava em expectativa, ninguém mais que o próprio marido da dama. Ele ficou encantado, mas não inteiramente surpreso quando ela entoou "Maid of Constant Sorrow," a música que ela às vezes cantara na trilha. Susannah não era nenhuma Joan Baez, mas tinha a voz autêntica, cheia de emoção. E por que não? Era a música de uma mulher que abandonou o lar por um lugar estranho. Quando terminou, não se fez silêncio, como após o dueto das meninas, mas houve uma rodada de aplausos genuínos, entusiásticos. Ouviram-se gritos de *Isso aí!*, *De novo! Mais estrofes!* Ela não ofereceu mais estrofes (pois cantara todas as que conhecia), porém fez uma profunda mesura. Eddie bateu palmas até as mãos doerem, depois enfiou os dedos nos cantos da boca e assobiou.

E então — parecia que as maravilhas dessa noite jamais chegariam ao fim — o próprio Roland escalou o palco, enquanto eles ajudavam Susannah a descer com todo o cuidado.

Jake e seu novo amigo chegavam ao lado de Eddie, Benny Slightman com Oi no colo. Até aquela noite Eddie diria que o malhado teria mordido qualquer um fora do ka-tet de Jake que tentasse fazer o mesmo.

— Ele sabe cantar? — perguntou Jake.

— Se souber é novidade pra mim — respondeu Eddie.

— Vamos ver. — Não fazia a menor ideia do que esperar, e achou graça ao perceber como seu coração martelava.

9

Roland retirou o revólver de dentro do coldre e o cinturão de cartuchos. Entregou-os a Susannah, que os pegou e prendeu as tiras de couro na cintura. O tecido da blusa franziu-se apertado quando ela o fez, e por um momento Eddie achou que seus seios pareciam maiores. Depois ele descartou a impressão como efeito da luz.

As tochas brilhavam alaranjadas. Roland ficou à luz delas, desarmado e com os quadris tão finos como um garoto. Por um momento, apenas cravou os olhos nos rostos calados, atentos, e Eddie sentiu a mão fria e pequena de Jake deslizar para dentro da sua. Não houve a menor necessidade de o garoto dizer o que estava pensando, porque o próprio Eddie também pensava o mesmo. Ele jamais vira um homem parecer tão solitário, tão distante do curso da vida humana, com sua camaradagem e cordialidade. Vê-lo ali, naquele local de fiesta (pois era uma fiesta, não importa o quão desesperado fosse o problema que se encontrava por baixo dela), só acentuava a verdade dele: era o último. Não existia mais nenhum outro. Se Eddie, Susannah, Jake e Oi eram de sua linhagem, não passavam de um rebento distante, longe do tronco. Reflexões posteriores, quase. Roland, contudo... Roland...

Silêncio, pensou Eddie. *Você não quer pensar nessas coisas. Esta noite, não.*

Lentamente, Roland cruzou os braços sobre o peito, estreitos e apertados, para pôr a palma da mão direita no lado esquerdo da face e a da mão esquerda no lado direito. Isso não significava nada para Eddie, mas a reação das cerca de setecentas pessoas de Calla foi imediata: um estrépito jubiloso e aprovador muito além de simples aplausos. Eddie lembrou-se de um concerto dos Rolling Stones em que fora. A multidão fizera aquele mesmo estardalhaço quando o baterista dos Stones, Charlie Watts, começara a bater no cincerro um ritmo sincopado que só podia significar "Honky Tonk Woman".

Roland ficou parado assim, braços cruzados, palmas das mãos na face, até eles se calarem.

— Temos todos um encontro fortuito em Calla — disse ele. — Peço que me escutem.

— *Nós agradecemos!* — rugiram. E: — *Nós o escutamos muito bem!*

Roland assentiu e sorriu.

— Mas eu e meus amigos estivemos longe e ainda temos muito a fazer e ver. Agora, enquanto esperamos, vocês se abrirão para nós se nos abrirmos para vocês?

Eddie sentiu um calafrio. E a mão de Jake apertar a sua. *É a primeira das perguntas*, pensou.

Antes que chegasse a concluir o pensamento, já haviam berrado sua resposta:

— *Sim, e obrigado!*

— Vocês nos veem pelo que somos e aceitam o que fazemos?

Lá vai a segunda, pensou Eddie, e agora era ele quem apertava a mão de Jake. Viu Telford e o tal Diego Adams trocarem um olhar de quem sabe das coisas, consternado. O olhar de homens percebendo de repente que está tudo acontecendo diante deles e são impotentes para fazer qualquer coisa a respeito. *Tarde demais, rapazes*, pensou Eddie.

— Pistoleiros! — gritou alguém. — Pistoleiros justos e autênticos, nós agradecemos! Agradecemos em nome de Deus!

Bramidos de aprovação. Um estrondo de gritos e aplausos. Gritos de *obrigado*, *ié* e até *pode apostar*.

Quando se calaram, Eddie esperou que Roland lhes fizesse a última pergunta, a mais importante: "Vocês pedem ajuda e socorro?".

Ele não a fez. Apenas disse:

— Nós vamos seguir nosso caminho para esta noite, e deitar nossa cabeça, pois estamos cansados. Mas eu lhes darei uma música final e um sapateadinho antes de sairmos, darei, sim, pois creio que vocês conhecem os dois.

Um jubiloso clamor de concordância recebeu isso. Todos conheciam, com certeza.

— Eu conheço e adoro — disse Roland de Gilead. — Conheço dos antepassados, e jamais esperei voltar a ouvir "A canção do arroz" de quaisquer lábios que não os meus próprios. Estou mais velho agora, estou sim, e não tão desenferrujado como antes. Peço perdão para os passos que der errado...

— Pistoleiro! — gritou uma mulher. — Tão grande é a alegria que sentimos, ié!

— E não sinto eu a mesma coisa? — perguntou o pistoleiro, suavemente. — Não lhes dou alegria da minha alegria e água que carreguei com a força de meu braço e do meu coração?

— *Dá, sim, para comer da colheita verde* — entoaram eles em uníssono, e Eddie sentiu as costas arderem e os olhos lacrimejarem.

— Ai, meu Deus — suspirou Jake. — Ele sabe *tanto*...

— Dou-lhes a alegria do arroz — disse Roland.

Ficou por mais um instante no brilho alaranjado, como se reunisse forças, e então se pôs a dançar uma coisa que se enquadrava entre uma jiga e um número padronizado de sapateado. Lenta a princípio, muito lenta, calcanhares e dedos, calcanhares e dedos. De vez em quando as batidas dos saltos faziam aquele ruído de punho em tampa de caixão, mas agora ganhava ritmo. Apenas ritmo no início, e depois, quando os pés do pistoleiro começaram a ganhar velocidade, era mais que ritmo; tornou-se uma espécie de dança ao som de suingue. Era a única descrição que ocorria a Eddie, a única que parecia encaixar-se.

Susannah aproximou-se deles. Tinha os olhos imensos, o sorriso fascinado. Comprimiu as mãos entre os seios.

— Ah, Eddie! — sussurrou. — Você sabia que ele sabia fazer isso? Fazia a mínima ideia?

— Não — disse Eddie. — A menor ideia.

10

Mais rápido moviam-se os pés do pistoleiro em suas velhas e surradas botas. Depois, mais rápido ainda. O ritmo se tornava cada vez mais claro, e Jake de repente percebeu que *conhecia* aquela batida. Conhecia da primeira vez que entrara em todash em Nova York. Antes de encontrar-se com Eddie, um jovem negro com fones e com um walkman passou por ele, batendo as sandálias um pouco ao ritmo da música e dizendo baixinho "Cha-da-ba, cha-da-ba-*-bow!*". E esse era o passo ritmado que Roland fazia com os pés no palanque da banda, cada *Bow!* rematado por um chute e um acentuado arremesso da perna para a frente e uma forte batida do calcanhar na madeira.

Em volta deles, as pessoas começaram a bater palmas. Não no ritmo das batidas, mas descompassadas. E a balançar. As mulheres que usavam saias jogavam-nas para a frente e rodopiavam. A expressão que Jake via em todos os rostos, dos mais velhos aos mais moços, era a mesma: de pura alegria. *Não só isso*, ele pensou, e lembrou-se de uma frase que sua professora de inglês usara sobre como alguns livros nos fazem sentir: *O êxtase de perfeito reconhecimento.*

O suor começou a brilhar no rosto de Roland. Ele baixou os braços cruzados e se pôs a bater palmas. Quando o fez, as pessoas de Calla começaram a entoar uma palavra repetidas vezes no compasso: *Isso!... Isso!... Isso!...* Ocorreu a Jake que isso era algo que alguns garotos falavam quando estavam prestes a gozar, e de repente duvidou que fosse mera coincidência.

Claro que não é. Como o cara negro batendo os pés naquele mesmo compasso. É tudo o Feixe, e é tudo dezenove.

— *Isso!... Isso!... Isso!*

Eddie e Susannah haviam se juntado ao canto. Benny também. Jake parou de pensar e fez igual.

11

No fim, Eddie não tinha uma ideia exata do que significariam as palavras de "A canção do arroz". Não por causa do dialeto, no caso de Roland, não, mas porque eles as jorravam rápido demais para acompanhar. Uma vez, na TV, ele vira um leiloeiro de tabaco na Carolina do Sul. Era parecido com aquilo. Havia rimas fortes, rimas fracas, rimas alternadas, até rimas forçadas — palavras que não rimavam de forma alguma, mas eram inseridas à força por um momento no encontro dos limites da música. Não *era* realmente uma música; era como um cântico, ou algum alucinante hip-hop de esquina. Isto foi o mais perto a que Eddie pôde chegar. E durante todo o tempo os pés de Roland martelaram nas tábuas seu ritmo de arrebatamento que extasiava as pessoas; e durante todo o tempo a multidão batia palmas e entoava: *Isso, isso, isso, isso.*

O que Eddie *conseguiu* apanhar dizia o seguinte:

Isso-isso é commala
O arroz chega ô pessoal
O arroz vem a cair
Eu vejo tudo brotar
Eles vêm ô pessoal
A Or-i-za oferecemos
Que seja verde o arroz, ôôô
Vê-lo todos o vemos
Que seja verde o arroz, ôôô
Isso-isso é commala!
Isso-isso é commala!
O arroz chega ô pessoal
No fundo do fundo do vale
Mato-vem-commala
Sob o céu azul, ôôô
Relva verde e alta, ôôô
Moça e seu cara
Se deitam juntos
Escorregam, deslizam
Sob o céu, ôôô
Isso-isso é commala!
O arroz chega ô pessoal

No mínimo mais três versos seguiam-se aos dois últimos. A essa altura Eddie perdera o encadeamento das palavras, mas tinha quase certeza de que captara a ideia: um rapaz e uma moça, plantando tanto arroz quanto filhos na primavera do ano. O tempo do cântico, de uma rapidez suicida para começar, acelerava-se cada vez mais até as palavras não passarem de jorros, e a multidão batia palmas em um frenesi. E os saltos das botas de Roland haviam desaparecido inteiramente. Eddie teria dito que era impossível alguém dançar naquela velocidade, ainda mais após haver ingerido uma refeição pesada.

Mais devagar, Roland, ele pensou. *Não é como se a gente pudesse ligar para a emergência se você evaporar.*

Então, a algum sinal que nem Eddie, Susannah ou Jake entenderam, Roland e o povo de Calla pararam em plena velocidade, lançaram as mãos para o céu, projetaram o quadril para a frente, como em uma cópula.

— *COMMALA!* — gritaram todos, e este foi o fim.

Roland cambaleava, o suor escorrendo-lhe pela face e pela testa, e tombou do palco no meio da multidão. O coração de Eddie bateu em zigue-zague no peito. Susannah gritou e começou a girar a cadeira de rodas para a frente. Jake a deteve antes que pudesse avançar, agarrando uma das alças.

— Acho que isso faz parte do show! — disse ele.

— Sim, eu também tenho quase certeza que faz — disse Benny Slightman.

A multidão dava vivas e aplaudia. Roland era transportado de um lado para outro e acima deles por amistosos braços erguidos. Seus próprios braços estendiam-se para as estrelas acima. O peito arfava como um fole. Eddie via em uma espécie de descrença hilariante o pistoleiro ondular em direção a eles como na crista de uma onda.

— Roland canta, Roland dança, e para cúmulo de tudo mais — disse ele — Roland mergulha do palco como Joey Ramone.

— De que é que você está falando, doçura? — perguntou Susannah.

Ele balançou a cabeça.

— Esqueça. Mas nada pode superar isso. *Tem* de ser o fim da festa.

E foi.

12

Meia hora depois, quatro cavaleiros avançavam devagar pela rua Alta de Calla Bryn Sturgis. Um deles envolto em um pesado *salide*. Plumas glaciais saíam-lhes das bocas e das bocas de suas montarias a cada exalada. O céu estava cheio de salpicos frios de lascas de diamante, o Velho Astro e a Velha Mãe as mais brilhantes entre elas. Jake já seguira seu caminho com os Slightman para a Rocking B de Eisenhart. Callahan conduzia os outros três viajantes, cavalgando um pouco à frente. Mas, antes de conduzi-los a qualquer lugar, insistiu em envolver Roland na pesada manta.

— Você disse que não são nem dois quilômetros até sua casa — começou Roland.

— Não importa o que seja — disse Callahan. — As nuvens se dispersaram, a virada da noite ficou quase fria o bastante para nevar e você dançou uma *commala* como eu jamais vi em meus anos aqui.

— Quantos anos seriam isso? — perguntou Roland.

Callahan balançou a cabeça.

— Não sei. Sinceramente, pistoleiro, eu não sei. Sei muito bem quando cheguei aqui, no inverno de 1983, nove anos depois que deixei a cidade de Jerusalem's Lot. Nove anos depois que ganhei isto. — Ergueu brevemente a mão cicatrizada.

— Parece uma queimadura — comentou Eddie.

Callahan assentiu, porém não disse mais nada sobre o assunto.

— De qualquer modo, o tempo aqui é diferente, como vocês devem saber muito bem.

— Segue à deriva — disse Susannah. — Como os pontos da bússola.

Roland, já envolto na manta, fora despedir-se de Jake com uma palavra... e outra coisa, também. Eddie ouviu o tinido de metal quando alguma coisa passou da mão do pistoleiro para a do aprendiz. Um dinheirinho, talvez.

Jake e Benny Slightman saíram cavalgando na escuridão lado a lado. Quando Jake se voltou e acenou-lhe um último adeus, Eddie retribuiu-o com uma surpreendente pontada de tristeza. *Meu Deus, você não é pai dele*, pensou. Isso podia ser verdade, mas não fez a pontada ir embora.

— Ele vai ficar bem, Roland? — Eddie não esperara nenhuma resposta além de sim, não quisera nada mais que um pouquinho de bálsamo para aquela pontada. Por isso, o longo silêncio do pistoleiro o alarmou.

Por fim, Roland respondeu:

— Esperamos que sim. — E sobre o assunto de Jake Chambers mais nada disse.

13

Agora ali estava a igreja de Callahan, um prédio de ripas de madeira baixo e simples com uma cruz engastada acima da porta.

— Como você a chama, père? — perguntou Roland.

— Nossa Senhora da Serenidade.

Roland assentiu.

— Muito bom.

— Você sente? — perguntou Callahan. — Algum de vocês sente? — Não precisou dizer do que falava.

Roland, Eddie e Susannah ficaram calados por talvez um minuto inteiro. Roland por fim balançou a cabeça em negativa.

Callahan assentiu, satisfeito.

— Está dormindo. — Fez uma pausa e depois acrescentou: — Agradeçam a Deus.

— Mas tem *alguma coisa* ali — disse Eddie. Indicou com a cabeça a igreja. — É como um... não sei, um peso, quase.

— Sim — disse Callahan. — Como um peso. É terrível. Mas esta noite está dormindo. Graças a Deus. — Desenhou uma cruz no ar glacial.

Abaixo de uma trilha simples de terra (mas nivelada, e ladeada por sebes cuidadosamente tratadas) ficava outro prédio de ripas de madeira.

A casa de Callahan, que ele chamava de casa paroquial.

— Nos contará sua história esta noite? — perguntou Roland.

Callahan deu uma olhada no rosto magro e exausto do pistoleiro e fez que não com a cabeça.

— Nem uma palavra dela, sai. Nem sequer se você estivesse descansado. A minha não é uma história para a luz das estrelas. Amanhã, no desjejum, antes de você e seus amigos saírem para fazer o que devem... estaria bem assim?

— Sim — disse Roland.

— E se aquilo acordar de noite? — perguntou Susannah, e inclinou a cabeça para a igreja. — Acordar e nos deixar em todash?

— Então iremos — disse Roland.

— Você tem uma ideia do que fazer com isso, não é mesmo? — perguntou Eddie.

— Talvez — respondeu Roland.

Pegaram o caminho até a casa de Callahan, incluindo o padre entre eles tão naturalmente quanto respirar.

— Tem alguma coisa a ver com aquele velho sujeito manni com quem estava falando? — perguntou Eddie.

— Talvez — repetiu Roland. Olhou para Callahan. — Diga-me, père, isso alguma vez já deixou *você* em todash? Conhece a palavra, não?

— Conheço — disse Callahan. — Duas vezes. Uma ao México. Uma cidadezinha chamada Los Zapatos. E uma... eu acho que... ao Castelo do Rei. Acho que tive muita sorte de conseguir voltar, dessa segunda vez.

— De que Rei está falando? — perguntou Susannah. — Arthur Eld?

Callahan fez que não com a cabeça. A cicatriz em sua testa faiscou à luz das estrelas.

— É melhor não falar sobre isso agora — disse ele. — Não à noite. — Olhou tristonho para Eddie. — Os Lobos estão chegando. Já é ruim o suficiente. Agora chega um rapaz que me diz que o Red Sox perdeu de novo a World Series para o *Mets*?

— Lamento dizer que sim — disse Eddie, e sua descrição do jogo final, um jogo que fazia pouco sentido para Roland, embora se parecesse um pouco com Pontas, chamado de Arcos por alguns, levou-os até a casa.

Callahan tinha uma governanta. Embora não se achasse à vista, deixara uma panela de chocolate quente na chapa de aquecimento do fogão.

Enquanto o bebiam, Susannah disse:

— Zalia Jaffords me disse uma coisa que talvez lhe interesse, Roland.

O pistoleiro ergueu as sobrancelhas.

— O avô do marido mora com eles. É tido como o homem mais velho de Calla Bryn Sturgis. Tian e o velho não se dão bem há anos... Zalia não tem nem certeza do motivo de estarem putos um com o outro, de tanto tempo que faz... mas Zalia se dá muito bem com ele. Ela disse que ele ficou bastante senil nos últimos dois anos, mas ainda tem seus dias de lucidez. E ele afirma que viu um desses Lobos. Morto. — Fez uma pausa. — Afirma que ele mesmo o matou.

— Por Deus! — exclamou Callahan. — Não diga uma coisa dessas!

— Digo, sim. Ou melhor, Zalia disse.

— Esse — disse Roland — seria um relato digno de ser ouvido. Isso foi na última vez que os Lobos vieram?

— Não — respondeu Susannah. — Nem da vez anterior, quando até Overholser mal teria deixado de usar fraldas. Da vez anterior a essa.

— Se eles vêm a cada vinte e três anos — disse Eddie —, já faz quase setenta hoje.

Susannah assentiu.

— Mas ele já era adulto, mesmo então. Disse a Zalia que um moit deles surgiu na estrada do Oeste e esperou a chegada dos Lobos. Não sei o quanto que um moit quer dizer...

— Cinco ou seis — disse Roland. Ele meneou a cabeça sobre o chocolate.

— De qualquer modo, o grand-père de Tian estava entre eles. E mataram um dos Lobos.

— O que era? — perguntou Eddie. — Com que se parecia sem a máscara?

— Ela não disse — respondeu Susannah. — Acho que ele não o descreveu para ela. Mas a gente devia...

Um ronco elevou-se, longo e profundo. Eddie e Susannah voltaram-se, assustados. O pistoleiro adormecera. Tinha o queixo no esterno. Os braços cruzados, como se houvesse apagado para dormir ainda pensando na dança. E no arroz.

14

Só havia um quarto extra, portanto Roland dividiu o catre com Callahan. Eddie e Susannah receberam o luxo de uma espécie de lua de mel rústica: sua primeira noite juntos sozinhos, em uma cama e sob um teto. Não estavam cansados demais para fazer proveito disso. Depois, Susannah logo pegou no sono. Eddie ficou acordado um pouco mais. Hesitante, enviou a mente na direção da igrejinha bem cuidada de Callahan, tentando tocar a coisa que existia lá dentro. Provavelmente uma má ideia, mas ele não pôde resistir a pelo menos tentar. Não havia nada. Ou melhor, um nada defronte a alguma coisa.

Eu poderia acordá-la, Eddie pensou. *Acho que realmente poderia.*

Sim, e alguém com um dente infectado podia dar uma pancadinha nele com um martelo, mas por que você faria isso?

Bem, vamos acabar tendo mesmo que acordá-la. Acho que vamos precisar dela.

Talvez, mas isso era para outro dia. Era hora de largar este.

Mas por algum tempo Eddie foi incapaz de fazê-lo. Imagens lampejavam em sua mente, como cacos de espelho quebrados na brilhante luz do sol. A terra de Calla, estendendo-se espraiada abaixo deles sob o céu nublado, o Devar-Tete Whye uma fita cinza, os canteiros verdes em sua margem; o arroz chega, ô pessoal. Jake e Benny Slightman entreolhando-se rindo sem precisarem trocar uma palavra. A passarela de relva verde entre a rua Alta e o Pavilhão. As tochas mudando de cor. Oi curvando-se e falando (*Eld! Agadeço!*) com perfeita clareza. Susannah cantando: "*Eu conheci o sofrimento todos os meus dias*".

No entanto, o que ele se lembrava mais claramente era de Roland em pé, magro e desarmado, nas tábuas com os braços cruzados no peito e as mãos coladas na face; aqueles baços olhos azuis prestando atenção nas pessoas. Roland fazendo perguntas, duas das três. E depois o ruído de suas botas nas tábuas, lento a princípio, depois se acelerando. Cada vez mais rápido, até se tornarem uma mancha à luz das tochas. Batendo palmas. Suando. Sorrindo. Embora seus *olhos* não sorrissem, não aqueles olhos azuis de artilheiro; continuavam tão frios como sempre.

Mas como dançara! Grande Deus, como dançara à luz das tochas.

Isso-isso é commala, o arroz chega, ô pessoal, pensou Eddie.

A seu lado, Susannah gemeu em algum sonho.

Eddie virou-se para ela. Deslizou a mão sob o braço dela para colocá-la em concha no seu seio. Seu último pensamento foi sobre Jake. Era bom que cuidassem bem dele naquela fazenda. Se não o fizessem, iam ser um bando de vaqueiros dignos de dó.

Eddie dormiu. Não houve sonhos. E abaixo deles, enquanto a noite avançava e a lua se punha, aquele mundo de fronteira girava como um relógio agonizante.

2. TORÇÃO SECA

1

Roland despertou de outro sonho tenebroso com a Colina de Jericó na hora antes do amanhecer. A trombeta. Alguma coisa sobre a trombeta de Arthur Eld. A seu lado na cama enorme, o Velho dormia com uma careta no rosto, como se vítima de seu próprio pesadelo. Vincava-lhe em zigue-zague a testa larga, o que rompia os braços da cruz cicatrizada na pele.

Foi a dor que acordou Roland, não o sonho ruim com a trombeta caída da mão de Cuthbert quando o velho amigo tombou. O pistoleiro se sentia preso em um torno desde o quadril até os tornozelos. Visualizava a dor como uma série de anéis brilhantes e em chamas. Era o preço que tinha de pagar pelos enormes esforços na noite anterior. Se fosse só isso, tudo estaria bem, mas ele sabia que tinha mais coisa ali do que apenas ter dançado a commala daquela forma um tanto entusiástica demais. Nem era o reumatismo, como vinha dizendo a si mesmo nas últimas semanas, o período de ajuste necessário de seu corpo à temperatura úmida daquele outono. Não ignorava como os tornozelos, sobretudo o direito, começaram a engrossar. Observara um engrossamento semelhante dos joelhos, e embora os quadris ainda parecessem em bom estado, quando colocava as mãos neles sentia que o direito vinha mudando sob a pele. Não, não era igual ao reumatismo que afligira Cort tão dolorosamente em seu último ano de vida, mantendo-o dentro de casa ao pé da lareira nos dias chuvosos. Aquilo era pior. Artrite, das ruins, do tipo *seco*. Não levaria muito tempo para atingir-lhes as mãos.

Roland alimentaria de bom grado toda a doença para a mão direita, se a satisfizesse; ensinara-a a fazer várias coisas bem desde que as lagostrosidades haviam levado os dois primeiros dedos, mas ela nunca mais seria como antes. Só que as enfermidades não funcionavam assim, funcionavam? Não se podia aplacá-las com sacrifícios. A artrite chegava quando chegava e ia embora quando queria.

Talvez eu tenha um ano, pensou, deitado na cama ao lado do religioso adormecido do mundo de Eddie, Susannah e Jake. *Talvez até dois.*

Não, dois não. Provavelmente nem sequer um. Como era que Eddie dizia às vezes? *Pare de tentar ficar se enganando*. Eddie tinha um monte de ditados de seu mundo, mas aquele era particularmente bom. Particularmente *apto*.

Não que ele fosse desistir da Torre se o Velho Torcedor de Osso tirasse sua destreza para atirar, selar um cavalo, cortar uma tira de couro cru, até picar lenha para uma fogueira de acampamento, uma coisa tão simples dessas; não, ele estava naquilo até o fim. Mas não gostava da ideia de cavalgar atrás dos outros, depender deles, talvez amarrado ao arreio com as rédeas, porque não conseguiria mais segurar a parte mais alta da sela. Nada além de uma âncora flutuante, daquelas que eles não teriam como levantar se e quando se exigisse navegação rápida.

Se chegar a isso, eu me mato.

Mas não o faria. Esta era a verdade. *Pare de tentar ficar se enganando.*

O que lhe trouxe Eddie mais uma vez à mente. Precisava falar com ele sobre Susannah, e já. Este foi o conhecimento com que despertou, e talvez valesse a dor. Não ia ser uma conversa agradável, mas tinha de ser feita. Era hora de Eddie saber sobre Mia. Ela ia achar mais difícil se esgueirar, agora que eles estavam em uma cidade — em uma casa —, mas teria de fazê-lo mesmo assim. Não podia ir contra às necessidades do bebê e dos próprios desejos irresistíveis dela tanto quanto Roland conseguiria com as espirais de dor que lhe circulavam pelo quadril direito, os joelhos e os tornozelos, mas que até o momento lhe haviam poupado as talentosas mãos. Se Eddie não fosse avisado, poderiam ver-se em terríveis apuros. Não precisavam de mais problemas agora; isso poderia ser o fim deles.

Ali deitado na cama, a dor latejando, Roland observava o céu clarear. Ficou inquieto ao ver que a claridade não mais vicejava toda no leste; afastava-se um pouco mais para o sul agora.

O nascer do sol também estava à deriva.

2

A governanta era bonita, com cerca de quarenta anos. Chamava-se Rosalita Munoz, e quando viu Roland encaminhar-se até a mesa, disse:

— Uma caneca de café, depois o senhor vem comigo.

Callahan inclinou a cabeça para Roland quando ela foi até o fogão pegar o bule. Eddie e Susannah ainda não haviam se levantado. A cozinha era só deles.

— O quão grave é o que tem na perna, senhor?

— É só o reumatismo — disse Roland. — Passa entre todos da minha família pelo lado do meu pai. Lá pelo meio-dia já vai ter passado, com sol forte e ar seco.

— Eu conheço bem o reumatismo — disse Callahan. — Agradeça a Deus por não ser pior.

— É o que eu faço. — E à Rosalita, que trouxe grandes canecas de café fumegante. — E lhe agradeço, também.

Ela largou as canecas, fez uma mesura e depois o olhou tímida e seriamente.

— Eu jamais vi uma dança do arroz sapateada tão boa, sai.

Roland deu um sorriso enviesado.

— Estou pagando por isso esta manhã.

— Vou colocar o senhor em forma — disse ela. — Tenho uma gordura de gato especial, feita por mim. Primeiro tira a dor e depois a manqueira. Pergunte ao père.

Roland olhou para Callahan, que confirmou com a cabeça.

— Então aceitarei de bom grado. Agradeço-sai.

Ela repetiu a mesura e saiu.

— Preciso de um mapa de Calla — disse Roland depois que ela saiu. — Não precisa ser muito bem-feito, mas tem de ser correto e fiel quanto a distâncias. Pode desenhar um pra mim?

— De jeito nenhum — disse Callahan, senhor de si. — Eu desenho umas coisinhas, mas não saberia desenhar um mapa que o levasse até o rio, nem que me pusesse uma arma na cabeça. Simplesmente não é um talento que eu possuo. Mas conheço dois que poderiam ajudá-lo nisso. — Ergueu a voz. — Rosalita! Rosie! Venha até aqui um instante, faça o favor!

3

Vinte minutos depois, Rosalita tomou Roland pela mão, o aperto firme e seco. Levou-o para a despensa e fechou a porta.

— Tire as calças, por favor — disse. — Não fique acanhado, pois duvido que tenha alguma coisa que eu não tenha visto antes, a não ser que os homens sejam feitos de forma diferente em Gilead e no Mundo Interior.

— Não creio que sejam — disse Roland, e deixou as calças caírem.

O sol já se levantara, mas Eddie e Susannah continuavam deitados. Roland não tinha a menor pressa de acordá-los. Haveria à frente muitos dias que precisariam ser começados cedo — e noites adentradas, também, provavelmente —, mas naquela manhã deixe-os curtir a paz de um telhado acima de suas cabeças, o conforto de um colchão de penas sob seus corpos e a excelente intimidade permitida por uma porta entre seus segredos e o resto do mundo.

Rosalita, uma garrafa de líquido oleoso, claro, em uma das mãos, deu um silvado com o carnudo lábio inferior. Examinou o joelho direito de Roland, tocou o quadril direito com a mão esquerda. Ele se retraiu um pouco do toque, embora fosse delicado.

Ela ergueu os olhos para ele. Eram castanhos tão escuros que quase chegavam a ser pretos.

— Isso não é reumatismo. É artrite. Do tipo que se espalha rápido.

— Ié, de onde eu venho alguns a chamam de torção seca — disse ele. — Nem uma palavra disso ao père, nem aos meus amigos.

Os olhos escuros encararam-no, firmes.

— Não vai conseguir guardar este segredo por muito tempo.

— Sei bem disso. Mas enquanto eu puder guardar o segredo, guardarei. E você vai me ajudar.

— Sim. Não se preocupe. Vou ajudar.

— Eu lhe agradeço. Muito bem, isso vai me fazer bem?

Ela olhou a garrafa e sorriu.

— Vai, sim. É hortelã e brotos do pântano. Mas o segredo é a bílis de gato que está aí dentro... só três gotas em cada garrafa, o senhor sabe. São gatos-da-montanha que chegam pelo deserto, vindos da grande escuridão.

Ela destampou a garrafa e despejou um pouco daquela coisa oleosa na palma da mão. O cheiro de hortelã subiu até Roland, seguido por um outro, menos intenso, mas muito menos agradável. Sim, ele reconheceu que podia ser bílis de puma ou suçuarana, ou fosse lá como se chamavam os gatos-da-montanha naquelas bandas.

Quando ela se curvou e esfregou-lhe as rótulas, o calor foi imediato e intenso, quase forte demais para suportar. Mas quando abrandou um pouco, causou-lhe um alívio maior do que ele teria ousado esperar.

Ao terminar de passar-lhe o unguento, ela disse:

— Como está seu corpo agora, pistoleiro-sai?

Em vez de responder-lhe com a boca, ele a apertou contra o corpo magro, desnudo, e abraçou-a com força. Ela retribuiu o abraço com uma falta de vergonha ingênua e sussurrou-lhe no ouvido:

— Se é quem diz que é, não pode deixar que levem os bebês. Não, nem um único sequer. Não importa o que digam os mandachuvas como Eisenhart e Telford.

— Faremos o melhor que pudermos — disse ele.

— Que bom. Obrigada. — Ela recuou, baixando os olhos. — Uma parte do senhor não tem artrite e tampouco reumatismo. Parece bastante cheia de vida. Talvez uma dama olhe para o luar esta noite, pistoleiro, e suspire por companhia.

— Talvez ela vá tê-la — disse Roland. — Você me daria uma garrafa deste negócio para que eu leve em minhas viagens por Calla, ou é cara demais?

— Não, não é cara demais — disse ela. Em seu flerte, sorrira. Agora assumia mais uma vez um ar sério. — Mas acho que só vai ajudá-lo por algum tempo.

— Eu sei — disse Roland. — E não importa. Estendemos o tempo como podemos, mas no fim o mundo leva tudo de volta.

— Ié, leva sim — concordou ela.

4

Quando saiu da despensa, abotoando a fivela do cinturão, ele finalmente ouviu movimento no outro quarto. O murmúrio da voz de Eddie, seguido de um sonolento repique de risada feminina. Callahan estava junto ao fogão, servindo-se de café fresco. Roland foi até ele e falou rapidamente.

— Eu vi carurus-de-cacho na trilha à esquerda de sua entrada, entre a igreja e aqui.

— Sim, e os frutos estão maduros. Você tem olhos aguçados.

— Meus olhos não importam, você sabe. Vou sair para encher meu chapéu com eles. Quero que Eddie se junte a mim enquanto a esposa dele talvez faça um ou três ovos. Consegue cuidar disso?

— Acho que sim, mas...

— Ótimo — disse Roland, e saiu.

5

Quando Eddie chegou, Roland já enchera metade do chapéu com as bagas cor de laranja, assim como já comera vários punhados. A dor nas pernas e no quadril haviam desaparecido com surpreendente rapidez. Colhendo, ele se perguntava o quanto Cort não teria pagado por uma única garrafa de gordura de gato de Rosalita Munoz.

— Cara, essas parecem com as frutas de cera que nossa mãe punha em um paninho ornamental de mesa todo Dia de Ação de Graças — disse Eddie. — Dá mesmo para comê-las?

Roland pegou uma fruta quase do tamanho da ponta do seu polegar e lançou-a na boca de Eddie.

— Tem gosto de cera, Eddie?

Os olhos de Eddie, cautelosos para começar, de repente se arregalaram. Ele engoliu, deu um enorme sorriso e estendeu a mão pedindo mais.

— Iguais a uvas-do-monte, só que mais doces. Será que Suze sabe fazer muffins? Mesmo que ela não saiba, aposto que a governanta de Callahan...

— Me escute, Eddie. Escute com muita atenção e controle suas emoções. Pelo seu pai.

Eddie estendia a mão para pegar um arbusto particularmente cheio de frutos. Interrompeu-se então e apenas o olhou, o rosto sem expressão. À luz do dia, Roland viu como ele parecia mais velho. Era realmente extraordinário como amadurecera.

— O que foi?

Roland, que guardara o segredo até que lhe parecesse mais complexo do que de fato era, surpreendeu-se com a rapidez e simplicidade que foi contado. E Eddie, ele percebeu, não ficou de todo surpreso.

— Há quanto tempo você sabe?

Roland escutou, à espera de acusação nesta pergunta, mas não ouviu nenhuma.

— Com certeza? Desde que a vi se esgueirar para a floresta. Eu a vi comendo... — O pistoleiro fez uma pausa. — ... o que ela comia. Ouvi quando falou com pessoas que não estavam lá. Desconfiei muito antes. Desde Lud.

— E não me contou.

— Não. — Agora viriam as recriminações, e uma boa quantidade do sarcasmo de Eddie. Só que não vieram.

— Quer saber se estou puto, não? Se vou criar algum problema com isso?

— Vai?

— Não. Não estou zangado, Roland. Exasperado talvez, e com medo do caralho por Suze, mas por que eu estaria puto com você? Não é você o dinh? — Foi a vez de Eddie fazer uma pausa. Quando tornou a falar, foi mais direto. Não era fácil para ele, mas pôs para fora. — Não é você o *meu* dinh?

— Sim — disse Roland.

Estendeu a mão e tocou o braço de Eddie. Ficou pasmo com o seu desejo, quase necessidade, de se explicar. Resistiu. Se Eddie conseguia chamá-lo não apenas de dinh, mas de *seu* dinh, ele tinha de comportar-se como dinh. O que disse foi:

— Você não parece exatamente chocado com o que falei.

— Ah, estou surpreso — disse Eddie. — Talvez não chocado, mas... bem... — Pegou as bagas e jogou-as no chapéu de Roland. — Eu via algumas coisas, certo? Às vezes ela fica pálida demais. Às vezes se contrai e agarra o próprio corpo, mas se pergunto ela diz que são só gases. E seus seios estão maiores. Tenho certeza. Mas, Roland, ela continua menstruando! Há um mês, mais ou menos, eu a vi enterrando os trapos... e cheios de sangue. *Encharcados*. Como é que pode? Se ela engravidou quando puxamos Jake... enquanto mantinha o demônio do círculo ocupado... já faz quatro meses, no mínimo, na certa cinco. Mesmo levando em conta a forma como o tempo passa devagar por nós, *tem de ser*.

Roland assentiu.

— Eu sei que ela tem tido as menstruações. E isto é prova conclusiva de que o filho não é seu. A coisa que ela tem dentro de si desdenha do sangue de mulher dela.

Roland pensou nela espremendo a rã na mão, estalando-a. Bebendo a bílis preta. Lambendo-a dos dedos como melado.

— Será que... — Eddie fez menção de comer uma das bagas, decidiu-se contra e jogou-a em vez disso no chapéu de Roland. O pistoleiro achou que passaria algum tempo até Eddie voltar a sentir de novo qualquer tipo de apetite. — Roland, será que chegaria a ter a *aparência* de um bebê humano?

— Com quase toda a certeza, não.

— Do que, então?

E antes que as pudesse dizer, as palavras saíram.

— É melhor não falar no nome do diabo.

Eddie estremeceu. O pouco de cor restante em seu rosto agora sumira.

— Eddie? Você está bem?

— Não — disse Eddie. — Claro que não estou nada bem. Mas também não vou desmaiar como uma garota em um show de Andy Gibb. O que vamos fazer?

— Por enquanto, nada. Já temos muitas outras coisas a fazer.

— Muito verdade — disse Eddie. — Aqui, os Lobos chegam em vinte e quatro dias, se é que calculei certo. Lá em Nova York, quem sabe que dia é hoje? Seis de junho? Dez? Mais perto de 15 de julho do que ontem, sem dúvida. Mas Roland... e se o que ela tem ali dentro não é humano, não podemos ter certeza de que a gravidez vai durar nove meses. Ela pode dar à luz em seis. Diabos, pode ser amanhã.

Roland assentiu e esperou. Se Eddie entendera até aí, sem dúvida conseguiria entender o restante.

E o fez.

— Estamos de mãos atadas, não?

— Sim. Podemos observá-la, mas não há muito mais que possamos fazer. Não podemos nem mantê-la quieta, na esperança de desacelerar o processo, porque é bem provável que adivinhasse o motivo de fazermos isso. E precisamos dela. Para atirar quando chegar a hora, mas antes vamos ter de treinar algumas dessas pessoas com quaisquer armas com que se sintam à vontade. Provavelmente com arcos. — Roland fez uma careta. No fim acertara o alvo no Campo do Norte com suficientes flechas para satisfazer Cort, mas jamais gostara de arco e flecha nem de besta ou clava. Estas eram as armas preferidas de Jamie DeCurry, não dele.

— Vamos realmente fazer isso, não?

— Ah, vamos.

E Eddie sorriu. Sorriu apesar de si mesmo. Ele era o que era. Roland viu isso e ficou feliz.

6

Ao refazerem o caminho de volta à casa paroquial de Callahan, Eddie perguntou:

— Você abriu o jogo comigo, Roland, por que não fazer o mesmo com ela?

— Não sei bem se entendo o que quer dizer.

— Ah, acho que entende, sim — disse Eddie.

— Tudo bem, mas acho que você não vai gostar da resposta.

— Já ouvi todo tipo de respostas suas, e acho que não gostei de pelo menos uma em cinco. — Eddie pensou. — Não, isto é generoso demais. Digamos uma em cinquenta.

— Aquela que se chama de Mia... o que significa *mãe* na Língua Superior... sabe que está esperando um filho, embora eu duvide que saiba que espécie de filho.

Eddie pensou nisso em silêncio.

— Seja o que for, Mia pensa na coisa como seu bebê, e vai protegê-lo até o limite de sua força e vida. Se isto significar se apoderar do corpo de Susannah... assim como Detta Walker às vezes se apoderava do de Odetta Holmes... ela o fará se puder.

— E provavelmente pode — disse Eddie, pessimista. Depois se virou para encarar Roland. — Portanto, o que eu acho que está me dizendo, corrija-me se entendi errado, é que não quer dizer a Suze que ela talvez esteja criando um monstro na barriga porque isso poderia prejudicar sua eficácia.

Roland poderia ter reagido à severidade desse julgamento, mas preferiu não fazê-lo. Em essência, Eddie tinha razão.

Como sempre quando se enfurecia, o sotaque de pessoa crescida nas ruas de Eddie tornou-se mais pronunciado. Era quase como se falasse pelo nariz em vez de pela boca.

— E se alguma coisa mudar no próximo mês, ou por aí, se ela entrar em trabalho de parto e parir o Monstro da Lagoa Preta, por exemplo, vai ficar completamente despreparada. Não terá sequer um indício.

Roland parou a uns cinco metros da casa paroquial. Dentro da janela, viu Callahan conversando com dois jovens, um rapaz e uma mocinha. Mesmo dali, percebeu que eram gêmeos.

— Roland?

— Você diz a verdade, Eddie. Adianta isso? Se adiantar, espero que consiga. O tempo não é mais apenas um rosto na água, como você mesmo observou. Tornou-se uma mercadoria preciosa.

Mais uma vez esperou uma explosão característica de Eddie Dean, completa com frases tipo *lamba meu cu* ou *coma merda e morra*. Mais uma vez não veio nenhuma. Eddie o encarava, só isso. O olhar firme e meio pesaroso. Triste por Susannah, claro, mas também por eles dois. Os dois parados ali e conspirando contra um do tet.

— Eu vou aceitar isso — disse Eddie —, mas não porque é o dinh nem porque um daqueles dois tem chance de voltar sem cérebro do Trovão. — Apontou os gêmeos com quem o Velho conversava na sala. — Eu trocaria toda criança nesta cidade pelo que Susannah carrega em si. Se *fosse* uma criança. Meu filho.

— Sei que o faria — disse Roland.

— É a rosa com que me importo — disse Eddie. — Esta é a única coisa pela qual vale a pena arriscá-la. Mas, mesmo assim, você tem de me prometer que se as coisas saírem erradas, se ela entrar em trabalho de parto, ou se essa mulher Mia começar a se apoderar, vamos tentar salvá-la.

— Eu sempre tentarei salvá-la — disse Roland, e então teve uma breve e terrível imagem, breve mas muito clara, de Jake pendendo sobre a queda embaixo das montanhas.

— Jura? — perguntou Eddie.

— Juro — respondeu Roland. Seus olhos se encontraram com os do homem mais jovem.

Na sua mente, contudo, ele viu Jake caindo no abismo.

7

Os dois chegaram à porta da casa paroquial no momento em que Callahan conduzia o jovem casal para fora. Eles eram, pensou Roland, com muita probabilidade as crianças mais deslumbrantes que já vira. Tinham os cabelos pretos como carvão, os do garoto na altura dos ombros, os da garota presos por uma fita e caindo à altura do traseiro. Os olhos eram de um perfeito azul-escuro, a tez pálida, os lábios um vermelho sensual, surpreendentes. Salpicos de apagadas sardas espalhavam-se pelas maçãs do rosto. Pelo que notou Roland, os salpicos também eram idênticos. Eles desviaram o olhar dele para Eddie e depois de volta a Susannah, encostada no vão da porta da cozinha com um pano de prato em uma das mãos e uma caneca de café na outra. Partilhavam uma expressão de curiosidade e fascínio. Roland viu cautela, mas nenhum medo, em seus rostos.

— Roland, Eddie, eu gostaria que conhecessem os gêmeos Tavery, Frank e Francine. Rosalita foi buscá-los, os Tavery moram a menos de um quilômetro daqui, entendem? Vocês terão seu mapa pronto esta tarde, e duvido que terão visto um mais excelente em toda a vida. É apenas um dos talentos que os dois têm.

Os gêmeos Tavery se apresentaram, Frank com uma vênia e Francine com uma reverência.

— Vocês nos fazem bem e nós agradecemos — disse-lhes Roland.

Um idêntico rubor infundiu a tez pálida e bela; os dois murmuraram seus obrigados e prepararam-se para ir embora. Antes que pudessem fazê-lo, Roland passou um braço em volta de cada par de ombros estreitos, mas bem-feitos, e acompanhou os gêmeos por um trecho da caminhada. Mais do que com a perfeita beleza infantil dos dois, ele estava encantado com a penetrante inteligência que viu em seus olhos azuis. Não tinha a menor dúvida de que fariam seu mapa; nem dúvida alguma de que Callahan mandara Rosalita buscá-los como uma espécie de aula prática, se é que ainda fosse preciso: sem interferência, uma daquelas belas crianças não passaria de um corpo inarticulado dali a um mês.

— Sai? — perguntou Frank. Agora *havia* um toque de preocupação em sua voz.

— Não me tema — disse Roland —, mas me escute bem.

8

Callahan e Eddie observaram Roland acompanhar os gêmeos Tavery devagar pelo atalho pavimentado de lajes até o caminho de terra contíguo da entrada para a casa. Os dois pensaram a mesma coisa: Roland parecia um avô benévolo.

Susannah juntou-se a eles, olhou, depois puxou a camisa de Eddie.

— Venha comigo um instante.

Ele a seguiu até a cozinha. Rosalita já se fora e os dois estavam a sós. Susannah tinha os olhos castanhos enormes brilhando.

— O que foi? — perguntou ele.

— Me coloque no colo.

Ele o fez.

— Agora me beije rápido, enquanto pode.

— É só isto que você quer?

— E não basta? É melhor bastar, sr. Dean.

Ele beijou-a, e com vontade, mas não pôde deixar de reparar como tinha os seios maiores quando se apertaram contra ele. Ao afastar o rosto do dela, viu-se à procura de traços da outra em seu rosto. Daquela que se chamava mãe na Língua Superior. Viu apenas Susannah, mas imaginou que dali em diante estaria condenado a estar sempre procurando. E seus olhos teimavam em baixar para a sua barriga. Tentou desviá-los, mas era como se pesassem naquela direção. Perguntou-se em que medida aquilo que existia entre eles mudaria agora. Não foi uma especulação agradável.

— Assim está melhor? — perguntou.

— Muito. — Ela sorriu um pouco, e depois o sorriso se desfez. — Eddie? Algum problema?

Ele deu um sorriso e beijou-a mais uma vez.

— Refere-se a outro além de que todos provavelmente vamos morrer aqui? Necas. Nada mesmo.

Ele já mentira antes para ela? Não se lembrava, mas achava que não. E mesmo que houvesse mentido, jamais o fizera com tanta desfaçatez. Com tamanha maquinação.

Isso era ruim.

9

Dez minutos depois, novamente providos com canecas de café fresco (e uma tigela com frutas de caruru-de-cacho), saíram para o pequeno quintal atrás da casa paroquial. O pistoleiro ergueu por um momento o rosto para o sol, saboreando seu peso e calor. Depois se voltou para Callahan.

— Nós três gostaríamos de ouvir sua história agora, père, se quiser nos contar. E depois talvez passear até sua igreja e ver o que tem lá.

— Eu quero que tire aquilo de lá — disse Callahan. — A coisa não profanou a igreja, como poderia quando Nossa Senhora jamais foi consagrada para começar? Mas isso a tem mudado para pior. Mesmo quando a igreja ainda estava sendo construída. Eu sentia o espírito de Deus dentro dela. Já não sinto mais. Aquela coisa o expulsou. Quero que você a tire de lá.

Roland abriu a boca para dizer alguma coisa esquiva, mas Susannah falou antes que ele pudesse.

— Roland? Você está bem?

Ele se voltou para ela.

— Ora, estou. Por que não estaria?

— Você não para de esfregar o quadril.

Estaria mesmo esfregando? Sim, ele viu que estava. A dor já retornava, se alastrando, apesar do sol quente, apesar da gordura de gato de Rosalita. A torção seca.

— Não é nada — respondeu ele. — Só um pouco de reumatismo.

Ela olhou-o, desconfiada, depois pareceu aceitar. *Que maneira de começar*, pensou Roland, *com no mínimo dois de nós guardando segredos. Não podemos continuar assim. Não por muito tempo.*

Virou-se para Callahan.

— Conte-nos sua história. Como ganhou essas cicatrizes, como chegou aqui e como obteve o Treze Preto. Ouviremos cada palavra.

— Sim — murmurou Eddie.

— Cada palavra — ecoou Susannah.

Todos os três olhavam para Callahan, o Velho, o religioso que permitia que o chamassem de père, mas não de padre. Ele levou a mão direita torta à cicatriz na testa e alisou-a. Acabou dizendo:

— Foi a bebida. É no que acredito agora. Não Deus, não os demônios, não a predestinação, não a companhia de santos. Foi a bebida. — Fez uma pausa e deu-lhes um sorriso. Roland se lembrou de Nort, o comedor de erva em Tull que fora trazido dos mortos pelo homem de preto. Nort sorrira desse jeito. — Mas se Deus fez o mundo, então fez a bebida. E isto também é Sua vontade.

Ka, pensou Roland.

Callahan ficou ali sentado, calado, alisando a cicatriz em forma de crucifixo na testa e organizando as ideias. E então começou a contar sua história.

3. A HISTÓRIA DO PADRE (NOVA YORK)

1

Foi a bebida, ele passou a acreditar quando finalmente a deixou e veio a claridade. Não Deus, não Satanás, nem alguma profunda batalha psicossexual entre a sua abençoada mãe e o seu abençoado pai. Simplesmente a bebida. E era de se surpreender que o uísque o tivesse pegado de jeito? Ele era irlandês, um padre, mais um gol e fim do campeonato.

Do seminário em Boston, fora para uma paróquia municipal em Lowell, Massachusetts. Seus paroquianos haviam-no adorado (não se referia a eles como seu rebanho, rebanhos eram o que a gente chamava de gaivotas a caminho do lixão), mas após sete anos ali, Callahan começara a ficar inquieto. Quando conversara com o bispo Dugan no escritório da diocese, ele usara todas as palavras-chave da época para expressar essa inquietação: anomia, mal-estar urbano, crescente falta de empatia, sensação de afastamento da vida espiritual. Tomara um trago no banheiro antes do encontro (seguido por duas balas de hortelã Wintergreen Life Savers, não era nenhum tolo), e fora particularmente eloquente naquele dia. A eloquência nem sempre se origina da crença, mas muitas vezes da garrafa. E ele não era nenhum mentiroso. Acreditava no que dizia naquele dia no gabinete de Dugan. Em cada palavra. Como acreditava em Freud, no futuro da missa falada em inglês, na nobreza da Guerra à Pobreza de Lyndon Johnson e na estupidez de sua guerra que se alastrava pelo Vietnã: afundando até a cintura no Imenso Lamaçal, e o grande idiota dizia para insistir como queria a velha modinha popular. Ele acreditava em grande parte porque aquelas ideias (se é que *eram* ideias e não apenas conversa fiada de coquetéis) andavam tendo alta cotação na época no Grande Quadro intelectual. A Consciência Social subiu dois e um terço, Casa e Lar desceu dois e um quarto, mas ainda é a ação quente na Bolsa. Depois tudo ficou mais simples. Depois ele passou a entender que não andava bebendo demais por se sentir espiritualmente perturbado, mas na verdade se sentia espiritualmente perturbado porque andava bebendo demais. Dava vontade de protestar, dizer que não podia ser isso, ou não *apenas* isso, seria simples demais. A voz de Deus é baixa e pequena, a voz de um pardal em um ciclone, dizia o profeta Isaías, e todos damos graças. É difícil ouvir claramente uma voz baixa quando se está caindo de bêbado. Callahan deixou os Estados Unidos para o mundo de Roland antes de a revolução do computador desovar o acrônimo GIGO — G(arbage) I(n), G(arbage) O(ut), lixo dentro, lixo fora —, mas com tempo suficiente para ouvir alguém em uma reunião dos Alcoólicos Anônimos observar que se a gente põe um babaca em um avião em San Francisco e o leva até a Costa Leste, o mesmo babaca desembarca em Boston. Em geral com quatro ou cinco drinques já consumidos. Mas isto foi depois. Em 1964 ele acreditara no que acreditava, e muita gente ficara ansiosa por ajudá-lo a encontrar seu caminho. De Lowell ele fora para Spofford, Ohio, um subúrbio de Dayton. Passou cinco anos ali, e depois começou a sentir-se agoniado de novo. Em consequência, passou a proferir novamente a mesma ladainha. Daquela que o escritório diocesano escutava. Daquela que faz a pessoa ir para o fim da fila. Anomia. Afastamento espiritual (desta vez de seus paroquianos suburbanos). Sim, eles gostavam dele (e ele gostava deles), mas alguma coisa continuava parecendo errada. E de fato *havia* uma coisa errada, sobretudo no tranquilo bar da esquina (onde todo mundo *também* gostava dele) e no armário de bebidas alcoólicas na sala da casa paroquial. Acima de pequenas doses, o álcool é uma toxina, e Callahan vinha-se envenenando todas as noites. Era o veneno em seu sistema, não o estado do mundo nem o de sua própria alma, que o estava derrubando. Fora sempre tão óbvio assim? Depois (em outra reunião dos AA), ele ouvira um sujeito referir-se ao alcoolismo e à dependência como o elefante na sala: como era possível não vê-lo? Callahan não lhe dissera, ainda estava nos primeiros noventa dias de sobriedade àquela altura, o que queria dizer que ele deveria apenas ficar quieto e escutar ("Tire o algodão dos ouvidos e enfie na boca", aconselhavam os de longa data, e todos agradecemos), mas *podia* ter dito a ele, certamente. Era possível não ver o elefante se fosse um elefante *mágico*, se tivesse o poder — como O Sombra — de toldar as mentes dos homens. De fazer a gente acreditar mesmo que nossos problemas eram espirituais e mentais, mas de modo algum etílicos. Meu Bom Jesus, só a perda do sono REM, relacionada à bebedeira, bastava para foder com a nossa cabeça, mas de alguma maneira a gente nunca pensava nisso quando estava na atividade. A pinga transformava seu processo mental em uma coisa semelhante àquele número circense em que todos os palhaços saem do fusca. Quando se olha em retrospecto na sobriedade, as coisas que disséramos e fizéramos nos faziam estremecer ("Eu me sentava em um bar resolvendo todos os problemas do mundo, depois não conseguia encontrar meu carro no estacionamento", lembrou um colega na reunião, e todos agradecemos). As coisas em que a gente *pensava* eram piores ainda. Como se podia passar a manhã vomitando e à tarde acreditar que estava tendo uma crise espiritual? Mas foi o que ele fizera. E seus superiores também, possivelmente porque alguns deles também estivessem tendo seus próprios problemas com o elefante mágico. Callahan começou a achar que uma igrejinha, uma paróquia rural, o colocaria de volta em contato com Deus e consigo mesmo. E assim, na primavera de 1969, viu-se mais uma vez na Nova Inglaterra. No norte da Nova Inglaterra, desta vez. Acomodou-se — de mala e cuia, crucifixo e casula sacerdotal — na agradável cidade de Jerusalem's Lot, no estado do Maine. Ali finalmente encontrou com a maldade verdadeira. Olhou-a na cara.

E estremeceu.

2

— Um escritor veio até mim — disse ele. — Um homem chamado Ben Mears.

— Eu acho que li um dos livros dele — disse Eddie. — *Air Dance* era o título. Sobre um cara que é enforcado pelo assassinato cometido pelo irmão?

Callahan assentiu.

— É esse mesmo. Teve também um professor chamado Matthew Burke, e os dois acreditavam que havia um vampiro em ação em 'Salem's Lot, daqueles que fazem outros vampiros.

— Existe outro tipo? — perguntou Eddie, lembrando-se de uns cem filmes no Majestic e talvez milhares de revistas em quadrinhos compradas (e às vezes roubadas) na Dahlie's.

— Existe, e vamos chegar lá, mas isso não tem importância agora. Acima de tudo, havia um garoto que acreditava. Ele tinha mais ou menos a mesma idade que o Jake de vocês. Os dois não me convenceram a princípio, mas *eles* estavam convencidos, e era difícil opor-se àquela crença. E também tinha *alguma coisa* acontecendo em Lot, com certeza. Pessoas desapareciam. Pairava uma atmosfera de terror na cidade. Não tem como descrevê-la agora, sentado aqui ao sol, mas ela existia. Eu tive de oficiar no enterro de um outro garoto. Chamava-se Daniel Glick. Duvido que tenha sido a primeira vítima do vampiro em Lot, e certamente não a última, mas foi a primeira que apareceu morta. No dia do enterro de Danny Glick, minha vida de algum modo mudou. E não estou me referindo a mais um dia bebendo quase a metade de uma garrafa de uísque. Alguma coisa mudou na minha *cabeça*. Eu sentia. Como um interruptor que foi ligado. E embora faça anos que eu não toco em nada de bebida, esse interruptor continua ligado.

Susannah pensou: *Foi quando você entrou em todash, padre Callahan.*

Eddie pensou: *Foi quando você entrou em dezenove, cara. Ou talvez seja noventa e nove. Ou talvez os dois, de algum modo.*

Roland apenas escutava. Sua mente estava desprovida de qualquer reflexão, era uma perfeita máquina receptora.

— O escritor, Mears, havia se apaixonado por uma moça da cidade chamada Susan Norton. O vampiro a pegou. Creio que fez isso em parte porque podia, e em parte para punir Mears por ousar formar um grupo, um ka-tet, para tentar caçá-lo. Fomos ao lugar que o vampiro tinha comprado, uma residência arruinada chamada Casa Marsten. A coisa que morava lá usava o nome de Barlow.

Callahan se interrompeu, examinando-os, os três, e de volta àqueles velhos tempos. Por fim, recomeçou.

— Barlow tinha ido embora, mas deixou a mulher. E uma carta. Endereçada a todos nós, mas dirigida sobretudo a mim. No momento em que a vi aberta ali no porão da Casa Marsten, compreendi que era tudo verdade. O médico que estava conosco ouviu o peito dela e tirou sua pressão, mas só para ter certeza. Nenhum batimento cardíaco. Pressão sanguínea zero. Mas quando Ben lhe enfiou com força a estaca, ela ressuscitou. O sangue fluiu. Ela gritou sem parar. As mãos... eu me lembro das sombras das mãos dela na parede...

Eddie agarrou a mão de Susannah. Eles ouviam em um fascínio horrorizado, que não era nem crença nem descrença. Não se tratava de um trem pensante energizado por circuitos de computador avariados, nem de homens e mulheres que haviam revertido à barbárie. Isso era alguma coisa semelhante ao demônio invisível que chegara ao lugar em que haviam puxado Jake. Ou ao porteiro da casa em Dutch Hill.

— O que ele lhe dizia no bilhete, esse tal de Barlow? — perguntou Roland.

— Que minha fé era fraca e que eu ia me desgraçar. Tinha razão, claro. Àquela altura, a única coisa em que eu realmente acreditava era em uma garrafa de uísque Bushmills. Só que eu não sabia. Mas *ele*, sim. A bebida também é um vampiro, e talvez seja preciso um para reconhecer outro.

"O garoto que estava conosco estava convencido de que esse príncipe dos vampiros pretendia matar os pais dele em seguida, ou transformá-los. Por vingança. O garoto tinha sido capturado, vejam bem, mas escapou e matou o cúmplice metade humano do vampiro, um sujeito chamado Straker."

Roland assentiu, pensando que esse garoto se parecia cada vez mais com Jake.

— Como se chamava ele?

— Mark Petrie. Fui com ele até sua casa, e com todo o considerável poder que minha igreja permite: a cruz, a estola, a água benta e, claro, a Bíblia.

Mas já passara a pensar nessas coisas como símbolos, e esse foi meu erro. Barlow estava lá. Tinha pegado os pais de Petrie. E então pegou o garoto. Ergui minha cruz. Ela brilhou. E o feriu. Ele gritou. — Callahan sorriu, lembrando aquele grito de agonia. A imagem gelou o coração de Eddie. — Eu disse que se machucasse Mark, eu ia destruí-lo, e naquele momento poderia ter destruído mesmo. Ele também sabia disso. Sua resposta foi que antes que eu fizesse, ele cortaria a garganta da criança. E ele poderia tê-lo feito.

— Impasse mexicano — murmurou Eddie, lembrando um dia perto do mar Ocidental em que ele enfrentara Roland em uma situação muito parecida com aquela. — Impasse mexicano, baby.

— O que aconteceu? — perguntou Susannah.

O sorriso de Callahan desapareceu. Esfregava a mão direita marcada como o pistoleiro esfregara o quadril, sem parecer dar-se conta disso.

— O vampiro fez uma proposta. Pouparia o garoto se eu largasse a cruz que tinha na mão. Nós nos enfrentaríamos um ao outro desarmados. Sua fé contra a minha. Eu concordei. Deus me ajude, eu concordei. O garoto

3

O garoto se foi, como um redemoinho de água turva.

Barlow parece ficar mais alto. Os cabelos puxados para trás da testa, à maneira europeia, parecem flutuar em volta do crânio. Veste um terno escuro e uma gravata vermelha berrante, com um nó impecável, e a Callahan parece fazer parte da escuridão que o cerca. Os pais de Mark Petrie jazem mortos a seus pés, os crânios esmagados.

— Cumpra sua parte da barganha, xamã.

Mas por que ele deveria fazer isso? Por que não mandá-lo aceitar um empate esta noite? Ou matá-lo de imediato? Alguma coisa está errada com a ideia, terrivelmente errada, mas ele não consegue atinar exatamente o que é. Nem qualquer daquelas palavras-chave que o ajudaram em momentos de crise anteriores lhe será de alguma valia ali. Isto não é anomia, falta de empatia, nem a angústia existencial do século XX*; isto é um* vampiro. *E…*

E sua cruz, que andou brilhando ferozmente, começa a escurecer.

O medo salta-lhe na barriga como se fosse um circuito elétrico desnorteado. Barlow encaminha-se em direção a ele pela cozinha dos Petrie, e Callahan vê as presas da coisa com muita nitidez, porque Barlow está sorrindo. O sorriso de um vencedor.

Callahan dá um passo atrás. Depois dois. Então bate com a bunda na borda da mesa, e a mesa recua até a parede, e não lhe resta mais lugar algum para onde correr.

— É triste ver a fé de um homem falhar — diz Barlow, e estende a mão.

Por que não deveria estendê-la? A cruz que Callahan segura no alto agora está escura. Agora não passa de um pedaço de gesso, um pedaço barato de renda irlandesa que sua mãe comprou em uma loja de suvenires em Dublin, na certa a preço de banana. O poder que subira pelo seu braço, com voltagem espiritual suficiente para fazer desmoronar paredes e estilhaçar pedras, desapareceu.

Barlow toma-a de seus dedos. Callahan grita com desespero, o grito de uma criança que de repente percebe que o bicho-papão sempre foi real, à espera pacientemente de sua chance no armário. E agora vem um som que vai persegui-lo pelo resto da vida, desde Nova York e as rodovias secretas dos Estados Unidos às reuniões dos AA em Topeka, onde ele ficou sóbrio para a parada final em Detroit, até sua vida ali, em Calla Bryn Sturgis. Vai se lembrar do som quando sua testa for marcada e ele tiver a certeza de que será morto. Vai lembrar-se dele quando estiver *morto. O som são dois estalos secos quando Barlow quebra os braços da cruz, e o baque sem sentido quando ele joga o que restou dela no chão. E também vai lembrar-se do pensamento cosmicamente ridículo que lhe veio, mesmo quando Barlow partia em sua direção:* Meu Deus, eu preciso de uma bebida.

4

O père fitava Roland, Eddie e Susannah com os olhos de quem está se lembrando dos piores momentos de sua vida.

— A gente ouve todo tipo de ditados e lemas nos Alcoólicos Anônimos. Tem um que me vem à mente sempre que eu penso naquela noite. Em Barlow agarrando meus ombros.

— O quê? — perguntou Eddie.

— Cuidado com o que se pede ao rezar — disse Callahan. — Porque você pode conseguir.

— Você conseguiu a sua bebida — disse Roland.

— Ah, sim — confirmou Callahan. — Consegui a minha bebida.

5

As mãos de Barlow são fortes, implacáveis. Quando Callahan é puxado para a frente, de repente entende o que vai acontecer. Não a morte. A morte seria uma misericórdia comparada a isso.

Não, por favor, não, *tenta dizer, mas nada lhe sai da boca além de um gemido baixo, rápido.*

— Agora, padre — sussurra o vampiro.

A boca de Callahan é apertada contra a carne putrefata da garganta fria do vampiro. Não há anomia alguma, nem disfunção social, nada de ramificações éticas ou raciais. Só o fedor da morte e uma veia, aberta e pulsando com o sangue morto e infectado de Barlow. Nenhum senso de perda existencial, nenhuma tristeza pós-moderna pela extinção do sistema de valores americanos, nem sequer a culpa psicorreligiosa do homem moderno. Só o esforço de prender a respiração para sempre, ou desviar a cabeça, ou as duas coisas. Ele não consegue. Consegue resistir pelo que parece uma eternidade, besuntando-se de sangue na face, testa e queixo como pintura de guerra. Em vão. No fim faz o que todos os alcoólatras devem fazer assim que a pinga os dominou: bebe.

Segundo cartão amarelo. Você está fora da partida.

6

— O garoto conseguiu fugir. Pelo menos isso. E Barlow me soltou. Me matar não teria sido nada divertido, teria? Não, a diversão era me deixar vivo.

"Eu vaguei sem rumo mais ou menos durante uma hora, por uma cidade que cada vez mais ia deixando de existir. Não há muitos vampiros Tipo Um, o que é uma bênção, porque o Tipo Um pode causar um baita estrago em um período extremamente curto. Embora a cidade já estivesse semi-infectada, eu estava cego demais, *chocado* demais, para percebê-lo. E nenhum dos novos vampiros se aproximou de mim. Barlow deixara esta marca em mim com tanta certeza quanto Deus deixou o sinal dele em Caim antes de mandá-lo para a terra de Node. Eu aposto meu relógio e garanto, como diria você, Roland.

"Havia uma fonte de água potável na alameda ao lado da farmácia Spencer, o tipo de coisa que nenhum Departamento de Saúde Pública teria sancionado alguns anos depois, mas naquela época havia uma ou duas em toda cidade pequena. Lavei ali o sangue de Barlow do meu rosto e pescoço. Tentei tirá-lo do cabelo também com a água. Depois fui para St. Andrews, que era a minha igreja. Decidira orar por uma segunda chance. Não ao Deus dos teólogos que acreditam que tudo sagrado e profano acaba vindo de dentro de nós mesmos, mas ao Deus antigo. Aquele que proclamou a Moisés que não devia permitir que vivesse uma feiticeira e deu ao seu próprio filho o poder de ressuscitar dos mortos. Uma segunda chance era tudo o que eu queria. Minha vida por isso.

"Quando cheguei a St. Andrews, já estava quase correndo. Havia três portas por onde se entrar. Fui até a do meio. Em algum lugar o cano de descarga de um carro soltou explosões, e alguém riu. Eu me lembro muito bem desses sons porque demarcam a fronteira da minha vida como padre da Santa Igreja Católica Romana."

— O que aconteceu com você, doçura? — perguntou Susannah.

— A porta me rejeitou — disse Callahan. — Tinha uma maçaneta de ferro, e quando a toquei saiu fogo como um raio em sentido contrário. Me derrubou pelos degraus escada abaixo até a calçada de cimento. Fez isto. — Ele ergueu a mão cicatrizada.

— E isso? — perguntou Eddie, apontando a testa dele.

— Não — disse Callahan. — Esta veio depois. Eu me levantei. Andei mais um pouco. Passei novamente pela Spencer. Só que, desta vez, entrei. Comprei uma atadura para a minha mão. E aí, enquanto eu pagava, vi o cartaz. Viaje pela Grande Grey Dog.

— Ele está falando sobre Greyhound, doçura — Susannah disse a Roland. — É uma empresa de ônibus que tem no país inteiro.

Roland assentiu e girou um dedo em seu gesto de continue.

— A srta. Coogan me disse que o próximo ônibus ia para Nova York, então comprei uma passagem. Se ela me dissesse que ia para Jacksonville ou Nome ou Hot Burgoo, Dakota do Sul, eu teria ido a qualquer um desses lugares. Queria apenas sair da cidade. Não me importava que as pessoas estivessem morrendo ou sofrendo algo ainda pior que morrer, algumas delas amigos meus, algumas delas meus paroquianos. Só queria ir *embora*. Vocês entendem isso?

— Sim — disse Roland sem hesitação. — Muito bem.

Callahan encarou-o e o que viu ali pareceu tranquilizá-lo um pouco. Quando continuou, parecia mais calmo.

— Loretta Coogan era uma das solteironas da cidade. Devo tê-la assustado, porque ela disse que eu teria de esperar o ônibus do lado de fora. Eu saí. O ônibus chegou por fim. Entrei e dei a passagem ao motorista. Ele pegou o canhoto dele e eu fiquei com o meu. Eu me sentei. O ônibus começou a andar. Passamos sob o pisca-pisca amarelo no meio da cidade, e isso sinalizou que havíamos percorrido o primeiro quilômetro. O primeiro quilômetro da estrada que me trouxe até aqui. Mais tarde, talvez às quatro e meia da manhã, ainda escuro lá fora, o ônibus parou em

7

— Hartford — disse o motorista. — Aqui é Hartford, senhor. Vamos fazer uma parada de descanso de vinte minutos. Não quer entrar e comprar um sanduíche ou coisa que o valha?

Callahan tateia no bolso para pegar a carteira com a mão enfaixada e quase a deixa cair. O gosto da morte na boca, um gosto degenerado, farináceo como uma maçã podre. Ele precisa de alguma coisa para tirar aquele gosto, e se não tirá-lo, alguma coisa que o modifique, e se nada o modificar, pelo menos alguma coisa para disfarçá-lo, como a gente às vezes disfarça uma falha em um piso de madeira com um tapete barato.

Estende uma nota de vinte dólares para o motorista do ônibus e diz:

— Pode me comprar uma garrafa?

— Senhor, as normas…

— E fique com o troco, claro. Uma de meio litro já está ótimo.

— Eu não preciso de ninguém bagunçando meu ônibus. Estaremos em Nova York daqui a duas horas. Você pode comprar o que quiser assim que chegar lá. — O motorista tenta sorrir. — É a Cidade da Diversão, você sabe.

Callahan — ele não é mais padre Callahan, o raio de fogo da maçaneta da porta deixou isso claro, pelo menos — acrescenta uma nota de dez à de vinte. Agora estende trinta dólares. Mais uma vez diz ao motorista que uma de meio litro seria ótimo, e não espera nenhum troco. Desta vez o motorista, que não é idiota, pega o dinheiro.

— Mas não vá me criar confusão, eu não quero ninguém bagunçando meu ônibus — repete ele.

Callahan assente. Sem bagunça, pode deixar comigo. O motorista entra na lojinha que é um misto de mercearia, depósito de bebidas e fast-food que existe ali na fronteira de Hartford, na fronteira do amanhecer, sob luzes amarelas de alta intensidade. Há rodovias secretas nos Estados Unidos, rodovias ocultas. Esse lugar fica em uma das rampas de acesso a essa rede de estradas do lado sombrio, e Callahan sente isso. Está presente na maneira como copos descartáveis e maços de cigarro amassados voam pelo macadame na hora antes do amanhecer. É algo que sussurra da placa nas bombas de gasolina, a que diz PAGUE ANTES PELA GASOLINA APÓS O PÔR DO SOL*. Na maneira como o adolescente do outro lado da rua se senta na rampa da varanda às quatro e meia da manhã, com a cabeça nos braços, uma representação silenciosa de dor. As rodovias secretas ficam ali fora, próximas, e sussurram-lhe. "Vamos, companheiro", dizem. "É aqui onde você pode esquecer tudo, até o nome que ataram a você quando não passava de um bebê nu, balindo, ainda manchado do sangue de sua mãe. Amarraram um nome a você como uma lata ao* *rabo de um cachorro, não foi? Mas você não precisa arrastá-lo por aí. Venha. Vamos." Mas ele não vai a parte alguma. Está esperando o motorista do ônibus voltar, e logo o motorista retorna, e ele está trazendo consigo uma garrafa de meio litro de Old Log Cabin em um saco de papel pardo. Esta é uma marca que Callahan conhece bem, meio litro da bebida custa provavelmente dois dólares e vinte e cinco centavos aqui onde Judas perdeu as botas, o que significa que o motorista de ônibus acabou de receber uma gorjeta de quase vinte e oito dólares, pegar ou largar. Nada mal. Mas é este o jeito americano, não? Dar muito para receber pouco. E se o Log Cabin tirar esse terrível gosto da boca — muito pior do que a dor latejante na mão queimada —, terá valido cada centavo dos trinta dólares. Porra, teria valido uma nota de cem.*

— Nada de confusão — diz o motorista. — Eu jogo você no meio da via expressa Cross Bronx se começar a fazer bagunça. Juro por Deus que jogo.

Quando o Greyhound para na Alfândega, Don Callahan está embriagado. Mas não cria confusão; fica simplesmente sentado em silêncio até a hora de saltar e juntar-se ao fluxo de humanidade sob as frias luzes fluorescentes: os viciados, os taxistas, os engraxates, as garotas que chupam seu pau por dez dólares, os garotos vestidos de garotas que chupam seu pau por cinco dólares, os policiais rodando os cassetetes, os traficantes portando seus radinhos, os operários uniformizados que acabam de chegar de Nova Jersey. Callahan junta-se a eles, bêbado mas quieto; os policiais girando os cassetetes não chegam a olhá-lo duas vezes. O ar da Alfândega cheira a fumaça de cigarro, maquinários e escape. Os ônibus atracados roncam. Todo mundo ali parece seguir as próprias regras. Sob as frias e brancas luzes fluorescentes, todos parecem mortos.

Não, *ele pensa, passando por uma placa onde se lê* PARA A RUA. Mortos não, isso não está certo. Mortos-vivos.

8

— Cara — disse Eddie. — Você esteve em guerras, não? Gregas, romanas, Vietnã?

Quando o Velho começara o relato, Eddie torcera para que ele acabasse logo a história e eles pudessem ir até a igreja e ver o que estivesse guardado lá. Não esperara ficar tocado, muito menos abalado, mas ficara. Callahan conhecia coisas que Eddie julgava impossível que mais alguém conhecesse: a tristeza dos copos descartáveis rolando pela calçada, a enferrujada desesperança naquela placa nas bombas de gasolina, a aparência do olhar humano na hora antes do amanhecer.

Acima de tudo, como às vezes a gente simplesmente precisava usar.

— As guerras? Não sei — disse Callahan. Depois deu um suspiro e assentiu. — Sim, acho que sim. Passei aquele primeiro dia em cinemas e aquela primeira noite no parque da Washington Square. Vi que as outras pessoas em situação de rua se cobriam com jornais, e foi o que eu fiz. E eis um exemplo de como a vida, a sua qualidade e a textura, parecia ter mudado para mim, a começar naquele dia do enterro de Danny Glick. Vocês podem ainda não entender, mas me acompanhem. — Olhou para Eddie e sorriu. — E não se preocupe, meu filho, não vou falar até o fim do dia. Nem sequer da manhã.

— Continue e conte qualquer história do jeito que quiser, que isso lhe faça bem — disse Eddie.

Callahan desatou a rir.

— Agradeço! Ié, agradeço muitíssimo! O que ia dizer é que eu tinha me coberto da cintura pra cima com o *Daily News* e a manchete dizia: IRMÃOS HITLER ATACAM NO QUEENS.

— Ah, meu Deus, os Irmãos Hitler — exclamou Eddie. — Eu me lembro deles. Aquela dupla de imbecis. Espancavam… quem? Judeus? Negros?

— Os dois grupos — respondeu Callahan. — E esculpiam suásticas em suas testas. Não tiveram chance de terminar a minha. O que foi bom, porque o que tinham em mente após o corte era muito mais do que uma simples surra. E isso foi anos depois, quando voltei a Nova York.

— Suástica — disse Roland. — O emblema no avião que encontramos perto de River Crossing? O com David Quick dentro?

— Esse mesmo — disse Eddie, e desenhou uma na grama com o bico de sua bota.

A grama despontou quase imediatamente, mas não antes de Roland ver que sim, a marca na testa de Callahan podia ter tido a intenção de ser uma daquelas. Caso tivesse sido concluída.

— Naquele dia em fins de outubro de 1975 — continuou Callahan — os Irmãos Hitler eram apenas uma manchete sob a qual eu dormi. Passei a maior parte daquele segundo dia em Nova York vagueando e lutando contra a vontade de ir atrás de uma garrafa. Parte de mim queria lutar em vez de beber. Tentar expiar. Ao mesmo tempo, eu sentia o sangue de Barlow agindo dentro de mim, mergulhando cada vez mais fundo. O mundo tinha um cheiro diferente, e não para o melhor. As coisas *pareciam* diferentes e não para o melhor. E o gosto dele retornando devagarinho à boca, um gosto de peixe morto ou vinho podre.

"Eu não tinha a menor esperança de salvação. Nem me passou pela cabeça. Mas expiação não tem a ver com salvação. Nem com céu. É sobre limpar sua consciência aqui na Terra. E você não pode fazer isso embriagado. Eu não me julgava um alcoólatra, nem sequer então, mas me perguntava, *sim*, se ele tinha me transformado em um vampiro. Se o sol ia começar a queimar minha pele e eu ia passar a olhar para os pescoços de senhoras."

Deu de ombros e riu:

— Ou talvez dos cavalheiros. Vocês sabem o que dizem do sacerdócio: somos apenas um bando de bichas enrustidas correndo em volta e brandindo a cruz na cara das pessoas.

— Mas você não era vampiro — disse Eddie.

— Nem sequer do Tipo Três. Nada além de impuro. Estava à margem de tudo. Banido. Sempre sentindo o fedor dele e sempre vendo o mundo como coisas da espécie dele devem vê-lo, em matizes de cinza e vermelho. Vermelho era a única cor viva que eu fui capaz de ver durante anos. Tudo mais era apenas um laivo.

"Acho que eu estava procurando uma dessas empresas de recrutamento... você sabe, aquelas que contratam para servicinhos banais? Eu ainda era forte naquela época, e é claro que muito mais jovem, também. "Não encontrei nenhuma dessas empresas. O que *encontrei*, sim, foi um lugar chamado Lar. Ficava na Quinta Avenida com a Quarenta e Sete, não muito longe da ONU."

Roland, Eddie e Susannah se entreolharam. Fosse qual fosse esse Lar, existira a apenas duas quadras do terreno baldio. *Só que não estaria vazio então*, pensou Eddie. *Não em 1975. Em 75 ainda continuava sendo Déli Artesanal Tom e Jerry. Especialidade da Casa: Travessas para Bufês.* De repente desejou que Jake estivesse ali. Eddie achou que a esta altura o garoto estaria dando pulos de empolgação.

— Que tipo de loja era o Lar? — perguntou Roland.

— Não era loja nenhuma. Um abrigo. Um abrigo onde se aceitavam bêbados e viciados, e onde tinha bebida. Não tenho certeza de que era o único em Manhattan, mas aposto que era um dos poucos. Eu não sabia quase nada sobre abrigos na época, só alguma coisa da época da minha primeira paróquia, mas com o passar do tempo aprendi bastante. Vi o sistema dos dois lados. Havia vezes que eu era o cara que servia as conchas de sopa às seis da tarde e distribuía as mantas às nove da noite; em outras, eu era o cara que tomava a sopa e dormia sob as mantas. Depois de uma inspeção na cabeça para ver se tinha piolho, claro.

"Há abrigos que não deixam a gente entrar se sentem cheiro de pinga no bafo. E há uns que deixam a gente entrar se afirmarmos que já se passaram no mínimo duas horas desde o nosso último trago. Há lugares, poucos, que recebem a gente caindo de bêbado, desde que possam nos revistar na porta e tirar toda a bebida da gente. Depois que isso é resolvido, eles te colocam em uma sala especial trancada com o restante dos caras no fundo do poço. Você não pode dar uma escapadinha para arranjar mais bebida se mudar de ideia nem assustar o pessoal que está menos na merda que você, se ficar com delirium tremens e começar a ver bichos saindo das paredes. Não se permite a entrada de mulheres na sala trancada; elas têm chances demais de serem estupradas. Este é apenas um dos motivos de morrerem mais mulheres em situações de rua do que homens na mesma condição. É o que dizia Lupe.

— Lupe? — perguntou Eddie.

— Já vou chegar nele, mas por ora basta dizer que era o arquiteto da política do álcool no Lar. Ali, eles mantinham trancada a *bebida*, não os bêbados. A gente conseguia um trago se precisasse, e se prometesse ficar quieto. Além de um tranquilizante. Não é um procedimento médico recomendado... não tenho nem certeza de que era legal, pois nem Lupe nem Rowan Magruder eram médicos... mas parecia funcionar. Eu cheguei sóbrio em uma noite em que as coisas estavam agitadas, e Lupe me colocou para trabalhar. Trabalhei de graça durante os dois primeiros dias, e depois Rowan me chamou ao seu escritório, que era mais ou menos do tamanho de um armário de vassouras. Ele me perguntou se eu era alcoólatra. Respondi que não. Ele me perguntou se a polícia estava atrás de mim. Respondi que não. Ele me perguntou se estava fugindo de alguma coisa. Respondi que sim, de mim mesmo. Ele me perguntou se eu queria trabalhar, e caí no choro. Ele tomou isso como um sim.

"Passei os nove meses seguintes, até junho de 1976, trabalhando no Lar. Fazia as camas, preparava a sopa na cozinha. Ia a eventos de angariamento de fundos com Lupe ou às vezes com Rowan, levava bêbados a reuniões dos AA na caminhonete do Lar, dava tragos aos caras que tremiam tanto que não conseguiam segurar sozinhos o copo. Assumi a contabilidade porque era melhor nisso do que Magruder ou Lupe, ou qualquer dos outros caras que trabalhavam lá. Não foram os dias mais felizes da minha vida, eu jamais chegaria a tanto, e o gosto do sangue de Barlow nunca deixou minha boca, mas foram dias cheios de graça. Eu não pensava muito. Só mantinha a cabeça baixa e fazia o que me mandavam fazer. Comecei a me curar.

"Em algum momento durante aquele inverno, percebi que tinha começado a mudar. Foi como se tivesse desenvolvido uma espécie de sexto sentido. Às vezes ouvia repiques de um sino. Horrível, mas ao mesmo tempo agradável. Às vezes, andando na rua, as coisas começavam a parecer escuras mesmo que o sol brilhasse. Lembro que olhava para ver se minha sombra continuava lá. Eu tinha a certeza que não estaria, mas sempre estava."

O ka-tet de Roland trocou um olhar.

— Às vezes havia um elemento olfativo nesses momentos. Era um cheiro amargo, como cebola forte misturada com metal quente. Passei a achar que contraíra uma forma de epilepsia.

— Foi ver um médico? — perguntou Susannah.

— Não fui. Temia o que mais ele pudesse encontrar. Um tumor no cérebro parecia o mais provável. O que eu fazia era manter a cabeça baixa e continuar trabalhando. Então, uma noite, fui ver um filme na Times Square. Era uma reprise de dois faroestes de Clint Eastwood. Do tipo que eles chamavam de faroestes espaguete?

— Sim — disse Eddie.

— Comecei a ouvir os sinos. O carrilhão. E a sentir aquele cheiro, cada vez mais forte. Tudo isso me chegava pela frente e à esquerda. Olhei para ali e vi dois homens, um mais velho, o outro mais jovem. Foi bastante fácil localizá-los, porque três quartos da sala estavam vazios. O mais moço se inclinou para perto do mais velho, que não tirou os olhos da tela, mas passou o braço em volta dos ombros do mais moço. Se eu tivesse visto isso em qualquer outra noite, não teria dúvidas quanto ao que estava acontecendo, mas não naquela noite. Observei. E comecei a ver um tipo de luz azul-escura, primeiro em volta do mais moço, depois em volta dos dois. Não era como nenhuma luz que eu tinha visto antes. Era como a escuridão que às vezes eu sentia na rua, quando os sinos começavam a repicar na minha cabeça. Como o cheiro. Eu sabia que aquelas coisas não estavam ali, e, no entanto, estavam. E compreendi. Não aceitei a princípio, isso veio depois, mas compreendi. O sujeito mais moço era um vampiro.

Ele se interrompeu, pensando em como contar sua história. Em como apresentá-la.

— Acredito que haja pelo menos três tipos de vampiros em ação no nosso mundo. Eu os chamo de Tipo Um, Dois e Três. Os Tipo Um são raros. Barlow era Tipo Um. Vivem vidas muito longas, e podem passar períodos prolongados, cinquenta anos, uma centena, talvez duas centenas, em profunda hibernação. Quando entram em atividade, são capazes de fazer novos vampiros, os que chamamos de mortos-vivos. Os mortos-vivos são Tipo Dois. Também são capazes de fazer novos vampiros, mas não são astutos. — Olhou para Eddie e Susannah. — Vocês viram *A noite dos mortos-vivos*?

Susannah fez que não com a cabeça, Eddie que sim.

— Os mortos-vivos nesse filme são zumbis, sem cérebro nenhum. Os vampiros Tipo Dois são mais inteligentes que esses, mas não por muito. Não podem sair durante as horas de luz diurna. Se tentam, ficam cegos, sofrem graves queimaduras ou são mortos. Embora eu não saiba com certeza, acho que a duração de sua vida é em geral curta. Não porque a mudança de vivo e humano para morto-vivo e vampiro encurta a vida, mas porque a existência dos Tipos Dois é extremamente perigosa.

"Na maioria dos casos, isto é o que acredito, não o que sei, os vampiros Tipo Dois criam outro tipo de vampiros Tipo Dois, em uma área relativamente pequena. A essa altura da doença, e isso *é* uma doença, o vampiro Tipo Um, o vampiro rei, já se mandou. Em Salem's Lot, eles conseguiram matar o filho da puta, um dos que talvez tenham sido apenas uma dúzia no mundo todo.

"Em outros casos, os Tipos Dois criam os Tipos Três. Estes são como mosquitos. Não podem criar mais vampiros, mas podem sugar. E sugam."

— Eles pegam aids? — perguntou Eddie. — Quer dizer, você sabe o que é isso, certo?

— Sei, embora só tenha ouvido o termo na primavera de 1983, quando trabalhava no Abrigo Ligthtouse em Detroit e eu não tinha muito mais tempo nos Estados Unidos. Claro que sabíamos havia mais de dez anos que existia *alguma coisa*. Alguns na literatura médica chamavam de GRID, acrônimo em inglês para Deficiência Imunológica Relacionada a Gays. Em 1982, começaram a publicar em jornais artigos sobre uma nova doença chamada "Câncer Gay", e especulações de que era contagiosa. Na rua, alguns homens a chamavam de Doença das Feridas de Foda, devido às manchas que deixava. Não creio que os vampiros morram disso nem que adoeçam disso. Mas podem pegar. E podem passar para outros. Ah, sim. E eu tenho *motivo* para pensar assim. — Os lábios de Callahan tremeram, depois se firmaram.

— Quando o demônio-vampiro fez você beber seu sangue, ele deu a você a capacidade de ver tudo isso — disse Roland.

— Deu.

— Todos eles, ou só os Três? Os pequenos?

— Os pequenos — considerou Callahan, exprimindo em seguida uma risada breve e sem humor. — Sim, gostei disso. Em todo caso, os Três são tudo que vi, pelo menos desde que deixei Jerusalem's Lot. Mas claro que os Tipos Um como Barlow são muito raros, e os Tipos Dois não duram muito tempo. A própria fome deles os desgraça. Estão sempre vorazes. Os Tipos Três, contudo, podem sair na luz do dia. E tiram seu principal sustento da comida, assim como nós.

— O que foi que você fez naquela noite? — perguntou Susannah. — No cinema?

— Nada — disse Callahan. — Todo o meu tempo em Nova York, minha *primeira* vez em Nova York, não fiz nada até abril. Eu não tinha certeza, entende. Quer dizer, meu *coração* tinha, mas a cabeça se recusava a acompanhar. E o tempo todo a interferência da mais fundamental das coisas: eu era um alcoólatra a seco. Um alcoólatra também é vampiro, e essa parte de mim vinha ficando cada vez mais sedenta, enquanto o resto tentava negar minha natureza essencial. Assim, eu disse a mim mesmo que vi dois homossexuais trocando carinhos no cinema, nada mais que isso. Quanto ao resto — os repiques do carrilhão, o cheiro, a luz azul-escura em volta do mais jovem —, me convenci de que era epilepsia, ou alguma coisa remanescente do que Barlow me fizera, ou as duas coisas. E é claro que quanto a Barlow eu tinha razão. Seu sangue estava acordado dentro de mim. E *via*.

— Era mais que isso — disse Roland.

Callahan voltou-se para ele.

— Você entrou em todash, père. Alguma coisa o chamava deste mundo. A coisa em sua igreja, eu suspeito, embora não devesse estar na igreja quando soube pela primeira vez dela.

— É — disse Callahan. Encarava Roland com um respeito cauteloso. — Não estava. Como é que você sabe? Me diga, eu lhe peço.

Roland não lhe deu a resposta.

— Continue — disse. — O que aconteceu em seguida?

— Lupe aconteceu em seguida.

9

Seu sobrenome era Delgado.

Roland registrou apenas um momento de surpresa ao ouvi-lo — um arregalar dos olhos —, mas Eddie e Susannah conheciam o pistoleiro bem o bastante para entender que mesmo isso era extraordinário. Ao mesmo tempo, haviam se acostumado a essas coincidências que não tinham como ser coincidências, que sentiam como se cada uma fosse o clique de alguma rodinha em uma engrenagem.

Lupe Delgado tinha trinta e dois anos, alcoólatra há cinco anos longe da bebida, sempre um dia de cada vez, e trabalhava no Lar desde 1974. Magruder fundara a instituição, mas foi Lupe Delgado quem deu vida e propósitos reais à ela. Durante o dia, fazia parte da equipe de manutenção no Hotel Plaza, na Quinta Avenida. À noite, trabalhava no abrigo. Ajudara a elaborar a política "de álcool" do Lar, e foi a primeira pessoa a cumprimentar Callahan quando ele entrou.

— Eu estava em Nova York fazia pouco mais de um ano naquela primeira vez — disse Callahan —, mas em março de 1976 eu me...

Fez uma pausa, lutando para dizer o que todos três entenderam pelo olhar em seu rosto. Ficara com o rosto corado, a não ser onde a cicatriz cortava o seu rosto, que parecia emanar um brilho branco quase sobrenatural em comparação.

— Ah, tudo bem. Eu imagino que vocês diriam que em março eu me apaixonei por ele. Isto me torna gay? Uma bicha? Não sei. Dizem que todos nós somos, não dizem? Alguns são mesmo, de qualquer modo. E por que não? A cada mês ou dois parecia haver mais uma matéria no jornal sobre um padre com uma tendência a meter a mão por baixo das batas dos coroinhas. Quanto a mim, não tenho motivo algum para me ver como gay. Deus sabe que eu não era imune a uma perna de uma mulher atraente, freira ou não, e jamais passou por minha mente molestar os coroinhas. Nem nunca existiu nada de físico entre mim e Lupe. Mas eu o amava, e não falo só de sua mente, de sua dedicação ou de suas ambições para com o Lar. E tampouco só porque ele tinha escolhido fazer seu verdadeiro trabalho entre os pobres, como Cristo. Havia uma atração física.

Callahan fez uma pausa, lutou, e então desabafou:

— Deus do céu, ele era lindo. *Lindo!*

— O que aconteceu com ele? — perguntou Roland.

— Ele chegou em uma noite de neve em fins de março. A casa estava cheia, e os habitantes agitados. Já tinha ocorrido uma briga física, e ainda estávamos nos recuperando disso, colocando tudo em ordem. Um cara estava em uma crise forte de delirium tremens, e Rowan Magruder o levou para os fundos, em seu escritório, dando-lhe café com um pouco de uísque. Como acho que lhes contei, não tínhamos trancafiamento no Lar. Já tinha passado meia hora da hora do jantar, e três dos voluntários não tinham vindo por causa do tempo. O rádio estava ligado e duas mulheres dançavam. "Hora da comida no zoológico", dizia Lupe.

"Eu estava tirando o meu casaco, encaminhando-me para a cozinha, quando um cara chamado Frank Spinelli me deteve, queria saber sobre uma carta de recomendação que eu tinha prometido a ele... e também uma mulher, Lisa alguma coisa, que queria ajuda com um dos passos dos AA: 'Faça uma lista daqueles que foram prejudicados'... mais um rapaz que queria ajuda com um formulário para se candidatar a um emprego, sabia ler um pouco mas não escrever... alguma coisa começou a queimar no fogão... uma confusão generalizada. E eu gostava disso. Do jeito como envolvia a gente em um redemoinho e nos arrastava a toda junto. Mas no meio de tudo isso, parei. Não havia sinos a tocar e os únicos cheiros eram o fedor dos bêbados e a comida queimando... mas aquela luz envolvia o pescoço de Lupe como um colarinho. E vi marcas ali. Pequeninas. Não mais que picadas, na verdade.

"Parei, e devo ter cambaleado, porque Lupe avançou correndo pra mim. E então senti o *cheiro*, apenas de leve: cebola forte e metal quente. Também devo ter apagado por alguns segundos, porque de repente os dois estávamos no canto perto do gabinete de inscrição, onde guardávamos o material dos AA, e ele me perguntava quando eu havia comido pela última vez. Sabia que às vezes eu esquecia de fazer isso.

"O cheiro tinha desaparecido. O brilho azul em volta de seu pescoço se foi. E aquelas picadas, onde alguma coisa o mordera, também haviam sumido. A não ser que o vampiro fosse um verdadeiro beberrão, as marcas logo sumiam. Mas eu sabia. Não fazia sentido perguntar a ele com quem havia estado, ou quando e onde. Os vampiros, mesmo os Tipo Três — *sobretudo* os Tipo Três, talvez —, têm seus macetes protetores. As sanguessugas lacustres segregam uma enzima na saliva que mantém o sangue fluindo enquanto se alimentam. Também anestesia a pele; assim, a não ser que você realmente consiga ver a coisa ali, não sabe o que está acontecendo. Com esses vampiros Tipo Três, é como se eles transportassem um tipo de amnésia seletiva, de curto prazo, na saliva.

"Eu consegui disfarçar, de algum modo. Disse a ele que apenas ficara tonto por uns dois segundos, botei a culpa na saída brusca do frio para todo aquele barulho, luz e calor lá dentro. Lupe aceitou, mas me disse que eu precisava pegar leve. 'Você é valioso demais para o perdermos, Don', disse, e então me beijou. Aqui."

Callahan tocou o lado direito do rosto com a mão direita cicatrizada.

— Portanto acho que menti quando disse que não houve nada físico entre nós, não? Houve esse beijo. Ainda me lembro exatamente da sensação. Até da leve espetada da barba fina por fazer em seu lábio superior... aqui.

— Eu sinto muitíssimo por você — disse Susannah.

— Obrigado, minha cara — disse ele. — Eu me pergunto se sabe o quanto isso significa. Como é maravilhoso receber condolências de alguém do seu próprio mundo. É como ser um náufrago e receber notícias de casa. Ou água doce de uma fonte após anos de apenas beber uma água engarrafada rançosa. — Estendeu as mãos, tomando a dela nas suas duas. Para Eddie, alguma coisa naquele sorriso pareceu forçada, ou até falsa, e teve uma repentina e horrível ideia. E se père Callahan estivesse sentindo naquele exato momento o cheiro de cebola amarga e metal quente? E vendo um brilho azul, não em volta do pescoço de Susannah como uma gola, mas em volta da barriga como um cinto?

Eddie olhou para Roland, mas não veio ajuda alguma dali. O rosto do pistoleiro estava impassível.

— Ele tinha aids, não tinha? — perguntou Eddie. — Algum vampiro Tipo Três gay mordeu seu amigo e passou isso para ele.

— Gay — disse Callahan. — Você pretende mesmo me dizer que esta palavra imbecil realmente... — Sua voz se extinguiu, ele balançando a cabeça.

— É isso aí — disse Eddie. — O Red Sox ainda não ganhou a World Series e os homossexuais são chamados de gays.

— Eddie! — ralhou Susannah.

— Qual é? — defendeu-se Eddie — Acha que é fácil ser o último a sair de Nova York e esquecer de apagar as luzes? Porque não é, não. E ouça bem, eu mesmo estou me sentindo cada vez mais longe de casa. — Virou-se para Callahan: — De qualquer modo, foi o que aconteceu, não?

— Acho que sim. Você precisa lembrar que eu também não sabia muita coisa naquela época, e vinha negando e reprimindo o que sabia de fato. Com grande vigor, como dizia o presidente Kennedy. Vi o primeiro, o primeiro "pequeno", naquele cinema na semana entre o Natal e o Ano-Novo de 1975. — Deu uma risada breve. — E agora, olhando em retrospecto, aquele cinema era chamado Gaiety. Não é surpreendente? — Fez uma pausa, examinando os rostos com alguma perplexidade. — Não é. Vocês não estão nada surpresos.

— A coincidência foi cancelada, querido — disse Susannah. — O que vivemos nestes dias é mais como a versão da realidade de Charles Dickens.

— Não estou entendendo.

— Não precisa, doçu... Continue. Conte sua história.

O Velho levou um momento para encontrar o fio interrompido e continuou.

— Eu vi o meu primeiro Tipo Três em fins de dezembro de 1975. Naquela noite, mais ou menos três meses depois que vi a luz azul em volta do pescoço de Lupe, eu encontraria mais meia dúzia. Só um deles em momento de caça. Ele estava andando em uma viela em East Village com outro cara. Ele, o vampiro, estava em pé assim. — Callahan levantou-se e demonstrou, braços abertos, palmas apoiadas numa parede invisível. — O outro, a vítima, parado entre seus braços apoiados, olhava-o de frente. Poderiam estar conversando. Poderiam estar se beijando. Mas eu sabia, eu sabia, que não era nenhuma das duas coisas.

"Os outros... vi dois em restaurantes, comendo sozinhos. Aquele brilho se espalhava pelas mãos e pelo rosto de todos — manchava o contorno dos lábios como... como suco de mirtilo elétrico —, e o cheiro de cebola queimada pairava à volta deles como um perfume. — Callahan deu um breve sorriso. — Me impressiona como cada descrição que tento fazer tem uma espécie de semelhança escondida. Porque não estou apenas tentando descrevê-los, sabem, mas tentando entendê-los. Ainda continuo tentando entendê-los. Compreender como poderia existir aquele outro mundo, aquele mundo secreto, ali o tempo todo, bem ao lado do que eu sempre conheci."

Roland tem razão, pensou Eddie. *Isso é todash. Tem de ser. Ele não sabe, mas é. Será que isso o torna um de nós? Parte de nosso ka-tet?*

— Vi um na fila no Banco Marine Midland, onde o Lar fazia suas transações financeiras — disse Callahan. — No meio do dia. Eu estava na fila do depósito, uma mulher na do saque. Aquela luz a envolvia por completo. Ela me viu olhando-a e sorriu. Contato visual destemido. De flerte. — Fez uma pausa. — Sensual.

— Você os reconhecia por causa do sangue do demônio em você — disse Roland. — Eles o reconheciam?

— Não — respondeu de pronto Callahan. — Se houvessem conseguido me ver, me isolar, minha vida não valeria um centavo. Embora eles *tenham passado* a saber de mim. Mas isto foi depois.

"O que quero frisar é que eu os via. E quando vi o que aconteceu com Lupe, soube o que o havia possuído. Eles também o veem. Sentem o cheiro. Provavelmente também ouvem os sinos. Suas vítimas ficam marcadas, e depois disso mais outros tendem a chegar, como insetos a uma luz. Ou cachorros, todos decididos a mijar no mesmo poste.

"Tenho certeza de que aquela noite em março foi a primeira vez que Lupe foi mordido, porque eu nunca tinha visto aquele brilho em volta dele antes... nem as marcas no lado do pescoço, que não pareciam mais que dois talhozinhos ao fazer a barba. Mas ele foi mordido repetidas vezes depois. Tinha a ver com a natureza do trabalho que fazíamos, trabalho com pessoas que iam e vinham. Talvez beber sangue pingado de álcool seja um barato acessível para eles. Quem sabe?

"De qualquer modo, foi por causa de Lupe que cometi meu primeiro assassinato. O primeiro de muitos. Isto foi em abril..."

10

É abril e a atmosfera finalmente começou a ficar com o ar e o cheiro de primavera. Callahan estava no Lar desde as cinco, preenchendo cheques para cobrir as contas de final do mês, depois trabalhando em sua especialidade culinária, por ele batizada como Guisado de Sapos e Bolinhos. Trata-se na verdade de um ensopadinho de carne com massinha, mas o nome pitoresco o diverte.

Está lavando as grandes panelas de aço enquanto prepara a comida, não porque precisa fazê-lo (uma das poucas coisas de que não há escassez no Lar é de equipamento de cozinha), mas porque é assim que a mãe o ensinou a trabalhar na cozinha: lave tudo que for terminando de usar.

Ele leva uma panela até a porta dos fundos, segura-a junto ao quadril com uma das mãos, vira a maçaneta com a outra. Sai para o beco, com a intenção de jogar a água cheia de sabão no bueiro na sarjeta ali fora, e então para. Vê uma coisa que já viu antes, lá no Village, só que então os dois homens — o encostado na parede, o diante dele, inclinado para a frente com as mãos apoiadas nos tijolos — eram apenas sombras. Esses dois ele vê claramente na luz que vem da cozinha, e o encostado na parede, parecendo adormecido com a cabeça caída para o lado, pescoço exposto, é alguém que Callahan conhece.

É Lupe.

Embora a porta aberta tenha iluminado aquela parte do beco, e Callahan não tenha feito esforço algum para não fazer barulho — na verdade, saiu cantando, "Walk on the Wild Side", de Lou Reed —, nenhum dos dois o nota. Estão em transe. O homem diante de Lupe parece ter cinquenta anos, bem-vestido de terno e gravata. A seu lado, uma cara maleta Mark Cross repousa nas pedras do calçamento. A cabeça desse homem está curvada para a frente, inclinada. Os lábios abertos estão selados no lado direito do pescoço de Lupe. O que fica ali embaixo? Jugular? Carótida? Callahan não se lembra, nem isso tem importância. Os sinos não tocam dessa vez, mas o cheiro é opressivo, tão fétido que lágrimas lhe irrompem dos olhos e muco logo começa a pingar-lhe das narinas. Os dois homens defronte a ele resplandecem com aquela luz azul-escura, e Callahan a vê rodopiando em pulsações ritmadas. É a respiração dos dois, *ele pensa.* É a respiração dos dois desprendendo aquela merda em volta. O que significa que é real.

Callahan ouve, muito baixo, um ruído de um beijo molhado. O ruído que se ouve num filme quando um casal está se beijando apaixonadamente, realmente mandando ver.

Não pensa no que vai fazer em seguida. Larga a panela cheia de água de sabão, gordurosa, que bate com um alto tinido na calçada de concreto, mas a dupla encostada na parede oposta não se mexe; continua absorta em seu devaneio. Callahan recua dois passos para a cozinha. No balcão, vê o cutelo que esteve usando para cortar os cubos de carne do ensopado. A lâmina brilha intensamente. Ele vê seu rosto nela e pensa: Bem, pelo menos *eu* não sou um deles; meu reflexo continua ali. *Então fecha a mão em volta do cabo de borracha. Volta para o beco. Passa por cima da panela com água de sabão. O ar está fresco e úmido. Em algum lugar pinga água. Em algum lugar um rádio troa "Someone Saved My Life Tonight". A umidade do ar forma um halo em volta da luz no outro lado do beco. É abril em Nova York, e a três metros de onde ele — não muito tempo antes um padre ordenado da Igreja Católica — se encontra, um vampiro está tirando sangue de sua presa. Do homem por quem Callahan se apaixonou.*

"Quase enfiou as garras em mim, não foi, querido?", diz a letra da música que Elton John canta, e Callahan avança, erguendo o cutelo. Baixa-o e afunda-o no crânio do vampiro. Os lados do rosto do vampiro se abrem como asas. Ele levanta o rosto de repente, como um predador que acabou de ouvir a aproximação de alguma coisa maior e mais perigosa que ele. Um momento depois, dobra ligeiramente os joelhos, como se tivesse a intenção de pegar a maleta, e parece decidir que pode se virar sem ela. Volta-se e encaminha-se devagar para a boca da viela. Para o som de Elton John, que agora canta "Alguém salvou, alguém salvou, alguém salvou minha viiida esta noite". O cutelo continua preso ao crânio da coisa. O cabo balança a cada passo, como uma pequena cauda rígida. Callahan vê algum sangue, mas não o oceano que teria esperado. Nesse momento se encontra em choque profundo demais para pensar nisso, mas depois passará a acreditar que há pouquíssimo sangue líquido nesses seres; seja o que for que os mantém movendo-se, é mais mágico que o milagre do sangue. A maior parte do que era sangue deles coagulou-se tão firmemente como a gema de um ovo muito cozido.

A coisa dá mais um passo, então para. Os ombros desabam. Callahan perde a visão de sua cabeça quando ela cai para a frente. E então, de repente, as roupas começam a desmoronar sobre si mesmas, esparramando-se pela superfície molhada do beco.

Sentindo-se como alguém em um sonho, Callahan vai até lá para examiná-las. Encostado na parede, a cabeça para trás, olhos cerrados, Lupe Delgado continua absorto em qualquer que seja o sonho que o vampiro lançou sobre ele. Sangue goteja pelo seu pescoço em pequenos e insignificantes fios.

Callahan examina as roupas. A gravata ainda conserva o nó. A camisa ainda dentro do paletó do terno e ainda enfiada na calça do terno. Sabe que se baixasse o zíper daquela braguilha, veria a cueca dentro. Pega um braço do terno, sobretudo para confirmar que está vazio pelo toque assim como pela visão, e o relógio do vampiro tomba da manga e cai com um tinido ao lado do que parece um anel de formatura.

Há cabelo. Dentes, alguns com obturações. Dos restos do sr. Maleta Mark Cross não há sinal algum.

Callahan junta as roupas. Elton John continua cantando a música, cujo título diz "Someone Saved My Life Tonight", mas talvez isso não seja de surpreender. É uma música bem longa, uma daquelas composições de quatro minutos, deve ser. Ele põe o relógio no próprio pulso e o anel em um dos dedos, só por enquanto. Leva as roupas para dentro, passando no caminho por Lupe, que continua perdido em seu sonho. E os orifícios no pescoço, pouco maiores que picadas de alfinete para começar, já começam a sumir.

A cozinha está milagrosamente vazia. Em um dos cantos, à esquerda, fica uma porta assinalada DEPÓSITO. *Além dela, um corredor com compartimentos dos dois lados. Estes ficam atrás de portas fechadas feitas de grossa tela de arame para galinheiro, destinadas a desestimular pequenos furtos. Produtos enlatados de um lado, secos do outro. Depois roupas. Camisas em um compartimento. Calças em outro. Vestidos e saias em outro. Casacos em ainda outro. No fim do corredor, vê-se um guarda-roupa dilapidado onde está assinalado* MISCELÂNEA. *Callahan encontra a carteira de dinheiro do vampiro e enfia-a no bolso, por cima da sua. As duas juntas formam um tamanho considerável. Então destranca o guarda-roupa e joga todas as roupas do vampiro. É mais fácil que tentar separar as peças, embora imagine que quando encontrarem a cueca dentro da calça haverá reclamações. No Lar, não se aceitam roupas de baixo usadas.*

— Podemos atender aos mais pobres — disse uma vez Rowan Magruder a Callahan —, mas temos nossos padrões.

Não importa os padrões deles agora. É preciso pensar nos cabelos e dentes do vampiro. O relógio, o anel, a carteira... e, Deus do céu, a maleta e os sapatos! Ainda devem estar lá fora!

Não ouse queixar-se, *diz a si mesmo.* Não quando noventa e nove por cento dele se foram, muito convenientemente desapareceram como o monstro na última cena de um filme de terror. Deus tem estado a seu lado até aqui, pelo menos eu acho que é Deus, portanto não ouse queixar-se.

E ele não se queixa. Junta os fios de cabelo, os dentes, a maleta, e leva-os para o fim do beco, chapinhando por poças, e atira-os sobre a cerca. Após um momento de reflexão, joga também o relógio, a carteira e o anel. O anel agarra-se por um instante ao dedo e ele quase entra em pânico, mas acaba saindo e lá se vai... clique! *Alguém cuidará dessas coisas por ele. É Nova York, afinal. Volta para perto de Lupe e vê os sapatos. São bons demais para jogá-los fora, pensa; ainda restam anos de bom uso para eles. Pega-os e leva-os de volta para a cozinha, pendendo-lhe dos dois primeiros dedos da mão. Está ali em pé com eles perto do fogão quando Lupe chega e entra na cozinha vindo do beco.*

— Don? — ele chama. Tem a voz meio enrolada, a voz de quem acabou de acordar de um sono profundo. Também parece estar achando graça. Aponta os sapatos enganchados nas pontas dos dedos de Callahan.— Vai pô-los no ensopado?

— Talvez melhore o sabor, mas não, só no depósito — disse Callahan. Fica chocado com a calma de sua própria voz. E o coração! Batendo em um ritmo regular e saudável de sessenta a setenta batimentos por minutos. — Alguém os deixou no beco. Onde você estava?

Lupe dá-lhe um sorriso, e quando sorri, fica mais lindo que nunca.

— Logo ali fora, fumando — diz. — Estava agradável demais pra entrar. Você não me viu?

— Na verdade, vi — disse Callahan. — Você parecia perdido em seu próprio mundinho, e eu não quis interrompê-lo. Poderia abrir a porta do depósito pra mim?

Lupe abre a porta.

— Mas é mesmo um belo par — diz ele. — Bally. Mas que coisa, alguém deixar um par de sapatos Bally para os bêbados?

— Alguém pode ter mudado de ideia sobre eles — diz Callahan. Ouve os sinos, aquela doçura venenosa, e cerra os dentes contra o som. O mundo parece tremeluzir por um momento. Agora não, *pensa.* Ah, agora, não, por favor.

Não é uma prece, ele reza pouco naqueles dias, mas talvez alguma coisa o ouça, porque o som do carrilhão desaparece. O mundo se estabiliza. Do outro cômodo, alguém berra pelo jantar. Alguém mais xinga. O mesmo de sempre. E ele precisa de uma bebida. E também é o mesmo de sempre, só que a vontade chega mais violenta que nunca. Ele não para de pensar na sensação do cabo de borracha na mão. O peso do cutelo. O ruído que fez. E o gosto está de volta em sua boca. O gosto morto do sangue de Barlow. Também isso. O que foi que disse o vampiro na cozinha dos Petrie, depois de quebrar o crucifixo que a mãe lhe dera? Que era triste ver a fé de um homem falhar.

Vou participar da reunião dos AA esta noite, *ele pensa, colocando um elástico em volta dos mocassins Bally e jogando-os junto dos outros calçados. Às vezes a reunião ajuda. Callahan nunca diz: "Sou Don e sou alcoólatra", mas às vezes ajuda.*

Lupe está tão junto dele quando se volta que ele arqueja um pouco.

— Calma, rapaz — diz Lupe, rindo.

Coça a garganta casualmente. As marcas continuam ali, mas terão desaparecido pela manhã. Mesmo assim, Callahan sabe que os vampiros veem alguma coisa. Ou sentem o cheiro dela. Ou qualquer maldita coisa que o valha.

— Escute — diz a Lupe. — Estive pensando em sair da cidade por uma ou duas semanas. Arejar um pouco. Por que não vamos juntos? Talvez até o norte do estado. Pescar um pouco.

— Não posso — diz Lupe. — Só vou ter férias em junho, e além disso estamos com escassez de pessoal por aqui. Mas se você quiser ir, eu acerto com Rowan. Sem problema. — Lupe examina-o atentamente. — Acho que te faria bem um tempo fora. Você parece cansado. E anda nervoso.

— Não, foi só uma ideia — diz Callahan.

Não vai a parte alguma. Se ficar, talvez possa cuidar de Lupe. E ele aprendeu uma coisa agora. Matá-los não é mais difícil que eliminar insetos numa parede. E não deixam muita coisa para trás. E-Z *Mata Tudo, como dizem nos anúncios de* TV. *Lupe vai ficar bem. Os Tipos Três como o sr. Maleta Mark Cross não parecem matar suas presas nem mudá-las. Pelo menos não que ele possa ver, nem a curto prazo. Mas vai vigiar, pode pelo menos fazer isso. Montará guarda. Será um pequeno ato de expiação por Jerusalem's Lot. E Lupe vai ficar bem.*

11

— Só que ele não ficou — disse Roland.

Enrolava um cigarro das migalhas do fundo da sua bolsa, o papel quebradiço, o tabaco quase não mais do que pó.

— Não — concordou Callahan. — Não ficou. Eu não tenho papéis para cigarro, mas posso lhe fazer uma coisa melhor do que isso para fumar. Há um bom tabaco na casa, lá do sul. Eu não o uso, mas Rosalita às vezes gosta de um cachimbo à noite.

— Vou aceitá-lo mais tarde e agradeço — disse o pistoleiro. — Não sinto tanta falta dele quanto de café, mas quase. Termine sua história. Não omita nada, acho importante a gente ouvi-la toda, mas...

— Eu sei. O tempo é curto.

— Sim — disse Roland. — O tempo é curto.

— Então, em poucas palavras, meu amigo contraiu essa doença... Ficou conhecida como aids? — Olhava para Eddie, que assentiu.

— Certo — disse Callahan. — É um nome tão bom quanto qualquer outro, embora a primeira coisa em que pensei quando ouvi essa palavra fosse em um tipo de bala diet. Talvez saibam que nem sempre ela se espalha rápido, mas no caso do meu amigo, foi como fogo em palha. Em meados de maio de 1976, Lupe Delgado ficou muito doente. Perdeu a cor. Tinha febre durante a maior parte do tempo. Às vezes passava a noite inteira no banheiro, vomitando. Rowan o teria tirado da cozinha, mas nem precisou, Lupe baniu a si mesmo. E então começaram a aparecer as manchas.

— Chamavam sarcoma de Kaposi, acho — disse Eddie. — Uma doença de pele. Desfigurante.

Callahan assentiu.

— Três semanas depois do surgimento das manchas, Lupe estava no Hospital Geral de Nova York. Rowan Magruder e eu fomos vê-lo uma noite em fins de junho. Até então vínhamos nos dizendo que ele ia dar a volta por cima, sair daquela melhor do que nunca, era jovem e forte. Mas, naquela noite, soubemos no minuto em que chegamos à porta que ele estava nas últimas. Preso a uma tenda de oxigênio, com quatro tubos intravenosos correndo para os braços. Sentia dores terríveis. Não quis que nos aproximássemos. Podia ser contagioso, disse. Na verdade, ninguém parecia saber muito bem sobre a doença.

— O que a tornava mais assustadora do que nunca — disse Susannah.

— Sim. Ele disse que os médicos acreditavam que fosse uma doença do sangue propagada por atividade homossexual, ou talvez pelo uso partilhado de seringas contaminadas. E o que ele queria que soubéssemos, o que não parava de dizer repetidas vezes, era que estava limpo, todos os exames de sangue voltavam negativos. "Desde 1970", ele não parava de dizer. "Não toquei nem em um baseado. Juro por Deus." Nós dissemos que sabíamos que ele estava limpo. Sentamo-nos em cada lado da cama e ele segurou nossas mãos.

Callahan engoliu em seco. Ouviu-se um estalo em sua garganta.

— Nossas mãos... ele nos fez lavá-las antes de sairmos. Só por precaução, disse. E nos agradeceu pela visita. Disse a Rowan que o Lar fora a melhor coisa que lhe acontecera. No que lhe dizia respeito, *foi* realmente o seu lar.

"Eu nunca quis tão desesperadamente uma bebida quanto naquela noite ao sair do Hospital Geral de Nova York. Mantive Rowan a meu lado, contudo, e nós dois passamos batidos por todos os bares. Naquela noite, fui para a cama sóbrio, mas fiquei deitado sabendo que era apenas uma questão de tempo. O primeiro trago é aquele que embriaga a gente, é o que dizem nos Alcoólicos Anônimos, e o meu estava próximo. Em algum lugar um barman só estava à espera de eu chegar para me servir.

"Duas noites depois, Lupe morreu.

"Devia haver trezentas pessoas no enterro, quase todas que haviam passado algum tempo no Lar. Muitas choraram e ouviram-se muitas coisas lindas ditas, algumas que na certa não seriam capazes de andar em uma linha reta. Quando terminou, Rowan Magruder me segurou pelo braço e disse: 'Não sei quem você é, Don, mas sei *o que* você é... um puta homem bom e um puta mau bebedor, que está a seco por... quanto tempo faz?'

"Pensei em tentar continuar a fingir que não era verdade, mas me pareceu árduo demais. 'Desde outubro do ano passado', eu disse.

"'Está a fim de uma agora', ele disse. 'Está escrito na sua cara toda. Por isso, ouça o seguinte: se acha que tomar uma bebida vai trazer Lupe de volta, tem a minha permissão. Na verdade, venha me buscar e vamos os dois até o Blarney Stone juntos beber tudo que tem na minha carteira primeiro. Combinado?'

"'Combinado', eu disse.

"E ele: 'Você se embriagar hoje seria a pior homenagem a Lupe que posso imaginar. Como mijar no rosto morto dele.'

"Rowan estava certo, e eu sabia disso. Passei o resto daquele dia do jeito como passei meu segundo dia em Nova York, andando sem parar, lutando contra aquele gosto em minha boca, combatendo a vontade de comprar uma garrafa e ocupar um banco no parque. Lembro que estava na Broadway, depois na Décima Avenida, depois seguindo pela Park e a Décima Terceira. A essa altura, começava a escurecer, carros seguindo nas duas direções na Park com os faróis acesos. O céu todo alaranjado e fúcsia no oeste, e as ruas cheias daquela magnífica luz comprida.

"Uma sensação de paz me invadiu, e eu pensei: 'Vou vencer. Esta noite, pelo menos, eu vou vencer'. E foi aí que recomeçaram os repiques dos sinos. Mais altos que nunca. Eu me sentia como se a cabeça fosse explodir. A Park Avenue bruxuleava diante de mim e pensei: *Ora, isso não é nada real. Nem a Park Avenue, nem nada disso. É apenas uma gigantesca amostra de tela. Nova York não passa de um cenário pintado nessa tela, e que tem atrás dela? Ora, nada. Nada mesmo. Só escuridão.*

"Então as coisas se estabilizaram novamente. O carrilhão foi-se extinguindo... e acabou desaparecendo. Saí andando, muito devagar. Como um homem andando em gelo. O que eu temia era que, se pisasse com demasiada força, poderia mergulhar direto para fora do mundo e nas trevas por trás. Sei que isso não faz o menor sentido, porra, eu sabia então, mas saber uma coisa nem sempre ajuda. Ajuda?"

— Não — disse Eddie, pensando em seus dias cheirando heroína com Henry.

— Não — disse Susannah.

— Não — concordou Roland, pensando na Colina de Jericó. Na trombeta caída.

— Andei um quarteirão, depois dois, depois três. Comecei a achar que ia ficar tudo bem. Quer dizer, eu sentia o cheiro ruim, via alguns Tipos Três, mas sabia dar conta daquelas coisas. Principalmente porque os Tipos Três não pareciam me reconhecer. Olhá-los era como olhar suspeitos através de um vidro espelhado em uma sala de interrogatório policial. Mas naquela noite eu vi uma coisa muito, mas muito pior do que um bando de vampiros.

— Viu alguém que estava realmente morto — disse Susannah.

Callahan virou-se para ela com um olhar de total e assombrada surpresa.

— Como... como você...

— Eu sei porque também estive em Nova York em estado todash, — disse Susannah. — Todos nós. Roland diz que são pessoas que não sabem que faleceram ou se recusam a aceitar o fato. São... como você as chamou, Roland?

— Os mortos errantes — respondeu Roland. — Não há muitos deles.

— Eram o bastante — disse Callahan —, e *eles* sabiam que eu estava lá. Gente mutilada na Park Avenue, um deles um homem sem olhos; outra, uma mulher sem braço e perna no lado direito, e o corpo todo queimado, os dois olhando para *mim*, como se achassem que eu podia... *consertá-los*, de algum modo.

"Eu saí correndo. E devo ter corrido uma bela distância, porque quando retornei a alguma coisa semelhante à sanidade me vi sentado no meio-fio da calçada da esquina da Segunda Avenida com a rua Dezenove, a cabeça pendida e ofegando como uma máquina a vapor.

"Um velhote qualquer veio até mim e me perguntou se eu estava bem. Àquela altura eu já tinha recuperado suficiente o fôlego para lhe dizer que sim. Ele me disse que nesse caso era melhor eu me mandar, porque tinha uma viatura do Departamento de Polícia de Nova York a apenas dois quarteirões dali, que estava vindo em nossa direção. Iam me parar, talvez me levar em cana. Olhei o velho nos olhos e disse: 'Eu vi vampiros. Até matei um. E vi mortos ambulantes. Acha que vou ter medo de dois policiais em uma viatura?'

"Ele recuou alguns passos. Mandou que eu ficasse longe. Disse que eu parecia gente boa, por isso tentou me fazer um favor. Disse que isso era o que recebia. 'Em Nova York, nenhuma boa ação fica impune', disse ele, e saiu batendo os pés pela rua como um garoto tendo um ataque de birra.

"Desatei a rir. Me levantei da calçada e dei uma olhada em mim mesmo. Tinha a camisa toda fora da calça, a calça suja de graxa por ter esbarrado em alguma coisa. Nem lembrava no que havia esbarrado. Olhei em volta, e por todos os santos e todos os pecadores era ali que ficava o Bar Americano. Descobri depois que há vários deles em Nova York, mas achava que aquele tinha vindo dos anos 40 só para mim. Entrei, sentei na banqueta na ponta do bar, e quando o barman se aproximou, perguntei:

"'Você tem uma coisa guardada pra mim já faz algum tempo.'

"'É mesmo, amigo?'

"'É', eu disse.

"'Bem, me diga o que é, que vou buscar pra você.'

"'É a garrafa de Bushmills, e como já está com ela desde outubro, por que não acrescenta os juros e me dá um duplo?'"

Eddie se contraiu.

— Péssima ideia, cara.

— Naquele momento, parecia a mais perfeita ideia já concebida pela mente humana. Eu ia esquecer Lupe, parar de ver pessoas mortas, talvez até parar de ver os vampiros... os mosquitos, como passei a pensar neles.

"Às oito horas, já estava bêbado. Às nove, muito bêbado. Às dez, bêbado como jamais estivera. Tenho uma vaga lembrança do barman me expulsando do bar. Uma lembrança ligeiramente melhor de acordar na manhã seguinte no parque, coberto por jornais."

— De volta ao início — murmurou Susannah.

— Ié, dona, de volta ao início, você diz a verdade, eu agradeço. Sentei-me. Achei que minha cabeça ia explodir ao meio. Abaixei-a entre meus joelhos, e como não explodiu, ergui-a de novo. Havia uma velha sentada em um banco a uns vinte metros de mim, apenas uma velha de lenço na cabeça dando de comer aos esquilos com um saco de papel cheio de nozes. Só que aquela luz azul se movia devagar por seu rosto e por sua testa, saindo e entrando na boca quando a velha respirava. Ela era um *deles*. Um mosquito. Os mortos ambulantes haviam desaparecido, mas eu ainda via os Tipo Três.

"Encher a cara mais uma vez parecia uma reação lógica, mas eu tinha um pequeno problema: sem grana. Parece que alguém tinha me virado enquanto eu dormia sob os jornais, e lá se fora o que eu tinha."

Callahan sorriu, embora nada houvesse de engraçado.

— Naquele dia, *encontrei* a empresa de recrutamento de trabalhadores braçais diaristas. Encontrei-a no dia seguinte, também, e no outro. Então enchi a cara. Isso se tornou meu hábito durante o Verão dos Altos Navios de Carga: trabalhar três dias sóbrio, em geral empurrando um carrinho de mão em alguma construção, ou arrastando grandes caixas para alguma empresa de mudança, depois passava uma noite bebendo sem parar e no dia seguinte me recuperava. Então recomeçava tudo de novo. Domingos de folga. Essa foi minha vida em Nova York naquele verão. E a todo lugar que ia, parecia que ouvia a letra daquela música de Elton John, 'Someone Saved My Life Tonight. Não sei se foi nesse verão que ela se tornou ou não popular. Só sei que a ouvia em toda parte. Uma vez, trabalhei cinco dias seguidos para a Covay Movers. The Brother Outfit, eles se autointitulavam. Em questão de sobriedade, foi meu melhor momento naquele julho. O encarregado chegou pra mim no quinto dia e me perguntou o que eu achava de ser contratado como efetivado.

"'Não posso', respondi. 'O contrato de mão de obra diária proíbe especificamente seus caras de pegar um emprego estável em qualquer empresa de fora durante um mês.'

"'Foda-se o contrato', ele diz, 'todo mundo faz vista grossa para essa babaquice. O que é que você acha, Donnie? Você é um bom sujeito. E tenho a impressão de que poderia fazer um pouco mais que apenas carregar móveis até o caminhão. Quer pensar no assunto esta noite?'

"Eu pensei, e pensar me levou de volta à bebida, como sempre fazia naquele verão. Como sempre faz aos da fé alcoólica. De volta a mim mesmo sentado em um barzinho do outro lado do Empire State Building, ouvindo Elton John na jukebox. 'Quase enfiou suas garras em mim, não foi, querida?' E quando voltei pra trabalhar, me inscrevi em outra firma de mão de obra diarista, uma que nunca tinha ouvido falar da porra da Brother Outfit."

Callahan cuspiu a palavra *porra* em um quase rosnado desesperado, como fazem os homens quando a vulgaridade se tornou para eles um tipo de último recurso para se expressarem.

— Você se embriagava, se desligava, trabalhava — disse Roland. — Mas teve pelo menos outro trabalhinho naquele verão, não foi?

— Sim. Demorei algum tempo para engrenar. Eu vi vários deles, a mulher dando de comer aos esquilos no parque foi só a primeira, mas eles não estavam fazendo nada. Quer dizer, eu sabia o que eram, mas mesmo assim era difícil matá-los a sangue-frio. Então, uma noite em Battery Park vi outro se alimentando. Eu tinha um canivete de mola no bolso na época, levava pra todo lugar. Cheguei por trás dele e o esfaqueei quatro vezes: uma nos rins, uma entre as costelas, uma no alto das costas, uma no pescoço. Botei toda minha força na última. A lâmina saiu do outro lado com o pomo de adão da coisa espetado como um pedaço de carne grelhada num shish kebab, com um ruído de rasgo."

Embora Callahan falasse de forma prosaica, seu rosto ficara muito pálido.

— O que aconteceu no beco atrás do Lar tornou a acontecer: o cara desapareceu direto de dentro das roupas. Eu esperava por isso, mas claro que não podia ter certeza até acontecer para valer.

— Uma andorinha só não faz verão — disse Susannah.

Callahan assentiu.

— A vítima era um garoto de uns quinze anos, que parecia porto-riquenho ou talvez dominicano. Ele tinha uma caixa de som nos pés. Não me lembro o que estava tocando, portanto provavelmente não era "Someone Saved My Life Tonight". Passaram-se cinco minutos. Eu ia começar a estalar os dedos debaixo de seu nariz ou talvez lhe dar uns tapinhas na face, quando ele piscou, cambaleou, balançou a cabeça e despertou. Viu-me parado diante dele e a primeira coisa que fez foi agarrar a caixa de som. Segurou-o junto ao peito como um bebê. Então disse: "Que é que *tu* quer, cara?". Eu disse que não queria nada, coisa nenhuma, nada de maldade nem sacanagem, mas *estava* curioso sobre aquelas roupas caídas ao lado dele. O garoto olhou, ajoelhou-se e começou a remexer nos bolsos. Achei que encontraria o bastante para se ocupar, mais do que o bastante, e então saí andando. E essa foi a segunda vítima. A terceira foi mais fácil. A quarta, mais fácil ainda. Em fins de agosto eu já tinha liquidado meia dúzia. A sexta foi a mulher que eu tinha visto no Banco Marine Midland. Mundo pequeno, não?

"Com frequência, eu ia até a esquina da Primeira com a Quarenta e Sete e parava defronte ao Lar. Às vezes, me via ali no fim da tarde, olhando os bêbados e os desabrigados que apareciam para o jantar. Às vezes Rowan saía e falava com eles. Ele não fumava, mas sempre andava com cigarros nos bolsos, dois maços, e os distribuía entre eles até não ter mais nada. Jamais fiz algum esforço em particular para me esconder dele, mas se algum dia me avistou, nunca deu qualquer sinal."

— Você provavelmente tinha mudado a essa altura — disse Eddie.

Callahan assentiu.

— Cabelos caindo até os ombros, e ficando grisalhos. Uma barba. E é claro que não ligava mais a mínima pra roupas. Metade do que eu usava então vinha dos vampiros que matara. Um deles era um mensageiro de bicicleta e tinha um *ótimo* par de botas. Não mocassins Bally, mas quase novas, e do meu tamanho. Essas coisas duram pra sempre. Ainda as tenho. — Indicou com a cabeça a casa. — Mas acho que não foram esses os motivos por não ter me reconhecido. No negócio de Rowan Magruder, lidando com gente bêbada, viciada em drogas e desabrigada que tem um pé na realidade e o outro no Além da Imaginação, você se acostuma a ver mudanças significativas nelas, e em geral não pra melhor. Você aprende a ver quem são as pessoas por baixo dos novos hematomas e das camadas recentes de sujeira. Acho que foi mais por eu ter me tornado um dos que você chama de mortos ambulantes, Roland. Invisível para o mundo. Mas acho que essas pessoas, essas *ex*-pessoas, devem continuar ligadas a Nova York.

— Nunca se afastam muito — concordou Roland. O cigarro terminara; o papel seco e as migalhas de tabaco haviam desaparecido até as unhas em duas baforadas. — Os fantasmas sempre assombram a mesma casa.

— Claro que assombram, pobres coitados. E eu queria me mandar. Todo dia o sol se punha mais cedo, e eu sentia um pouco mais forte o chamado daquelas estradas, daquelas estradas escondidas. Parte disso talvez fosse a lendária cura geográfica, à qual creio que já me referi. É uma crença totalmente ilógica, e, no entanto, poderosa, de que tudo vai mudar pra melhor em um novo lugar; que a compulsão de se autodestruir vai desaparecer em um passe de mágica. Parte disso era sem a menor dúvida a esperança de que em outro lugar, um lugar *maior*, não haveria mais vampiros nem mortos-vivos pra ter que lidar. Mas, acima de tudo, eram outras coisas. Bem... uma coisa muito grande. — Callahan sorriu, porém não mais que um risco dos lábios expondo as gengivas. — Alguém havia começado a me caçar.

— Os vampiros — disse Eddie.

— Sim... — Callahan mordeu o lábio, depois repetiu com mais convicção. — É. Mas não *apenas* eles. Mesmo que aquilo fosse o mais lógico, não parecia inteiramente certo. Eu sabia que não eram os mortos, pelo menos; eles me viam, mas não ligavam pra mim em absoluto, a não ser talvez pela esperança de que eu pudesse consertá-los ou tirá-los do seu sofrimento. Mas os Tipo Três não me viam, como eu já disse, de qualquer modo não como a coisa que os caçava. E eles não conseguiam focar em nada por muito tempo, como se fossem em certa medida infectados pela mesma amnésia que passam para suas vítimas.

"Tomei consciência pela primeira vez de que estava em apuros uma noite no parque da Washington Square, não muito depois que matei a mulher do banco. Esse parque se tornara um lugar assíduo para mim, embora Deus saiba que eu não era o único. No verão, era um verdadeiro dormitório ao ar livre. Eu tinha até meu banco favorito, embora não o pegasse toda noite... nem *fosse* lá toda noite.

"Nessa noite em particular, tempestuosa, abafada e fechada, cheguei lá por volta das oito horas. Tinha comigo uma garrafa em um saco de papel pardo e um livro dos Cantos de Ezra Pound. Aproximei-me do banco, e ali, pintada com tinta aerossol de um lado ao outro nas costas de outro banco perto do meu, vi uma pichação que dizia: ELE VEM AQUI. ELE TEM UMA DAS MÃOS QUEIMADAS."

— Meu Deus do céu — sussurrou Susannah, e levou a mão à garganta.

Saí do parque na mesma hora e dormi em um beco a vinte quadras dali. Não havia dúvida alguma para mim de que eu era o sujeito daquela pichação. Duas noites depois, vi uma na calçada diante de um bar em Lex onde eu gostava de beber e às vezes comer um sanduíche, se estivesse, como dizem, abonado. Tinha sido feita com giz e o tráfego a pé a apagara até parecer fantasmagórica, mas mesmo assim deu pra ler. Dizia a mesma coisa: ELE VEM AQUI. ELE TEM UMA DAS MÃOS QUEIMADAS. Havia cometas e estrelas em volta da mensagem, como se quem tivesse escrito realmente tivesse também tentado enfeitá-la. Um quarteirão adiante, pichado com tinta em uma placa de Proibido Estacionar: QUASE TODO O SEU CABELO ESTÁ BRANCO AGORA. Na manhã seguinte, na lateral de um ônibus circular: SEU NOME PODE SER COLLINGWOOD. Dois ou três dias depois, comecei a ver cartazes de animais de estimação perdidos em volta de vários dos lugares que haviam passado a ser meus lugares, Needle Park, o lado oeste de The Ramble do Central Park, o bar City Lights em Lex, dois clubes de música e poesia folclóricas no Village.

— Cartazes de animais de estimação perdidos — comentou Eddie. — Sabe, de certa maneira isso é brilhante.

— Eram todos a mesma coisa — disse Callahan. — VOCÊ VIU NOSSO SETTER IRLANDÊS? ELE É UMA COISINHA VELHA E IDIOTA MAS NÓS O AMAMOS. PATA DIANTEIRA QUEIMADA. ATENDE PELO NOME DE KELLY, COLLINS OU COLLINGWOOD. PAGAMOS UMA RECOMPENSA ENORME A QUEM O ENCONTRAR. E depois uma fileira de cifrões.

— A quem seriam dirigidos esses cartazes? — perguntou Susannah.

Callahan deu de ombros.

— Não sei exatamente. Aos vampiros, talvez.

Eddie esfregava o rosto, cansado.

— Muito bem, vamos ver. Temos os vampiros Tipo Três... os defuntos errantes... e agora esse terceiro grupo. Os que saíam por ali colando cartazes de animais de estimação perdidos que não eram sobre animais de estimação e escrevendo coisas em prédios e calçadas. Quem eram eles?

— Os homens nefastos — disse Callahan. — Se apresentam assim, embora haja mulheres entre eles. Às vezes se chamam de justiceiros. Muitos usam longos casacos amarelos... mas não todos. Muitos têm caixões azuis tatuados nas mãos... mas não todos.

— Os Grandes Caçadores de Caixões, Roland — murmurou Eddie.

Roland assentiu, mas sem tirar os olhos de Callahan.

— Deixe o homem falar, Eddie.

— O que são, o que na *verdade* são, é soldados do Rei Rubro — disse Callahan. E persignou-se.

12

Eddie se assustou. Susannah levou mais uma vez a mão à barriga e começou a alisá-la. Roland se viu lembrando o passeio deles pelo Gage Park, após finalmente escaparem de Blaine. Os animais mortos no zoológico. O jardim arruinado das roseiras devastadas. O carrossel e o trem de brinquedo. Depois, a estrada de metal levando a uma estrada de metal ainda maior que Eddie, Susannah e Jake chamavam de autoestrada com pedágio. Ali, numa placa, alguém pichara **CUIDADO COM O CARA QUE ANDA**. E em outra placa, decorada com o tosco desenho de um olho, esta mensagem: **TODOS SALVEM O REI RUBRO!**

— Vocês já ouviram falar desse cavalheiro, pelo que vejo — disse Callahan secamente.

— Digamos que ele deixou sua marca onde também pudéssemos vê-la — disse Susannah.

Callahan indicou a direção do Trovão com a cabeça.

— Se a jornada de vocês os levar lá — disse —, vão ver bem mais do que alguns avisos pintados a aerossol em paredes.

— E você? — perguntou Eddie. — O que foi que fez?

— Primeiro me sentei e analisei a situação. E decidi que, por mais que a coisa parecesse fantástica ou paranoica a alguém olhando de fora, eu vinha sendo mesmo caçado, não necessariamente por vampiros Tipo Três. Embora, claro, eu compreendesse, sim, que as pessoas que faziam as pichações e colocavam os cartazes de animais de estimação perdidos não teriam escrúpulos em usar os vampiros contra mim.

"Nesse ponto, lembrem, eu não fazia a menor ideia de quem poderia ser aquele grupo misterioso. Em Jerusalem's Lot, Barlow se mudou para uma casa que havia passado por um caso de terrível violência e tinha fama de ser mal-assombrada. O escritor, Mears, disse que uma casa má atraía um homem mau. Meu pensamento mais racional em Nova York me levou de volta a essa ideia. Comecei a achar que eu tinha atraído outro vampiro-rei, outro Tipo Um, da maneira como a Casa Marsten atraiu Barlow. Se fosse certo ou errado (acabou se revelando errado), achei confortante saber que meu cérebro, encharcado de pinga ou não, ainda era capaz de alguma lógica.

"A primeira coisa que eu tinha de decidir era se ficava em Nova York ou fugia. Sabia que se *não* fugisse eles iam me pegar, e provavelmente mais cedo que mais tarde. Tinham uma descrição, e isso servia como um identificador especialmente bom." Callahan ergueu a mão queimada.

— Quase tinham descoberto o meu nome; e não levaria mais de uma ou duas semanas para descobrirem de vez. Haviam cercado todas as minhas paradas regulares, lugares onde meu cheiro se concentrara. Encontrariam pessoas com quem eu conversava, saía, jogava damas e cribbage. Pessoas com quem eu também trabalhava em meus empregos da empresa de recrutamento e da Brawny Man.

"Isso me levou a um lugar onde eu devia ter chegado muito antes, mesmo com um mês depois de beber sem parar. Compreendi que eles iam encontrar Rowan Magruder, o Lar e todas as outras pessoas que me conheceram lá. Trabalhadores de meio período, voluntários, dezenas de clientes. Porra, após nove meses, *centenas* de clientes.

"Pra cumular tudo mais, havia a atração daquelas estradas.

Callahan olhou para Eddie e Susannah.

— Sabiam que existe uma ponte só pra pedestres sobre o rio Hudson até Nova Jersey? É quase uma sombra da ponte George Washington, uma passarela de tábuas que ainda tem alguns bebedouros de madeira para vacas e cavalos ao longo de um dos lados.

Eddie riu como faz um homem quando percebe que um de seus apêndices inferiores está sendo sacudido rapidamente.

— Perdoe-me, padre, mas isso é impossível. Estive na ponte George Washington talvez umas quinhentas vezes na vida. Henry e eu vivíamos no Palisades Park. Não existe nenhuma ponte de tábuas.

— Mas existe, sim — disse Callahan calmamente. — Acredito que remonte ao início do século XIX, embora tenha sido fechada para reparos várias vezes desde então. Na verdade, há uma placa na metade da travessia que diz REPAROS DO BICENTENÁRIO CONCLUÍDOS EM 1975 PELAS INDÚSTRIAS LAMERK. Eu me lembrei desse nome na primeira vez que vi o robô Andy. Segundo a plaquinha de metal no peito dele, é a empresa que o fez.

— Nós também vimos o nome antes — disse Eddie. — Na cidade de Lud. Só que lá dizia *Fundição* LaMerk.

— Diferentes subsidiárias da mesma companhia, na certa — disse Susannah.

Roland nada disse, só fez aquele impaciente gesto giratório com os dois dedos restantes da mão direita: ande logo, ande logo.

— Ela está lá, mas é difícil de ver — continuou Callahan. — Escondida. E é apenas o primeiro dos caminhos secretos. De Nova York, irradiam-se como uma teia de aranha.

— Autoestradas com pedágio todash — murmurou Eddie. — Curti o conceito.

— Não sei se está certo ou não — disse Callahan. — Só sei que vi coisas extraordinárias em minhas perambulações durante os anos seguintes, e também conheci várias pessoas boas. Parece até um insulto chamá-las de pessoas normais, ou comuns, mas eram as duas coisas. E sem a menor dúvida elas dão a palavras como *normal* e *comum* uma sensação de nobreza pra mim.

"Eu não queria deixar Nova York sem ver novamente Rowan Magruder. Queria que ele soubesse que eu *tinha* mijado na cara morta de Lupe, tinha ficado bêbado, mas não tinha arriado as calças até embaixo e feito a outra coisa. O que é meu jeito muito troncho de dizer que não desistira inteiramente. E que eu tinha decidido não amarelar como um coelho em um feixe luminoso de lanterna."

Callahan recomeçara a chorar. Enxugou os olhos com as mangas da camisa.

— E também, imagino, eu queria me despedir de alguém, e ter alguém que se despedisse de mim. As despedidas que proferimos e as que ouvimos são as despedidas que nos dizem que ainda estamos vivos, afinal. Queria dar um abraço nele, e passar adiante o beijo que Lupe tinha me dado. E também a mensagem: "Você é valioso demais para se perder. Eu…".

Viu Rosalita vindo apressada pelo gramado com a saia torcida ligeiramente no tornozelo, e interrompeu-se. Ela entregou-lhe um pedaço de ardósia liso no qual alguma coisa fora escrita com giz. Por um momento ensandecido Eddie imaginou uma mensagem ladeada por estrelas e luas: PERDIDO! UM CÃO VIRA-LATA COM A PATA DIANTEIRA MUTILADA! ATENDE PELO NOME DE *ROLAND*! MAL-HUMORADO, DADO A MORDER, *MAS NÓS O AMAMOS MESMO ASSIM*!!!

— É de Eisenhart — disse Callahan, erguendo os olhos. — Se Overholser é o grande fazendeiro por estas bandas, e Eben Took o grande comerciante, então devemos chamar Vaughn Eisenhart de o grande rancheiro. Diz que Slightman pai e filho e o Jake de vocês vão nos encontrar em Nossa Senhora ao meio-dia, se lhes convier. É difícil entender a letra dele, mas acho que vai levá-los para visitar fazendas, pequenas propriedades e ranchos, quando voltarem para a Rocking B, onde passarão a noite. Está bem para vocês?

— Não muito — disse Roland. — Eu preferia ter meu mapa antes de partir.

Callahan pensou nisso e depois olhou para Rosalita. Eddie decidiu que a mulher provavelmente era muito mais que apenas uma governanta. Embora tivesse se afastado além do alcance do ouvido, não voltara para a casa. *Como uma boa secretária executiva*, ele pensou. O Velho não precisou chamá-la; ela se adiantou ao olhar dele. Os dois falaram e então Rosalita foi embora.

— Acho que vamos comer nosso almoço no gramado da igreja — disse Callahan. — Há um agradável bosque de bétulas lá que nos proporcionará sombra. Quando terminarmos, tenho certeza de que os gêmeos vão ter alguma coisa pronta pra você.

Roland assentiu, satisfeito.

Callahan levantou-se com uma contração, colocou as mãos na parte mais estreita das costas e alongou-se.

— E eu tenho uma coisa para lhes mostrar agora.

— Você não terminou sua história — disse Susannah.

— Não — concordou Callahan —, mas ficamos sem tempo. Eu posso andar e falar ao mesmo tempo, se vocês aí puderem andar e escutar.

Podemos, sim — disse Roland, levantando-se. Doeu, mas nada insuportável. A gordura de gato de Rosalita era algo e tanto. — Só me diga duas coisas antes de irmos.

— Se eu puder, pistoleiro, farei com o maior prazer.

— As pessoas dos avisos: você as viu em suas viagens?

Callahan assentiu com a cabeça devagar.

— Ié, pistoleiro, vi, sim. — Olhou para Eddie e Susannah. — Já viram uma foto colorida de pessoas, tirada com flash, onde os olhos de todo mundo ficam vermelhos?

— Sim — disse Eddie.

— Os olhos deles são assim. Olhos rubros. E a sua segunda pergunta, Roland?

— São eles os Lobos, père? Esses homens nefastos? Os soldados do Rei Rubro? São eles os Lobos?

Callahan hesitou um longo tempo antes de responder.

— Não sei dizer com certeza — acabou respondendo. — Não cem por cento, entenda. Mas acho que não. Mas sem a menor dúvida são sequestradores, embora não levem só crianças. — Pensou no que dissera. — Um tipo de Lobo, talvez. — Pensou mais um pouco, depois repetiu: — Ié, um tipo de Lobo.

4. A HISTÓRIA DO PADRE CONTINUA (RODOVIAS ESCONDIDAS)

1

A caminhada do quintal da casa paroquial até a porta da frente de Nossa Senhora da Serenidade foi curta, não levando mais que cinco minutos. Certamente, não era tempo suficiente para o Velho contar-lhes sobre os anos que passara vagueando antes de ver uma matéria no jornal *Bee* de Sacramento que o levara de volta a Nova York em 1981, e no entanto os três pistoleiros ouviram todo o relato. Roland desconfiou que Eddie e Susannah, assim como ele, sabiam o que isso significava: quando seguissem adiante de Calla Bryn Sturgis — sempre supondo que não iriam morrer lá — haveria toda a probabilidade de Donald Callahan seguir adiante com eles. Não se tratava apenas de narrar uma história, mas khef, a partilha da água. E deixando de lado o toque, que era outra questão, a khef só podia ser partilhada por aqueles cujo destino fora soldado para o bem ou para o mal. Por aqueles que eram ka-tet.

Callahan disse:

— Vocês sabem o que o pessoal diz: "Não estamos mais no Kansas, Totó?".

— A frase tem alguma vaga ressonância pra nós, doçura, sim — disse Susannah secamente.

— Tem? É, só de olhar pra vocês vejo que tem. Talvez me contem sua própria história um dia. Tenho a impressão de que vai deixar a minha no chinelo. Em todo caso, eu soube que não estava mais no Kansas ao me aproximar da extremidade oposta da ponte de pedestres. E pareceu que eu também não estava entrando no estado de Nova Jersey. Pelo menos não o que sempre havia esperado encontrar no outro lado do Hudson. Havia um jornal amassado

2

sobre o parapeito da passarela, que parece completamente deserta exceto por ele, embora o tráfego de veículos na grande ponte pênsil à sua esquerda seja pesado e constante. Ele se curva para pegá-lo. O vento frio que sopra ao longo do rio despenteia-lhe os cabelos grisalhos à altura dos ombros.

Há apenas uma folha de jornal dobrada, mas no alto se vê a primeira página do Register *de Leabrook. Callahan nunca ouviu falar de Leabrook. Nenhum motivo para ter ouvido, ele não é nenhum especialista em Nova Jersey, nem sequer esteve lá desde que chegara em Manhattan no ano anterior, mas sempre julgou que a cidade do outro lado da ponte George Washington fosse Fort Lee.*

Então as manchetes chamam a sua atenção por completo. A principal no alto da página parece algo que poderia realmente ser; TENSÕES RACIAIS EM MIAMI DIMINUEM, *diz. Os jornais de Nova York estiveram cheios desses problemas nos últimos dias. Mas o que dizer de* GUERRA DE PIPAS CONTINUA EM TEANECK, HACKENSACK, *até com uma foto de um prédio em chamas? Há uma foto de bombeiros chegando em um carro-pipa, mas estão todos rindo! O que dizer de* PRESIDENTE AGNEW APOIA SONHO DE TERRAFORM DA NASA? *O que dizer da matéria no pé da folha, escrita em cirílico?*

O que aconteceu comigo?, *pergunta-se Callahan. Durante tudo o que se passou com os vampiros e os mortos-vivos — mesmo durante todo o surgimento dos cartazes dos animais de estimação perdidos que claramente se referiam a ele —, Callahan jamais questionou a própria sanidade. Agora, parado ali na ponta daquela ponte humilde (e muitíssimo fora do comum!) de pedestres do outro lado do Hudson, utilizada por ninguém mais além dele — finalmente a questiona.* A ideia de Spiro Agnew como presidente já é o suficiente, *ele pensa*, faz qualquer um com um mínimo de noção política duvidar da própria sanidade. O homem renunciou anos atrás, antes mesmo de seu chefe fazê-lo.

O que aconteceu comigo?, *pergunta-se, mas se ele é um lunático delirante a imaginar tudo isso, realmente não quer saber.*

"Fora com as bombas", ele diz, e atira o restante de quatro páginas do Register *de Leabrook sobre a amurada da ponte. A brisa colhe-o e transporta-o para a George Washington.* Isto é realidade, *ele pensa*, bem ali. Aqueles carros, aqueles caminhões, aqueles ônibus de excursão. *Mas então, entre os veículos, ele vê um vermelho que parece correr a grande velocidade por vários fios circulares. Acima do corpo do veículo — mais ou menos do tamanho de um ônibus escolar médio — gira um cilindro rubro.* BANDY, *lê-se num lado.* BROOKS, *no outro.* BANDY BROOKS. *OU* BANDYBROOKS. *Que porra é Bandy Brooks? Ele não tem a menor ideia. Nem jamais viu veículo igual na vida, e não teria acreditado em tal coisa — veja os* trilhos, *pelo amor de Deus —, seria o acesso daquilo permitido numa rodovia pública?*

Então a ponte George Washington também não é o mundo seguro. Ou não mais.

Callahan segura o parapeito da ponte e aperta-o com força, quando uma onda de tontura o percorre de cima a baixo, fazendo-o sentir-se instável nos pés e inseguro do próprio equilíbrio. O parapeito parece bastante real, madeira aquecida pelo sol e gravada com milhares de iniciais e mensagens. Ele vê DK *ama* MB *em um coração.* FREEDY & HELENA = AMOR VERDADEIRO. VÊ MATEM TODOS OS LATINS E NEGOS, *a mensagem enquadrada por suásticas, e fica pensando em como alguém pode ter uma incapacidade verbal tão completa que o indivíduo não consegue nem soletrar suas ofensas preferidas. Mensagens de ódio, mensagens de amor, e todas tão reais quanto seu batimento cardíaco acelerado ou o peso de algumas moedas e notas no bolso da frente do jeans. Respira profundamente, e isto também é real, até o sabor de combustível diesel.*

Isto está acontecendo comigo, eu sei que está, *pensa.* Eu não estou na Enfermaria 9 de algum hospital psiquiátrico. Eu sou eu, estou aqui, e até mesmo sóbrio — pelo menos por enquanto —, e Nova York está atrás de mim. Assim como a cidade de Jerusalem's Lot, no Maine, com seus mortos agitados. Diante de mim estão os Estados Unidos com todas as suas possibilidades.

Esse pensamento o anima, e é seguido por outro que o ajuda ainda mais: não apenas um Estados Unidos, talvez, mas uma dezena... ou mil... ou um milhão. Se logo ali fica Leabrook em vez de Fort Lee, talvez seja outra versão de Nova Jersey, onde a cidade do outro lado do Hudson é Leeman ou Leighman ou Lee Bluffs ou Lee Palisades ou Leghorn Village. Talvez em vez de quarenta e dois Estados Unidos continentais no outro lado do Hudson haja quatrocentos e vinte ou quarenta e dois mil, *todos empilhados em geografias verticais de oportunidades.*

E ele entende instintivamente que isso é quase com toda a certeza verdade. Deparara-se com uma enorme, possivelmente infindável, confluência de mundos. São todos Estados Unidos, mas são todos diferentes. Há rodovias que conduzem através deles, e Callahan as vê.

Dirige-se a passos largos até a ponta Leabrook da ponte, e então para mais uma vez. E se eu não encontrar o caminho de volta?, *pensa.* E se eu me perder, vagar e jamais tornar a encontrar o caminho de volta aos Estados Unidos, onde Fort Lee fica no lado oeste da ponte George Washington e Gerald Ford (logo quem!) é o presidente dos Estados Unidos?

E então ele pensa: E daí se não encontrar? Foda-se, e daí?

Quando sai e pisa no lado Jersey da ponte de pedestres, está sorrindo radiante, verdadeiramente despreocupado pela primeira vez desde que oficiou próximo ao túmulo de Danny Glick na cidade de Jerusalem's Lot. Dois meninos com varas de pescar encaminham-se em sua direção.

— Algum dos jovens coleguinhas faria o favor de me dar as boas-vindas a Nova Jersey? — pede Callahan, sorrindo ainda mais radiante que nunca.

— Bem-vindo a Ene-Jota, cara — diz um deles, de bom grado, mas ambos passam bem ao largo dele e lançam-lhe um olhar cauteloso. Ele não os culpa, mas isso

não diminui em nada seu esplêndido estado de espírito. Sente-se como um homem solto de uma prisão cinzenta e deprimente que saiu para um dia ensolarado. Põe-se a andar mais rápido, não se virando para dar sequer uma olhada para a silhueta dos prédios na linha do horizonte de Manhattan. Por que faria isso? Manhattan é o passado. Os múltiplos Estados Unidos que se estendem adiante dele, esses são o futuro.

Está em Leabrook. Não ressoam os sinos. Mais tarde haverá sinos e vampiros; mais tarde haverá mais mensagens escritas com giz em calçadas e pichadas com tinta aerossol em paredes de tijolos (nem todas sobre ele). Mais tarde, verá os homens nefastos em seus bizarros Cadillacs vermelhos e Lincolns verdes e Mercedes-Benz roxos, homens nefastos com olhos disparando faíscas vermelhas, mas hoje, não. Hoje, é só a luz do sol em um novo Estados Unidos, no lado oeste de uma ponte para pedestres restaurada do outro lado do Hudson.

Na rua principal, para diante do Restaurante de Comida Caseira de Leabrook e vê uma tabuleta na janela do restaurante na qual se lê PRECISA-SE DE COZINHEIRO PARA REFEIÇÕES À MINUTA. *Don Callahan preparou pratos rápidos durante quase todo seu tempo no seminário, e fez ainda mais disso no Lar no East Side de Manhattan. Pensa que talvez possa se encaixar bem ali no Restaurante de Comida Caseira de Leabrook. Acaba descobrindo que tinha razão, embora sejam necessários três turnos para ele recuperar a habilidade de fritar dois ovos com uma só mão na grelha. O dono, um homem atraente chamado Dicky Rudebacher, pergunta se ele tem algum problema médico — "coisa contagiosa", como ele chama — e assente em simples aceitação quando Callahan diz que não tem. Não pede qualquer documento de trabalho nem o número da Seguridade Social. Quer pagar seu novo cozinheiro informalmente, se isso não for um problema para ele. Callahan garante-lhe que não.*

— Mais uma coisa — diz Dicky Rudebacher, e Callahan espera apreensivo. Nada o surpreenderia, mas o que Rudebacher diz é: — Você parece um homem que bebe.

Callahan admite que tem sido conhecido por gostar de uns tragos.

— Eu também — diz Rudebacher. — Neste negócio, é a maneira de a gente proteger a maldita sanidade. Não vou cheirar seu bafo quando você chegar... se chegar na hora. Se chegar atrasado duas vezes, contudo, pode seguir seu caminho pra qualquer outro lugar. Não vou lhe dizer isto de novo.

Callahan prepara pratos rapidamente no Restaurante de Comida Caseira de Leabrook durante três semanas, e hospeda-se a duas quadras dali, no Motel Sunset. Só que nem sempre é o Restaurante de Comida Caseira, e nem sempre é o Sunset. Em seu quarto dia na cidade, acorda no Motel Sunrise *e o Restaurante de Comida Caseira de Leabrook é o Restaurante de Comida Caseira de Fort Lee.*

O Register de Leabrook, que as pessoas têm deixado atrás do balcão, torna-se o Register-American de Fort Lee. Ele não fica exatamente aliviado ao descobrir que Gerald Ford reassumiu a presidência.

Quando Rudebacher lhe paga no final da primeira semana — em Fort Lee —, Grant está nas notas de cinquenta, Jackson nas de vinte e Alexander Hamilton na única de dez no envelope que o patrão lhe entrega. No fim da segunda semana — em Leabrook — Abraham Lincoln está nas de cinquenta e alguém chamado Chadbourne na de dez. Continua sendo Andrew Jackson nas de vinte, o que é um certo alívio. No quarto do motel de Callahan, a colcha é cor-de-rosa em Leabrook e laranja em Fort Lee. Isto é útil. Ele sempre sabe em qual versão de Nova Jersey está assim que acorda.

Enche a cara duas vezes. Na segunda, após fechar, Dicky Rudebacher junta-se a ele e o acompanha bebida a bebida.

— Este já foi um grande país — lamenta a versão Leabrook de Rudebacher, e Callahan pensa em como é fantástico o fato de algumas coisas não mudarem; o eterno ciclo de reclamações é um fato da passagem do tempo.

Mas sua sombra começa a alongar-se mais cedo a cada dia, ele viu seu primeiro vampiro Tipo Três esperando na fila para comprar um ingresso no cinema Leabrook Twin, e um dia avisa que vai embora.

— Eu achei que você havia me dito que não tinha nada, meu amigo — diz Rudebacher a Callahan.

— Como?

— Você tem um grave caso de sarna no pé, meu amigo. Isso sempre acompanha a outra coisa. — Faz um gesto de entornar a garrafa com a mão avermelhada de detergente para lavar pratos. — Quando um cara pega sarna no pé tarde na vida, é muitas vezes incurável. Quer saber de uma coisa, se eu não tivesse uma esposa que ainda é uma trepada muito boa e dois filhos na faculdade, talvez fizesse uma trouxa e me juntasse a você.

— É mesmo? — exclama Callahan, fascinado.

— Setembro e outubro são sempre os piores — diz Rudebacher, devaneando. — A gente ouve o chamado dela. Os pássaros também a ouvem e partem.

— Dela?

Rudebacher dá-lhe um olhar que diz: não seja idiota.

— Com eles, é o céu. Caras como nós, é a estrada. O chamado da porra da estrada. Caras como eu, filhos na escola e uma esposa que ainda gosta da coisa mais do que apenas no sábado à noite, aumentam o volume do rádio um pouco mais alto e abafam o chamado. Você não vai fazer isso. — Faz uma pausa, encara Callahan astutamente. — Fica mais uma semana? Te dou um aumento de vinte e cinco pratas. Você faz um Monte Cristo e tanto.

Callahan pensa na proposta, depois balança a cabeça. Se Rudebacher estivesse certo, se só fosse uma estrada, talvez ele ficasse mais uma semana... e outra... e outra... Mas não é apenas uma. São todas elas, todas as rodovias escondidas, e ele se lembra do livro que lera no terceiro ano e desata a rir. Chamava-se Estradas para todos os lugares.

— O que tem de tão engraçado? — pergunta Rudebacher, com azedume.

— Nada — responde Callahan. — Tudo. — Bate com a mão no ombro do patrão. — Você é um bom sujeito, Dicky. Se eu voltar por estas bandas, dou uma passada por aqui.

— Você não vai voltar — diz Dicky Rudebacher, e é claro que ele está certo.

3

— Passei cinco anos na estrada, mais ou menos — disse Callahan, quando eles se aproximavam de sua igreja, e de certa forma foi tudo o que disse sobre o assunto. Os três, contudo, ouviram mais. Nem ficaram surpresos mais tarde ao saberem que Jake, a caminho da aldeia com Eisenhart e os Slightman, também ouvira parte dela. Era Jake, afinal, o mais forte no toque.

Cinco anos na estrada, não mais que isso.

E todo o resto, sabem como é: milhares de mundos da rosa perdidos.

4

Ele passa cinco anos na estrada, mais ou menos, só que há muito mais que uma estrada e talvez, nas circunstâncias certas, cinco anos podem ser uma eternidade.

Há a rodovia 71, que corta Delaware, e maçãs para colher. Há um menininho chamado Lars com um rádio quebrado. Callahan conserta-o e a mãe de Lars embala um farto e maravilhoso almoço para levar com ele, um almoço que parece durar dias. Há a rodovia 317 que corta a zona rural de Kentucky, e um trabalho de cavar sepulturas com um sujeito chamado Pete Petacki, que não fecha a matraca. Uma jovem chega para observá-los, uma bela moça de uns dezessete anos, sentada em um muro de pedra com folhas amarelas a chover em toda a sua volta, e Pete Petacki imagina sobre como seria ter aquelas belas coxas fora das calças que a garota veste, e encaixadas ao redor do próprio pescoço, como seria meter a língua em alguém que é chave de cadeia. Pete Petacki não vê a luz azul que a circunda, e com certeza não vê que suas roupas caem depois à deriva no chão como plumas, quando Callahan se senta a seu lado, puxa-a para junto de si e ela leva a mão pela perna dele acima, a boca em sua garganta, e então ele enfia-lhe a faca com precisão na saliência de osso e nervo abaixo da nuca. É um golpe no qual vem ficando muito bom.

Há a rodovia 19, que atravessa o oeste de Virgínia, e um pequeno parque de diversões enferrujado à beira da estrada à procura de um homem para consertar os brinquedos e dar de comer aos animais. "Ou o contrário", diz Greg Chumm, o dono de cabelos oleosos do parque. "Você sabe como é, alimentar os brinquedos e comer os animais. Seja lá o que for que você curte mais." E por algum tempo, quando uma infecção de garganta deixa o parque de diversões sem mão de obra braçal (eles se dirigem agora para o sul, tentando ficar adiante do inverno), ele também se vê fazendo o papel de Menso, o Prodígio da Percepção Extrassensorial, e com surpreendente sucesso. Também é como Menso que ele os vê pela primeira vez, não vampiros nem pessoas mortas desorientadas, mas homens altos de rostos pálidos, vigilantes, que andam em geral ocultos sob chapéus antiquados com abas estreitas, ou bonés de beisebol da última moda com bicos extracompridos. Nas sombras projetadas por esses chapéus, seus olhos faíscam um vermelho-escuro, como os olhos de guaxinins ou furões-do-mato quando a gente os capta no facho de uma lanterna, rondando em volta de nossas lixeiras. Será que eles *veem* Callahan*? Os vampiros (pelo menos os do Tipo Três) não. Os mortos sim. E esses homens, com as mãos enfiadas nos bolsos de seus longos casacões amarelos e rostos duros espreitando debaixo dos chapéus? Eles veem? Callahan não sabe ao certo, mas decide não correr riscos. Três dias depois, na cidade de Yazoo City, no Mississippi, ergue a cartola preta de Menso, larga o sujo macacão no leito de uma caminhonete da caravana e larga o Show de Maravilhas Itinerantes de Chumm, não se dando ao trabalho de pegar o último pagamento. A caminho de sair da cidade, vê vários daqueles cartazes de animais de estimação perdidos presos a postes telefônicos. Um característico diz:*

DESAPARECIDA! GATA SIAMESA,
2 ANOS ATENDE PELO NOME DE RUTA
É BARULHENTA MAS ADORA UMA FARRA
OFERECE-SE GRANDE RECOMPENSA
$$$$$$
LIGUE PARA 764, AGUARDE O BIPE, DEIXE SEU NÚMERO
DEUS O ABENÇOE PELA AJUDA

Quem é Ruta? Callahan não sabe. Só sabe que ela é BARULHENTA *mas* ADORA UMA FARRA*. Continuará barulhenta quando os homens nefastos a alcançarem? Ainda vai adorar uma farra?*

Callahan duvida.

Mas ele tem seus próprios problemas, e só o que lhe resta é orar ao Deus em quem não acredita mais tanto assim que os homens de casacões amarelos não a capturem.

Mais tarde nesse dia, pedindo carona no acostamento da rodovia 3 no condado de Issaquena, sob um céu quente, de um cinza metálico que nada sabe de dezembro e da aproximação do Natal, os badalos do carrilhão mais uma vez recomeçam. Enchem-lhe a cabeça, ameaçando arrebentar seus tímpanos e fazer vazarem picadas hemorrágicas mínimas por toda a superfície do cérebro. Ao se extinguirem, uma terrível certeza oprime-o: eles estão chegando. Os homens de olhos vermelhos, chapéus e longos casacos amarelos estão a caminho.

Callahan dispara do acostamento da estrada como a debandada de uma fuga de forçados acorrentados, atravessando vala cheia de limo como se fosse o Super-homem: em um único salto. Adiante, uma velha cerca de ripas de madeira invadida por vegetação rasteira, com tufos de kudzu e o que pode ser sumagre venenoso. Não liga se é ou não sumagre venenoso. Mergulha sobre a cerca, rola em mato alto, bardanas, e espia a rodovia por um buraco na folhagem.

Por um ou dois momentos, nada acontece. Então um Cadillac, capota branca sobre carroceria vermelha, chega esmagando asfalto a toda pela rodovia 3 na direção de Yazoo City. Deve estar fazendo uns 110 quilômetros, e embora Callahan esteja vendo por uma pequena fresta, ele os vê com nitidez sobrenatural: três homens, dois no que parecem ser casacos compridos amarelos, o terceiro no que poderia ser uma jaqueta de voo. Todos os três fumando; a cabine do Cadillac fechada a deitar fumo.

Eles vão me ver eles vão me farejar eles vão me sentir, *tagarela a mente de Callahan, e ele rechaça isso de sua própria certeza estropiada e em pânico, arranca-o. Força-se a pensar na letra da música cantada por Elton John — “Alguém salvou, alguém salvou, alguém salvou minha* viii-da *esta noite...” e parece funcionar. Há um momento terrível, de parar o coração, quando ele acha que o Cadillac diminuiu a velocidade... longo o bastante para imaginá-los caçando-o por esse campo esquecido cheio de erva daninha, arrastando-o para um galpão ou celeiro abandonado — e então o Cadillac ronca mais uma vez na ladeira seguinte, rumando para Natchez, talvez. Ou Copiah. Callahan espera mais dez minutos. “Precisa ter certeza de que não estão armando uma arapuca pra você, cara”, poderia ter dito Lupe. Mas, mesmo enquanto espera, sabe que isso não passa de uma formalidade. Não estão armando nada para ele; simplesmente não o viram. Como? Por quê?*

A resposta vem devagar... uma resposta, pelo menos, e maldito seja ele se não parece ser a certa. Não o viram porque ele conseguiu meter o pé para uma versão diferente dos Estados Unidos quando se deitou atrás do emaranhado de kudzu e sumagre, esquadrinhando a rodovia 3. Talvez diferente em apenas alguns peque-

nos detalhes... Lincoln na cédula de um e Washington na de cinco, em vez de o contrário, digamos... mas suficientes. Muito suficientes. O que é ótimo, porque os caras não têm o cérebro estourado, como os mortos-vivos, ou não o enxergam, como os chupadores de sangue. Essas pessoas, seja lá quem forem, são as mais perigosas de todas.

Callahan enfim retorna para a estrada. Um homem negro de chapéu de palha e macacão afinal se aproxima em um velho e arruinado Ford. Ele se parece tanto com um agricultor negro de um filme da década de 30 que Callahan quase espera vê-lo rir, dar uma palmada no joelho e proferir gritos ocasionais de "Sim-sinhô, patrão! Mas num é dimais!". Ao invés disso, o negro envolve-o em uma discussão sobre política desencadeada por um comentário em um programa de rádio nacional, o qual ouvira. E quando Callahan o deixa, em Shady Grove, o homem lhe dá uma nota de cinco dólares e um boné de beisebol de sobra.

— Eu tenho dinheiro — diz Callahan, tentando devolver-lhe os cinco dólares.

— Um homem fugindo nunca tem o bastante — diz o homem. — E por favor não me diga que não está fugindo. Não insulte minha inteligência.

— Eu digo obrigado — diz Callahan.

— De nada *— diz o homem. — Para onde está indo?* Grosso modo?

— Não faço a menor ideia — responde Callahan e sorri. — Grosso modo.

5

Colhendo laranjas na Flórida. Varrendo em Nova Orleans. Retirando estrume de uma estrebaria em Lufkin, no Texas. Distribuindo panfletos de corretoras imobiliárias em Phoenix, no Arizona. Trabalhos temporários que pagam em dinheiro. Observando os rostos sempre mudando nas notas. Notar os diferentes nomes nos jornais. Jimmy Carter é eleito presidente, mas também o são Ernest "Fritz" Hollings *e Ronald Reagan. George Bush também é eleito presidente. Gerald Ford decide concorrer mais uma vez e ele é eleito presidente. Os nomes nos jornais (os das celebridades mudam com maior frequência, e de muitos ele nunca ouviu falar) não têm importância. Os rostos nas cédulas não têm importância. O que importa é a visão dos campos de trigo contra um intenso pôr do sol fúcsia, o ruído dos saltos das suas botas em uma estrada vazia em Utah, o barulho do vento no deserto do Novo México, a visão de uma criança pulando corda ao lado de um Chevrolet Caprice em Fossil, no Oregon. O que importa é o zumbido das linhas de força ao lado da rodovia 50, a oeste de Elko, em Nevada, e um corvo morto em uma vala nas imediações de Rainbarrel Springs. Às vezes ele está sóbrio, outras, embriagado. Em uma ocasião, deita-se em um galpão abandonado — logo depois da divisa es-*

tadual de Nevada com a Califórnia — e bebe quatro dias seguidos. Acaba com sete horas de vômito intermitente. Durante mais ou menos a primeira hora, o vômito é tão constante e violento que ele se convence de que vai matá-lo. Mais tarde, só deseja que o mate. E quando tudo passa, jura a si mesmo que está liquidado, chega de bebedeira para ele, enfim aprendeu a lição, e uma semana depois lá está ele bêbado de novo, nos fundos do restaurante onde fora contratado como lava-pratos, encarando as estranhas estrelas no céu acima. É um animal em uma armadilha e não liga a mínima para isso. Às vezes aparecem vampiros e ele os mata. Na maioria das vezes, deixa-os vivos porque teme atrair atenção para si mesmo — a atenção dos homens nefastos. Às vezes se pergunta o que acha que está fazendo, para que porra de lugar está indo, e perguntas assim tendem a mandá-lo correndo à procura da garrafa seguinte. Porque na verdade não está indo a lugar algum. Só seguindo as estradas secundárias e arrastando atrás de si sua armadilha, ouvindo apenas o chamado daquelas estradas e indo de uma à seguinte. Preso ou não na armadilha, às vezes ele se sente feliz: às vezes canta em seus grilhões como o mar. Tem vontade de ver o próximo campo de trigo erguido contra o próximo pôr do sol cor de fúcsia. De ver o próximo silo desmoronando no extremo do campo norte há muito abandonado de um fazendeiro desaparecido e ver o próximo caminhão roncando com TONOPAH GRAVEL *ou* ASPLUNDH HEAVY CONSTRUCTION *escrito na lateral. Está no paraíso dos vagabundos, perdido nas personalidades múltiplas dos Estados Unidos. Tem vontade de ouvir o vento nos desfiladeiros e saber que ele é o único a ouvi-lo. Tem vontade de gritar e ouvir os ecos fugirem. Quando o gosto do sangue de Barlow fica intenso demais em sua boca, ele sente vontade de beber. E, claro, quando vê os cartazes de animais de estimação perdidos ou as mensagens escritas com giz em calçadas, tem vontade de seguir adiante. No oeste, vê menos essas coisas, e seu nome ou sua descrição não estão presentes em qualquer deles. De vez em quando, vê vampiros rodando... o sangue nosso de cada dia nos dai hoje... mas os deixa em paz. São mosquitos, afinal, nada mais do que isso.*

Na primavera de 1981, vê-se chegando à cidade de Sacramento na parte de trás do que talvez seja o mais antigo caminhão com leito de estacas da International Harvester ainda circulando em estrada na Califórnia. Viaja amontoado com três dezenas de imigrantes mexicanos ilegais, há mescalina, tequila, maconha e várias garrafas de vinho, estão todos bêbados, e Callahan talvez seja o mais bêbado entre eles. Os nomes dos companheiros no caminhão voltam à sua memória nos anos posteriores como nomes proferidos em uma bruma de febre: Escobar... Estrada... Javier... Esteban... Rosario... Echeverria... Caverra. São nomes que encontrará depois em Calla, ou é apenas uma alucinação da bebedeira? Quanto a isso, o que pensar de seu próprio nome, tão próximo do lugar onde ele acaba ficando? Calla, Callahan. Calla, Callahan. *Às vezes, quando demora a pegar no sono em sua agradável cama na casa paroquial, os dois nomes perseguem um ao outro em sua cabeça como tigres em um desenho animado.*

Às vezes ocorre-lhe um verso de poesia, uma paráfrase da (ele acha) "Epístola a Ser Deixada na Terra", de Archibald MacLeish. Não era a voz de Deus, mas apenas o trovão. *Não está certo o verso, mas é como se lembra dele.* Não Deus, mas o trovão. *Ou é apenas no que ele quer acreditar? Quantas vezes Deus foi negado exatamente assim?*

Em todo caso, tudo isso vem depois. Quando chega em Sacramento, está bêbado e está feliz. Não há perguntas em sua mente. Chega a se sentir meio feliz até no dia seguinte, com ressaca e tudo. Encontra sem dificuldade um trabalho; há empregos em toda parte, parece, estendidos em volta como maçãs depois que uma tempestade de vento percorreu o pomar. Desde que você não se importe de sujar as mãos, isto é, escaldadas com água quente ou às vezes empoladas pelo cabo de um machado ou uma pá; em seus anos na estrada, ninguém jamais lhe ofereceu um emprego de corretor da bolsa de valores.

O trabalho que ele pega em Sacramento é descarregar caminhões em uma loja de camas e colchões chamada Sleepy John's que ocupa um quarteirão inteiro. A Sleepy John está se preparando para seu Ma$$acre de Colchõe$ anual, e durante toda manhã Callahan e uma equipe de cinco ou seis outros transportam os de tamanho médio, grande, os king e os queen sizes, e os beliches. Comparado a algum dos serviços que fez ao longo dos últimos anos, é moleza.

Na hora do almoço, Callahan e os demais homens sentam-se à sombra no pátio de descarga. Pelo que percebe, não há ninguém dessa equipe que seja da International Harvester, mas não é capaz de colocar a mão no fogo; estava muito bêbado. Sabe apenas com certeza que é o único cara branco presente. Todos eles comem enchiladas do Crazy Mary's logo ali na rua. Uma caixa de som velha e suja em cima de uma pilha de engradados toca salsa. Dois rapazes dançam tango juntos enquanto os outros — incluindo Callahan — largam de lado os almoços para acompanhá-los com palmas.

Uma jovem de saia e blusa sai, vê com um ar reprovador os homens dançando e olha para Callahan.

— Você fala inglês, certo? — pergunta.

— Falo inglês como o dia é longo — concorda Callahan.

— Então talvez goste disto. Sem dúvida não vale nada para os outros. — Estende-lhe o jornal; o Bee de Sacramento, e retorna o olhar para os mexicanos que dançam. — Chicanos — diz ela, e o sentido implícito está no tom: "O que se pode fazer?".

Callahan pensa em se levantar e dar um chute na estreita bunda falante de inglês dela que não sabe dançar, mas é meio-dia, tarde demais para conseguir ou-

tro trabalho se perder esse. E mesmo que não acabe em cana por agressão, não será pago. Decide erguer-lhe o dedo do meio pelas costas, e ri quando vários dos homens aplaudem. A jovem se vira, olha-os desconfiada e depois volta para dentro. Ainda sorrindo, Callahan abre o jornal. O sorriso dura até ele chegar à página assinalada DESTAQUES NACIONAIS *e logo se desfaz. Entre uma matéria sobre um descarrilamento em Vermont e um roubo de banco no Missouri, encontra isto:*

PREMIADO "ANJO DA RUA" EM ESTADO CRÍTICO

NOVA YORK (AP) — Rowan R. Magruder, proprietário e supervisor-chefe do que talvez seja o mais proeminente abrigo dos Estados Unidos para pessoas em situação de rua, alcoólatras e dependentes químicos, encontra-se em estado crítico após ser atacado pelos chamados Irmãos Hitler. Os Irmãos Hitler vêm agindo nas cinco regiões de Nova York durante pelo menos oito anos. Segundo a polícia, acredita-se que sejam responsáveis por mais de três dezenas de ataques e pela morte de dois homens. Ao contrário das outras vítimas, Magruder não é negro nem judeu, mas foi encontrado na entrada de uma casa não longe do Lar, o abrigo que fundou em 1968, com a suástica, marca registrada dos Irmãos Hitler, talhada na testa. A vítima também sofreu vários ferimentos a faca.

O Lar ganhou destaque nacional em 1977, quando a Madre Teresa o visitou, ajudou a servir o jantar e orou com os clientes. O próprio Magruder foi tema de uma matéria de capa da *Newsweek* em 1980, quando o chamado "Anjo da Rua" foi escolhido como Homem do Ano pelo prefeito Ed Koch.

Um médico familiarizado com o caso classificou as chances de recuperação de Magruder como "não mais do que três em dez". Disse que, além de ser marcado, Magruder foi cegado pelos atacantes. "Eu me considero um homem misericordioso", disse o médico, "mas, na minha opinião, os homens que fizeram isso deviam ser decapitados."

Callahan relê o artigo, perguntando-se se aquele é o "seu" Rowan Magruder, ou se seria um outro — um Rowan Magruder de um mundo onde um sujeito chamado Chadbourne está no verso de algumas cédulas, digamos. De alguma maneira tem a convicção de que é o seu. Sem a menor dúvida ele está no que julga ser o "mundo real" agora, e não é apenas a fina cédula na carteira de dinheiro que lhe diz isso. É uma sensação, uma espécie de sinal. Uma verdade. Se assim for (e é, ele sabe), quanta coisa perdera ali nas estradas escondidas. Visita da Madre Teresa! Ajudou a servir o jantar! Porra, pelo que Callahan sabe, talvez ela houvesse preparado uma refeição de Sapos e Bolinhos! É bem possível; a receita estava bem ali, colada com fita adesiva na parede ao lado do fogão. E um prêmio! A capa da Newsweek*! Ele fica puto por ter perdido isso, mas também não se vê revistas de notícias com muita regularidade quando se viaja com parques de diversões e conserta-se o brinquedo Canecas Malucas ou tira-se estrume de estrebarias atrás do rodeio em Enid, no Oklahoma.*

Sente uma culpa tão profunda que nem sabe *que sente culpa. Nem quando Juan Castillo pergunta:*

— Tá jorando pur quê, Donnie?

— Estou? — ele devolve a pergunta, e enxuga embaixo dos olhos, e, sim, está. Ele está chorando. Mas não sabe ainda que é por vergonha. Imagina que seja choque, e de certo modo é mesmo. — É, acho que estou.

— Adonde tu vai? — insiste Juan. — O dichcanso do almoço já quase acabou, cara.

— Preciso ir embora — diz Callahan. — Preciso voltar para o leste.

— Tu te manda, eles no te von pagar.

— Eu sei — diz Callahan. — Tá tudo bem.

E que grande mentira.

Porque nada está bem.

Nada.

6

— Eu tinha duzentos dólares costurados no fundo da minha mochila — disse Callahan. Agora estavam sentados nos degraus da igreja, sob a forte luz do sol. — Comprei uma passagem aérea de volta a Nova York. Não tinha tempo a perder, claro, mas não era o único motivo. Eu tinha de cair fora daquelas estradas ocultas. — Assentiu a cabeça para Eddie. — Das autoestradas todash. Criam tanta dependência quanto a pinga...

— Mais — disse Roland. Viu três figuras aproximando-se deles: Rosalita com os gêmeos Tavery, Frank e Francine. A menina tinha uma grande folha de papel nas mãos e levava-a na frente com um ar de reverência que quase chegava a ser cômico. — Vagar por estradas é a droga existente que mais vicia, e cada estrada escondida leva a mais uma dezena delas.

— Você fala a verdade, e eu agradeço — respondeu Callahan. Parecia abatido, triste e, pensou Roland, meio perdido.

— Père, gostaríamos de ouvir o resto da sua história, mas vou lhe pedir que a guarde até o anoitecer. Ou para amanhã à noite, se não voltarmos até então. Nosso amigo Jake vai chegar daqui a pouco.

— Você sabe disto, não é? — perguntou Callahan, interessado mas não descrente.

— Ié — respondeu Susannah.

— Gostaria de ver o que tem aí antes de ele chegar — disse Roland. — O relato de como encontrou isso é parte da *sua* história, acho...

— Sim — disse Callahan. — O *objetivo* da minha história, creio.

— ... e precisa esperar o seu momento. Quanto a agora, as coisas estão se acumulando.

— Isso costuma acontecer — disse Callahan. — Durante meses, às vezes anos, como tentei lhe explicar, o tempo mal parece existir. Então tudo chega de repente.

— Você diz a verdade — disse Roland. — Venha comigo, Eddie, para ver os gêmeos. Creio que a mocinha está de olho em você.

— Ela pode olhar à vontade — disse Susannah, bem-humorada. — Olhar é de graça. Prefiro ficar apenas sentada nestes degraus ao sol, Roland, se você não se importar. Faz muito tempo desde que montei, e se quer saber, estou dolorida da sela. Não ter os pinos inferiores parece deixar tudo mais arrebentado.

— Faça do jeito que quiser — disse Roland, mas não falava a sério, e Eddie sabia que não. O pistoleiro queria que Susannah ficasse ali mesmo onde estava. Só podia desejar que ela não tivesse captado esse sentimento implícito.

Ao seguirem em direção às crianças e Rosalita, Roland falou baixo e rápido com Eddie:

— Vou entrar sozinho na igreja com ele. Saiba apenas que não são vocês dois que quero manter longe de seja lá o que for que esteja lá dentro. Se *for* o Treze Preto, e creio que deve ser, é melhor que ela nem chegue perto.

— Em vista do estado delicado dela, quer dizer. Roland, eu imaginaria que Suze sofrer um aborto seria quase alguma coisa que você fosse gostar.

Roland disse:

— Não é um aborto que me preocupa. Estou preocupado com a possibilidade de o Treze Preto tornar a coisa dentro dela ainda mais forte. — Fez uma pausa. — As *duas* coisas, talvez. O bebê e a guardiã do bebê.

— Mia.

— Sim, ela. — Então sorriu para os gêmeos Tavery. Francine deu-lhe um sorriso superficial em retribuição, poupando toda a voltagem para Eddie.

— Deixem-me ver o que vocês fizeram, por favor — disse Roland.

— Esperamos que esteja tudo certo. Talvez não esteja. Ficamos com medo, verdade. É um pedaço de papel tão maravilhoso que a dona nos deu, que ficamos com medo.

— Primeiro desenhamos no chão — disse Francine. — Depois com o carvão mais claro. Foi Frank quem fez o traçado final; fiquei com as mãos tremendo.

— Não temam — disse Roland.

Eddie chegou mais perto e olhou por cima do ombro do pistoleiro. O mapa era cheio de detalhes, com o Salão da Assembleia da Cidade e o comunitário no centro, e o Grande Rio/Devar-Tete correndo ao longo do lado esquerdo do papel, que pareceu a Eddie uma folha mimeografada comum. Desses vendidos em resmas em qualquer papelaria dos Estados Unidos.

— Meninos, isto é absolutamente fantástico — disse Eddie, e por um momento achou que Francine poderia chegar a desmaiar.

— Ié — disse Roland. — Vocês fizeram um excelente trabalho. E agora vou fazer uma coisa que provavelmente vai parecer uma blasfêmia pra vocês. Conhecem a palavra?

— Sim — disse Frank. — Somos cristãos: "Não tomarás o nome do Senhor teu Deus ou Seu Filho, o Homem Jesus, em vão". Mas blasfêmia também é cometer um ato brutal em algo belo.

Falou em um tom de profunda seriedade, mas parecia interessado em ver que blasfêmia o forasteiro pretendia cometer. A irmã também.

Roland dobrou o papel — que eles mal ousavam tocar, apesar de sua óbvia habilidade — ao meio. Os gêmeos arquejaram. O mesmo fez Rosalita Munoz, embora não tão alto.

— Não é blasfêmia tratá-lo assim, porque deixou de ser apenas um papel — disse Roland. — Tornou-se um instrumento, e os instrumentos precisam ser protegidos. Vocês entendem?

— Sim — eles responderam, mas em dúvida. Pelo menos parte de sua confiança foi restaurada pelo cuidado com que Roland guardou o mapa dobrado na bolsa.

— Muito, muito obrigado — disse Roland. Tomou a mão de Francine na esquerda, a de Frank na direita mutilada. — Vocês talvez tenham salvado vidas com seus olhos e suas mãos.

Francine caiu em prantos. Frank reprimiu suas lágrimas até sorrir. Depois extravasaram e escorreram pela face sardenta.

7

Nos degraus da igreja, Eddie disse:

— Bons meninos. Talentosos.

Roland assentiu.

— Consegue ver um deles voltando do Trovão como um corpo sem alma babando?

Roland, que via tudo muito bem, não respondeu.

8

Susannah aceitou sem criar caso algum a decisão de Roland de que ela e Eddie ficassem do lado de fora da igreja, e o pistoleiro se viu lembrando-se da relutância dela de entrar no terreno baldio. Perguntou-se se parte dela temia a mesma coisa que ele. Se assim fosse, a batalha — a batalha *dela* — já começara.

— Quanto tempo até eu entrar e arrastá-lo pra fora? — perguntou Eddie.

— Até *nós* entrarmos e arrastá-lo pra fora? — corrigiu-o Susannah.

Roland pensou. Era uma boa pergunta. Olhou para Callahan, em pé no último degrau de jeans azul e camisa pregueada com as mangas enroladas até os cotovelos. Suas mãos estavam unidas na frente do corpo. Viu bons músculos nos antebraços.

O Velho deu de ombros.

— A coisa dorme. Não deverá haver nenhum problema. Mas... — Descruzou uma de suas mãos nodosas e apontou o revólver na coxa de Roland. — Eu deixaria isso aqui. Talvez a coisa durma com um olho aberto.

Roland desafivelou o cinturão e entregou-o a Eddie, que levava o outro. Depois tirou a bolsa pendurada no ombro e entregou-a a Susannah.

— Cinco minutos — disse. — Se houver problema, talvez eu consiga chamar. — *Ou talvez não*, não acrescentou.

— Jake já deverá estar aqui, então — disse Eddie.

— Se chegarem, segure-os aqui — disse-lhe Roland.

— Eisenhart e os Slightman não vão tentar entrar — disse Callahan. — Qualquer devoção que tenham é por Lady Oriza. A Senhora do Arroz.

— Fez uma careta para mostrar o que achava da Senhora do Arroz e dos demais deuses de segunda categoria de Calla.

— Então vamos — disse Roland.

9

Fazia muito tempo desde que Roland Deschain sentira medo da maneira supersticiosa que acompanha uma religião em que se acredita. Desde a infância, talvez. Mas o medo caiu sobre ele assim que père Callahan abriu a porta de sua modesta igreja de madeira e segurou-a, fazendo menção para que ele entrasse na frente.

Havia um foyer com um tapete desbotado no chão. Do outro lado do foyer havia duas portas abertas. Além delas, um salão largo com bancos dos dois lados e genuflexórios no chão. No outro lado da sala, erguiam-se uma plataforma e o que Roland julgou ser um atril, la-deado por jarros de flores brancas. Seu cheiro suave difundia-se no ar parado. Havia janelas estreitas de vidro. Atrás do atril, na parede dos fundos, pendia uma cruz de pau-ferro.

Ele ouvia o tesouro secreto do Velho, não com os ouvidos, mas com os ossos. Um zumbido baixo e constante. Como a rosa, aquele zumbido transmitia uma sensação de poder, mas era essa a única semelhança com a rosa. O zumbido falava de um colossal vazio. Um vácuo como o que eles haviam sentido atrás da superfície da realidade da Nova York todash. Um vazio que poderia tornar-se uma voz.

Sim, foi isto que nos levou, pensou. *Isto nos levou a Nova York — uma de várias Nova Yorks, segundo a história de Callahan —, mas podia nos levar a qualquer lugar ou qualquer quando. Podia nos levar... ou podia nos arremessar.*

Lembrou-se da conclusão de sua longa confabulação com Walter, no local dos ossos. Também entrara em todash então; entendia agora. E houvera uma sensação de crescimento, *inchaço*, até ele ficar maior que a Terra, as estrelas, o próprio universo. Aquele poder estava ali, naquele espaço, e Roland estava com medo dele.

Deus permita que ele durma, pensou, mas o pensamento foi seguido de outro ainda mais desanimador: mais cedo ou mais tarde, eles iam ter de usá-lo para alcançar Nova York no momento em que precisassem visitá-la.

Havia uma bacia d'água em um pedestal ao lado da porta. Callahan mergulhou os dedos e persignou-se.

— Você pode fazer isso agora? — murmurou Roland no que foi pouco mais que um sussurro.

— Ié — disse Callahan. — Deus me aceitou de volta, pistoleiro. Embora eu ache que apenas no que se poderia se chamar de período de teste. Entende?

Roland assentiu. Seguiu Callahan igreja adentro sem molhar os dedos na pia batismal.

Callahan conduziu-o pela nave central, e embora se movesse com rapidez e segurança, Roland pressentiu que o homem estava tão assustado quanto ele, talvez mais. O religioso queria livrar-se da coisa, claro, havia isso, mas mesmo assim Roland respeitava a sua coragem.

No lado direito extremo do púlpito do pregador havia um pequeno lance de três degraus. Callahan subiu-os.

— Não há necessidade de você subir, Roland; pode ver muito bem de onde está. Não vai querer a coisa agora, eu suponho.

— De jeito nenhum — disse Roland. Os dois sussurravam agora.

— Ótimo. — Callahan ajoelhou-se em uma perna. Houve um audível estalo quando a junta se flexionou, e os dois se sobressaltaram com o ruído. — Eu não toco na caixa em que a coisa está, se não tiver de fazê-lo. Não toquei desde que a coloquei aí. O esconderijo, eu mesmo fiz, pedindo perdão a Deus por usar uma serra em Sua casa.

— Levante-a — disse Roland.

Estava em total estado de alerta, todos os sentidos aguçados, sentia e prestava atenção em qualquer mudança mínima naquele infindável zumbido vazio. Sentia falta do peso da arma em sua coxa. Será que as pessoas que iam àquele lugar praticar o culto não sentiam a coisa terrível que o Velho escondera ali? Imaginou que não, caso contrário ficariam longe dali. E pensou que, na verdade, não haveria lugar melhor para esconder tal coisa; a simples fé dos paroquianos talvez neutralizasse-a de certo modo. Talvez até a acalmasse e assim aprofundasse seu cochilo.

Mas a coisa podia acordar, pensou. *Acordar e mandá-las todas em um piscar de olhos para os dezenove pontos de lugar algum.* Era um pensamento particularmente terrível, e Roland desviou-o da mente. Sem dúvida, a ideia de usá-lo para garantir a proteção da rosa parecia cada vez mais uma piada de mau gosto. Enfrentara homens e monstros em sua época, mas nunca chegara nem perto de uma coisa como aquela. A sensação de seu mal era terrível, quase acovardante. A sensação de seu vazio malévolo, muitíssimo pior.

Callahan apertou o polegar na ranhura entre duas ripas de madeira. Houve um fraco estalo e uma seção do púlpito deslocou-se. Callahan soltou as ripas, revelando um orifício quadrado de uns quarenta centímetros de comprimento e largura. Ele pendeu para trás nas ancas, segurando as ripas junto ao peito. O zumbido era agora muito mais alto. Roland teve a breve imagem de uma colmeia gigantesca com abelhas do tamanho de vagões arrastando-se, vagarosas, sobre ela. Ele curvou-se e olhou dentro do esconderijo do Velho.

A coisa dentro estava embrulhada em tecido branco, linho fino, ao que parecia.

— Uma sobrepeliz de sacristão — disse Callahan. Depois, vendo que Roland não conhecia a palavra: — Uma peça de vestimenta. — Deu de ombros. — Meu coração disse para embrulhá-la, e assim eu fiz.

— Seu coração certamente falou a verdade — sussurrou Roland. Pensava na sacola que Jake trouxera do terreno baldio com NADA ALÉM DE STRIKES NAS PISTAS DO MUNDO MÉDIO no lado. Eles iam precisar dela, ié e ié, mas não gostou de pensar na transferência.

Então afastou a ideia — assim como o medo — e desdobrou o tecido. Embaixo da sobrepeliz, embrulhada nela, havia uma caixa de madeira.

Apesar do temor, Roland estendeu a mão para tocar aquela madeira escura, pesada. *Será como tocar algum metal levemente oleoso*, pensou, e foi. Sentiu um arrepio erótico e profundo agitar-se dentro de si; beijou-lhe o temor como uma antiga amante e depois se foi.

— Isto é pau-ferro preto — sussurrou Roland. — Ouvi falar, mas nunca a vi.

— Em meu *Histórias de Arthur*, é chamada de pau-sangue — sussurrou Callahan de volta.

— Ié? É mesmo?

Com certeza a madeira tinha um ar fantasmagórico, como de alguma coisa abandonada que chegara para descansar, embora temporariamente, após uma longa perambulação. O pistoleiro gostaria muito de dar-lhe uma segunda apalpadela — a madeira escura, densa, pedia-lhe a mão —, mas ouvira o amplo zumbido da coisa dentro elevar-se um ponto antes de voltar à monotonia anterior. *O sábio não cutuca onça adormecida com vara curta*, disse a si mesmo. Era verdade, mas não fez mudar o que ele queria. Tocou mais uma vez a madeira, de leve, só com a ponta dos dedos, depois cheirou-as. Sentiu um aroma de cânfora, fogo e — ele juraria — das flores do extremo norte do país, as que florescem na neve.

Três objetos haviam sido esculpidos na caixa: uma rosa, uma pedra e uma porta. Abaixo da porta, via-se isto:

Roland estendeu novamente a mão. Callahan fez um movimento para a frente, uma menção de impedi-lo, e recuou. Roland tocou o entalhe sob a imagem da porta. Mais uma vez, elevou-se o zumbido do globo preto escondido dentro dela.

— Nã...? — sussurrou ele, e correu a base do polegar mais uma vez pelos símbolos em relevo. — Não... encontrada? — Não o que ele leu, mas o que as pontas dos dedos ouviram.

— Sim, tenho certeza de que é isso que diz — sussurrou-lhe Callahan de volta. Parecia satisfeito, mas ainda assim agarrou o pulso de Roland e puxou-o, querendo a mão do pistoleiro longe da caixa. Um fino suor brotara-lhe na testa e nos antebraços. — Faz sentido, em certo aspecto. Uma folha, uma pedra, uma porta desconhecida. São símbolos de um livro do meu lado. Chama-se *Look Homeward, Angel.*

Uma folha, uma pedra, uma porta, pensou Roland. *Só substituir* rosa *por* folha. *Sim. Isto parece certo.*

— Você vai pegá-lo? — perguntou Callahan. Apenas sua voz se elevava ligeiramente agora, do sussurro, e o pistoleiro percebeu que ele estava suplicando.

— Você o viu realmente, père, viu?

— Ié. Uma vez. É horrível além do que se pode imaginar. Como o olho escorregadio de um monstro que se projetou da sombra de Deus. Vai pegá-lo, pistoleiro?

— Sim.

— Quando?

Bem baixinho, Roland ouviu o repique de sinos, um som tão belamente hediondo que faz a gente querer ranger os dentes. Por um momento as paredes da igreja de père Callahan tremeram. Foi como se a coisa na caixa lhes houvesse dito: *Veem como tudo isso tem pouca importância? Com que rapidez e facilidade posso fazer tudo isso desaparecer? Cuidado, pistoleiro! Cuidado, xamã! O abismo está à volta de vocês. Vocês flutuam ou caem nele a um capricho meu.*

Então os *kammen* se foram.

— Quando? — Callahan estendeu a mão sobre a caixa em seu orifício e agarrou a camisa de Roland. — *Quando*?

— Em breve — disse Roland.

Muito em breve, respondeu seu coração.

5. A HISTÓRIA DE GRAY DICK

1

Agora são vinte e três, pensou Roland naquela noite, sentado nos fundos da Rocking B de Eisenhart, ouvindo os garotos gritando e Oi latindo. Em Gilead, esse tipo de varanda que dá para os celeiros e os campos seria chamado de alpendre de trabalho. *Vinte e três dias para a chegada dos Lobos. E quantos até Susannah parir?*

A ideia terrível relacionada a isso começara a formar-se em sua cabeça. Imagine se Mia, a nova *ela* dentro da pele de Susannah, desse à luz sua monstruosidade no mesmo dia em que surgissem os Lobos? Não era algo provável de se acontecer, mas, segundo Eddie, a coincidência fora cancelada. Roland achou que ele tinha razão sobre isso. Com certeza, não se tinha como calcular o período de gestação da coisa. Mesmo que fosse uma criança normal, nove meses poderiam não ser mais nove meses. O tempo ficara leve.

— Meninos! — berrou Eisenhart. — O que, em nome do Homem Jesus, eu digo a minha esposa se vocês tiverem a infelicidade de se matarem pulando desse celeiro?

— A gente está bem! — gritou Benny Slightman. — Andy não vai deixar a gente se machucar! — O garoto, vestido de jardineira e com os pés descalços, estava em pé na janela saliente aberta do celeiro, logo acima das letras esculpidas que diziam Rocking B. — A não ser... que o senhor queira realmente que a gente pare, sai?

Eisenhart olhou para Roland, que viu Jake em pé logo atrás de Benny, esperando com impaciência sua chance de se arriscar a quebrar os ossos. Jake também usava uma jardineira, sem dúvida de seu novo amigo, e a aparência deles o fez sorrir. De algum modo, Jake não era o tipo de menino que a gente imaginava naquela roupa.

— Não é nada pra mim, de jeito ou de outro, se é o que você quer saber — disse Roland.

— Que se danem, então! — gritou o rancheiro. Depois voltou a atenção para as peças de ferragens espalhadas nas tábuas. — O que acha? Será que alguma destas atira?

Eisenhart apresentara todas as suas três armas para inspeção de Roland. A melhor era a espingarda que o rancheiro levara à cidade na noite em que Tian Jaffords convocara a assembleia. As outras eram duas pistolas do tipo que Roland e seus amigos haviam chamado de "canos de disparo" na infância, porque seus cilindros, de tamanhos maiores que os comuns, tinham de ser girados com o lado da mão a cada disparo. Roland desmontou as armas de fogo de Eisenhart sem nenhum comentário inicial. De novo pusera óleo lubrificante, agora em uma tigela em vez de em uma molheira.

— Eu perguntei...

— Eu ouvi o que você perguntou, sai — interrompeu Roland. — Sua espingarda é a melhor que já vi neste lado da cidade grande. O cano de disparo... — Balançou a cabeça. — Este com revestimento de níquel talvez atire. O outro talvez fosse melhor você enterrá-lo. Quem sabe faça desabrochar alguma coisa melhor.

— É uma tristeza ouvi-lo falar assim — disse Eisenhart. — Foram de meu pai e do pai dele, antes, e de mais pelo menos destes tantos antes. — Ergueu sete dedos e um polegar. — Remontam a antes dos Lobos, sabe. Sempre foram guardadas juntas, passadas ao filho predileto por testamento. Quando as ganhei em vez de meu irmão mais velho, fiquei bastante satisfeito.

— Você tinha um gêmeo? — perguntou Roland.

— Ié, uma irmã, Verna — disse Eisenhart. Sorria fácil e com frequência, e o fazia agora sob seu basto bigode grisalho, mas era um sorriso cheio de dor, o sorriso de um homem que não quer que a gente saiba que está sangrando em algum lugar por dentro das roupas. — Ela era linda como o alvorecer, era, sim. Foi-se desta há dez anos ou mais. Dolorosamente cedo, como muitas vezes vão os roont.

— Sinto muito.

— Eu lhe agradeço.

O sol se punha vermelho no sudoeste, tornando o quintal da cor de sangue. Havia uma fileira de cadeiras de balanço na varanda. Eisenhart estava sentado em uma delas. Roland, de pernas cruzadas no piso de tábuas, cuidando da herança de Eisenhart. O fato de que as armas provavelmente jamais disparariam não significava nada para as mãos do pistoleiro, treinadas para esse trabalho há muito tempo e ainda achando-o relaxante.

Então, com uma rapidez que fez o rancheiro piscar, Roland remontou as armas em uma rápida série de cliques e claques. Largou-as de lado em um quadrado de pele de ovelha, limpou os dedos em um trapo e sentou-se na cadeira de balanço junto da de Eisenhart. Imaginou que nas outras noites Eisenhart e a esposa sentavam-se ali fora, lado a lado, vendo o sol abandonar o dia.

Roland remexeu na bolsa à procura de seu saquinho de tabaco, encontrou-o e fez um cigarro com a erva fresca, doce, de Callahan. Rosalita acrescentara seu próprio presente: uma pequena pilha de invólucros de palha de milho que ela chamava de "puxadores". Roland achou que enrolavam tão bem quanto qualquer mortalha, e fez uma pausa para admirar o produto acabado antes de colocar a ponta no fósforo que Eisenhart acendera com um calejado polegar. O pistoleiro aspirou fundo e exalou uma longa pluma que se elevou alto mas devagar no ar do anoitecer, parado e surpreendentemente abafado para fins de verão.

— Ótimo — disse, e assentiu.

— Ié? Bom proveito. Eu nunca peguei o gosto por isso.

O celeiro era muito maior que a casa da fazenda de criação de gado, com pelo menos quarenta e cinco metros de comprimento e quinze de altura. Enfeitavam-no grinaldas de plantas-amuleto da colheita, em homenagem à estação; espantalhos com cabeças de raízes-fortes mantinham guarda. Acima da janela saliente, sobre as portas principais, destacava-se a ponta da viga mestra. Prendera-se uma corda em volta. Abaixo, no quintal, os garotos tinham reunido um monte de feno de um bom tamanho. Oi estava em um dos lados dele, Andy do outro. Os dois olhavam Benny Slightman acima quando ele se agarrou à corda, puxou-a com força e recuou de volta ao sótão, saindo da visão. Oi se pôs a latir de antecipação. Um momento depois, chegou Benny com a corda enrolada nos pulsos, e os cabelos adejando atrás.

— *Gilead e o Eld!* — gritou ele, e saltou do sótão. Balançou no ar vermelho do pôr do sol com sua sombra rastejando atrás.

— *Ben-Ben!* — latiu Oi. — *Ben-Ben-Ben!*

O garoto se soltou, voou para o monte de feno, desapareceu e então despontou rindo. Andy ofereceu-lhe a mão de metal, mas Benny a ignorou, saltando para a terra compacta. Oi corria à sua volta, latindo.

— Eles sempre dão esse brado quando brincam? — perguntou Roland.

Eisenhart soltou uma risada abafada.

— De jeito nenhum! Em geral é um brado de Oriza, ou Homem Jesus, ou "salve a Calla", ou todos os três. Seu garoto é que tem deixado a cabeça do menino Slightman cheia de histórias, eu acho.

Roland ignorou o tom ligeiramente desaprovador e observou Jake girando na corda. Estendido no chão, Benny brincava de fingir-se de morto, até Oi lamber-lhe o rosto. Então ele se sentou, dando risadinhas. Roland não tinha a menor dúvida de que se o garoto tivesse se desviado no salto, Andy o teria agarrado.

Afastada em um dos lados do celeiro, ficava uma muda de cavalos de carga, talvez vinte ao todo. Um trio de vaqueiros com chapéu e botas curtas surradas conduzia a última meia dúzia de montarias para lá. No outro lado do quintal, um curral-matadouro cheio de bezerros. Nas semanas seguintes, seriam abatidos, esquartejados e enviados rio abaixo nos barcos comerciais.

Jake recuou para o sótão, depois avançou correndo em disparada.

— *Nova York!* — gritou ele. — *Times Square! Empire State Building! Torres Gêmeas! Estátua da Liberdade!* — E lançou-se no espaço ao longo do arco da corda. Eles o viram desaparecer, rindo, no monte de feno.

— Algum motivo particular para querer que seus outros dois ficassem com os Jaffords? — perguntou Eisenhart. Embora falasse de maneira descontraída, Roland achou que a pergunta o interessava mais que um pouco.

— É melhor nos espalharmos por aí. Deixar-nos ver pelo máximo de gente possível. O tempo é curto. Decisões precisam ser tomadas.

Tudo isso era verdade, mas havia mais, e Eisenhart provavelmente sabia. Era mais astucioso do que Overholser. Também era totalmente contra a resistência aos Lobos — pelo menos até o momento. O que não impedia Roland de gostar do sujeito, que era grande, honesto e tinha um mundano senso de humor de homem do campo. Roland achava que ele podia mudar de ideia, se lhe mostrassem que tinha uma chance de vencer.

A caminho da Rocking B, eles haviam visitado meia dúzia de fazendas de pequeno porte ao longo do rio, onde o arroz era a principal colheita. Eisenhart realizara as apresentações com boa vontade. A cada parada, Roland fazia as duas perguntas que fizera na noite anterior, no Pavilhão: *Vocês se abrirão para nós se nos abrirmos para vocês? Vocês nos veem pelo que somos, e aceitam o que fazemos?* Todos responderam que sim. Eisenhart também respondera sim. Mas Roland não caíra na armadilha de fazer a terceira pergunta a nenhum deles. Não havia necessidade, ainda não. Eles ainda tinham mais de três semanas.

— Nós sobrevivemos, pistoleiro — disse Eisenhart. — Mesmo diante dos Lobos, sobrevivemos. Antes existiu Gilead, e agora não há mais Gilead; ninguém melhor do que você sabe disto, mas ainda assim sobrevivemos. Se fizermos resistência aos Lobos, tudo isso talvez mude. Para você e os seus, o que acontece ao longo do Crescente talvez signifique pouca coisa. Se vencerem e sobreviverem, vocês seguirão adiante. Se perderem e morrerem, não teremos lugar algum para onde ir.

— Mas...

Eisenhart ergueu a mão.

— Eu peço que me ouça. Poderia me ouvir?

Roland assentiu, resignando-se. E provavelmente era para o melhor que homem falasse. Adiante dos dois, os garotos corriam de volta ao celeiro para mais um salto. Logo a escuridão se aproximando poria fim à brincadeira deles.

O pistoleiro perguntou-se como Eddie e Susannah estariam indo. Já teriam falado com o avô de Tian? Se já, teria ele lhes dito alguma coisa de valor?

— Imagine que eles mandem cinquenta ou até sessenta, como já fizeram antes, inúmeros deles? E imagine que a gente dê cabo deles. E, então, imagine que uma semana ou um mês mais tarde, depois que vocês se forem, eles mandem *quinhentos* contra nós?

Roland considerou a pergunta. Enquanto o fazia, Margaret Eisenhart juntou-se a eles. Era uma mulher esguia, na faixa dos quarenta anos, seios pequenos, vestida de jeans e uma blusa de seda cinza. Os cabelos, puxados para trás em um coque na nuca, eram pretos entremeados de fios brancos. Tinha uma das mãos escondidas sob o avental.

— É uma boa pergunta — disse ela —, mas talvez não seja o momento certo pra fazê-la. Dê a ele e a seus amigos uma semana, por que não, para inspecionar os arredores e ver o que há para ser visto.

Eisenhart deu à sua sai um olhar meio divertido e meio irritado.

— Eu lhe digo como administrar sua cozinha, mulher? Quando cozinhar e quando lavar?

— Só quatro vezes por semana — disse ela. Então, vendo Roland levantar-se da cadeira de balanço junto à do marido: — Não, por favor, fique sentado, eu passei a última hora em uma cadeira, descascando raiz-forte com Edna, a tia daquele lá. — Indicou com a cabeça na direção de Benny. — É bom eu ficar de pé. — Olhava, sorrindo, os meninos se lançando no monte de feno e pulando no chão, às gargalhadas, enquanto Oi dançava e latia. — Vaughn e eu jamais tivemos de enfrentar a terrível situação que é isso, Roland. Tivemos seis, todos gêmeos, mas todos já crescidos no tempo que se passou. Portanto, talvez não tenhamos toda a compreensão necessária pra tomar uma decisão como a que você pede.

— Ter sorte não torna um homem idiota — disse Eisenhart. — Muito pelo contrário, é o que eu penso. Olhos serenos veem com clareza.

— Talvez — disse ela, observando os meninos correrem de volta ao celeiro. Davam esbarrões de ombros e riam, cada um tentando chegar à escada primeiro. — Talvez sim. Mas o coração também deve exigir seus direitos, e um homem ou uma mulher que não escuta é um tolo. Às vezes, é melhor balançar na corda, mesmo que esteja escuro demais para ver se o feno está lá ou não.

Roland estendeu a mão e tocou a dela.

— Eu mesmo não poderia ter dito de maneira melhor.

Ela deu-lhe um pequeno sorriso, distraído. Passou-se apenas um instante antes de voltar a atenção para os meninos, mas foi o bastante para que Roland visse que estava assustada. Apavorada, na verdade.

— Ben, Jake! — gritou ela. — Chega! Hora de se lavar e vir para dentro! Tem uma torta pra vocês comerem, e creme pra pôr em cima!

Benny chegou até a janela aberta.

— Meu pai disse que podemos dormir na minha barraca ali em cima da ribanceira, sai, se for tudo bem pela senhora.

Margaret Eisenhart olhou para o marido, que assentiu.

— Tudo bem — disse ela —, então vai ser barraca e que isso os alegre, mas entrem já, se quiserem comer torta. Último aviso! E se lavem primeiro, façam o favor! As mãos *e* os rostos!

— Tá bem, obrigado — disse Benny. — Oi pode comer torta?

Margaret Eisenhart levou as costas da mão esquerda à testa, como se estivesse com dor de cabeça. A direita, Roland observou com interesse, continuou embaixo do avental.

— Pode — disse ela. — Torta para o malhado também, pois tenho certeza de que ele é Arthur Eld disfarçado e vai me recompensar com joias, ouro e a cura através do toque.

— Obrigado-sai — disse Jake. — Será que a gente podia dar só mais um salto primeiro? É a maneira mais rápida de descer.

— Eu os seguro se errarem o salto, Margaret-sai — disse Andy. Seus olhos faiscaram azuis, depois baixaram a luz. Parecia estar sorrindo. A Roland o robô parecia ter duas personalidades, uma de solteirona amigável, a outra inofensivamente enganadora. O pistoleiro não gostava de nenhuma das duas, e sabia muito bem o motivo. Passara a desconfiar de maquinaria de todos os tipos, sobretudo do tipo que andava e falava.

— Bem — disse Eisenhart —, a perna quebrada em geral vem no último pinote, mas deem mais um, se precisam.

Eles deram, e não houve perna quebrada. Os dois garotos caíram em cheio no monte de feno, despontaram rindo e olhando um para o outro, depois apostaram corrida até a cozinha, com Oi disparado atrás. Parecendo arrebanhá-los.

— É maravilhosa a rapidez com que crianças se tornam amigas — disse Margaret Eisenhart, mas sem parecer alguém que contemplava alguma coisa maravilhosa. Parecia triste.

— Sim — disse Roland. — É maravilhoso mesmo. — Colocou a bolsa no colo, pareceu à beira de desatar o nó que prendia as alças, depois desistiu. — Em que seus homens são bons? — perguntou a Eisenhart. — Arco ou bah? Pelo que sei, com certeza não é rifle nem revólver.

— Preferimos o bah — respondeu Eisenhart. — A gente encaixa o ferrolho, puxa a mola, atira, pronto.

Roland assentiu. Era como imaginara. Nada bom, porque o bah raras vezes acertava a uma distância maior que vinte metros, e isto só em um dia parado. Em um dia em que soprasse uma brisa constante... ou, Deus nos ajude, um vento forte...

Mas Eisenhart olhava para a esposa. Olhava-a com certa admiração relutante. Parada ali em pé, ela retribuía o olhar, sobrancelhas erguidas, ao seu homem. Retribuía o olhar com uma pergunta. O que se passava ali? Certamente tinha a ver com a mão sob o avental.

— Diabos, conte a ele — disse Eisenhart. Então apontou um dedo quase irado para Roland, como o cano de um revólver. — Mas não vai mudar nada. Nada! Eu agradeço! — As últimas palavras com os lábios repuxados para trás em um sorriso furioso.

Roland ficou mais intrigado que nunca, mas sentiu uma leve pontada de esperança. Talvez fosse falsa esperança, provavelmente seria, mas qualquer coisa era melhor que preocupações, confusões... e as dores... que o haviam afligido recentemente.

— Não — disse Margaret com uma modéstia terrível. — Não cabe a mim contar. Mostrar, talvez, mas não contar.

Eisenhart suspirou, pensou, depois se voltou para Roland.

— Você dançou a dança do arroz — disse —, portanto conhece Lady Oriza.

Roland assentiu. A Senhora do Arroz, em alguns lugares considerada uma deusa, em outros uma heroína, e em alguns lugares as duas coisas.

— E você sabe como a Lady Oriza deu cabo de Gray Dick, que matou o pai dela?

Roland novamente assentiu.

2

Segundo a história — uma das boas que ele precisava se lembrar de contar a Eddie, Susannah e Jake, quando (e se) houvesse mais tempo para contar histórias —, Lady Oriza convidou Gray Dick, um famoso príncipe proscrito, a um imenso banquete em Waydon, seu castelo perto do rio Send. Queria perdoá-lo pelo assassinato do pai, disse ela, pois aceitara o Homem Jesus no coração e isso condizia com Seus ensinamentos.

Você quer me fazer ir até aí para me matar, se eu for idiota o bastante para ir, disse Gray Dick.

Não, não, disse Lady Oriza, jamais pense uma coisa dessas. Todas as armas serão deixadas do lado de fora do castelo. E quando nos sentarmos no salão do banquete embaixo, só haverá eu, em uma cabeceira da mesa, e você na outra.

Vai esconder uma adaga na manga ou uma *bola* sob o vestido, disse Gray Dick. E se não fizer isso, eu farei.

Não, não, disse Lady Oriza, jamais pense uma coisa dessas, pois estaremos os dois nus.

Diante disso, Gray Dick foi dominado pelo desejo, pois Lady Oriza era bela. Excitou-o pensar no pau endurecendo à visão dos seios e pelos desnudos dela, e ele sem os calções amarrados nos joelhos para esconder a excitação dos olhos da donzela que ela ainda era. E julgou entender por que ela faria tal proposta. *Seu arrogante coração vai liquidá-lo*, Lady Oriza disse à sua criada (cujo nome era Marian e que foi ela mesma ter também muitas aventuras fantasiosas).

A Lady tinha razão. *Matei o Lorde Grenfall, o mais astuto lorde de todos os baronatos do rio*, disse Gray Dick a si mesmo. *E quem restou para vingá-lo além de uma filha fraca?* (Ah, mas era bela.) *Então a Lady roga paz. E talvez até casamento, se tiver audácia e imaginação, além de beleza.*

Então aceitou o convite. Seus homens vasculharam o salão do banquete no andar de baixo antes da sua chegada e não encontraram arma alguma — nada debaixo da mesa, nem atrás das tapeçarias. O que nenhum deles poderia saber era que durante semanas antes do banquete Lady Oriza exercitara-se em lançamento de um prato de jantar com peso especial. Treinava horas a fio por dia. Tinha propensão atlética, para começar, e olhos aguçados. Também odiava Gray Dick do fundo do coração e decidira fazê-lo pagar, não importava o custo.

O prato de jantar não era apenas pesado; a borda fora afiada. Os homens de Dick deixaram passar isso, como ela e Marian tinham certeza de que fariam. E assim eles se banquetearam, e que banquete estranho deve ter sido, com o risonho e belo proscrito em uma das cabeceiras da mesa e a donzela recatadamente sorridente, mas de refinada beleza, a nove metros dele na outra, também nua. Eles brindaram um ao outro com o mais excelente vinho tinto do Lorde Grenfall. Enfureceu a donzela quase à loucura vê-lo sorver ruidosamente aquele requintado vinho campestre como se fosse água, gotas escarlates escorrendo-lhe pelo queixo e respingando no peito peludo, mas ela não deixou escapar sinal algum; apenas sorria, faceira, e tomava goles de seu cálice. Sentia o peso dos olhos dele em seus seios. Era como ter percevejos rastejando de um lado para outro na pele.

Por quanto tempo continuou esse jogo de gato e rato? Alguns narradores de história afirmavam que ela deu cabo a Gray Dick após o segundo brinde.

(O dele: *Que sua beleza aumente para sempre*. O dela: *Que seu primeiro dia no inferno dure dez mil anos, e que seja apenas o mais curto de todos*.) Outros — o tipo de narradores que adoravam prolongar o suspense — narravam uma refeição de doze pratos antes de Lady Oriza agarrar o prato especial, os olhos cravados nos de Gray Dick e a sorrir-lhe enquanto o girava, tateando à procura do lugar embotado onde era seguro pegá-lo.

Não importa a duração da história, sempre terminava da mesma maneira, com Lady Oriza lançando o prato. Pequenos canais estriados haviam sido esculpidos na base do prato, embaixo da borda afiada, para ajudá-lo a voar com precisão. Ao fazê-lo, zumbiu misteriosamente na trajetória, lançando sua sombra fugaz no lombo de porco e peru assados, nas vasilhas repletas de legumes, as frutas frescas empilhadas em travessas de cristal.

Um momento depois que ela lançou o prato em trajetória ligeiramente ascendente — o braço continuava estendido, o primeiro dedo e o polegar dobrado mirando o assassino do pai —, a cabeça de Gray Dick saiu voando pela porta aberta para o salão de entrada atrás dele. Por um momento a mais, o corpo de Gray Dick ficou ali com o pênis apontado para ela como um dedo acusador. Então o pau murchou e o Dick atrás do pau tombou com estrondo para a frente em um imenso filé e uma montanha de arroz com ervas.

Lady Oriza, a quem Roland ouviria citada como a Senhora do Prato em algumas de suas perambulações, ergueu o cálice de vinho e brindou ao corpo. Ela disse

3

— Que seu primeiro dia no inferno dure dez mil anos — murmurou Roland.

Margaret balançou a cabeça em assentimento.

— Sim, e que seja apenas o mais curto de todos. Um brinde terrível, mas que eu faria com muito prazer a cada um dos Lobos. A cada um e a todos! — Cerrou a mão visível. À luz se extinguindo, ela parecia febril e doente. — Nós tivemos seis, tivemos, sim. Uma meia dúzia certinho. Ele contou a você por que nenhum deles está aqui, para ajudar a encurralar e abater os animais na Época da Colheita? Ele contou isso, pistoleiro?

— Margaret, não há a menor necessidade — disse Eisenhart. Ajeitou-se inquieto na cadeira de balanço.

— Ah, mas talvez haja. Tem a ver com o que dizíamos antes. Talvez se pague um preço por saltar, mas às vezes paga um mais alto por olhar. Nossos filhos cresceram livres, sem Lobos com os quais se preocupar. Dei à luz meus primeiros dois, Tom e Tessa, menos de um mês antes de eles chegarem a última vez. Os outros se seguiram, pipocando em perfeita ordem como ervilhas de uma vagem. Os mais moços têm apenas quinze anos. Mas não está vendo?

— Margaret…

Ela o ignorou.

— Mas não teriam tanta sorte com seus próprios filhos, e sabiam. E por isso se foram. Alguns para o extremo norte ao longo do Arco, alguns para o extremo sul. À procura de um lugar onde os Lobos não vão.

Ela virou-se para Eisenhart, e embora falasse com Roland, era o marido que encarava quando disse as palavras finais.

— Um de cada dois; este é o preço dos Lobos. É o que eles levam a cada vinte anos e mais alguns, há muitos e muitos anos. Exceto para nós. Eles levaram *todos* os nossos filhos. Cada… um… um por um. — Curvou- se para a frente e bateu na perna de Roland pouco acima do joelho com grande ênfase. — *Mas não está vendo*?

O silêncio caiu no alpendre dos fundos. Os bezerros condenados no curral-abatedouro mugiram alienadamente. Da cozinha, chegou o som de uma risada infantil após algum comentário de Andy.

Eisenhart baixara a cabeça. Roland nada via além do seu extenso bigode, mas não precisava ver o rosto do homem para saber que chorava ou lutava com muita força para não fazê-lo.

— Eu não o faria se sentir mal nem por todo o arroz do Arco — disse ela, e acariciou o ombro do marido com infinita ternura. — E eles voltam às vezes, sim, o que é mais do que fazem os mortos, exceto em nossos sonhos. Não são tão velhos a ponto de não sentir saudade da mãe, ou tenham perguntas tipo como-fazemos-isto ao pai. Masíssimo, no entanto, se foram. E este é o preço da segurança, como você deve saber. — Baixou os olhos para Eisenhart por um momento, uma das mãos no ombro dele e a outra ainda embaixo do avental. — Agora diga que está zangado comigo — disse ela —, para que eu saiba.

Eisenhart fez que não com a cabeça.

— Zangado, não — disse, em uma voz abafada.

— E mudou de ideia?

Eisenhart novamente fez que não com a cabeça.

— Coisa velha turrona — disse ela, mas com um afeto bem-humorado. — Cabeça-dura como um pau, é, sim, e todos agradecemos.

— Estou pensando a respeito — disse ele, ainda sem erguer a cabeça. — Continuo pensando, o que é mais que esperava com tão pouco tempo faltando… em geral eu tomo uma decisão e ponto-final.

"Roland, eu sei que o jovem Jake mostrou a Overholser e aos demais algumas proezas de tiro lá no mato. Talvez pudéssemos lhe mostrar uma coisa bem aqui que vai erguer suas sobrancelhas. Maggie, vá lá dentro e pegue sua Oriza."

— Não precisa — disse ela, tirando afinal a mão debaixo do avental —, pois eu a trouxe comigo quando saí.

4

Era um prato que tanto Detta quanto Mia teriam reconhecido, um prato azul com um delicado desenho rendado. Um prato *especialíssimo*. Após um momento, Roland reconheceu a trama rendada pelo que era: a jovem oriza, brotada da semente do arroz. Quando sai Eisenhart bateu os nós dos dedos no prato, este emitiu um tinido característico. Parecia porcelana, mas não era. Vidro, então? Algum tipo de vidro?

Roland estendeu a mão para pegá-lo com o devido respeito, reverente, de alguém que conhece e aprecia armas. Ela hesitou, mordendo o canto do lábio. O pistoleiro enfiou a mão no coldre, cuja tira soltara antes da refeição do meio-dia diante da igreja e retirou o revólver. Entregou-o a ela, coronha para a frente.

— Não — disse ela, deixando a palavra prolongar-se num longo suspiro. — Não precisa me oferecer sua arma como garantia, Roland. Creio que se Vaughn confia em você a ponto de trazê-lo pra casa, eu posso entregar-lhe em confiança a minha Oriza. Mas cuidado como toca o prato, senão vai perder outro dedo, e acho que você não pode se permitir isso, pois vejo que já tem dois mutilados na mão direita.

Uma única olhada no prato azul, a Oriza da sai, foi o suficiente para saber como fora sábio o aviso. Ao mesmo tempo, Roland sentiu um brilhante lampejo de empolgação e apreciação. Haviam-se passado longos anos desde que vira uma nova arma de valor, e jamais alguma como aquela.

O prato era de metal, não vidro, uma liga leve e forte. Do tamanho de um prato de jantar comum, trinta centímetros (e um tiquinho mais) de diâmetro. Três quartos da borda haviam sido afiados para um corte suicida.

— Nunca se há dúvida sobre onde segurá-lo, mesmo que estejamos com pressa — disse Margaret —, pois, você sabe...

— Sim — disse Roland, em um tom de profunda admiração. Dois dos caules de arroz cruzavam-se no que poderia ter sido a Grande Letra **Zn**, que por si só quer dizer ao mesmo tempo *zi* (eternidade) e *agora*. No ponto em que esses dois talos se cruzavam (só um olho aguçado poderia identificá-los da estampa, para começar), a borda do prato era não apenas embotada, mas ligeiramente mais grossa. Boa de segurar.

Roland virou o prato ao contrário. Embaixo, no centro, ficava uma boquilha de metal. Para Jake, talvez tivesse parecido o apontador de lápis de plástico que ele levava para a escola no primeiro ano. Para Roland, que jamais vira um apontador de lápis, parecia o casulo de algum inseto.

— Isto que faz o barulho sibilante quando o prato voa, entende? — explicou ela. Vira a admiração genuína de Roland e reagia a isso, o rosto corado e os olhos brilhantes. Roland ouvira aquele tom de explicação empolgada várias vezes antes, mas já fazia muito tempo.

— Não tem outra finalidade?

— Nenhuma — disse ela. — Mas precisa assobiar, pois isso faz parte da história, não é?

Roland assentiu. Claro que fazia.

As Irmãs de Oriza, disse Margaret Eisenhart, eram um grupo de mulheres que gostavam de ajudar os outros...

— E fofocar entre si mesmas — grunhiu Eisenhart, mas com um ar bem-humorado.

— Ié, isso também — reconheceu ela.

As irmãs cozinhavam para enterros e festivais (elas é que haviam preparado o banquete da noite anterior no Pavilhão). Realizavam às vezes círculos de costura e reuniões sociais em que confeccionavam colchas e edredons, depois que alguma família perdia seus pertences por incêndio ou quando as enchentes fluviais que vinham em intervalos de seis ou oito anos inundavam as pequenas propriedades mais próximas do Devar-Tete Whye. Eram as irmãs que mantinham o Pavilhão bem-arrumado e o Salão da Assembleia da Cidade bem varrido no interior e bem conservado no exterior. Organizavam bailes para os jovens e participavam como acompanhantes. Eram às vezes contratadas pela gente rica ("Como os Took e seus parentes", disse ela) para fornecer e servir o bufê de festas de casamento, e esses eventos eram sempre excelentes, um sucesso com a gente de Calla durante meses, claro. Entre elas, fofocavam, sim, Margaret não negaria; também jogavam cartas de baralho, Pontas e Castelos.

— E vocês lançam o prato — disse Roland.

— Ié — disse ela —, mas precisa entender que só fazemos isso pela diversão. Caça é atividade dos homens, e eles são bons no bah. — Mais uma vez acariciava o ombro do marido, agora meio nervosa, achou Roland. Também achou que se os homens realmente se saíssem bem com o bah, ela não teria trazido de dentro de casa aquela bela e letal coisa debaixo do avental, para início de conversa. Nem Eisenhart a teria encorajado.

Roland abriu o saquinho de tabaco, tirou uma palha de milho de Rosalita e lançou-a em direção à borda afiada do prato. A palha de milho flutuou na varanda por um momento depois, cortada à perfeição em duas.

Só pela diversão, pensou Roland, e quase sorriu.

— Que metal é este? — perguntou. — Sabes?

Ela ergueu ligeiramente as sobrancelhas a essa forma de tratamento, mas não comentou.

— Titânio é como Andy o chama. Vem do grande prédio de uma fábrica antiga, no extremo norte, em Calla Sen Chre. Há várias ruínas lá. Eu nunca estive, mas já ouvi as histórias. Parecem sinistras.

Roland assentiu.

— E os pratos… como são feitos? Andy sabe?

Ela fez que não com a cabeça.

— Não sabe ou não quer dizer, não sei qual das dos dois. São as senhoras da Calla Sen Chre que os fazem, e enviam para as Callas de toda a região. Embora eu ache que a Calla Divine seja o máximo que esse tipo de comércio alcança.

— São as senhoras que os fazem — refletiu Roland. — As *senhoras*.

— Em algum lugar há uma máquina que ainda os faz, é só isso — disse Eisenhart. Roland achou graça em como ele pareceu estar na defensiva. — Imagino que se trate apenas de apertar um botão.

Margaret, olhando-o com um sorriso de sabedoria feminina, nada disse em resposta a isso, a favor ou contra. Talvez ela não soubesse, mas sem a menor dúvida conhecia a política conjugal que mantinha um casamento harmonioso.

— Então há Irmãs no norte e no sul daqui, ao longo do Arco — disse Roland. — E todas lançam pratos?

— Sim… de Calla Sen Chre a Calla Divine, ao sul de nós. Mais ao sul ou ao norte, não sei. Gostamos de ajudar e de conversar. Lançamos nossos pratos uma vez por mês, em memória de como Lady Oriza fez a Gray Dick, mas poucas de nós são realmente boas nisso.

— *Você* é boa nisso, sai?

Ela se calou, mordendo mais uma vez o canto do lábio.

— Mostre a ele — grunhiu Eisenhart. — Mostre a ele e acabe logo com isso.

5

Desceram os degraus, a esposa do fazendeiro na frente, Eisenhart em seguida, Roland o terceiro. Atrás deles, a porta da cozinha abriu-se e fechou-se batendo.

— Glória a Deus, dona Eisenhart vai lançar o prato! — gritou entusiasmado Benny Slightman. — Jake! Você não vai acreditar nos seus olhos!

— Mande-os de volta pra dentro, Vaughn — disse ela. — Não precisam ver isto.

— Não, deixe que vejam — disse Eisenhart. — Não faz mal a um garoto ver uma mulher sair-se bem.

— Mande-os de volta, Roland, sim? — Ela olhou-o, corada, agitada e muito bonita.

A Roland parecia dez anos mais moça do que quando chegara à varanda, mas ele se perguntou como ela ia atirar naquele estado. Era uma coisa que ele queria muito ver, pois emboscada era um trabalho brutal, rápido e emocional.

— Eu concordo com o seu marido — disse. — Deixaria que ficassem.

— Como quiser — disse ela.

Roland percebeu que na verdade estava satisfeita, *queria* um público, e a esperança dele se intensificou. Achava cada vez mais provável que aquela bela mulher de meia-idade, seios pequenos e cabelos grisalhos tivesse um coração de caçador. Não o coração de um pistoleiro, mas àquela altura ele aceitaria alguns caçadores — alguns *matadores* —, homens ou mulheres.

Ela se encaminhou para o celeiro. Quando chegaram a quarenta e cinco metros dos espantalhos que guardavam a porta, Roland tocou o braço dela e a deteve.

— Não — disse ela —, longe demais.

— Eu já a vi lançar de muito mais longe — disse o marido, e manteve-se firme diante do olhar irritado dela. — Vi, sim.

— Não com um pistoleiro da linhagem do Eld em pé junto ao meu ombro direito, não viu, não — disse ela, mas ficou onde estava.

Roland foi até a porta do celeiro e tirou a sorridente cabeça de raiz-forte do espantalho no lado esquerdo. Entrou no celeiro, onde viu um compartimento cheio de raiz-forte recém-colhida, e ao lado um de batata. Pegou uma das batatas e assentou-a nos ombros do espantalho, onde estivera a raiz-forte. Era uma batata de bom tamanho, mas mesmo assim o contraste ficou cômico; o parrudo espantalho agora parecia um brinquedo com uma cabeça minúscula em um espetáculo de parque de diversões ou feira de rua.

— Ah, Roland, não! — gritou ela, parecendo verdadeiramente chocada. — Eu jamais conseguiria!

— Eu não acredito em você — disse ele, e se afastou. — Lance.

Por um momento, achou que ela não ia lançar. Olhou em volta à procura do marido. Se Eisenhart ainda continuasse parado a seu lado, pensou Roland, ela teria deixado o prato nas mãos dele e corrido para a casa, sem se importar se ele se cortasse ou não com a arma. Mas Vaughn Eisenhart se retirara para o pé dos degraus. Com os garotos a seu lado, Benny Slightman olhando com simples interesse, Jake com atenção mais concentrada, as sobrancelhas unidas e o sorriso agora desaparecido do rosto.

— Roland, eu...

— Nada disso, sai, eu lhe peço. Toda aquela conversa de saltar foi muito boa, mas agora eu gostaria de vê-la fazendo. *Lance.*

Ela recuou um pouco, os olhos arregalados, como se houvesse levado um tapa na cara. Então virou-se de frente para a porta do celeiro e levou a mão direita acima do ombro esquerdo. O prato tremeluziu à luz tardia, agora mais fúcsia que vermelha. Os lábios haviam-se afinado em uma linha estreita. Por um instante, todo o mundo se imobilizou.

— *Riza!* — gritou ela numa voz esganiçada, furiosa, e jogou o braço para a frente. A mão se abriu, o dedo indicador apontado precisamente ao longo da trajetória que o prato ia seguir.

De todos no quintal (os vaqueiros também haviam parado para olhar), apenas os olhos de Roland eram aguçados o bastante para acompanhar o voo do projétil.

Verdadeiro!, ele exultou. *Verdadeiro como sempre foi!*

O prato emitiu um tipo de gemido oco quando voou disparado acima do quintal de terra. Menos de dois segundos após deixar a mão dela, a batata jazia estendida em duas partes, uma perto da mão enluvada do espantalho e a outra à esquerda. O próprio prato fincou-se ao lado da porta do celeiro, tremendo.

Os garotos irromperam em vivas. Benny ergueu a mão como o novo amigo ensinara e Jake bateu a palma na dele.

— Grande jogada, sai Eisenhart! — gritou Jake.

— Ótimo lançamento! Eu agradeço! — acrescentou Benny.

Roland observou que os lábios da mulher se afastaram dos dentes a esse louvor infeliz, bem-intencionado... ela parecia um cavalo que viu uma cobra.

— Meninos — disse ele. — Eu entraria agora, se fosse vocês.

Benny ficou aturdido. Jake, contudo, deu uma olhada em Margaret Eisenhart e entendeu. Você fez o que tinha de fazer... e então sentiu o peso da reação.

— Vamos, Ben — disse.

— Mas...

— *Vamos.* — Jake pegou o novo amigo pela camisa e rebocou-o de volta à porta da cozinha.

Roland deixou a mulher ficar onde estava por um momento, cabisbaixa, tremendo devido à reação. Um rubor forte ainda lhe ardia na face, mas em todas as outras partes a pele ficara pálida como leite. Ele achou que ela lutava para não vomitar.

Foi até a porta do celeiro, pegou o prato no lugar de segurar e puxou-o. Espantou-o o grande esforço necessário para primeiro mexer o prato de um lado para o outro, soltá-lo e depois puxá-lo. Levou-o de volta para ela e lhe, entregou.

— Tua ferramenta.

Por um momento ela não o pegou, apenas olhou Roland com uma espécie de ódio intenso.

— Por que você zomba de mim, Roland? Como sabe que Vaughn me tirou do clã dos mannis? Diga isso, eu lhe peço.

Era a rosa, claro — uma intuição deixada pelo toque da rosa —, e também a história contada em seus traços fisionômicos, uma versão feminina do rosto do velho Henchick. Mas como ele sabia o que sabia não era da conta daquela mulher, e apenas balançou a cabeça.

— Não posso. Mas eu não zombo de ti.

Margaret Eisenhart agarrou bruscamente Roland pelo pescoço. O apertão era seco e tão quente que a pele dela parecia febril. Puxou o ouvido do pistoleiro para a boca nervosa, enviesada. Ele achou que sentia o cheiro de cada pesadelo que ela devia ter tido desde que decidira abandonar seu povo pelo grande fazendeiro de gado de Calla Bryn Sturgis.

— Eu vi tu conversando com Henchick ontem à noite — disse ela. — Vai falar mais com ele? Vai, não vai?

Roland assentiu, fascinado pelo apertão dela. A força. As pequenas baforadas de ar junto ao seu ouvido. Será que um lunático se escondia no fundo de qualquer um, mesmo de uma mulher como aquela? Ele não sabia.

— Ótimo. Eu agradeço. Diga a ele que Margaret do clã do Caminho Vermelho vive muito bem com seu marido pagão, ié, muito bem. — O apertão se estreitou. — Diga a ele que ela não se arrepende de *nada*! Fará isto por mim?

— Sim, senhora, se assim o deseja.

Ela arrancou o prato dele, sem temer a borda letal. Estar com ele em mãos pareceu acalmá-la. Encarou-o com olhos nos quais nadavam lágrimas não derramadas.

— Foi da gruta que você falou com meu pai? A Gruta da Porta?

Roland assentiu.

— Por que nos visitou, você, que carrega armas e é cauteloso?

Eisenhart juntou-se a eles. Olhou inseguro para a esposa que sofrera exílio de seu povo por ele. Por um momento, ela o olhou como se não o conhecesse.

— Eu só faço as vontades do ka — disse Roland.

— Ka! — gritou ela, e ergueu o lábio. Um esgar transformou-lhe os traços bonitos em uma feiura quase assustadora. Teria apavorado os meninos. — A desculpa de todo encrenqueiro! Enfie isso junto de todo o resto da sujeira!

— Eu só faço o que manda o ka e assim fará você — disse Roland.

Ela olhou-o, parecendo não compreender. Roland retirou a mão quente que o agarrara e apertou-a, não chegando a machucar.

— *E assim fará você.*

Ela sustentou o olhar dele por um instante, depois baixou os olhos.

— Sim — murmurou. — Ah, sim, assim faremos todos. — Aventurou-se a olhá-lo mais uma vez. — Vai dar meu recado a Henchick?

— Sim, senhora, como eu disse.

O quintal escuro ficou silencioso, a não ser pelo distante relincho de um rustie. Os vaqueiros continuavam encostados na cerca da muda. Roland encaminhou-se sem pressa até eles.

— Boa noite, cavalheiros.

— Espero que esteja tendo uma boa noite — disse um deles e tocou a testa.

— Que a sua esteja ainda melhor — disse Roland. — A dona lançou o prato, e o lançou bem, concordam?

— Eu agradeço — concordou outro deles. — Sem ferrugem alguma, a dona.

— Sem ferrugem — concordou Roland. — E querem saber de uma coisa, cavalheiros? Uma palavra pra enfiarem debaixo dos chapéus, como costumamos dizer?

Eles o olharam cautelosos.

Roland ergueu a cabeça, sorrindo para o céu. Depois tornou a olhá-los.

— Aposto meu relógio e garanto. Talvez queiram falar disso. Contar o que viram.

Eles o encaravam cautelosos, não dispostos a admitir que fariam isso.

— Falem disso e eu matarei cada um de vocês — disse Roland. — Entendem o que eu digo?

Eisenhart tocou o seu ombro.

— Roland, com certeza...

O pistoleiro soltou o ombro da mão dele sem olhá-lo.

— Vocês me entendem?

Eles assentiram.

— E acreditam em mim?

Assentiram mais uma vez. Pareciam assustados. Roland alegrou-se ao ver isso. Tinham razão de estar com medo.

— Agradeçam.

— Agradeço — repetiu um deles. Suava copiosamente.

— Ié — disse o segundo.

— Agradeço muitíssimo — disse o terceiro, e lançou uma baforada de tabaco para o outro lado.

Eisenhart tentou de novo.

— Roland, ouça-me, eu peço...

Mas Roland não o ouviu. Tinha a mente a mil. Em um piscar de olhos, viu a trajetória deles com perfeita clareza. A trajetória deles *neste* lado, pelo menos.

— Onde está o robô? — perguntou ao rancheiro.

— Andy? Foi para a cozinha com os meninos, eu acho.

— Ótimo. Você tem um escritório ali? — Indicou o celeiro com a cabeça.

— Sim.

— Vamos pra lá, então. Eu, você e sua senhora.

— Eu gostaria de levá-la pra dentro de casa um pouco — disse Eisenhart.

Eu gostaria de levá-la a qualquer lugar longe de você, Roland leu nos olhos dele.

— Nossa confabulação não será longa — disse Roland, e com perfeita honestidade. Já vira tudo que precisava.

6

O escritório da fazenda tinha uma única cadeira atrás da escrivaninha. Margaret ocupou-a. Eisenhart sentou-se em um banquinho. Roland acocorou-se de costas para a parede com a bolsa aberta diante de si. Mostrara- lhes o mapa dos gêmeos. Eisenhart não entendera de imediato o que Roland apontara (talvez não entendesse nem agora), mas a mulher sim. O pistoleiro não achou surpreendente que ela não houvesse conseguido ficar com os mannis. Os mannis eram pacíficos. Margaret Eisenhart não. Pelo menos quando se chegava abaixo de sua superfície, de qualquer modo.

— Não contem nada sobre isso — disse ele.

— Ou tu vai nos matar, como nossos vaqueiros? — perguntou ela.

Roland lançou-lhe um olhar paciente, e ela enrubesceu.

— Me desculpe, Roland. Estou transtornada. Isso vem de ter lançado prato com o sangue fervendo.

Eisenhart passou o braço em volta dela. Desta vez ela o aceitou de bom grado, e deitou a cabeça em seu ombro.

— Quem mais em seu grupo sabe lançar bem assim? — perguntou Roland. — Alguma delas?

— Zalia Jaffords — respondeu ela, sem pestanejar.

— É mesmo?

Ela assentiu com a cabeça enfaticamente.

— Zalia poderia ter cortado aquela batata em duas, de vinte passos mais atrás.

— Outras?

— Sarey Adams, esposa de Diego. E Rosalita Munoz.

Roland ergueu as sobrancelhas a isto.

— Ié — disse ela. — Além de Zalia, Rosie é a melhor. — Uma breve pausa. — E acho que eu também.

Ele sentiu como se um enorme peso lhe saísse das costas. Convencera-se de que teriam que dar um jeito de trazer armas de Nova York ou encontrá-las no lado leste do rio. Agora parecia que talvez não fosse necessário. Ótimo. Tinham outros negócios em Nova York — assuntos envolvendo Calvin Tower. Não queria misturar os dois, a não ser que fosse absolutamente necessário.

— Eu gostaria de me encontrar com vocês, as quatro mulheres na casa paroquial do Velho. E *apenas* vocês quatro. — Lançou um breve olhar a Eisenhart e de volta a Margaret. — Sem os maridos.

— Ora, espere só um minuto — disse Eisenhart.

Roland ergueu a mão.

— Nada foi decidido ainda.

— É a *forma* como ainda não foi decidido que não gosto — disse Eisenhart.

— Fique quieto por um momento — disse Margaret. — Quando gostaria de nos encontrar?

Roland calculou. Faltavam vinte e quatro dias, talvez só vinte e três, e muito mais ainda para ver. E havia a coisa escondida na igreja do Velho, aquilo para se lidar também. E o velho manni, Henchick...

Mas, ele sabia, no fim chegaria o dia e as coisas iam se desenrolar com uma rapidez chocante. Sempre era assim. Cinco minutos, dez no máximo, e tudo estaria acabado, para o bem ou para o mal.

O segredo era estar pronto quando chegassem esses poucos minutos.

— Daqui a dez dias — disse ele. — À noite. Eu gostaria de vê-las competindo entre si, em rodadas.

— Tudo bem. Essa parte podemos fazer. Mas Roland... Eu não lançarei um único prato, nem levantarei um único dedo, se meu marido continuar sendo contra.

— Eu entendo — disse Roland, sabendo que ela ia fazer o que o pistoleiro dissesse, gostasse ou não. Quando chegasse a hora, todos eles iam.

Havia uma pequena janela na parede do escritório, suja e adornada com teias de aranha, mas transparente o bastante para que eles vissem Andy a atravessar pisando forte pelo quintal, os olhos elétricos faiscando intermitentes no crepúsculo que se intensificava. Murmurava consigo mesmo.

— Eddie diz que os robôs são programados para fazer certas tarefas — disse ele. — Andy faz as tarefas que você lhe pede?

— A maioria, sim — disse Eisenhart. — Não sempre. E nem sempre está por perto, entende.

— É difícil acreditar que tenha sido programado para não fazer mais nada além de cantar cantigas tolas e dizer horóscopos — considerou Roland.

— Talvez o Povo Antigo lhe desse passatempos — disse Margaret Eisenhart —, e agora que suas principais tarefas se foram, perdidas no tempo, você sabe como é, ele se concentra nos passatempos.

— Você acha que foi o Povo Antigo quem o fez.

— Quem mais? — perguntou Vaughn Eisenhart. Andy passara e o quintal estava vazio.

— Ié, quem mais? — disse Roland, ainda considerando. — Quem mais teria a inteligência e as ferramentas? Mas o Povo Antigo já havia desaparecido dois mil anos antes de os Lobos começarem a atacar Calla. Dois mil ou mais. Portanto, o que eu gostaria de saber é quem ou o que programou Andy para não falar deles, *exceto para dizer a vocês quando eles vão chegar*. E eis aqui outra questão, não tão interessante quanto a anterior, mas ainda assim curiosa: por que ele lhes diz esse tanto se não pode, ou não quer, dizer-lhes nada mais?

Eisenhart e a esposa estavam se entreolhando, estupefatos. Ainda não tinham digerido até o fim a primeira parte do que Roland dissera. O pistoleiro não se surpreendeu, mas ficou um pouco decepcionado com eles. Realmente, muita coisa ali era óbvia. Se, evidente, alguém apenas parasse para pensar. Para ser justo com os Eisenhart, os Jaffords e os Overholser de Calla, ele imaginou, o pensamento lógico não era tão fácil quando seus filhos corriam perigo.

Houve uma batida na porta. Eisenhart gritou:

— Entre!

Era Ben Slightman.

— O gado foi todo recolhido para dormir, patrão. — Tirou os óculos e limpou-os com a camisa. — E os meninos saíram com a barraca de Benny.

Andy está os acompanhando de perto, portanto, tudo bem. — Olhou para Roland. — É cedo para os gatos-da-montanha, mas se algum *surgisse*, Andy deixaria meu garoto dar pelo menos um tiro com o bah dele, foi lhe dito esta informação e ele respondeu com: "Ordem gravada". Se Benny errasse, Andy ficaria entre os meninos e o gato. É programado estritamente para defesa, e nunca conseguimos mudar isso, mas se o gato continuasse avançando...

— Andy o despedaçaria — disse Eisenhart, com uma espécie de sombria satisfação.

— É rápido, ele? — perguntou Roland.

— Pode apostar — disse Slightman. — Não parece, não é, tão alto e desengonçado como ele? Mas, sim, desloca-se como um raio quando quer. Mais rápido do que qualquer gato-da-montanha. Acreditamos que deve funcionar com base em antimônio.

— É muito provável — disse Roland, distraído.

— Não se preocupe com isso — disse Eisenhart —, mas escute, Ben... qual seria o motivo, na sua opinião, de Andy não falar dos Lobos?

— A programação dele...

— Ié, mas é como Roland nos chamou a atenção pouco antes de você entrar, e devíamos ter visto isso sozinhos há muito tempo, se foi o Povo Antigo que o criou e se o Povo Antigo se extinguiu ou seguiu adiante, *muito* antes de os Lobos aparecerem, entende o problema?

Slightman pai assentiu, depois tornou a pôr os óculos.

— Devia ter algo parecido com os Lobos nos dias de outrora, não acha? Algo parecido o suficiente para Andy achar que são os mesmos. É minha melhor ideia.

É mesmo?, pensou Roland.

Ele apresentou o mapa dos gêmeos Tavery, abriu-o e bateu em um arroio no campo montanhoso a nordeste da cidade. O arroio serpeava cada vez mais adentro naquelas montanhas antes de terminar em uma das antigas minas de granada de Calla. Esta era um poço que penetrava uns dez metros em uma das encostas e depois parava. O lugar não era realmente muito parecido com a Garganta do Parafuso em Mejis (não existia lúmina no arroio, por exemplo), mas havia uma semelhança crucial: os dois eram becos sem saída. E, Roland sabia, uma pessoa vai escolher fazer uso daquilo que já funcionou antes para ela. Que ele escolhesse esse arroio, esse poço de mina sem saída, para sua emboscada aos Lobos fazia total sentido. Para Eddie, Susannah, os Eisenhart e agora o capataz de Eisenhart. Faria sentido para Sarey Adams e Rosalita Munoz. Faria sentido para o Velho. Ele ia revelar esta parte do plano a outros, e também faria sentido para eles.

E se houvessem omitido coisas? E se parte do que ele disse fosse uma mentira?

Se os Lobos viessem a saber da mentira e acreditassem nela?

Isso seria bom, não? Bom se eles avançassem e atacassem na direção certa, mas na coisa errada?

Sim, mas eu vou acabar precisando confiar em alguém com toda a verdade. Em quem?

Susannah não, porque ela voltara agora a ser duas, e ele não confiava na outra.

Nem Eddie, porque ele poderia deixar escapar algo crucial para Susannah, e então Mia saberia.

E tampouco Jake, porque se tornara amigo do peito de Benny Slightman.

Ele estava novamente sozinho, e essa condição jamais lhe parecera tão solitária.

— Veja — disse ele, batendo no arroio. — Aqui está um lugar para se pensar, Slightman. Fácil para entrar, não tão fácil para sair. Imagine se levássemos todas as crianças de uma determinada idade e as escondêssemos em segurança nesse pedacinho de mina?

Viu a compreensão começar a surgir nos olhos de Slightman. E alguma coisa mais também. Esperança, talvez.

— Se escondermos as crianças, eles vão saber onde elas estão — disse Eisenhart. — É como se fossem ogros em uma história da carochinha, como se conseguissem cheirá-las.

— É o que me dizem. Sugiro que façamos proveito disso — disse Roland.

— Fazê-las de isca, quer dizer. Pistoleiro, isso é difícil.

Roland, que não tinha a menor intenção de pôr as crianças de Calla na mina de granada abandonada — nem em qualquer lugar perto dela —, assentiu.

— O mundo difícil, às vezes, Eisenhart.

— Eu agradeço — respondeu Eisenhart, mas tinha a expressão sombria. Tocou o mapa. — Talvez desse certo. Sim, talvez desse certo... *se* você conseguisse levar os Lobos para dentro.

Onde quer que as crianças terminem, vou precisar de ajuda para colocá-las lá, pensou Roland. *Terão de ser pessoas que saibam aonde ir e o que fazer. Um plano. Mas ainda não. Por enquanto vou continuar com o jogo que estou jogando. É igual a Castelos. Porque alguém está escondido.*

Ele *sabia* disso? Não, ele não sabia.

Farejava? Sim, ele farejava.

Agora são vinte e três, pensou Roland. *Vinte e três dias até os Lobos.*

Teria que ser suficiente.

6. A HISTÓRIA DO GRAND-PÈRE

1

Eddie, um rapaz da cidade da cabeça aos pés, ficou quase chocado ao ver o quanto gostara da casa dos Jaffords na estrada do Rio. *Eu poderia viver em um lugar desses*, pensou. *Seria legal. Ia me fazer bem.*

Era uma cabana comprida, habilmente construída e calafetada contra os ventos hibernais. Ao longo de um lado, grandes janelas descortinavam uma vista desde o topo de uma alta e suave colina até os arrozais e o rio embaixo. No outro lado, ficavam o celeiro e o jardim da entrada, terra batida que fora adornada com ilhas circulares de grama e flores, e à esquerda do alpendre dos fundos, uma pequena horta meio exótica. Metade dela era ocupada por uma erva amarela chamada madrigal, que Tian esperava que florescesse em quantidade no ano seguinte.

Susannah perguntou a Zalia como mantinha as galinhas fora das plantas, e ela riu, pesarosa, soprando os cabelos para trás da testa.

— Com grande esforço, é como mantenho. Mas o madrigal cresce, sim, você vê, e onde coisas crescem, há sempre esperança.

O que Eddie gostou foi a maneira como tudo parecia funcionar em harmonia e proporcionar uma sensação caseira. Não se podia dizer exatamente o que causava essa sensação, porque não era nenhuma coisa única, mas...

Sim, há uma coisa. E não tem nada a ver com o visual rústico do lugar, com a cabana de ripas de madeira, nem com a horta e as galinhas ciscando, e tampouco com os canteiros de flores.

Eram as crianças. A princípio, ele ficou meio aturdido com a quantidade delas, apresentadas à inspeção dele e de Suze como um pelotão de soldados ao olhar de um general visitante. E, por Deus, à primeira vista parecia haver quase o bastante delas para formar um batalhão... ou pelo menos um pelotão.

— Aqueles na ponta são Heddon e Hedda — disse Zalia, apontando o par de cabelos louro-escuros. — Têm dez anos. Mostrem sua educação, vocês dois.

Heddon esboçou uma vênia, batendo ao mesmo tempo na testa encardida com o lado do punho ainda mais encardido. *Cobrindo todas as bases*, pensou Eddie. A menina fez uma mesura.

— Longas noites e belos dias — disse Heddon.

— É *belos dias* e *longas vidas*, seu burrinho — sussurrou Hedda, depois fez uma reverência da maneira como achava que deveria ser feita.

Heddon estava tão fascinado pelos forasteiros que nem chegou a olhar com irritação para a irmã sabe-tudo, ou até realmente notá-la.

— Os dois mais moços são Lyman e Lia — disse Zalia.

Lyman, que estava de olhos arregalados e boquiaberto, curvou-se com tanta violência que quase caiu no chão. Lia chegou a tombar ao fazer sua mesura. Eddie precisou se esforçar para não rir quando Hedda levantou a irmã do chão, desaprovando.

— E este — disse, beijando o bebê grande em seus braços — é Aaron, meu amorzinho.

— Seu filho não gêmeo — disse Susannah.

— Ié, dona, isso mesmo.

Aaron ficou agitado, chutando e se debatendo. Zalia botou-o no chão. Aaron puxou a fralda e saiu trotando para o lado da casa, a berrar pelo pai.

— Heddon, vá atrás tomar conta dele — disse Zalia.

— Mamãe, *não*! — Ele enviou-lhe frenéticos sinais oculares de que queria ficar ali, ouvindo os estranhos e vendo tudo que fosse possível.

— Mamãe, *sim*! — disse Zalia. — Obedeça e cuide de seu irmão, Heddon.

O garoto talvez tivesse continuado a discutir, mas nesse momento Tian Jaffords contornou a quina da cabana e tomou o menininho nos braços. Aaron rejubilou-se, derrubou o chapéu de palha do pai e puxou-lhe o cabelo suado.

Eddie e Susannah mal notaram isso. Tinham os olhos cravados apenas nos gigantes de uniforme vindo atrás de Jaffords. Eddie e Susannah talvez tivessem visto uma dezena de pessoas extremamente grandes em sua jornada pelas pequenas propriedades ao longo da estrada do Rio, mas sempre à distância. ("A maioria se acanha na presença de estranhos, vocês sabem como é", dissera Eisenhart.) Aqueles dois estavam a menos de três metros.

Homem e mulher, ou menino e menina? *As duas coisas ao mesmo tempo*, pensou Eddie. *Porque a idade deles não importa*.

A moça, suada e rindo, devia ter no mínimo 1,98m de altura, seios que pareciam o dobro do tamanho da cabeça de Eddie. Trazia em uma corrente ao pescoço um crucifixo de madeira. O rapaz era no mínimo quinze centímetros mais alto que a cunhada. Ele olhou timidamente os recém-chegados e pôs-se a chupar o polegar com uma das mãos e apertar a virilha com a outra. Para Eddie, o mais impressionante neles não era o tamanho, mas a sinistra semelhança com Tian e Zalia. Era como olhar os primeiros rascunhos toscos de uma obra de arte que acaba dando certo. Era muito nítido que tinham uma deficiência intelectual, ambos, e tão claramente, tão visivelmente relacionados com pessoas que não a tinha. A única palavra para isso era *sinistro*.

Não, pensou Eddie, *a palavra é* roont.

— Este é meu irmão Zalman — disse Zalia, o tom estranhamente formal.

— E minha irmã Tia — acrescentou Tian. — Mostrem a educação que tem, seus dois desajeitados.

Zalman apenas avançou uns passos, chupando uma parte de si mesmo e amassando a outra. Tia, contudo, fez uma imensa mesura (semelhante a uma pata).

— Longos dias longas noites longa terra! — gritou ela. — *TEMOS BATATA E MOLHO DE CARNE!*

— Ótimo — disse Susannah, baixinho. — Batata e molho de carne está ótimo!

— *BATATA E MOLHO DE CARNE ESTÁ ÓTIMO!* — Tia franziu o nariz, afastando o lábio superior dos dentes em um sorriso meio suíno de boa camaradagem. — *BATATA E MOLHO DE CARNE! BATATA E MOLHO DE CARNE! BOAS E VELHAS BATATAS E MOLHO DE CARNE!*

Hedda tocou a mão de Susannah, hesitante.

— Ela vai continuar assim o dia inteiro, a não ser que a mande se calar, dona-sai.

— Xiu, Tia — disse Susannah.

Tia deu uma risada roncada para o céu, cruzou os braços sobre os imensos seios e calou-se.

— Zal — disse Tian. — Você precisa fazer xixi, não?

O irmão de Zalia não disse nada, apenas continuou apertando a virilha.

— Vai fazer xixi — disse Tian. — Vai ali atrás do celeiro. Regue a raiz-forte, agradeça.

Por um instante nada aconteceu. Então Zalman partiu, deslocando-se em passadas largas, atrapalhadas.

— Quando eles eram pequenos... — começou Susannah.

— Brilhantes como ágatas polidas, os dois — disse Zalia. — Agora ela está mal e meu irmão ainda pior.

Ela levou bruscamente as mãos ao rosto. Aaron deu uma risada alta disso e cobriu o próprio rosto em imitação ("Esconde-esconde", gritou por entre os dedos), mas os dois pares de gêmeos pareceram sérios. Alarmados, até.

— Qual é o problema com mamãe? — perguntou Lyman, puxando a perna da calça do pai.

Zalman, alheio a tudo, continuava em direção ao celeiro, ainda com uma das mãos na boca, a outra na virilha.

— Nada, filho. Está tudo bem com a sua mãe. — Tian pôs o bebê no chão, depois correu os dedos pelos olhos. — Está tudo ótimo. Não está, Zee?

— Ié — disse ela, baixando as mãos.

Tinha os contornos dos olhos vermelhos, mas não chorava.

— E com a bênção, o que não está ótimo vai ficar.

— Dos seus lábios para o ouvido de Deus — disse Eddie, vendo o gigante andando desajeitado até o celeiro. — Dos seus lábios para o ouvido de Deus.

2

— Será que ele está em um de seus dias lúcidos, seu grand-père? — perguntou Eddie a Tian alguns minutos depois.

Haviam contornado a casa, até o lugar onde Tian podia mostrar a Eddie o trato que batizara como Filho da Puta, deixando Zalia e Susannah com as crianças grandes e pequenas.

— Não tanto que dê pra notar — disse Tian, a expressão se anuviando. — Ele anda confuso e não quer nada comigo, de qualquer maneira. Com ela, sim, porque lhe dá de comer na boca, limpa a baba da boca dele e diz-lhe graças. Não basta eu ter dois grandes roonts desajeitados pra alimentar, não? Tenho de ter também aquele velho intratável. A cabeça ficou tão enferrujada quanto uma dobradiça velha. Metade do tempo ele nem sabe quem é, diabos, se há coisa pior!

Continuaram andando, o mato a roçando em suas calças. Duas vezes Eddie quase tropeçou em pedras, e uma vez Tian pegou seu braço e levou-o em volta do que parecia o perfeito buraco quebra-canelas. *Não é de se espantar que ele chame de Filho da Puta,* pensou Eddie. E no entanto havia sinais de cultivo. Era difícil acreditar que alguém pudesse puxar um arado naquela confusão, mas parecia que Tian Jaffords andara tentando.

— Se sua esposa tiver razão, eu preciso falar com ele — disse Eddie. — Preciso ouvir sua história.

— Pode apostar que meu avô tem histórias. Meio milhão delas! O problema é que a maioria era mentira desde o início e agora ele mistura todas elas. O sotaque dele sempre foi forte, e nos últimos três anos também perdeu três dentes. É provável que você não consiga entender os disparates dele, pra começar. Espero que se dê bem com ele, Eddie de Nova York.

— Que diabos ele fez a você, Tian?

— Não foi o que ele fez a mim, mas a meu pai. É uma longa história, e que não tem nada a ver com esse assunto. Esqueça.

— Não, esqueça *você* — disse Eddie, parando.

Tian olhou-o, sobressaltado. Eddie assentiu, sem sorrir: você me ouviu. Ele tinha vinte e cinco anos, já um ano mais velho que Cuthbert Allgood no seu último dia na Colina de Jericó, mas naquela luz do dia se esvaindo poderia passar por um homem de cinquenta anos. Um homem com plena convicção.

— Se ele viu um Lobo morto, precisamos interrogá-lo.

— Eu não estou entendendo, Eddie.

— Sim, mas acho que entende muito bem o que eu quero dizer. Seja lá o que tenha contra ele, deixe de lado. Se resolvermos a questão dos Lobos, você tem minha permissão pra chutá-lo na lareira ou empurrá-lo da porra do telhado. Mas, por ora, guarde suas lamentações pra si mesmo. Certo?

Tian assentiu. Ficou ali olhando seu problemático trato do norte, o que chamava de Filho da Puta, com as mãos nos bolsos. Enquanto pensava na questão, tinha no rosto uma expressão de ganância e alarme.

— Você acha que a história dele, de que matou o Lobo, é pura balela? Se acha mesmo, não vou perder meu tempo.

De má vontade, Tian disse:

— Sou mais propenso a acreditar nessa do que na maioria das outras.

— Por quê?

— Bem, ele a contava desde que eu tinha idade bastante pra escutar, e *esta* nunca muda muito. E também... — As palavras seguintes de Tian saíram mastigadas, como se ele as falasse por dentes trincados. — A meu grand-père nunca faltaram audácia e valentia. Se alguém tivesse coragem bastante para sair até a estrada do Leste e enfrentar os Lobos, sem mencionar trum suficiente pra conseguir que outros o acompanhassem, eu apostaria meu dinheiro em Jamie Jaffords.

— Trum?

Tian pensou em como explicar.

— Se você tivesse de enfiar a cabeça na boca de um gato-da-montanha, isto exigiria coragem, não?

Exigiria idiotice, foi o que pensou Eddie, mas assentiu.

— E se você fosse o tipo de homem que conseguisse convencer alguém *mais* a enfiar a cabeça na boca de um gato-da-montanha, isto o tornaria trum. Seu dinh é trum, não é?

Eddie lembrou-se de algumas das coisas que Roland o mandara fazer, e assentiu. Roland era trum, com toda a certeza. Uma porra de um trum. Eddie não tinha dúvida de que os velhos amigos do pistoleiro teriam concordado com isso.

— Ié — disse Tian, voltando o olhar para o campo. — Em todo caso, se pretende tirar alguma coisa que beire a sensatez do velho, eu esperaria até depois do jantar. Ele acorda um pouco mais assim que comeu e tomou uma caneca de graf. E cuide pra que minha esposa esteja sentada bem a seu lado, onde ele possa dar-lhe uma boa olhada. Imagino que tentaria muito mais que pôr o olho nela, se fosse um homem mais jovem.

A expressão em seu rosto ficou mais uma vez sombria. Eddie deu um tapinha em seu ombro.

— Bem, ele não é mais jovem. *Você* é. Portanto se anime, tá legal?

— Ié. — Tian fez um visível esforço para fazer isso. — O que acha do meu campo, pistoleiro? Vou plantar madrigal ano que vem. Aquela coisa amarela que semeamos no terreno da frente.

O que Eddie achou foi que o campo parecia uma enorme decepção à espera de acontecer. Desconfiava em seu íntimo de que Tian achava a mesma coisa; você não batizaria seu único terreno não plantado de Filho da Puta se esperasse que boas coisas sairiam dali. Mas ele conhecia a expressão no rosto de Tian. Era a que Henry tinha quando os dois saíam para ir atrás de droga. Ia sempre ser a melhor daquela vez, a melhor de todas até então. A Chinesa Pura, e esquece aquela Mexicana Marrom, que fazia a cabeça doer e dava diarreia. Iam ficar chapados por uma semana, o melhor barato de todos, numa boa, e depois largar a heroína para sempre. Esta era a escritura sagrada de Henry, e poderia ter sido Henry ali a seu lado, dizendo a ele que excelente safra comercial era o madrigal, e como as pessoas que tinham falado que seria impossível cultivá-la tão longe ao norte iam ver o feitiço virar contra o feiticeiro quando chegasse a colheita seguinte. E depois ele ia comprar o campo de Hugh Anselm no outro lado do rio, empregar mais dois homens quando chegasse a colheita, pois a terra seria dourada até onde a vista alcançasse, ora, poderia até abandonar de vez o arroz e tornar-se um monarca do madrigal.

Eddie indicou o campo com a cabeça, onde nem a metade fora arada.

— Mas parece uma lavragem lenta e árdua. Você precisa ter um cuidado da porra com as mulas.

Tian deu uma risada breve.

— Eu não arrisco uma mula ali, Eddie.

— Então ara com o quê?

— Com a minha irmã.

O queixo de Eddie caiu.

— Está me sacaneando!

— De jeito nenhum. Eu lavraria com Zal, também, ele é maior, como você viu, e até mais forte, mas não tão inteligente. Mais trabalho do que vale a pena, já experimentei.

Eddie balançou a cabeça, sentindo-se aturdido. As sombras dos dois se estendiam longas sobre a terra grumosa, com sua colheita de ervas daninhas e cardo.

— Mas... cara... ela é sua *irmã*!

— É, e o que mais ela poderia fazer o dia todo? Sentar-se diante da porta do celeiro e vigiar as galinhas? Dormir cada vez mais horas e só se levantar pra suas batatas e molho de carne? Isso é melhor, acredite. Ela não se incomoda. É muito difícil fazê-la arar reto, mesmo quando não tem uma pedra que destrói o arado ou um buraco a cada oito ou dez passos, mas ela puxa como o diabo e ri como uma doida.

O que convenceu Eddie foi a seriedade do sujeito. Não sentiu que ele estava nada na defensiva, pelo menos não que ele tenha detectado.

— Além disso, ela na certa estará morta daqui a dez anos, de qualquer modo. Deixe que ajude como pode, eu digo. E Zalia acha a mesma coisa.

— Tudo bem, mas por que não pega Andy pra fazer pelo menos parte da lavragem? Aposto que seria mais rápido se fizesse isso. Todos os caras com as pequenas propriedades poderiam dividi-lo, já pensou nisso? Ele poderia arar seus campos, escavar os poços, erguer uma viga no telhado de um celeiro e tudo sozinho. E vocês se poupariam para batatas e molhos. — Deu mais um tapinha no ombro de Tian. — Isto só poderia trazer benefícios.

A boca de Tian contraiu-se em um quase sorriso.

— É um lindo sonho, concordo.

— Não funciona, hein? Ou melhor, *ele* não funciona?

— Algumas coisas ele faz, mas arar campos e perfurar poços não estão entre elas. A gente pede e ele pergunta a *nossa* senha. Quando não temos nenhuma senha pra dar, ele pergunta se queremos tentar novamente. E depois...

— Depois ele lhe diz que você está com uma merda de falta de sorte. Por causa da tal Diretriz 19.

— Se você sabia, por que perguntou?

— Eu sabia que ele agia assim em relação aos Lobos, porque perguntei a ele. Não sabia que se estendia a todas essas outras coisas.

Tian assentiu.

— Ele realmente não é de grande ajuda, e às vezes pode ser chato. Se você ainda não percebe agora, vai perceber se ficar aqui algum tempo, mas ele nos diz, sim, quando os Lobos estão a caminho, e por isso todos nós lhe agradecemos.

Eddie precisou reprimir a pergunta que lhe veio aos lábios. Por que lhe agradeciam quando a notícia dele de nada servia, além de deixá-los infelizes?

Claro que daquela vez talvez houvesse mais que isso: daquela vez, a notícia de Andy poderia de fato levar a uma mudança. Seria isso o que o Sr. Você-Vai--Encontrar-um-Estranho-Interessante pretendera durante todo aquele tempo? Fazer o pessoal erguer-se nas patas traseiras e lutar? Eddie lembrou-se do sorriso decididamente hipócrita e achou tamanho altruísmo difícil de engolir. Não era justo julgar pessoas (nem robôs, talvez) pela maneira como sorriam ou falavam, e no entanto todo mundo fazia isso.

Agora que parei para pensar, e quanto *à voz dele? E aquele jeitinho presunçoso Eu-sei-e-você-não-sabe-o-que-vai-acontecer? Ou estou imaginando isso também?*

O pior de tudo aquilo era que ele não sabia.

3

O som da voz de Susannah acompanhada pelas risadinhas das crianças — as crianças grandes e pequenas — atraiu Eddie e Tian de volta ao outro lado da casa.

Zalman segurava a ponta do que parecia uma corda de arado. Tia a outra. Giravam-na em arcos ociosos, com sorrisos radiantes nos rostos, enquanto Susannah, sentada no chão, recitava uma cantiga de pular corda de que Eddie lembrava vagamente. Zalia e seus outros quatro filhos pulavam em uníssono, os cabelos subindo e caindo. Parado perto, o bebê Aaron estava agora com a fralda frouxa até os joelhos. Um enorme e maravilhado sorriso estampava-se em seu rosto. Fazia movimentos de girar a corda com o punho rechonchudo.

— "Pula-pula sem errar! Um dois três! Pula-pula sem parar! Quatro cinco seis! Pula-pula sem errar!" Mais rápido, Zalman! Mais rápido, Tia! Vamos lá, façam-nos pular mesmo!

Tia logo girou sua ponta mais rápido, e um momento depois Zalman a alcançou. Parecia que aquilo era uma coisa que ele sabia fazer. Rindo, Susannah cantou mais rápido.

— "Pula-pula sem parar! Quatro cinco seis! E ao céu vamos chegar!" Dá-lhe, Zalia, estou vendo seus joelhos, menina! Mais rápido, gente! Mais rápido!

Os quatro gêmeos pulavam como petecas, Heddon com os punhos enfiados nas axilas, corcoveando. Agora que tinham deixado de lado o fascínio que os deixara desajeitados, os mais jovens pulavam em perfeita harmonia. Até os cabelos deles pareciam voar nos mesmos tufos. Eddie viu-se lembrando-se dos gêmeos Tavery, cujas sardas pareciam idênticas.

— "Pula-pula sem parar!..." — Ela então parou. — Ai, Eddie! Não me lembro mais do resto!

— Mais rápido, gente! — disse Eddie aos gigantes que giravam a corda. Eles obedeceram, Tia relinchando para o céu que escurecia. Eddie mediu a volta da corda com os olhos, movendo-se para a frente e para trás, cronometrando os joelhos, pegando o ritmo dela. Levou a mão à coronha do revólver de Roland para certificar-se de que não ia se soltar no ar.

— Eddie Dean, você não vai, jamais... conseguir! — gritou Susannah, rindo.

Mas na vez seguinte que a corda subiu, ele conseguiu, pulando entre Hedda e sua mãe. De frente para Zalia, com o rosto vermelho, suado, ele pulou com ela em perfeita harmonia. Eddie cantou o único verso que sobrevivera em sua memória. Para manter-se no ritmo, teve de fazê-lo quase tão rápido quanto o leiloeiro em um leilão.

— "E ao céu vamos chegar! Pula-pula sem parar! Um dois três! E ao céu vamos chegar! Quatro cinco seis!" *Vamos*, gente! *Girem* mais rápido!

Eles o fizeram, rodopiando a corda tão rápido que era quase um borrão. Em um mundo que agora parecia subir e descer como um saltador a mola de um palhaço invisível, ele viu um homem velho de cabelos revoltos e espetados e suíças encanecidas sair para a varanda, como um ouriço-cacheiro de sua toca, martelando uma bengala de ferro. *Olá, grand-père*, pensou Eddie, depois descartou a ideia por enquanto. Tudo o que queria agora era manter o ritmo e não ser aquele que ia acabar com a brincadeira. Na infância, sempre gostara de pular corda, e sempre odiara a ideia de que tinha de deixar a brincadeira para as meninas assim que entrasse na Escola Elementar Roosevelt ou ser chamado de maricas. Mais tarde, na aula de educação física do ensino médio, redescobrira brevemente as alegrias de pular corda. Mas nunca fora nada como aquilo. Era como se houvesse descoberto (ou redescoberto) uma magia prática que unia as vidas de Nova York dele e de Susannah àquela outra vida de uma maneira que não exigia portas mágicas ou globos de cristal, nem estado todash. Ele ria, delirante, e começou a bater com os pés abrindo-os para a frente e para trás como uma tesoura. Um momento depois, Zalia Jaffords fazia o mesmo, imitando-o passo a passo. Era tão gostoso quanto a dança do arroz. Talvez melhor, porque todos o faziam em uníssono.

Certamente era mágico para Susannah, e de todas as maravilhas à frente e atrás, aqueles breves momentos no jardim da frente dos Jaffords mantiveram sempre seu brilho próprio e singular. Não dois pulando um atrás do outro, nem mesmo quatro, mas *seis*, enquanto os dois gigantes sorridentes giravam a corda o mais rápido que lhes permitiam os braços que pareciam postas.

Tian riu, batendo as botas no chão, e gritou:

— Isto é melhor que o tambor! Não é mesmo? Pode apostar! — E da varanda seu avô soltou uma gargalhada tão enferrujada que Susannah se perguntou há quanto tempo ele guardara aquele som em bolas de naftalina.

Por cerca de mais cinco segundos a magia perdurou. A corda de pular girava tão rápido que o olho a perdia e ela existia como apenas um zunido, como de uma asa. A meia dúzia dentro daquele zunido — de Eddie, o mais alto, na ponta de Zalman, ao rechonchudo e pequenino Lyman, na de Tia — subia e descia como pistons em uma máquina.

Então a corda esbarrou no salto de alguém — Heddon, pareceu a Susannah, embora depois todos assumissem a culpa para que ninguém tivesse de sentir-se mal —, e eles se esparramaram no chão, arquejando e rindo. Eddie, agarrando o peito, captou o olhar de Susannah.

— Estou tendo um ataque cardíaco, benzinho, é melhor ligar para a emergência.

Ela içou-se até onde ele se encontrava e baixou a cabeça para poder beijá-lo.

— Não, não está, mas está atacando o *meu* coração, Eddie Dean. Eu amo você.

Eddie olhou-a com seriedade do chão do quintal. Sabia que, por mais que ela o amasse, ele sempre a amaria mais. E como sempre quando pensava nessas coisas, veio-lhe a premonição de que o ka não era amigo dos dois, que tudo ia terminar de um jeito terrível entre eles.

Se assim for, então sua tarefa é fazer disso o melhor possível enquanto durar. Fará sua tarefa, Eddie?

— Com o maior prazer — disse ele.

Ela ergueu as sobrancelhas, sem entender.

— É mesmo? — disse ela, idioma de Calla para dizer: *Como?*

— É sim — disse ele, sorrindo. — Acredite em mim, é sim.

Passou o braço em volta do pescoço dela, puxou-a, beijou-lhe a testa, o nariz e por fim os lábios. Os gêmeos sorriram e bateram palmas. O bebê riu alto. E na varanda o velho Jamie Jaffords fez o mesmo.

4

Todos ficaram famintos após o exercício, e com Susannah ajudando-a de sua cadeira, Zalia Jaffords serviu uma lauta refeição na longa mesa de cavaletes ao ar livre nos fundos da casa. A vista era incrível, na opinião de Eddie. No sopé da montanha, estendia-se um campo do que julgou ser um tipo resistente de arroz, que agora se erguia à altura do ombro de um homem alto. Além dele, o rio cintilava à luz do pôr do sol.

— Não gostaria de nos dar o início com uma palavra, Zee? — pediu Tian.

Ela pareceu satisfeita ao ouvir isso. Susannah disse a Eddie depois que Tian não ligava muito para a religião da esposa, mas parecia ter mudado desde o inesperado apoio que recebeu de père Callahan no Salão da Assembleia da Cidade.

— Baixem a cabeça, crianças.

Quatro cabeças abaixaram-se... seis, contando as grandes. Lyman e Lia franziram os olhos fechando-os tão apertados que pareciam crianças com uma terrível enxaqueca. Estenderam as mãos, limpas e brilhando com um rosa forte do jato frio da bomba ali fora diante deles.

— Abençoe esta comida ao nosso dispor, Senhor, e nos torne gratos. Obrigada por nossa companhia, que os façamos ficarem bem e eles a nós. Livre-nos do terror que voa ao meio-dia e do que rasteja à noite. Damos graças.

— Graças! — gritaram as crianças. Tia quase alto o suficiente para fazer trepidar as janelas.

— Em nome de Deus Pai e de Seu Filho, o Homem Jesus — disse ela.

— *Homem Jesus!* — gritaram as crianças.

Eddie achou graça ao ver o grand-père, que usava um crucifixo quase tão grande quanto o usado por Zalman e Tia, ficar sentado com os olhos abertos, futicando pacificamente o nariz durante as orações.

— Amém.

— *Amém!*

— *BATATA!* — gritou Tia.

5

Tian sentava-se a uma das cabeceiras da mesa, Zalia à outra. Os gêmeos não foram banidos para uma "mesa da pirralhada" (como Susannah e os primos sempre haviam sido em reuniões familiares, e como ela odiava isso), mas se sentavam em fila em um dos lados da mesa, com os dois mais velhos flanqueando o par mais jovem. Heddon ajudava Lia; Hedda ajudava Lyman. Susannah e Eddie sentavam-se lado a lado defronte das crianças, com um jovem gigante à esquerda de Susannah e o outro à direita de Eddie. O bebê se saiu bem primeiro no colo da mãe e depois, quando se cansou, no do pai. O velho sentava-se junto a Zalia, que o serviu, cortando o seu bife em pedaços bem pequenos, e limpando seu queixo quando o molho escorreu. Tian exasperou-se com isso, de uma maneira mal-humorada que Eddie achou pegar mal para ele, mas ficou de boca fechada, exceto uma vez, quando perguntou ao avô se ele queria mais pão.

— Meu braço ainda funciona, se eu quiser — disse o velho, e pegou a cesta de pão para prová-lo. Fez isso lepidamente para alguém de idade avançada, depois estragou a impressão de vivacidade derrubando o galheteiro. — Bosta mole! — gritou.

As quatro crianças se entreolharam, espantadas, levaram as mãos às bocas e deram risadinhas. Tia jogou a cabeça para trás e zurrou para o céu. Um dos ombros esbarrou nas costelas de Eddie e quase o derrubou da cadeira.

— Eu gostaria que não falasse assim na frente das crianças — pediu Zalia, endireitando o galheteiro.

— Rogo seu perdão — disse o grand-père.

Eddie perguntou-se se ele teria respondido de maneira tão agradável se a repreensão tivesse vindo do neto.

— Deixe-me ajudar a lhe servir um pouco disto — disse Susannah, tomando o galheteiro de Zalia.

O velho encarou-a com olhos úmidos, quase com veneração.

— Eu não vejo uma mulher de pele marrom faz, ah, eu diria, uns quarenta anos — disse o grand-père. — Antigamente costumavam vir nas barcaças mercantis do lago, mas não vêm mais. — Quando o grand-père disse barcaças, saiu cabaços.

— Espero que não seja um grande choque descobrir que continuamos aqui — disse Susannah, e abriu um sorriso para ele. O velho respondeu com outro, lascivo e desdentado.

O bife era duro, mas saboroso, o milho quase tão bom quanto o da refeição que Andy preparara perto da borda da mata. A tigela de batata, embora quase do tamanho de uma bacia de lavar roupas, teve de ser estocada duas vezes, a do molho de carne três vezes, mas para Eddie o grande destaque foi o arroz. Zalia serviu três tipos diferentes, e pelo que ele achou, cada um melhor do que o anterior. Os Jaffords, contudo, comeram-no quase alheios, do jeito que pessoas bebem água em um restaurante. A refeição terminou com uma torta de maçã, e então as crianças foram liberadas para brincar. O grand-père acrescentou o toque final com um sonoro arroto.

— Eu agradeço — disse ele a Zalia. — Ótimo como sempre, Zee.

— Fico feliz em vê-lo comer assim, pai — disse ela.

Tian grunhiu e disse:

— Pai, estes dois querem conversar com o senhor sobre os Lobos.

— Só Eddie, se está tudo bem — corrigiu Susannah com rápida determinação. — Eu vou ajudar a tirar a mesa e lavar a louça.

— Não precisa — disse Zalia.

Eddie achou que a mulher estava enviando com os olhos uma mensagem a Susannah: *Fique, ele gosta de você*, mas Susannah não viu ou preferiu ignorá-la.

— De jeito nenhum — disse ela, passando para a cadeira de rodas com a facilidade da longa experiência. — Falará com meu homem, não, sai Jaffords?

— Tudo isso foi há muito tempo, e, aliás — disse o velho, mas não parecia relutante —, não sei se sou capaz. Minha mente não guarda uma história como antigamente.

— Mas eu ouviria o que ainda se lembra — disse Eddie. — Cada palavra.

Tia zurrou alto como se fosse a coisa mais engraçada que já ouvira. Zal fez o mesmo, depois pegou para si o último resto de purê de batata da tigela com a mão quase tão grande quanto uma tábua de cortar carne. Tian deu-lhe uma palmada.

— Não faça isto, seu bobão, quantas vezes eu já lhe disse?

— Está bem — disse o grand-père. — Falarei um pouco, se quiser me ouvir, rapaz. Que me resta fazer nestes dias a não ser tentear com esta bengala? Ajude-me a voltar para a varanda, pois é um pouco mais fácil descer os degraus que subir. E se pegar meu cachimbo, minha filha, me faria bem, pois um cachimbo ajuda a gente a pensar, é, ajuda sim.

— Claro que sim — disse Zalia, ignorando outro olhar azedo do marido. — Agora mesmo.

6

— Tudo isto foi há muito tempo, entende — disse o grand-père, assim que Zalia Jaffords o instalou na cadeira de balanço com uma almofada nas costas e ele aspirou confortavelmente o cachimbo. — Não sei dizer ao certo se os Lobos vieram duas ou três vezes desde então, pois embora eu estivesse há dezenove colheitas na terra, perdi a contagem dos anos que se passaram nesse meio-tempo.

A noroeste, a linha vermelha do pôr do sol tornara-se uma deslumbrante sombra de resíduos de rosa. Tian estava no celeiro com os animais, ajudado por Heddon e Hedda. Os gêmeos mais novos, na cozinha. Os gigantes, Tia e Zalman, na outra extremidade do quintal, olhando para leste, sem falarem nem se mexerem. Poderiam ser monólitos em uma fotografia da *National Geo-*

graphic da ilha de Páscoa. A visão deles deixava Eddie arrepiado. Mas ainda assim ele se considerava com sorte. O grand-père parecia relativamente inteligente e consciente, e embora seu sotaque fosse forte, quase burlesco, não tivera o menor problema em acompanhar o que o homem dizia, pelo menos até então.

— Não acho que os anos no meio tenham tanta importância, senhor — disse Eddie.

As sobrancelhas do grand-père se ergueram. Ele deu uma risada abafada.

— Senhor, ainda! Faz muito, muito tempo que não ouço isto! Você deve ser da gente do norte!

— Acho que sou — disse Eddie.

O avô caiu em um longo silêncio, olhando o pôr do sol extinguindo-se. Depois voltou a olhar para Eddie, com certa surpresa.

— Nós já comemos? Desbastamos algumas rações?

O coração de Eddie afundou.

— Sim, senhor. Na mesa do outro lado da casa.

— Pergunto porque se vou despejar um pouco de barro, costumo despejar logo depois da refeição da noite. Não sinto nenhuma vontade agora, por isso achei que devia perguntar.

— Sim. Nós comemos.

— Ah. E qual é o seu nome?

— Eddie Dean.

— Ah. — O velho chupou o cachimbo. Cachos idênticos de fumaça desprenderam-se do nariz. — E o bolinho de chocolate é seu? — Eddie ia pedir por uma explicação quando grand-père deu. — A mulher.

— Susannah. Sim, ela é minha esposa.

— Ah.

— Senhor... grand-père... os Lobos?

Mas Eddie já não acreditava mais que ia conseguir alguma coisa do velho. Talvez Suze conseguisse...

— Segundo me lembro, éramos quatro — disse ele.

— Não cinco?

— Nã-não, embora bem perto do que se pode chamar de um moit. — A voz se tornara seca, prosaica. O sotaque diminuiu um pouco. — Éramos jovens e loucos, não dávamos a mínima se íamos viver ou morrer, entende. Só putos da vida o bastante pra resistir mesmo que os outros dissessem sim, não ou talvez. Éramos eu, Pokey Slidell, meu melhor amigo, e Eamon Doolin e sua esposa, aquela ruiva Molly. Ela era o próprio diabo quando se tratava de lançar o prato.

— O prato?

— É, as Irmãs de Oriza lançam. Zee é uma delas. Vou pedir que lhe mostre. Elas têm pratos que são afiados em toda a borda, menos no lugar em que as mulheres o seguram, entende. Danadas de espertas, é o que são, isto sim! Fazem um homem com um bah parecer um imbecil. Você precisa ver.

Eddie fez um lembrete a si mesmo para comentar com Roland. Ele não sabia se podia ou não sair alguma coisa desse lançamento de prato, mas sabia, sim, que eles estavam com muita deficiência de armas.

— Foi Molly quem matou o Lobo...

— Não foi o senhor? — Eddie ficou confuso, imaginando como lenda e verdade se emaranhavam até passar a ser impossível desenredá-las.

— Não, não, embora... — Os olhos do velho se iluminaram. — Eu talvez tenha dito uma ou outra vez que fui eu, talvez para abrir os joelhos de uma jovem quando ela de outro modo os teria mantido apertados um contra o outro, entende?

— Acho que sim.

— Foi a Molly Vermelha quem o fez com o prato, esta é a verdade, mas estou pondo a carroça na frente do cavalo. A gente viu a nuvem de poeira deles despontando. Então, talvez seis rodas fora da cidade ela se trifurcou.

— O que é isso? Eu não entendo.

O grand-père ergueu três dedos nodosos para mostrar que os Lobos tomaram três direções diferentes.

— O bando maior, a julgar pela poeira, entende, rumou para a cidade e partiu para o Armazém Geral de Took, o que fazia sentido, porque alguns haviam decidido esconder seus bebês no galpão de depósito atrás. Tooky tinha um quarto secreto ali nos fundos, onde guardava dinheiro vivo, pedras preciosas, algumas armas velhas e outras coisas comerciáveis que tinha; não é à toa que o chamam de Took, você entende! — Mais uma vez, a risada cacarejante. — Era bem escondido, nem o pessoal que trabalhava pro velho abutre sabia que existia o lugar, mas quando chegou a hora, os Lobos foram direto pra lá, pegaram os bebês e mataram todo mundo que tentou impedi-los ou até implorar por misericórdia. E então eles atacaram o depósito com seus bastões de luz e, quando saíram cavalgando, atearam fogo ao lugar. Queimou até o chão, sim, e foi uma sorte a cidade inteira não ter ido junto, jovem sai, pois as chamas desencadeadas pelos bastões que os Lobos carregam não são como nenhum outro fogo, que pode ser debelado com bastante água. A gente joga água e elas se alimentam dela! Ficam mais altas! Mais altas e mais quentes! Pode apostar!

Ele cuspiu sobre o parapeito para dar ênfase, depois olhou Eddie astuciosamente.

— Tudo o que estou dizendo é: não importa quantos nestas bandas meu neto convença a se levantar e lutar, ou você e seu bolinho de chocolate, Eben Took jamais vai estar entre eles. Os Took mantiveram aquele depósito desde que o tempo ainda não tinha dentes, e jamais vão querer vê-lo novamente queimado até o chão. Uma vez basta para aqueles cagões covardes, me entende?

— Sim.

— Das outras duas nuvens de poeira, a maior partiu para o sul, rumo às fazendas de gado. A menor precipitou-se estrada do Leste abaixo em direção às propriedades pequenas, que era onde a gente estava, e onde a gente fez a nossa resistência.

O rosto do velho brilhava, entusiasmado pela lembrança. Eddie não vislumbrava o jovem que ele fora (o grand-père era velho demais para isso), mas nos olhos remelosos via a mistura de excitação, determinação e medo aflito que devia tê-lo tomado naquele dia. Devia ter tomado todos eles. Eddie viu-se curvando-se mais para perto dele como um homem faminto por comida, e o velho deve ter visto parte disso em seu semblante, pois pareceu inchar e ganhar vigor. Certamente que o avô jamais recebera essa reação vinda do neto; não falta bravura a Tian, eu agradeço, mas era um chato de qualquer maneira. *Este* homem, contudo, este Eddie de Nova York... poderia viver uma vida curta e morrer com a cara na terra, mas não era nenhum chato, por Oriza.

— Continue — disse Eddie.

— Sim. Vou continuar. Os que vinham em nossa direção dividiram-se na estrada do Rio, rumando para as pequenas propriedades de arroz que ficam lá, a gente via a poeira, e alguns mais se dividiram na de Peaberry. Lembro que Pokey Slidell se virou pra mim, com aquele sorriso aflito no rosto, e estendeu a mão (a que não segurava o bah), e disse...

7

O que Pokey Slidell diz sob um incandescente céu de outono, com o cri-cri dos últimos grilos da estação elevando-se da alta relva branca nos dois lados deles, é:

— Foi bom conhecer você, Jamie Jaffords, falo a verdade.

Tem um sorriso no rosto como nenhum que Jamie já vira antes, mas com apenas dezenove anos e morando no que alguns chamam de a Borda e outros o Crescente, tem muita coisa que jamais viu antes. E jamais verá, do jeito que parece agora. É um sorriso aflito, mas sem covardia alguma. Jamie imagina que ele próprio está sorrindo da mesma maneira. Ali eles estão sob o céu de seus pais, e a escuridão logo os cobrirá. Chegaram à sua hora de morrer.

No entanto, o aperto é forte quando toma a mão de Pokey.

— Você ainda nem terminou de me conhecer, Pokey — diz.

— Espero que esteja certo.

A nuvem de poeira avança para eles. Em um minuto, talvez menos, conseguirão ver os cavaleiros que a levantam. E, mais importante, os cavaleiros que a levantam conseguirão vê-los.

Eamon Doolin diz:

— Sabem, acho que a gente devia ficar naquele fosso — aponta o lado direito da estrada — e nos abaixarmos o máximo possível no fundo. E aí, assim que eles passarem, podemos saltar e atacá-los.

Molly Doolin está de calça de seda preta justa e uma blusa de seda branca aberta na garganta, expondo um pequeno amuleto de prata da colheita: Oriza com o punho erguido. Na mão direita, Molly segura um prato, titânio azul frio pintado com um delicado rendilhado de verde arroz primaveril. Pendurado no ombro, um saco de vime debruado de seda. Nele há mais cinco pratos, dois seus e três de sua mãe. Os cabelos ruivos brilham tanto na resplandecente luz que a cabeça parece estar em chamas. Logo, logo, estarão em chamas, é a verdade.

— Pode fazer o que quiser, Eamon Doolin — ela lhe diz. — Quanto a mim, vou ficar bem aqui onde eles podem me ver e gritar o nome da minha irmã gêmea pra que ouçam muito bem. Podem cavalgar por cima de mim, mas vou matar um deles ou cortar as pernas, por baixo, de um de seus malditos cavalos antes que me derrubem, até aí eu faço.

Não há tempo para mais nada. Os Lobos saem da depressão que marca a entrada para o terreno da pequena propriedade de Arra, e os quatro nativos de Calla os veem e não se fala mais em esconder-se. Jamie quase espera que Eamon Doolin, homem tranquilo e já perdendo o cabelo aos vinte e três anos, largue o bah e corra em disparada para a relva alta com as mãos erguidas, para mostrar sua rendição. Em vez disso, desloca-se para junto da esposa e encaixa uma flecha. Ouve-se um baixo zumbido quando ele estica a corda bem apertada.

Eles param do outro lado da estrada com suas botas empoeiradas. Param bloqueando o caminho. E o que enche Jamie como uma bênção é um sentimento de graça. É a coisa certa a fazer. Vão morrer ali, mas está tudo bem. Melhor morrer do que não interferir e apenas vê-los levarem mais crianças. Cada um deles perdeu um gêmeo, e Pokey, que é de longe o mais velho de todos, perdeu um irmão e um filho pequeno para os Lobos. Isto é o certo. Sabem que os Lobos podem exigir um tributo de vingança dos demais pela resistência que estão opondo, mas não tem importância. Isto é o certo.

— Venham — grita Jamie, e arma seu bah... uma e duas vezes, então clique. — Venham, seus abutres! Seus bostas covardes, venham e tomem algumas! Digam Calla! Digam Calla Bryn Sturgis!

Há um momento no calor do dia quando os Lobos parecem não se aproximar em nada, mas apenas tremeluzir no lugar. Então o barulho dos cascos dos cavalos, antes surdo e abafado, torna-se agudo. E os Lobos parecem saltar à frente pelo ar enxameando-se. Usam calças da mesma cor cinzenta dos pelos dos cavalos. Mantos com capuzes verde-escuros flutuam atrás deles. Os capuzes rodeiam máscaras (só podem ser máscaras) que transformam as cabeças dos quatro cavaleiros restantes em cabeças de lobos famintos rosnando.

— Quatro contra quatro! — grita Jamie. — Quatro contra quatro se igualam, defendem seu terreno, seus lixos de merda! Não fujam um passo!

Os quatro Lobos avançam a toda para cima deles nos cavalos cinzentos. Os homens erguem os bahs. Molly, às vezes chamada Molly Vermelha, mais pelo temperamento do que pelos cabelos ruivos, ergue seu disco acima do ombro esquerdo. Não parece furiosa agora, mas com sangue frio e calma.

Os dois Lobos nas pontas têm bastões de luz. Erguem-nos. Os dois no meio lançam para trás os punhos fechados, calçados em luvas verdes, para atirar alguma coisa. Pomos dourados, pensa Jamie, friamente. É isso o que são.

— Resistam, rapazes — diz Pokey. — Resistam... resistam... já!

Ele disapra com uma vibração, e Jamie vê a flecha do bah passar pouco acima da cabeça do segundo Lobo à direita. A de Eamon atinge o pescoço do cavalo à extrema esquerda. O animal solta um urro, lancinante, e cambaleia no mesmo momento em que os Lobos começam a fechar os quarenta metros de distância. Colide ao cair com o cavalo vizinho assim que o cavaleiro desse segundo cavalo atira a coisa em sua mão. É de fato um dos pomos dourados, mas voa muito fora da rota e nenhum de seus sistemas de orientação consegue se fixar em alguma coisa.

A flecha de Jamie atinge o peito do terceiro cavaleiro. Jamie inicia um grito de triunfo que se extingue em consternação antes mesmo de sair-lhe da garganta. A flecha ricocheteia do peito da coisa exatamente como teria ricocheteado do peito de Andy, ou de uma pedra no trato Filho da Puta.

Usando armadura, ah, seu escroto, você está usando armadura sob essa duas vezes maldita...

O outro pomo dourado faz um voo certeiro, atingindo Eamon Doolin em cheio no rosto. Sua cabeça explode em um jato de sangue, osso e massa cinzenta farinácea. O pomo dourado voa talvez uns trinta palmos, rodopia e retorna. Jamie se abaixa e ouve-o chispar acima da sua cabeça, emitindo um zumbido baixo, intenso, ao se deslocar.

Molly não se mexeu nenhuma vez, nem quando é atingida pela chuveirada de sangue e miolos do marido. Agora ela berra:

— ESTE É POR MINNIE, SEUS FILHOS DE MERETRIZES! — e lança o prato.

A distância é muito curta a essa altura — quase não havia alguma distância —, mas ela o lança com força, e o prato sobe assim que deixa sua mão.

Força demais, querida, *pensa Jamie ao se abaixar da pancada de um bastão de luz (o bastão de luz também emite aquele zumbido intenso, selvagem).* Força demais, pode apostar.

Mas o Lobo em que Molly mirou cavalga ao encontro do prato ascendente. Atinge-o no ponto em que o capuz verde da coisa traspassa a máscara de Lobo que usa. Ouve-se um ruído estranho, abafado, chump!, *e a coisa cai para trás do cavalo com as mãos enluvadas de verde adejando acima.*

Pokey e Jamie aplaudem feito loucos, mas Molly apenas enfia com sangue frio a mão no saco para pegar outro prato, todos esperando ali, com os arcos embotados para segurá-los apontados para cima. Ela está tirando um deles quando um dos bastões de luzes decepa-lhe o braço do corpo. Molly cambaleia, os dentes arreganhados atrás dos lábios, como em uma rosnadela ameaçadora, e cai sobre um joelho, quando sua blusa irrompe em chamas. Jamie se assombra ao vê-la tentar pegar o prato preso na mão decepada que jaz na poeira da estrada.

Os três Lobos restantes passaram por eles. O que Molly atingiu com o prato está estendido no chão, debatendo-se furiosamente, as mãos enluvadas adejando para cima e para baixo no céu como tentando dizer: "Que se pode fazer? Que se pode fazer com esses malditos?".

Os outros três manobram as montarias com tanta destreza quanto uma equipe treinada de soldados de cavalaria e precipitam-se de volta para cima deles. Molly agarra o prato dos próprios dedos mortos e então tomba para trás, engolfada pelo fogo.

— Resista, Pokey! — grita Jamie histericamente quando a morte avança a toda na direção deles sob o céu de aço incandescente. — Resista, que os deuses os amaldiçoem!

E continua aquele sentimento de graça quando ele sente o cheiro da carne carbonizada dos Doolin. Isso é o que deviam ter feito todo o tempo, sim, todos eles, pois os Lobos podem *ser derrubados, embora eles provavelmente não vivam para contar e esses vão levar consigo seu* compadre *morto, portanto ninguém saberá.*

Sente-se a vibração da corda esticada quando Pokey dispara outra flecha e em seguida um pomo dourado o atinge bem no peito e ele explode dentro das roupas, vomitando sangue, carne rasgada das mangas, dos punhos, dos botões rebentados da braguilha. Mais uma vez Jamie fica empapado, desta vez do guisado quente que era seu amigo. Ele dispara seu próprio bah, e vê a flecha arranhar o lado de um cavalo cinzento. Sabe que é inútil abaixar-se, mas mesmo assim se abaixa e alguma coisa rodopia acima de sua cabeça. Um dos cavalos golpeia-o com força ao passar, derrubando-o no fosso onde Eamon sugeriu que se escondessem. O bah voa-

-lhe da mão. Ele fica deitado ali, olhos abertos, sem se mexer, sabendo que quando eles manobrarem novamente os cavalos de volta não lhe restará mais nada além de tentar fingir-se de morto e torcer para que o deixem para trás ao passarem. Não o deixarão, claro que não o deixarão, mas esta é a única coisa que ele tem a fazer e assim o faz, tentando dar aos olhos a aparência vítrea da morte. Mais alguns segundos depois, Jamie sabe, e não terá de fingir. Sente cheiro de pó, ouve os grilos no mato, e agarra-se àquelas coisas, sabendo que são as últimas que irá cheirar e ouvir para sempre, que a última coisa que verá serão os Lobos, esmagando-o com suas carrancas congeladas no rosto.

Retornam cavalgando com força.

Um deles volta-se na sela e atira um pomo dourado da mão enluvada ao passar. Mas, ao atirá-la, a montaria do cavaleiro salta o corpo do Lobo tombado, que continua estendido a debater-se na estrada, embora agora suas mãos mal se levantem. O pomo dourado sobrevoa Jamie, apenas um pouco alto demais. Ele quase o sente hesitar, em busca da presa. Então segue planando sobre o campo.

Os Lobos cavalgam para leste, levantando poeira atrás. O pomo dourado dá uma reviravolta e sobrevoa mais uma vez Jamie, agora mais alto e devagar. Os cavalos cinzentos contornam a toda velocidade uma curva uns cinquenta metros a leste e saem do campo visual. A última coisa que ele vê são três mantos verdes, estendidos quase retos para trás e esvoaçando.

Jamie levanta-se no fosso em pernas que ameaçam ceder sob ele. O pomo dourado faz outro mergulho e sobe voltando, desta vez diretamente para ele, só que agora se move devagar, como se qualquer energia que o propulsione esteja quase esgotada. Jamie recua até a estrada, ajoelha-se junto aos restos ardendo do corpo de Pokey e pega seu bah. Desta vez, segura-o pela ponta, como se segurasse um maço de flechas. O pomo dourado avança em sua direção. Jamie leva o bah ao ombro, e quando a coisa vai para cima dele, dá-lhe uma tacada, fazendo-a voar pelos ares como se fosse um besouro gigante. A coisa cai no pó perto de uma das botas estraçalhadas de Pokey e fica ali zumbindo malevolamente, tentando erguer-se.

— Toma, seu desgraçado! — grita Jamie, e se põe a jogar pó com a mão em concha sobre a coisa. Ele está chorando. — Aí o que você pediu, seu patife! Toma! Toma! — Por fim a coisa desaparece, enterrada sob um montículo de pó branco que zumbe e treme, mas que acaba ficando imóvel.

Sem se levantar — ele não tem força para se erguer, ainda não, mal acredita que está vivo —, Jamie Jaffords engatinha até o monstro que Molly matou… e ele está morto agora, ou pelo menos deitado imóvel. Ele precisa tirar a máscara, vê-lo sem disfarces. Primeiro chuta-o com os dois pés, como uma criança tendo um chilique. O corpo do Lobo balança, depois fica novamente imóvel. Um fedor pungente exala da criatura. Uma fumaça cheirando a podre desprende-se da máscara, que parece estar derretendo.

Morto, *pensa o garoto que vai acabar se tornando o grand-père, o ser humano vivo mais velho de Calla.* Morto, sim, não tem a menor dúvida. Então vá lá, seu covarde! Vá e desmascare-o!

Ele o faz. Sob o sol incandescente de outono, segura a máscara quase putrefata, que parece uma espécie de malha metálica, arranca-a e vê...

8

Por um momento, Eddie nem sequer se deu conta de que o homem tinha parado de falar. Continuava absorto na história, hipnotizado. Via tudo com tanta clareza que poderia ter sido *ele* lá na estrada do Leste, ajoelhado no pó com o bah apoiado no ombro como um bastão de beisebol, pronto para derrubar o pomo dourado.

Então Susannah passou na cadeira pelo alpendre para o celeiro, com uma cumbuca de ração de galinha no colo. Lançou-lhe um olhar curioso ao passar perto. Eddie despertou. Não estava ali para ser entretido. Imaginou que o fato de que *pudesse* ser entretido por aquela história dizia alguma coisa sobre si mesmo.

— E? — perguntou Eddie ao velho, depois que Susannah entrou no celeiro. — O que o senhor viu?

— Hein? — Grand-père lançou-lhe um olhar de tão perfeita vacuidade que Eddie se desesperou.

— O que o senhor viu? Quando tirou a máscara?

Por um momento, aquele olhar vazio — as luzes estão acesas, mas não tem ninguém em casa — perdurou. E então (por pura força de vontade, pareceu a Eddie) o velho retornou. Olhou a casa atrás de si. Olhou as fauces pretas do celeiro e a língua de luz fosfórea lá no fundo. Olhou o próprio terreno em volta.

Assustado, pensou Eddie. *Morto de medo.*

Eddie tentou dizer a si mesmo que era apenas paranoia de uma pessoa velha, mas mesmo assim sentiu um calafrio.

— Chegue mais perto — murmurou o avô, e quando Eddie o fez: — O único a quem já contei foi meu filho Luke... o pai de Tian, entende. Anos e anos depois, foi. Ele me disse pra nunca falar disso a mais ninguém. Eu disse: "Mas, Lukey, e se pudesse ajudar? E se isso pudesse ajudar na próxima vez que eles vierem?".

Os lábios do grand-père mal se moviam, embora o sotaque forte houvesse desaparecido quase inteiramente, e Eddie o entendesse à perfeição.

— E ele me disse: "Pai, se acredita mesmo que poderia ajudar, por que não contou antes e só agora?". E eu não pude responder, meu rapaz, pois foi minha intuição que me fez ficar de boca fechada. Além disso, que bem *poderia* fazer? O que isso *muda*?

— Eu não sei — disse Eddie. Seus rostos estavam próximos. Eddie sentia o cheiro de carne e molho no hálito do velho Jamie. — Como posso, se ainda não me contou o que viu?

— "O Rei Rubro sempre encontra seus capangas", disse meu filho. "Seria bom se ninguém jamais soubesse que você esteve lá fora, melhor ainda se ninguém jamais soubesse o que *viu* lá, para o caso de chegar até eles, ié, mesmo no Trovão." E eu vi uma coisa triste, meu camaradinha.

Embora estivesse quase louco de impaciência, Eddie julgou melhor deixar o velho contar à sua própria maneira.

— Que coisa foi essa, grand-père?

— Vi que Luke não acreditava por completo em mim. Achou que seu próprio pai talvez fosse apenas um contador de lendas narrando uma história louca de ser um assassino de Lobo pra se gabar. Embora você deva de concordar que mesmo um imbecil veria que se eu fosse inventar uma história, faria de mim o assassino do Lobo, não a esposa de Eamon Doolin.

Fazia sentido, pensou Eddie, e então se lembrou de grand-père pelo menos insinuando que *levara* o crédito mais de uma vez pela fanfarrice, como diria Roland. Sorriu a contragosto.

— Lukey tinha medo de que alguém mais ouvisse minha história e acreditasse nela. Que ela chegasse até os Lobos e eu acabasse morto por narrar uma história da carochinha. Não que fosse. — Os olhos remelosos suplicavam junto ao rosto de Eddie na escuridão crescente. — *Você* acredita em mim, não?

Eddie assentiu com a cabeça.

— Eu sei que o senhor diz a verdade, grand-père. Mas quem... — Fez uma pausa. *Quem o deduraria?*, foi como lhe ocorreu a pergunta, mas o avô talvez não a entendesse. — Mas quem iria delatar? De quem suspeitava?

O grand-père olhou o quintal que escurecia, em volta, pareceu que ia falar, depois nada disse.

— Conte — disse Eddie. — Conte o que...

Uma manzorra ressequida, com o tremor da idade embora ainda muito forte, segurou-o pelo pescoço e puxou-o mais para perto. Suíças eriçadas rasparam a concha do ouvido de Eddie, fazendo-o tremer de cima a baixo e arrepiar-se todo.

O avô sussurrou dezenove palavras quando a última luz se extinguia do dia e a noite chegava a Calla.

Eddie arregalou os olhos. O primeiro pensamento foi que ele agora entendia a respeito dos cavalos... todos os cavalos cinzentos. O segundo foi: *Claro. Faz todo sentido. Devíamos ter sabido.*

A décima nona palavra foi dita e cessou o sussurro do grand-père. A mão apertada no pescoço de Eddie tornou a cair no colo do avô. Eddie virou- se para ele.

— Fala a verdade?

— Sim, pistoleiro — disse o velho. — Verdade como sempre foi. Não posso falar por todos eles, pois muitas máscaras talvez cubram vários rostos diferentes, mas...

— Não — disse Eddie, pensando em cavalos cinzentos. Para não falar em todas aquelas calças cinza. Todos aqueles mantos verdes. Fazia todo sentido. Como era mesmo aquela música antiga que sua mãe cantava? *Você está no Exército agora, não atrás do arado mato afora. Você jamais será rico nem bacana, seu grande merda sacana, você está no Exército agora.* — Vou ter de contar esta história ao meu dinh — explicou Eddie.

Grand-père assentiu, devagar.

Sim — disse —, como queira. Eu não me dou muito bem com o garoto, entende. — E então, com o sotaque quase incompreensível, acrescentou: — Lukey ento pur o poo ond Tian ponava a vainha 'abo'ntica, 'ê' mitende.

Eddie fez que sim com a cabeça, como se houvesse entendido o acréscimo. Mais tarde Susannah traduziu-o para ele: Lukey tentou pôr o poço onde Tian apontava a varinha rabdomântica, você entende.

— Uma varinha rabdomântica? — perguntou Susannah, vinda da escuridão. Retornara em silêncio e agora gesticulava com as mãos, como se segurasse um ossinho da sorte.

O velho olhou-a, surpreso, e em seguida assentiu.

— A'abo'ntica, sim. Qalqué vainha. Eu a'gumentei cont'a isso, mas despos qui us Lobus vieru e levaru su irmã Tia, Lukey fazia tudo que o menino queria. Pod'imaginar, dexá um guri não mais de dizessete dizê o lugá du poço, cum 'abdo'ntica ou não? Mas Lukey pôs o poço lá e *havia* água, eu reconheço isso, todus vimo éia b'ilhá e cheirá antes do barro dos lados cedê e enterrá meu filho vivo. Nós escavamos mas ele tinha ido pra clareira, garganta e pumões tudo cheio de barro e estrume.

Com muito vagar, o velho tirou um lenço do bolso e enxugou os olhos.

— O guri e eu num tivemo uma palavra ducada entre nós desdientão; aquele poço tá cavado entre nós. Num tá vendo? Mas ele tá certo sobre querê resistir contra os Lobos, e se puderem lhe dizer alguma coisa por mim, digam-lhe que seu grand-père o saúda com uma porra de orgulho, o saúda muitíssimo, pode apostar! Ele tem a areia dos Jaffords atravessada na garganta, sim! Nós fizemos nossa resistência todos aqueles anos que há muito se foram, e agora o sangue se revela autêntico. — Assentiu, desta vez ainda mais devagar. — Vá e conte a seu dinh, sim! Cada palavra! E se vazar... se os Lobos chegarem do Trovão cedo à procura de uma bosta seca velha como eu...

Ele expôs os poucos dentes em um sorriso que Eddie achou extraordinariamente macabro.

— Eu ainda sei esticar um bah — disse —, e uma coisa me diz que seu bolinho de chocolate pode aprender a lançar pratos, pernas curtas ou não.

O velho desviou os olhos para a escuridão.

— Que venham — disse, baixinho. — A última vez vale por todas, pode apostar, a última vez vale por todas.

7. NOTURNO, FOME

1

Mia estava de novo no castelo, mas desta vez era diferente. Agora, não se movia devagar, brincando com sua fome, sabendo que logo se alimentaria e saciaria, que tanto ela quanto seu carinha ficariam satisfeitos. Daquela vez, o que sentia dentro de si era um desespero voraz, como se um animal selvagem tivesse sido enjaulado dentro de sua barriga. Percebia que o que sentira em todas aquelas expedições anteriores não fora fome em absoluto, não a verdadeira fome, mas apenas um apetite saudável. Desta vez era diferente.

A hora dele está chegando, pensou. *Ele precisa comer mais, a fim de se fortalecer. E eu também.*

Mas estava com medo — estava *apavorada* — de que não se tratasse apenas de uma questão de necessidade de comer mais. Precisava comer alguma coisa, alguma coisa *especial*. O carinha precisava disso para... bem, para...

Para concluir a transformação.

Sim! Sim, era isto, a transformação! E com certeza ela a encontraria no salão do banquete, porque tinha de *tudo* no salão do banquete... milhares de pratos, cada um mais suculento que o último. Ela ia olhar a mesa, e quando encontrasse a coisa certa — o legume, o tempero ou as ovas de peixes certos —, suas entranhas e nervos gritariam por ela, e Mia comeria... ah, ela *devoraria*.

Começou a se deslocar mais rápido e depois a correr. Tinha vaga consciência de que suas pernas roçavam uma na outra, pois estava de calça. Calça de brim, como de caubói. E em vez de mocassins, usava botas.

Botas curtas, sussurrou-lhe a mente para a mente. *Botas curtas, que lhe sirvam bem.*

Mas nada disso importava. O que importava era comer, *empanturrar-se* (ah, como estava faminta), e encontrar a coisa certa para o carinha. Encontrar a coisa que o fortalecesse e induzisse o trabalho de parto dela.

Desceu em disparada a ampla escadaria, sob o murmúrio ritmado constante das máquinas de trem lentas. Aromas deliciosos já deviam tê-la dominado àquela altura — rosbifes, aves assadas, peixes ao molho de ervas —, mas ela não sentia nenhum cheiro de comida.

Talvez eu esteja gripada, pensou, enquanto ouvia a batida tuc-tuc-tuc das botas nos degraus. *Deve ser isso, eu me gripei. Minhas narinas estão entupidas e eu não sinto cheiro de nada...*

Mas *sentia*. Sentia o cheiro da poeira e da idade daquele lugar. O cheiro de infiltração úmida, um fraco odor de óleo de máquina e o bolor carcomendo implacavelmente as tapeçarias e as cortinas que pairavam suspensas nos cômodos da ruína.

Estas coisas, mas não comida.

Precipitou-se pelo piso de mármore preto para as portas duplas, sem saber que estava mais uma vez sendo seguida — não pelo pistoleiro desta vez, mas por um menino de olhos arregalados, cabelos desgrenhados, de camisa e calção de algodão. Mia atravessou o foyer com seus quadrados de mármore vermelhos e pretos e a estátua de mármore e aço suavemente entrelaçados. Não parou para fazer reverência nem curvar a cabeça. Que *ela* se sentisse tão faminta era suportável. Mas seu carinha não. Jamais seu carinha.

O que a deteve (e apenas por poucos segundos) foi seu próprio reflexo, leitoso e difuso, no aço cromado da estátua. Acima do jeans, via a blusa branca simples (*Você chama esse tipo de camiseta*, sussurrou sua mente) com alguma coisa escrita e uma imagem.

A imagem parecia de um porco.

Não importa o que se vê em sua camiseta, mulher. O que importa é o carinha. Você precisa alimentar o carinha!

Ela irrompeu no salão de jantar e parou com um arquejo de consternação. O aposento agora estava cheio de sombras. Algumas das tochas elétricas ainda brilhavam, mas a maioria se apagara. Enquanto olhava, a única que continuava queimando no outro lado do salão tremulou, zumbiu e escureceu. Os pratos brancos *especialíssimos* haviam sido substituídos por azuis decorados com gavinhas verdes de arroz. As plantas de arroz formavam a Grande Letra **Zn**, que, ela sabia, significava eternidade e *agora* e também *Isso*, como em *isso é commala*. Mas os pratos não tinham importância. As decorações não tinham importância. O que importava era que os pratos e os belos copos de cristal estavam vazios e empoeirados.

Não, nem tudo estava vazio; em um cálice alto, ela viu uma viúva-negra morta estendida com as várias patas enroscadas na ampulheta vermelha na parte média.

Viu o gargalo de uma garrafa de vinho aparecendo acima de um balde, e seu estômago deu um grito imperativo. Ela a apanhou, mal registrando o fato de que não havia água no balde, muito menos gelo; estava totalmente seco. Pelo menos a garrafa tinha peso, e líquido suficiente para entornar...

Mas antes que Mia pudesse fechar os lábios no gargalo da garrafa, o cheiro de vinagre a atingiu com tanta força que seus olhos se encheram de água.

— Puta que pariu! — gritou, e atirou a garrafa no chão. — Puta que pariu!

A garrafa despedaçou-se no piso de pedra. Coisas correram em esganiçada surpresa debaixo da mesa.

— É, melhor correrem! — gritou ela. — Fora, sejam quem forem vocês! Aqui está Mia, filha de ninguém, e de mau humor! Mas eu *vou* comer! Sim! Vou sim!

Apesar da bravata, ela a princípio não viu nada na mesa que *pudesse* comer. Havia pão, mas o pedaço que se deu ao trabalho de pegar virara pedra. Havia o que pareciam ser restos de peixe, mas se haviam putrefeito e ficado submersos em um molho de larvas branco-esverdeadas.

Seu estômago rosnou, repelido por aquela podridão. Pior, alguma coisa *abaixo* do estômago se mexeu inquieta, pôs-se a chutar e a gritar para ser alimentada. Fez isso não com a voz, mas virando alguns interruptores dentro dela, até o fundo das mais primitivas partes de seu sistema nervoso. Ela ficou com a garganta seca; a boca franziu-se como se houvesse bebido o vinho estragado. A visão aguçou-se quando os olhos se arregalaram e se projetaram para a frente nas cavidades. Cada pensamento, sentido e instinto sintonizou-se na mesma simples ideia: *comida*.

Na outra cabeceira da mesa erguia-se uma tela mostrando Arthur Eld, espada empunhada alta, cavalgando por um pântano com três de seus cavaleiros-pistoleiros atrás. No pescoço exibia Saita, a grande serpente, que presumivelmente acabara de matar. Outra jornada bem-sucedida! Que bem lhe sirvam! Homens e suas jornadas! Bah! O que era matar uma serpente mágica para ela? Tinha um carinha na barriga, e o carinha estava com fome.

Faminto, pensou em uma voz que não era a dela. *Isto é que é ser faminto.*

Atrás da tela havia portas duplas. Ela avançou transpondo-as, ainda sem saber do garoto Jake parado na outra ponta do salão de jantar em roupas de baixo, assustado.

A cozinha estava igualmente vazia e empoeirada. As bancadas tinham rastros de animais. Potes, panelas e utensílios para preparo de alimentos juncavam todo o chão. Além daquele entulho ficavam quatro pias, uma cheia de água estagnada que se tornara uma espuma de algas. O aposento era iluminado por tubos fluorescentes. Só alguns ainda brilhavam firmes. A maioria tremeluzia intermitentemente, dando àqueles destroços um aspecto surreal e dantesco.

Ela continuou em frente pela cozinha, chutando para o lado os potes e as panelas no caminho, onde se enfileiravam quatro fogões enormes. A porta do terceiro estava entreaberta. Dele saía um fraco eflúvio de calor, como às vezes se podia sentir saindo de uma lareira seis ou sete horas depois que as últimas brasas se extinguiram, e um cheiro que lhe provocou mais uma vez um clamor em todo o estômago. Era o cheiro de carne recém-assada.

Mia abriu a porta. Dentro havia de fato algum tipo de assado. Alimentando-se dele, um rato do tamanho de um gato. Girou a cabeça ao som da abertura da porta do fogão e fitou-a com olhos pretos, destemidos. Os bigodes, lambuzados de gordura, contraíram-se. Depois o rato retornou ao assado. Ela ouvia o estalar abafado de seus beiços e o ruído de carne rasgando-se.

Não, sr. Rato. Não foi deixado para você. Foi deixado para mim e meu carinha.

— Uma chance, meu amigo! — cantarolou, voltando-se para as bancadas e os armários de ingredientes embaixo. — É melhor ir enquanto pode! Avisando a tempo! — Não que ele tenha obedecido. O sr. Rato também estava faminto.

Ela abriu uma gaveta e encontrou apenas tábuas de pão e um rolo de massa. Pensou brevemente em usá-lo, mas não tinha a menor intenção de regar seu jantar com mais sangue de rato do que lhe fosse absolutamente inevitável. Abriu o armário abaixo e encontrou formas para bolinhos e moldes para sobremesas sofisticadas. Moveu-se para a esquerda, abriu outra gaveta, e ali se encontrava o que procurava.

Mia examinou as facas, e preferiu pegar um espeto. Tinha dois dentes de aço de quinze centímetros de comprimento. Levou-o de volta à fileira de fogões, hesitou e inspecionou os outros três. Vazios, como sabia que estariam. Alguma coisa — algum destino, alguma providência, algum ka — deixara carne fresca, mas suficiente apenas para um. O sr. Rato achou que era dele. O sr. Rato cometera um engano. Achava que seria o último que ele cometeria. Pelo menos daquele lado da clareira, de qualquer modo.

Curvou-se e mais uma vez o cheiro de carne de porco recém-assada encheu-lhe as narinas. Os lábios se alargaram e a saliva escorreu-lhe dos cantos do sorriso. Desta vez o sr. Rato não se voltou para olhar. Decidira que ela não era uma ameaça. Muito bem. Ela curvou-se mais à frente, inspirou e empalou-o no espeto. Espetinho de rato! Retirou-o e levou-o defronte ao rosto. A criatura guinchava furiosamente, as pernas rodopiando no ar, a cabeça açoitando para a frente e para trás, o sangue escorrendo pelo cabo do garfo e formando uma poça em volta do punho dela. Transportou-o, ainda a contorcer-se, para a pia de água estagnada e soltou-o sacudindo o espeto. O rato esparrinhou no lodo e desapareceu. Por um momento a ponta do rabo contorcendo-se despontou, e depois desapareceu também.

Ela atravessou a fila de pias, experimentando as torneiras, e da última conseguiu um fraco gotejar de água. Lavou a mão ensanguentada até o gotejo se extinguir. Então voltou até o fogão, enxugando a mão atrás na calça. Não viu Jake, agora parado logo depois das portas da cozinha e observando-a, embora sem fazer o menor esforço para se esconder; estava totalmente fixada no cheiro da carne. Não era suficiente, e não exatamente o que seu carinha precisava, mas daria para o gasto por enquanto.

Enfiou as mãos, pegou a assadeira pelos lados e recuou com um arquejo, sacudindo os dedos e abrindo um sorriso. Um sorriso de dor, porém não de todo destituído de humor. O sr. Rato podia ser um pouco mais imune ao calor do que ela, ou talvez mais faminto. Embora fosse difícil acreditar que alguma coisa ou alguém estivesse mais faminto do que ela naquele momento.

— Estou *faminta*! — gritou, rindo, ao voltar pela fileira de gavetas, abrindo-as e fechando-as rápido. — Mia é uma dona *faminta*, sim, senhor! Não foi a Morehouse, nem foi à casa *nenhuma*, mas eu estou *faminta*! E meu carinha também está!

Na última gaveta (não era sempre na última?) encontrou o pega-panelas que estivera procurando. Voltou correndo ao fogão já com o protetor nas mãos, curvou-se e retirou o assado. Sua risada extinguiu-se em um súbito arquejo de choque... e então ela desatou novamente a rir, mais alto e forte que antes. Que idiota era! Que tolinha! Por um instante pensara que o assado, rematado com a pele crocante e só roído pelo sr. Rato em um único lugar, fosse o corpo de uma criança. E, sim, talvez leitão assado se parecesse, *de fato*, com uma criança... um bebê... o carinha de alguém... mas agora que o via ali fora, os olhos fechados, as orelhas carbonizadas e uma maçã assada na boca aberta, não havia a menor questão a respeito do que era.

Ao colocá-lo na bancada, pensou mais uma vez no reflexo que vira no foyer. Mas deixa isso pra lá agora. Suas entranhas eram um bramido esfomeado. Tirou uma faca de açougueiro da gaveta de onde tirara o espeto e cortou fora o pedaço que o sr. Rato estivera comendo como se corta um furo de minhoca de uma maçã. Jogou esse pedaço para trás, depois segurou o assado inteiro e enfiou a cara no leitão.

Da porta, Jake a observava.

Depois de saciar a parte mais sôfrega da fome, Mia olhou a cozinha em volta com uma expressão que oscilava entre cálculo e desespero. O que faria quando terminasse o assado? O que comeria na vez seguinte que aquele tipo de fome surgisse? E onde ia achar o que o seu carinha realmente queria, o que realmente precisava? Ela faria qualquer coisa para localizar essa coisa e garantir um bom abastecimento dessa comida, bebida, vitaminas especiais, ou fosse lá o que fosse. O leitão chegou perto (perto o bastante para fazê-lo adormecer mais uma vez, graças a todos os deuses e o Homem Jesus), mas não perto o suficiente.

Ela largou o sai Porco de volta na assadeira por enquanto, retirou pela cabeça a camiseta que usava e virou-a para vê-la de frente. Havia a caricatura de um porco assado, vermelho-vivo, mas parecendo não se incomodar; sorria deliciado. Acima, em letras rústicas feitas para parecer tabuleta de celeiro, lia-se o seguinte: THE DIXIE PIG, RUA LEX COM 61. Abaixo: "MELHORES COSTELETAS DE NOVA YORK" — REVISTA GOURMET.

The Dixie Pig, pensou. *The Dixie Pig. Onde ouvi isto antes?*

Não sabia, mas ela achava que podia encontrar a rua Lex se precisasse.

— Fica bem ali entre a Terceira e a Park — disse. — Está certo, não?

O garoto, que saíra sem ser visto, mas deixara a porta entreaberta, ouviu isso e assentiu com a cabeça, pesarosamente. Ficava ali mesmo.

Muito bem, pensou Mia. *Tudo está bem por ora, o melhor possível, de qualquer modo, e como dizia aquela mulher no livro, amanhã é outro dia. Preocupe-se com isso então. Certo?*

Certo. Tornou a pegar o assado e começou a comer. Os estalos que emitia não eram na verdade muito diferentes dos feitos pelo rato. Na verdade, quase nada diferentes.

2

Tian e Zalia haviam tentado dar a Eddie e Susannah o quarto onde dormiam. Convencê-los de que os hóspedes realmente não *queriam* o quarto deles — que dormir ali os deixaria pouco à vontade — não fora fácil. Foi Susannah que acabou dando um jeito na situação, dizendo aos Jaffords em uma voz hesitante, confidencial, que uma coisa terrível lhes acontecera na cidade de Lud, uma coisa tão traumática que nenhum dos dois conseguia mais dormir bem em uma casa. Um celeiro, onde se via a porta aberta para o mundo exterior a qualquer hora que se quisesse dar uma olhada, era muito melhor.

Um bom conto, e bem narrado. Tian e Zalia ouviram-no com uma solidária credulidade que fez Eddie se sentir culpado. Várias coisas ruins acontecera com eles em Lud, isso era verdade, mas nada que deixasse algum deles nervoso quanto a dormir dentro de uma casa. Pelo menos ele imaginava que não; desde que haviam deixado seu próprio mundo, os dois só haviam passado uma noite (a anterior) sob um verdadeiro telhado de uma verdadeira casa.

Agora ele se sentava de pernas cruzadas em uma das mantas que Zalia lhes dera para estender no feno, as outras duas deixadas ao lado. Olhava o quintal lá fora, além do alpendre onde grand-père contara sua história, na direção do rio. A lua saía e entrava a esvoaçar nas nuvens, primeiro iluminando a cena até prateá-la, depois escurecendo-a. Eddie mal via o que olhava. Tinha os ouvidos atentos ao andar do celeiro abaixo deles, onde ficavam as estrebarias e os currais. Ela estava ali embaixo em algum lugar, tinha certeza de que estava, mas Deus do céu, estava tão *silenciosa*.

E por falar nisso, quem é ela? Mia, segundo Roland, mas isto é apenas um nome. Quem é ela realmente?

Mas não *era* apenas um nome. *Queria dizer* mãe *na Língua Superior*, explicara o pistoleiro.

Quer dizer *mãe*.

Sim. Mas ela não é a mãe de meu filho. O carinha não é meu filho.

Uma leve batida vinda de baixo dele, seguida pelo ranger de uma tábua. Eddie retesou-se. Ela estava ali embaixo, com certeza. Ele começara a ter suas dúvidas, mas ela estava.

Despertara após talvez umas seis horas de sono profundo e sem sonhos e descobrira que ela se fora. Foi até a porta da sacada do celeiro, que haviam deixado aberta, e olhou. Lá estava ela. Mesmo ao luar, soubera que não era Susannah ali embaixo na cadeira de rodas; não sua Suze, e tampouco Odetta Holmes ou Detta Walker. Mas não lhe era inteiramente desconhecida. Ela...

Você a viu em Nova York, só que então ela possuía pernas e sabia usá-las. Tinha pernas e não queria chegar perto demais da rosa. Tinha seus motivos para isso, e bons motivos, mas sabe qual era o verdadeiro motivo em minha opinião? Acho que temia que fosse ferir aquilo que levava na barriga.

Mas ele sentia pena da mulher embaixo. Não importa quem ela fosse ou o que levasse em si, entrou nessa situação enquanto tentava salvar Jake Chambers. Detivera o demônio fora do círculo, colhendo-o dentro de si apenas tempo o suficiente para que Eddie terminasse de criar a chave que fizera.

Se você a tivesse terminado antes, se não fosse um covardezinho de merda, ela talvez nem estivesse nessa confusão, já pensou nisto?

Eddie afastou o pensamento. Continha alguma verdade, claro, ele perdera a confiança enquanto terminava a chave, e por isso ainda não havia concluído quando chegou a hora do resgate de Jake, mas chega de pensar esse tipo de coisas. Não servia para nada, além de criar uma série verdadeiramente excelente de ferimentos autoinfligidos.

Quem quer que ela fosse, sentia-se mal pela mulher que via embaixo. No adormecido silêncio da noite, através das persianas de luar e escuridão, ela empurrou a cadeira de rodas de Susannah primeiro para o outro lado do quintal, depois voltou, mais uma vez para o outro lado do quintal, depois à esquerda, depois à direita. Ela lembrava um pouco os velhos robôs na clareira de Shardik, aqueles nos quais Roland o mandara atirar. E era isso tão surpreendente? Ele pegou no sono pensando naqueles robôs, e o que Roland dissera deles: *São criaturas de grande tristeza, acho, em sua própria maneira. Eddie vai livrá-las do sofrimento*. E assim o fizera, após alguma persuasão: o que parecia uma cobra de várias junções, o que parecia o trator Tonka que ele ganhara certa vez como presente de aniversário, o rato de aço inoxidável mal-humorado. Acertara todos exceto o último, uma espécie de coisa voadora mecânica. Roland pegara esse.

Como os velhos robôs, a mulher no quintal abaixo queria ir a algum lugar, mas não sabia aonde. Queria obter alguma coisa, mas não sabia o quê. A questão era: o que ele deveria fazer?

Apenas observe e espere. Use o tempo para inventar outra história absurda no caso de um deles acordar e vê-la no quintal andando de um lado para o outro na cadeira de rodas. Mais síndrome de estresse pós-traumático de Lud, talvez.

— Ei, por mim isso está ótimo — murmurou ele, mas logo depois Susannah já girara a cadeira de volta ao celeiro, encaminhando-se agora de maneira determinada.

Eddie se deitara, pronto para fingir que dormia, mas em vez de ouvi-la subindo ouvira um fraco clique, um grunhido de esforço, depois o rangido de tábuas afastando-se para os fundos do celeiro. Na cabeça, ele a viu saindo da cadeira e voltando para ali no seu rastejar de velocidade normal — para quê?

Cinco minutos de silêncio. Estava prestes a ficar realmente nervoso quando ouviu um único guincho, estridente e curto. Foi tão igual a um grito de bebê que os testículos se contraíram e a pele irrompeu em arrepios. Ele olhou para a escada que levava ao andar do celeiro embaixo e forçou-se a esperar mais.

Aquilo foi um porco. Um dos jovens. Apenas um leitão, só isso.

Talvez, mas o que ele não parava de ver era o casal de gêmeos mais jovens. Sobretudo a menina. Lia, rima com Mia. Apenas bebês, e era loucura pensar em Susannah cortando a garganta de uma criança, totalmente insano, mas...

Mas não é Susannah lá embaixo, e se você passar a achar que é, pode acabar ferido, como quase já acabou antes.

Ferido uma porra. Quase *morto* foi como acabara. Quase tivera o rosto devorado pelas lagostrosidades.

Foi Detta quem me atirou às aberrações rastejantes. Essa não é ela.

Sim, e ele tinha uma ideia — apenas uma intuição, na verdade — de que aquela talvez fosse muito mais bondosa do que Detta, mas teria de ser um idiota para apostar a vida nisso.

Ou a vida das crianças? Os filhos de Tian e Zalia?

Ficou ali suando, sem saber o que fazer.

Agora, após o que pareceu uma espera interminável, ouviram-se mais guinchos e rangidos. Os últimos vieram diretamente de baixo da escada que levava ao sótão. Eddie deitou-se de novo e fechou os olhos. Não totalmente cerrados, contudo. Espiando pelas pálpebras, viu a cabeça dela surgir acima do pavimento do sótão. Nesse momento a lua deslizou para fora de uma nuvem e inundou o sótão de luz. Ele viu sangue nos cantos de sua boca, escuro como chocolate, e lembrou-se de limpá-la pela manhã. Não queria ninguém do clã dos Jaffords vendo aquilo.

O que quero ver são os gêmeos, pensou Eddie. *Os dois pares, todos os quatro, vivos e bem. Sobretudo Lia. O que mais eu quero? Que Tian saia do celeiro com um ar de reprovação no rosto. Que nos pergunte se ouvimos alguma coisa à noite, talvez uma raposa ou até um daqueles gatos-da-montanha de que eles falam. Porque, entendam, um dos leitões desapareceu. Eu espero que tenha escondido bem o que tenha sobrado dele, Mia ou quem quer que você seja. Espero que tenha escondido muito bem.*

Ela foi até ele, deitou-se, virou-se uma vez e caiu em profundo sono — ele soube pelo ruído da respiração. Eddie virou a cabeça e olhou para a casa onde os Jaffords dormiam.

Ela não foi a nenhum lugar perto da casa.

Não, a não ser que houvesse atravessado todo o celeiro com a cadeira e saído direto pelos fundos, quer dizer. Contornado por ali, entrado furtivamente por uma janela, levado um dos gêmeos mais jovens, levado a menina, a levado de volta ao celeiro… e…

Ela não fez isso. Não teve tempo, em primeiro lugar.

Talvez não, mas ele se sentiria muito melhor pela manhã, mesmo assim. Quando visse toda a garotada no desjejum. Incluindo Aaron, o menininho com as pernas rechonchudas e a barriguinha estufada. Pensou no que sua mãe às vezes dizia quando via uma mãe empurrando um pequenino no carrinho pela rua: *Tão fofinho! Quase dá vontade de tirar um pedaço!*

Pare com isso. Vá dormir!

Mas se passou um longo tempo até Eddie voltar a pegar no sono.

3

Jake acordou do pesadelo com um arquejo, sem saber ao certo onde estava. Ele se sentou, tremendo e com os braços envolvendo o próprio corpo. Usava apenas uma camiseta de algodão simples — grande demais para ele — e calção fino de algodão, tipo calção de ginástica, também muito grande. O que...?

Ouviu um grunhido, seguido por um peido abafado. Jake olhou em direção aos barulhos, viu Benny Slightman enterrado até as orelhas sob duas mantas, e tudo se encaixou. Ele usava uma das camisetas e cuecas de Benny. Estavam na barraca de Benny, no rochedo que dava para o rio. As margens fluviais ali eram pedregosas, dissera o amigo, não serviam para arroz, mas eram boas para pesca. Se tivessem só um pouco de sorte, conseguiriam pegar seu próprio desjejum do Devar-Tete Whye. E embora Benny soubesse que Jake e Oi iam ter de retornar para a casa do Velho a fim de se juntarem ao dinh e aos companheiros de ka deles por um dia ou dois, talvez mais, quem sabe Jake não poderia voltar depois. Havia boa pesca ali, bom lugar para nado a pouca distância torrente acima, e grutas onde as paredes brilhavam no escuro e os camaleões também cintilavam. Jake fora dormir muito contente com a perspectiva dessas maravilhas. Não gostava da sensação de se encontrar ali sem uma arma (vira demais e fizera demais para nunca mais sentir-se inteiramente relaxado sem uma arma naqueles dias), mas tinha certeza de que Andy estava de olho neles, e se permitira cair em sono profundo.

Então o sonho. O sonho terrível. Susannah na imensa e imunda cozinha de um castelo abandonado. Susannah erguendo um rato a contorcer-se em um espeto de carne. Erguendo-o e rindo, o sangue a escorrer pelo cabo do garfo e em volta de sua mão.

Não foi sonho nenhum, e você sabe disso. Tem de contar a Roland.

O pensamento que se seguiu foi de certo modo ainda mais aflitivo. *Roland já sabe. E Eddie também.*

Jake sentou-se com os joelhos junto ao peito e os braços cruzados nas canelas, sentindo-se mais infeliz do que se sentia desde que dera uma boa olhada na redação final para a aula de inglês da sra. Avery. O tema fora Como Compreendo a Verdade, e embora ele a compreendesse muito melhor agora — compreendesse em que grande medida aquilo devia ter sido suscitado pelo que Roland chamava de toque —, sua primeira reação fora de puro horror. O que sentia agora era não tanto horror quanto... bem...

Tristeza, pensou.

Sim. Eles deviam ser ka-tet, um de muitos, mas agora sua unidade se perdera. Susannah tornara-se outra pessoa e Roland não queria que ela soubesse, não com os Lobos a caminho ao mesmo tempo ali e no outro mundo.

Lobos de Calla, Lobos de Nova York.

Queria sentir raiva, mas parecia não haver ninguém de quem sentir raiva. Susannah engravidara, ajudando a *ele*, afinal, e se Roland e Eddie não estavam contando nada para ela, era porque queriam protegê-la.

Tá bem, elevou-se uma voz ressentida. *Eles também querem ter certeza de que ela vai poder ajudar quando os Lobos chegarem cavalgando do Trovão. Seria uma arma a menos se estivesse ocupada tendo um aborto ou um colapso mental ou qualquer coisa que o valha.*

Ele sabia que isso não era justo, mas o sonho o deixara terrivelmente abalado. O rato não parava de voltar-lhe à mente. Ela erguendo-o. E sorrindo. Não se esqueça disso. *Sorrindo*. Tocara o pensamento na mente de Susannah naquele momento, e havia sido *espetinho de rato*.

— Mãe do céu — sussurrou.

Imaginou que entendia por que Roland não estava contando a Susannah sobre Mia — e sobre o bebê, o que Mia chamava de carinha —, mas será que o pistoleiro não entendia que alguma coisa muito mais importante fora perdida, e ia ficar cada vez pior a cada dia se se permitisse que aquilo continuasse?

Eles sabem melhor das coisas do que você, são adultos.

Jake achava aquilo uma besteira. Se ser adulto realmente significava saber melhor das coisas, por que seu pai continuava fumando três maços de cigarro sem filtro por dia e cheirando cocaína até o nariz sangrar? Se ser adulto dava à gente algum tipo de conhecimento melhor das coisas certas a fazer, como sua mãe dormia com o massagista, que tinha bíceps enormes e nada de cérebro? Por que nenhum dos dois notou, quando a primavera de 1997 avançava para o verão, que o filho (que tinha um apelido — Bama — conhecido apenas pela governanta) estava pirando, porra?

Não é a mesma coisa.

Mas e se fosse? E se Roland e Eddie estivessem tão próximos do problema que não conseguissem ver a verdade?

Qual é a verdade? Como você compreende a verdade?

Que eles não eram mais ka-tet, essa era a sua compreensão da verdade.

O que Roland dissera a Callahan, naquela primeira confabulação? *Nós somos redondos e rodamos como fazemos*. Isso fora verdade então, mas Jake não achava que fosse verdade agora. Lembrou-se de uma velha piada que as pessoas lhe contavam quando tinham uma explosão: *Bem, é apenas o fundo que é chato*. É o que eles eram agora, chatos no fundo. Não mais um verdadeiro ka-tet — como poderiam ser, quando guardavam segredos? E seriam Mia e o bebê crescendo em sua barriga os únicos segredos? Jake achava que não. Havia mais alguma coisa, também. Uma coisa que Roland estava escondendo não apenas de Susannah, mas de todos eles.

Podemos derrotar os Lobos se ficarmos juntos, pensou. *Se formos ka-tet. Mas não como estamos agora. Não aqui nem em Nova York. Simplesmente não acredito nisso.*

Outro pensamento ocorreu-lhe na cola desse, tão terrível que ele primeiro tentou afastá-lo. Só que percebeu que não podia afastá-lo. Por menos que quisesse, era uma ideia que tinha de ser levada em consideração.

Eu poderia resolver o problema sozinho. Contar eu mesmo a ela.

E depois o quê? O que diria a Roland? Como explicaria?

Não saberia explicar. Não haveria explicação que eu pudesse dar ou que ele pudesse escutar. A única coisa que eu poderia fazer...

Lembrou-se da história de Roland do dia em que enfrentara Cort. O castigado e velho fidalgo com o bastão, o garoto aprendiz com seu falcão. Se ele, Jake, fosse de encontro à decisão de Roland e dissesse a Susannah o que lhe fora ocultado até então, isto levaria diretamente à sua própria prova de maturidade.

E eu não estou pronto. Talvez Roland estivesse — por pouco —, mas não sou ele. Ninguém é. *Ele seria melhor do que eu, e eu seria mandado para o Trovão sozinho. Oi tentaria ir comigo, mas eu não permitiria. Porque lá é a morte. Talvez para todo o nosso ka-tet, certamente para um garoto sozinho.*

E no entanto os segredos que Roland guardava, aquilo era *errado*. E daí? Estariam novamente reunidos para ouvir o resto da história de Callahan e — talvez — lidar com coisa na igreja de Callahan. O que deveria fazer então?

Conversar com ele. Tentar convencê-lo de que está fazendo a coisa errada.

Muito bem. Podia fazer isso. Ia ser difícil, mas podia fazê-lo. Deveria falar também com Eddie? Jake achou que não. Incluir Eddie complicaria ainda mais as coisas. Deixe Roland decidir o que contar a Eddie. Roland, afinal, era o dinh.

A aba da barraca adejou e Jake levou a mão ao lado, onde penderia a Ruger se ele estivesse usando o coldre. Não estava ali, claro, mas daquela vez estava tudo bem. Era apenas Oi, cutucando o focinho sob a aba e levantando-a para conseguir enfiar a cabeça na barraca.

Jake estendeu a mão para acariciar a cabeça do malhado. Oi tomou-a delicadamente nos dentes e puxou-a. Jake acompanhou-o de muito bom grado; sentiu como se o sono estivesse a mil quilômetros de distância.

Fora da barraca, o mundo estava tomado por cores pretas e brancas. Uma ladeira cravejada de pedras descia até o rio, que era largo e raso naquele ponto. A lua incandescia-se como uma lâmpada. Jake viu dois vultos na praia rochosa e imobilizou-se. Ao fazê-lo, a lua escondeu-se atrás de uma nuvem e o mundo escureceu. As mandíbulas de Oi fecharam-se mais uma vez em sua mão e o puxaram para a frente. Jake foi com ele, encontrou uma depressão de um metro e meio e desceu. Oi ficou acima e logo atrás dele, ofegando como um motorzinho.

A lua saiu de trás da nuvem. O mundo mais uma vez se iluminou. Oi levara-o a um naco de granito que aflorava da terra como a proa de um navio enterrado. Era um bom esconderijo. Ele espiou em volta e o rio embaixo.

Não havia dúvida sobre quem era um deles; a altura e o luar refletindo no metal bastaram para identificar Andy, o Robô Mensageiro (Muitas Outras Funções). O outro, contudo... quem era o outro? Jake estreitou os olhos, mas a princípio não soube dizer. Eram no mínimo duzentos metros de seu esconderijo até a margem do rio embaixo, e embora o luar fosse luminoso, também era enganoso. O homem ergueu o rosto para olhar Andy, e o luar caiu-lhe em cheio, mas as feições pareciam nadar. Só que o sujeito usava... ele reconheceu o *chapéu*...

Você pode estar enganado.

Então o homem virou ligeiramente a cabeça, o luar refletiu nele, e Jake teve certeza. Embora talvez houvesse vários caubóis em Calla que usavam aquele chapéu como aquele, ele até então só vira um único usando óculos.

Certo, é o pai de Benny. E daí? Nem todos os pais são como o meu, alguns deles se preocupam com os filhos, sobretudo se já perderam um, como o sr. Slightman perdeu a irmã gêmea de Benny. Para o pulmão quente, disse Benny, o que provavelmente significa pneumonia. Seis anos atrás. Assim, viemos para cá acampar, e o sr. Slightman mandou Andy ficar de olho na gente, só que ele acorda no meio da noite e decide inspecionar sozinho. Talvez tenha tido seu próprio pesadelo.

Talvez, mas isso não explicava por que Andy e o sr. Slightman confabulavam ali embaixo junto ao rio, explicava?

Bem, talvez ele receasse nos acordar. Talvez venha verificar a barraca agora — neste caso é melhor eu voltar lá para dentro — ou talvez ele aceite a palavra de Andy, de que estamos muito bem, e volte para Rocking B.

A lua entrou atrás de outra nuvem, e Jake achou melhor ficar ali onde se achava até ela tornar a sair. Quando o fez, o que ele viu encheu-o da mesma consternação que sentira no sonho, seguindo Mia pelo castelo deserto. Por um momento, agarrou-se à possibilidade de que aquilo *era* um sonho, que ele simplesmente passara de um ao outro, mas a sensação do cascalho pinicando seus pés e o ruído ofegante de Oi no ouvido nada tinham de onírico. Aquilo estava acontecendo, com toda a certeza.

O sr. Slightman não vinha subindo para onde os meninos haviam armado a barraca, e tampouco se encaminhava de volta para a Rocking B (embora Andy sim, em passadas largas pela margem). Não, o pai de Benny chapinhava para o outro lado do rio. Dirigia-se para leste.

Talvez tenha um bom motivo de rumar para lá. Um motivo perfeitamente justo.

É mesmo? Que motivo perfeitamente justo poderia ser? Não era mais Calla além dali, Jake sabia disso. Além dali havia apenas terreno inculto e deserto, um para-choque entre as fronteiras e o reino da morte que era o Trovão.

Primeiro alguma coisa errada com Susannah — sua amiga Susannah. Agora, parecia, alguma coisa errada com o pai de seu novo amigo. Jake percebeu que começara a roer as unhas, hábito que adquirira nas suas últimas semanas no Colégio Piper, e obrigou-se a parar.

— Isso não é justo, você sabe — disse a Oi. — Não é nada justo.

Oi lambeu a sua orelha. Jake virou-se, abraçou o malhado e apertou o rosto no viçoso pelo do amigo. O malhado manteve-se na posição, paciente, aceitando. Passado algum tempo, Jake impeliu-se ao terreno mais alto onde se encontrava Oi. Sentia-se um pouco melhor, um pouco mais confortado.

A lua entrou atrás de outra nuvem e o mundo escureceu. Jake ficou onde estava. Oi gemeu baixinho.

— Só um minuto — o garoto murmurou.

A lua saiu mais uma vez. Jake olhou intensamente para o lugar onde Andy e Ben Slightman haviam confabulado, marcando-o na memória. Havia uma grande pedra redonda com a superfície brilhante. A água trouxera um tronco morto com ela. Jake estava confiante de que poderia encontrar de novo aquele local, mesmo que sem a barraca de Benny ali.

Você vai contar a Roland?

— Eu não sei — murmurou.

— Sei — disse Oi, do lado de seu tornozelo, fazendo Jake saltar um pouco. Ou isso foi um *não*? O que fora que o malhado realmente dissera?

Você está louco?

Ele não estava. Houve um tempo em que pensara que estivesse, louco ou chegando lá a largos passos, mas não pensava mais. E às vezes Oi lia *mesmo* sua mente, sabia disso.

Jake voltou para dentro da barraca. Benny continuava dormindo pesado. Jake olhou para o outro garoto — mais velho em anos porém mais moço em muitas das formas que importavam —, durante vários segundos, mordendo o lábio. Não queria meter o pai de Benny em apuros. Não, a não ser que precisasse fazê-lo.

Jake deitou-se e puxou o cobertor até o queixo. Jamais na vida sentira-se tão indeciso sobre tantas coisas, e teve vontade de chorar. O dia já começara a clarear antes que ele conseguisse voltar a dormir.

8. O ARMAZÉM DE TOOK; A PORTA DESCONHECIDA

1

Durante a primeira meia hora após deixarem a Rocking B, Roland e Jake cavalgaram para as pequenas propriedades a leste em silêncio, os cavalos seguindo sem pressa lado a lado, em perfeita boa camaradagem. Roland sabia que Jake tinha alguma coisa séria na cabeça; era visível em sua expressão angustiada. Mas o pistoleiro mesmo assim se espantou quando Jake enroscou o punho, botou-o no lado esquerdo do peito e disse:

— Roland, antes que Eddie e Susannah se juntem a nós, posso falar com você dan-dinh?

Permita que eu abra meu coração para seu comando. Mas o sentido implícito era mais complicado que isso, e antigo — remontando a séculos antes de Arthur Eld, ou assim afirmara Vannay. Significava apresentar ao seu dinh algum insolúvel problema emocional, em geral tendo a ver com um caso amoroso. Quando alguém fazia isso, ele ou ela aceitava fazer exatamente o que o dinh sugeria, de imediato e sem questionamentos. Mas certamente Jake Chambers não tinha problemas amorosos — não, a não ser que se houvesse apaixonado pela linda Francine Tavery, quer dizer — e, acima de tudo, como soubera ele daquela frase?

Enquanto isso, Jake olhava-o com uma solenidade de olhos arregalados e face pálida que Roland não gostou muito.

— Dan-dinh. Onde ouviu isso, Jake?

— Jamais ouvi. Acho que captei da sua mente. — Jake apressou-se a acrescentar: — Não fico bisbilhotando aí dentro, nem nada desse tipo, mas às vezes a coisa simplesmente vem. A maior parte não é muito importante, eu acho, mas às vezes há frases.

— Você as capta como um corvo pega as coisas brilhantes que vê em sua asa.

— Acho que sim, é isso.

— Quais outras? Diga algumas.

Jake parecia sem graça.

— Não me lembro de muitas. Dan-dinh quer dizer que eu abro meu coração para você e aceito fazer o que mandar.

Era mais complicado, mas o garoto captara a essência. Roland assentiu com a cabeça. O sol era agradável em seu rosto enquanto seguiam juntos. A exibição de Margaret Eisenhart com o prato o acalmara, ele tivera um bom encontro com o pai da dama-sai depois e dormira muito bem pela primeira vez em várias noites.

— Sim.

— Vamos ver. Tem um diz-que-me-diz, que quer dizer, eu acho, fofocar sobre alguém que a gente não deveria fofocar. Ficou na minha cabeça, porque é isso que é uma fofoca: "Diz-que-me-diz". — Jake pôs a mão em concha no ouvido.

Roland sorriu. Era na verdade *dizequemei*, mas Jake, claro, a pegara foneticamente. Era realmente impressionante. Ele lembrou-se de guardar seus pensamentos profundos cuidadosamente no futuro. *Havia* meios de fazê-lo, graças aos deuses.

— Há uma palavra dash-dinh que quer dizer uma espécie de líder religioso. Você estava pensando nela esta manhã, acho, por causa... é por causa do velho manni? Ele é um dash-dinh?

Roland assentiu.

— Certamente é. E o nome dele, Jake? — O pistoleiro concentrou-se no nome. — Pode ver o nome dele em minha mente?

— Claro, Henchick — disse Jake de imediato, quase sem precisar pensar. — Você conversou com ele... quando? Tarde na noite de ontem?

— Foi.

Não tinha se concentrado naquilo, e preferia que Jake não o soubesse. Mas o garoto era forte no toque, e Roland acreditava nele quando disse que não estava bisbilhotando. Pelo menos não de propósito.

— A sra. Eisenhart acha que o odeia, mas você acha que ela só tem medo dele.

— Sim — disse Roland. — Você é forte no toque. Muito mais do que Alain já foi, e muito mais do que era antes. É por causa da rosa, não?

Jake assentiu. A rosa, sim. Cavalgaram em silêncio mais um pouco, os cascos dos cavalos levantando uma poeira fina. Apesar do sol, o dia estava frio, prometendo um verdadeiro dia de outono.

— Está bem, Jake. Fale dan-dinh como queira, e eu agradeço por sua confiança na pouca sabedoria que eu tenho.

Mas por quase dois minutos Jake não disse nada. Roland bisbilhotou-o, tentando penetrar na cabeça do garoto como ele entrara na sua (e com tanta facilidade), mas não havia nada. Nada em...

Mas havia, sim. Havia um rato... a contorcer-se, empalado em alguma coisa...

— Onde fica o castelo ao qual ela vai? — perguntou Jake. — Você sabe?

Roland não conseguiu ocultar sua surpresa. Espanto, na verdade. E sentiu também um elemento de culpa aí. De repente, entendeu... Bem, não tudo, mas muito.

— Não existe castelo, e nunca existiu — disse a Jake. — É um lugar aonde ela vai na mente, provavelmente criado das histórias que leu e também das que eu contei junto à fogueira do acampamento. Ela vai lá para não ter de ver o que realmente come. O que o bebê necessita.

— Eu a vi comendo um leitão assado — disse Jake. — Só que antes de chegar um rato estava comendo-o. Ela o varou com um espeto de churrasco.

— Onde você viu isso?

— No castelo. — Fez uma pausa. — No sonho dela. Eu estava no sonho dela.

— Ela o viu lá?

Os olhos azuis do pistoleiro estavam aguçados, quase em chamas. O cavalo sentiu uma mudança, pois parou. O mesmo fez o de Jake. Ali estavam na estrada do Leste, a pouco mais de um quilômetro do lugar onde a Molly "Vermelha" Doolin matara outrora um Lobo vindo do Trovão. Ali estavam, encarando um ao outro.

— Não — disse Jake. — Ela não me viu.

Roland pensava na noite em que a seguira até o pântano. Soubera que ela também ia a outro lugar em sua mente, sentira, mas não sabia exatamente aonde. Quaisquer visões que lhe tirara da mente haviam sido difusas. Agora sabia. E também soube mais alguma coisa: Jake estava angustiado pela decisão de seu dinh de deixar Susannah seguir esse caminho. E talvez tivesse razão de se sentir assim. Mas...

— Não foi Susannah quem você viu, Jake.

— Eu sei. É aquela que ainda tem pernas. Chama a si mesma de Mia. Está grávida e morta de medo.

Roland disse:

— Se quiser falar comigo como dan-dinh, diga tudo o que viu no sonho e tudo o que o perturbou ao acordar. Então eu lhe darei a sabedoria de meu coração, a pouca que eu tenho.

— Você não vai... Roland, você não vai brigar comigo?

Desta vez, Roland não conseguiu esconder o espanto.

— Não, Jake. Longe disso. Talvez eu lhe deva pedir pra não brigar *comigo*.

O garoto deu um sorriso tímido. Os cavalos retomaram o passo, avançando desta vez um pouco mais rápido, como se soubessem que quase ocorreram problemas e quisessem deixar isso para trás.

2

Jake não tinha total certeza do quanto que se passava em sua mente seria dito até começar realmente a falar. Acordara novamente todo indeciso, em relação ao que dizer a Roland sobre Andy e Slightman pai. No final, aproveitou a deixa do que Roland acabara de dizer — *Diga tudo o que viu no sonho e tudo o que o perturbou ao acordar* — e deixou inteiramente de fora o encontro na beira do rio. Na verdade, essa parte parecia a ele muito menos importante nessa manhã.

Contou a Roland que Mia descera correndo a escadaria, e o medo dela quando vira que não sobrara comida na sala de jantar nem no salão de banquete, ou fosse lá o que era. Em seguida a cozinha. Encontrara o assado com o rato a devorá-lo. Matara o competidor. Empanturrara-se com o prêmio. Depois ele acordara tremendo e tentara não gritar.

Hesitou e lançou uma olhada a Roland, que fez seu gesto impaciente de girar o dedo... ande logo, rápido, termine.

Bem, Jake pensou, *ele prometeu não brigar comigo e mantém a palavra.*

Era verdade, mas continuava sem condições para contar que cogitara ele mesmo dar com a língua nos dentes sobre a história a Susannah. Articulou, porém, seu principal medo: que o fato de os três saberem e um não rompeu seu ka-tet logo quando precisava ser mais firme que nunca. Chegou a contar a Roland a velha anedota, o cara com um megafone dizendo: *Bem, apenas no fundo que é chato*. Não esperava que Roland fosse rir, e suas expectativas foram cumpridas nesse aspecto. Sentiu que Roland ficou em certa medida envergonhado, e considerou isso assustador. Tinha a ideia de que vergonha era inteiramente reservada a pessoas que não sabiam o que faziam.

— E até ontem à noite foi pior que três por dentro e um por fora — disse Jake. — Porque vocês estavam tentando *me* manter de fora, também. Não estavam?

— Não — disse Roland.

— Não?

— Simplesmente deixei as coisas como estavam. Contei a Eddie porque temi que, como estavam dividindo um quarto, ele fosse descobrir as perambulações dela e tentar acordá-la. Temi o que poderia acontecer aos dois se ele fizesse isso.

— Por que não simplesmente contar a ela?

Roland deu um suspiro.

— Escute, Jake. Cort cuidou do nosso treinamento físico quando éramos meninos. Vannay cuidou do nosso treinamento mental. Os dois tentaram nos ensinar o que sabiam de ética. Mas, em Gilead, nossos pais eram responsáveis por nos ensinar sobre ka. E como o pai de cada criança era diferente, cada um de nós saiu da infância com uma ideia ligeiramente diferente do que é o ka e do que ele faz. Você entende?

Eu entendo que está evitando uma pergunta muito simples, pensou Jake, mas assentiu.

— Meu pai me falou um bocado sobre o assunto, e quase tudo deixou a minha mente, mas uma coisa continua sendo muito clara. Ele disse que quando você está inseguro, deve deixar o ka resolver sozinho o problema.

— Então é ka. — Jake pareceu desapontado. — Roland, isso não ajuda muito.

Roland percebeu preocupação na voz do garoto, mas foi a decepção que o magoou. Virou-se na sela, abriu a boca, percebeu que qualquer coisa que fosse falar seria vazia e fechou-a de novo. Em vez de justificar-se, disse a verdade.

— Eu não sei o que fazer. Gostaria de me dizer?

O rosto do garoto enrubesceu com um alarmante matiz de vermelho, e Roland percebeu que Jake achou que ele estava sendo sarcástico, em nome dos deuses. Que ele estava irritado. Essa falta de entendimento era assustadora. *Ele tem razão*, pensou o pistoleiro. *Estamos rompidos. Deus nos ajude.*

— Não fique assim — disse Roland. — Ouça, eu lhe peço... preste bem atenção. Em Calla Bryn Sturgis, os Lobos estão chegando. Em Nova York, Balazar e seus "cavalheiros" estão chegando. Os dois grupos hão de chegar em breve. Será que o bebê de Susannah vai esperar até que sejam resolvidas essas questões, de um ou de outro jeito? Eu não sei.

— Ela nem parece grávida — disse Jake, baixinho. Parte da vermelhidão deixara o seu rosto, mas ele continuava cabisbaixo.

— Não — disse Roland. — Não parece. Os seios dela estão um pouco mais cheios, talvez os quadris, também, mas são apenas sinais. E, portanto, eu tenho alguma razão de estar esperançoso. Preciso estar, e você também. Pois, além dos Lobos e do negócio da rosa em seu mundo, há a questão do Treze Preto e como lidar com isso. Eu acho que sei, espero que saiba, mas preciso falar mais uma vez com Henchick. E precisamos ouvir o resto da história de père Callahan. Pensou em dizer por conta própria alguma coisa a Susannah?

— Eu... — Jake mordeu o lábio e calou-se.

— Vejo que sim. Tire esta ideia da cabeça. Se alguma coisa além da morte for capaz de romper nossa fraternidade, dizer a ela sem a minha sanção faria isso, Jake. Eu sou seu dinh.

— Eu sei disso! — Jake quase gritou. — Não acha que eu sei?

— E você acha que eu gosto disso? — perguntou Roland, com quase o mesmo fervor. — Não vê como era muito mais fácil tudo isso antes... — Interrompeu-se, chocado com o que quase dissera.

— Antes de chegarmos — disse Jake, a voz seca. — Bem, sabe de uma coisa? Nós não *pedimos* pra vir, nenhum de nós. — *E eu não lhe pedi que me deixasse cair no escuro, também. Que me matasse.*

— Jake... — O pistoleiro deu um suspiro, ergueu as mãos, deixou-as cair mais uma vez nas coxas. Logo adiante ficava a curva que os levaria à pequena propriedade dos Jaffords, onde Eddie e Susannah estariam à espera deles. — Só posso dizer de novo o que eu já disse: quando não se está seguro do ka, é melhor deixar o ka resolver sozinho. Se a gente interfere, sempre faz a coisa errada.

— Isso parece o que o pessoal lá no Reino de Nova York chama de tirar o seu da reta, Roland. Uma resposta que não é uma resposta, apenas um meio de fazer as pessoas seguirem adiante com o que a gente quer.

Roland refletiu sobre isso. Apertou os lábios.

— Você me pediu para comandar seu coração.

Jake assentiu com a cabeça cautelosamente.

— Então eis as duas coisas que digo dan-dinh a você. Primeiro, digo que nós três, você, eu e Eddie, vamos falar an-tet a Susannah antes de os Lobos chegarem, e dizer a ela tudo o que sabemos. Que ela está grávida, que seu bebê é quase com toda a certeza o filho de um demônio e que ela criou uma mulher chamada Mia para ser mãe dessa criança. Segundo, eu digo que não discutiremos mais isto até chegar a hora de dizer a ela.

Jake digeriu essas coisas. Ao fazê-lo, seu rosto foi aos poucos se iluminando de alívio.

— Está sendo sincero sobre isso?

— Sim. — Roland tentou não demonstrar o quanto a pergunta o magoou e enfureceu. Entendia, afinal, por que o garoto perguntara. — Eu prometo e juro pela minha promessa. Serve a você?

— Sim! Serve muito bem a mim!

Roland assentiu.

— Não faço isso por estar convencido de que é o certo, mas porque *você* está, Jake. Eu...

— Espere um segundo, hã, espere — disse Jake, o sorriso desfazendo-se. — Não tente empurrar tudo isso pra mim. Eu nunca...

— Me poupe de besteiras. — Roland usou um tom seco e distante que Jake raras vezes ouvira. — Você pediu parte da decisão de um homem. Eu permito, *preciso* permitir, porque ka decretou que você assuma a parte de um homem nas grandes questões. Você abriu essa porta quando questionou meu julgamento. Nega isso?

Jake passara de pálido para corado e para pálido mais uma vez. Parecia terrivelmente assustado, e balançou a cabeça sem dizer uma única palavra. *Ah, deuses*, pensou Roland, *eu odeio cada parte disso. Fede como a merda de um cadáver.*

Em um tom mais baixo, disse:

— Não, você não pediu para ser trazido aqui. Nem quis eu roubá-lo de sua infância. Contudo, aqui estamos, e ka se afasta para um canto e ri. Precisamos fazer como ele quer ou pagar o preço.

Jake abaixou a cabeça e disse duas palavras em um sussurro trêmulo:

— Eu sei.

— Você acredita que Susannah deve saber. Eu, por outro lado, não sei *o que* fazer... Nessa questão, perdi a minha bússola. Quando um sabe e o outro não, o que não sabe precisa abaixar a cabeça e o que sabe precisa assumir a responsabilidade. Você me entende, Jake?

— Sim — sussurrou Jake, e levou a mão cerrada à testa.

— Bom. Vamos deixar esta parte e agradecermos. Você é forte no toque.

— Preferia não ser! — desabafou Jake.

— Não importa... Você consegue tocá-la?

— Sim. Eu não bisbilhoto, nem o íntimo dela nem o de nenhum de vocês, mas às vezes a toco, sim. Pego trechinhos de músicas em que ela está pensando, ou lembranças do apartamento dela de Nova York. Ela sente saudade dele. Uma vez, pensou: "Queria poder ter lido aquele novo romance de Allen Drury que veio do Clube do Livro". Acho que Allen Drury deve ser um escritor famoso do quando dela.

— Então são coisas que habitam na superfície.

— Sim.

— Mas você poderia ir mais fundo.

— Eu provavelmente poderia vê-la se despir, também — disse Jake, irritado —, mas isso não seria correto.

— Nessas circunstâncias, *é* correto, Jake. Pense nela como um poço onde você precisa ir todo dia e retirar um único balde para garantir que a água continua limpa. Quero saber se ela muda. Em particular, quero saber se está planejando se mandar.

Jake arregalou os olhos.

— Fugir? Fugir pra onde?

Roland balançou a cabeça.

— Eu não sei. Pra onde vai uma gata despejar sua ninhada? Em um armário? Embaixo de um celeiro?

— E se contarmos a ela e a outra assumir o comando? E se *Mia* se mandar, Roland, e arrastar Susannah com ela?

Roland não respondeu. Era exatamente isso que temia, e Jake era inteligente demais para sabê-lo.

O garoto estava olhando-o com um ressentimento compreensível — mas também com aceitação.

— Uma vez por dia. Não mais que isso.

— Mais se você sentir alguma mudança.

— Está bem — disse Jake. — Odeio isso, mas eu pedi seu dan-dinh. Acho que eu mereci essa.

— Isso não é uma queda de braço, Jake. Nem um jogo.

— Eu sei. — Jake balançou a cabeça. — A sensação é de que você virou a coisa toda pra cima de mim de algum modo, mas tudo bem.

Eu virei mesmo a coisa toda pra cima de você, pensou Roland. Imaginou que era bom que nenhum deles soubesse como ele estava perdido naquele momento, como estava ausente a intuição que o acompanhara por tantas situações difíceis. *Eu o fiz… mas só porque tive de fazer.*

— Não falaremos nada agora, mas contaremos a ela antes da chegada dos Lobos — disse Jake. — Antes de termos de lutar. É esse o trato?

Roland assentiu com a cabeça.

— Se tivermos de lutar com Balazar primeiro, no outro mundo, ainda assim precisamos contar a ela antes. Certo?

— Sim — disse Roland. — Tudo bem.

— Eu detesto isso — disse Jake mal-humorado.

— Eu também.

3

Sentado e esculpindo um pedaço de madeira na varanda dos Jaffords, Eddie ouvia uma história confusa de grand-père e assentia no que julgava serem os momentos certos, quando Roland e Jake surgiram a cavalo. Eddie deixou a faca de lado e desceu os degraus ao encontro deles, virando-se para chamar Suze.

Sentia-se extraordinariamente bem nessa manhã. Seus temores da noite anterior haviam se dissipado, como muitas vezes ocorre com nossos pesadelos mais extravagantes; como os vampiros Tipo Um e Tipo Dois do padre, esses medos pareciam especialmente alérgicos à luz do dia. Primeiro, todas as crianças haviam estado presentes e contadas no desjejum. Segundo, sumira de fato um leitão do celeiro. Tian perguntara a Eddie e a Susannah se tinham ouvido alguma coisa à noite, e assentiu com triste satisfação quando os dois fizeram que não com a cabeça.

— É. Quase todas as variações de mutantes se extinguiram de nossa parte do mundo, mas não no norte. Matilhas de cães selvagens descem todo ano. Duas semanas atrás, é provável que estivessem em Calla Amity; semana que vem estaremos livres deles e eles vão ser o problema de Calla Lockwood. São silenciosos. Não calados, quer dizer, mas mudos. Nada aqui. — Tian bateu a garganta com a mão. — Além disso, não é como se não me tivessem feito pelo menos *algum* bem. Eu encontrei um desgraçado de um ratão de celeiro lá. Morto com uma pedra. Um deles rasgou a cabeça do bicho até quase o osso.

— Que nojeira — dissera Hedda, afastando sua tigela com uma careta dramática.

— Coma seu mingau, mocinha — disse Zalia. — Vai aquecer você quando estiver pendurando as roupas lá fora.

— Mã-mã, pur quêêêêê?

Eddie captara o olhar de Susannah e dera-lhe uma piscadela. Ela retribuiu-lhe, e tudo estava bem. Certo, então ela perambulara um pouco à noite. Comera seu lanchinho da meia-noite. Enterrara os restos. E, sim, aquela história de ela estar grávida tinha de ser conversada. Claro que sim. Mas tudo seria falado, Eddie tinha certeza disso. E à luz do dia, a ideia de que Susannah pudesse sequer ferir uma criança parecia completamente ridícula.

— Salve, Roland. Jake.

Eddie virou-se para onde Zalia saíra no alpendre. Ela fez uma mesura. Roland tirou o chapéu, estendeu-o para ela e tornou a colocá-lo.

— Sai — perguntou —, está ao lado do seu marido na questão da luta contra os Lobos, não é?

Ela deu um suspiro, mas com um olhar bastante firme.

— Estou, pistoleiro.

— Você pede ajuda e socorro?

A pergunta foi feita sem floreios — quase em tom de conversa —, mas Eddie sentiu o coração dar um pulo, e quando a mão de Susannah se moveu furtivamente para a sua, apertou-a. Ali estava a terceira pergunta, a pergunta-chave, e não fora feita a um grande fazendeiro, grande pecuarista, nem a um grande comerciante. Fora feita à esposa de um pequeno fazendeiro cuja tez, embora naturalmente escura, ficara marcada devido a sol demais, e cujo vestido caseiro desbotara de lavagens demais. E era certo que assim fosse, perfeitamente certo. Porque a alma de Calla Bryn Sturgis estava em quatro dúzias de pequenas propriedades agrícolas iguais àquela, reconheceu Eddie. Que Zalia Jaffords falasse por todas elas. Por que diabos não?

— Eu busco isso e agradeço — ela lhe disse apenas. — O Senhor Deus e o Homem Jesus os abençoem, a você e aos seus.

Roland assentiu como se apenas passasse o tempo.

— Margaret Eisenhart me mostrou uma coisa.

— É mesmo? — perguntou Zalia, com um leve sorriso.

Tian chegou contornando devagar um canto; parecia cansado e suado, embora fossem apenas nove da manhã. Sobre um dos ombros trazia um arreio surrado. Desejou a Roland e Jake um bom-dia e se pôs ao lado da esposa, uma das mãos em volta da cintura dela e descansando no quadril.

— Sim, e nos contou a história de Lady Oriza e Gray Dick.

— É uma bela história — disse ela.

— É sim — concordou Roland. — Não vou fazer rodeios, dama-sai. Virá para a linha de frente com seu prato, quando chegar a hora?

Tian arregalou os olhos. Abriu a boca e fechou-a sem seguida. Olhava para a esposa como um homem que tivesse acabado de receber uma grande revelação.

— Sim — disse Zalia.

Tian largou o arreio e abraçou-a. Ela retribuiu o abraço, breve e forte, depois se voltou mais uma vez para Roland e seus amigos.

Roland sorria. Eddie foi tomado por uma fraca sensação de irrealidade, como sempre quando observava esse fenômeno.

— Ótimo. E vai mostrar a Susannah como lançá-lo?

Zalia olhou pensativa para Susannah.

— Será que ela vai aprender?

— Não sei — disse Susannah. — É alguma coisa que devo aprender, Roland?

— Sim.

— Quando, pistoleiro? — perguntou Zalia.

Roland calculou.

— Daqui a três ou quatro dias, se tudo correr bem. Se ela não mostrar qualquer aptidão, mande-a de volta para mim e experimentaremos com Jake.

Jake teve um sobressalto.

— Mas acho que ela vai se sair muito bem. Jamais conheci um pistoleiro que não se acostumasse a novas armas como pássaros em um novo lago. E eu preciso ter pelo menos um de nós que saiba lançar o prato ou disparar o bah, pois somos quatro e temos apenas três armas com que podemos contar. E eu gosto do prato. Gosto muito.

— Eu lhe mostrarei o que sei fazer, claro — disse Zalia, e lançou um olhar tímido a Susannah.

— Então, daqui a nove dias, você, Margaret, Rosalita e Sarey Adams irão até a casa do Velho e veremos o que veremos.

— Você tem um plano? — perguntou Tian. Os olhos ardiam de esperança.

— Terei até lá — respondeu Roland.

4

Os quatro cavalgaram para a cidade lado a lado naquele mesmo passo sem pressa, mas ao chegar aonde a estrada do Leste cruzava com outra, esta seguindo para o norte e o sul, Roland parou.

— Aqui deixarei vocês por algum tempo — disse. Apontou para o norte, em direção às montanhas. — A duas horas daqui fica o que alguns chamam Manni de Calla e outros Manni do Caminho Vermelho. É o lugar deles pelos dois nomes, uma cidadezinha dentro de uma maior. Vou me encontrar com Henchick lá.

— O dinh deles — disse Eddie.

Roland assentiu.

— Depois do vilarejo manni, cerca de uma hora, há algumas minas abandonadas e muitas grutas.

— O lugar que você apontou no mapa dos gêmeos Tavery? — perguntou Susannah.

— Não, mas perto. A gruta que me interessa é a chamada Gruta da Porta. Vamos saber dela por Callahan esta noite, quando ele terminar sua história.

— Sabe disso como um fato, ou é intuição? — perguntou Susannah.

— Sei por Henchick. Ele falou dela ontem à noite. Também falou do père. Eu poderia contar a vocês, mas acho que é melhor ouvirmos do próprio Callahan. De qualquer modo, aquela gruta será importante pra nós.

— É o caminho de volta, não? — perguntou Jake. — Você acha que é o caminho de volta a Nova York.

— Mais — disse o pistoleiro. — Com o Treze Preto, acho que poderia ser o caminho para todo lugar e todo quando.

— Incluindo a Torre Negra? — perguntou Eddie. Tinha a voz rouca, quase não passando de um sussurro.

— Não sei dizer — respondeu Roland —, mas creio que Henchick vai me mostrar a gruta, e talvez eu saiba mais então. Enquanto isso, vocês têm negócios a fazer no Armazém Geral de Took.

— Temos? — perguntou Jake.

— Têm, sim.

Roland equilibrou a bolsa no colo, abriu-a e enfiou a mão no fundo. Por fim retirou um saquinho com tiras corrediças de couro que nenhum deles vira antes.

— Meu pai me deu isto — disse, distraído. — É a única coisa que tenho hoje, além das ruínas de meu rosto, que eu tinha quando cavalguei para Mejis com meus companheiros de ka todos esses anos atrás.

Eles o olharam com admiração, partilhando o mesmo pensamento: se o que o pistoleiro disse era verdade, o saquinho de couro devia ter centenas de anos. Roland abriu-o, examinou dentro, assentiu.

— Susannah, estenda as mãos.

Ela o fez. Em suas palmas como conchas Roland despejou umas dez moedas de prata, esvaziando o saco.

— Eddie, abra as suas.

— Hum, Roland, acho que o armário está vazio.

— Estenda as mãos.

Eddie deu de ombros e o fez. Roland virou o saquinho sobre elas e despejou uma dezena de moedas de ouro, esvaziando-o.

— Jake?

Jake estendeu as mãos. Do bolso na frente do poncho, Oi olhava com interesse. Desta vez o saquinho expeliu meia dúzia de brilhantes pedras preciosas antes de esvaziar-se. Susannah arquejou.

— Não passam de granadas — disse Roland, quase se desculpando. — Um bom meio de câmbio aqui, pelo que dizem. Não vão comprar muita coisa, mas comprarão, *sim*, as necessidades de um garoto, acho.

— Legal! — Jake sorria, radiante. — Eu lhe agradeço! Muitíssimo obrigado!

Eles olharam para o saco vazio com silêncio maravilhado, e Roland sorriu.

— Quase toda a magia que eu outrora sabia ou a que tinha acesso desapareceu, mas vocês veem que alguma persiste. Como folhas encharcadas no fundo de um bule de chá.

— Tem ainda mais coisa aí dentro? — perguntou Jake.

— Não. Com o tempo, talvez tenha. É um saquinho em crescimento. — Roland devolveu-o ao fundo da bolsa, retirou o suprimento fresco de tabaco que Callahan lhe dera e enrolou um cigarro. — Vão até o armazém. Comprem o que lhes agradar. Algumas camisas, talvez... e uma pra mim, se fazem o favor; eu preciso de uma. Depois subam para a varanda e descansem, como faz a gente da cidade. Sai Took não vai gostar muito disso, não há nada que ele gostaria mais de ver do que nossas costas rumando para o leste e para o Trovão, mas não os enxotará.

— Gostaria de vê-lo tentar — grunhiu Eddie, e tocou a coronha do revólver de Roland.

— Você não vai precisar disso — disse o pistoleiro. — Só o hábito já o manterá atrás do balcão, cuidando de sua gaveta registradora. Isso, e a disposição da cidade.

— Está indo para o nosso lado, não? — perguntou Susannah.

— Sim, Susannah. Se você lhes perguntar sem rodeios, como perguntei a sai Jaffords, não vão responder, portanto é melhor não perguntar, ainda não. Mas, sim. Eles pretendem lutar. Ou nos deixar lutar por eles. O que não podemos censurar. Lutar por aqueles que não sabem lutar por si mesmos é o nosso trabalho.

Eddie abriu a boca para dizer a Roland o que o grand-père lhe contara, depois tornou a fechá-la. Roland não lhe perguntara, embora esse tivesse sido o motivo de tê-los enviado à casa dos Jaffords. Nem, percebeu, Susannah lhe perguntara. Ela nem sequer mencionara a conversa dele com o velho Jamie.

— Vai perguntar a Henchick o que perguntou à sra. Jaffords? — indagou Jake.

— Sim — disse Roland. — A ele vou perguntar.

— Porque sabe o que ele vai dizer.

Roland assentiu e sorriu mais uma vez. Não um sorriso que desprendesse algum conforto, mas tão frio quanto a luz do sol na neve.

— Um pistoleiro jamais faz essa pergunta antes de saber qual será a resposta — disse. — Nos encontramos na casa do père para a refeição da noite. Se tudo correr bem, estarei lá assim que o sol chegar ao horizonte. Estão todos bem? Eddie? Jake? — Uma ligeira pausa. — Susannah?

Todos assentiram com a cabeça. Oi também.

— Então, até a noite. Que fiquem bem, e que o sol nunca caia sobre seus olhos.

Roland virou o cavalo e afastou-se na abandonada estradinha que levava para o norte. Eles o viram seguir até ficar fora da visão, e como sempre quando ficavam sozinhos, os três partilharam um complexo sentimento que era parte temor, parte solidão e parte orgulho nervoso.

Cavalgaram em direção à cidade com os cavalos um pouco mais próximos entre si.

5

— Nhá-nhá-nhá, Nhá-nhá-nhá, nada de trazê exe xujo animá-maiado aqui dento, nunca! — gritou Eben Took de seu lugar atrás do balcão.

Tinha uma voz esganiçada, quase feminina; arranhava como estilhaços de vidro a tranquilidade adormecida das mercadorias. Apontava Oi, que espiava do bolso da frente do poncho de Jake. Uma dezena de compradores aleatórios, a maioria mulheres vestidas de roupas caseiras, voltou-se para olhar.

Dois trabalhadores agrícolas, vestidos de camisas cáqui simples, calças brancas sujas e sandálias de couro, que se achavam junto ao balcão, recuaram às pressas, como se esperassem que os dois forasteiros armados logo sacassem os revólveres e mandassem pelos ares sai Took até Calla Boot Hill.

— Sim, senhor — disse Jake, com brandura. — Perdão. — Ergueu Oi do bolso do poncho e deixou-o na varanda ensolarada, logo na saída da porta. — Fique aí, menino.

— Aí, menino — disse o malhado, e enroscou o rabo em forma de mola de relógio em volta das ancas.

Jake tornou a juntar-se aos amigos e os três entraram no empório. Para Susannah, o lugar emanava um cheiro igual aos que frequentara durante seu tempo no Mississippi: um aroma misto de charque, couro, especiarias, café, naftalina e trapaças. Ao lado do balcão, ficava um grande barril com a tampa corrediça semiaberta e um par de pinças pendendo de um gancho próximo. Do barril vinha o forte e lacrimogênico cheiro de picles em salmoura.

— Não tem fiado! — gritou Took, na mesma voz esganizada desagradável. — Eu num dô crédito a ninguém de longe e nunca vô dá! Ocês fala a verdade! Fala obrigado!

Susannah tomou a mão de Eddie e deu-lhe um apertão de advertência. Eddie soltou-a, impaciente, mas quando ele falou, sua voz foi tão branda quanto a de Jake.

— Eu lhe agradeço, sai Took, nós não pediríamos isso! — E lembrou-se de uma coisa que ouvira de père Callahan: — Jamais na vida.

Ouviu-se um murmúrio de aprovação de alguns dos presentes na loja. Nenhum deles se dava mais ao trabalho de fingir que ia comprar alguma coisa. Took ruborizou-se. Susannah tomou mais uma vez a mão de Eddie e deu-lhe um sorriso para acompanhar o aperto.

A princípio, compraram em silêncio, mas antes que terminassem várias pessoas — que haviam estado todas no Pavilhão duas noites antes — disseram olá e perguntaram (timidamente) como eles iam. Os três responderam que iam muito bem. Compraram camisas, incluindo duas para Roland, calças de brim, roupas de baixo e três pares de botas curtas de aparência medonha, mas resistentes. Jake comprou um saco de balas que escolheu apontando, enquanto Took o botava em uma sacola de palha trançada com lentidão relutante e desagradável. Quando tentou comprar um saco de tabaco e alguns papéis de enrolar para Roland, o comerciante recusou-se com um prazer demasiado evidente.

— Nhá-nhá-nhá, nhá-nhá-nhá, num vendo erva de pito pra guri. Jamais vendi.

— E é uma boa ideia — disse Eddie. — Um passo abaixo da erva do diabo, e o Ministério da Saúde agradece. Mas vai vender pra mim, não vai, sai? Nosso dinh gosta de fumar à noite, enquanto planeja novos meios de ajudar as pessoas necessitadas.

Houve alguns risos abafados a isso. O armazém começara a encher-se de maneira impressionante. Eles representavam agora para um verdadeiro público, e Eddie não se importava nem um pouco. Took estava agindo como um babaca, o que não surpreendia. Took claramente *era* um babaca.

— Eu nunca vi um homem dançar uma commala melhor que ele! — gritou um homem de uma das alas.

— Agradeço — disse Eddie. — Vou transmitir a ele.

— E sua dama canta bem — disse outro.

Susannah fez uma mesura sem saia. Terminou suas compras abrindo um pouco mais a tampa do barril e fisgando um enorme espécime com as pinças. Eddie aproximou-se e disse:

— Eu talvez tenha tirado uma coisa verde assim do meu nariz certa vez, mas não consigo me lembrar.

— Não seja grotesco, meu amor — respondeu Susannah, ao mesmo tempo lhe dando um sorriso doce.

Eddie e Jake ficaram satisfeitos por deixá-la assumir a responsabilidade pela barganha, o que ela fez com prazer. Took deu o melhor de si para cobrar um preço excessivo pelas compras deles, mas Eddie suspeitava que isso não visasse a eles especificamente, mas era apenas parte do que Eben Took via como seu trabalho (ou talvez sua sagrada vocação). Sem a menor dúvida, ele era esperto o bastante para medir a temperatura de sua clientela, pois quase deixara de alfinetá-los quando a compra terminou. O que não o impediu de fazer tinirem as moedas deles em um quadrado especial de metal cuja finalidade parecia ser só essa, erguer as granadas de Jake até a luz e rejeitar uma delas (que parecia igual a todas as outras, pelo que Eddie, Jake e Susannah podiam ver).

— Quanto tempo ocês vai ficar aqui, pessoal? — perguntou ele em uma voz meio cordial quando terminou a barganha.

Mas seus olhos eram astuciosos, e Eddie não teve a menor dúvida de que qualquer coisa que dissessem iria chegar aos ouvidos de Eisenhart, Overholser e quem mais importasse antes de o dia chegar ao fim.

— Ah, bem, depende do que vamos ver — disse Eddie. — E o que vamos ver depende do que as pessoas nos mostrarem, não é mesmo?

— Ié — Took concordou, mas pareceu perplexo.

Havia agora umas cinquenta pessoas no espaçoso armazém, a maioria apenas encarando-os. Uma excitação pairava no ar como pó. Eddie gostava disso. Não sabia se era certo ou errado, mas sim, gostava bastante.

— E também depende do que as pessoas querem — acrescentou Susannah.

— Eu vô dizê a ocês o que elas quere, bolinho de chocolate! — Took disse isso com sua voz esganiçada de estilhaçar vidro. — Elas quer paz, o mesmo que sempre! Quer que a cidade inda teja aqui despois que ocês quatro...

Susannah agarrou o polegar do sujeito e curvou-o para trás. A coisa foi feita com destreza. Jake duvidou se mais de dois ou três locais, os mais próximos do balcão, viram, mas a cor no rosto de Took ficou branco e os olhos projetaram-se arregalados das cavidades.

— Eu aceito essa expressão de um velho que perdeu quase todo o juízo — disse ela —, mas não de você. Me chame mais uma vez de bolinho de chocolate, gorducho, que eu arranco a sua língua da boca e limpo teu cu com ela.

— Eu rogo perdão — arquejou Took. O suor agora escorria pelo rosto em gotas grandes e nojentas. — Rogo seu perdão, rogo, sim!

— Ótimo — disse Susannah, e soltou-o. — Agora talvez a gente possa simplesmente sair e se sentar um pouco em sua varanda, pois fazer compras é um trabalho cansativo.

6

O Armazém Geral de Took não exibia Guardiães do Feixe como os de Mejis dos quais falara Roland, porém mais de duas dúzias de cadeiras de balanço enfileiravam-se ao longo da varanda. E todos os três lances de escada eram flanqueados por espantalhos em homenagem à estação. Quando os companheiros de ka de Roland saíram, ocuparam três cadeiras de balanço no meio da varanda. Oi deitou-se, satisfeito, entre os pés de Jake, e pareceu adormecer com o focinho nas patas.

Eddie apontou o polegar para trás na direção de Took.

— É uma grande lástima que Detta Walker não estivesse aqui para furtar algumas coisas desse filho da puta.

— Não pense que não fiquei tentada em nome dela — disse Susannah.

— Gente vindo — disse Jake. — Acho que querem falar conosco.

— É claro que querem — disse Eddie. — É pra isso que estamos aqui. — Sorriu, o belo rosto ficando ainda mais belo. Baixinho, disse: — Apresento-lhes os pistoleiros, minha gente isso-isso-é-commala, tiroteio pela frente.

— Cale essa sua boca má, filho — disse Susannah, mas rindo.

Eles são loucos, pensou Jake. Mas se ele era a exceção, por que também estava rindo?

7

Henchick dos mannis e Roland de Gilead fizeram a refeição do meio-dia à sombra de um imenso afloramento rochoso, comendo frango gelado e arroz envoltos em tortilhas, e bebendo sidra suave de um jarro que trocavam entre si. Henchick iniciou a conversa com um termo que chamava ao mesmo tempo de A Força e O Além, depois se calou. Para Roland, estava tudo bem. O velho respondera sim a uma pergunta que ele precisara fazer.

Quando terminaram a refeição, o sol já se pusera atrás dos altos penhascos e escarpas. Assim eles caminhavam na sombra, seguindo por um caminho coberto de cascalho e estreito demais para os cavalos, deixados em um arvoredo abaixo de choupos-brancos tremulantes e de folhas amarelas. Centenas de minúsculos camaleões corriam na frente deles, às vezes precipitando-se para fendas nas pedras.

Com sombra ou não, era mais quente ali que nos quintos do inferno. Após quase dois quilômetros de subida constante, Roland começou a ofegar e usar seu lenço grande e estampado para enxugar o suor da face e do pescoço. Henchick, que parecia estar em algum ponto na faixa dos oitenta anos, seguia à sua frente com firme serenidade. Respirava com a facilidade de um homem que passeasse em um parque. Deixara a capa embaixo, estendida sobre o galho de uma árvore, mas Roland não via quaisquer manchas de suor em sua camisa preta.

Eles chegaram a uma curva no caminho, e por um momento o mundo a norte e oeste descortinou-se abaixo deles em um esplendor límpido. Roland via os imensos retângulos cinza-amarelados do pasto, e minúsculos bois de brinquedo. Ao sul e a leste, os campos iam ficando mais verdes à medida que os dois avançavam para as planícies fluviais. Ele via a aldeia de Calla, e até —

na onírica distância ocidental — a borda da grande floresta que haviam atravessado para chegar ali. A brisa que os atingia naquele trecho do caminho era tão fria que fez Roland arquejar. Mas ele ergueu o rosto para ela em gratidão, os olhos quase fechados, sentindo o cheiro de todas as coisas que representavam Calla: bezerros, cavalos, grãos, água fluvial e arroz, arroz, arroz.

Henchick tirara o chapéu de aba larga, copa chata, e também ficou com a cabeça erguida e olhos quase fechados, uma imagem de gratidão. O vento soprava seus cabelos para trás e deixava a barba à altura da cintura, dividida em tufos. Os dois ficaram ali talvez uns três minutos, deixando a brisa refrescá-los. Então Henchick recolocou o chapéu na cabeça. Olhou para Roland.

— Você acha que o mundo vai terminar em fogo ou gelo, pistoleiro?

Roland pensou.

— Em nenhuma dessas duas coisas — acabou por dizer. — Acho que em escuridão.

— É o que acha?

— Ié.

Henchick refletiu por um momento, depois retomou a subida. Embora impaciente para chegar ao lugar aonde iam, Roland tocou o ombro dele. Promessa era promessa. Sobretudo feita a uma dama.

— Eu me hospedei ontem à noite com um dos esquecidos — disse. — Não é assim que vocês chamam aqueles que escolhem deixar seu ka-tet?

— Falamos esquecidos, sim — disse Henchick, fitando-o atentamente —, mas não ka-tet. Conhecemos essa palavra, mas não é uma das nossas, pistoleiro.

— De qualquer modo, eu...

— De qualquer modo, você dormiu na Rocking B com Vaughn Eisenhart e nossa filha, Margaret. E ela lançou o disco para você. Não falei dessas coisas quando conversamos ontem à noite, pois sabia delas tão bem quanto você. Em todo caso, tínhamos outros assuntos para discutir, não é? Grutas e tudo mais.

— Tínhamos, sim. — Roland tentou não demonstrar surpresa. Não deve ter conseguido, pois Henchick assentiu ligeiramente a cabeça, os lábios mal visíveis dentro da barba curvando-se em um leve sorriso.

— Os mannis têm meios de saber, pistoleiro; sempre têm.

— Não vai me chamar de Roland?

— Não.

— Ela me pediu para lhe dizer que Margaret do clã do Caminho Vermelho vive muito bem com seu marido pagão, continua vivendo muito bem.

Henchick assentiu. Se isso lhe causou dor, não se revelou, nem em seus olhos.

— Ela está condenada — disse. O tom era de um homem dizendo *Parece que vai fazer sol à tarde.*

— Está me pedindo que diga isso a ela? — perguntou Roland, ao mesmo tempo divertido e horrorizado.

Embora os olhos azuis de Henchick tivessem desbotado e ficado baços com a idade, não havia como não enxergar a surpresa deles a essa pergunta. As emaranhadas sobrancelhas ergueram-se.

— Por que me daria a esse trabalho? — perguntou ele. — Ela sabe. Terá tempo à vontade para se arrepender de seu homem pagão nas profundezas de Na'ar. Ela também sabe disso. Vamos, pistoleiro. Mais um quarto de roda e chegaremos lá. Mas é para cima.

8

E era para cima mesmo, muito acima, na verdade. Meia hora depois, chegaram a um lugar onde um pedregulho tombado bloqueava quase todo o caminho. Henchick contornou-o com cuidado, a calça escura ondulando ao vento, a barba voando para os lados, dedos de unhas longas agarrando-se a pontos de apoio. Roland seguiu-o. O pedregulho estava aquecido pelo sol, mas o vento agora soprava tão frio que ele tremia. Sentia os saltos das botas gastas projetando-se sobre um precipício de talvez mais de seiscentos metros. Se o velho decidisse empurrá-lo, tudo terminaria em uma fração de segundo. E de maneira decididamente não dramática.

Mas não terminaria, pensou. *Eddie continuaria em meu lugar, e os outros dois seguiriam até eles caírem.*

No outro lado do pedregulho, o caminho terminava em um buraco escuro de uns três metros de altura por um metro e meio de largura. Uma corrente de ar soprou no rosto de Roland. Ao contrário da brisa que passava por eles quando subiam o caminho, aquele ar era malcheiroso e desagradável. Chegando junto, transportados por ele, ouviram-se gritos que Roland não conseguiu entender. Mas eram gritos de vozes humanas.

— São os gritos do pessoal lá em Na'ar estes que estamos ouvindo? — perguntou a Henchick.

Nenhum sorriso tocou os lábios do velho, agora quase escondidos.

— Não fale em tom de ironia — disse ele. — Aqui, não. Pois você está na presença do infinito.

Roland era capaz de acreditar nisso. Avançou cuidadosamente, as botas rangendo nos grãos de cascalho, a mão caindo até a coronha do revólver

— que estava sempre do lado esquerdo agora, quando ele a usava; sob a mão inteira.

O fedor que se exalava da boca aberta da gruta tornou-se ainda mais forte. Nocivo, se não completamente tóxico. Roland levou o lenço à boca e ao nariz com a mão reduzida. Alguma coisa dentro da gruta, ali nas sombras. Ossos, sim, ossos de lagartos e outros animais pequenos, mas alguma outra coisa também, uma forma que ele conhecia...

— Tenha cuidado, pistoleiro — disse Henchick, mas manteve-se de lado para deixar Roland entrar na gruta se assim desejasse.

Meus desejos não importam, pensou Roland. *Isto é apenas uma coisa que tenho de fazer. Provavelmente isso torna tudo mais simples.*

A forma na gruta ficou mais clara. Ele não se surpreendeu ao ver que era uma porta exatamente igual àquelas a que encontrara na praia; por qual outro motivo teria este local sido chamado de Gruta da Porta? Feita de pau-ferro (ou talvez coroa-de-cristo), ficava a uns seis metros da entrada da gruta. Tinha pouco mais de dois metros de altura, como as portas na praia. E, como aquelas, erguia-se nas sombras, com dobradiças que pareciam presas a nada.

Mas giraria nessas dobradiças facilmente, ele pensou. *Vai girar. Quando chegar a hora.*

Não tinha fechadura. A maçaneta parecia de cristal. Gravada em água-forte, via-se uma rosa. Na praia do mar Ocidental, as três portas haviam sido assinaladas com a Língua Superior: O PRISIONEIRO em uma, A DAMA DAS SOMBRAS em outra, O EMPURRADOR na terceira. Ali estavam também os hieróglifos que vira na caixa escondida na igreja de Callahan:

— Quer dizer "desconhecida" — explicou Roland.

Henchick assentiu, mas quando Roland se moveu para contornar a porta, o velho deu um passo à frente e estendeu a mão.

— Tome cuidado, ou talvez consiga descobrir sozinho a quem essas vozes pertencem.

Roland entendeu o que ele quis dizer. A cerca de três metros além da porta, o piso da gruta caía em um ângulo de cinquenta ou sessenta graus. Não havia nada a que se segurar, e a rocha parecia lisa como vidro. A menos de dez metros embaixo, esse escorrega deslizante desaparecia em um abismo. Vozes gemendo entrelaçadas dali se elevavam. E então chegou uma nítida. Era a de Gabrielle Deschain.

— *Roland, não!* — gritou das trevas a sua mãe morta. — *Não atire, sou eu! É sua m...* — Mas antes que ela pudesse terminar, o estrondo sobreposto de disparos a silenciou. A dor atingiu a cabeça de Roland. Apertava o lenço no rosto com força quase suficiente para quebrar o nariz. Tentou relaxar os músculos no braço e a princípio não conseguiu.

Daquela escuridão malcheirosa veio em seguida a voz do pai.

— Eu soube desde que você começou a andar que não era nenhum gênio — disse Steven Deschain em uma voz cansada —, mas jamais acreditei até a noite de ontem que você era um idiota. Deixá-lo conduzi-lo como uma vaca a uma queda-d'água! Deuses!

Não tem importância. Não são nem fantasmas. Acho que são apenas ecos, de algum modo tirados do fundo da minha cabeça e projetados.

Quando contornou a porta (atento ao precipício agora à direita), a porta desaparecera. Só havia a silhueta de Henchick, uma severa forma de homem cortada de papel preto em pé na boca da gruta.

A porta continua ali, mas você só pode vê-la de um lado. E nesse aspecto também é igual às outras portas.

— Um tanto agoniante, não é? — riu a voz abafada de Walter, do fundo da goela da Gruta da Porta. — Desista, Roland! É melhor desistir e morrer do que descobrir que o aposento no topo da Torre Negra está vazio.

Então veio o urgente soar da trombeta de Eld, fazendo eriçar os pelos nos braços e na nuca de Roland: o grito da batalha final de Cuthbert Allgood quando se precipitou pela Colina de Jericó abaixo ao encontro de sua morte nas mãos dos bárbaros de rostos azuis.

Roland afastou o lenço do rosto e recomeçou a andar. Um passo; dois; três. Ossos eram esmagados sob os saltos de suas botas. No terceiro passo, a porta reapareceu, a princípio de lado, com o trinco parecendo pairar no ar rarefeito, como as dobradiças no outro lado. Ele parou por um momento, contemplando sua solidez, saboreando a estranheza da porta exatamente como saboreara a estranheza das que encontrara na praia. E na praia estivera doente, à beira da morte. Se movia um nada a cabeça para a frente, a porta desaparecia. Se tornava a recuá-la, ela estava ali. A porta nunca oscilava nem tremeluzia. Era sempre um caso de estar/não estar, ali/não ali.

Refez todo o caminho de volta, pôs as mãos espalmadas no pau-ferro, curvou-se sobre elas. Sentiu uma fraca vibração, como se apalpasse uma possante maquinaria. Da soturna goela da gruta, Rhea do Cöos gritou-lhe, chamando-o de um fedelho que jamais vira o verdadeiro rosto de seu pai, contando-lhe que sua putinha gritou sem parar enquanto queimava na fogueira. Roland ignorou-a e pegou a maçaneta de cristal da porta.

— Não, pistoleiro, não ouse! — gritou Henchick, alarmado.

— Eu ouso — disse Roland. E o fez, mas a maçaneta não girou em nenhuma direção. Ele recuou.

— Mas a porta estava aberta quando você encontrou o père? — perguntou ele a Henchick. Os dois haviam conversado sobre isso na noite anterior, mas Roland queria saber mais.

— Sim. Fomos eu e Jemmin que o encontramos. Você sabe que nós, anciãos manni, buscamos os outros mundos? Não por riquezas, mas por esclarecimentos?

Roland assentiu com a cabeça. Também sabia que muitos haviam voltado insanos. Outros nem sequer voltaram.

— Essas montanhas são magnéticas e crivadas com muitos acessos a muitos mundos. Havíamos ido a uma gruta perto das velhas minas de granada e lá encontramos uma mensagem.

— Que tipo de mensagem?

— Havia uma máquina instalada na boca da gruta — disse Henchick. — A gente apertava um botão e uma voz saía dela. A voz nos disse para vir até aqui.

— Você sabia da existência dessa gruta antes?

— Sim, mas antes da chegada do père era chamada Gruta das Vozes. Pelo motivo que você agora sabe.

Roland assentiu e fez um sinal com a mão para que Henchick continuasse.

— A voz da máquina falava com sotaque igual ao de seus companheiros de ka, pistoleiro. Dizia que devíamos vir aqui, Jemmin e eu, que encontraríamos uma porta, um homem e uma maravilha. Assim fizemos.

— Alguém deixou instruções a vocês — meditou Roland. Era em Walter que ele pensava. O homem de preto, que também deixara os biscoitos que Eddie chamava de Keeblers. Walter era Flagg, Flagg era Marten e Marten... seria ele Maerlyn, o velho e trapaceiro feiticeiro da lenda? Sobre essa questão, Roland continuava inseguro. — E se dirigiu a vocês pelo nome?

— Não, não sabia tanto. Só nos chamou de pessoal manni.

— Como esse alguém soube onde deixar a máquina de voz, você sabe?

Os lábios de Henchick afinaram-se.

— Por que você precisa achar que era uma pessoa? Por que não um deus falando com voz humana? Por que não um agente do Outro Lado?

Roland disse:

— Os deuses deixam sinais. Os homens deixam máquinas. — Fez uma pausa. — Pela minha experiência, claro, pai.

Henchick fez um gesto brusco, como se a dizer a Roland que dispensasse a adulação.

— Era de conhecimento generalizado que você e seus amigos estavam explorando a gruta onde acharam a máquina falante?

Henchick deu de ombros um tanto carrancudo.

— As pessoas nos veem, eu imagino. Algumas talvez observem a quilômetros de distância com seus telescópios e binóculos. E também há o homem mecânico. Ele vê muito e tagarela sem parar com todos que se dispõem a ouvir.

Roland interpretou isso como um sim. Achou que alguém soubera que père Callahan ia chegar. E que precisaria de ajuda quando chegasse às imediações de Calla.

— Até onde a porta estava aberta? — perguntou Roland.

— Essas perguntas são para Callahan — respondeu Henchick. — Eu prometi lhe mostrar este lugar. E mostrei. Certamente isso lhe basta.

— Ele estava consciente quando o encontrou?

Houve uma pausa relutante. Em seguida:

— Não. Apenas murmurando baixo, como a gente faz no sono quando se tem um pesadelo.

— Então ele não vai poder me dizer, não é? Essa parte, não. Henchick, você busca ajuda e socorro. Isso você me disse em nome de todos os seus clãs. Ajude-me então! Ajude-me então a ajudá-lo!

— Eu não vejo como isso ajuda.

E talvez não ajude, não na questão dos Lobos que tanto atormentava aquele velho e as demais pessoas de Calla Bryn Sturgis, mas Roland tinha outras preocupações e outras necessidades; outros peixes para fritar, como às vezes dizia Susannah. Continuou fitando Henchick, a mão ainda na maçaneta da porta.

— Estava um pouco aberta — acabou dizendo Henchick. — A caixa também. As duas só um pouquinho. Aquele a quem chamam de o Velho estava deitado de bruços, ali. — Apontou o piso coberto de detritos de cascalho e ossos onde se apoiavam agora as botas de Roland. — A caixa junto à mão direita dele, aberta este tanto. — Henchick estendeu o polegar e o indicador talvez uns seis centímetros um do outro. — Saindo dela, o barulho dos *kammen*. Eu já o ouvi antes, mas não tão alto. Eles fizeram meus próprios olhos doerem e jorrarem água. Jemmin gritou e começou a se encaminhar para a porta. As mãos do Velho estendiam-se abertas no chão e Jemmin pisou em uma delas sem nem perceber.

"A porta estava apenas entreaberta, como a caixa, mas uma luz terrível saía dela. Eu viajei muito, pistoleiro, a vários *ondes* e a vários *quandos*. Vi outras portas e vi todash tahken, os buracos na realidade, mas nunca qualquer luz como aquela. Era preta, como todo o vazio que já existiu, mas havia algo vermelho."

— O Olho — disse Roland.

Henchick olhou-o.

— Um olho? Acha que é mesmo?

— *Acho*, sim — confirmou Roland. — A escuridão que você viu é lançada pelo Treze Preto. O vermelho poderia ser o Olho do Rei Rubro.

— Quem é ele?

— Eu não sei — disse Roland. — Só que ele está a extremo leste daqui, no Trovão, ou além dele. Creio que talvez seja um Guardião da Torre Negra. É possível até que se julgue dono dela.

À menção por Roland da Torre, o velho cobriu os olhos com as duas mãos, um gesto de profundo temor religioso.

— O que aconteceu em seguida, Henchick? Diga, eu peço.

— Eu comecei a ir na direção de Jemmin, então me lembrei que ele pisara na mão do homem com o salto da bota, e pensei melhor. Pensei: "Henchick, se você fizer isso, ele vai arrastá-lo consigo". — Os olhos do velho cravaram-se nos de Roland. — Viajar é o que fazemos, sei que você sabe muito bem como é, e raras vezes sentimos medo, pois confiamos no Outro Lado. Mas eu senti medo daquela luz e do som daqueles sinos. Pavor deles. Eu jamais falei desse dia.

— Nem a père Callahan?

Henchick fez que não com a cabeça.

— Ele falou com você quando acordou?

— Perguntou se estava morto. Eu disse que se estivesse todos estaríamos também.

— E Jemmin?

— Morreu dois dias depois. — Henchick bateu na frente da camisa preta. — Coração.

— Faz quantos anos que encontrou Callahan aqui?

Henchick balançou a cabeça devagar em movimentos longos de um lado para o outro, um gesto manni tão comum que poderia ser genético.

— Pistoleiro, eu não sei. Pois o tempo...

— Sim, está sem rumo — disse Roland, impaciente. — Quanto tempo você *diria*?

— Há mais de cinco anos, pois ele tem igreja e tolos supersticiosos para enchê-la, você sabe.

— O que foi que você fez? Como salvou Jemmin?

— Ajoelhei-me e fechei a caixa — disse Henchick. — Foi só o que me ocorreu fazer. Se houvesse hesitado um único segundo, creio que eu estaria perdido, levado pela mesma luz preta que saía dela. Fez-me sentir fraco e... *apagado*.

— Aposto que sim — disse Roland sombriamente.

— Mas eu agi rápido, e quando a tampa da caixa se fechou com um clique, a porta girou e fechou-se. Jemmin socava-a com os punhos, gritava e implorava para que o deixassem transpô-la. Depois caiu, desmaiado. Arrastei-os, ele e Callahan, para fora da gruta. Após algum tempo no ar fresco, os dois voltaram a si. — Henchick ergueu as mãos e baixou-as em seguida, como se para dizer: *Pronto, aí está*.

Roland fez uma última tentativa na maçaneta da porta. Não se moveu em nenhuma das duas direções. Mas com o globo...

— Vamos voltar — disse ele. — Gostaria de estar na casa do père por volta da hora do jantar. Isso significa uma rápida caminhada até os cavalos e uma cavalgada ainda mais rápida assim que chegarmos lá.

Henchick assentiu. Seu rosto barbudo era bom em esconder a expressão, mas Roland achou que o velho estava aliviado por ir embora dali. Ele mesmo também estava um pouco aliviado. Quem gostaria de ficar ouvindo os gritos acusatórios da mãe morta e do pai erguendo-se das trevas? Para não falar dos gritos dos amigos mortos?

— O que aconteceu com a máquina falante? — perguntou Roland, quando começaram a descer o caminho de volta.

Henchick deu de ombros.

— Você conhece baderias?

Baterias. Roland assentiu.

— Enquanto elas funcionaram, a máquina tocava a mesma mensagem repetidas vezes, a que nos dizia que devíamos ir à Gruta das Vozes e encontrar um homem, uma porta e uma maravilha. Também havia uma música. Nós a tocamos uma vez para o père, e ele chorou. Você precisa perguntar-lhe a respeito, pois esta é verdadeiramente parte da história dele.

Roland assentiu mais uma vez.

— Então as baderias acabaram. — O encolher de ombros de Henchick mostrou um certo desprezo pelas máquinas, pelo mundo que se foi, ou talvez pelas duas coisas. — Nós as retiramos. Eram Duracell. Conhece Duracell, pistoleiro?

Roland fez que não com a cabeça.

— Nós as levamos para Andy e perguntamos se talvez pudesse recarregá-las. Ele as botou dentro de si mesmo, mas quando tornaram a sair estavam tão inúteis quanto antes. Andy se desculpou. Nós agradecemos. — Henchick mexeu os ombros naquele mesmo gesto de desprezo.

— Abrimos a máquina, outro botão fazia isso, e a língua saiu. Era deste tamanho. — Henchick afastou as mãos no que correspondia a uns dez ou doze centímetros. — Dois furos. Material marrom brilhante dentro, como barbante. O père chamou-a de "fita cassete".

Roland assentiu.

— Eu quero lhe agradecer por me levar à gruta lá em cima, Henchick, e por me contar tudo o que sabe.

— Eu fiz o que tinha de fazer — disse Henchick. — E você fará o que prometeu. Não vai?

Roland de Gilead fez que sim com a cabeça.

— Que Deus escolha um vencedor.

— Sim, assim dizemos nós. Fala como se nos conhecesse de outrora. — Fez uma pausa, encarando Roland com um tipo de astúcia amarga. — Ou só está fingindo para mim que conhece? Pois qualquer um que leu o Bom Livro adula até os corvos voarem para casa.

— Pergunta se faço o jogo de bajulação, logo aqui onde não há ninguém para nos ouvir além delas? — Roland indicou as trevas murmurantes. — Sabes melhor das coisas, eu espero, pois se não sabe, é um tolo.

O velho refletiu, depois estendeu a mão nodosa de dedos longos.

— Seja bem-sucedido, Roland. Tem um nome bom e justo.

Roland estendeu a mão direita. E quando o velho a tomou e apertou, ele sentiu a primeira pontada de dor onde queria menos senti-la.

Não, ainda não. Onde eu menos gostaria de sentir é na outra. A que ainda está inteira.

— Talvez desta vez os Lobos matem todos nós — disse Henchick.

— Talvez.

— Ainda assim, talvez nosso encontro seja fortuito.

— Talvez seja — respondeu o pistoleiro.

9. CONCLUSÃO DA HISTÓRIA DO PADRE (DESCONHECIDA)

1

— As camas estão prontas — disse Rosalita Munoz quando eles voltaram.

Eddie estava tão cansado que achou que ela dissera alguma coisa inteiramente diferente... *Hora de capinar o jardim, talvez, ou Tem mais cinquenta ou sessenta pessoas que gostariam de conhecê-lo esperando lá na igreja.* Afinal, quem falava de camas às três da tarde?

— Hã? — perguntou Susannah com olhos injetados. — O que disse, meu bem? Não entendi direito.

— As camas estão prontas — repetiu a governanta do père. — Vocês dois vão ficar onde dormiram na noite de anteontem; o mocinho vai ficar na cama do père. E o malhado pode ir com você, Jake, se quiser; o père me pediu pra lhes dar este recado. Estaria aqui pra dizer pessoalmente, se hoje não fosse sua tarde de visita aos doentes. Ele lhes dá a comunhão. — Disse as últimas palavras com inconfundível orgulho.

— Cama — disse Eddie. Não conseguia exatamente captar o sentido disso. Olhou em volta, como para confirmar que ainda era o meio da tarde, que o sol continuava a brilhar. — Cama?

— O père viu vocês no depósito — acrescentou Rosalita — e achou que iam querer tirar um cochilo após falar com aquelas pessoas.

Eddie entendeu, afinal. Imaginou que em algum ponto de sua vida devia ter se sentido mais grato por uma bondade, mas francamente não conseguiu lembrar quando nem que tipo de bondade poderia ter sido.

A princípio, os que se aproximaram deles, quando sentados ali nas cadeiras de balanço na varanda de Took, haviam chegado devagar, em hesitantes e pequenos grupos. Mas quando ninguém virou pedra nem levou uma bala na cabeça — quando houve, de fato, uma conversa animada e risadas —, mais e mais foram chegando. Quando o fio d'água se tornou um dilúvio, Eddie acabou descobrindo o que era ser uma pessoa pública. Ficou assombrado ao ver como isso era difícil, extenuante. Eles queriam respostas simples a milhares de perguntas complexas — de onde vieram os pistoleiros e aonde iam foram apenas as duas primeiras. Algumas das perguntas podiam ser respondidas honestamente, porém cada vez mais Eddie se ouviu dando respostas evasivas de políticos e ouviu os dois amigos fazendo o mesmo. Não eram exatamente mentiras, mas frases de efeito que pareciam respostas. E todo mundo queria um olhar direto no rosto e um *Passe bem* que soasse direto do coração. Até Oi participou; era afagado repetidas vezes e obrigado a falar até Jake levantar-se, entrar na loja e pedir uma tigela de água a Eben Took. Este cavalheiro deu-lhe, contudo, uma caneca fina e disse-lhe que podia enchê-la no bebedouro defronte lá fora. Jake foi cercado por locais que o questionaram sem parar mesmo quando ele fazia essa simples tarefa. Oi esvaziou a caneca com lambidas, depois enfrentou sua própria multidão de inquisidores curiosos, enquanto Jake voltava ao bebedouro para encher novamente a caneca.

No cômputo geral, foram as cinco horas mais longas a que Eddie já se submetera, e ele achou que jamais pensaria nas celebridades da mesma maneira. Pelo menos, antes de finalmente deixar a varanda e voltar para a residência do Velho, Eddie calculou que deviam ter falado com todo mundo que morava na cidade e um bom número de fazendeiros, pecuaristas, caubóis e trabalhadores que moravam além. A notícia viajava rápido: os forasteiros estavam sentados na varanda do Depósito Geral, e se você quisesse conversar com eles, eles conversariam com você.

E agora, meu Deus, esta mulher, este *anjo*, falava de camas.

— Quanto tempo temos? — perguntou a Rosalita.

— O père deve estar de volta às quatro — disse ela —, mas só comeremos às seis, e isto só se o dinh de vocês voltar a tempo. Por que não os acordo às cinco e meia? Assim terão tempo para se lavar. Está bem para vocês?

— Sim — disse Jake, e deu-lhe um sorriso. — Eu não sabia como apenas conversar com pessoas pode deixar a gente tão cansado. E com sede.

Ela assentiu.

— Tem um jarro de água fria na despensa.

— Eu deveria ajudá-la a preparar a refeição — disse Susannah, e logo abriu a boca em um enorme bocejo.

— Sarey Adams já está vindo ajudar — disse Rosalita —, e é apenas uma refeição fria, de qualquer modo. Vão logo. Descansem. Vocês estão mortos de cansaço, e dá pra ver.

2

Na despensa, Jake bebeu até se saciar, depois despejou água em uma tigela para Oi e levou-a para o quarto do père Callahan. Sentia-se culpado por estar ali (e por levar um malhado consigo), mas as cobertas da estreita cama de Callahan haviam sido viradas para baixo, o travesseiro afofado, e as duas coisas o chamavam. Pôs a tigela no chão e Oi começou em silêncio a lamber a água. Jake se despiu e ficou só com suas roupas de baixo novas, depois se deitou e fechou os olhos.

Provavelmente, não vou conseguir dormir, pensou. *Nunca fui muito bom em tirar sonecas, mesmo na época em que a sra. Shaw me chamava de Bama.*

Menos de um minuto depois, roncava levemente, com um braço atirado sobre os olhos. Oi dormia a seu lado no chão com o focinho em uma das patas.

3

Eddie e Susannah sentavam-se lado a lado na cama do quarto de hóspedes. Eddie ainda mal podia acreditar nisso: não apenas uma soneca, mas uma soneca em uma cama de verdade. Luxo em cima de luxo. Não queria mais que se deitar, tomar Suze nos braços e dormir assim, mas uma questão precisava ser tratada primeiro. Estivera o incomodando o dia todo, mesmo no auge da politicagem improvisada deles.

— Suze, sobre o gran-pére de Tian…

— Não quero saber — disse ela de chofre.

Ele ergueu as sobrancelhas, surpreso. Embora imaginasse o motivo.

— Podíamos falar disso — disse ela —, mas estou cansada. Quero dormir. Conte a Roland o que o velho lhe contou, e conte a Jake se quiser, mas não me conte. Ainda não. — Sentava-se junto a ele, a coxa marrom tocando a sua branca, os olhos castanhos encarando firme os cor de avelã dele. — Está me ouvindo?

— Ouvindo muito bem.

— Obrigadíssima.

Ele riu, tomou-a nos braços e beijou-a.

Logo depois os dois dormiam com os braços enlaçados e as testas se tocando. Um retângulo de luz subia ininterrupto pelo corpo deles enquanto o sol afundava. Voltara para o verdadeiro oeste, pelo menos por enquanto. Roland viu isso por si mesmo cavalgando devagar pela alameda que levava à casa paroquial do Velho, com as pernas doloridas livres dos estribos.

4

Rosalita saiu para cumprimentá-lo.

— Salve, Roland, longos dias e belas noites.

Ele assentiu.

— Que você tenha tudo isso em dobro.

— Eu soube que você talvez peça a algumas de nós para lançarmos o prato contra os Lobos, quando eles chegarem.

— Quem lhe disse isso?

— Ah... um passarinho sussurrou no meu ouvido.

— E você aceitaria? Se eu pedisse?

Ela mostrou os dentes arreganhando os lábios.

— Nada nesta vida me daria mais prazer. — Os dentes desapareceram e os lábios suavizaram-se em um sorriso genuíno. — Embora talvez nós dois juntos possamos descobrir um prazer que chega perto. Gostaria de conhecer meu chalezinho, Roland?

— Sim. E você me esfregaria com aquele seu óleo mágico?

— Gostaria de ser esfregado?

— Sim.

— Esfregação pesada ou esfregação leve?

— Ouvi dizer que um pouco das duas melhora uma junta dolorida.

Ela pensou nisso, desatou a rir e tomou-lhe a mão.

— Vamos. Enquanto o sol brilha e este cantinho do mundo dorme.

Ele foi com ela de bom grado aonde o levou. Ela mantinha uma fonte secreta cercada de musgo macio, e ali ele se refrescou.

5

Callahan chegou afinal por volta das cinco e meia, no momento em que Eddie, Susannah e Jake estavam acordando. Às seis, Rosalita e Sarey Adams serviram um jantar de salada de folhas e frango no alpendre atrás da casa paroquial. Roland e os amigos comeram famintos, o pistoleiro servindo-se não apenas duas, mas três vezes. Callahan, por outro lado, pouco fez além de remexer a comida no prato. O bronzeado no rosto dava-lhe uma certa aparência de saúde, mas não escondia as olheiras. Quando Sarey — mulher jovial, animada, gorda, mas ágil — estendeu um bolo de especiarias, ele só balançou a cabeça.

Quando nada restara na mesa além das xícaras e do bule de café, Roland pegou o tabaco e ergueu as sobrancelhas.

— Vá em frente — disse Callahan, elevando em seguida a voz. — Rosie, traga alguma coisa pra este sujeito bater o cigarro!

— Cara, eu poderia passar o dia inteiro ouvindo você — disse Eddie.

— Eu também — concordou Jake.

Callahan sorriu.

— Sinto o mesmo em relação a vocês, meninos, pelo menos um pouco. — Serviu-se de uma xícara de café. Rosalita trouxe para Roland um pote de cerâmica para as cinzas. Depois que ela se foi, o Velho disse:

— Eu deveria ter terminado essa história ontem. Passei quase toda a noite de ontem remexendo e revirando, pensando em como contar o resto.

— Ajudaria se eu lhe dissesse que já sei parte dela? — perguntou Roland.

— Provavelmente não. Você foi à Gruta da Porta com Henchick, não foi?

— Sim. Ele disse que havia uma música na máquina falante que os enviou até lá para encontrar você, e que você chorou quando a ouviu. Foi aquela que nos falou sobre?

— "Someone Saved My Life Tonight", sim. E mal consigo dizer como foi estranho estar sentado em uma cabana manni em Calla Bryn Sturgis, olhando através da escuridão do Trovão e ouvindo Elton John.

— Espera, espera — exclamou Susannah. — Está muito à frente de nós, père. A última coisa que soubemos foi que você estava em Sacramento, era 1981 e tinha acabado de descobrir que seu amigo fora machucado por esses tais Irmãos Hitler. — Encarou severamente Callahan, depois Jake e por fim Eddie. — É preciso que eu diga, cavalheiros, que vocês não parecem ter feito muito progresso na questão de viver em paz desde os dias em que deixei os Estados Unidos.

— Não me culpe por isso — disse Jake. — Eu estava na escola.

— E eu, chapado — disse Eddie.

— Tudo bem, eu assumo a culpa — disse Callahan, e todos riram.

— Termine sua história — pediu Roland. — Talvez durma melhor esta noite.

— Talvez sim — disse Callahan. Pensou por um minuto, depois continuou. — O que me lembro do hospital, e imagino que seja o que todo mundo se lembre, é o cheiro de desinfetante e o barulho das máquinas. Sobretudo as máquinas. A maneira como emitiam bipes. A única outra coisa que soa assim é o equipamento na cabine de aviões. Perguntei certa vez a um piloto, e ele disse que é a engrenagem da aeronavegação que faz esse barulho. Lembro que pensei naquela noite que devia haver navegação pra cacete ocorrendo nas Unidades de Tratamento Intensivo de um hospital.

"Rowan Magruder não era casado quando eu trabalhava no Lar, mas deduzi que isso devia ter mudado, pois havia uma mulher sentada na cadeira junto à sua cama, lendo um livro. Bem-vestida, um belo terninho verde, meias de náilon, sapatos de saltos baixos. Pelo menos estava tranquilo em relação a conhecê-la; tinha me lavado e penteado o melhor que pude, e não tinha tomado um trago desde Sacramento. Mas assim que ficamos cara a cara, não me senti nada bem. Ela estava sentada com as costas para a porta, entendam. Eu bati no batente, ela se virou pra mim, e a minha tranquilidade foi pro brejo. A primeira vez desde a noite em que Rowan e eu visitamos Lupe naquele mesmo lugar. Podem imaginar por quê?"

— Claro — disse Susannah. — Porque as peças se encaixaram. *Sempre* se encaixam. Temos visto isso repetidas vezes. Só não sabemos qual é a imagem.

— Nem entendê-la — disse Eddie.

Callahan fez que sim com a cabeça.

— Era como olhar Rowan, só que com cabelos louros e seios. Sua irmã gêmea. E ela riu. Perguntou se eu achava que tinha visto um fantasma. Eu achei... surreal. Como se houvesse deslizado para dentro de outro daqueles mundos, igual ao real, como se existisse tal coisa, mas não exatamente o mesmo. Senti uma vontade louca de puxar a carteira e ver quem estava nas cédulas. Não era apenas a semelhança; era o sorriso. Sentada ali ao lado de um homem que tinha o rosto dela, supondo que lhe houvesse até mesmo restado algum rosto sob as ataduras, e rindo.

— Bem-vindo ao quarto 19 do Hospital Todash — disse Eddie.

— Como?

— Só quis dizer que conheço a sensação, Don. Todos nós conhecemos. Continue.

— Eu me apresentei e perguntei se podia entrar. E quando perguntei, estava pensando de novo em Barlow, o vampiro. Pensando: *Você tem de convidá-los a primeira vez. Depois, eles chegam e vão embora como bem entendem.* Ela me disse, claro, que eu podia entrar. Que viera de Chicago para ficar com ele no que chamou de "suas horas finais". Depois, naquela mesma voz agradável, disse: "Eu soube quem era você no mesmo instante. É a cicatriz em sua mão. Nas cartas dele, Rowan disse que tinha quase toda a certeza de que você foi um homem religioso em sua outra vida. Ele falava o tempo todo sobre as outras vidas das pessoas, querendo dizer antes de começarem a beber, a usar drogas, a enlouquecer, ou todas as três coisas juntas. Esse era um carpinteiro em sua outra vida. Aquela era uma modelo em sua outra vida. Ele estava certo sobre você?". Tudo com aquela voz era agradável. Como uma mulher batendo papo em uma festa. E Rowan ali deitado com a cabeça coberta de ataduras. Se estivesse usando óculos, pareceria Claude Rains em *O homem invisível.*

"Eu entrei. Disse que tinha sido, sim, um homem religioso, mas tudo isso era coisa do passado. Ela estendeu a mão. Estendi a minha. Porque, vocês sabem, achei..."

6

Ele estendeu a mão porque achou que ela quisesse apertar a dele. A voz agradável o enganara. Callahan não percebe que o que Rowena Magruder Rawlings está fazendo na verdade é erguendo a mão, não estendendo-a. A princípio, nem chega a perceber que levou um tapa, e forte o bastante para fazer o ouvido esquerdo tinir e o olho esquerdo lacrimejar; tem uma ideia confusa de que o súbito calor a subir-lhe pelo lado esquerdo da face devia ser algum tipo de alergia qualquer, talvez uma reação ao estresse. E logo ela está avançando para cima dele com lágrimas escorrendo pelo rosto estranhamente idêntico ao de Rowan.

— Vá até lá e olhe para ele — diz. — Porque, sabe de uma coisa? Esta é a outra vida do meu irmão! A única que lhe restou! Chegue bem perto e dê uma boa olhada nela. Eles também arrancaram seus olhos, tiraram uma de suas bochechas... dá pra você ver os dentes ali: cadê? A polícia me mostrou fotografias. Não queriam, mas eu os obriguei. Eles fizeram um furo no coração dele, mas acho que os médicos taparam. É o fígado que o está matando. Também fizeram um furo ali, e o órgão está se acabando.

— Srta. Magruder, eu...

— É sra. Rawlings — ela o corrige —, não que isso tenha importância para você, de um jeito ou de outro. Ande. Dê uma boa olhada. Veja o que fez a ele.

— Eu estava na Califórnia... Li no jornal...

— Ah, claro. Claro. Mas você é o único que eu posso agarrar, não entende? O único que era próximo dele. O outro amigo dele morreu do Mal de Bicha, e os demais não estão aqui. Estão comendo de graça lá na espelunca dele, imagino, ou conversando sobre o que aconteceu em suas reuniões. Como isso os fazem se sentirem. Bem, reverendo Callahan, ou é padre? Eu vi você se persignar... deixe-me lhe dizer o que isto me faz sentir. Isto... me deixa... FURIOSA.

A sra. Rawlings continua falando na voz agradável, mas quando ele abre a boca para falar, ela coloca um dedo nos lábios dele, e a força com que esse único dedo aperta seus dentes é tanta que ele desiste. Deixe que ela fale, por que não? Faz anos desde que ouviu uma confissão, mas algumas coisas são como andar de bicicleta.

— Ele se formou com louvor na Universidade de Nova York. Sabia disso? Tirou segundo lugar no Concurso do Prêmio de Poesia Beloit em 1949, sabia disso? Ainda como estudante universitário! Ele escreveu um romance, um lindo romance, que está no meu sótão se enchendo de poeira.

Callahan sente respingos em seu rosto. Vêm da boca da sra. Rawlings.

— Eu pedi a ele... não, implorei... que continuasse com a escrita e ele riu de mim, dizendo que não era bom. "Deixe isso para os Mailer, O'Hara e Irwin Shaw",

disse, "pessoas que realmente sabem como fazer. Eu ia acabar em um escritório qualquer de bacana, dando baforadas num cachimbo de magnesita e parecendo o Mr. Chips."

"E isso também teria sido muito bom — diz ela —, mas então ele se envolveu com o programa dos Alcoólicos Anônimos, e daí foi um pulo fácil pra dirigir aquela espelunca. E andar com os amigos dele. Amigos como você."

Callahan fica pasmo. Jamais ouviu a palavra amigos revestida de tanto desprezo.

— Mas cadê eles, agora que meu irmão está na pior e indo embora? — pergunta-lhe Rowena Magruder Rawlings — Hein? Cadê todas as pessoas que ele curou, todos os repórteres que o chamam de gênio? Cadê Jane Pauley? Ela o entrevistou no programa Today, sabe. Duas vezes! Cadê aquela porra da Madre Teresa? Ele disse em uma de suas cartas que o pessoal a chamava de santinha quando ela foi ao Lar, bem, ele precisava de uma santa agora, meu irmão precisava de uma santa agora, alguma mão estendida, então, onde diabos está ela?

Lágrimas escorriam pelo rosto dela. O peito subindo e descendo. Ela é linda e terrível. Callahan pensa em uma fotografia que viu certa vez de Shiva, o deus destruidor hindu. Falta alguns braços, pensa, e trata de reprimir uma vontade urgente, louca, suicida de rir.

— Não estão aqui. Só tem eu e você, certo? E ele. Rowan podia ter ganhado um Prêmio Nobel de Literatura. Ou ensinado quatrocentos alunos por ano durante trinta anos. Tocado doze mil mentes com isso. Em vez disso, está aqui deitado em uma cama de hospital com o rosto retalhado, vai precisar de vaquinha da porra da espelunca dele pra pagar sua doença final, se ser despedaçado pode ser chamado de doença, o caixão e o enterro.

Ela olha para ele, rosto franco e sorrindo, a face brilhando de umidade e fios de muco pendendo-lhe do nariz.

— Na outra vida anterior dele, padre Callahan, ele foi o Anjo da Rua. Mas esta é sua outra vida final. Encantadora, né? Vou atravessar o corredor até a cantina pra pegar um café e uma fatia de bolo. Vou ficar lá uns dez minutos. Tempo de sobra pra você fazer sua visitinha. Faça-me o favor de não estar mais aqui quando eu voltar. Você e todos os outros dos caridosos dele me dão nojo.

Ela sai. Os saltos baixos vão se afastando com um clique-clique contínuo. Só quando este se extingue completamente ele percebe que está tremendo da cabeça aos pés. Não acha que seja o início do delirium tremens, mas por Deus que é como parece.

Quando Rowan fala por baixo de seu rígido véu de ataduras, Callahan quase grita. O que seu amigo diz é muito truncado, mas ele não tem o menor problema para entender.

— Ela pregou esse sermão no mínimo oito vezes hoje, e não se dá ao trabalho de dizer a ninguém que no ano em que eu tirei o segundo lugar no Beloit, só havia quatro nomes concorrendo. Imagino que a guerra tenha arrancado muito da poesia das pessoas. Como tem passado, Don?

A dicção é péssima, a voz que a conduz pouco mais que um sussurro, mas é Rowan, com certeza. Callahan chega até ele e toma-lhe as mãos que repousam na colcha. Elas se enroscam nas suas com surpreendente firmeza.

— Quanto ao romance… cara, era James Jones de terceira categoria, e isso é ruim.

— E você, Rowan, como tem passado? — pergunta Callahan. Agora é ele quem chora. O maldito quarto logo vai estar flutuando.

— Ah, bem, na merda — diz o homem sob as ataduras. Em seguida: — Obrigado por ter vindo.

— Não é nada — diz Callahan. — O que você precisa de mim, Rowan? O que eu posso fazer?

— Ficar longe do Lar — diz Rowan. A voz começa a sumir, mas as mãos ainda estão agarradas às de Callahan. — Eles não estavam atrás de mim. Era você que eles queriam. Você me entende, Don? Eles estavam à sua procura. *Não pararam de me perguntar onde você estava, e por fim eu teria dito, se soubesse. Mas claro que não sabia.*

Uma das máquinas se põe a bipar mais rápido, os bipes correndo para uma fusão que vai disparar um alarme. Callahan não tem como saber disto, mas sabe mesmo assim. De algum modo.

— Rowan… eles tinham olhos vermelhos? Usavam… não sei… casacões? Como capas de chuva? Chegaram em carros chiques?

— Nada disso — sussurra Rowan. — Provavelmente, estavam na faixa dos trinta, mas se vestiam como adolescentes. Também pareciam adolescentes. Esses caras vão parecer adolescentes por mais vinte anos, se viverem tanto, e então um dia serão apenas velhos.

Callahan pensa, Só uma dupla de vagabundos. É o que ele está dizendo? *É, com quase toda a certeza é, mas isso não significa que os Irmãos Hitler não tenham sido contratados pelos homens nefastos para este serviço em questão. Faz sentido. Mesmo o artigo do jornal, por mais breve que fosse, salientava que Rowan Magruder não tinha muito a ver com o tipo de vítima que os Irmãos Hitler caçavam.*

— Fique longe do Lar — sussurra Rowan, mas antes que Callahan possa prometer, o alarme de fato dispara.

Por um momento, as mãos que seguram as suas as apertam, e Callahan sente um espectro da antiga energia daquele homem, aquela ensandecida e forte energia que de algum modo manteve as portas do Lar abertas apesar de todas as vezes que a conta bancária chegava a zero, a energia que atraía homens capazes de fazerem todas as coisas que Rowan Magruder sozinho não poderia.

Então o quarto começa a se encher de enfermeiras, um médico de expressão arrogante berra pela ficha do paciente, e logo a irmã gêmea de Rowan estará de volta, desta vez possivelmente expelindo fogo pelas ventas. Callahan decide que é hora de meter o pé dessa casa de penhores e da casa de penhores maior ainda que é a cidade de Nova York. Os homens nefastos continuam interessados nele, ao que parece, realmente muito interessados, e se têm uma base de operações, fica na certa na cidade da Diversão, nos Estados Unidos. Por isso, um retorno à Costa Oeste seria uma excelente ideia. Não tem dinheiro para comprar outra passagem aérea, mas tem o suficiente para viajar no ônibus do Grande Cão Cinzento. E tampouco será a primeira vez. Outra viagem para o oeste, por que não? Ele se vê com absoluta clareza, o homem na poltrona 29-C: um maço novo, fechado, de cigarros no bolso da camisa; uma garrafa nova, fechada, de Early Times em um saco de papel; o último livro de John D. MacDonald, também novo e fechado, no colo. Talvez já esteja na margem oposta do Hudson e dirigindo-se para Fort Lee, bem adentrado o capítulo um e bebericando seu segundo trago quando eles afinal desligarem as máquinas do Quarto 577 e seu velho amigo sair para as trevas e ao encontro de seja lá o que for que nos aguarda lá.

7

— Quarto 577 — disse Eddie.

— Dezenove — disse Jake.

— Como? — perguntou mais uma vez Callahan.

— Cinco, sete e sete — disse Susannah. — Some-os e terá dezenove.

— Isso quer dizer alguma coisa?

— Ponha todos juntos, que formam mãe, palavra que quer dizer o mundo pra mim — disse Eddie, com um sorriso sentimental.

Susannah ignorou-o.

— Não sabemos — ela disse a Callahan. — Você nunca saiu de Nova York, saiu? Se houvesse saído, não teria arranjado isso. — Apontou a cicatriz na testa dele.

— Ah, eu saí — disse Callahan. — Só que não tão cedo quanto pretendia. Minha intenção quando deixei o hospital era voltar ao Porto e comprar uma passagem no ônibus Quarenta.

— O que é isso? — perguntou Jake.

— Gíria da rua para o mais longe que a gente pode ir. Se você compra uma passagem para Fairbanks, no Alasca, diz que viaja no ônibus Quarenta.

— Aqui, seria ônibus Dezenove — disse Eddie.

— Enquanto eu seguia a pé, comecei a pensar naqueles velhos tempos. Parte deles foi muito divertida, como quando um bando de caras no Lar encenou um espetáculo circense. E alguns momentos foram apavorantes, como uma noite logo antes do jantar em que um cara disse a outro: "Para de cutucar o nariz, Jeffy, está me deixando nauseado", e Jeffy retruca: "Por que não cutuca isto, cara" e saca um canivete de mola, e antes que qualquer um de nós possa se mexer ou até entender o que está acontecendo, Jeffy corta a garganta do outro cara. Lupe gritando, e eu berrando: "Deus do céu! Minha nossa!", e o sangue jorrando pra todo lado porque ele pegou a carótida do cara, ou talvez seja jugular, e aí Rowan chega correndo do banheiro segurando a calça em uma das mãos e um rolo de papel higiênico na outra, e sabem o que ele fez?

— Usou o papel — respondeu Susannah.

Callahan deu um largo sorriso, o que o fazia parecer mais jovem.

— Pode apostar, isto mesmo. Apertou o rolo todo no lugar onde esguichava o sangue e berrou a Lupe pra que ligasse pro 211, que era o que se fazia para conseguir uma ambulância naquela época. E eu ali parado, vendo aquele papel higiênico branco virar vermelho, penetrando no centro de papelão. Rowan disse: "Pense nisto apenas como o maior corte de barbear do mundo", e nós desatamos a rir. Rimos até saírem lágrimas dos olhos.

"Eu seguia revivendo grande parte dos velhos tempos, seguia, sim. Os momentos bons, os maus e os feios. Lembro, vagamente, que parei em um mercado Smiler e comprei duas latas de cerveja em um saco de papel. Tomei uma delas e continuei andando. Não pensava em pra onde ia, não conscientemente, pelo menos, mas meus pés deviam ter sua mente própria, porque de repente olhei em volta e estava defronte ao lugar em que a gente jantava às vezes quando estávamos, como dizem, cheios da grana. Era na Segunda com a Cinquenta e Dois."

— O Chew Chew Mama's — disse Jake.

Callahan encarou-o com verdadeiro assombro, e em seguida olhou para Roland.

— Pistoleiro, seus meninos estão começando a me dar certo medo.

Roland apenas girou os dedos em seu gesto habitual: *Continue, companheiro.*

— Decidi entrar e pedir um hambúrguer só pelos velhos tempos — disse Callahan. — E enquanto comia o hambúrguer, decidi que não queria sair de Nova York sem dar ao menos uma olhada no Lar pela janela da frente. Eu poderia ficar do outro lado da rua, como na época em que aparecia por lá depois da morte de Lupe. Por que não? Nunca tinha sido incomodado lá antes. Nem pelos vampiros nem pelos homens nefastos. — Olhou-os. — Não sei lhes dizer se realmente acreditava nisso, ou se foi algum tipo de armadilha mental, suicida. Posso recuperar muito do que senti naquela noite, o que eu disse e pensei, mas não isto.

"Em todo caso, nunca cheguei ao Lar. Paguei e segui andando pela Segunda Avenida. O Lar ficava na Primeira com a Quarenta e Sete, mas eu não queria passar direto na frente dele. Então decidi descer até a Primeira com a Quarenta e Seis e atravessar lá."

— Por que não a Quarenta e Oito? — perguntou Eddie, em voz baixa. — Você podia virar na Quarenta e Oito, que teria sido mais rápido. Teria lhe poupado voltar duas vezes por uma quadra.

Callahan pensou na pergunta, depois balançou a cabeça.

— Se houve um motivo, não me lembro.

— Houve um motivo — disse Susannah. — Você quis passar pelo terreno baldio.

— Por que eu ia...

— Pelo mesmo motivo que as pessoas querem passar por uma padaria quando as rosquinhas estão saindo do forno — disse Eddie. — Algumas coisas são simplesmente agradáveis, só isso.

Callahan olhou-o em dúvida, e deu de ombros.

— Se é o que diz.

— Digo, sai.

— Em todo caso, eu seguia em frente, tomando minha outra cerveja. Já estava quase na Segunda com a Quarenta e Seis quando...

— O que tinha lá? — perguntou Jake, ansioso. — Naquela esquina em 1981?

— Eu não me... — começou Callahan, e interrompeu-se. — Uma cerca — disse. — Bem alta. De uns três, talvez seis metros.

— Não é a que pulamos para passar — disse Eddie a Roland. A não ser que tenha aumentado sozinha quase dois metros.

— Havia uma imagem nela — disse Callahan. — Disso eu me lembro. Uma espécie de mural de rua, mas não vi o que era, porque as luzes da rua na esquina estavam apagadas. E no mesmo instante me ocorreu que alguma coisa estava errada. No mesmo instante, um alarme começou a disparar na minha cabeça. Parecia muito com o que levou todas as pessoas a entrarem no quarto de Rowan no hospital, pra falar a verdade. No mesmo instante, não deu pra acreditar que eu estava onde estava. Era loucura. Mas ao mesmo tempo eu pensava...

8

Ao mesmo tempo ele pensava: Está tudo bem, são só algumas luzes apagadas, é só isso, se houvesse vampiros, você os veria, e se fossem homens nefastos, você ouviria os sinos repicando e sentiria o cheiro de cebola rançosa e metal quente. *Mesmo assim ele decide sair dali, e logo. Repiques de sinos ou não, sente os nervos de seu corpo em alerta, lançando faíscas e chiando.*

Callahan dá meia-volta e vê dois homens bem atrás de si. Há uma questão de segundos, quando os dois são surpreendidos por sua brusca mudança de direção, que ele provavelmente poderia ter se lançado entre eles como um velho correndo de um lado para outro da Segunda Avenida. Mas ele também se surpreende, e por mais uma questão de segundos os três ficam apenas ali parados, encarando-se.

Há um Irmão Hitler grande e um Irmão Hitler pequeno. O pequeno não chega a um metro e sessenta de altura, e está vestindo uma camisa de cambraia largona sobre a calça preta. Na cabeça, um boné de basquete virado ao contrário. Tem os olhos pretos como gotas de piche e a pele horrível. Callahan logo pensa nele como Lennie. O grande talvez tenha quase um metro e noventa de altura, usa um moletom dos Yankees, jeans azuis e tênis. Com um bigode cor de areia, leva uma mochila pendurada na frente. Callahan chama este de George.

Callahan dá meia-volta, com a intenção de fugir pela Segunda Avenida se pegar o sinal aberto ou se sentir que o tráfego não está ruim demais. Se isso for impossível, vai descer a Quarenta e Seis até o Hotel Plaza da ONU *e entrar rapidamente no saguão deles...*

O grandalhão, George, agarra-o pela camisa e puxa-o para trás pela gola. A gola se rasga, mas infelizmente não o bastante para libertá-lo.

— Não, você não vai não, doutor — diz o pequeno. — Não vai não.

Então ele se lança para a frente, rápido como um inseto, e antes que Callahan perceba o que está acontecendo, Lennie já lhe enfiou a mão entre as pernas, segurou os testículos e espremeu-os violentamente um no outro. A dor é imediata e enorme, uma náusea avolumando-se como chumbo líquido.

— Tá gostoso, amante de negro? — pergunta Lennie em um tom que parece transmitir genuína preocupação, que parece dizer: "Queremos que isto signifique tanto pra você quanto pra nós". Então ele puxa os testículos de Callahan para a frente e a dor triplica. Enormes e enferrujados dentes de serra mergulham na barriga de Callahan e ele pensa: Vai arrancar, já os transformou em geleia e agora vai arrancar de vez, nada os segura além de uma pelezinha solta e ele vai...

Começa a berrar e George tapa a sua boca com a mão.

— Pare com isso! — rosna para o parceiro. — Estamos na porra da rua, você esqueceu?

Mesmo com a dor comendo-o vivo, Callahan rumina o aspecto estranhamente invertido da situação: George é o Irmão Hitler responsável, não Lennie. George é o Irmão Hitler grande. *Certamente, não é a maneira como Steinbeck teria escrito essa situação.*

Então, da sua direita, eleva-se um zumbido. A princípio ele pensa que são os badalos, mas o zumbido é agradável. E também forte. George e Lennie o sentem. E não gostam.

— O que é isto? — pergunta Lennie. — Você ouviu?

— Não sei. Vamos levá-lo para a casa. E tire as mãos das bolas dele. Depois pode puxá-las o quanto quiser, mas agora só me ajude.

Um de cada lado dele, e de repente está sendo empurrado de volta pela Segunda Avenida. A cerca alta de tábuas passa à direita. Aquele zumbido vigoroso, agradável, chega de trás dela. Se eu pudesse transpor aquela cerca, ficaria tudo bem, *pensa Callahan. Há alguma coisa ali, alguma coisa poderosa e boa. Eles não ousariam chegar perto dela.*

Poderia ser verdade, mas ele duvida que conseguiria saltar uma cerca de três metros de altura mesmo que suas bolas não estivessem disparando enormes rajadas de seu próprio e doloroso código Morse, mesmo que não as estivesse sentindo incharem na cueca. De repente, a cabeça se lança para a frente e ele vomita uma carga quente de comida semidigerida na frente da camisa e da calça. Sente-o empapando-o até a pele, quente como urina.

Dois jovens casais, obviamente juntos, encaminham-se na outra direção. Os rapazes são grandes, poderiam na certa acabar com Lennie e talvez até fazer frente a George, caso se juntassem contra ele, mas nesse momento olham enojados e claramente não querem mais nada além de afastar o mais rápido possível as namoradas da proximidade de Callahan.

— Ele só bebeu um pouco demais — disse George, sorrindo, solidário — e teve um acidente. Acontece nas melhores famílias de vez em quando.

Eles são os Irmãos Hitler!, *Callahan tenta gritar.* Estes caras são os Irmãos Hitler! Mataram meu amigo e agora vão me matar! Chame a polícia! *Mas claro que nada sai, em pesadelos assim nunca sai, e logo os casais já seguiram para o outro lado. George e Lennie continuam levando-o a passos rápidos pela quadra da Segunda Avenida entre a Quarenta e Seis e a Quarenta e Sete. Os pés de Callahan mal tocam o concreto. O hambúrguer do Chew Chew Mama's fumega em sua camisa. Ah, nossa, ele chega a sentir o cheiro da mostarda que pôs no sanduíche.*

— Deixa eu ver a mão dele — diz George, ao se aproximarem da esquina seguinte, e quando Lennie agarra a mão esquerda de Callahan, George esbraveja: — Não, idiota, a outra!

Lennie estende a mão direita de Callahan, que não poderia impedir mesmo se tentasse. A parte inferior da sua barriga enchera-se de cimento quente e úmido. O estômago, enquanto isso, parece tremer no fundo da garganta como um animal pequeno, assustado.

George olha a cicatriz na mão direita de Callahan e assente.

— É, é ele, pode crer. Não custa nada ter certeza. Vamos, ande logo, padreco. Compasso duplo, upa-upa!

Quando chegam à Quarenta e Sete, Callahan é afastado da via principal. Ladeira abaixo, à esquerda, vê-se uma poça de luz branca brilhante: o Lar. Ele chega a ver algumas silhuetas de ombros caídos, homens em pé no canto, conversando sobre o Programa e fumando. Talvez eu até conheça alguns deles, *pensa, confuso.* Porra, provavelmente conheço.

Mas não chegam até lá. A menos de um quarto do caminho, descendo a quadra entre a Segunda Avenida e a Primeira, George arrasta Callahan para o vão da porta da fachada de uma loja com uma tabuleta VENDE-SE OU ALUGA-SE *nas duas vitrines cobertas de sabão. Lennie circula em volta deles, como um terrier em volta de duas vacas, movendo-se devagar.*

— Eu vou foder você, amante de crioulo! — entoa ele. — Acabamos com milhares iguaizinhos a você, vamos acabar com um milhão antes de chegarmos ao fim, podemos eliminar qualquer crioulo, mesmo quando o crioulo é dos grandes, isto é de uma música que estou compondo, uma música chamada "Mate todas as bichas amantes de crioulo", vou mandá-la pra Merle Haggard quando terminar de compor, ele é o melhor, o único que disse a todos aqueles hippies que fossem pro caralho, Merle é o cara pros Estados Unidos, eu tenho um Mustang 380 e uma Luger de Hermann Goering, sabia disso, amante de crioulo?

— Cale a boca, seu merda — diz George, mas fala de maneira afetuosa e sem raiva, dedicando a verdadeira atenção a encontrar a chave da loja em um grosso aro delas e depois abrir a porta da loja vazia. Callahan pensa: Para George, Lennie é como um rádio sempre tocando em uma mecânica ou na cozinha de um fast-food, nem o ouve mais, ele só faz parte do barulho de fundo.

— Isso, Nort — diz Lennie e continua sem parar. — Porra da Luger da porra do Goering, isto mesmo, e eu poderia explodir a porra das suas bolas com ela, porque nós sabemos a verdade sobre o que amantes de crioulo como você estão fazendo com este país, certo, Nort?

— Eu já te disse, nada de nomes — diz George/Nort, mas fala com indulgência e Callahan sabe por quê: ele não poderá dizer quaisquer nomes à polícia, não se as coisas saírem como estes imbecis planejam.

— Perdão, Nort, mas vocês, seus amantes de crioulo, que amam as porras de intelectuais judeuzinhos, são os que estão fodendo este país, por isso eu que-

ro que pense nisso quando eu arrancar a porra das suas bolas da porra do seu escroto...

— As bolas são o escroto, idiota — diz George/Nort em uma voz estranhamente professoral, e depois: — Na mosca!

A porta abre-se. George/Nort empurra Callahan por ela. A loja não passa de um galpão empoeirado cheirando a água sanitária, sabão e goma. Fios e canos grossos projetam-se de duas paredes. Ele vê quadrados de lavadoras nas paredes onde antes ficavam máquinas de lavar e secar que funcionavam com moedas. No chão, estende-se uma placa onde ele mal consegue ler na escuridão: LAVANDERIA BAÍA DA TARTARUGA VOCÊ LAVA OU NÓS LAVAMOS DAS DUAS FORMAS TUDO SAI LIMPO!

Tudo sai limpo, pra valer, *pensa Callahan. Ele se vira para os dois e não se surpreende ao ver George/Nort apontando-lhe uma arma. Não é a Luger de Hermann Goering, parece mais a Callahan o tipo barato .32 que a gente comprava por sessenta dólares em um bar na zona norte da cidade, mas tem certeza de que daria conta do serviço. George/Nort abre o zíper da mochila na barriga sem tirar os olhos de Callahan — já fez isso antes, os dois já o fizeram, são mãos calejadas, velhos lobos que têm uma longa trajetória sozinhos — e retira um rolo de fita isolante. Callahan lembra que Lupe certa vez disse que os Estados Unidos entrariam em colapso em uma semana sem fita isolante. "A arma secreta", chamava-a. George/Nort entrega o rolo a Lennie, que o pega e avança para Callahan com aquela mesma rapidez de inseto.*

— Bote as mãos pra trás, puxa-saco de crioulo — diz Lennie.

Callahan não obedece.

George/Nort sacode a pistola.

— Bote ou eu meto uma na sua barriga, padreco. Você ainda não sentiu uma dor como essa, prometo.

Callahan obedece. Não tem opção. Lennie precipita-se para trás dele.

— Bote juntas, puxa-saco de crioulo — diz Lennie. — Não sabe como se faz? Nunca foi ao cinema? — Ri como um lunático.

Callahan põe os pulsos juntos. Chega uma rosnadela baixa quando Lennie puxa a fita do rolo e começa a passá-la nos braços de Callahan às costas. Ele respira fundo e sente os cheiros do lugar, poeira, água sanitária e o perfume confortante, que remete à infância, de amaciante de roupas.

— Quem contratou vocês? — pergunta a George/Nort. — Foram os homens nefastos?

George/Nort não responde, mas Callahan julga ver seus olhos piscarem. Do lado de fora, o tráfego passa em rajadas. Alguns pedestres passeiam tranquilamente. O que aconteceria se ele gritasse? Bem, imagina que sabe a resposta, não sabe? A Bíblia diz que o sacerdote e o levita passaram ao largo do homem ferido, "mas o *samaritano... encheu-se de compaixão por ele". Callahan precisa de um bom samaritano, mas em Nova York há escassez deles.*

— Eles tinham olhos vermelhos, Nort?

Os olhos de Nort piscam de novo, mas o cano da arma continua apontada para o meio do corpo de Callahan, firme como uma rocha.

— Dirigiam carros espalhafatosos? Dirigiam, não? E quanto acha que a sua vida e a deste merdinha vão valer assim que...

Lennie agarra-lhe mais uma vez os testículos, espreme-os, torce-os, puxa-os para baixo como persianas. Callahan grita e o mundo fica cinzento. A força esvai-se de suas pernas e os joelhos cedem totalmente.

— Iiiih, ele CAIU! *— grita Lennie, cheio de alegria maligna.* — Mohamed-Cabeça de Martelo A-Li CAÍDO NO CHÃO! A GRANDE ESPERANÇA BRANCA PUXOU O GATILHO NAQUELE CRIOULO FALASTRÃO NA LONA! NÃO ACREDIIIITO! *— É uma imitação de Howard Cosell, e tão boa que mesmo em sua agonia Callahan tem vontade de rir. Ele ouve outro ruído baixo e agora são os tornozelos sendo presos com a fita.*

George/Nort traz uma mochila do canto. Abre-a e retira dela uma câmera Polaroid. Curva-se sobre Callahan e de repente o mundo fica claro-ofuscante. No momento seguinte, Callahan não vê nada além de formas espectrais atrás de uma bola azul no centro de sua visão. Daí vem a voz de George/Nort.

— Lembre-me de bater outra, depois. Eles querem as duas.

— Sim, Nort, sim!

O baixinho parece agora quase frenético de excitação, e Callahan sabe que o tormento verdadeiro vai começar. Lembra-se de uma antiga música de Dylan chamada "A Hard Rain's A-Gonna Fall", dizendo que vai desabar uma chuva pesada, e pensa: Combina. Melhor que a de Elton John que diz "Someone Saved My Life Tonight", com certeza.

É envolto por uma névoa de alho e tomate. Alguém jantou comida italiana, possivelmente enquanto Callahan levava um tapa no hospital. Uma forma surge da ofuscação. O grandalhão.

— Não te importa quem contratou a gente — diz George/Nort. — O negócio é que fomos contratados, e pelo que as pessoas vão ficar sabendo, padreco, você é apenas mais um amante de crioulo igual àquele cara Magruder e os Irmãos Hitler vão acabar com a sua raça. Na maioria das vezes, vamos atrás das pessoas por conta própria, mas trabalhamos, sim, por uma graninha, como qualquer bom americano. — Faz uma pausa e então chega o absurdo existencial máximo: — Somos populares no Queens, sabe.

— Vai se foder — diz Callahan, e em seguida todo o lado direito de seu rosto explode de agonia.

Lennie o chutou com uma bota de exercícios com bico de aço, quebrando-lhe o maxilar no que ele descobrirá ser um total de quatro lugares.

— Belas palavras — ouve Lennie dizer do insano universo onde Deus claramente morreu e jaz fedendo no chão de um céu saqueado. — Belas palavras para um padreco. — Então a voz eleva-se, torna-se o ganido excitado e suplicante de uma criança: — Me deixa fazer, Nort! Por favor, deixa! Eu quero fazer!

— De jeito nenhum — diz George/Nort. — Eu faço as suásticas da testa, você sempre caga todas. Pode fazer as das mãos, está bem?

— Ele está amarrado! As mãos estão cobertas naquela porra de...

— Depois de morto — explica George/Nort com uma terrível paciência. — A gente tira a fita das mãos depois que ele estiver morto e você pode...

— Nort, por favor! *Faço aquela coisa que você gosta. E escute! — A voz de Lennie anima-se. — Ouça bem! Se eu começar a fazer merda, você me diz que eu paro! Por favor, Nort? Por favor?*

— Bem... — Callahan também ouviu esse tom antes. O pai indulgente que não pode negar a um filho preferido, embora mentalmente incapacitado. — Bem, pode fazer.

A visão dele começa a clarear. Preferia muito que não tivesse. Vê Lennie retirar uma lanterna da mochila. George retirou um bisturi de sua pochete. Trocam ferramentas. George aponta a lanterna para o rosto de Callahan, que começa a inchar rapidamente. Callahan contrai-se e franze os olhos. Só tem visão bastante para ver Lennie girando o bisturi com os dedos miúsculos mas ágeis.

— Isso vai ser demais! *— grita Lennie, em êxtase de excitação. — Isso vai ser* demais *pra cacete!*

— Só não faça merda — diz George.

Callahan pensa: Se fosse um filme, a cavalaria chegaria bem agora. Ou a polícia. Ou a porra de Sherlock Holmes na máquina do tempo de H. G. Wells.

Mas Lennie ajoelha-se diante dele, o pau duro claramente visível na calça, e a cavalaria não chega. Curva-se para a frente com o bisturi estendido, e os policiais não chegam. Callahan sente o cheiro não de alho e tomate nesse, mas de suor e cigarro.

— Espere um segundo, Bill — diz George/Nort —, tive uma ideia, deixe-me desenhá-la pra você, primeiro. Tenho uma caneta no bolso.

— Foda-se isso — murmura Lennie/Bill.

Estende o bisturi. Callahan vê a lâmina de fio cortante tremer quando a excitação do homenzinho é transmitida ao instrumento, e sai de seu campo de visão. Alguma coisa fria risca-lhe a testa, depois fica quente, e Sherlock Holmes não chega. O sangue escorre e entra em seus olhos, atrapalhando a visão, e nem James Bond Perry Mason Travis McGee Hercule Poirot a porra da Miss Marple.

O comprido rosto branco de Barlow surge em sua mente. Os cabelos do vampiro flutuam em volta de sua cabeça. Barlow estende a mão. "Venha, falso padre", ele diz, "aprenda uma verdadeira religião." Ouvem-se dois estalos quando os dedos do vampiro partem os braços da cruz que sua mãe lhe deu.

— Ai, seu demente de merda — geme George/Nort —, isso não é uma suástica, é uma porra de uma cruz! Me dê o bisturi!

— Para com isso, Nort, me dê uma chance, ainda não terminei!

Discutem em cima dele como dois garotos, enquanto suas bolas queimam de dor, o maxilar quebrado lateja e a visão afunda no sangue. Todos aqueles questionamentos da década de 70 sobre se Deus estava ou não morto, e Cristo, olhe para ele! Apenas olhe para ele! Como poderia haver qualquer dúvida?

E é nesse momento que chega a cavalaria.

9

— Como assim? — perguntou Roland. — Gostaria muito de ouvir essa parte, père.

Continuavam sentados à mesa no alpendre, mas a refeição terminara, o sol se pusera, e Rosalita trouxera lampiões. Callahan interrompera a história tempo suficiente para pedir-lhe que se sentasse com eles, e ela assim o fizera. Além das telas, no escuro jardim da casa paroquial, insetos zumbiam, sedentos de luz.

Jake tocou o que se passava na mente do pistoleiro. E de repente, impaciente com todo aquele sigilo, fez ele mesmo a pergunta:

— Éramos *nós* a cavalaria, père?

Roland pareceu chocado, depois realmente divertido. Callahan apenas olhou, surpreso.

— Não — ele respondeu. — Acho que não.

— Você não os viu, viu? — perguntou Roland. — Você nunca chegou a ver as pessoas que o salvaram.

— Eu contei a vocês que os Irmãos Hitler tinham uma lanterna. É verdade. Mas esses outros caras, a cavalaria…

10

Sejam quem forem, eles têm um holofote. *Enche a lavanderia com um clarão mais brilhante que o flash da Polaroid barata, e ao contrário da Polaroid, é* constante.

George/Nort e Lennie/Bill tapam os olhos. Callahan taparia os seus, se os braços não estivessem presos com fita atrás.

— Nort, largue a arma! Bill, largue o bisturi! — A voz que vem da imensa luz é assustadora porque está assustada. É a voz de alguém que poderia fazer praticamente qualquer coisa. — Vou contar até cinco e depois vou atirar em vocês dois, que é o que merecem. — E então a voz por trás da luz começa a contar, não devagar e portentosamente, mas com rapidez alarmante. — Umdoistrêsquatro... É como se o dono da voz quisesse atirar, quisesse se apressar e cuidar logo do assunto. George/Nort e Lennie/Bill não têm tempo para pensar em suas opções. Largam a pistola e o bisturi, e a pistola dispara quando atinge o linóleo empoeirado, um BANG *alto como a pistola de uma criança carregada com cápsulas duplas. Callahan não faz ideia de aonde foi a bala. Talvez tenha até entrado dele. Chegaria a sentir se houvesse entrado? Acha difícil.*

— Não atire, não atire! — guincha Lennie/Bill. — Nós não, nós não, nós não... — Não o quê? Lennie/Bill não parece saber.

— Mãos ao alto! — É uma voz diferente, mas que também vem de trás da ofuscação da luz. — Levantem as mãos pro céu! Já, seus monstrengos*!*

Os dois erguem as mãos.

— Não, espere! — diz a primeira. Podem ser ótimos sujeitos, Callahan com certeza vai pensar em colocá-los em sua lista de cartões de Natal, mas está na cara que nunca fizeram uma coisa dessas antes. — Tirem os sapatos! As calças! Agora! Já!

— Que caralho... — George/Nort começa. — Vocês são da polícia? Se são, têm de ler para nós nossos direitos, a porra da Lei de Miranda...

De trás da luz ofuscante uma arma dispara. Callahan vê um clarão alaranjado de fogo. Deve ser é uma pistola, mas é para a modesta .32 de bar dos Irmãos Hitler como um falcão para um beija-flor. O estrondo é gigantesco, logo seguido por um esmigalhamento de reboco e uma onda de poeira mofada. George/Nort e Lennie/Bill gritam. Callahan tem a impressão de que um dos atiradores — provavelmente o que não atirou — também grita.

— Sapatos e calças fora! Agora! Já! É melhor tirar antes de eu chegar a trinta, ou então estão mortos! Umdoistrêsquatrocin...

Mais uma vez, a rapidez da contagem não deixa tempo algum para consideração, muito menos protesto. George/Nort começa a sentar-se e a Voz Número Dois diz:

— Sente-se que a gente mata você.

E assim os Irmãos Hitler cambaleiam como guindastes desajeitados em volta da mochila, a Polaroid, a arma e a lanterna, empurrando para fora os calçados, enquanto a Voz Número Um faz sua contagem com rapidez homicida. Os sapatos saem e as calças caem. George é um cara de calção, enquanto Lennie prefere sungas da variedade manchada de xixi. Não há sinal algum do pau duro de Lennie; provavelmente ele resolveu tirar a noite de folga.

— Agora saiam — diz a Voz Número Um.

George encara a luz. Sua camiseta dos Yankees pende acima do calção de baixo, que se encapela até os joelhos. Ele continua usando a pochete. Embora muito musculosas, as barrigas das pernas tremem. E a expressão de George se torna uma de consternada compreensão.

— Escutem, vocês aí — diz ele —, se sairmos sem acabar com este cara, eles vão nos matar. São muito maus...

— Se os dois babacas aí não tiverem metido o pé daqui quando eu chegar a dez — diz a Voz Número Um —, sou eu quem vai matá-los.

Ao que acrescenta a Voz Número Dois, com uma espécie de desprezo histérico:

— Gai cocknif en yom, seus escrotos covardes! Fiquem, sejam baleados, quem dá a mínima?

Depois, após repetir essa frase a uma dezena de judeus que apenas balançavam a cabeça, perplexos, Callahan encontra por acaso um camarada idoso em Topeka que lhe traduz gai cocknif en yom. Quer dizer vá cagar no oceano.

A Voz Número Um recomeça a contagem:

— Umdoistrêsquatro...

George/Nort e Lennie/Bill trocam um olhar cartunesco de indecisão, e disparam como um raio para a porta em suas roupas de baixo. O imenso holofote gira para acompanhá-los. Eles estão fora; se foram.

— Siga-os — diz asperamente a Voz Número Um a seu parceiro. — Se acharem que é uma boa ideia voltar...

— Tá, tá — diz a Voz Número Dois, e sai em seguida.

A luz brilhante desliga-se com um clique.

— Vire-se de barriga — diz a Callahan a Voz Número Um.

Ele tenta dizer que acha que não pode, suas bolas agora parecem quase do tamanho de bules de chá, mas o que lhe sai da boca são apenas palavras desconexas, por causa do maxilar quebrado. Ele chega a um meio-termo rolando sobre o lado esquerdo o máximo que consegue.

— Não se mexa — diz a Voz Número Um. — Eu não quero cortar você.

Não é a voz de um cara que faz esse tipo de coisa como um meio de vida. Mesmo em sua condição atual, Callahan percebe isso. O sujeito respira em movimentos ofegantes que às vezes falham de uma forma alarmante e depois recomeçam. Callahan quer agradecer-lhe. Uma coisa é salvar um estranho quando se trata de um policial, bombeiro ou salva-vidas. Outra muito diferente é quando você não passa de uma pessoa comum da população. E é isto que é o seu salvador, pensa, os dois salvadores, embora não faça ideia de como chegaram tão bem preparados. Como poderiam saber o nome dos Irmãos Hitler? E exatamente onde estavam esperando? Chegaram da rua ou estavam na lavanderia abandonada o tempo todo? Outra coisa que Callahan não sabe. E nem se importa de verdade. Porque alguém salvou, alguém salvou, alguém salvou sua vida esta noite, e isto é que é o importante, a única coisa que importa. George e Lennie quase enfiaram suas garras nele, não é mesmo, mas a cavalaria chegou no último minuto, exatamente como em um filme de John Wayne.

O que Callahan quer fazer é agradecer a esse cara. Onde Callahan quer estar é seguro em uma ambulância e a caminho do hospital antes que os babacas ataquem o dono da Voz Número Dois lá fora, ou o dono da Voz Número Um tenha um ataque cardíaco induzido pelo nervosismo. Ele tenta e mais papa lhe sai da boca. Fala de bêbado, o que Rowan chamava de lixo de bebum. Soa como obi-ado.

Suas mãos são soltas, depois os pés. O sujeito não tem um ataque cardíaco. Callahan rola mais uma vez para deitar-se de costas, e vê uma mão branca rechonchuda segurando o bisturi. O terceiro dedo tem um anel de sinete. Mostra um livro aberto. Abaixo, as palavras Ex Libris. Então o holofote é religado e Callahan leva um braço sobre os olhos.

— Mãe do céu, cara, por que está fazendo isto? — Sai mãnocéu, ca-a, uê a endo issu, mas o dono da Voz Número Um parece entender.

— Devo imaginar que seria óbvio, meu amigo ferido — diz ele. — Se nos encontrarmos de novo, eu gostaria que fosse pela primeira vez. Se cruzarmos na rua, eu preferiria passar sem ser reconhecido. É mais seguro assim.

Passos rangendo. A luz está recuando.

— Vamos chamar uma ambulância do telefone público do outro lado da rua…

— Não! Não faça isso! E se eles voltarem? — Em seu terror bastante genuíno, essas palavras saem com perfeita clareza.

— Vamos ficar vigiando — diz a Voz Número Um. A respiração difícil agora começa a desaparecer. O sujeito está voltando a ficar mais uma vez sob controle. Bom para ele. — Acho que é possível que voltem, o grandalhão estava bastante abalado, mas, se os chineses estiverem corretos, eu agora sou responsável pela sua vida. É uma responsabilidade à qual pretendo estar à altura. Se eles reaparecerem, meto uma bala neles. E tampouco acima da cabeça. — A forma faz uma pausa. Ele mesmo parece um homem muito grande. Tem uma bela pança, sem dúvida. — Aqueles eram os Irmãos Hitler, meu amigo. Sabe de quem estou falando?

— Sim — sussurra Callahan. — E não vai me dizer quem você é?

— É melhor que não saiba — diz o sr. Ex Libris.

— Você sabe quem eu sou?

Uma pausa. Passos rangendo. O sr. Ex Libris está agora parado na porta da lavanderia abandonada.

— Não — diz ele. Então: — Um padre. Isso não importa.

— Como souberam que eu estava aqui?

— Espere pela ambulância — diz a Voz Número Um. — Não tente se mexer sozinho. Você perdeu muito sangue, e talvez tenha ferimentos internos.

Então desaparece. Callahan fica ali deitado no chão, sentindo o cheiro de água sanitária, detergente e o aroma agradável emanado pelo amaciante de roupas. Você lava ou nós lavamos, *pensa,* das duas formas tudo sai limpo. *Os testículos latejam de dor e incham. O maxilar lateja e também há inchaço ali. Consegue sentir todo o rosto repuxar-se com a carne inchando. Ali deitado, espera a ambulância e a vida ou o retorno dos Irmãos Hitler e a morte. A dama ou o tigre. O tesouro de Diana ou a picada mortal da cobra. E um tempo interminável, incontável, depois, pulsações de luz vermelha inundam o outro lado do linóleo empoeirado, e ele sabe que é a dama. Desta vez é o tesouro.*

Desta vez é a vida.

11

— E foi assim — disse Callahan — que acabei no quarto 577 daquele mesmo hospital naquela mesma noite.

Susannah encarou-o, olhos arregalados.

— Fala sério?

— Seríssimo — disse ele. — Rowan Magruder morreu, eu quase morro de porrada, e me levaram de volta para a mesma cama. Deve ter havido tempo apenas para rearrumá-la, e até a senhora chegar com o carrinho da morfina e me apagar, eu fiquei ali deitado me perguntando se talvez a irmã de Magruder não pudesse reaparecer e terminar de vez o que os Irmãos Hitler haviam começado. Mas por que essas coisas deviam surpreendê-los? Há dezenas desses cruzamentos estranhos em nossas duas histórias, há, sim. Vocês não pensaram na coincidência de Calla Bryn Sturgis e meu próprio sobrenome, por exemplo?

— Claro que sim — disse Eddie.

— O que aconteceu depois? — perguntou Roland.

Callahan deu um largo sorriso, e ao fazê-lo o pistoleiro percebeu que os dois lados do rosto do homem não se alinhavam exatamente. Tivera o maxilar quebrado, com certeza.

— A pergunta preferida do contador de história, Roland, mas acho que o que preciso fazer agora é apressar um pouco meu relato, ou vamos ficar aqui a noite toda. O importante, a parte que você quer mesmo ouvir, é a final, de qualquer modo.

Bem, você pode pensar que sim, meditou Roland, e não se surpreenderia se todos os três amigos alimentassem versões do mesmo pensamento.

— Fiquei no hospital durante uma semana. Quando me deram alta, me mandaram para uma clínica de reabilitação do governo, no Queens. O primeiro lugar que me ofereceram era em Manhattan e muito mais perto, mas associado com o Lar... mandávamos pessoas para lá, às vezes. Eu temi que se fosse para lá, talvez recebesse outra visita dos Irmãos Hitler.

— E recebeu? — perguntou Susannah.

— Não. O dia em que visitei Rowan no quarto 577 do Hospital Riverside e depois acabei eu mesmo indo para lá foi 19 de maio de 1981 — disse Callahan. — Fui para o Queens no banco de trás de uma caminhonete com outros três ou quatro caras na mesma situação que eu em 25 de maio. Isto para dizer que seis dias depois, pouco antes de eu deixar o hospital e cair novamente na estrada, eu vi a notícia no *Post*. Em uma página à direita, mas não na primeira. DOIS HOMENS ENCONTRADOS MORTOS BALEADOS EM CONEY ISLAND, dizia a manchete. POLICIAIS DIZEM "QUE PARECE EXECUÇÃO DA MÁFIA". Pois os rostos e as mãos haviam sido queimados com ácido. No entanto, a polícia identificou os dois: Norton Randolph e William Garton, os dois do Brooklyn. Publicaram fotos. Fotos de arquivo policial; os dois tinham extensas fichas criminais. Eram os meus caras, certo, George e Lennie.

— Você acha que os homens nefastos os pegaram, não? — perguntou Jake.

— Sim. A vingança é implacável.

— Os jornais os identificaram alguma vez como os Irmãos Hitler? — perguntou Eddie. — Porque, rapaz, continuávamos em pânico com esses caras quando eu cheguei.

— Houve alguma especulação sobre essa possibilidade nos jornais sensacionalistas — disse Callahan —, e aposto que no íntimo os repórteres que cobriram os assassinatos e mutilações dos Irmãos Hitler sabiam que eles eram Randolph e Garton, não houve mais nada depois, além de algumas imitações pouco convincentes, mas ninguém na imprensa sensacionalista quer matar seu bicho-papão, porque o bicho-papão vende jornais.

— Cara — disse Eddie. — Você *esteve* em guerras.

— Você ainda não ouviu o último ato — disse Callahan. — É excepcional.

Roland fez o gesto de continue, mas não parecia urgente. Enrolara um cigarro e parecia tão satisfeito quanto seus três companheiros jamais tinham visto. Só Oi, dormindo aos pés de Jake, parecia mais em paz consigo mesmo.

— Procurei minha passarela para pedestres quando deixei Nova York pela segunda vez, viajando pela ponte George Washington com meu livro e minha garrafa — continuou Callahan —, mas a passarela desaparecera. Ao longo dos dois meses seguintes, vislumbrei alguns trechos de estradas escondidas, e me lembro que recebi uma nota de dez dólares, com Chadbourne estampado nela, umas duas vezes, mas quase todas haviam desaparecido. Vi um monte de vampiros Tipo Três e me lembro que achei que estavam se espalhando. Mas nada fiz quanto a eles. Parecia que eu tinha perdido a vontade, como Thomas Hardy perdeu a vontade de escrever romances e Thomas Hart Benton a de pintar seus murais. "Não passam de mosquitos", pensava. "Deixe eles irem." Minha função era entrar em alguma cidade, encontrar a agência de trabalhos temporários mais próxima, e também encontrar um bar onde me sentisse à vontade. Preferia lugares parecidos com o Americano ou Blarney Stone em Nova York.

— Você gostava de uma mesinha enfumaçada com a sua pinga, em outras palavras — disse Eddie.

— Isso mesmo — disse Callahan, encarando Eddie como se encara uma alma gêmea. — Gostava, sim! E protegia esses lugares até chegar a hora de seguir adiante. Quero dizer que eu enchia a cara no meu bar preferido do bairro, depois terminava a noite, o rastejo, a gritaria, a parte do vômito na frente da camisa, em algum outro lugar. *Al fresco*, em geral.

Jake começou:

— Como...?

— Quer dizer que ele enchia a cara ao ar livre, docinho — explicou-lhe Susannah. Despenteou o cabelo dele, estremeceu e pôs a mão na barriga.

— Tudo bem, sai? — perguntou Rosalita.

— Sim, mas se você tiver alguma coisa gasosa, eu beberia com muito prazer.

Rosalita levantou-se, afagando Callahan no ombro ao fazê-lo.

— Continue, père, ou vão ser duas da manhã e os gatos vão estar fazendo sinfonia antes que você termine.

— Está bem — disse ele. — Eu bebia, a coisa se resume a isso. Bebia toda noite e delirava com qualquer um que se dispusesse a ouvir sobre Lupe, Rowan e Rowena, o homem negro que me deu carona em Issaquena County e Ruta, que realmente podia ser cheia de graça, mas não era nenhuma gata siamesa. E eu por fim desmaiava.

"Tudo continuou assim até eu chegar a Topeka. Em fins do inverno de 1982. Foi quando cheguei ao fundo. Vocês sabem o que quer dizer, chegar ao fundo?"

Houve uma longa pausa, e então os três assentiram. Jake pensava na aula de inglês da sra. Avery, e em sua redação final. Susannah lembrava-se de Oxford, no Mississippi, Eddie na praia no mar Ocidental, curvando-se sobre o homem que viria a tornar-se seu dinh, com a intenção de cortar-lhe a garganta, porque Roland não o deixava atravessar uma daquelas portas mágicas, para conseguir um pouco de H.

— Pra mim, o fundo chegou em uma cela de prisão — disse Callahan. Era de manhã bem cedo, e eu estava relativamente sóbrio. Também não era um desses lugares em que simplesmente se jogam os bêbados, mas uma cela com uma manta no catre e uma privada de verdade no banheiro. Comparada a alguns dos lugares onde estive, eu estava no lucro. As únicas coisas chatas eram o cara da chamada... e aquela música.

12

A luz que entra pela pequena janela reforçada com arame de galinheiro da cela é cinzenta, o que em consequência torna sua tez da mesma cor. Também as mãos estão encardidas e cobertas de arranhões. A sujeira sob algumas das unhas é preta (terra) *e sob outras marrom* (sangue seco)*. Ele tem uma vaga lembrança de ter brigado com alguém que não parava de chamá-lo de senhor, por isso imagina que esteja ali pelo eternamente popular 48 do Código Penal, Agressão a Policial. Tudo o que ele queria — Callahan tem uma lembrança um pouco mais clara disto — era experimentar o quepe, muito elegante, do rapaz. Lembra-se de tentar dizer ao jovem policial (pela aparência deste, logo vão estar contratando oficiais que ainda nem largaram as fraldas, pelo menos em Topeka) que vivia à procura de novos chapéus com bossa, sempre usa chapéu, porque ele tem a Marca de Caim na testa. "Parece uma cruz", lembra-se que disse (ou tentou dizer), "mas é na verdade a Marga de Gaim." O que, em seu estado de bebedeira, é o mais próximo do que consegue dizer Marca de Caim.*

Estava realmente bêbado na noite anterior, mas não se sente tão mal aqui sentado no catre, esfregando a mão no cabelo desgrenhado. O gosto na boca não é muito bom, como se a Gata Siamesa Ruta houvesse soltado um barro nela, se querem saber a verdade, mas a dor na cabeça não é tão terrível. Se ao menos as vozes se calassem! Mais longe no corredor alguém recita monotonamente uma lista de nomes em ordem alfabética que parece infindável. Mais perto, alguém canta a música que mais detesta: "Alguém salvou, alguém salvou, alguém salvou minha vi-da esta noite..."

— Nailor!... Naughton... O'Connor!... O'Shaugnessy!... Oskowski!... Osmer!

Callahan só se dá conta de que é ele *quem está cantando quando começa o tremor em suas panturrilhas. Vai subindo pelos joelhos, pelas coxas, aprofundando-se e fortalecendo-se no caminho. Vê os grandes músculos nas pernas projetando-se para fora e para dentro como pistons. O que está acontecendo com ele?*

— Palmer!... Palmgren!...

O tremor chega à virilha e à base da barriga. O calção de baixo escurece quando ele o borrifa de urina. Ao mesmo tempo, ele começa a bater os pés no ar, como se tentasse chutar bolas de futebol invisíveis com os dois pés ao mesmo tempo. Estou tendo uma convulsão, *pensa.* Provavelmente é isto. Na certa vou desta para a melhor. Bye-bye blackbird. *Tenta pedir ajuda e nada lhe sai da boca além de um ruído baixo de sufocação. Os braços se põem a debater-se para cima e para baixo. Agora está chutando bolas de futebol invisíveis com os pés enquanto os braços gritam aleluia, e o cara lá no corredor vai continuar até o fim do século, talvez até a próxima Era Glacial.*

— Peschier!... Peters!... Pike!... Polovik!... Rance!... Rancourt!

A parte de cima do corpo de Callahan começa a debater-se para a frente e para trás. Cada vez que se lança à frente, ele chega perto de perder o equilíbrio e cair no chão. As mãos voam para o alto. Os pés voam para os lados. Uma súbita panqueca de calor espalha-se pelo seu rabo e ele percebe que acabou de disparar o chocolate.

Ricupero!... Robillard!... Rossi!...

Ele se precipita para trás, até a parede de concreto caiada de branco onde alguém rabiscou BANGO SKANK *e* ACABEI DE TER MEU 19º COLAPSO NERVOSO! *Depois para a frente, desta vez com o entusiasmo de corpo inteiro de um muçulmano nas preces matinais. Por um momento, fita o piso de concreto entre os joelhos nus, desequilibra-se e cai de cara no chão. O maxilar, que de algum modo ficou curado apesar de suas farras etílicas noturnas, se quebra novamente em três dos quatro lugares originais. Mas só para repor as coisas em perfeito equilíbrio, quatro é o número mágico, desta vez também quebra o nariz. Ele jaz debatendo-se no chão como um peixe no anzol, o corpo deixando impressões de sangue, merda e urina.* É, chegou meu fim, *pensa.*

— Ryan!... Sannelli!... Scher!

Mas aos poucos o extravagante grand mal *sacode seu corpo e passa de moderado para* petit mal, *e depois para pouco mais que espasmos. Acha que alguém deve chegar, mas ninguém chega, não a princípio. Os espasmos desaparecem e agora ele é apenas Donald Frank Callahan, deitado no chão de uma cela de prisão em Topeka, no Kansas, onde de algum lugar mais afastado no corredor um homem continua desfiando o alfabeto.*

— Seavey!... Sharrow!... Shatzer!

De repente, pela primeira vez em meses, ele pensa na cavalaria chegando quando os Irmãos Hitler se preparavam para mutilá-lo e matá-lo lá, naquela lavanderia abandonada, na Quarenta e Sete Leste. E eles realmente iam fazer aquilo — no dia seguinte ou no outro —, alguém teria encontrado um certo Donald Frank Callahan morto da silva e na certa usando suas bolas como brincos. Mas então chegou a cavalaria e...

Não havia cavalaria alguma, *ele pensa, ali deitado no chão, o rosto mais uma vez inchando, conheça o novo rosto, igual ao antigo rosto.* Havia Voz Número Um e Voz Número Dois. *Só que isto também não está certo. Havia dois homens, no mínimo de meia-idade, provavelmente passando um pouco disso. Havia o sr. Ex Libris e o sr. Gai Cocknif En Yom, seja lá o que isso quer dizer. Os dois morrendo de medo. E com razão de ter medo. Os Irmãos Hitler talvez não tivessem pegado milhares como se gabara Lennie, mas foram atrás de muitas pessoas e mataram algumas delas, os dois eram uma dupla de cobras venenosas humanas, ah, sim, o sr. Ex Libris e o sr. Gai Cocknif tinham absoluta razão de sentir medo. Acabara tudo bem para eles, mas poderia não ter sido assim. E se George e Lennie tivessem contornado a situação, e aí? Ora, em vez de encontrar um homem morto na Lavanderia Baía da Tartaruga, quem quer que por acaso chegasse lá primeiro teria encontrado três. Isso teria dado uma manchete no* Post *com certeza! Então aqueles caras arriscaram a própria vida, e ali estava o motivo pelo qual a haviam arriscado, seis ou oito meses depois: um babaca de um bêbado fodido, emaciado, imundo, a cueca encharcada de mijo num lado e cheia de merda no outro. Um bêbado diurno e noturno.*

E é quando acontece. Atrás, no corredor, a constante e monocórdica voz baixa chegou a Sprang, Steward e Sudby; nessa cela, mais adiante no corredor, um homem estendido no chão, na longa luz do amanhecer, chega afinal ao fundo, o que é, por definição, aquele ponto do qual você não pode descer mais baixo, a não ser que encontre uma pá e comece realmente a cavar.

Estendido como está, olhando direto na linha do chão, os tufos de poeira parecem bosquetes fantasmagóricos de árvores e os grumos de terra parecem as colinas em algum campo de mineração estéril. Ele pensa: Que mês é este? Fevereiro? Fevereiro de 1982? Alguma coisa assim. Bem, eu lhe digo. Vou me dar um ano para tentar dar um jeito na vida. Um ano para fazer alguma coisa — qualquer coisa — para justificar o risco que aqueles dois caras correram. Se conseguir fazer alguma coisa, vou seguir em frente. Mas se ainda estiver bebendo em fevereiro de 1983, vou me matar.

No corredor, a voz recitante chegou afinal em Targenfield.

13

Callahan calou-se por um momento. Tomou um gole de café, fez uma careta e preferiu um cálice de sidra não fermentada.

— Eu sei como começa a escalada de volta — disse. — Eu levara bêbados suficientes a reuniões dos AA no East Side, Deus sabe. Portanto, quando me deixaram sair, encontrei os AA em Topeka e passei a ir todo dia. Nunca olhava para a frente, nunca olhava para trás. "O passado é história, o futuro é um mistério", dizem. Só que desta vez, em vez de me sentar no fundo da sala e não dizer nada, eu me obrigava a ir direto para a frente, e durante as apresentações dizia: "Sou Don C. e não quero beber mais". Eu *queria*, sim, todo dia sentia falta, mas nos AA eles têm ditados para tudo, e um deles é: "Finja até conseguir". E aos pouquinhos eu *consegui* mesmo. Acordei um dia no outono de 1982 e percebi que realmente não queria mais beber. A compulsão, como eles dizem, se fora.

"Segui em frente. Não é aconselhado fazer quaisquer grandes mudanças no primeiro ano de sobriedade, mas um dia, quando eu estava no parque Gage, na verdade Jardim da Rosa Reinisch..." — A voz se extinguiu quando Callahan notou a expressão deles. — Como? Vocês o conhecem? Não me digam que conhecem o Reinisch!

— Já estivemos lá — disse Susannah baixinho. — Vimos o trem de brinquedo.

— Mas isso — disse Callahan — é incrível.

— São 19 horas e todos os pássaros estão cantando — disse Eddie, sem sorrir.

— Seja como for, o Jardim da Rosa foi onde localizei o primeiro cartaz. VOCÊ VIU CALLAHAN, NOSSO SETTER IRLANDÊS? CICATRIZ NA PATA DIANTEIRA. CICATRIZ NA TESTA. GENEROSA RECOMPENSA. Etc. Finalmente haviam conseguido o nome certo. Decidi que era hora de me mudar enquanto ainda podia. Assim, fui para Detroit, e lá encontrei um lugar chamado Abrigo do Farol. Era um abrigo onde havia um armário de bebidas. De fato era o Lar, sem Rowan Magruder. Faziam um ótimo trabalho ali, mas estavam bem mal das pernas. Eu me inscrevi. E foi lá que eu estava em dezembro de 1983, quando aconteceu.

— Quando aconteceu o quê? — perguntou Susannah.

Foi Jake Chambers quem respondeu. Ele sabia, talvez fosse o único deles que *poderia* saber. Também acontecera com ele, afinal.

— Foi quando você morreu — disse Jake.

— Sim, isso mesmo — disse Callahan. Não demonstrava surpresa alguma. Poderiam estar conversando sobre arroz ou a possibilidade de Andy funcionar em antinomia. — Foi quando eu morri. Roland, será que me enrolaria um cigarro? Parece que preciso de algo um pouco mais forte do que sidra.

14

Há uma antiga tradição no Abrigo do Farol, que remonta a... nossa, deve ser a todos os quatro anos (o Abrigo do Farol só existe há cinco). É o Dia de Ação de Graças no ginásio da escola de ensino médio Santo Nome, na rua West Congress. Vários dos alcoólatras decoram o lugar com papel crepom, perus de cartolina, legumes e frutas de plástico. Amuletos americanos, em outras palavras. Exigia-se que você tivesse uma sobriedade contínua de no mínimo duas semanas para participar dessa atividade. E também — trata-se de uma coisa que Ward Huckman, Al McCowan e Don Callahan combinaram entre si — pessoas com sequelas do álcool não podem entrar no Pelotão da Decoração, não importa há quanto tempo estejam sóbrios.

No Dia do Peru, quase uma centena dos mais excelentes bêbados, chapados e desabrigados na porta da insanidade reúne-se na Santo Nome para um esplêndido jantar de peru, batata e todos os acompanhamentos. Sentam-se a uma dezena de mesas compridas no centro da quadra de basquetebol (as pernas das mesas são protegidas por tiras ornamentais de feltro, e os comensais comem de pés calçados em meias). Antes que comecem a cair de boca — isto faz parte do costume —, eles contornam rapidamente as mesas ("Levem mais de dez segundos, rapazes, que eu corto vocês do jantar", avisou Al) e todo mundo diz uma coisa pela qual é grato. Pois é Dia de Ação de Graças, sim, mas também porque um dos principais dogmas do programa AA é que um alcoólatra grato não se embriaga e um viciado grato não fica chapado.

A ação de graças prossegue rápido, e como Callahan está apenas sentado ali, não pensando em nada especial, quando chega sua vez ele quase deixa escapar uma coisa que poderia ter lhe dado problemas. No mínimo, teria sido rotulado como um cara com estranho senso de humor.

— Eu agradeço por não ter... — começa, então percebe o que vai dizer, e se interrompe.

Todos o olham em expectativa, homens de rostos com barba por fazer e pálidos, mulheres massudas com cabelos ralos, todas emanando em volta o mesmo aroma de brisa suja de estação de metrô que é o cheiro das ruas. Alguns já o chamam de Padreco*, como sabem? Como poderiam saber? E como se sentiriam se soubessem que calafrio lhe causa ouvir isso? Como isso o faz lembrar-se dos Irmãos*

Hitler e do doce e infantil cheiro de amaciante? Mas eles o estão encarando. "Os clientes." Ward e Al também.

— Eu agradeço por não ter tomado um trago nem uma droga hoje — ele diz, recuando para a antiga devoção, sempre terá isso para ser grato.

Eles murmuram sua aprovação, o homem seguinte a Callahan diz que é grato por sua irmã deixá-lo vir para o Natal, e ninguém fica sabendo como Callahan chegou perto de dizer: "Eu agradeço por não ter visto recentemente quaisquer vampiros Tipo Três nem cartazes de animais de estimação perdidos".

Ele acha que isso é porque Deus o aceitou de volta, pelo menos em um período experimental, e o poder da mordida de Barlow foi finalmente cancelado. Acha que perdeu o amaldiçoado dom de ver, em outras palavras. Não o testa, contudo, tentando entrar em uma igreja — o ginásio da escola Santo Nome é próximo o bastante para ele, obrigado. Nunca lhe ocorre — pelo menos na mente consciente — que eles querem assegurar que a rede esteja em peso à sua volta desta vez. Podem ser aprendizes lentos, Callahan vai acabar compreendendo, mas nem por isso deixam de ser aprendizes.

Então, no início de dezembro, Ward Huckman recebe uma carta maravilhosa.

— O Natal veio antecipado, Don! Espere até ver isto, Al! — Brande a carta, triunfante. — Joguem suas cartas direito que, rapazes, nossas preocupações sobre o ano estarão terminadas*!*

Al McCowan pega a carta, e ao lê-la sua expressão reservada e cautelosa, começa a desfazer-se. Quando a entrega a Don, está sorrindo de uma orelha a outra.

A carta é de uma empresa com escritórios em Nova York, Chicago, Detroit, Denver, Los Angeles e San Francisco. A fibra do papel é tão refinada e luxuosa que dá vontade de cortá-lo em uma camisa e usá-lo junto à pele. Diz que a empresa planeja doar vinte milhões de dólares a vinte instituições de caridade em todos os Estados Unidos, um milhão para cada. Que precisa fazer isto antes do fim de 1983. Os recipientes em potencial incluem despensas de distribuição de alimentos, abrigos para pessoas em situação de rua, duas clínicas para indigentes e um programa experimental de testagem de aids em Spokane. Um dos abrigos é o Farol. A assinatura é de Richard P. Sayre, vice-presidente executivo, Detroit. Tudo parece honesto e legal, e o fato de que todos os três foram convidados aos escritórios da empresa em Detroit para discutir a doação também parece honesto e legal. A data da reunião — que será a data da morte de Donald Callahan — é 19 de dezembro de 1983. Uma segunda-feira.

O nome timbrado no cabeçalho da carta é CORPORAÇÃO SOMBRA.

15

— Você foi — disse Roland.

— Todos nós fomos — disse Callahan. — Se o convite tivesse sido só para mim, eu jamais teria ido. Mas como eles chamavam nós três, e queriam nos dar um milhão de dólares, você faz a mínima ideia do que um milhão significaria para um estabelecimento financeiramente mal das pernas como o Lar ou o Farol? Sobretudo durante os anos Reagan?

Susannah levou um susto. Eddie lançou-lhe um olhar nitidamente triunfal. Callahan parecia querer perguntar o motivo disso, mas Roland já girava o dedo mais uma vez naquele gesto de apresse-se, e agora estava ficando tarde *mesmo*. Quase meia-noite. Não que nenhum do ka-tet de Roland parecesse estar com sono; concentravam-se atentamente no père, atentos a cada palavra.

— Eis no que passei a acreditar — disse Callahan, curvando-se para a frente. — Há uma liga de associação vaga entre os vampiros e os homens nefastos. Acho que se buscássemos no passado a origem, encontraríamos as raízes dessa associação na Terra das Trevas. No Trovão.

— Não tenho a menor dúvida — disse Roland, os olhos azuis lampejando do rosto pálido e cansado.

— Os vampiros, os que não são do Tipo Um, são burros. Os homens nefastos são mais inteligentes, mas não muito mais. Do contrário eu jamais teria conseguido escapar deles por tanto tempo. Mas então, finalmente, mais alguém se interessou. Um agente do Rei Rubro, imagino, seja quem ou o que for ele. Os homens nefastos foram afastados de mim. Assim como os vampiros. Não houve cartazes durante aqueles últimos meses, que eu tenha visto; nem mensagens escritas a giz nas calçadas da rua West Fort e tampouco da avenida Jefferson. Acredito que havia alguém dando ordens. Alguém muito mais inteligente. E um milhão de dólares! — Ele balançou a cabeça. Um pequeno e amargo sorriso tocou-lhe o rosto. — No fim, foi isso que me cegou. Nada além de dinheiro. "Ah, sim, mas é pra fazer o bem!" Eu disse a mim mesmo... e dissemos uns aos outros, claro. "Vamos ficar independentes por no mínimo cinco anos! Não precisaremos mais ir ao Conselho Municipal de Detroit, mendigando de chapéu na mão!" Tudo verdade. Só me ocorreu mais tarde que há outra verdade, muito simples: mesmo por uma boa causa, cobiça continua sendo cobiça.

— O que aconteceu? — perguntou Eddie.

— Ora, mantivemos nosso compromisso — disse o père. Tinha um sorriso quase sinistro no rosto. — No edifício Tishman, na avenida Michigan, 982, um dos melhores endereços em Detroit. Dia 19 de dezembro de 1983, às 16h20.

— Que hora estranha para uma entrevista — comentou Susannah.

— Foi o que também pensamos, mas quem questiona uma coisa dessas com um milhão em jogo? Após debatermos, concordamos com Al, ou melhor, com a mãe de Al. Segundo ela, deve-se apresentar a entrevistas importantes cinco minutos antes, não mais nem menos. Assim, entramos no saguão do edifício Tishman às 16h10, vestidos à risca, encontramos a CORPORAÇÃO SOMBRA no quadro de endereços e subimos ao trigésimo terceiro andar.

— Tinha verificado a empresa antes? — perguntou Eddie.

Callahan olhou-o como se ele fosse burro.

— Segundo o que conseguimos encontrar na biblioteca, Sombra era uma sociedade anônima fechada, sem emissão de ações ao público, em outras palavras, que comprava sobretudo outras empresas. Especializavam-se em material de alta tecnologia, imóveis e construção. Parecia ser tudo o que se sabia. O patrimônio era um segredo guardado a sete chaves.

— Sediada nos Estados Unidos? — perguntou Susannah.

— Não. Nassau, nas Bahamas.

Eddie sobressaltou-se, lembrando de seus dias de mula de cocaína e da coisa de pele descorada da qual comprara seu último carregamento.

— Já passei por isso — disse. — Mas não esbarrei com ninguém da Corporação Sombra.

Mas será que tinha mesmo certeza de que isso era verdade? E se aquela coisa descorada com sotaque britânico trabalhasse para a Sombra? Era tão difícil acreditar que estivessem envolvidos no tráfico de drogas, junto com todo o resto em que se metiam? Eddie achava que não. Se nada mais, isso sugeria uma ligação com Enrico Balazar.

— De qualquer modo, eles estavam lá em todos os livros de referências e anuários — continuou Callahan. — Obscuros, mas lá. E ricos. Eu não sei exatamente o que é a Sombra, e estou quase convencido de que a maioria das pessoas que vimos em seus escritórios no trigésimo terceiro andar não passava de extras... figurantes... mas provavelmente existe uma verdadeira Corporação Sombra.

"Tomamos o elevador até lá. Bela área de recepção... pinturas impressionistas nas paredes, que mais?, e uma bela recepcionista combinando com elas. O tipo de mulher, peço perdão, Susannah, que se você é um homem, quase pode acreditar que se o deixassem tocar o seio dela viveria pra sempre."

Eddie desatou a rir, olhou de lado para Susannah, e parou de chofre.

— Eram 16h17. Fomos convidados a nos sentar. O que fizemos, sentindo um nervosismo dos diabos. Pessoas entravam e saíam. De vez em quando, uma porta à esquerda abria-se e víamos um pavimento cheio de mesas e cubículos. Telefones tocando, secretárias indo pra lá e pra cá com documentos, o barulho de uma grande máquina de xerox. Se era uma armadilha, e acho que era, era tão sofisticada quanto um filme de Hollywood. Eu me sentia nervoso pela nossa entrevista com o sr. Sayre, porém só isso. É realmente extraordinário. Eu havia vivido em fuga mais ou menos sem parar desde que saí de Jerusalem's Lot oito anos antes, e desenvolvi um sistema de alarme muito bom de ficar atento aos sinais, mas ele não chegou nem a soar naquele dia. Acho que se pudesse entrar em contato com ele através de uma tábua Ouija, John Dillinger teria dito a mesma coisa sobre sua noite no cinema com Anna Sage.

"Às 16h19, um rapaz de camisa listrada e gravata que parecia a cara da Hugo Boss saiu e veio nos buscar. Fomos conduzidos por um corredor, passando por várias salas muito grã-finas, com um executivo grã-fino trabalhando ativamente em cada uma, pelo que pude ver, até as portas duplas no fim do corredor. Nestas, lia-se SALA DE CONFERÊNCIA. Nosso acompanhante abriu as portas. Disse: 'Divina sorte, cavalheiros'. Eu me lembro disso perfeitamente. Não *boa* sorte, mas *divina* sorte. Foi quando meus alarmes começaram a disparar, e àquela altura era tarde demais. Aconteceu rápido, entendem? Eles não...".

16

Acontece rápido. Eles estavam atrás de Callahan fazia muito tempo, mas não perdem tempo algum exultando. As portas fecharam-se batendo atrás, ruidosas demais e com força bastante para sacudi-las. Assistentes de executivos que começam ganhando dezoito mil dólares por ano fecham portas de uma determinada maneira — com respeito pelo dinheiro e pelo poder —, que não era aquela. Aquela era a maneira como bêbados e viciados em heroína fechavam portas. E também os loucos, claro. Os loucos são experts em bater portas.

Os sistemas de alarme de Callahan estão em pleno funcionamento agora, não apitando mas uivando, *e quando ele olha a sala de conferência em volta, dominada no lado oposto por uma imensa janela que descortinava uma fantástica vista do lago Michigan, entende que há um bom motivo para isso:* Jesus amado — Santa Maria, mãe de Deus —, como pude ser tão idiota? *Vê treze pessoas na sala. Três são homens nefastos, e esta é a primeira boa olhada que ele dá em suas caras de aparência pesada, doentia, olhos vermelhos cintilantes e lábios femininos, cheios. Todos os três fumam. Nove são vampiros Tipo Três. A décima terceira pessoa na sala de conferência usa uma camisa espalhafatosa e gravata destoante, traje de homens nefastos, com certeza, mas este tem um rosto magro e vulpino, cheio de in-*

teligência e humor sombrio. Exibe na testa um círculo vermelho de sangue que não parece escorrer nem se coagular.

Ouve-se um forte estalo. Callahan gira e vê Al e Ward caírem no chão. Em pé, de cada lado da porta pela qual entraram, estão os números catorze e quinze, um homem e uma mulher nefastos, os dois segurando paralisantes elétricos.

— Seus amigos vão ficar bem, padre Callahan.

Ele volta a atenção para a frente. É o homem da mancha de sangue na testa. Parece ter sessenta anos, mas é difícil dizer. Usa uma camisa amarela berrante e uma gravata vermelha. Quando os lábios finos se separam num sorriso, revelam dentes que terminam em pontas. Este é Sayre, *pensa Callahan.* Sayre, ou quem quer que tenha assinado aquela carta. Quem quer que tenha montado aquela armadilha.

— Você, contudo, não vai — continua ele.

Os homens nefastos olham-no com uma espécie de avidez baça: aqui está ele, afinal, o cãozinho desaparecido deles com a pata queimada e a testa marcada de cicatrizes. Os vampiros mostram mais interesse. Quase zunem em suas auras azuis. E de repente Callahan ouve a música dos sinos. É baixa, de algum modo abafada, mas está ali. Chamando-o.

Sayre — se é este o seu nome — volta-se para os vampiros.

— É ele — diz em um tom prosaico. — Matou centenas de vocês em uma dezena de versões dos Estados Unidos. Meus amigos — indica com a mão os homens nefastos — não conseguiram encontrá-lo, mas claro que procuravam outra presa, menos suspeita, no curso comum das coisas. Em todo caso, ele está aqui agora. Vão, sirvam-se dele. Mas não o matem!

Vira-se para Callahan. O furo em sua testa enche-se e brilha mas não pinga. É um olho, *pensa Callahan,* um olho sangrento. *O que está olhando através dele? O que está vendo, e de onde?*

Sayre diz:

— Estes amigos em particular do Rei carregam o vírus da aids. Com certeza sabe o que quer dizer, não sabe? Vamos deixar que isto mate você. Vai tirá-lo do jogo pra sempre, neste e nos outros mundos. De qualquer modo, não existe jogo algum para um sujeito igual a você. Um falso padre como você.

Callahan não hesita. Se hesitar, estará perdido. Não é da aids que ele sente medo, mas, acima de tudo, de deixá-los pôr aqueles lábios imundos nele, beijá-lo como o que beijou Lupe Delgado no beco. Eles não podem vencer. Depois de todo o caminho que ele percorreu, depois de todos os trabalhos, todas as celas de prisão, depois de finalmente conseguir ficar sóbrio no Kansas, eles não podem vencer.

Não tenta argumentar com eles. Não há confabulação. Apenas se lança a toda velocidade pelo lado direito da extravagante mesa de mogno da sala de conferên-

cia. O homem de camisa amarela, de repente alarmado, berra: "Peguem-no! Peguem-no!". Mãos batem em seu paletó — comprado especialmente na Grand River Menswear para essa auspiciosa ocasião —, mas escorregam. Ele tem tempo para pensar: A janela não vai se quebrar, é feita de algum vidro duro, anti-suicida, e não vai se quebrar... *e tem tempo suficiente para invocar Deus pela primeira vez, desde que Barlow o obrigou a ingerir seu sangue contaminado.*

— Me ajude! Por favor, me ajude! — *grita o padre Callahan, e precipita-se, cotovelo à frente, para a janela. Mais outra mão bate na sua cabeça, tenta se emaranhar em seus cabelos, e desaparece. A janela se estilhaça em toda a sua volta e de repente ele se vê em pé no ar frio, cercado de rajadas de neve. Olha para baixo e vê os sapatos pretos, também comprados especialmente para essa auspiciosa ocasião, e vê a avenida Michigan, com carros iguais a brinquedos e pessoas iguais a formigas.*

Ele os pressente — Sayre, os homens nefastos e os vampiros com a intenção de infectá-lo e tirá-lo do jogo para sempre — amontoados na janela quebrada, fitando descrentes.

Ele pensa: Isto me tira *mesmo* daqui para sempre... não?

E pensa, com a admiração de uma criança: Este é o último pensamento que terei para sempre. Isto é adeus.

Então está caindo.

17

Callahan interrompeu-se e olhou para Jake, quase timidamente.

— Você se lembra? — perguntou. — De... — Pigarreou. — Morrer?

Jake assentiu gravemente.

— Você não?

— Eu me lembro que vi a avenida Michigan entre meus sapatos novos. Da sensação de estar em pé ali, ao que parecia, de qualquer modo, no meio de uma rajada de neve. De Sayre atrás de mim, berrando em alguma outra língua. Xingando. Palavras tão guturais que só podiam ser xingamentos. E que pensei: *Ele está assustado.* Esse foi meu último pensamento, que Sayre estava assustado. Então houve um intervalo de escuridão. Eu flutuava. Ouvia a música dos sinos do carrilhão, mas ao longe. Depois ela se aproximou. Como se estivesse montada em alguma máquina que corria ao meu encontro em terrível velocidade.

"Havia luz. Eu vi luz na escuridão. Julguei estar tendo a experiência da morte de Kubler-Ross e fui ao seu encontro. O lugar de onde saí não me importava, desde que não fosse na avenida Michigan, esmagado e sangrando, com uma multidão em pé ao redor de mim. Mas não entendi como aquilo podia acontecer. A gente não cai trinta e três andares e recupera a consciência.

"E eu queria me afastar dos sinos. Ficavam cada vez mais altos. Meus olhos começaram a lacrimejar. Os ouvidos a doer. Fiquei feliz por ainda ter olhos e ouvidos, mas a música do carrilhão tornava qualquer gratidão que eu pudesse ter inteiramente acadêmica.

"Pensei: *Preciso entrar na luz*, e lancei-me para ela. Eu..."

18

Ele abre os olhos, mas mesmo antes de fazê-lo, toma consciência de um cheiro. É o cheiro de feno, mas muito fraco, quase esgotado. Um espectro de seu eu anterior, poderia dizer-se. E ele? É um fantasma?

Senta-se e olha em volta. Se isto é a vida após a morte, então todos os livros sagrados do mundo, incluindo o que ele pregava, estão errados. Porque não está no céu nem no inferno, mas em um estábulo. Há montes de palha velha no chão. Fendas nas paredes de ripas de madeira através das quais entra uma luz forte. É a luz que ele seguiu saindo da escuridão, imagina. E pensa: É a luz do deserto. *Há algum motivo válido para pensar assim? Talvez. O ar é seco quando o respira. É como inspirar o ar de um planeta diferente.*

Talvez seja, *ele pensa.* Talvez seja o Planeta Vida após a Morte.

Os sinos continuam ali, ao mesmo tempo doces e horríveis, mas agora se extinguindo... extinguindo... e já desapareceram. Ele ouve o fraco fungar do vento quente. Parte dele entra pelas aberturas entre as tábuas, e uns fiapos de palha elevam-se do chão, executam uma cansada dancinha e mais uma vez se acomodam.

Agora há outro barulho. Uma batida abafada e arrítmica. Alguma máquina, e não em seu auge, pelo ruído. Ele se levanta. Faz calor ali, e o suor logo surge no rosto e nas mãos. Baixa os olhos para si mesmo e vê que suas elegantes roupas da Grand River Menswear se foram. Agora usa uma calça jeans e uma camisa de cambraia azul, desbotada de várias lavagens. Nos pés, um par de botas surradas com saltos gastos. Dão a impressão de ter percorrido muitos quilômetros. Curva-se e apalpa as pernas à procura de fraturas. Não parece haver nada. Depois os braços. Nenhuma. Tenta estalar os dedos. Eles obedecem facilmente, fazendo barulhinhos secos iguais a gravetos sendo quebrados.

Ele pensa: Minha vida toda foi um sonho? Esta é a realidade? Se for, quem sou eu e o que estou fazendo aqui?

E das profundas sombras atrás vem aquele esgotado ruído giratório: o impacto do tuc-TUC-tuc-TUC-tuc-TUC.

Callahan se volta naquela direção, e arqueja com o que vê. Suspensa atrás dele no meio do estábulo abandonado ergue-se uma porta. Sem se encaixar em nenhuma parede, apenas paira solta. Tem dobradiças, mas pelo que ele pode ver não ligam a porta a lugar algum além do ar. Há hieróglifos gravados de baixo até a metade. Não consegue lê-los. Avança um passo, como se isso o ajudasse a entender. E de certo modo ajuda. Porque ele vê que a maçaneta é feita de cristal, e gravada nela está uma rosa. Ele lera Thomas Wolfe: uma pedra, uma rosa, uma porta desconhecida; uma pedra, uma rosa, uma porta. Não há alguma, mas talvez seja este o sentido do hieróglifo.

Não, *ele pensa.* Não, a palavra é DESCONHECIDA. Talvez eu seja a pedra.

Estica o braço e toca a maçaneta de cristal. Como se isso fosse um sinal

(um sigul, *ele pensa)*

o ruído da maquinaria cessa. Muito fracos, muito distantes — longínquos e minúsculos —, ele ouve os sinos. Experimenta a maçaneta. Não se move para nenhum dos dois lados. Não cede sequer um milímetro. É como se fosse feita de concreto. Quando ele retira a mão, cessa a música do carrilhão.

Ele contorna a porta e ela desaparece. Refaz o caminho de volta e ela reaparece. Faz três círculos devagar, observando o ponto exato no qual a espessura da porta desaparece em um lado e reaparece no outro. Faz o percurso ao contrário, agora no sentido anti-horário. A mesma coisa. Que porra é esta?

Examina a porta por vários momentos, ponderando, depois se encaminha mais para o fundo do estábulo, curioso sobre a máquina que ouviu. Não sente dor ao andar, então se sofreu mesmo uma longa queda a notícia ainda não chegou para o seu corpo, mas mãe do céu, como é quente aqui!

Vê baias de cavalo, há muito abandonadas, uma pilha de feno antigo, junto a uma manta dobrada com esmero, e o que parece uma tábua de pão. Na tábua, apenas um pedacinho de carne-seca. Ele pega-o, cheira-o, cheiro de sal. Charque, *pensa, e enfia-a na boca. Não está preocupado em ser envenenado. Como se pode envenenar um homem já morto?*

Mastigando, continua a explorar. No fundo do estábulo, fica um quartinho que parece ter sido feito de improviso. Há algumas fendas nas paredes desse quarto também, suficientes para que veja uma máquina apoiada em uma almofada de concreto. Tudo no estábulo sussurra longos anos e abandono, mas a engenhoca, que lembra um pouco uma máquina de ordenha, parece novinha em folha. Sem ferrugem, sem poeira. Ele chega mais perto. Um cano de cromo projeta-se para fora de um dos lados. Abaixo, um ralo. O anel de aço em volta parece úmido. Na tampa da máquina, há uma pequena placa de metal. Junto à placa, um botão vermelho. Carimbado na placa, isto:

INDÚSTRIAS LaMERK

834789-AA-45-776019

NÃO RETIRE A FICHA METÁLICA

PEÇA ASSISTÊNCIA

O botão vermelho tem estampada a palavra LIGAR. *Callahan o aperta. O esgotado ruído giratório retorna, e após um momento esguicha água do cano de cromo. Ele põe as mãos embaixo. A água é tão gelada que as deixa dormentes, um choque contra sua pele superaquecida. Bebe. Não é nem doce nem amarga, e ele pensa:* Coisas como paladar devem ser esquecidas em grandes profundidades. Esta...

— Olá, padreco.

Callahan grita de surpresa. Lança as mãos para o alto e por um momento pérolas de água cintilam em um empoeirado raio de sol caindo entre duas tábuas encolhidas. Ele gira o corpo sobre os saltos gastos das botas. Parado logo diante da entrada do quarto da bomba-d'água está um homem vestindo uma túnica com capuz.

Sayre, *ele pensa.* É Sayre, ele me seguiu, atravessou aquela maldita porta...

— Acalme-se — diz o homem de túnica. — "Fique frio", como talvez dissesse o novo amigo do pistoleiro. — Em confidência: — O nome dele é Jake, mas a governanta o chama de Bama. — E então, no tom animado de quem acabou de ter uma boa ideia, diz: — Eu vou mostrar a você! Os dois! Talvez não seja tarde demais! Venha! — Ele estende a mão. Os dedos que surgem da manga da túnica são longos e brancos, um tanto desagradáveis. Como cera. Como Callahan não faz menção de avançar, o homem de túnica fala tentando convencê-lo. — Venha. Não pode ficar aqui, sabe. Isto não passa de um posto de parada, e ninguém fica aqui muito tempo. Venha.

— Quem é você?

O homem de túnica faz um muxoxo impaciente.

— Não temos tempo pra isso, padreco. Nome, nome, o que é um nome, como disse alguém. Shakespeare? Virginia Woolf? Quem se lembra? Venha, que lhe mostrarei uma maravilha. E não tocarei em você; vou seguir na sua frente. Está vendo?

Ele se vira. A túnica ondula como a saia de um vestido de baile. Volta para dentro do estábulo, e após um momento Callahan o segue. O quarto da bomba-d'água não tem nenhuma utilidade para ele, afinal; é um beco sem saída. Fora do estábulo, talvez consiga correr.

Correr para onde?

Bem, é isto que vamos ver, não?

O homem de túnica e capuz bate na porta solta no ar e ao passar por ela.

— Bata na madeira, Doninho é legal! — diz alegremente, e quando pisa no brilhante retângulo de luz que cai pela porta do estábulo, Callahan vê que leva alguma coisa na mão esquerda. É uma caixa de uns trinta centímetros de comprimento, largura e profundidade. Parece feita da mesma madeira da porta. Ou talvez seja uma versão mais pesada daquela madeira. Com certeza, é mais escura e de veio mais cerrado.

Vigiando o homem de túnica preta com todo o cuidado, disposto a parar se ele parar, Callahan acompanha-o para o sol. O calor é ainda mais forte assim que chega à luz, o tipo de calor que sentiu no Vale da Morte. E, sim, quando saem do estábulo ele vê que estão em um deserto. Afastado em um dos lados, fica um prédio em ruínas que se ergue de uma fundação de blocos de arenito desmoronados. Talvez houvesse sido outrora uma estalagem, imagina. Ou um cenário abandonado de um filme de faroeste. No outro lado há um curral onde a maioria dos mourões e parapeitos desabou. Adiante estendem-se quilômetros de terreno arenoso, rochoso. Nada mais além de...

Sim! Sim, há alguma coisa! Duas algumas coisas! Dois minúsculos pontos que se movem no extremo horizonte!

— Você os vê! Como deve ter olhos excelentes, padreco!

O homem da túnica — é preta, o rosto dentro do capuz nada além de uma pálida sugestão — está uns vinte passos adiante dele. Dando risadinhas abafadas. Callahan desgosta do ruído tanto quanto da aparência de cera de seus dedos. Parece o ruído de camundongos correndo sobre ossos. Isto não faz nenhum sentido concreto, mas...

— Quem são eles? — pergunta Callahan em uma voz seca. — Quem é você? Que lugar é este?

O homem de preto exala de maneira teatral.

— Tanta história prévia, tão pouco tempo — diz. — Me chame de Walter, se quiser. Quanto a este lugar, é um posto de parada, como já lhe disse. Uma pequena parada entre o seu mundo divertido e o vazio do seguinte. Ah, você achou que era um belo de um andarilho, não? Seguindo todas aquelas suas estradas secundárias? Mas agora, padreco, você está numa jornada verdadeira.

— Pare de me chamar disso! — grita Callahan.

Já sente a garganta seca. O calor ensolarado parece acumular-se no topo de sua cabeça com peso concreto.

— Padreco, padreco, padreco! — diz o homem de preto. Parece petulante, mas Callahan sabe que ele está rindo por dentro. Tem uma ideia de que esse homem, se for um homem, passa grande parte do tempo rindo por dentro. — Ah, tudo bem,

não há por que se irritar com isso, imagino. Vou lhe chamar de Don. Acha assim melhor?

Os pontinhos pretos ao longe agora vacilam; as termas ascendentes fazem-nos levitar, desaparecer e tornar a aparecer. Logo terão desaparecido para sempre.

— Quem são eles? — pergunta ao homem de preto.

— Pessoas que você com quase toda certeza jamais conhecerá — diz o homem de preto, a devanear. O capuz desloca-se; por um momento, Callahan vê a lâmina cerácea de um nariz e a curva de um olho, uma pequena órbita cheia de fluido escuro. — Eles vão morrer sob as montanhas. Se não morrerem sob as montanhas, coisas no mar Ocidental os comerão vivos. Chum! — Ri mais uma vez. — Mas...

Mas de repente você não parece completamente seguro de si, meu amigo, pensa Callahan.

— Se tudo mais falhar — diz Walter —, isto vai matá-los. — Ergue a caixa. Novamente, fracamente, Callahan ouve o desagradável murmúrio dos sinos. — E quem levará isto pra eles? Ka, claro, mas até ka precisa de um amigo, um kai-mai. Será você.

— Não entendo.

— Não — concorda tristemente o homem de preto —, e eu não tenho tempo de explicar. Como o Coelho Branco em Alice, estou atrasado, estou atrasado para um encontro muito importante. Eles estão atrás de mim, você sabe, mas precisei dar meia-volta e falar com você. Ocupado-ocupado-ocupado! Agora preciso chegar mais uma vez antes deles... de que outro jeito vou atraí-los? Você e eu, Don, precisamos dar um fim à nossa confabulação, por mais lamentavelmente curta que tenha sido. Volte ao estábulo com você, amigo. Veloz como um coelhinho!

— E se eu não quiser? — Só que não há realmente e se nisto. Ele nunca quis ir menos a um lugar. E se disser a esse cara que o deixe ir e tente alcançar aqueles pontos tremeluzentes? E se disser ao homem de preto: "É lá onde eu devo estar, onde o que você chama de ka quer que eu esteja?". Conclui que sabe a resposta. Daria no mesmo que cuspir no mar.

Como para confirmá-lo, Walter diz:

— O que você quer mal tem importância. Irá aonde o Rei decreta, e vai esperar lá. Se aqueles dois lá morrerem em seu curso, como com quase toda a certeza irão, você viverá uma vida de serenidade rural no lugar ao qual eu o enviar e também vai morrer lá, de idade avançada e possivelmente com uma sensação falsa, mas sem a menor dúvida agradável, de redenção. Viverá em seu nível da Torre por muito tempo depois que eu virar pó no meu. Isto eu lhe prometo, padreco, pois vi no globo, falo a verdade! E se eles continuarem a chegar? E se o alcançarem no lugar ao qual você está indo? Ora, nesse caso improvável, vai ajudá-los de todas as formas que puder e matá-los ao fazê-lo. É incrível, não? Não diria que é incrível?

O homem de preto começa a caminhar na direção de Callahan. O padre recua para o estábulo onde se encontra a porta desconhecida. Não quer ir para lá, mas não há outro lugar.

— Afaste-se de mim — diz.

— Não — diz Walter. — Não posso aceitar isso, não mesmo.

Estende a caixa para Callahan. Ao mesmo tempo, põe a mão em cima e pega a tampa.

— Não! — ordena Callahan rispidamente.

Porque o homem de preto não pode abrir a caixa. Há uma coisa terrível dentro dela, alguma coisa que aterrorizaria até Barlow, o astucioso vampiro que obrigou Callahan a beber o seu sangue e depois o mandou para os prismas dos Estados Unidos como uma criança problemática cuja companhia se tornou maçante.

— Continue andando que talvez eu não precise — provoca Walter.

Callahan recua para dentro da escassa sombra do estábulo. Logo estará mais uma vez dentro. Não há alternativa. E sente aquela estranha porta só-ali-de-um-lado à espera como um peso.

— Você é cruel — dispara.

Walter arregala os olhos, e por um momento parece profundamente magoado. Talvez seja absurdo, mas Callahan está olhando no fundo dos olhos do sujeito e tem certeza de que a emoção ali é sincera. E a certeza rouba-lhe qualquer última esperança de que tudo isso possa ser um sonho, ou um brilhante intervalo final antes da verdadeira morte. Nos sonhos — nos dele, pelo menos —, os caras malvados, os caras apavorantes *nunca têm emoções contraditórias.*

— Eu sou o que o ka, o Rei e a Torre fizeram de mim. Todos somos. Fomos apanhados.

Callahan se lembra do oeste onírico pelo qual viajou: os silos esquecidos, os pores do sol e as longas sombras negligenciados, sua própria alegria amarga ao arrastar seus pertences atrás de si, a cantar até o jingle das muitas correntes que o prendem se tornarem uma doce música.

— Eu sei — diz.

— Sim, vejo que sabe. Continue andando.

Callahan está de volta ao estábulo agora. Mais uma vez, sente o fraco, quase findo, cheiro de feno velho. Detroit parece impossível, uma alucinação. Assim como todas as suas lembranças dos Estados Unidos.

— Não abra aquela coisa — diz —, que eu irei.

— Que excelente padreco é você.

— Você prometeu não me chamar disso.

— As promessas são feitas para serem quebradas, padreco.

— Não acho que vai conseguir matá-lo — disse Callahan.

Walter faz uma careta.

— Isto é problema do ka, não meu.

— Talvez tampouco do ka. E se ele estiver acima do ka?

Walter recua, como se tivesse sido atingido. Eu blasfemei, *pensa Callahan.* E com este cara, imagino que isso não queira dizer pouca coisa.

— Ninguém está acima do ka, falso padre. — O homem de preto dispara para ele. — E o quarto no topo da Torre está vazio. Eu sei que está.

Embora Callahan não saiba muito bem do que o homem está falando, sua resposta é rápida e segura.

— Você se engana. Existe um Deus. Ele espera e vê todos de Seu lugar elevado. Ele...

Então muitíssimas coisas acontecem no exato mesmo tempo. A bomba-d'água na alcova dispara, iniciando seu exausto ciclo de batidas. E Callahan bate com o traseiro na pesada e lisa madeira da porta. E o homem de preto atira a caixa para a frente, abrindo-a ao fazê-lo. E seu capuz cai para trás, revelando o rosto pálido, carrancudo, de uma doninha. (Não é Sayre, mas na testa de Walter, igual a uma marca de casta hindu, brota o mesmo círculo vermelho, uma ferida aberta que não se coagula nem flui.) E Callahan vê o que tem dentro da caixa: vê o Treze Preto aninhado em seu veludo vermelho como o olho escorregadio de um monstro que se criou fora da sombra de Deus. E Callahan começa a gritar à visão dele, pois sente seu poder infindável: pode atirá-lo a qualquer parte ou ao extremo beco sem saída de lugar nenhum. E a porta abre-se com um estalo. E mesmo em seu pânico — ou talvez abaixo de seu pânico — Callahan consegue pensar: Abrir a caixa abriu a porta. *E ele tropeça para trás em algum outro lugar. Ouve gritos agudos. Um deles é a voz de Lupe, perguntando a Callahan por que o deixou morrer. Outro é a de Rowena Magruder, que lhe diz que esta é a outra vida dele, é, sim, e que tal lhe parece? E leva as mãos aos ouvidos para tapá-los mesmo quando uma bota velha tropeça na outra e ele começa a cair para trás, pensando que foi para o Inferno que o homem de preto o empurrou, o Inferno de verdade. E quando ergue as mãos, o homem de cara de doninha atira a caixa aberta com seu terrível globo de vidro dentro dela. E o globo se* mexe. *Gira como um olho em uma cavidade invisível. E Callahan pensa:* Está vivo, é o olho roubado de algum terrível monstro do além, e, ó meu Deus, ó amado Deus, isso está me olhando.

Mas pega a caixa. É a última coisa que deseja na vida, mas se acha impotente para deter-se. Feche-a, você tem de fechá-la, *pensa,* mas está caindo, *tropeçou em si mesmo (ou o ka do homem de túnica deu-lhe uma rasteira) e está caindo, girando em torno de si ao cair. De algum lugar embaixo, todas as vozes do passado gritam com ele, reprovam-no (a mãe quer saber por que ele deixou aquele imundo*

Barlow quebrar a cruz que ela lhe trouxera desde a Irlanda), e de forma bizarra o homem de preto grita alegremente atrás dele: "Bon voyage, *padreco!*".

Callahan bate em um chão de pedra, juncado de ossos de animais pequenos. A tampa da caixa se fecha e ele sente um momento de sublime alívio... mas então ela torna a se abrir, muito devagar, revelando o olho.

— Não — sussurra Callahan. — Por favor, não.

Mas não consegue fechá-la — toda a sua força parece tê-lo abandonado... e a caixa não se fechará sozinha. Bem no fundo do olho preto um ponto vermelho forma-se, brilha... cresce. O horror de Callahan cresce, enchendo-lhe a garganta, ameaçando fazer seu coração parar de bater com seu frio. É o Rei, *ele pensa.* É o olho do Rei Rubro olhando abaixo de seu lugar na Torre Negra. E está *me* vendo.

— NÃO! *— Callahan solta um grito estridente, ali deitado no piso de uma gruta no arroio norte de Calla Bryn Sturgis, lugar que acabará amando.* — NÃO! NÃO! NÃO OLHE PRA MIM! Ó, PELO AMOR DE DEUS, *NÃO OLHE PRA MIM!*

Mas o Olho olha, sim, e Callahan não aguenta sua encarada insana. É quando desmaia. Só após se passarem três dias tornará a abrir os olhos de novo, e quando o faz, estará com os mannis.

19

Callahan olhou-os, exausto. Meia-noite chegara e se fora, todos nós agradecemos, e agora faltavam vinte e dois dias para que os Lobos chegassem em busca de seu carregamento de crianças. Bebeu os dois dedos finais de sidra no copo, fez uma careta como se fosse uísque de milho, largou-o na mesa.

— E todo o resto, como dizem, vocês sabem. Foram Henchick e Jemmin que me encontraram. Henchick fechou a caixa, e quando o fez, a porta se fechou. E agora o que era a Gruta das Vozes é a Gruta da Porta.

— E você, père? — perguntou Susannah. — O que foi que eles fizeram com você?

— Fui levado para a cabana de Henchick... sua *kra*. Era onde eu estava quando abri os olhos. Enquanto estive inconsciente, as esposas e as filhas dele me alimentaram com água e caldo de galinha, espremendo gotas de um trapo, uma por uma.

— Só por curiosidade, quantas esposas ele tem? — perguntou Eddie.

— Três, mas só pode ter relações com uma de cada vez — respondeu Callahan, distraído. — Isso depende dos astros, ou de alguma coisa assim. Cuidaram bem de mim. Comecei a andar em volta da cidade; naquela época, eles me chamavam de o Velho Andarilho. Eu não conseguia bem ter a noção de onde me encontrava, mas de certa forma minhas perambulações anteriores me haviam preparado para o que acontecera. Me fortaleceram mentalmente. Eu tinha dias, Deus sabe, em que pensava que tudo isso estava acontecendo nos poucos segundos que levaria para eu cair da janela que quebrara até lá embaixo na avenida Michigan... que a mente se prepara para a morte oferecendo alguma maravilhosa alucinação derradeira, uma ideia de uma vida inteira. E tinha dias em que decidia que eu havia finalmente me tornado o que todos mais temíamos no Lar e no Farol: um cérebro tomado pela bebida. Achava que talvez tivesse sido jogado em uma instituição esquecida pelo mundo em algum lugar, e estava imaginando a coisa toda. Mas sobretudo aceitei simplesmente. E me alegrava ter terminado em um bom lugar, real ou imaginário.

"Quando recuperei as forças, recomecei a ganhar a vida da maneira como fizera em meus anos de estrada. Embora não existisse nenhuma agência de empregos temporários em Calla Bryn Sturgis, aqueles foram anos bons, e havia muito trabalho para um homem que quisesse trabalhar — foram anos de arroz graúdo, como dizem, apesar de que a linha pecuária e as demais colheitas também tenham se saído muito bem. Por fim, recomecei a pregar. Não houve nenhuma decisão consciente de fazer isso — não foi nada saído de orações minhas, Deus sabe —, e quando o fiz, descobri que aquelas pessoas sabiam tudo sobre o Homem Jesus." Ele riu. "Junto com O Além, Oriza e a Estrela do Búfalo... conhece a Estrela do Búfalo, Roland?"

— Ah, sim — respondeu o pistoleiro, lembrando-se de um pregador da Estrela do Búfalo que fora obrigado certa vez a matar.

— Mas eles prestavam atenção — continuou Callahan. — Muitos prestavam, em todo caso, e quando se ofereceram para construir uma igreja para mim, eu agradeci. E esta é a história do Velho. Como veem, vocês estavam nela... dois de vocês, de qualquer modo. Jake, isso foi após a sua morte?

Jake abaixou a cabeça. Oi, sentindo sua aflição, ganiu de agonia. Mas quando ele respondeu sua voz saiu firme o bastante.

— Após a primeira morte. Antes da segunda.

Callahan pareceu visivelmente chocado e empertigou-se.

— Quer dizer que pode acontecer mais de uma vez? Santa Maria nos salve!

Rosalita os havia deixado. Agora voltava com um lampião forte. Os que haviam sido postos na mesa já quase se extinguiam, e o alpendre mergulhava em um fraco e tremeluzente brilho, ao mesmo tempo misterioso e um pouco sinistro.

— As camas estão prontas — disse. — Esta noite o menino dorme com o père. Eddie e Susannah, onde vocês ficaram na noite de anteontem.

— E Roland? — perguntou Callahan, erguendo as sobrancelhas espessas.

— Arrumei um lugar confortável pra ele — respondeu ela, impassível. — Mostrei a ele mais cedo.

— É mesmo — disse Callahan. — É mesmo, ora. Muito bem, então, está resolvido. — Levantou-se. — Não me lembro da última vez que me senti tão cansado.

— Vamos ficar mais alguns minutos, se não se incomodar — disse Roland. — Só nós quatro.

— Como queiram — disse Callahan.

Susannah tomou-lhe a mão e impulsivamente a beijou.

— Obrigada por sua história, père.

— Foi bom tê-la finalmente contado, sai.

Roland perguntou:

— A caixa ficou na gruta até a igreja ser construída? Sua igreja?

— Sim. Não sei ao certo por quanto tempo. Talvez oito anos; talvez menos. É difícil dizer com certeza. Mas chegou uma época em que começou a chamar por mim. Por mais que eu odiasse e temesse aquele olho, parte de mim tinha vontade de vê-lo mais uma vez.

Roland assentiu.

— Todas as peças do Arco-Íris do Mago são cheias de um magnetismo sombrio, mas sempre se disse que o Treze Preto é o pior. Agora acho que entendo o porquê disso. É o verdadeiro Olho vigilante do Rei Rubro.

— Seja o que for, eu o sentia me chamando de volta à gruta... e mais além. Sussurrando que eu devia retomar minhas perambulações e torná-las infindáveis. Eu sabia que podia abrir a porta abrindo a caixa. A porta me levaria a qualquer lugar que eu quisesse ir. E a qualquer *quando*! Só tinha de me concentrar. — Callahan pensou, e tornou a sentar-se. Curvou-se para a frente, olhando-os um de cada vez acima das mãos nodosas entrelaçadas. — Ouçam, eu lhes peço. Tivemos um presidente, chamava-se Kennedy. Foi assassinado uns treze anos antes de minha época em 'Salem's Lot... assassinado no Oeste...

— Sim — disse Susannah. — Jack Kennedy. Deus o abençoe. — Virou-se para Roland. — Ele era um pistoleiro.

Roland ergueu as sobrancelhas.

— É mesmo?

— Sim. E digo a verdade.

— Em todo caso — continuou Callahan —, sempre se discutiu sobre se o homem que o matou agiu sozinho ou se fazia parte de uma conspiração maior.

E às vezes eu acordava no meio da noite e pensava: "Por que não vai e vê? Por que não fica diante daquela porta com a caixa nos braços e pensa: 'Dallas, 22 de novembro de 1963?'. Porque, se o fizer, aquela porta se abrirá e você pode ir lá, como o homem na história do sr. Wells na máquina do tempo. E talvez pudesse mudar o que aconteceu naquele dia. E se já houve um momento mais divisor de águas na vida dos estadunidenses, foi aquele. Mude-o, mude tudo que veio após o Vietnã... as revoltas raciais... tudo."

— Mãe santíssima — disse Eddie, respeitoso. A gente ao menos tinha de respeitar a ambição de uma ideia dessas. Estava no nível do capitão da perna de pau caçando a baleia branca. — Mas père... e se fizesse isso e mudasse tudo pra *pior*?

— Jack Kennedy não era um homem mau — disse Susannah friamente. — Jack Kennedy era um homem bom. Um *grande* homem.

— Talvez. Mas sabe de uma coisa? Eu acho que é preciso ser um grande homem para cometer um grande erro. E, além disso, alguém que viesse após ele talvez tivesse sido um sujeito realmente mau. Algum Grande Caçador de Caixões que nunca teve uma oportunidade por causa de Lee Harvey Oswald, ou quem quer que fosse.

— Mas o globo não permite esses pensamentos — disse Callahan. — Creio que atrai pessoas a cometerem atos de terrível maldade sussurrando-lhes que vão fazer o bem. Que vão fazer as coisas não apenas um pouco melhor, mas melhores em *tudo*.

— Sim — disse Roland. A voz era seca como o estalo de um graveto em uma fogueira.

— Acredita que uma viagem assim possa ser realmente possível? — perguntou Callahan. — Ou era apenas a coisa mentindo e sendo persuasiva? Seu magnetismo?

— Acredito, sim — respondeu Roland. — E creio que quando deixarmos Calla, será por aquela porta.

— Quem dera que eu fosse com vocês! — disse Callahan. Falou com surpreendente veemência.

— Talvez vá — disse Roland. — Em todo caso, você acabou colocando a caixa, com o globo, dentro de sua igreja. Para silenciá-la.

— Sim. E basicamente deu certo. Dorme quase todo o tempo.

— Mas você disse que ela o mandou a todash duas vezes.

Callahan assentiu com a cabeça. A veemência lampejara como um nó de pinheiro em uma lareira e desaparecera com a mesma rapidez. Agora ele parecia apenas cansado. E muito velho.

— A primeira vez foi para o México. Lembram-se do início da minha história? O escritor e o garoto que acreditaram?

Eles assentiram.

— Uma noite, o globo me alcançou quando eu dormia e me levou em todash para Los Zapatos, no México. Era um enterro. O enterro do escritor.

— Ben Mears — disse Eddie. — O cara de *Air Dance*.

— É.

— As pessoas viram você? — perguntou Jake. — Porque não viram a gente.

Callahan fez que não com a cabeça.

— Não. Mas me sentiram. Quando me encaminhei para eles, se afastaram. Como se eu tivesse me transformado em uma corrente de ar fria. Em todo caso, o garoto estava lá... Mark Petrie. Só que não era mais um garoto. Já estava no início da maturidade. Disto e da forma como ele falou de Ben: "Houve uma época em que eu considerava cinquenta e nove uma idade avançada", foi como começou sua eulogia, imaginei que poderia ser meados da década de 90. De qualquer modo, não permaneci muito tempo, mas o bastante para decidir que meu jovem amigo de todo aquele tempo atrás acabou se saindo muito bem. Talvez eu tenha feito alguma coisa certa em 'Salem's Lot, afinal. — Fez uma pausa e depois disse: — Em sua eulogia, Mark se referiu a Ben como pai. Isso me tocou muito, muito profundamente.

— E a segunda vez que o globo o mandou todash? — perguntou Roland. — Foi quando o mandou ao Castelo do Rei?

— Havia pássaros. Grandes e gordos pássaros pretos. E, além disso, não vou falar. Não no meio da noite — disse Callahan em uma voz seca que não tolerava argumento algum. Levantou-se de novo. — Outra hora, quem sabe?

Roland curvou-se em aceitação disso.

— Agradeço.

— Não vão se recolher, companheiros?

— Logo — disse Roland.

Eles lhe agradeceram pela história (até Oi acrescentou um único e sonolento latido), desejaram uma boa-noite. Viram-no ir embora e durante vários segundos depois mantiveram o silêncio.

20

Foi Jake quem quebrou o silêncio.

— Aquele cara, Walter, estava *atrás* de nós, Roland! Quando deixamos o posto de parada, ele estava *atrás* de nós! Père Callahan também!

— Sim — disse Roland. — Até lá atrás, Callahan estava na nossa história. Isto faz meu estômago despencar. Como se eu tivesse perdido a gravidade.

Eddie coçou o canto do olho.

— Sempre que você mostra emoção assim, Roland — disse —, eu fico todo quente e mole por dentro. — Depois, quando Roland apenas o olhou: — Ah, por favor, pare de rir. Você sabe que eu adoro quando entende a piada, mas está me deixando sem graça.

— Rogo seu perdão — disse Roland, com um leve sorriso. — Humor como o que tenho vai dormir cedo.

— O meu fica acordado a noite toda — disse Eddie, animado. — Me mantém aceso, me conta piadas. Toc-toc-toc, quem bate, o frio, que frio, o frio que gela sua cueca, rá-rá-rá!

— Já falou tudo o que queria? — perguntou Roland quando ele terminou.

— Por enquanto, sim. Mas não se preocupe, Roland, sempre volta. Posso lhe perguntar uma coisa?

— É alguma idiotice?

— Acho que não. Espero que não.

— Então pergunte.

— Aqueles dois homens que salvaram o couro de Callahan na lavanderia no East Side... eram eles quem eu acho que eram?

— Quem *você* acha que eram?

Eddie olhou para Jake.

— E você, ó filho de Elmer? Tem alguma ideia?

— Claro — disse Jake. — Era Calvin Tower e o outro cara da livraria, amigo dele. O que me contou o enigma de Sansão e o do rio. — Estalou os dedos uma vez, duas, e deu um enorme sorriso. — Aaron Deepneau.

— E o anel que Callahan mencionou? — perguntou-lhe Eddie. — O com *Ex Libris*? Eu não vi nenhum deles usando um anel desses.

— Você estava procurando? — perguntou Jake.

— Na verdade, não. Mas...

— E lembre-se que o vimos em 1977 — disse Jake. — Aqueles caras salvaram a vida do père em 1981. Talvez alguém tenha dado o anel ao sr. Tower durante os quatro anos intermediários. Como um presente. Ou talvez ele tenha comprado pra si mesmo.

— Você só está chutando — disse Eddie.

— É — concordou Jake. — Mas Tower tem uma livraria, portanto ter um anel com *Ex Libris* faz sentido. Vai me dizer que não parece certo?

— Não. Eu diria que parece ao menos noventa e nove por cento certo. Mas como eles poderiam conhecer Callahan... — A voz de Eddie extinguiu-se, ele pensou e balançou a cabeça com determinação. — Não, não vou nem entrar nisso esta noite. Daqui a pouco vamos ser *nós* a estarmos discutindo o assassinato de Kennedy, e estou cansado.

— Estamos todos cansados — disse Roland —, vamos ter muito a fazer nos próximos dias. Mas a história do père me deixou em um estado de espírito estranhamente perturbado. Não sei se responde a mais perguntas do que suscita, ou se o contrário.

Nenhum deles respondeu.

— Nós somos ka-tet, e agora nos reunimos an-tet — disse Roland. — Em conselho. Tarde como é, há mais alguma coisa que precisamos discutir antes de nos separarmos? Se houver, vocês têm de dizer. — Como não houve resposta, ele empurrou a cadeira para trás. — Muito bem, então eu desejo a vocês todos...

— Espere.

Era Susannah. Fazia tanto tempo que falara que eles quase a haviam esquecido. E ela falou em voz baixa diferente da sua habitual. Certamente, não parecia a da mulher que dissera a Eben Took que, se ele a chamasse mais uma vez de bolinho de chocolate, lhe arrancaria a língua da cabeça e limparia o cu dele com ela.

— Talvez haja alguma coisa.

Aquela mesma voz baixinha.

— Mais alguma coisa.

E mais baixa ainda.

— Eu...

Ela olhou-os, um de cada vez, e quando chegou ao pistoleiro ele viu em seus olhos pesar, reprovação e desgaste. Não viu raiva. *Se ela estivesse com raiva*, ele pensou depois, *eu talvez não me sentisse tão envergonhado.*

— Acho que talvez eu tenha um probleminha — disse ela. — Não sei como é possível... mas, rapazes, acho que posso estar meio grávida.

Após dizer isso, Susannah Dean/Odetta Holmes/Detta Walker/Mia filha de ninguém levou as mãos ao rosto e caiu em prantos.

PARTE 3

OS LOBOS

1. SEGREDOS

1

Atrás do chalé de Rosalita Munoz ficava uma casinha com um vaso sanitário alta pintada de azul-celeste. Projetando-se da parede à esquerda por onde o pistoleiro entrou, bem tarde na manhã depois que père Callahan terminara sua história, havia um retângulo de ferro liso com um pequeno disco de aço instalado uns vinte centímetros abaixo. Dentro de seu vaso esquelético, um raminho duplo de lírio-do-brejo. Seu cheiro levemente cítrico e adstringente era o único aroma da casinha. Da parede acima da privada pendia em uma moldura e sob vidro uma imagem do Homem Jesus com as mãos em prece logo abaixo do queixo, as madeixas encaracoladas ruivas derramando-se sobre os ombros e os olhos erguidos para Seu Pai no céu. Roland já escutara sobre tribos de Vagos Mutantes que se referiam ao Pai de Jesus como o Grande Papai do Céu.

A imagem do Homem Jesus era em perfil, e Roland ficou satisfeito por isso. Se o estivesse fitando de frente, o pistoleiro ficou em dúvida se conseguiria fazer seu serviço matinal sem fechar os olhos, por mais cheia que se encontrasse sua bexiga. *Que lugar estranho para pôr uma imagem do Filho de Deus*, pensou, e então percebeu que não era nada estranho. Em geral, só Rosalita usava aquela casinha, e o Homem Jesus nada teria a ver além de suas costas.

Roland Deschain desatou a rir, e ao fazê-lo, sua água se pôs a fluir.

2

Rosalita havia saído quando ele acordou, e já fazia um tempo; seu lado da cama já esfriara. Agora, parado diante do retângulo alto, azul, da casinha e abotoando a braguilha, olhou para o sol e julgou a hora não muito antes do meio-dia. Julgar essas coisas sem relógio, vidro ou pêndulo tornara-se ardiloso nesses últimos dias, mas ainda assim era possível se você fosse cuidadoso nos cálculos e disposto a admitir algum erro no resultado. Cort, pensou, ficaria horrorizado se visse um de seus pupilos — um de seus pupilos *diplomados*, um pistoleiro — começar uma atividade daquelas dormindo quase até o meio-dia.

E isso *era* o começo. Tudo mais fora ritual e preparação, necessário mas não extremamente útil. Uma espécie de dança da canção do arroz. Agora esta parte terminara. Quanto a dormir até tarde...

— Ninguém nunca mereceu mais um acordar tarde — disse, e começou a descer a ladeira.

Ali uma cerca demarcava os fundos do canteiro de Callahan (ou talvez o père o visse como o canteiro de Deus). Além dela um córrego fluía, murmurando com tanta empolgação quanto uma menina contando segredos à melhor amiga. As margens eram cobertas de lírios, portanto mais um (pequeno) mistério desvendado. Roland inspirou profundamente o perfume.

Viu-se pensando no ka, coisa que raras vezes fazia. (Eddie, que julgava que Roland mal pensava em outra coisa, teria ficado espantado.) A única verdadeira regra do ka era: *Saia da frente e me deixe trabalhar*. Por que, em nome de Deus, era tão difícil aprender uma coisa tão simples? Por que sempre essa necessidade imbecil de se intrometer? Cada um deles fizera isso; cada um deles soubera que Susannah Dean estava grávida. O próprio Roland soubera quase no mesmo momento da concepção, quando Jake atravessara da casa em Dutch Hill. A própria Susannah soubera, apesar dos trapos ensanguentados que enterrara ao lado da trilha. Por que, então, fora necessário tanto tempo para a confabulação que haviam tido na noite anterior? Por que haviam feito tanto *escarcéu* disso? E quanto talvez tenham sofrido por causa disso?

Nada, esperava Roland. Mas era difícil saber, não?

Talvez fosse melhor deixar pra lá. Naquela manhã, isso parecia um bom conselho, pois ele se sentia muito bem. Fisicamente, pelo menos. Quase sem dor ou...

— Pensei que vocês fossem se recolher logo depois de mim, pistoleiro, mas Rosalita me disse que você só foi se deitar quase ao amanhecer.

Roland virou-se da cerca e de seus pensamentos. Callahan estava vestido de calça preta, sapatos pretos e uma camisa preta com gola dobrada. A cruz estendia-se junto ao pescoço e os cabelos brancos rebeldes haviam sido domesticados em parte, provavelmente com alguma brilhantina. Ele prendeu o olhar do pistoleiro por um pouco e disse:

— Ontem eu dei a Sagrada Comunhão aos das pequenas propriedades que a recebem. E ouvi as confissões deles. Hoje é meu dia de ir às fazendas de gado e fazer o mesmo. Um bom número de caubóis abraça o que a maioria chama de Via Sacra. Rosalita me leva na carroça, por isso, em relação ao almoço e o jantar vocês precisam se virar sozinhos.

— Podemos fazer isso — disse Roland. — Mas teria alguns minutos pra conversar comigo?

— Claro — disse Callahan. — Um homem que não pode ficar um pouco não deve se aproximar, pra começar. Um bom conselho, acho, e não apenas para padres.

— Ouviria a *minha* confissão?

Callahan ergueu as sobrancelhas.

— Você segue o Homem Jesus?

Roland balançou a cabeça.

— Nem um pouco. Vai ouvir, assim mesmo, eu lhe peço. E guardar segredo?

Callahan deu de ombros.

— Quanto a guardar segredo, é fácil. É o que fazemos. Só não confunda discrição com absolvição. — Concedeu a Roland um sorriso frio. — Nós, católicos, guardamos isso pra nós mesmos, faça-me o favor.

A ideia de absolvição jamais passou pela mente de Roland, e ele achou quase cômico pensar que pudesse precisar dela (ou de que aquele homem pudesse dá-la). Enrolou um cigarro, lentamente, pensando em como começar e no quanto dizer. Callahan esperava, em um silêncio respeitoso.

Por fim, Roland disse:

— Houve uma profecia de que eu deveria escolher três, e que deveríamos nos tornar um ka-tet. Não importa quem a fez; não importa nada que veio antes. Não vou me preocupar com aquele velho nó, nunca mais, se depender de mim. Havia três portas. Atrás da segunda, estava a mulher que se tornou a esposa de Eddie, embora na época não se chamasse Susannah...

3

Assim, Roland contou a parte da história deles relacionada diretamente a Susannah e às mulheres que haviam existido antes dela. Concentrou-se em como haviam salvado Jake do porteiro e puxaram o garoto para o Mundo Médio, contando como Susannah (ou talvez naquele ponto fosse Detta) prendera o demônio do círculo enquanto faziam seu trabalho. Ele soubera dos riscos, disse Roland a Callahan, e passara a ter certeza — mesmo enquanto ainda estavam no Mono Blaine — de que ela não sobrevivera ao risco de gravidez. Ele contou a Eddie, e Eddie não ficara assim tão surpreso. Depois Jake contou a *ele*. Ralhou com ele, na verdade. E Roland aceitara a repreensão, disse, pois achou que merecia. O que nenhum deles percebera inteiramente até a noite anterior no alpendre era que a própria Susannah sabia, e talvez há tanto tempo quanto Roland. Ela apenas combateu com mais força.

— Então, père, o que acha?

— Você diz que o marido dela concordou em guardar o segredo — respondeu Callahan. — E até Jake... que vê claramente...

— Sim — disse Roland. — Ele vê. Ele viu. E quando me perguntou o que devíamos fazer, dei-lhe um conselho ruim. Eu disse que o melhor seria deixarmos o ka agir sozinho, e o tempo todo o vinha guardando em minhas mãos, como um pássaro capturado.

— Tudo sempre parece mais claro quando olhamos para trás, não?

— É.

— Você disse a ela ontem à noite que tem a cria de um demônio crescendo em seu útero?

— Ela sabe que não é de Eddie.

— Então você não disse. E Mia? Falou-lhe de Mia, e do salão de banquete do castelo?

— Sim — respondeu Roland. — Acho que saber disso a deprimiu, mas não a surpreendeu. Havia a outra, Detta, desde o acidente em que ela perdeu as pernas. — Não fora acidente algum, mas Roland não entrara no assunto de Jack Mort com Callahan, não vendo razão para fazê-lo. — Detta Walker escondeu-se muito bem de Odetta Holmes. Eddie e Jake dizem que ela é esquizofrênica. — Pronunciou essa palavra exótica com grande cuidado.

— Mas você a curou — disse Callahan. — Trouxe-a cara a cara com seus dois eus em uma daquelas portas de entrada. Não curou?

Roland deu de ombros.

— Você pode cauterizar verrugas pincelando-as com metal de prata, père, mas em uma pessoa dada a ter verrugas, elas sempre voltam.

Callahan surpreendeu-o lançando a cabeça para trás, voltada para o céu, e rugindo uma gargalhada. Tão longa e forte que acabou precisando tirar o lenço do bolso de trás para enxugar os olhos.

— Roland, você pode ser rápido com uma arma e mais valente que Satanás na noite de sábado, mas não é nenhum psiquiatra. Comparar esquizofrenia com *verrugas*... meu Deus!

— E no entanto Mia é real, père. Eu mesmo a vi. Não em um sonho, como Jake viu, mas com meus próprios dois olhos.

— É exatamente o que quero dizer. Ela não é um aspecto da mulher que nasceu Odetta Susannah Holmes. Ela é *ela*.

— Isso faz alguma diferença?

— Acho que sim. Mas aí está uma coisa que não sei lhe dizer com certeza: não importa como as coisas fiquem em seu companheirismo, seu ka-tet... isso tem de ser mantido em total segredo das pessoas de Calla Bryn Sturgis.

Hoje, as coisas estão caminhando bem para vocês. Mas se vazar a notícia de que a esposa pistoleira de pele marrom poderia estar grávida de um filho do demônio, o pessoal lhes daria as costas e tomaria o caminho oposto, e depressa. Com Eben Took encabeçando o desfile. Sei que no fim você vai decidir seu curso de ação baseado em sua própria avaliação do que Calla precisa, mas vocês quatro não podem derrotar os Lobos sem ajuda, não importa o quanto seja bom com esses calibres que carrega. Há coisas demais ao mesmo tempo.

Não era preciso dar qualquer resposta. Callahan tinha razão.

— O que teme mais? — perguntou o père.

— O rompimento do tet — disse Roland, de pronto.

— Com isso quer dizer Mia assumir o controle do corpo que partilham e ir sozinha ter o filho?

— Se isso acontecesse na hora errada, seria péssimo, mas ainda assim poderia ficar tudo bem. *Se* Susannah voltasse. Mas o que ela carrega não passa de veneno com um batimento cardíaco. — Roland olhou gravemente para o religioso em suas roupas pretas. — Tenho todo motivo pra acreditar que ia começar seu trabalho matando a mãe.

— O rompimento do tet — meditou Callahan. — Não a morte de sua amiga, mas o rompimento do tet. Eu me pergunto se seus amigos sabem que tipo de homem é você, Roland?

— Eles sabem — disse o pistoleiro, e sobre este assunto nada mais falou.

— O que quer você de mim?

— Primeiro, uma resposta a uma pergunta. Está claro pra mim que Rosalita sabe muita coisa de medicina rudimentar. Saberia o bastante para tirar o bebê antes da hora? E teria estômago para o que poderia encontrar?

Iam ter de estar lá, claro, ele, Eddie e Jake, também, por menos que Roland gostasse da ideia. Pois a coisa dentro dela com certeza se acelerara àquela altura, e mesmo que não houvesse chegado sua hora, seria perigosa.

E não há dúvida de que sua hora está próxima, ele pensou. *Embora eu não saiba ao certo, sinto-a. Eu...*

O pensamento interrompeu-se quando ele se deu conta da expressão de horror de Callahan: horror, repugnância e uma raiva crescente.

— Rosalita jamais faria uma coisa dessas. Escute bem o que eu digo. Preferiria antes morrer.

Roland ficou perplexo.

— Por quê?

— Porque ela é católica!

— Eu não entendo.

Callahan viu que o pistoleiro realmente não entendia, e sua raiva se amainou um pouco. Mas Roland sentiu que grande parte dela permanecia, como o arco atrás da cabeça de uma flecha.

— É de aborto que você está falando!

— É?

— Roland... Roland. — Callahan abaixou a cabeça, e quando a ergueu a raiva parecia ter desaparecido. Em seu lugar, instalou-se uma obstinação férrea que o pistoleiro jamais vira antes. Roland não poderia quebrá-la mais do que conseguiria levantar uma montanha com as mãos. — Minha igreja divide os pecados em dois: os veniais, que são suportáveis na visão de Deus, e os mortais, que não são. O aborto é um pecado mortal. É assassinato.

— Père, estamos falando de um demônio, não de um ser humano.

— É o que diz. Esse é assunto de Deus, não meu.

— E se a coisa a matar? Vai dizer o mesmo então, e lavar as mãos da questão?

Roland nunca ouvira falar da história de Pôncio Pilatos, e Callahan sabia disso. Mas mesmo assim estremeceu com o pensamento. Sua resposta, porém, foi bastante firme.

— Foi você quem falou do rompimento de seu tet antes de falar da perda da vida dela! Que vergonha. *Vergonha*.

— Minha jornada, a jornada de meu ka-tet, é a Torre Negra, père. Não é salvar este mundo em que estamos, nem mesmo este universo, mas todos os universos. Toda a existência.

— Não dou a mínima — disse Callahan. — Não *posso* dar. Agora me escute, Roland filho de Steven, pois eu quero que me escute muito bem. Está escutando?

Roland suspirou.

— Agradeço.

— Rosa não fará o aborto na mulher. Há outras na cidade que poderiam, não tenho a menor dúvida, mesmo em um lugar em que as crianças são levadas a cada vinte e tantos anos por monstros da terra das trevas, ainda se preservam essas artes imundas, mas se procurar alguma delas, não vai precisar se preocupar com os Lobos. Eu levantarei cada mão em Calla Bryn Sturgis contra você muito antes de eles chegarem.

Roland olhava-o, incrédulo.

— Mesmo sabendo, como tenho certeza de que sabe, que talvez a gente consiga salvar uma centena de outras crianças? Crianças humanas, cuja primeira tarefa na Terra não seria comerem suas mães?

Callahan poderia bem nem ter ouvido. Tinha o rosto muito pálido.

— Vou querer mais, se me permite... e mesmo que não. Quero sua palavra, jure diante do rosto do seu pai que jamais sugerirá um aborto à própria mulher.

Um estranho pensamento ocorreu a Roland: agora que esse assunto viera à tona... saltara neles, como um boneco de molas de uma caixinha — Susannah deixara de ser Susannah para aquele homem. Passara a ser *a mulher*. E outro pensamento: quantos monstros ele mesmo, père Callahan, matara com a própria mão?

Como sempre acontecia em tempos de extrema tensão, o pai de Roland falou com ele. *Esta situação não está exatamente além da salvação, mas se a levar muito adiante — se der voz a esses pensamentos —, ela vai ficar.*

— Eu quero sua promessa, Roland.

— Ou incitará a cidade.

— Sim.

— E se a própria Susannah decidir abortar? As mulheres fazem isso, e ela está muito longe de ser idiota. Conhece os riscos.

— Mia, a verdadeira mãe do bebê, vai impedi-la.

— Não tenha tanta certeza. O senso de autopreservação de Susannah Dean é muito forte. E creio que sua dedicação à nossa jornada é mais forte ainda.

Callahan hesitou. Desviou o olhar, os lábios comprimidos em uma apertada linha branca. Depois tornou a olhá-lo.

— *Você* vai impedi-la — disse ele. — Como o dinh dela.

Roland pensou. *Acabei de ser posto numa sinuca de bico.*

— Está bem — disse. — Vou contar a ela de nossa conversa e certificar-me de que entende a posição em que você nos pôs. E direi a ela que não deve contar a Eddie.

— Por que não?

— Porque ele o mataria, père. Ele o mataria por sua interferência.

Roland ficou um tanto satisfeito com o arregalar dos olhos de Callahan. Tornou a lembrar-se que não devia suscitar em si sentimentos contra esse homem, que era simplesmente o que era. Já não lhes falara da armadilha que levava consigo aonde quer que fosse?

— Agora me escute como eu o escutei, pois você agora tem uma responsabilidade por todos nós. Especialmente pela "mulher".

Callahan contraiu-se um pouco, como se tivesse sentido o golpe. Mas assentiu.

— Diga do que gostaria.

— Primeiro, que a vigiasse quando puder. Como um falcão! Em particular, eu gostaria que a vigiasse quando esfregasse os dedos aqui. — Roland coçou a sobrancelha esquerda. — Ou aqui. — Coçou a têmpora esquerda. — Ouça a forma dela falar. Preste atenção se começar a se acelerar. Observe-a se começar a mover-se em pequenos tiques. — Roland bateu a mão no alto da cabeça, arranhou-a, bateu-a mais uma vez para baixo. Lançou a cabeça para a direita, depois olhou Callahan. — Entende?

— Sim. São sinais de que Mia está chegando?

Roland assentiu com a cabeça.

— Não quero mais que ela fique sozinha quando for Mia. Não se eu conseguir evitar.

— Eu entendo — disse Callahan. — Mas, Roland, pra mim é difícil acreditar que um recém-nascido, não importa quem seja o seu pai...

— Silêncio — disse Roland. — Silêncio, por favor. — E quando Callahan se calou, obediente: — O que você pensa e acredita não significa nada pra mim. Você tem a si mesmo com quem se preocupar, e desejo-lhe boa sorte. Mas se Mia ou o que ela carrega ferir Rosalita, père, eu o responsabilizarei pelos ferimentos dela. Você pagará à minha mão boa. Está entendendo?

— Sim, Roland. — Callahan parecia ao mesmo tempo envergonhado e calmo. Uma combinação estranha.

— Muito bem. Agora eis a outra coisa que pode fazer por mim. Quando chegar o dia dos Lobos, eu vou precisar de seis pessoas em que possa confiar totalmente. Gostaria de ter três de cada gênero.

— Importa-se que alguns sejam pais de crianças em risco?

— Não. Mas todas, não. E nenhuma das damas que sabem lançar o prato... Sarey, Zalia, Margaret Eisenhart, Rosalita. Elas vão ficar em outro lugar.

— Para que você precisa dessas seis?

Roland calou-se.

Callahan olhou-o por um momento a mais e deu um suspiro.

— Reuben Caverra — disse. — Reuben jamais esqueceu a irmã, e como ele a amava. Diane Caverra, sua esposa... ou você não quer casais?

Não, um casal não teria problema. Roland girou os dedos, gesticulando para que o père continuasse.

— Cantab dos mannis, devo dizer: as crianças o seguem como se ele fosse o Flautista de Hamelin.

— Eu não entendo.

— Não precisa. Eles o seguem, esta é a parte importante. Bucky Javier e sua esposa... e o que acha de seu garoto, Jake? As crianças da cidade o seguem com os olhos, e desconfio que várias das meninas estão apaixonadas por ele.

— Não, eu preciso dele.

Ou não pode suportar tê-lo longe?, perguntou-se Callahan, mas não disse. Já fora longe demais com Roland, ao menos por um dia. Até mais, na verdade.

— Que tal Andy, então? As crianças também o adoram. E ele as protegeria até a morte.

— É? Dos Lobos?

Callahan pareceu perturbado. Na verdade era em gatos-da-montanha que vinha pensando. Neles, e na espécie de lobos que andavam em quatro patas. Quanto aos que vinham do Trovão...

— Não — disse Roland. — Andy não.

— Por que não? Pois não é para lutar com os Lobos que você quer esses seis, é?

— Andy não — repetiu Roland. Era apenas uma sensação, mas essas sensações eram sua versão do toque. — Há tempo de sobra pra pensar nisso, père... e nós também vamos pensar.

— Você vai sair para visitar a cidade.

— Sim. Hoje e todo dia pelos próximos. — Callahan deu um sorriso.

— Seus amigos e eu chamaríamos de *schmoozing*. É uma palavra iídiche, saber dos "causos" e rumores.

— É? De que tribo são os iídiches?

— De uma tribo com pouca sorte, em todos os aspectos. Aqui, o pessoal chama schmoozing de commala. É a palavra deles pra quase tudo.

Callahan achou meio divertido constatar o quanto queria recuperar a estima do pistoleiro. E também um pouco repugnado consigo mesmo.

— De qualquer modo, desejo-lhe sucesso nisso.

Roland assentiu. Callahan começou a subir para a casa paroquial, onde Rosalita já havia posto os arreios nos cavalos e os atrelara à carroça, e agora esperava com impaciência a chegada de Callahan, para saírem a serviço de Deus. No meio da subida, Callahan voltou-se:

— Não peço desculpas pelas minhas crenças — disse ele —, mas se compliquei seu trabalho aqui nas terras de Calla, perdão.

— Seu Homem Jesus me parece meio filho da puta quando se trata de mulheres — disse Roland. — Ele já foi casado?

Os cantos da boca de Callahan repuxaram-se em um quase sorriso.

— Não, Roland, mas Sua namorada era uma prostituta.

— Bem — disse o pistoleiro —, já é um começo.

4

Roland voltou a encostar-se na cerca. O dia chamava-o para começar, mas ele quis dar a Callahan uma dianteira. Não havia mais razão para isso do que houvera para rejeitar Andy sem pestanejar; apenas uma sensação.

Continuava ali, e enrolando outro cigarro, quando Eddie desceu a ladeira com a camisa adejando atrás e as botas em uma das mãos.

— Salve, Eddie — disse Roland.

— Salve, patrão. Vi você conversando com Callahan. Dê-nos este dia, nossa Wilma e Fred.

Roland ergueu as sobrancelhas.

— Deixe pra lá — disse Eddie. — Roland, nessa excitação toda, eu nunca tive uma chance de lhe contar a história do grand-père. E é importante.

— Susannah já se levantou?

— Já. Está se lavando. Jake comendo o que parece ser uma omelete de doze ovos.

Roland assentiu.

— Já dei ração aos cavalos. Podemos selá-los enquanto você me conta a história do velho.

— Não acho que vai levar tanto tempo assim — disse Eddie, e não levou.

Chegou ao desfecho — a parte final que o velho lhe sussurrara no ouvido — no momento em que chegavam ao celeiro. Roland virou-se para ele, os cavalos esquecidos. Os olhos faiscando. As mãos que apertou nos ombros de Eddie — mesmo a direita mutilada — eram vigorosas.

— Repita!

Eddie não se ofendeu.

— Ele me disse para me aproximar. Eu fiz. Contou que jamais tinha dito a ninguém além do filho, o que eu acredito. Tian e Zalia sabem que ele estivera lá, ou afirma que estivera, mas não sabem o que ele viu quando arrancou a máscara da coisa. Acho que nem sabem que foi Molly Vermelha quem derrubou a coisa. E então ele sussurrou... — Mais uma vez, Eddie contou a Roland o que o grand-père de Tian afirmou ter visto.

O olhar feroz de triunfo de Roland brilhava tanto que era assustador.

— Cavalos cinzentos! — disse. — Todos aqueles cavalos do mesmo matiz! Entende agora, Eddie? Entende?

— Sim — disse Eddie, exibindo os dentes em um sorriso aberto. Não era um sorriso particularmente agradável. — Como disse a corista ao empresário, já estivemos aqui antes.

5

Em inglês americano padrão, a palavra com o máximo de acepções talvez seja *run*, ou seja, *correr*. O dicionário completo da Random House oferece cento e setenta e oito opções, a começar com "mover as pernas, em uma sequência de impulsos, repousando o corpo ora sobre uma, ora sobre outra, e deslocando-se em geral mais rápido que andar" e terminando com "fundido ou liquidificado". Nas Callas-Crescentes das terras da fronteira, entre o Mundo Médio e o Trovão, o primeiro prêmio pelo maior número de significados iria para *commala*. Se a palavra constasse da relação de verbetes do dicionário completo da Random House, a primeira definição (supondo-se que fossem atribuídas, como é comum, em ordem de mais amplo uso) seria "uma variedade de arroz cultivada na borda do mais extremo leste do Mundo Todo". A segunda, contudo, seria "relação sexual". A terceira, "orgasmo sexual", como em: *Você chegou à commala?* (A esperada resposta sendo *Sim, agradeço, commala boa-boa.*) Molhar a commala é irrigar o arroz em tempo seco; também é masturbar-se. Commala é o começo de alguma lauta e festiva refeição, como um banquete familiar (não a comida em si, se faz o favor, mas o momento de começar a comer). Um homem que está perdendo o cabelo (como Garrett Strong naquela estação) é commala vindoura. Juntar animais para se reproduzirem é umedecer a commala. Animais castrados são commala seca, embora ninguém saiba dizer por quê. Uma virgem é commala verde, uma mulher menstruada é commala vermelha, um homem que não consegue mais fazer ferro diante da forja é — com perdão da palavra — commala mole. Ficar em commala é ficar barriga-com-barriga, uma gíria que significa "partilhar segredos". As conotações sexuais da palavra são claras, mas por que deveriam os arroios rochosos a norte da cidade serem conhecidos como poços commala? Aliás, por que um garfo às vezes é commala, mas nunca uma faca nem uma colher? Embora não haja cento e setenta e oito definições para a palavra, devem ser umas setenta. O dobro disso, se acrescentarmos as várias nuanças. Um dos sentidos — certamente viria no top 10 — é o que o père Callahan definiu como *schmoozing*. A frase concreta seria algo como "vem Sturgis commala", ou "vem Bryn-a commala". O sentido literal seria ficar barriga-com-barriga com a comunidade como um todo.

Durante os cinco dias seguintes, Roland e seu ka-tet tentaram continuar esse processo, que os forasteiros haviam começado no Armazém Geral de Took. A empreitada foi difícil a princípio ("Como tentar acender uma fogueira com lenha molhada", disse Susannah, irritada, após a primeira noite), mas aos poucos as pessoas foram chegando. Ou pelo menos se interessando por eles. Toda noite, Roland e os Dean retornavam à casa paroquial do père. Todo cair de tarde ou à noite, Jake regressava à fazenda pecuária Rocking B. Andy pegou o costume de encontrá-lo no lugar onde a estrada da Rocking B se separava da do Leste e escoltava-o pelo resto do caminho, cada vez fazendo sua mesura e dizendo:

— Boa-tarde, soh, gostaria de ouvir o seu horóscopo? Esta época do ano é às vezes chamada de Colheita de Charyou! Você vai visitar um velho amigo! Uma jovem dama o acha muito simpático! — E assim por diante.

Jake perguntara mais de uma vez a Roland por que ele próprio estava passando tanto tempo com Benny Slightman.

— Você está reclamando? — perguntou o pistoleiro. — Não gosta mais dele?

— Eu gosto muito dele, Roland, mas se há alguma coisa que eu deveria estar fazendo além de saltar no feno, ensinar Oi a dar cambalhotas ou ver quem consegue pular mais vezes de uma rocha lisa no rio, acho que precisa me dizer o que é.

— Não há nada mais — respondeu Roland. Então, como se pensasse melhor: — E dormir bem. Garotos em crescimento precisam de muito sono.

— Por que estou lá?

— Porque me parece certo que fique lá — disse Roland. — Tudo o que quero de você é que mantenha os olhos abertos e me diga se vê alguma coisa de que não gosta ou não entende.

— De qualquer modo, moleque, já não nos vê o bastante durante os dias? — perguntou-lhe Eddie.

Ficaram juntos durante os cinco dias seguintes, e os dias eram longos. A novidade de cavalgar os cavalos de Overholser se esgotou em um piscar de olhos. Assim como aumentaram as queixas de músculos doloridos e bundas esfoladas. Em um desses trajetos, ao se aproximarem do lugar onde Andy estaria à espera, Roland perguntou sem rodeios a Susannah se ela pensara em aborto como um meio de resolver seu problema.

— Bem — ela disse, olhando-o curiosa do seu cavalo. — Não vou dizer que a ideia não passou pela minha cabeça.

— Expulse-a. Nada de aborto.

— Algum motivo particular por que não?

— Ka — disse Roland.

— Caca — retrucou de estalo Eddie.

Era uma piada antiga, mas os três riram, e Roland ficou contente por rir com eles. E com isto o assunto morreu. Roland mal conseguia acreditar, mas ficou feliz. O fato de Susannah parecer tão pouco inclinada a discutir Mia e a chegada do bebê deixou-o realmente grato. Ele imaginava que houvessem coisas — bastante delas — que ela preferia não ficar sabendo.

No entanto, nunca faltara coragem a ela. Roland tinha certeza de que as perguntas teriam surgido em algum momento, mas após cinco dias percorrendo a cidade como um quarteto (quinteto, incluindo-se Oi, que sempre cavalgava com Jake), Roland passou a mandá-la para a pequena propriedade dos Jaffords a fim de pôr sua habilidade à prova com o prato.

Mais ou menos oito dias depois da longa confabulação deles no alpendre da casa paroquial — a que se estendeu até as quatro da manhã —, Susannah convidou-os à pequena propriedade dos Jaffords para verem seu progresso.

— Foi ideia de Zalia — disse. — Acho que quer ver se eu passo na prova.

Roland sabia que bastava perguntar a Susannah se quisesse uma resposta àquela pergunta, mas ficou curioso. Quando chegaram, encontraram toda a família reunida na varanda dos fundos, assim como vários dos vizinhos de Tian: Jorge Estrada e a esposa, Diego Adams (de calças de vaqueiro) e os Javier. Pareciam espectadores de um treino de dardos. Zalman e Tia, os gêmeos roont, afastados em um dos lados, encaravam com olhos arregalados todos os presentes. Andy também estava presente, com o bebê Aaron (dormindo) nos braços.

— Roland, se você queria ter mantido isto em segredo, já viu como vai ser agora, hein? — perguntou Eddie.

Roland não se abalou, porém se deu conta agora de que sua ameaça aos caubóis que haviam visto sai Eisenhart atirar o prato fora totalmente inútil. O pessoal do campo fala entre si, era só isso. Seja nas terras da fronteira ou nos baronatos, a fofoca sempre foi o esporte principal. *E no mínimo*, pensou, *aqueles mexeriqueiros podem espalhar a notícia de que Roland era durão, commala forte, com quem não se devia mexer.*

— É o que é — respondeu. — A gente de Calla sabe há muito tempo que as Irmãs de Oriza lançam o prato. Se souberem que Susannah também lança, e bem, talvez isso venha a calhar.

Jake disse:

— Só espero que ela não, você sabe, vá mal.

Ouviram-se respeitosas saudações a Roland, Eddie e Jake quando eles subiram ao alpendre. Andy disse ao garoto que uma mocinha estava morrendo de amores por ele. Jake enrubesceu e disse que preferia não saber dessas coisas, se estivesse tudo bem para Andy.

— Como queira, soh.

Jake se viu examinando as palavras e os números estampados no meio de Andy como uma tatuagem de aço, e novamente questionou a si mesmo se ele estava mesmo nesse mundo de robôs e caubóis ou se era algum tipo de sonho extraordinariamente vívido.

— Espero que este bebê acorde logo, espero, sim. E chore! Pois eu sei várias cantigas de ninar calmantes...

— Cale a boca, seu bandido de aço rachado! — disse o grand-père, zangado, e após pedir seu perdão (naquele tom de voz complacente, sem se lamentar nem um pouco), Andy se calou. Mensageiro, *Muitas Outras Funções*, pensou Jake. *É uma de suas outras funções provocar as pessoas, Andy, ou isso é só minha imaginação?*

Susannah entrara na casa com Zalia. Quando saíram, ela trazia penduradas não apenas uma, mas duas bolsas de vime. Pendiam-lhe até os quadris em um par de alças entrançadas. Outra tira, também, viu Eddie, contornava-lhe a cintura e mantinha as bolsas junto ao corpo.

— Isto é que é uma senhora amarração, agradeça — observou Diego Adams.

— Foi Susannah quem inventou — disse Zalia, quando ela subiu na cadeira de rodas. — Chama-o de coldre.

Não era, pensou Eddie, não exatamente, mas chegava perto. Sentiu um sorriso de admiração brotar na boca e viu um semelhante na de Roland. E de Jake. Por Deus, até Oi parecia sorrir.

— Vai puxar água, isto é o que *eu* gostaria de saber — disse Bucky Javier.

Que uma questão dessas fosse sequer cogitada, pensou Eddie, só enfatizava a diferença entre os pistoleiros e a gente de Calla. Eddie e seus companheiros sabiam só de olhar o que era a amarração e como funcionaria. Javier, contudo, era um fazendeiro de pequena porte, e como tal via o mundo de uma maneira muito diferente.

Vocês precisam de nós, pensou Eddie em relação ao pequeno grupo de homens em pé no alpendre — os fazendeiros em suas calças sujas de terra, Adams de vaqueiro e as botas salpicadas de estrume. *Cara, como precisam.*

Susannah deslocou-se até a frente da varanda e dobrou os cotos embaixo de si mesma de modo que parecia estar quase em pé na cadeira. Eddie sabia como lhe doía aquela postura, embora seu rosto não revelasse nenhum desconforto. Roland, enquanto isso, olhava as bolsas que ela trazia. Havia quatro pratos em cada, coisas simples, sem nenhuma estampa. Pratos de aprendiz.

Zalia encaminhou-se para o celeiro no outro lado. Embora Roland e Eddie houvessem notado a manta presa com tachas ali assim que chegaram, os demais a viram pela primeira vez quando Zalia a estendeu em direção ao chão. Desenhado nas tábuas do celeiro, via-se o contorno de um homem — ou um ser de aparência humana —, com uma careta imobilizada no rosto e a sugestão de uma capa esvoaçando atrás. Não era uma obra de qualidade produzida pelos gêmeos Tavery, nem de perto, mas as pessoas no alpendre reconheciam os Lobos quando viam um. As crianças mais velhas deixaram escapar um oh! em voz baixa. Os Estrada e os Javier aplaudiram, mas pareciam apreensivos mesmo ao fazer isso, como pessoas que temem talvez estarem chamando a atenção do demônio. Andy elogiou a artista ("Quem quer que ela seja", acrescentou maliciosamente) e grand-père mandou-o mais uma vez fechar a matraca. Depois gritou que os Lobos que *ele* vira eram um pouco maiores. Sua voz tremia de empolgação.

— Bem, eu o desenhei do tamanho de um homem — disse Zalia (na verdade, desenhara do tamanho do *marido*). — Se a coisa real acabar sendo um alvo maior, tanto melhor. Escutem, eu lhes peço. — Isto saiu de maneira insegura, quase como uma pergunta.

Roland assentiu.

— Nós agradecemos.

Zalia disparou-lhe um olhar grato, e se afastou do contorno na fachada do celeiro. Depois olhou para Susannah.

— Quando quiser, dama.

Por um momento, Susannah apenas ficou onde estava, cerca de sessenta metros do celeiro. Cabisbaixa, tinha as mãos entre os seios, a direita cobrindo a esquerda. Seus companheiros de ka sabiam exatamente o que se passava em sua cabeça: *Eu miro com o olho, atiro com a mão e mato com o coração.* Os corações deles próprios se deslocaram para ela, talvez transportados pelo toque de Jake ou pelo amor de Eddie, a encorajando, desejando-lhe sucesso, partilhando sua empolgação. Roland fitava com intensidade. Será que mais uma mão certeira com o prato viraria a maré a favor deles? Talvez não. Mas ele era o que era, o mesmo se aplicava a ela, e desejou-lhe pontaria fiel com cada pedacinho de sua vontade.

Susannah ergueu a cabeça. Olhou a forma desenhada com giz na parede do celeiro. Continuava com as mãos apoiadas no meio dos seios. Então soltou um grito estridente, como Margaret Eisenhart gritara no quintal da Rocking B, e Roland sentiu o batimento cardíaco acelerar-se. Naquele momento, teve uma clara e bela lembrança de David, seu falcão, abrindo as asas em um céu azul de verão e caindo sobre a presa como uma pedra com olhos.

— *Riza!*

As mãos caíram e tornaram-se um borrão. Só Roland, Eddie e Jake conseguiram ver como elas se cruzaram na cintura, a direita retirando um prato da bolsa à esquerda, a esquerda pegando um da direita. Sai Eisenhart atirara do ombro, sacrificando tempo a fim de ganhar força e exatidão. Os braços de

Susannah cruzaram-se abaixo da caixa torácica e pouco acima dos braços da cadeira de rodas, os pratos terminando seu arco engatilhado mais ou menos à altura das omoplatas dela. E voaram, entrecruzando-se em pleno ar um momento antes de arremessar no lado do celeiro.

Os braços de Susannah pararam estendidos abertos; por um momento ela parecia um maestro que acabara de apresentar o ato principal. Depois caíram e cruzaram-se, pegando mais dois pratos. Ela lançou-os, mergulhou mais uma vez e lançou o terceiro par. Os dois primeiros ainda tremulavam quando os últimos embicaram para a direção do celeiro, um alto e um baixo.

Por um momento houve silêncio total no quintal dos Jaffords. Nem sequer um pássaro piou. Os oito pratos dispararam em uma perfeita linha reta da garganta da figura em giz ao que seria sua parte média superior. Todos seguiram com uma distância de uns três a cinco centímetros um do outro, descendo como botões em uma camisa. E ela lançara todos os oito em não mais que três segundos.

— Vocês pretendem usar os pratos contra os Lobos? — perguntou Bucky Javier em uma voz estranhamente trêmula. — É isso?

— Nada foi decidido ainda — disse Roland, impassível.

Com a voz mal audível que transmitia ao mesmo tempo choque e admiração, Deelie Estrada disse:

— Mas se fosse um homem, ouça bem, teria virado costeletas.

Foi grand-père quem teve a palavra final, como talvez devessem os avós:

— Pode apostar!

6

A caminho de volta para a rua Alta (Andy à distância na frente deles, levando a cadeira de rodas dobrada e tocando alguma coisa em uma gaita de fole através de seu sistema de som), Susannah disse, pensativa:

— Talvez eu largue de vez o revólver, Roland, e só me concentre no prato. Há uma satisfação primordial em dar aquele grito e depois lançar.

— Você me lembrou o meu falcão — admitiu Roland.

Os dentes de Susannah faiscaram em um largo sorriso.

— Eu me *senti* como um falcão. Riza! Ô-*Riza*! Só dizer a palavra já me deixa em clima de lançamento.

Para a mente de Jake, isso trouxe uma obscura lembrança de Gasher ("Seu velho amigo Gasher", como o homem em questão gostava de dizer), e ele sentiu calafrios.

— Você largaria mesmo o revólver? — perguntou Roland. Não sabia se estava divertido ou horrorizado.

— Você enrolaria seus próprios cigarros se tivesse como consegui-los feitos sob medida? — perguntou ela, e então, antes que ele pudesse responder: — Não, não de verdade. Mas o prato é uma arma deliciosa. Quando eles chegarem, espero lançar duas dúzias. E superar meu limite.

— Haverá escassez de pratos? — perguntou Eddie.

— Não. Não há muitos chiques como o que sai Eisenhart lançou pra você, Roland... mas há centenas de pratos pra treinamento. Rosalita e Sarey Adams estão escolhendo os melhores, descartando algum que poderia voar torto — hesitou e baixou a voz. — Todas estiveram aqui, Roland, e embora Sarey seja valente como um leão e possa resistir a um furacão...

— Não tem o jeito, hum? — perguntou Eddie, solidário.

— Não muito — concordou Susannah. — Ela é boa, mas não como as outras. Nem tem a mesma ferocidade.

— Eu talvez tenha outra coisa pra ela — disse Roland.

— Qual seria, doçura?

— Função de escolta, talvez. Vamos ver como elas atiram, depois de amanhã. Uma competiçãozinha sempre anima tudo. Às cinco da tarde, Susannah, eles sabem?

— Sim. A maioria da gente de Calla apareceria, se você deixasse.

Isso *era* desanimador... mas ele devia ter esperado. *Passei tempo demais longe do mundo das pessoas*, pensou. *Se passei.*

— Ninguém além de você, as damas e nós — disse Roland firmemente.

— Se o pessoal de Calla visse as mulheres lançando bem, isso tiraria um monte de gente de cima do muro.

Roland fez que não com a cabeça. Não *queria* que soubessem o quanto as mulheres lançavam bem, isso era quase o cerne da questão. Mas que a cidade soubesse que elas *estavam* lançando... talvez não fosse uma coisa ruim.

— Até onde elas são boas, Susannah? Me diga.

Ela pensou, depois sorriu.

— Pontaria de matador — disse. — Cada uma.

— Pode ensinar-lhes aquele lançamento de mãos cruzadas?

Susannah analisou a questão. É possível ensinar quase qualquer coisa a qualquer um, tendo mundo e tempo suficientes, mas elas não tinham nenhuma das duas coisas. Só faltavam treze dias agora, e no dia em que as Irmãs de Oriza (incluindo o mais novo membro delas, Susannah de Nova York) se reunissem para a exibição no quintal do père Callahan, faltaria apenas uma semana e meia. O lançamento de mãos cruzadas viera-lhe naturalmente, como ocorrera tudo sobre atirar com armas. Mas as outras...

— Rosalita aprenderá — acabou dizendo. — Margaret Eisenhart *poderia* aprender, mas talvez fique atordoada na hora errada. Zalia? Não. Melhor que atire um prato de cada vez, sempre com a mão direita. Embora seja um pouco mais lenta, garanto que cada prato lançado por ela beberá o sangue de alguém.

— Sim. Até que um pomo dourado se aloje nela e a jogue pelos ares de seu colete — disse Eddie.

Susannah ignorou isso.

— Podemos machucá-los, Roland. Sabe que podemos.

Roland fez que sim com a cabeça. O que vira muito o encorajara, sobretudo à luz do que Eddie lhe contara. Susannah e Jake também sabiam agora do antigo segredo do grand-père. E, falando de Jake...

— Está muito calado hoje — disse Roland ao garoto. — Está tudo bem com você?

— Tudo bem, obrigado — disse Jake.

Ele vinha observando como Andy embalara o bebê. Pensando em que se Tian e Zalia e todas as outras crianças morressem, e só restasse Andy para criar Aaron, o bebê provavelmente morreria em seis meses. Morrer ou tornar-se a criança mais estranha do universo. Andy lhe trocaria as fraldas, o alimentaria com a comida adequada, lhe trocaria as roupas, poria para arrotar se isso fosse necessário, e haveria todo tipo de cantigas de ninar. Cada uma seria cantada à perfeição, embora não motivada pelo amor de uma mãe. Ou de um pai. Andy era apenas Andy, o Robô Mensageiro, Muitas Outras Funções. O bebê Aaron se daria melhor se fosse criado por... bem, por lobos.

Esse pensamento levou-o de volta à noite em que ele e Benny haviam acampado (não tornaram a fazê-lo desde então; a temperatura esfriara muito). A noite em que ele vira Andy e o pai de Benny conversando. Depois o pai de Benny saíra chapinhando para o outro lado do rio. Rumo a leste.

Rumo à direção do Trovão.

— Jake, tem certeza de que está bem? — perguntou Susannah.

— Xim-xim — disse Jake, sabendo que isto na certa a faria rir. Fez, e Jake riu junto, mas continuava pensando no pai de Benny.

Os óculos que o pai de Benny usava. Jake tinha quase certeza de que ele era o único na cidade que os tinha. Perguntara-lhe a respeito naquele dia em que os três cavalgavam em um dos dois campos norte da Rocking B, à procura de animais extraviados. O pai de Benny contara-lhe uma história sobre a permuta de um belo potro de raça pelos óculos em um dos barcos de comércio lacustre em que estivera, quando a irmã de Benny ainda era viva, que Oriza a abençoe. Fizera isso embora todos os caubóis — até o próprio Vaughn Eisenhart, não está vendo? — houvessem dito que aqueles óculos não funcionavam. Mas Ben Slightman os experimentara e eles haviam mudado tudo. De repente, pela primeira vez desde que tinha talvez sete anos, conseguira realmente ver o mundo.

Polira-os na camisa enquanto cavalgavam, erguera-os para o céu a fim de que duas manchas gêmeas de luz nadassem em sua face e pusera-os de novo.

— Se eu algum dia perdê-los ou quebrá-los, não sei o que farei. Vivi muito bem sem este conforto durante vinte anos ou mais, porém uma pessoa se acostuma a uma coisa melhor em um piscar de olhos.

Jake julgou-a uma boa história. Tinha certeza de que Susannah teria acreditado nela (supondo-se que a singularidade dos óculos de Slightman lhe houvesse ocorrido para início de conversa). Achava que Roland também teria acreditado. Slightman contou-a da maneira correta: um homem que continuava apreciando sua sorte e não se importava em deixar o pessoal saber que acertara em relação a algo enquanto várias outras pessoas, incluindo seu patrão, haviam errado. Até Eddie talvez a houvesse engolido. O único problema com a história de Slightman é que não era verdadeira. Jake não sabia exatamente o que ocorrera, seu toque não fora tão fundo, mas sabia esse tanto. E isso o preocupava.

Provavelmente não é nada, você sabe. Provavelmente ele apenas os conseguiu de algum modo que não daria uma história tão boa. Pelo que você sabe, um dos mannis os trouxe de volta de algum outro mundo, e o pai de Benny roubou-os.

Era uma possibilidade; se precisasse, Jake teria conseguido pensar em mais meia dúzia. Ele era um garoto criativo.

No entanto, quando somada ao que vira próximo ao rio, preocupava-o. Que tipo de negócio poderia ter o capataz de Eisenhart no outro lado do Whye? Jake não sabia. E no entanto, cada vez que pensava em trazer o assunto à tona com Roland, alguma coisa o mantinha calado.

E após ser duro com ele *sobre guardar segredos!*

É, é, é. Mas...

Mas o quê, viajantezinho?

Mas Benny, era isso. Benny era o problema. Ou talvez fosse o próprio Jake que era o problema. Nunca fora muito bom em fazer amigos, e agora tinha um que era ótimo. A ideia de deixar o pai de Benny em apuros o deixava se sentindo mal.

7

Dois dias depois, às cinco da tarde, Rosalita, Zalia, Margaret Eisenhart, Sarey Adams e Susannah Dean reuniram-se no campo logo à direita da bem-arrumada casinha sanitária de Rosa. Houve muitas risadinhas e não poucos ataques de riso nervoso, estridente. Roland manteve distância, e instruiu Eddie e Jake a fazerem o mesmo. Melhor deixá-las agirem como fosse melhor para elas.

Encostados na cerca de trilhos, a trinta metros um do outro, erguiam-se espantalhos com rechonchudas cabeças de raiz-forte. Cada cabeça foi envolta em um saco de aniagem, amarrado para fazê-lo parecer o capuz de um manto. No pé de cada um havia três cestas. Encheu-se uma com mais raiz-forte. Outra com batatas. O conteúdo da terceira arrancou gemidos e gritos de protesto. Foram enchidas com rabanetes. Roland mandou-as parar de reclamar; cogitara ervilhas, disse. Nenhuma delas (nem Susannah) teve certeza absoluta de que ele estava brincando.

Callahan, neste dia vestindo jeans e uma túnica de rancheiro de muitos bolsos, surgiu caminhando sem pressa na varanda, onde Roland se sentava fumando, à espera de as damas se acalmarem. Jake e Eddie jogavam por perto.

— Vaughn Eisenhart está lá fora defronte da casa — comunicou o père a Roland. — Disse que vai até o Tooky's tomar uma cerveja, mas só depois de trocar uma palavra com você.

Roland exalou um suspiro, levantou-se e atravessou a casa até a frente. Sentado no banco do cabriolé de um só cavalo, as botas apoiadas no para-lamas, Eisenhart olhava mal-humorado na direção da igreja de Callahan.

— Bom dia a você, Roland — disse.

Wayne Overholser dera alguns dias antes ao pistoleiro um chapéu de caubói, de aba larga. Roland levou a mão à aba em resposta ao rancheiro e esperou.

— Imagino que estará enviando a pena em breve — disse Eisenhart. — Convocando uma assembleia, se faz o favor.

Roland aceitou a situação. Não cabia à cidade dizer aos cavaleiros do Eld como cumprir seu dever, mas Roland lhes diria que dever deveria ser cumprido. Até aí ele lhes devia.

— Quero que saiba que quando chegar a hora vou tocá-la e passá-la adiante. E chegando a assembleia, direi sim.

— Agradeço — respondeu Roland.

Estava genuinamente comovido. Desde que se juntara a Jake, Eddie e Susannah, parecia que seu coração crescera. Às vezes lamentava-se, mas quase sempre, não.

— Took não vai fazer nenhuma das duas coisas.

— Não — concordou Roland. — Desde que o negócio esteja bem, os Took do mundo jamais tocam a pena. Nem dizem sim.

— Overholser está com ele.

Isso foi um golpe. Não inteiramente inesperado, mas tivera a esperança de que Overholser mudasse de ideia. Entretanto, Roland tinha todo o apoio de que precisava, e imaginava que Overholser soubesse disso. Se fosse sensato, o fazendeiro simplesmente se sentaria e esperaria que tudo se resolvesse, de um jeito ou de outro. Se interferisse, era provável que não visse mais um ano de colheitas em seus celeiros.

— Eu queria que soubesse de uma coisa — disse Eisenhart. — Estou com você por causa da minha esposa, e minha esposa está com você porque decidiu que quer caçar. No fim, é nisto que dão todas as coisas como o lançamento de pratos, uma mulher dizendo a seu homem o que será e o que não será. Não é a ordem natural das coisas. O homem deve governar a sua mulher. Exceto na questão dos bebês, claro.

— Ela abandonou tudo com que foi criada quando o tomou por marido — disse Roland. — Agora é sua vez de retribuir um pouco.

— Acha que eu não sei disso? Mas se você fizer com que seja morta, Roland, levará minha maldição consigo quando vocês deixarem Calla. Se deixarem. Não importa quantas crianças salvem.

Roland, que já fora amaldiçoado antes, assentiu.

— Se o ka quiser, ela voltará pra você.

— Sim. Mas se lembre do que eu disse.

Eisenhart açoitou as rédeas no traseiro do cavalo e o cabriolé se pôs a rodar.

8

Cada mulher atingiu e cortou pela metade uma cabeça de raiz-forte a trinta e cinco, quarenta e cinco e cinquenta e cinco metros.

— Acertem as cabeças o mais alto dentro do capuz que conseguirem disse Roland. — Acertem baixo e de nada servirá.

— Armadura, imagino? — perguntou Rosalita.

— Sim — disse Roland, embora não fosse toda a verdade. Só lhes contaria o que agora entendia ser toda a verdade quando elas precisassem conhecê-la.

Em seguida, vieram as batatas. Sarey Adams acertou a dela a trinta metros, triscou-a a quarenta e cinco e errou totalmente o alvo a cinquenta e cinco; o prato passou alto. Xingou de uma maneira não geralmente associado a uma dama, depois se encaminhou cabisbaixa para a lateral da casinha. Sentou-se ali para assistir ao resto da competição. Roland aproximou-se e sentou-se a seu lado. Viu uma lágrima escorrer do olho esquerdo e sobre a face maltratada pelo vento.

— Eu o decepcionei, estranho. Perdão.

Roland tomou-lhe a mão e apertou-a.

— Não, senhora, não. Haverá trabalho pra você. Só que não no mesmo lugar dessas outras. E ainda pode lançar o prato.

Ela deu-lhe um sorriso fraco e assentiu seu obrigada com a cabeça.

Eddie pôs mais "cabeças" de raiz-forte nos espantalhos, depois um rabanete no topo de cada um. Este quase se escondia nas sombras lançadas pelos capuzes de saco de aniagem.

— Boa sorte, meninas! — disse. — Antes vocês que eu. — E afastou-se.

— Comecem a dez metros desta vez — gritou Roland.

A dez, todas acertaram. E a vinte. A trinta, Susannah lançou o prato alto demais, como Roland a instruíra. Ele queria que uma das mulheres de Calla vencesse aquela rodada. A quarenta metros, Zalia Jaffords hesitou por tempo demais, e o prato lançado cortou em duas a cabeça de raiz-forte, não o rabanete assentado em cima.

— *Commala fodida*! — gritou ela, depois levou as mãos à boca e olhou para Callahan, sentado nos degraus dos fundos. O père apenas sorriu e acenou alegremente, fingindo surdez.

Ela se encaminhou pisando forte até Eddie e Jake, enrubescida até a ponta das orelhas e furiosa.

— Você precisa pedir a ele que me dê mais uma chance, diga que sim, por favor — disse ela a Eddie. — Eu consigo, sei que consigo.

Eddie colocou uma mão em seu braço, interrompendo a litania.

— Ele também sabe, Zee. Você está dentro.

Ela encarou-o com olhos em chamas, lábios comprimidos tão apertados que quase haviam desaparecido.

— Tem certeza?

— Claro — disse Eddie. — Você podia arremessar para os Mets, querida.

Agora a decisão era entre Margaret e Rosalita. As duas acertaram os rabanetes a quarenta e cinco metros. Para Jake, Eddie murmurou:

— Cara, eu teria lhe dito que era impossível se não houvesse acabado de ver.

A cinquenta e cinco metros, Margaret errou o alvo por completo. Rosalita ergueu o prato acima do ombro direito — era canhota —, hesitou, então gritou: "*Riza!*", e lançou. Por mais aguçada que fosse sua vista, Roland não teve certeza absoluta se a borda do prato decepou o lado do rabanete ou se o vento o derrubou. De qualquer maneira, Rosalita ergueu os punhos e sacudiu-os, rindo.

— Ganso de feira! Ganso de feira! — gritou Margaret.

As outras se juntaram a ela. Logo até Callahan entoava.

Roland foi até Rosa e deu-lhe um abraço, breve mas forte. Ao fazê-lo, sussurrou-lhe no ouvido que embora não tivesse ganso talvez conseguisse encontrar um ganso de pescoço longo para ela quando caísse a noite.

— Bem — disse ela, sorrindo —, quando a gente fica mais velha aceita os prêmios onde encontra. Não é?

Zalia olhou para Margaret.

— O que foi que ele disse a ela? Você sabe?

Margaret Eisenhart sorria.

— Nada que você mesma não tenha ouvido, tenho certeza.

9

Depois as damas se foram. E o père também, para cumprir alguma tarefa. Roland de Gilead sentou-se no degrau inferior do alpendre, olhando o local onde ocorrera a competição. Quando Susannah lhe perguntou se estava satisfeito, assentiu com a cabeça.

— Estou, acho que estamos bem nesse sentido. Temos de esperar que sim, pois o tempo se estreita agora. Tudo vai acontecer rápido.

A verdade era que jamais passara por tal confluência de acontecimentos... mas desde que Susannah admitira a gravidez, ele se acalmara.

Você lembrou a verdade do ka em sua mente ociosa, pensou. *E isso aconteceu porque essa mulher exibiu o tipo de coragem que o resto de nós não é capaz de demonstrar.*

— Roland, eu vou voltar para a Rocking B? — perguntou Jake.

O pistoleiro pensou, depois deu de ombros.

— Você quer?

— Sim, mas desta vez quero levar a Ruger. — Corou um pouco, mas a voz permaneceu firme. Acordara com a ideia, como se o deus do sono que Roland chamava de Nis a houvesse incutido nele enquanto dormia.

— Vou pôr embaixo da minha colcha e enrolar na minha camisa extra. Ninguém precisa saber que está lá. — Fez uma pausa. — Não quero exibi-la pro Benny, se é o que está pensando.

A ideia nunca passara pela mente de Roland. Mas o que se passava na cabeça de *Jake*? Ele fez a pergunta, e a resposta do garoto foi daquelas que se dá quando já se pensou com antecedência o rumo que uma conversa tomaria.

— Pergunta como meu dinh?

Roland abriu a boca para dizer que sim, viu o quão atentamente Eddie e Susannah olhavam para ele, e pensou melhor. Havia uma diferença entre guardar segredos (como cada um deles guardara à sua maneira o segredo da gravidez de Susannah) e seguir o que Eddie chamava de "palpite". O pedido por trás do pedido de Jake ia ser-lhe atendido com mais liberdade de ação. Simples assim. E com certeza Jake tinha direito a um pouco mais de liberdade de ação. Não era o mesmo garoto que chegara ao Mundo Médio tremendo, apavorado e seminu.

— Não como seu dinh — respondeu. — E quanto à Ruger, pode levá-la a qualquer lugar e a qualquer hora. Não foi você quem a trouxe para o tet?

— Eu a roubei — disse Jake em voz baixa e encarando os próprios joelhos.

— Você trouxe o que precisava para sobreviver — disse Susannah. — Há uma grande diferença. Escute, doçura, não está planejando atirar em alguém, está?

— Planejando, não.

— Cuidado — disse ela. — Não sei o que tem na cabeça, mas tome cuidado.

— E seja lá o que for, é melhor que esteja resolvido até mais ou menos a próxima semana — comentou Eddie.

Jake assentiu e olhou para Roland.

— Quando planeja convocar a assembleia da cidade?

— Segundo o robô, ainda temos dez dias até a chegada dos Lobos. Portanto... — Roland fez um breve cálculo. — Assembleia da cidade daqui a seis dias. Convém a você?

Jake assentiu novamente.

— Tem certeza de que não quer nos contar o que tem em mente?

— Tenho, a não ser que pergunte como dinh — disse Jake. — Talvez não seja nada, Roland. Verdade.

Roland assentiu, em dúvida, e pôs-se a enrolar outro cigarro. Ter tabaco fresco era maravilhoso.

— Há mais alguma coisa? Porque se não houver...

— Na verdade, há — disse Eddie.

— O quê?

— Preciso ir a Nova York — falou como se não fosse nada, como se propondo não mais que uma viagem ao mercado para comprar picles ou balas de alcaçuz, mas com os olhos brilhando de empolgação. — E desta vez terei de ir em carne e osso. O que significa usar o globo mais diretamente, imagino. Treze Preto. Espero pra cacete que saiba fazer isso, Roland.

— Pra que você precisa ir a Nova York? — perguntou Roland. — Isto eu *de fato* pergunto como dinh.

— Claro que sim — disse Eddie —, e vou lhe dizer. Porque você tem razão quanto ao tempo estar ficando curto. E porque os Lobos de Calla não são os únicos com os quais temos de nos preocupar.

— Quer saber o quanto estamos nos aproximando de 15 de julho — disse Jake. — Não é?

— É — disse Eddie. — Sabemos de quando todos entramos em todash que o tempo está correndo mais rápido naquela versão 1977 de Nova York. Lembra da data naquele *The New York Times* que encontrei na porta da entrada?

— Dois de junho — disse Susannah.

— Isso. Também temos quase toda a certeza de que não podemos voltar no tempo naquele mundo; é sempre um momento posterior toda vez que vamos lá. Certo?

Jake assentiu enfaticamente.

— Porque aquele mundo não é igual aos outros, a não ser que talvez tenha sido apenas o fato de sermos enviados a todash pelo Treze Preto que nos fez sentir daquele jeito?

— Acho que não — disse Eddie. — Aquele trecho da Segunda Avenida entre o terreno baldio e talvez até a Sessenta é um lugar muito importante. Acho que há uma porta de entrada. Das grandes.

Jake Chambers parecia cada vez mais empolgado.

— Não até a Sessenta. Não tão distante. A Segunda Avenida entre a Quarenta e Seis e a Cinquenta e Quatro, é o que acho. No dia em que saí da Piper, senti alguma coisa mudar quando cheguei à Cinquenta e Quatro. São aquelas oito quadras. O trecho da loja de discos, o Chew Chew Mama e o Restaurante da Mente de Manhattan. E o terreno baldio, claro. Essa é a outra ponta. Parece que… eu não sei…

Eddie disse:

— Estar lá leva a gente a um mundo diferente. Algum tipo de mundo-*-chave*. E acho que é por isso que o tempo corre em uma única direção…

Roland ergueu a mão.

— Pare.

Eddie parou, olhando-o em expectativa e sorrindo um pouco. Roland não sorria. Parte de sua sensação de bem-estar se fora. Coisas demais a fazer, droga. E sem tempo suficiente para fazê-las.

— Você quer ver quanto tempo transcorreu desde o dia em que o acordo se tornou nulo e invalidado — disse. — Entendi direito?

— Entendeu.

— Não precisa ir a Nova York fisicamente pra fazer isso, Eddie. Todash já seria o suficiente.

— Todash daria pro gasto para conferir o dia e o mês, claro, porém há mais. Fomos burros em relação àquele terreno baldio, pessoal. Fomos *realmente* burros.

10

Eddie acreditava que podiam ser donos do terreno baldio sem sequer colocar as mãos na fortuna herdada de Susannah; achava que a história de Callahan mostrava com muita clareza como poderia ser feito. Não a rosa; a rosa não era para ser possuída (por eles nem por ninguém), mas protegida. E isso eles podiam fazer. Talvez.

Assustado ou não, Calvin Tower estivera esperando naquela lavanderia deserta para salvar o père Callahan. E, assustado ou não, Calvin Tower recusara-se — a partir de 31 de maio de 1977, em todo caso — a vender seu último pedaço de propriedade imobiliária à Corporação Sombra. Eddie achava que Calvin Tower estava, nas palavras da música, esperando por um herói.

Eddie também vinha pensando na forma como Callahan escondera o rosto nas mãos na primeira vez que mencionara o Treze Preto. Queria-o longe pra cacete da sua igreja... mas apesar disso o mantivera até então. Como o dono da livraria, o père andara esperando. Como haviam sido burros em imaginar que Calvin Tower pediria milhões pelo seu terreno! Ele *queria* se livrar dele. Mas só até aparecer a pessoa certa. Ou o ka-tet certo.

— Suziella, você não pode ir porque está grávida — disse Eddie. — Jake, você não pode ir porque é um garoto. Todas as outras questões à parte, tenho bastante certeza de que não teria como assinar o tipo de contrato em que tenho pensado desde que Callahan nos contou sua história. Eu poderia levar você comigo, mas parece que quer verificar alguma coisa por aqui. Ou estou enganado quanto a isso?

— Não está — disse Jake. — Mas de qualquer modo eu quase preferia ir com você. Parece realmente bom.

Eddie sorriu.

— Quase só conta com pregos e ferraduras, garoto. Quanto a enviar Roland, sem ofensa, patrão, mas você não é muito safo no nosso mundo. Você, hum, se perde um pouco no personagem.

Susannah desatou a rir.

— Quanto está pensando em oferecer a ele? — perguntou Jake. — Quer dizer, tem de ser *alguma coisa*, não?

— Um dólar — disse Eddie. — Provavelmente vou ter de pedir emprestado a Tower, mas...

— Não, podemos fazer coisa melhor do que isso — disse Jake, parecendo sério. — Acho que devo ter uns cinco ou seis dólares no meu saco de dormir. — Abriu um sorriso. — E podemos lhe oferecer mais, depois. Quando as coisas tiverem se acertado deste lado.

— Se ainda estivermos vivos — disse Susannah, mas também parecia empolgada. — Sabe de uma coisa, Eddie? Talvez você seja um gênio.

— Balazar e seus amigos não vão ficar satisfeitos se sai Tower nos vender seu terreno — disse Roland.

— É, mas talvez possamos convencer Balazar a deixá-lo em paz — disse Eddie, com um sorrisinho sinistro em volta dos cantos da boca. — Sendo honesto, Roland, Enrico Balazar é o tipo de sujeito que eu não me importaria de matar duas vezes.

— Quando você quer ir? — perguntou-lhe Susannah.

— Quanto mais cedo, melhor. Primeiro, não saber o quanto é tarde lá em Nova York está me deixando louco. Roland? O que acha?

— Eu digo amanhã. Vamos levar o globo até a gruta, e depois veremos se você pode atravessar a porta para o onde e quando de Calvin Tower. Sua ideia é boa, Eddie, e eu agradeço.

Jake disse:

— E se o globo mandar você para o lugar errado? A versão errada de 1977 ou... — Ele mal soube como concluir. Lembrava-se como tudo aquilo parecera *tênue* quando o Treze Preto os levou todash pela primeira vez, e de como parecera infindável a escuridão à espera atrás das realidades superficiais pintadas à sua volta. — ... ou algum lugar mais distante? — terminou.

— Neste caso, eu mando um cartão-postal.

Eddie disse isso com um dar de ombros e uma risada, mas por apenas um momento Jake viu como ele estava assustado. Susannah também deve ter visto, pois tomou a mão dele nas suas e apertou-a.

— Ei, eu vou ficar bem — disse Eddie.

— É melhor que fique — disse Susannah. — É melhor mesmo.

2. A DOGAN, PARTE UM

1

Quando Roland e Eddie entraram na Nossa Senhora da Serenidade na manhã seguinte, a luz do dia era apenas um rumor distante no horizonte nordeste. Eddie iluminou-lhes o caminho pela nave central com uma lanterna, os lábios em uma linha fina. A coisa que haviam ido buscar zumbia. Um zumbido sonolento, mas ele detestava o som assim mesmo. A igreja em si parecia assustadora. Vazia, parecia de algum modo grande demais. Eddie esperava o tempo todo ver figuras fantasmagóricas (ou talvez um complemento dos mortos errantes) sentadas nos bancos e olhando-os com desaprovação do além.

Mas o zumbido era pior.

Quando chegaram à frente, Roland abriu a bolsa e tirou a sacola de boliche que Jake guardara no saco de dormir até a noite anterior. O pistoleiro estendeu-a por um momento e os dois leram o que tinha impresso no lado: NADA ALÉM DE STRIKES NAS PISTAS DO MUNDO MÉDIO.

— Silêncio total a partir de agora até eu dizer que está tudo bem — sussurrou Roland. — Entendido?

— Sim.

Roland apertou o polegar na ranhura entre duas das tábuas do piso e o buraco oculto no púlpito do pregador se abriu de supetão. Ele afastou a tampa para o lado. Eddie vira certa vez na TV um filme sobre homens livrando-se de explosivos durante a blitz de Londres — *UXB*, chamava-se —, e os movimentos de Roland agora lembravam fortemente aquele filme em sua mente. E por que não? Se estivessem certos sobre o que se encontrava naquele esconderijo — e Eddie sabia que estavam —, então aquilo *era* uma bomba não explodida.

Roland dobrou para trás a sobrepeliz de linho branco, expondo a caixa. O zumbido elevou-se. A respiração de Eddie parou na garganta. Ele sentiu a pele em todo o corpo ficar fria. Em algum lugar perto, um monstro de quase inimaginável malignidade entreabrira um olho adormecido.

O zumbido voltou ao tom sonolento anterior, e Eddie tornou a respirar.

Roland entregou-lhe o saco de boliche indicando-lhe com a cabeça que o segurasse aberto. Com receio (parte dele queria sussurrar no ouvido de Roland que deviam esquecer a coisa toda), Eddie fez o que lhe foi pedido. Roland pegou a caixa, e mais uma vez o zumbido elevou-se. No forte, embora limitado, brilho da lanterna Eddie viu suor na testa do pistoleiro. Sentia-o na própria. Se o Treze Preto acordasse e os lançasse para algum limbo sombrio...

Eu não vou. Lutarei para ficar com Susannah.

Claro que sim. Mas mesmo assim ficou aliviado quando Roland passou a caixa de pau-ferro elaboradamente esculpida para a estranha sacola metálica que haviam encontrado no terreno baldio. O zumbido não desapareceu por completo, mas reduziu-se a um som monocórdico que quase não era discernível. E quando Roland puxou com toda a delicadeza a tira corrediça em volta da parte superior da sacola, o som monocórdico tornou-se um sussurro distante. Era como ter o ouvido encostado em uma concha marinha.

Eddie desenhou o sinal da cruz diante de si. Com um leve sorriso, Roland fez o mesmo.

Fora da igreja, o horizonte nordeste clareara nitidamente — haveria verdadeira luz do dia, afinal, parecia.

— Roland.

O pistoleiro virou-se para ele, sobrancelhas erguidas. O punho esquerdo estava fechado em volta da garganta da sacola; ele parecia não disposto a confiar o peso da caixa à alça corrediça, por mais resistente que parecesse ser.

— Se estávamos todash quando encontramos esta sacola, como podemos tê-la pegado?

Roland pensou nisso. Então respondeu:

— Talvez a sacola também esteja todash.

— Ainda?

Roland assentiu.

— Sim, acho que sim. Ainda.

— Ah. — Eddie pensou nisso. — É assustador.

— Mudando de ideia a respeito de visitar Nova York, Eddie?

Ele fez que não com a cabeça, embora estivesse apavorado. Provavelmente mais apavorado do que estivera desde que ficou em pé na passagem central do Vagão do Baronato para propor uma adivinhação a Blaine.

2

Às dez horas da manhã, quando se achavam na metade do caminho que levava à Gruta da Porta (*É bem pra cima*, dissera Henchick, e assim fora, e assim continuava sendo), estava bastante quente. Eddie parou, enxugou a nuca com seu lenço grande e contemplou os arroios que serpeavam embaixo ao norte. Aqui e ali, via buracos pretos, escancarados, e perguntou a Roland se eram as minas de granada. O pistoleiro disse que eram.

— E qual delas você tem em mente para as crianças? Dá pra vermos daqui?

— Na verdade, dá. — Roland sacou o único revólver que usava e apontou-o. — Olhe acima da mira.

Eddie olhou e viu uma profunda depressão na forma de um S duplo denteado. Sombras aveludadas enchiam-na até a borda; ele imaginou que devia faltar apenas meia hora para o meio-dia quando o sol atingisse o fundo. Mais longe ao norte, parecia ser um caminho sem saída contra uma maciça encosta de rochedo. Eddie imaginou que a entrada da mina ficasse ali, mas era escuro demais para distinguir. A sudeste, aquele arroio abria-se em uma pista de terra que serpeava o caminho de volta à estrada do Leste. Além desta, viam-se campos estendendo-se encosta abaixo até plantações de arroz esmaecidas, mas ainda verdes.

— Me lembra a história que você nos contou — disse Eddie. — A Garganta do Parafuso.

— Claro que lembra.

— Mas sem nenhuma lúmina pra fazer o trabalho sujo.

— É — concordou Roland. — Sem lúmina.

— Me diga a verdade: você vai mesmo enfiar as crianças dessa cidade em uma mina na ponta de um arroio sem saída?

— Não.

— O pessoal acha que você... que *nós* pretendemos fazer isso. Até as lançadoras de pratos acham.

— Eu sei que acham — disse Roland. — Quero que achem.

— Por quê?

— Porque não creio que haja nada de sobrenatural na forma como os Lobos encontram as crianças. Após ouvir a história do grand-père Jaffords. Aliás, acho que não há nada de sobrenatural nos *Lobos*. Não, há um traidor neste lugar. Alguém delata às forças presentes no Trovão.

— Alguém diferente de cada vez, quer dizer. A cada vinte e três ou vinte e quatro anos.

— Sim.

— Quem faria isso? — perguntou Eddie. — Quem *poderia* fazer isso?

— Não tenho certeza, mas tenho uma ideia.

— Took? Um tipo de coisa legada, de pai pra filho?

— Se já descansou, Eddie, acho melhor nos apressarmos.

— Overholser? Talvez aquele tal Telford, o que se parece com um caubói de TV?

Roland passou por ele em silêncio, as botas novas moendo seixos e lascas de rocha dispersos. Da mão esquerda boa a bolsa rosa balançava para a frente e para trás. A coisa dentro continuava sussurrando seus desagradáveis segredos.

— Simpático como sempre, bom pra você — disse Eddie, e seguiu-o.

3

A primeira voz que se elevou das profundezas da gruta pertencia ao tremendo sábio e viciado de primeira.

— Ora, veja só a bichinha! — gemeu Henry. A Eddie pareceu o cúmplice morto de Ebenezer Scrooge, em *Conto de Natal*, engraçado e assustador ao mesmo tempo. — A bichinha acha que vai voltar pra Nuui-Iorqui? Você vai parar em um lugar muito mais longe se tentar, mano. Melhor se agachar onde está, *fazendo apenas* seus entalhezinhos, sendo uma boa bichinha…

O irmão morto riu. O vivo arrepiou-se.

— Eddie? — perguntou Roland.

— Ouça seu irmão, Eddie! — gritou a mãe, da garganta escura e inclinada da gruta. No piso da rocha, pequenos ossos brilhavam espalhados. — Ele abriu mão da vida dele por você, da *vida inteira*, o mínimo que você podia fazer é ouvi-lo!

— Eddie, você está bem?

Agora chegava a voz de Csaba Drabnik, conhecido na turma de Eddie como o Porra-Louca húngaro. Csaba estava mandando Eddie dar um cigarro para ele, senão ele arriava a porra da calça de Eddie, que precisou se esforçar para desviar a atenção daquela tagarelice assustadora mas fascinante.

— Sim — disse. — Acho que sim.

— As vozes estão vindo da sua própria cabeça. A gruta de algum modo as encontra e amplifica. Transmite. É meio angustiante, eu sei, mas sem sentido.

— Por que deixou que eles me matassem, maninho? — soluçou Henry. — Fiquei o tempo todo achando que você ia vir, mas nunca veio!

— Sem sentido — disse Eddie. — Tudo bem, entendi. O que fazemos agora?

— Segundo as duas histórias que ouvi deste lugar, a de Callahan e a de Henchick, a porta se abrirá quando eu abrir a caixa.

Eddie riu de nervosismo.

— Não quero nem que tire a caixa da *sacola*. Que tal isso como covardia?

— Se você mudou de ideia...?

Eddie balançava a cabeça.

— Não. Eu quero continuar com isso. — Abriu um sorriso súbito, animado. — Não está com receio que eu vá atrás de drogas, está? Encontrar o cara e ficar chapado?

Do fundo da caverna, Henry exultou:

— É Branca da China, maninho! Aqueles crioulos vendem a *melhor*!

— Nem um pouco — disse Roland. — Estou preocupado com várias coisas, mas você retornar a seus antigos hábitos não é uma delas.

— Ótimo. — Eddie avançou um pouco mais para a gruta, olhando a porta suspensa no ar. Com exceção dos hieróglifos na frente e a maçaneta de cristal com a rosa gravada em água-forte, parecia idêntica àquelas na praia. — Se a gente contorná-la...?

— Se a gente contorná-la, a porta desaparece — disse Roland. — Há um puta precipício... até Na'ar, pelo que sei. Eu tomaria cuidado, se fosse você.

— Bom conselho, e Eddie Veloz agradece.

Experimentou a maçaneta de cristal e descobriu que não girava para nenhum dos lados. Também esperara por isso. Recuou um passo.

Roland disse:

— Você precisa pensar em Nova York. Na Segunda Avenida, em particular, eu acho. E no tempo. No ano de 1977.

— Como é que a gente pensa em um *ano*?

Quando Roland falou, sua voz traiu uma nota de impaciência.

— Pense no dia em que você e Jake seguiram o eu do Jake anterior.

Eddie começou a dizer que esse era o dia errado, antes demais, e fechou a boca. Se estivessem certos quanto às regras, ele não *poderia* voltar àquele dia, não todash, e tampouco em carne e osso. Se estivessem certos, o tempo de lá era de algum modo atrelado ao tempo dali, apenas correndo um pouco mais rápido. Se estivessem certos quanto às regras... se *houvesse* regras...

Bem, por que você simplesmente não vai e vê?

— Eddie? Quer que eu tente hipnotizar você? — Roland tirara uma concha do cinturão. — Pode fazer você ver o passado com mais clareza.

— Não, acho melhor eu fazer isso em meu estado normal e acordado.

Abriu e fechou as mãos várias vezes, dando profundas inspiradas e expiradas ao fazê-lo. O coração não batia especialmente rápido — pelo contrário, batia devagar —, mas cada batida parecia causar-lhe calafrio da cabeça aos pés. Mãe do céu, tudo isso poderia ser tão mais fácil se houvesse alguns controles para a gente acionar, como a Máquina da Volta do Professor Peabody ou naquele filme sobre os Morlocks!

— Ei, como eu pareço? — perguntou a Roland. — Quer dizer, se eu surgir na Segunda Avenida ao meio-dia, quanta atenção vou chamar?

— Se aparecer diante de pessoas — respondeu Roland —, provavelmente muita. Aconselho-o a ignorar qualquer um que queira confabular com você sobre o assunto e saia da área de imediato.

— Isto eu sei. Quero dizer como estou em termos das minhas roupas?

Roland deu um pequeno encolher de ombros.

— Eu não sei, Eddie. É a sua cidade, não a minha.

Eddie podia ter protestado. *Brooklyn* era a sua cidade. Fora, em todo caso. Em geral, ele passava quase um mês sem colocar os pés em Manhattan, julgava lá quase como outro país. Apesar disso, julgou entender o que Roland queria dizer. Deu uma boa olhada em si mesmo e viu uma camisa de flanela comum com botões de chifre acima de uma calça jeans azul-escura com rebites de níquel em vez dos de cobre, e uma braguilha abotoada. (Ele vira zíperes em Lud, mas nenhum desde então.) Achou que passaria por normal na rua. Normal de Nova York, pelo menos. Qualquer um que lhe olhasse duas vezes o consideraria garçom de bar/candidato a artista fazendo papel de hippie em seu dia de folga. Achava que a maioria das pessoas nem se daria ao trabalho de uma primeira olhada, e isso era decididamente para o melhor. Mas ele podia acrescentar *uma* coisa...

— Você teria um pedaço de couro cru? — pediu a Roland.

Do fundo da gruta, a voz do sr. Tubther, seu professor da quinta série, gritou com lúgubre intensidade.

— Você tinha potencial! Era um ótimo aluno, e veja no que se transformou! Por que deixou seu irmão estragá-lo?

Ao que Henry respondeu, em soluçante revolta:

— Ele me deixou morrer! Ele me *matou*!

Roland pegou a bolsa do ombro, botou-a no chão na boca da gruta, ao lado da sacola rosa, abriu-a, remexeu lá dentro. Eddie não fazia ideia de quantas coisas havia ali; só sabia que nunca vira o fundo dela. O pistoleiro acabou tirando o que Eddie pedira e estendeu-o.

Enquanto Eddie prendia o cabelo atrás com a tira de couro cru (achou que dava um bom toque ao seu visual hippie-artístico), Roland retirou o que chamava de seu embornal, abriu-o e começou a esvaziá-lo de seu conteúdo: um saco quase vazio do tabaco que Callahan lhe dera, vários tipos de moedas e notas, um conjunto de costura, a caneca colada que transformara em uma bússola tosca não longe da clareira de Shardik, um velho recorte de mapa e o mais novo que os irmãos Tavery haviam desenhado. Quando a bolsa ficou vazia, ele tirou o grande revólver com o punho de sândalo do coldre na coxa esquerda. Girou o cilindro, conferiu as balas e encaixou mais uma vez o cilindro. Depois botou a arma no embornal, apertou bem as tiras e amarrou-as com um nó que se soltava com um único puxão. Entregou o saco a Eddie pela alça.

A princípio, Eddie não quis pegá-la.

— Não, cara, este é seu.

— Nas duas últimas semanas, você usou tanto quanto eu. Provavelmente mais.

— Sim, mas estamos falando de Nova York, Roland. Em Nova York, todo mundo rouba.

— Não vão roubar de você. Pegue a arma.

Eddie encarou Roland por um momento, depois pegou o embornal e pendurou-o no ombro.

— Você está com um pressentimento.

— Um palpite, sim.

— Ka em ação?

Roland deu de ombros.

— Está sempre em ação.

— Tudo bem — disse Eddie. — E Roland... se eu não voltar, cuide de Suze.

— Sua tarefa é fazer com que eu não tenha de fazer isso.

Não, pensou Eddie. *Minha tarefa é proteger a rosa.*

Virou-se para a porta. Embora tivesse mais um milhão de perguntas a fazer, Roland tinha razão, o tempo de fazê-las terminara.

— Eddie, se você realmente não quiser...

— Não. Eu *quero*. — Ergueu a mão esquerda e o polegar. — Quando me vir fazer isto, abra a caixa.

— Está bem.

Roland falava de trás dele. Porque agora eram apenas Eddie e a porta. A porta com DESCONHECIDA escrita em alguma linguagem estranha e bela. Uma vez lera um romance intitulado *Passagem para o futuro*, de... quem? Um dos caras de ficção científica que ele vivia levando da biblioteca para casa, um de seus favoritos, perfeitos para as longas tardes das férias de verão. Murray Leinster, Poul Anderson, Gordon Dickson, Isaac Asimov, Harlan Ellison... Robert Heinlein. Achava que fora Heinlein quem escrevera *Passagem para o futuro*. Henry sempre enchia o saco dele por causa dos livros que levava para casa, chamando-o de bichinha, o nerdzinho de livros, perguntando se o irmão conseguia ler e bater punheta ao mesmo tempo, querendo saber como ele conseguia ficar parado por tanto tempo com o nariz enfiado em alguma merda sobre foguetes e máquinas do tempo. Henry mais velho que ele. Henry coberto de espinhas sempre reluzentes com pomadas para acne. Henry se aprontando ir para o Exército. Eddie mais moço. Eddie levando livros da biblioteca para casa. Eddie com treze anos, quase da idade de Jake agora. É 1977, ele tem treze anos, está na Segunda Avenida e os táxis são amarelo brilhante no sol. Um jovem negro com fones de cabeça de um walkman está passando pelo Chew Chew Mama's, Eddie o vê, sabe que está ouvindo Elton John cantando — o que mais poderia ser? — "Someone Saved My Life Tonight". A calçada apinhada de gente. É fim de tarde e as pessoas voltam para casa depois de mais um dia nos arroios de aço de Calla Nova York, onde se cultiva dinheiro em vez de arroz, e de primeira qualidade, se me permitem dizer. Mulheres que parecem adoravelmente estranhas em conjuntos de saia e paletó caros e tênis; os sapatos de salto alto nas pastas porque já acabou o dia de trabalho e elas estão indo para casa. Todo mundo parece sorrir porque a luz é muito forte e o ar tão quente, é verão na cidade e em algum lugar há o barulho de uma britadeira, como naquela antiga música "Lovin' Spoonful". Diante dele, uma porta para o verão de 77, os táxis cobrando um dólar e vinte e cinco centavos na partida e trinta centavos a cada quinhentos metros depois, era menos antes e será mais depois, mas trata-se de agora, o ponto dançante de agora. O ônibus espacial com a professora a bordo não explodiu. John Lennon continua vivo, embora não por muito mais tempo se não parar de se meter com aquela perversa heroína, aquela Branca da China. Quanto a Eddie Dean, Edward Cantor Dean, nada sabe de heroína. Alguns cigarros são seu único vício (além de tentar bater uma punheta, no que não será bem-sucedido durante quase mais um ano). Ele tem treze anos. É 1977 e ele tem exatamente quatro pelos no peito, conta-os religiosamente toda manhã, à espera do número cinco. É o verão após o Verão dos Navios Altos. É um fim de tarde do mês de junho e ele ouve uma melodia animada. Vem dos alto-falantes acima da porta de entrada da Torre da Power Records, é Mungo Jerry cantando "In the Summertime", e...

De repente ficou tudo real demais para ele, ou tão real quanto julgava que precisava ser. Eddie ergueu a mão esquerda e levantou o polegar: *vamos*. Atrás, Roland se sentara e retirava a caixa da sacola rosa. E quando Eddie fez o sinal de OK, o pistoleiro abriu a caixa.

Os ouvidos de Eddie logo foram invadidos por um tinido de sinos docemente dissonantes. Os olhos começaram a lacrimejar. Diante dele, a porta suspensa solta abriu-se com um estalo e a gruta foi de repente iluminada por uma intensa luz solar. Ouviu-se o ruído de buzinas tocando e ra-ta-ta-ra-ta-ta de uma britadeira. Não muito tempo atrás ele quisera uma porta daquelas com tamanho desespero que quase matara Roland para conseguir. E agora que a tinha, estava apavorado.

Os sinos todash pareciam rasgar-lhe a cabeça. Se ouvisse aquilo por muito tempo, enlouqueceria. *Ande, se você vai*, pensou.

Avançou um passo, os olhos cheios d'água vendo três mãos se estenderem e segurarem quatro maçanetas. Puxou a porta em sua direção e a dourada luz do sol de fim de tarde ofuscou-lhe a visão. Sentiu cheiro de gasolina, ar quente de cidade e a loção pós-barba de alguém.

Quase sem conseguir enxergar, Eddie cruzou a porta desconhecida para o verão de um mundo do qual ele era agora excluído, o exilado.

4

Era a Segunda Avenida, sem dúvida; ali estava a Blimpie's, e de trás dele o animado som daquela música de Mungo Jerry com o ritmo caribenho. Pessoas moviam-se à sua volta em um turbilhão — parte alta da cidade acima, parte baixa da cidade abaixo, por toda a cidade. Não prestavam atenção alguma a Eddie, em parte porque a maioria só se concentrava em *sair* da cidade ao cabo de mais um dia, sobretudo porque, em Nova York, não reparar nas outras pessoas era um modo de vida.

Eddie encolheu o ombro esquerdo, acomodando com mais firmeza ali a tira do embornal de Roland, e olhou para trás. A porta de volta para Calla Bryn Sturgis continuava lá. Via Roland sentado na boca da gruta com a caixa aberta no colo.

Aqueles sinos da porras devem estar enlouquecendo-o, pensou. E então, ainda olhando, viu o pistoleiro retirar duas balas do cinturão e enfiá-las nos ouvidos. Eddie riu. *Boa jogada, cara*. Pelo menos ajudava a tapar o som da lúmina da Interestadual 70. Se funcionou ou não, Roland ficou sozinho. Eddie tinha coisas a fazer.

Virou-se devagar no pequeno espaço da calçada e olhou mais uma vez para trás, a fim de ver se a porta virara com ele. Virara. Se fosse igual às outras, iria agora segui-lo a todo lugar que fosse. Mesmo que não o seguisse, Eddie não achava que seria um problema; não pretendia ir muito longe. Também notou outra coisa: aquela sensação de escuridão latente desaparecera. Porque ele estava realmente ali, imaginou, e não apenas todash. Se houvesse mortos errantes à espreita na vizinhança, não conseguiria vê-los.

Mais uma vez ajeitando a tira do embornal no ombro, partiu para o Restaurante da Mente de Manhattan.

5

As pessoas se afastavam para o lado para ele enquanto andava, mas Eddie ainda tinha suas dúvidas sobre estar realmente ali; também faziam isso quando se andava todash. Ele acabou provocando uma verdadeira colisão com um cara equilibrando não uma, mas *duas* maletas — um Grande Caçador de Caixões do mundo empresarial, se é que Eddie já vira algum.

— Ei, olhe por onde anda! — grasnou o sr. Empresário quando seus ombros colidiram.

— Foi mal, cara, foi mal — disse Eddie. Ele estava ali, pra valer. — Escute, poderia me dizer que dia...

Mas o sr. Empresário já se fora, em busca do ataque cardíaco que na certa ia alcançá-lo por volta dos quarenta e cinco ou cinquenta anos, a julgar por como andava. Eddie lembrou-se do desfecho de uma velha piada de Nova York: "Perdão, senhor, pode me dizer como chego à Prefeitura, ou devo apenas ir à merda?". Desatou a rir, não pôde evitar.

Assim que recuperou o controle, retomou o passo. Na esquina da Segunda com a Cinquenta e Quatro, viu um homem olhando uma vitrine que expunha sapatos e botas. Embora também usasse terno, o sujeito parecia muito mais relaxado do que aquele no qual Eddie esbarrara. Também levava apenas uma maleta, o que Eddie julgou ser um bom presságio.

— Perdão — disse Eddie —, mas poderia me dizer que dia é hoje?

— Quinta-feira — disse o homem na vitrine. — Vinte e três de junho.

— De 1977?

O homem deu a Eddie um meio sorrisinho, ao mesmo tempo questionador e cínico, mais uma sobrancelha erguida.

— Correto, 1977. Só será 1978 daqui a... nossa, seis meses. Olha só.

Eddie assentiu.

— Obrigado-sai.

— Obrigado-*quê*?

— Nada — disse Eddie, e saiu apressado.

Só três semanas para 15 de julho, mais ou menos, pensou. *Está perto pra cacete.*

Sim, mas se conseguisse convencer Calvin Tower a vender-lhe o terreno hoje, não precisariam mais se preocupar com a questão de tempo. Uma vez, muito tempo atrás, seu irmão se gabara para alguns amigos que seu maninho convenceria até o diabo a atear fogo em si mesmo, se realmente quisesse. Eddie torcia para que ainda conservasse parte dessa persuasão. Fazer um negocinho com Calvin Tower, investir em uma propriedade, depois talvez tirar meia hora de folga e aproveitar de verdade aquela agitação de Nova York um pouquinho. Comemorar. Talvez um Milk-shake chocolate ...

O fluxo dos pensamentos interrompeu-se e ele parou tão de repente que alguém esbarrou nele e xingou. Eddie mal sentiu a colisão ou ouviu a imprecação. O sedã Lincoln cinza-escuro estava parado de novo ali — desta vez não na frente do hidrante de incêndio, mas duas lojas adiante.

O sedã de Balazar.

Eddie recomeçou a andar. Alegrou-se de repente por Roland tê-lo convencido a levar um de seus revólveres. E pelo revólver estar todo carregado.

6

O quadro-negro voltara à vitrine (o especial do dia era um Cozido à Nova Inglaterra, consistindo em Nathaniel Hawthorne, Henry David Thoreau e Robert Frost — para sobremesa, opção de Mary McCarthy ou Grace Metalious), mas a tabuleta pendurada na porta dizia ESTAMOS FECHADOS. Segundo o relógio digital do banco na rua acima defronte da Torre da Power Records, eram 15h14. Quem fecha um estabelecimento nessa hora em um dia de semana?

Alguém com um cliente especial, pensou Eddie. Eis quem.

Pôs as mãos nos lados do rosto e olhou dentro do Restaurante da Mente de Manhattan. Viu a pequena mesa redonda com os livros infantis expostos. À direita, o balcão que parecia ter sido tirado de um bar da virada do século, só que nesse dia não havia ninguém sentado ali, nem mesmo Aaron Deepneau. Embora igualmente a caixa registradora também estivesse sem ninguém, Eddie julgou ler as palavras na tabuleta laranja encaixada no anteparo de vidro: SEM LIQUIDAÇÃO.

O lugar estava vazio. Calvin Tower fora chamado a algum lugar, talvez fosse uma emergência familiar...

Ele teve uma emergência, sem dúvida, falou na cabeça de Eddie a voz fria do pistoleiro. Veio naquela autocarruagem cinza. *E olhe mais uma vez o balcão, Eddie. Só que, desta vez, por que não usa os olhos em vez de deixar a luz passar por eles?*

Às vezes pensava nas vozes de outras pessoas. Imaginou que muita gente fazia isso — era uma forma de mudar um pouco a perspectiva, ver as coisas por um outro ângulo. Mas aquilo não parecia ser isso. Era como se o comprido, alto e feio falasse de verdade com ele dentro da cabeça.

Eddie olhou mais uma vez o balcão. Desta vez viu o punhado de peões de plástico de xadrez no mármore, e a caneca de café derrubada. Desta vez viu os óculos caídos no chão entre duas das banquetas, uma das lentes rachadas.

Sentiu a primeira pulsação de raiva profunda no meio da cabeça. Era difusa, mas se a experiência servisse de exemplo, as pulsações tendiam a ficar mais rápidas e fortes, intensificando-se progressivamente. Acabariam por ofuscar o pensamento consciente, e que Deus ajudasse quem passasse ao alcance do revólver de Roland quando isso acontecesse. Perguntara uma vez ao pistoleiro se o mesmo também ocorria com ele, e ele respondera: *Acontece com todos nós*. Quando Eddie balançara a cabeça e respondera que não era igual a Roland — nem ele, nem Susannah, nem Jake —, o pistoleiro nada dissera.

Tower e seus fregueses especiais tinham ido para os fundos, pensou, para aquela combinação de depósito e escritório. E desta vez provavelmente não estavam lá para bater um papo. Eddie suspeitava de que estavam ali para oferecer um lembrete, os cavalheiros de Balazar recordando ao sr. Tower que 15 de julho se aproximava, lembrando ao sr. Tower qual seria a decisão mais prudente assim que chegasse o dia.

Quando a palavra *cavalheiros* cruzou a mente de Eddie, trouxe consigo outra pulsação de raiva. Era uma palavra e tanto para caras que haviam quebrado os óculos de um dono de livraria gordo e inofensivo e depois o levado para os fundos e o aterrorizado. Cavalheiros! Foda-se-commala!

Experimentou a porta da livraria. Embora trancada, a fechadura não opôs grande resistência; a porta rangeu no umbral como um dente mole. Parado ali na porta recuada, parecendo (esperava) um cara especialmente interessado em um livro que vislumbrara lá dentro, Eddie começou a aumentar a pressão na fechadura, primeiro usando a mão na maçaneta, depois pressionando o ombro contra a porta de uma maneira que esperava parecer casual.

São noventa e quatro em cem as chances de que ninguém o esteja olhando, de qualquer maneira. Aqui é Nova York, certo? Pode me dizer como chego à Prefeitura ou devo ir à merdar?

Empurrou com mais força. Ainda estava longe de exercer o máximo de pressão quando ouviu um estalo e a porta girou para dentro. Eddie entrou sem hesitação, como se tivesse todo o direito do mundo de estar ali, depois tornou a fechar a porta. O trinco não a fixou. Ele pegou um exemplar de *Como o Grinch roubou o Natal* da mesa dos infantis, arrancou a última página ("*Jamais gostei de como termina mesmo*", pensou), dobrou-a três vezes e enfiou-a na fenda entre a porta e o umbral. Servia para mantê-la fechada. Então olhou em volta.

O lugar estava vazio, e agora, com o sol atrás dos arranha-céus do West Side, nas sombras. Nenhum ruído...

Sim. Sim, havia. Um choro abafado do fundo da loja. *Cuidado, cavalheiros trabalhando*, pensou Eddie, e sentiu outra pulsação de raiva. Esta mais aguda.

Deu um puxão na tira do embornal de Roland e dirigiu-se para a porta nos fundos, a com a inscrição APENAS FUNCIONÁRIOS. Antes de chegar lá, teve de contornar uma pilha bagunçada de livros e um display virado, daqueles antiquados, giratórios, de farmácia. Calvin Tower agarrara-se a ele quando os cavalheiros de Baltazar o empurraram para a área de depósito. Eddie não vira a cena, mas nem precisava.

A porta nos fundos não estava trancada. Eddie retirou o revólver do embornal, largando a bolsa ao lado para não atrapalhá-lo em um momento crucial. Abriu com cuidado a porta do depósito centímetro por centímetro, lembrando-se de onde ficava a mesa de Tower. Se o vissem, ele atacaria, gritando a plenos pulmões. Segundo Roland, a gente *sempre* gritava a plenos pulmões quando era descoberto. Talvez assustasse o inimigo por um ou dois segundos, e às vezes um ou dois segundos faziam toda a diferença do mundo.

Desta vez, não houve necessidade alguma de gritar nem de atacar. Os homens que procurava estavam na área do escritório, suas sombras novamente grotescamente altas na parede atrás deles. Embora Tower se achasse sentado em sua cadeira, ela não se encontrava atrás da escrivaninha. Fora empurrada para o espaço entre dois de três gabinetes. Sem os óculos, seu rosto simpático parecia nu. Os dois visitantes estavam na frente dele, o que significava que estavam de costas para Eddie. Tower poderia tê-lo visto, mas tinha os olhos erguidos para Jack Andolini e George Biondi, concentrados apenas neles. A visão do terror puro no rosto do homem fez outra pulsação passa pela cabeça de Eddie.

Emanava do ar o cheiro característico de gasolina, cheiro que Eddie imaginou que assustaria até mesmo o mais valente dos donos de livraria, sobretudo um que presidia um império de papel. Ao lado do mais alto entre os dois capangas — Andolini —, ficava uma estante com a frente de vidro de um metro e meio de altura. A porta da estante estava aberta. Dentro, quatro ou cinco prateleiras de livros, todos os volumes envoltos no que pareciam capas de plástico transparente. Andolini erguia um deles de uma forma que o fazia parecer absurdamente como um vendedor em um programa de TV. O mais baixo — Biondi — erguia um copo cheio de líquido âmbar quase na mesma posição. Não havia muita dúvida do que tinha dentro.

— Por favor, sr. Andolini — disse Tower. Falou em uma voz humilde, trêmula. — Por favor, este é um livro muito valioso.

— Claro que é — disse Andolini. — Todos aqueles na estante são. Entendo que você tem um exemplar assinado de *Ulysses* que vale vinte e seis mil dólares.

— É sobre o que, Jack? — perguntou George Biondi. Parecia impressionado. — Que tipo de livro vale vinte e seis mil paus?

— Eu não sei — disse Andolini. — Por que não nos diz, sr. Tower? Ou posso chamar você de Cal?

— Meu *Ulysses* está em um cofre-forte — disse Tower. — Não está à venda.

— Mas estes estão — disse Andolini. — Não estão? E vejo o número 7500 a lápis na guarda deste. Não são vinte e seis mil dólares, mas ainda assim o preço de um carro novo. Portanto, olhe o que vou fazer, Cal. Está ouvindo?

Eddie aproximava-se mais, e embora se esforçasse para não fazer barulho, não fazia questão de se esconder. E apesar disso nenhum deles o viu. Seria ele tão burro assim quando fora daquele mundo? Tão vulnerável assim ao que nem sequer podia ser considerada como uma emboscada propriamente dita? Imaginou que sim, e soube que não era de se admirar que Roland a princípio o considerara com desprezo.

— Eu... Eu estou ouvindo.

— Você tem uma coisa que o sr. Balazar quer tão desesperadamente quanto você quer seu exemplar de *Ulysses*. E embora esses livros no armário de vidro estejam tecnicamente à venda, aposto que vende poucos deles, porque simplesmente não suporta separar-se deles. Como não suporta separar-se daquele terreno baldio. Portanto, eis o que vai acontecer. George vai despejar gasolina neste livro com 7500 escrito, e eu vou atear fogo nele. Depois vou pegar *outro* livro do seu armariozinho de tesouros e vou lhe pedir um contrato verbal pra vender aquele terreno à Corporação Sombra ao meio-dia de 15 de julho. Sacou?

— Eu...

— Se me der esse contrato verbal, nossa reunião vai acabar. Se *não* me der esse contrato verbal, vou queimar o segundo livro. Depois um terceiro. Depois um quarto. Após quatro, senhor, creio que é provável que meu parceiro aqui perca a paciência.

— Pode apostar nisso — disse Biondi.

Eddie agora estava quase perto o bastante para estender a mão e tocar o Focinhão, e no entanto eles não o viam.

— A essa altura, acho que vamos despejar gasolina dentro do seu armariozinho e atear fogo em todos os seus livros valio...

O olhar de Jack Andolini foi enfim atraído por um movimento. Olhou além do ombro esquerdo do parceiro e viu um rapaz com olhos cor de avelã encarando-o de um rosto profundamente bronzeado. O sujeito segurava o que parecia o maior e o mais antigo revólver de adereços teatrais. *Tinha* de ser um adereço.

— Quem caralho é... — começou Jack.

Antes que pudesse continuar, o rosto de Eddie Dean iluminou-se de felicidade e bom humor, uma expressão que o fez passar de bonito para a terra da beleza.

— *George*! — gritou. O tom de alguém saudando o mais antigo e querido amigo após uma longa ausência. — *George Biondi*! Cara, você *continua* tendo o maior bico deste lado do Hudson! Bom te ver, cara!

Há um certo instinto no animal humano que nos faz responder a estranhos que nos chamam pelo nome. Quando o apelo convidativo é afetuoso, nos sentimos quase obrigados a responder na mesma moeda. Apesar da situação em que se encontravam ali, George "Focinhão" Biondi virou-se, com o início de um sorriso, para a voz que o saudara com uma intimidade tão simpática. O sorriso ainda estava no processo de desabrochar quando Eddie o golpeou violentamente com a coronha do revólver de Roland. Embora os olhos de Andolini fossem aguçados, ele viu pouco mais que um borrão quando a coronha baixou três vezes, o primeiro golpe entre os olhos de Biondi, o segundo acima do olho direito e o terceiro na cavidade da têmpora direita. Os dois primeiros golpes emitiram ruídos abafados, ocos, o terceiro um estalo baixo, nauseante. Biondi tombou com tudo, revirando os olhos a ponto dos brancos aparecerem, franzindo os lábios de uma forma que o fazia parecer um bebê querendo mamar. O vidro caiu-lhe da mão frouxa, atingiu o piso de cimento, espatifou-se. O cheiro de gasolina ficou de repente muito mais forte, intenso e nauseante.

Eddie não deu ao parceiro de Biondi tempo de reagir. Enquanto Focinhão continuava se contorcendo no chão, na gasolina derramada e no vidro quebrado, Eddie avançara sobre Andolini, forçando-o a recuar.

7

Para Calvin Tower (que começara a vida como Calvin Toren), não houve uma sensação imediata de alívio, nenhum *Graças a Deus, estou salvo*. Seu primeiro pensamento foi: *Eles são maus; este novo é pior*.

Na fraca luz do depósito, o recém-chegado pareceu fundir-se com sua própria sombra e tornou-se uma aparição de três metros de altura. Uma aparição com olhos em chamas que partiam das órbitas e a boca repuxada para baixo, expondo dentes que quase pareciam presas. Em uma das mãos, uma pistola que parecia do tamanho de um bacamarte, o tipo de arma citada nas histórias de aventura do século XVII como uma máquina. Ele agarrou Andolini pelo alto da camisa e a lapela do paletó e atirou-o contra a parede. A coxa do bandido atingiu o armário de vidro, que tombou. Tower soltou um grito consternado, ao que nenhum dos dois homens prestou a mínima atenção.

O capanga de Balazar tentou se livrar se contorcendo pela esquerda. O novo, o homem a rosnar com os cabelos escuros presos atrás, deixou-o soltar-se, depois deu-lhe uma rasteira e caiu em cima dele, um joelho em seu peito. Enfiou a boca do bacamarte, a máquina, na reentrância embaixo do queixo do bandido, que virou a cabeça, tentando livrar-se da arma. O novo sujeito apenas a enfiou mais fundo.

Em uma voz sufocada que o fez parecer um pato de desenho animado, o capanga de Balazar disse:

— Não me faça rir, espertinho... isto não é uma arma de verdade.

O novo, o que pareceu fundir-se com sua própria sombra e se tornou da altura de um gigante, puxou a máquina de baixo do queixo do bandido, engatilhou-a com o polegar e apontou-a para o fundo da área de depósito. Tower abriu a boca para dizer alguma coisa, sabe-se lá o que, mas antes que pudesse proferir uma palavra houve um estrondo ensurdecedor, o estrondo do projétil de um morteiro disparado a menos de dois metros da trincheira individual de algum infeliz soldado raso. Uma chama amarela brilhante desprendeu-se da boca da máquina. Um momento depois, o cano estava mais uma vez embaixo do queixo do bandido.

— O que você acha agora, Jack? — ofegou o novo sujeito. — Ainda acha que é de mentira? Vou dizer o que eu acho: da próxima vez que puxar este gatilho, seus miolos vão voar direto para Hoboken.

8

Eddie viu medo nos olhos de Jack Andolini, mas nenhum pânico. O que não o surpreendeu. Fora Jack Andolini que o agarrara depois que o carregamento de cocaína como mula vindo de Nassau dera errado. Esta versão dele era mais jovem — dez anos mais jovem —, porém não mais bonita. Andolini, antes apelidado de Velho Duplo-Horror pelo tremendo sábio e viciado de primeira Henry Dean, tinha uma testa protuberante de neandertal e um maxilar saliente para combinar. As mãos eram tão imensas que pareciam caricaturas. Pelos brotavam dos nós dos dedos. Ele parecia Velho Duplo-Idiota, além de Velho Duplo-Horror, mas nada tinha de idiota. Os idiotas não galgam a hierarquia para tornar-se o segundo no comando de sujeitos como Enrico Balazar. E embora Jack ainda não fosse o segundo neste *quando*, seria em 1986, quando Eddie voltaria em um voo para o aeroporto JFK com cerca do equivalente a duzentos mil dólares de pó boliviano sob a camisa. Naquele mundo, naquele onde e quando, Andolini já se tornara o marechal de campo do *Il Roche*. Neste, Eddie achou que havia uma grande chance de ele se aposentar cedo. De *tudo*. A não ser, quer dizer, que fizesse o que lhe era mandado.

Eddie enfiou o cano do revólver mais fundo sob o pescoço de Andolini. O cheiro de gasolina e pólvora intensificou-se no ar, por enquanto sobrepujando o cheiro de livros. De algum lugar nas sombras, ouviu-se um silvo raivoso de Sergio, o gato da livraria. Sergio aparentemente não aprovava barulhos altos no seu domínio.

Andolini contraiu-se e virou a cabeça para a esquerda.

— Não faça isso, cara... esta coisa tá quente!

— Não tão quente quanto você vai ficar daqui a cinco minutos — disse Eddie. — A não ser que me escute, Jack. Suas chances de se livrar desta são remotas, mas não exatamente nulas. Vai escutar?

— Não sei. Como você nos conhece?

Eddie tirou a arma de baixo do queixo duplo do Velho Duplo-Horror e viu um círculo vermelho onde o cano do revólver de Roland pressionara. *E se eu te disser que é o seu ka encontrar-se comigo de novo, daqui a dez anos? E ser comido pelas lagostrosidades? Que elas vão começar com os pés dentro dos seus mocassins Gucci e abrir caminho para cima?* Andolini não acreditaria nele, claro, tanto quanto não acreditara que o grande e velho revólver de Roland funcionaria até Eddie demonstrar a verdade. E ao longo dessa gama de possibilidade — nesse nível da Torre —, Andolini poderia *não* ser comido pelas lagostrosidades. Porque este mundo era diferente de todos os outros. Este era o Nível 19 da Torre Negra. Eddie sentia-o. Mais tarde refletiria sobre isso, mas agora não. Agora o próprio ato de pensar era difícil. O que ele queria no momento era matar aqueles dois homens, depois dirigir-se até o Brooklyn e acertar os membros restantes do tet de Balazar. Bateu o cano do revólver em um dos salientes ossos malares de Andolini. Precisou se segurar para não começar a bater para valer naquela cara medonha, e Andolini viu isso. Piscou os olhos e molhou os lábios. Eddie continuava com o joelho em seu peito. Sentia-o subindo e descendo como um fole.

— Você não respondeu à minha pergunta — disse. — O que fez em vez disso foi fazer uma pergunta sua. Na próxima vez que fizer isso, Jack, vou usar o cano deste revólver pra quebrar a sua cara. Depois meter uma bala na sua rótula, deixá-lo capenga pro resto da vida. Posso atirar em várias partes suas e ainda deixar você em condições de falar. E não se faça de idiota comigo. Você não é idiota, exceto talvez na escolha de seu patrão, e eu sei disso. Então me deixe perguntar de novo: Vai me escutar?

— Que opção eu tenho?

Movendo-se com aquela mesma rapidez assustadora visível apenas como um borrão, Eddie bateu com o revólver no rosto de Andolini. Ouviu-se um estalo quando o osso malar se partiu. O sangue começou a jorrar da narina direita, que para Eddie parecia do tamanho do túnel do centro do município de Queens. Andolini gritou de dor, Tower de choque.

Eddie encaixou a boca da pistola de volta à reentrância sob o queixo de Andolini. Sem desviar o olhar dele, disse:

— Fique de olho no outro, sr. Tower. Se ele começar a se mexer, me avise.

— Quem *é* você? — Tower quase baliu.

— Um amigo. O único que tem que pode salvar o seu couro. Agora fique de olho no outro e me deixe fazer o meu trabalho.

— Es-está bem.

Eddie Dean voltou toda a atenção para Andolini.

— Eu derrubei George porque ele é burro. Mesmo que pudesse transmitir o recado que preciso mandar, ele não ia acreditar. E como pode um cara convencer outros do que ele mesmo não acredita?

— Não está errado aí — disse Andolini.

Olhava para Eddie com uma espécie de fascinação horrorizada, talvez vendo afinal aquele estranho com a arma pelo que ele realmente era. Pelo que Roland soubera que ele era desde o início, mesmo quando Eddie Dean não passava de um viciado melequento, tendo espasmos devido à abstinência da heroína. Jack Andolini estava vendo um pistoleiro.

— Pode apostar que sim — disse Eddie. — E eis o recado que quero que transmita: Tower é intocável.

Jack balançava a cabeça.

— Você não entende. Tower tem uma coisa que alguém quer. Meu patrão concordou em conseguir. Ele prometeu. E meu patrão sempre...

— Sempre cumpre suas promessas, eu sei — disse Eddie. — Só que desta vez ele não vai poder cumprir, e não vai ser por culpa dele. Porque o sr. Tower decidiu não vender o terreno baldio nesta rua à Corporação Sombra. Ele vai vender à... hããã... à Corporação Tet. Entendeu?

— Cara, eu não te conheço, mas conheço meu patrão. Ele não vai parar.

— Vai, sim. Porque Tower não terá nada pra vender. O terreno não será mais dele. E agora escute com mais atenção, Jack. Escute ka-me, não ka-mai. Sabiamente, não tolamente.

Eddie se aproximou. Jack encarava-o acima, fascinado pelos olhos salientes — íris cor de avelã, brancos, injetados de sangue — e a boca sorrindo ferozmente agora à distância de um beijo da sua.

— O sr. Tower está sob a proteção de pessoas mais poderosas e mais violentas do que você jamais pode imaginar, Jack. Pessoas que fazem *Il Roche* parecer um hippie paz e amor em Woodstock. Você tem de convencê-lo que não tem nada a ganhar se continuar a perturbar Calvin Tower, e tudo a perder.

— Eu não posso...

— Quanto a você, saiba que a marca de Gilead está nesse homem. Se voltar a tocar nele mais uma vez, se voltar a pôr o pé nesta loja, eu vou ao Brooklyn e mato sua esposa e seus filhos. Depois vou encontrar sua mãe e seu pai, e os mato também. Depois as irmãs da sua mãe e os irmãos do seu pai. Depois mato seus avós, se ainda estiverem vivos. Você será deixado por último. Acredita em mim?

Jack Andolini continuou fitando o rosto acima dele, os olhos injetados, a boca arreganhada, rosnando, mas agora com crescente horror. A verdade era que *acreditava*. E quem quer que fosse, sabia muito sobre Balazar e o acordo. Sobre o acordo, talvez soubesse até mais do que o próprio Andolini.

— Há outros de nós — disse Eddie — e estamos todos no mesmo negócio: proteção... — Quase disse *proteção da rosa*. — ... proteção a Calvin Tower. Vamos ficar vigiando este lugar, vigiando Tower, vigiando os amigos de Tower, caras como Deepneau. — Eddie viu os olhos de Andolini piscarem de surpresa a isso, e ficou satisfeito. — Qualquer um que vier aqui e sequer levantar a voz pra Tower, nós mataremos as famílias deles, e eles por último. Isto vale pra George, Cimi Dretto, Tricks Postino... pra seu irmão Claudio, também.

Andolini arregalava os olhos a cada nome, depois fechou-os momentaneamente ao nome do irmão. Eddie achou que talvez tivesse se feito entender. Se Andolini seria capaz de convencer Balazar era outra coisa. *Mas em certo aspecto, isso nem importa*, pensou friamente. *Assim que Tower nos vender o terreno, realmente não importará o que fizerem com ele, importará?*

— Como você sabe *tanto*? — perguntou Andolini.

— Isso não interessa. Simplesmente transmita o recado. Mande Balazar dizer aos amigos dele na Sombra que o terreno não está mais à venda. Pelo menos não está para eles. E diga que Tower está agora sob a proteção do pessoal de Gilead, que porta grossos calibres.

— Grossos?

— Quero dizer pessoas mais perigosas do que qualquer um com quem Balazar já lidou — disse Eddie —, *incluindo* o pessoal da Corporação Sombra. Diga que se ele insistir haverá cadáveres o suficiente para encher a Grand Army Plaza. E muitos serão de mulheres e crianças. Convença-o.

— Eu... cara, eu vou tentar.

Eddie levantou-se e recuou. Jogado nas poças de gasolina e nos cacos de vidro espalhados, George Biondi começava a mexer-se e resmungar no fundo da garganta. Eddie fez um gesto a Jack com o cano da pistola de Roland para que se levantasse.

— É melhor tentar pra valer.

9

Tower serviu uma caneca de café preto para eles dois, depois não conseguiu tomar o seu. As mãos tremiam demais. Após vê-lo tentar duas vezes (e pensando em um personagem que desarmava bombas no UXB que perdeu a coragem), Eddie sentiu pena dele e despejou metade do café da caneca dele na sua.

— Tente agora — disse, e empurrou a caneca pela metade de volta ao dono da livraria.

Tower estava novamente de óculos, mas um dos aros fora torcido e eles ficavam tortos em seu rosto. Também havia a rachadura que corria pela lente esquerda como um raio de relâmpago. Os dois estavam no balcão de mármore, Tower atrás, Eddie sentado em uma das banquetas. Tower trouxera consigo o livro que Andolini ameaçara queimar primeiro, e botou-o ao lado da cafeteira. Era como se não suportasse tê-lo fora de seu raio de visão.

Tower pegou a caneca com a mão trêmula (sem anéis, notou Eddie, nas duas mãos) e esvaziou-a. Eddie não entendia como o sujeito preferia beber aquilo puro. Por ele, o gosto verdadeiramente bom era com leite e creme. Após os meses que passara no mundo de Roland (ou talvez anos houvessem passado furtivamente), tinha o gosto tão saboroso quanto chantilly.

— Melhor? — perguntou Eddie.

— Sim.

Tower olhou pela janela, como se esperasse o retorno do sedã que saíra aos solavancos e desaparecera dez minutos atrás. Depois tornou a olhar para Eddie. Continuava assustado com o rapaz, mas deixara de se sentir apavorado quando Eddie acomodou a imensa pistola de volta dentro do que chamava de "embornal do meu amigo". A bolsa era feita de um couro escovado, natural, e fechada em volta da boca com ilhoses e tiras em vez de zíper. Para Calvin Tower, foi como se o rapaz tivesse guardado os aspectos mais assustadores de sua personalidade no "embornal", junto com o revólver de tamanho descomunal. Era bom, porque lhe permitia acreditar que o jovem estivera blefando sobre matar todas as famílias dos bandidos e depois os próprios bandidos.

— Onde está seu amigo Deepneau hoje? — perguntou Eddie.

— No oncologista. Dois anos atrás, Aaron começou a ver sangue na privada quando defecava. Um homem mais jovem pensa: "Malditas hemorroidas", e compra um tubo de pomada. Quando a gente está na casa dos setenta, imagina o pior. No caso dele, era sério mas não terrível. O câncer avança mais devagar quando se tem a idade dele; mesmo o Grande C envelhece. É engraçado pensar nisso, não? De qualquer maneira, eles o cauterizaram com radiação e dizem que sumiu, mas Aaron afirma que a gente não dá as costas ao câncer.

Ele volta lá a cada três meses, e é lá que está. Ainda bem. É um velho babaca, mas continua sendo um estouradinho.

Eu deveria apresentar Aaron Deepneau a Jamie Jaffords, pensou Eddie. *Os dois podiam jogar Castelos em vez de xadrez, e desfiar os dias da Lua de Cabra.*

Tower, enquanto isso, sorria tristemente. Ajustou os óculos no rosto. Por um momento, ficaram retos, mas logo tornaram a entortar-se. A inclinação era de certo modo pior que a rachadura; fazia-o parecer um pouco, além de vulnerável.

— Ele é um estouradinho e eu sou um covarde. Talvez por isso sejamos amigos, nos encaixamos nos lugares errados um do outro, formamos uma coisa quase inteira.

— Talvez esteja sendo um pouco duro consigo mesmo — disse Eddie.

— Não acho. Meu terapeuta diz que qualquer um que queira saber como os filhos de um pai dominador e uma mãe submissa acabarão sendo só precisam estudar o histórico do meu caso. Também diz que...

— Perdão, Calvin, mas não dou a mínima pra porra do seu terapeuta. Você não se desfez do terreno ali na rua, e isso já basta para mim.

— Não mereço crédito algum por isso — disse Calvin Tower morosamente. — É como este — pegou o livro que pusera ao lado da cafeteira — e os outros que ele ameaçou queimar. Eu simplesmente tenho um problema pra me desfazer das coisas. Quando minha primeira esposa disse que queria o divórcio e perguntei o motivo, ela explicou: "Porque, quando me casei com você, eu não compreendia. Achei que fosse um homem. Acabei vendo que você é um acumulador".

— O terreno é diferente dos livros — disse Eddie.

— É? Você acha mesmo?

Tower olhava-o, fascinado. Quando ergueu a caneca de café, Eddie ficou satisfeito de constatar que o pior da tremedeira passara.

— Você não?

— Às vezes eu sonho com ele — disse Tower. — Na verdade, não vou lá desde que a delicatéssen de Tommy Graham faliu e eu paguei pra derrubá-la. E mandei erguer a cerca, claro, o que foi quase tão caro quanto os homens para a demolição. Sonho que há um campo de flores ali dentro. Um campo de rosas. E em vez de só até a Primeira Avenida, o campo segue toda a vida. Sonho engraçado, não é?

Eddie não duvidava de que Calvin Tower tinha realmente esses sonhos, mas julgou ver mais alguma coisa nos olhos escondidos atrás dos óculos tortos e rachados. Achou que Tower revelava esse sonho para representar todos os sonhos que não contaria.

— Engraçado — concordou Eddie. — Acho melhor me servir um pouco mais daquela lama, por favor, eu peço. Vamos ter uma pequena confabulação.

Tower sorriu e mais uma vez ergueu o livro que Andolini ameaçara carbonizar.

— Confabulação. É o tipo de coisa que vivem dizendo aqui.

— É mesmo?

— Hum-hum.

Eddie estendeu a mão.

— Deixe-me ver.

A princípio, Tower hesitou, e Eddie viu o rosto do dono da livraria contrair-se com uma pesarosa mistura de emoções.

— Vamos lá, Cal, não vou limpar o rabo com isso.

— Não. Claro que não. Sinto muito. — E nesse momento Tower *pareceu* arrependido, como um alcoólatra poderia ficar após uma bebedeira particularmente destrutiva. — Eu simplesmente... alguns livros são muito importantes pra mim. E este é uma verdadeira raridade.

Passou-o a Eddie, que olhou a capa protegida por plástico e sentiu o coração parar.

— O que foi? — perguntou Tower. Largou a caneca com um baque. Qual o problema?

Eddie não respondeu. A ilustração da capa mostrava uma pequena habitação redonda como uma barraca pré-fabricada Quonset, só que feita de madeira, com telhado de colmo e ramos de pinheiro. De pé em um lado, via-se um indígena valente usando calça de couro de gamo. Sem camisa, segurava uma machadinha dos peles-vermelhas no peito. No fundo, uma velha locomotiva a vapor varava como um raio a pradaria, soltando fumaça cinzenta em um céu azul.

O título do livro era *A Dogan*. O autor era Benjamin Slightman Jr.

De muito longe, Tower perguntava-lhe se ele ia desmaiar. De apenas um pouco mais perto, Eddie disse que não ia. Benjamin Slightman Jr. Ben Slightman Filho, em outras palavras. E...

Empurrou a mão de Tower quando tentou recuperar o livro. Depois Eddie usou o próprio dedo para contar as letras do nome do autor. Eram, claro, dezenove.

10

Engoliu outra caneca do café de Tower, desta vez sem o leite e o creme. E voltou a pegar o livro embrulhado em papel plástico.

— O que o torna especial? — perguntou. — Quer dizer, é especial pra mim porque conheci alguém recentemente cujo nome é o mesmo do cara que escreveu este. Mas...

Uma ideia ocorreu a Eddie, e ele foi para a segunda orelha, torcendo para haver uma foto do autor. O que encontrou no entanto foi uma curta biografia de duas linhas: "BENJAMIN SLIGHTMAN JR. é criador de gado em Montana. Este é seu segundo livro". Abaixo, o desenho de uma águia e um slogan: COMPRE BÔNUS DE GUERRA!

— Mas por que é tão especial pra *você*? O que o faz valer sete mil e quinhentos dólares?

O rosto de Tower iluminou-se. Quinze minutos antes, estivera em terror mortal por sua vida, mas ninguém jamais saberia disso se o visse agora, pensou Eddie. Agora se achava sob o domínio de sua obsessão. Roland tinha a sua Torre Negra; esse homem tinha os seus livros raros.

Ele segurou-o para Eddie ver a capa.

— *A Dogan*, certo?

— Certo.

Tower abriu o livro e apontou a primeira orelha, também sob plástico, onde se via o sumário da história.

— E aqui?

— "*A Dogan*" — leu Eddie. — "Uma história emocionante do velho oeste e do esforço heroico de um indígena valente para sobreviver." E daí?

— Agora veja *isto*! — disse Tower, triunfante, e virou-o para a folha de rosto, com o título. Aí Eddie leu:

A Hogan
Benjamin Slightman Jr.

— Não saquei — disse Eddie. — O que tem de tão importante?

Tower revirou os olhos.

— Olhe de novo.

— Por que você simplesmente não me diz o que...

— Não, olhe de novo. Eu insisto. O prazer está na descoberta, sr. Dean. Qualquer colecionador lhe dirá a mesma coisa. Selos, moedas ou livros, o prazer está na descoberta.

Ele o folheou mais uma vez de volta à capa, e desta vez viu.

— O título na frente está impresso errado, não é? *Dogan* em vez de *Hogan*.

Tower assentiu, satisfeito.

— Hogan é uma barraca indígena de terra do tipo ilustrado na capa. Dogan é... bem, nada, não existe. O erro tipográfico na capa torna o livro um tanto valioso, mas agora... olhe aqui.

Ele foi para a página do copyright e entregou o livro a Eddie. A data do copyright era 1943, o que, claro, explicava a águia e o slogan da biografia do autor. O título do livro era dado como *A Hogan*, logo parecia tudo certo. Eddie estava prestes a perguntar, quando percebeu.

— Eles deixaram de fora o Jr. do nome do autor, não é?

— Sim! *Sim!* — Tower quase abraçava a si mesmo. — Como se o livro tivesse sido escrito pelo pai do autor! Na verdade, certa vez, quando eu estava em uma convenção bibliográfica na Filadélfia, expliquei a situação particular deste livro a um advogado que fez uma palestra sobre lei de direitos autorais, e esse sujeito disse que o pai de Slightman Jr. poderia até reivindicar o direito de propriedade do livro por causa de um simples erro tipográfico! Incrível, não acha?

— Totalmente — disse Eddie, pensando em *Slightman pai*. Pensando em *Slightman filho*. Pensando em que Jake fizera logo amizade com o último e perguntando-se por que isso lhe dava um pressentimento tão ruim agora, sentado ali e bebendo café na pequena e velha Calla Nova York.

Pelo menos ele levou a Ruger, pensou Eddie.

— Está me dizendo que basta isso pra tornar um livro valioso? — perguntou a Tower. — Um erro tipográfico na capa, mais uns dois dentro e de repente a coisa vale sete mil e quinhentos dólares?

— De jeito nenhum — disse Tower, parecendo chocado. — Mas o sr. Slightman escreveu três romances de faroeste realmente excelentes, todos adotando o ponto de vista dos indígenas. *A Hogan* é o do meio. Tornou-se um mandachuva em Montana depois da guerra, algum trabalho que tinha a ver com direitos de água e minerais, e depois, aí está a ironia, um grupo de indígenas o matou. Escalpelou, na verdade. Estavam bebendo do lado de fora de um armazém geral...

Um armazém geral chamado Took's, pensou Eddie. *Eu aposto meu relógio e garanto.*

— ... e parece que o sr. Slightman disse alguma coisa que desagradou aos indígenas, e... bem, lá se vai seu jogo.

— Todos os seus livros valiosos têm histórias semelhantes? — perguntou Eddie. — Quer dizer, alguma espécie de coincidência os torna valiosos, e não apenas os textos em si?

Tower riu.

— Meu rapaz, a maioria das pessoas que coleciona livros raros nem chega a abrir suas aquisições. Abrir e fechar um livro danifica a lombada. E por consequência prejudica o preço de revenda.

— Isso não lhe parece um comportamento meio doentio?

— Claro que não — disse Tower, mas um rubor denunciador lhe subiu pela face. Parecia que parte dele concordava com Eddie. — Se um cliente gasta oito mil dólares em uma primeira edição autografada de *Tess dos D'Urbevilles*, de Hardy, faz total sentido colocar o livro em um lugar seguro, onde possa ser admirado mas não tocado. Se a pessoa realmente quiser ler a história, que compre um livro de uma edição comum.

— Você acredita nisso — disse Eddie, fascinado. — Você acredita mesmo nisso.

— Bem... sim. Os livros podem ser objetos de grande valor. Esse valor é criado de várias formas. Às vezes, basta a assinatura do autor para criá-lo. Outras, como neste caso, é um erro. Às vezes é uma primeira impressão, primeira edição, que foi extremamente pequena. E alguma coisa disso tem a ver com o motivo que o trouxe aqui, sr. Dean? É sobre isso que queria... confabular?

— Não, imagino que não.

Mas sobre o que exatamente quisera confabular? Soubera — fora claríssimo para ele quando arrebanhara Andolini e Biondi para fora do depósito, depois ficara na porta de entrada vendo-os cambalear até o sedã, apoiando-se um no outro. Mesmo na Nova York cínica, cuide-da-sua-própria-vida, haviam atraído muitos olhares. Os dois sangravam e exibiam o mesmo olhar estupefato de: Que porra ACONTECEU comigo? Sim, naquele momento fora claro. O livro e o nome do autor haviam mais uma vez turvado seu pensamento. Ele o tomou de Tower e botou-o virado para baixo no balcão para não ter de olhá-lo. Então fez um esforço para tornar a organizar as ideias.

— O principal e mais importante, sr. Tower, é que tem de ficar longe de Nova York até 15 de julho. Porque eles vão voltar. Provavelmente não aqueles mesmos caras, mas alguns dos outros que Balazar usa. E estarão ainda mais impacientes pra dar uma lição a você e a mim. Balazar é um déspota. — Esta palavra Eddie aprendera com Susannah, que a usara para descrever o Homem do Tique-Taque. — O jeito dele fazer negócios é sempre em escala ascendente. Você dá um tapa, ele revida duas vezes mais forte. Dê-lhe um soco no nariz, que ele quebra seu maxilar. Você lança uma granada, ele lança uma bomba.

Tower gemeu. Foi um som teatral (embora na certa não tenha sido essa a intenção), e em outras circunstâncias Eddie talvez tivesse rido. Nessas, não. Além disso, tudo o que queria dizer a Tower estava lhe voltando à mente. Ele podia fazer esta negociação, por Deus. Ele *faria* a negociação.

— A mim, provavelmente eles não vão conseguir agarrar. Tenho negócios em outro lugar. Além das montanhas e muito longe daqui, permita-me dizer. Seu trabalho também é não deixar que consigam pegar você.

— Mas com certeza, depois do que acabou de fazer, e mesmo que não acreditem em você sobre as mulheres e as crianças...

Os olhos de Tower, arregalados atrás dos óculos ferrados, imploravam a Eddie para dizer que não estivera falando a sério sobre criar cadáveres bastantes para encher a Grand Army Plaza. Eddie não podia ajudá-lo nisso.

— Cal, escute. Sujeitos como Balazar não acreditam nem desacreditam. O que eles fazem é testar os limites. Eu dei um susto no Focinhão? Não, só o nocauteei. Dei um susto em Jack? Sim. E vai pegar, porque Jack tem um pouco de imaginação. Balazar vai ficar impressionado com o susto que dei no Jack Horroroso? Sim... mas só o suficiente para ser cauteloso.

Eddie curvou-se sobre o balcão, olhando com seriedade Tower.

— Não quero matar crianças, está bem? Vamos deixar isso bem claro. Em... bem, em outro lugar, deixemos a coisa por aí, em outro lugar, eu e meus amigos vamos arriscar nossa vida pra *salvar* crianças. Mas são crianças *humanas*. Pessoas como Jack, Tricks Postino e o próprio Balazar são animais. Lobos de duas pernas. E lobos criam seres humanos? Não, criam mais lobos. Lobos se acasalam com mulheres humanas? Não, se acasalam com lobas. Portanto, se eu tivesse de entrar nessa, e entraria se fosse necessário, diria a mim mesmo que estava eliminando uma matilha de lobos, até o menor dos filhotes. Não mais que isso. E não menos.

— Meu Deus, ele fala sério — disse Tower. As palavras saíram em voz baixa, e todas de uma vez só.

— Com toda a certeza, mas isso não quer dizer nada — disse Eddie. — A questão é: eles virão atrás de você. Não para matá-lo, mas para fazer com que você faça novamente o que eles querem. Se ficar aqui, Cal, acho que se candidatará a uma mutilação complicada, no mínimo. Há algum lugar onde possa ir até 15 de julho do próximo mês? Tem dinheiro suficiente? Eu não tenho, mas acho que consigo arranjar algum.

Em sua cabeça, Eddie já estava no Brooklyn. Balazar cuidava de um jogo de pôquer no quarto dos fundos da Barbearia de Bernie, todo mundo sabia disso. O jogo às vezes poderia não estar rolando durante um dia de semana, mas haveria alguém lá com dinheiro vivo. O suficiente para...

— Aaron tem algum dinheiro — dizia, relutante, Tower. — Já me ofereceu várias vezes. Eu sempre recusei. Ele vive me dizendo que preciso tirar umas férias. Acho que com isso está me falando para me afastar dos caras que você acabou de pôr pra fora. Está curioso por saber o que eles querem, mas não pergunta. Um estouradinho, mas um estouradinho *cavalheiro*. — Tower deu um breve sorriso. — Talvez Aaron e eu pudéssemos sair de férias juntos, jovem senhor. Afinal, talvez não tenhamos outra oportunidade.

Eddie tinha uma boa certeza de que os tratamentos químicos e de radiação iam manter Aaron Deepneau de pé por pelo menos mais quatro anos, mas aquela provavelmente não era a hora certa para dizer isso. Olhou para a porta do Restaurante da Mente de Manhattan e viu a outra porta. Além dela, a boca da gruta. Sentado ali como um iogue de quadrinhos, apenas uma silhueta de pernas cruzadas, estava o pistoleiro. Perguntou-se quanto tempo havia que ele se encontrava ali, quanto tempo Roland estivera ouvindo o som abafado mas ainda assim enlouquecedor dos sinos todash.

— Acha que Atlantic City seria longe o bastante? — perguntou Tower timidamente.

Eddie Dean quase estremeceu só de pensar. Tivera uma breve imagem de duas ovelhas rechonchudas — envelhecendo, sim, mas ainda saborosas indo ao encontro não apenas de uma matilha de lobos, mas de uma cidade inteira deles.

— Lá, não — disse Eddie. — Qualquer lugar, menos lá.

— Que tal Maine ou New Hampshire? Talvez pudéssemos alugar um chalé em um lago em algum canto até 15 de julho.

Eddie fez que sim com a cabeça. Era um rapaz da cidade. Difícil imaginar os bandidos lá no norte da Nova Inglaterra, usando aqueles bonés xadrezes e coletes, mastigando sanduíches de pimentão e tomando vinho Ruffino.

— Lá seria melhor — disse. — E enquanto estiver lá, talvez possa tentar encontrar um advogado.

Tower desatou a rir. Eddie olhou-o, a cabeça inclinada, também sorrindo um pouco. Era sempre bom fazer as pessoas rirem, mas melhor ainda quando se sabia de que porra estavam rindo.

— Perdão — disse Tower, após alguns instantes. — Só que Aaron *era* advogado. Sua irmã e dois irmãos, todos mais jovens, *são* advogados. Gostam de ficar dizendo por aí que têm o mais singular timbre legal em Nova York, talvez em todos os Estados Unidos. Diz apenas "DEEPNEAU".

— Isso agiliza as coisas — disse Eddie. — Quero que peça ao sr. Deepneau para redigir um contrato enquanto estiverem de férias na Nova Inglaterra.

— *Escondidos* na Nova Inglaterra — corrigiu Tower. De repente, pareceu melancólico. — *Enfurnados* na Nova Inglaterra.

— Chame do que quiser — disse Eddie —, mas faça com que o documento seja redigido. Você vai vender aquele terreno a mim e a meus amigos. À Corporação Tet. Só vai receber um dólar por ele pra começar, mas posso quase lhe garantir que no fim terá o valor justo de mercado.

Tinha mais a dizer, muito mais, porém parou por aí. Quando estendeu a mão para pegar o livro, *A Dogan* ou *A Hogan*, ou qualquer que fosse o nome, uma expressão de dolorosa relutância já ficara estampada no rosto de Tower. O que tornava essa expressão desagradável era a burrice implícita nela... e não tão implícita assim. *Ah, meu Deus, ele vai brigar comigo por isso. Depois de tudo o que aconteceu, ele ainda vai brigar comigo por isso. E por quê? Porque ele é realmente um acumulador.*

— Pode confiar em mim, Cal — disse, sabendo que confiança não era exatamente a questão. — Eu aposto meu relógio e garanto. Agora me ouça. Eu peço que me ouça.

— Eu não o conheço. Você entrou da rua...

— ... e salvei a sua vida, não se esqueça disso.

A expressão de Tower tornou-se rígida e obstinada.

— Eles não iam me matar. Você mesmo falou.

— Eles *iam* queimar seus livros preferidos. Os mais valiosos.

— Não os *mais* valiosos. E aquilo também poderia ter sido um blefe.

Eddie inspirou fundo e expirou, esperando que o súbito desejo de atravessar o balcão e afundar os dedos na garganta de Tower passasse ou ao menos diminuísse. Lembrou a si mesmo que se Tower *não* tivesse sido obstinado, provavelmente teria vendido o terreno à Sombra muito antes. A rosa teria sido arada embaixo. E a Torre Negra? Eddie suspeitava que quando a rosa morresse, a Torre Negra ia simplesmente desabar como a de Babel quando Deus dela se fartara e girara Seu dedo. Sem precisar esperar outras centenas ou milhares de anos até a maquinaria que governava os Feixes parasse de funcionar. Apenas cinzas, cinzas, todos tombamos. E então? Salve o Rei Rubro, senhor das trevas todash.

— Cal, se vender a mim e aos meus amigos o terreno baldio, você está livre. Não apenas isso, mas acabará tendo dinheiro bastante para manter sua lojinha pelo resto da vida. — Teve uma ideia súbita. — Escute, conhece uma empresa chamada Holmes Dental?

Tower sorriu.

— Quem não conhece? Eu uso o fio dental deles. *E* a pasta de dentes. Experimentei o enxaguante bucal, mas é forte demais. Por que pergunta?

— Porque Odetta Holmes é minha esposa. Posso parecer o Sapo Gremlin, mas na verdade sou a porra do Príncipe Encantado.

Tower ficou em silêncio por um longo tempo. Eddie dominou sua impaciência e deixou o sujeito pensar. Por fim, Tower disse:

— Você acha que estou sendo tolo. Sendo Silas Marner, ou pior, Ebenezer Scrooge.

Eddie não sabia quem era Silas Marner, mas entendeu o que Tower queria dizer pelo contexto.

— Vamos pôr nos seguintes termos — disse. — Depois do que você acabou de passar, é inteligente demais para não saber o que é melhor para você.

— Eu me sinto obrigado a lhe dizer que não se trata apenas de uma avareza insensata da minha parte; há um elemento de cautela, além disso. Sei que aquele pedaço de Nova York é valioso, *qualquer* pedaço de Manhattan é, mas não é só isso. Tenho um cofre aqui nos fundos da loja. Há uma coisa nele. Uma coisa talvez ainda mais valiosa que meu exemplar de *Ulysses*.

— Então por que não está no seu cofre-forte no banco?

— Porque o seu lugar é aqui — disse Tower. — *Sempre* foi aqui. Talvez esperando você ou alguém como você. Em outra época, sr. Dean, minha família foi dona de quase toda a Baía da Tartaruga, e... bem, espere. Vai esperar?

— Sim — disse Eddie.

Que opção tinha?

11

Quando Tower saiu, Eddie desceu da banqueta e foi até a porta que só ele via. Olhou através dela. Fracamente, ouviu sinos. Com mais nitidez, ouviu a mãe.

— Por que não sai daí? — gritou ela, com pesar. — Você só torna as coisas piores, Eddie... sempre piora.

Esta é a minha mãe, pensou, e chamou o nome do pistoleiro.

Roland tirou uma das balas do ouvido. Eddie notou a maneira estranhamente desajeitada como a segurava, quase a apalpando, como se tivesse os dedos duros, mas não havia tempo para pensar nisso agora.

— Tudo bem com você? — chamou Eddie.

— Estou bem. E você?

— Sim, mas... Roland, dá pra você atravessar? Talvez eu precise de uma ajudinha.

Roland pensou, e fez que não com a cabeça.

— A caixa poderia se fechar se eu fizesse isso. Provavelmente *fecharia*. E então a porta se fecharia, e ficaríamos encurralados no lado daí.

— Não dá pra calçar essa porra aberta com uma pedra, um osso ou alguma coisa?

— Não — disse Roland. — Não daria certo. O globo é poderoso.

E está fazendo efeito em você, pensou Eddie. O rosto de Roland parecia abatido, como ficara quando tinha o veneno das lagostrosidades dentro de si.

— Tudo bem — disse.

— Seja o mais rápido que puder.

— Serei.

12

Quando deu meia-volta, Tower olhava-o, interrogativo.

— Com quem estava falando?

Eddie ficou de lado e apontou a entrada da porta.

— Está vendo alguma coisa ali, sai?

Calvin Tower olhou, começou a balançar a cabeça e olhou mais um pouco.

— Um luzir suave — acabou dizendo. — Como ar quente sobre um incinerador. Quem está lá? *O que* está lá?

— Por enquanto, digamos que ninguém. O que tem em sua mão?

Tower ergueu-o. Era um envelope, muito antigo. Escritas em uma caligrafia firme, as palavras *Stefan Toren* e *Letra Morta*. Abaixo, desenhados com todo o esmero em tinta antiga, viam-se os mesmos símbolos presentes na porta e na caixa: . *Agora talvez estejamos chegando a algum lugar*, pensou Eddie.

— Antes este envelope guardava o testamento do meu tetravô — disse Calvin Tower. — Datado de 19 de março de 1846. Agora não tem mais nada aqui, além de uma única folha de papel com um nome escrito. Se me disser que nome é este, meu jovem, farei o que pede.

E assim, meditou Eddie, *tudo se reduz a outra adivinhação*. Só que desta vez não eram quatro vidas que dependiam da resposta, mas toda a existência.

Ainda bem que essa é fácil, pensou.

— É Deschain — disse Eddie. — O primeiro nome será Roland, o nome do meu dinh, ou Steven, o do pai dele.

Todo o sangue pareceu fugir do rosto de Calvin Tower. Eddie não tinha a menor ideia de como o sujeito conseguia manter-se de pé.

— Meu Deus do céu — disse.

Com dedos trêmulos, retirou uma antiga e frágil folha de papel do envelope, uma viajante do tempo que viajara mais de cento e trinta e um anos para aquele onde e quando. Estava dobrada. Tower abriu-a e pôs no balcão, onde os dois poderiam ler as palavras que Stefan Toren escrevera na mesma e firme caligrafia:

13

Conversaram mais, cerca de quinze minutos ao todo, e Eddie julgou que pelo menos parte da conversa era importante, mas o verdadeiro acordo fora fechado quando ele dissera a Tower o nome que o tetravô de Tower escrevera em uma folha de papel catorze anos antes de a Guerra da Secessão começar.

O que Eddie descobriu sobre Tower durante a confabulação era desanimador. Embora nutrisse um certo respeito pelo homem (por *qualquer* homem que resistisse mais de vinte segundos aos capangas de Balazar), não gostava muito dele, pois tinha uma espécie de babaquice obstinada nele. Eddie achou que ele mesmo criara isso e talvez tenha sido piorada por seu terapeuta, que lhe dizia que ele devia cuidar de si mesmo, que precisava ser o capitão de seu próprio navio, autor do próprio destino, respeitar seus próprios desejos, todo aquele blá-blá-blá. Todas aquelas palavras e termos codificados que significavam que não tinha problema em ser egoísta pra caralho. Que chegava a ser algo nobre. Quando Tower disse a Eddie que Aaron Deepneau era seu único amigo, Eddie não ficou surpreso. O que de fato o surpreendeu foi que Tower tivesse algum amigo. Um homem daqueles jamais seria ka-tet, e deixou Eddie inquieto saber que seus destinos estavam tão intimamente ligados.

Você terá apenas de confiar no ka. É para isso que serve o ka, não é?

Claro que era, mas Eddie não era obrigado a gostar.

14

Eddie perguntou a Tower se ele tinha um anel com *Ex Liveris* gravado. Tower pareceu intrigado e desatou a rir, explicando-lhe que ele devia querer dizer *Ex Libris*. Remexeu em uma das prateleiras, encontrou um livro, mostrou a Eddie a gravura na capa. Eddie assentiu com a cabeça.

— Não — disse Tower. — Mas seria a coisa perfeita para um cara como eu, não seria? — Olhou Eddie com entusiasmo. — Por que pergunta?

Mas a futura responsabilidade de Tower em salvar um homem que agora estava explorando as estradas escondidas dos múltiplos Estados Unidos era um assunto em que Eddie não estava a fim de entrar já. Chegara tão perto de explodir a mente do cara quanto quisera, e tinha de voltar pela porta desconhecida antes que o Treze Preto reduzisse Roland a um farrapo.

— Não importa. Mas, se vir um, deveria comprar. Mais uma coisa e depois vou embora.

— O que é?

— Quero que me prometa que assim que *eu* sair, *você* sairá.

Tower mais uma vez ficou evasivo. Era o lado dele que Eddie sabia que, dado a oportunidade, passaria a detestar.

— Ora... pra dizer a verdade, não sei se posso fazer isso. O cair da noite é muitas vezes uma hora movimentada pra mim, as pessoas tendem muito mais a dar uma olhada em livros quando termina o dia de trabalho, e o sr. Brice está vindo para ver uma primeira edição de *The Troubled Air*, o romance de Irwin Shaw sobre a era do rádio e de McCarthy... Terei de ao menos passar os olhos pela minha agenda de compromissos e...

Continuou a tagarelar, chegando a ir aumentando de ímpeto ao concentrar-se nas banalidades.

Eddie disse, muito brando:

— Gosta dos seus colhões, Calvin? É tão ligado a eles, talvez, quanto eles a você?

Tower, que estivera imaginando quem ia alimentar Sergio se ele simplesmente pegasse as coisas e fugisse, agora parava e olhava-o, pasmo, como se nunca tivesse ouvido aquela simples palavra de duas sílabas.

Eddie assentia com a cabeça, prestativo.

— Suas bolas. Seu saco. Suas pedras. Seus *cojones*. A boa e velha firma de esperma. Seus *testículos*.

— Não entendo o que...

O café de Eddie acabara. Ele despejou um pouco de leite e creme na caneca e bebeu-o, em vez do outro. Era muito saboroso.

— Eu disse que, se ficasse aqui, podia esperar uma mutilação complicada. Foi isso que eu quis dizer. É por aí que eles provavelmente vão começar, por suas bolas. Dar-lhe uma lição. Quanto a quando acontecer, bem, isso depende sobretudo do trânsito.

— Trânsito — Tower disse isso com uma completa falta de expressão vocal.

— Isto mesmo — disse Eddie, sorvendo seu café com leite como se fosse uma dose de conhaque. — Basicamente do tempo que Jack Andolini levar pra voltar de carro ao Brooklyn e depois o tempo que Balazar levar pra encher um furgão ou uma caminhonete com sujeitos pra voltarem aqui. Espero que Jack esteja atordoado demais pra apenas telefonar. Achou que Balazar ia esperar até amanhã? Convocar uma pequena reunião de caras como Kevin Blake e Cimi Dretto pra discutir a questão? — Eddie ergueu um dedo e depois dois. A poeira de outro mundo acumulava-se sob as unhas. — Primeiro, eles não *têm* miolos; segundo, Balazar não confia neles.

"O que ele vai fazer, Cal, é o que faz todo déspota bem-sucedido: reagir já de imediato, rápido como um raio. O trânsito da hora do rush vai detê-los um pouco, mas se você ainda estiver aqui às seis, no máximo meia hora depois, pode dizer adeus aos seus colhões. Eles vão decepá-los com uma faca, depois cauterizar a ferida com uma daquelas tochazinhas, aquelas Bernz-O-Matics..."

— Pare — disse Tower. Agora, em vez de branco, ficara verde. Sobretudo na área em volta do queixo e do pescoço. — Vou para um hotel no Village. Há uns dois baratos que atraem escritores e artistas na maré baixa da sorte, quartos medonhos, mas não tão ruins assim. Vou ligar para Aaron, e viajaremos para o norte amanhã de manhã.

— Ótimo, mas primeiro precisa escolher uma cidade pra ir. Porque eu, ou um dos meus amigos, talvez precise entrar em contato com você.

— Como posso fazer isso? Não conheço nenhuma cidade na Nova Inglaterra ao norte de Westport, Connecticut!

— Dê alguns telefonemas assim que chegar ao hotel no Village — disse Eddie. — Escolha a cidade, e então amanhã de manhã, antes de sair de Nova York, mande seu amigo Aaron até o terreno baldio. Peça que escreva o código postal na cerca de tábuas. — Uma ideia desagradável surgiu a Eddie. — Vocês *têm* códigos postais, não? Quer dizer, eles já foram inventados, certo?

Tower olhou-o como se ele tivesse perdido o juízo.

— Claro que sim.

— Tá bem. Faça-o escrever no lado da rua Quarenta e Seis, de cima a baixo, onde termina a cerca. Entendeu?

— Sim, mas...

— Eles provavelmente não vão ficar de vigia na sua loja amanhã de manhã, vão imaginar que você ficou esperto e se mandou, mas se o fizerem, não vão estar vigiando o terreno, e se o fizerem, será no lado da Segunda Avenida. E se derem uma batida no lado da rua Quarenta e Seis, vão estar atrás de você, não dele.

Tower sorria um pouco, mesmo a contragosto. Eddie relaxou e retribuiu o sorriso.

— Mas...? E se também estiverem atrás de Aaron?

— Mande-o usar o tipo de roupas que não costuma usar. Se for um homem que usa jeans, diga-lhe para pôr um terno. Se for um homem de terno...

— Faça-o usar jeans.

— Correto. E óculos escuros não seriam má ideia, supondo que o dia não esteja nublado demais pra fazê-lo parecer estranho por causa disso. Peça que ponha um chapéu de feltro preto. Diga-lhe que não precisa ser teatral. Simplesmente ele vai até a cerca, como se quisesse ler um dos cartazes. Depois escreve os números e se manda. E diga-lhe pelo amor de Deus que não cague tudo.

— E como vai nos encontrar assim que tiver o código postal, seja lá qual for?

Eddie pensou no Took's, e na confabulação com as pessoas de Calla quando se sentaram nas grandes cadeiras de balanço da varanda. Deixando todo mundo que quisesse dar uma olhada neles e fazer uma pergunta.

— Vá a um armazém geral. Converse um pouco, diga a todo mundo que quiser escutar que você está na cidade para escrever um livro ou pintar quadros das armadilhas de pescar lagosta. Eu o encontrarei.

— Está bem — disse Tower. — É um bom plano. Você faz bem isso, rapaz.

Eu fui feito para isso, pensou Eddie, mas não disse. O que disse foi:

— Preciso ir. Já fiquei tempo demais, na verdade.

— Há uma coisa que precisa me ajudar a fazer antes de sair — disse Tower, e explicou.

Eddie arregalou os olhos. Quando Tower terminou — não levou muito tempo —, ele exclamou:

— Você só pode estar de sacanagem!

Tower indicou com a cabeça a porta de sua loja, onde podia ver aquele fraco luzir. Fazia os pedestres que passavam na Segunda Avenida parecerem miragens momentâneas.

— Há uma porta ali. Você praticamente falou isso, e acredito em você. Não a vejo, mas vejo *alguma coisa*.

— Você é louco — disse Eddie. — Totalmente pirado. — Não falava a sério, não exatamente, mas menos que nunca apreciava ter seu destino tão firmemente enredado com o de um homem que fizera um pedido desses. Uma *exigência*.

— Talvez eu seja, talvez não — disse Tower. Cruzou os braços sobre o peito largo, porém flácido. A voz era suave, mas o seu olhar era inflexível. — De qualquer maneira, essa é a minha condição pra fazer tudo o que diz. Por me envolver em *sua* loucura, em outras palavras.

— Ora, Cal, pelo amor de Deus! Deus e o Homem Jesus! Só estou lhe pedindo o que Stefan Toren lhe *mandou* fazer.

Os olhos não se suavizaram nem se desviaram como faziam quando Tower ficava evasivo ou se preparava para mentir. Ao contrário, ficaram ainda mais determinados.

— Stefan Toren está morto, e eu não. Já disse minha condição pra fazer o que você quer. A única questão é sim ou não...

— Sim, sim, SIM! — gritou Eddie, e tomou o resto da bebida da caneca. Depois pegou a embalagem e também a esvaziou, para ter certeza. Parecia que ia precisar da força. — Venha — disse. — Vamos fazer isso.

15

Roland via dentro da livraria, mas era como olhar coisas no fundo de uma torrente impetuosa. Gostaria que Eddie se apressasse. Mesmo com as balas enterradas no fundo dos ouvidos, escutava os sinos todash, e nada bloqueava os terríveis cheiros alternados: metal quente, bacon rançoso, queijo velho derretido, cebola queimada. Os olhos marejavam, o que provavelmente explicava ao menos parte da aparência difusa das coisas vistas além da porta.

Muito pior que o barulho dos sinos ou os cheiros era a maneira como o globo se insinuava nas juntas já comprometidas, enchendo-as do que pareciam estilhaços de vidro quebrado. Até então, não sentira nada além de algumas pontadas agudas na mão esquerda boa, mas não se enganava: a dor ali e em todos os demais lugares continuaria aumentando enquanto a caixa ficasse aberta e o Treze Preto destampado emitisse aquele brilho. Parte da dor da torção seca talvez passasse assim que o globo fosse mais uma vez escondido, mas Roland não achava que ela desapareceria por completo. E poderia ser apenas o começo.

Como se para parabenizá-lo por sua intuição, uma enorme fisgada de dor instalou-se na coxa direita e começou a latejar. Para Roland, parecia um saco cheio de chumbo líquido quente. Pôs-se a massageá-la com a mão direita... como se *isso* fosse proporcionar qualquer tipo de alívio.

— Roland! — Embora borbulhante e distante, como as coisas que via além da porta, parecendo vir debaixo d'água, a voz era inconfundivelmente de Eddie. Roland ergueu os olhos da coxa e viu que Eddie e Tower haviam levado uma espécie de caixa até a porta desconhecida. Parecia cheia de livros. — Roland, consegue nos ajudar?

A dor se instalara com tal profundidade em suas coxas e joelhos que Roland não teve certeza nem de que conseguiria levantar-se — mas conseguiu, e lepidamente. Não sabia o quanto de seu estado os olhos aguçados de Eddie talvez já houvessem visto, mas não queria que vissem mais. Pelo menos não antes de concluídas suas aventuras em Calla Bryn Sturgis.

— Quando a empurrarmos, você puxa!

Roland assentiu para dizer que compreendia, e a estante deslizou para a frente. Houve um estranho e vertiginoso momento em que metade da gruta ficou firme, clara, e a metade da Livraria da Mente de Manhattan tremeluziu instavelmente. Então Roland agarrou-a e atravessou-a. Ela trepidou e guinchou pelo piso da gruta, lançando para os lados pilhas de seixos e ossos.

Assim que o móvel transpôs o vão da porta, a tampa da caixa de pau-ferro começou a fechar-se. A porta também.

— Não, não ouse — murmurou Roland. — Não ouse, sua escrota.

Enfiou os dois dedos restantes da mão direita no espaço estreito entre a tampa da caixa. A porta parou de se mexer e ficou entreaberta quando ele fez isso, e Roland chegou ao seu limite. Agora até os *dentes* zumbiam. Embora Eddie fizesse uma última confabulação com Tower, ele não dava mais a mínima nem que fossem os segredos do universo.

— Eddie! — bramiu. — Eddie, a mim!

E, ainda bem, Eddie pegou a bolsa e passou. No momento em que cruzou a porta, Roland fechou a caixa. A porta desconhecida fechou-se um segundo depois com uma batida seca e inexpressiva. Os sinos cessaram. Assim como a mistura de dor venenosa que inundava as juntas do pistoleiro. O alívio foi tão tremendo que ele gritou. Então, durante uns dez segundos, tudo o que conseguiu fazer foi baixar o queixo junto ao peito, fechar os olhos e lutar para não soluçar.

— Obrigado — conseguiu afinal dizer. — Eddie, obrigado.

— Não há de quê. Vamos sair desta gruta, que tal?

— Acho bom — disse Roland. — Deuses do céu, sim.

16

— Não gostou muito dele, não é? — perguntou Roland.

Haviam se passado dez minutos desde o retorno de Eddie. Os dois tinham avançado uma pequena distância da gruta, depois parado onde a trilha serpeava por uma pequena enseada rochosa. O vento estrondoso que atirara para trás seus cabelos e grudara as roupas junto aos corpos ali se reduzia a ocasionais lufadas. Roland lhes era grato. Esperava que fossem vistas como desculpa para a lenta e desajeitada maneira como preparava seu fumo. Mas sente os olhos de Eddie em si, e o rapaz do Brooklyn — que antes fora tão burro e desprevenido quanto Andolini e Biondi — agora via muito.

— Tower, quer dizer.

Roland lançou-lhe de esguelha um olhar sarcástico.

— De quem mais eu falaria? Do gato?

Eddie deu um pequeno grunhido de concordância, quase uma risada. Não parava de inalar longos haustos do ar puro. Era bom estar de volta. A ida a Nova York em carne e osso fora melhor do que em todash em um aspecto — aquela sensação de escuridão à espreita desaparecera, assim como a sensação de *tenuidade* —, mas, meu Deus, o lugar *fedia*. O grosso era de carros e canos de descarga (as nuvens oleosas de diesel eram o pior), mas também havia milhares de maus cheiros. Não por último o odor de demasiados corpos humanos, o fedor não conseguindo ser disfarçado por todos os perfumes e desodorantes que as pessoas colocavam em si mesmas. Não tinham consciência de como cheiravam mal, todas espremidas enquanto andavam? Eddie achava que não. Ele próprio não tivera, um tempo atrás. Um tempo atrás, daria tudo para voltar para Nova York, teria matado para chegar lá.

— Eddie? Volte de Nis! — Roland estalou os dedos diante do rosto de Eddie.

— Desculpe — disse ele. — Quanto a Tower... não, não gostei muito dele. Nossa, atravessar os *livros* assim! Tornar aquelas malditas primeiras edições parte de sua condição pra ajudar a salvar a porra do universo!

— Ele não pensa desse jeito... a não ser que o faça nos sonhos. E você sabe que eles vão atear fogo na livraria quando chegarem lá e descobrirem que o cara se mandou. Com quase toda a certeza. Despejar gasolina por baixo da porta e acendê-la. Quebrar a janela e lançar uma granada, manufaturada ou artesanal. Vai me dizer que isso nunca lhe ocorreu?

Claro que tinha.

— Bem, é possível que sim.

Foi a vez de Roland proferir o bem-humorado grunhido.

— Não há muita *possibilidade* neste *sim*. Então, ele salvou seus melhores livros. E agora, na Gruta da Porta, temos alguma coisa atrás da qual esconder o tesouro do père. Embora imagino que agora seja o nosso tesouro.

— A coragem dele não me pareceu verdadeira — disse Eddie. — Parecia mais cobiça.

— Nem todos são chamados ao caminho da espada, da arma ou do navio — disse Roland —, mas todos servem ao ka.

— É mesmo? O Rei Rubro também? Ou os homens e as mulheres nefastos de que Callahan nos contou?

Roland não respondeu.

Eddie disse:

— Ele pode se sair bem. Tower, quero dizer. Não o gato.

— Muito engraçado — disse Roland secamente; riscou um fósforo nos fundilhos da calça, protegeu a chama com a mão em concha, acendeu o cigarro.

— Obrigado, Roland. Está crescendo nesse sentido. Pergunte se acho que Tower e Deepneau conseguem sair da cidade de Nova York na moita.

— Acha?

— Não, acho que vão deixar um rastro. *Nós* conseguiríamos segui-lo, mas estou torcendo para que os homens de Balazar não consigam fazer o mesmo. Quem me preocupa é Jack Andolini. É esperto pra cacete. Quanto a Balazar, fez um contrato com aquela Corporação Sombra.

— Pegou o dinheiro do rei?

— É, acho que fez isso em algum momento — disse Eddie. Tinha escutado Rei ao invés de rei, como em Rei Rubro. — Balazar sabe que quando se faz um contrato, é preciso cumpri-lo ou apresentar um motivo excelente pra não fazê-lo. Deixe de cumprir, que a notícia se espalha. Começam a circular histórias sobre fulano que anda perdendo o jeito, vacilando. Ainda restam a eles três semanas pra encontrar Tower e obrigá-lo a vender o terreno à Sombra. Vão usar esse tempo. Balazar não é o FBI, mas *é* um cara bem relacionado e... Roland, o pior em Tower é que, em alguns aspectos, nada disso é real pra ele. É como se ele confundisse sua vida com a vida de um dos seus livros de ficção. Acha que as coisas *precisam* acabar bem porque o escritor está sob contrato.

— Acha que ele será descuidado.

Eddie deu uma risada brusca.

— Ah, eu *sei* que será descuidado. A questão é se Balazar vai agarrá-lo ou não no ato.

— Vamos ter de monitorar o sr. Tower. Cuidar dele em nome da segurança. É o que acha, não?

— Pode apostar! — exclamou Eddie, e após um momento os dois caíram na gargalhada. Quando a hilaridade passou, Eddie disse: — Acho que devíamos mandar Callahan, se ele aceitar ir. Você deve achar que sou louco, mas...

— De jeito nenhum — disse Roland. — Ele é um dos nossos... ou *poderia* ser. Senti isso desde o início. E está acostumado a viajar por lugares estranhos. Vou sugerir hoje a ideia para ele. Amanhã virei com ele aqui e cuidarei de sua travessia pela porta...

— Deixa que eu faço — disse Eddie. — Uma vez já foi demais pra você. Pelo menos por algum tempo.

Roland examinou-o cuidadosamente, depois atirou o cigarro no precipício.

— Por que diz isso, Eddie?

— Seu cabelo ficou mais grisalho aqui em volta. — Eddie apalpou o cocuruto da própria cabeça. — E, também, você está andando meio emperrado. Está melhor agora, mas acho que o velho reumatismo lhe atacou um pouco. Confesse.

— Tudo bem, eu confesso — disse Roland. Se Eddie achou que se tratava apenas do velho sr. Reumatismo, a coisa não era tão ruim assim.

— Na verdade, eu poderia trazê-lo aqui em cima esta noite, tempo suficiente pra conseguir o código postal — disse Eddie. — Aposto que lá já será novamente dia.

— Nenhum de nós vai subir este caminho no escuro. Não se pudermos evitar.

Eddie olhou o precipício inclinar-se para onde se projetava o pedregulho tombado, transformando menos de cinco metros do trajeto em uma caminhada em corda bamba.

— Justo.

Roland começou a se levantar. Eddie estendeu a mão e segurou-lhe o braço.

— Fique mais dois minutos, Roland. Por favor.

Roland tornou a sentar-se, olhando para ele.

Eddie respirou fundo.

— Ben Slightman é corrupto — disse. — Ele é o traidor. Tenho quase certeza disso.

— Sim, eu sei.

Eddie arregalou os olhos para ele.

— Você *sabe*? Como é possível que...?

— Digamos que suspeitei.

— *Como?*

— Os óculos — disse Roland. — Ben Slightman pai é a única pessoa em Calla Bryn Sturgis que usa óculos. Vamos lá, Eddie, o dia nos espera. Podemos conversar enquanto andamos.

17

Não puderam, contudo, pelo menos a princípio, porque a trilha era demasiado íngreme e estreita. Depois, porém, ao se aproximarem da base da *mesa*, ficou mais largo e clemente. A conversa mais uma vez tornou-se praticável, e Eddie falou a Roland sobre o livro *A Dogan* ou *A Hogan*, a barraca de terra dos indígenas navajos e o nome do autor estranhamente discutível. A singularidade da página de copyright (não de todo certo de que Roland entenderia essa parte) e disse que isso o fez se perguntar se havia algo indicando também a participação do filho. Parecia uma ideia louca, mas...

— Acho que se Benny Slightman estivesse ajudando o pai a nos delatar — disse Roland —, Jake saberia.

— Tem certeza de que ele já não sabe? — perguntou Eddie.

Isso fez Roland pensar. Depois ele fez que não com a cabeça.

— Jake suspeita do pai.

— Ele lhe disse isso?

— Não precisou.

Tinham quase chegado aos cavalos, que ergueram a cabeça em alerta e pareceram felizes por vê-los.

— Ele está lá na Rocking B — disse Eddie. — Quem sabe deveríamos dar uma cavalgada até lá? Inventar algum motivo para levá-lo de volta à casa do père... — A voz extinguiu-se, quando olhou atentamente para Roland. — Não?

— Não.

— Por que não?

— Porque essa é a parte de Jake no negócio.

— É complicado, Roland. Ele e Benny Slightman gostam um do outro. Muito. Se Jake terminar sendo aquele a mostrar a Calla o que o pai do menino anda fazendo...

— Jake fará o que for preciso — disse Roland. — Como todos nós.

— Mas ele ainda é apenas um garoto, Roland. Não entende isso?

— Não será por muito mais tempo — disse Roland, e montou.

Esperava que Eddie não tivesse visto a contração momentânea de dor que lhe fez fazer uma careta quando passou a perna direita sobre a sela, mas claro que Eddie viu.

3. A DOGAN, PARTE DOIS

1

Jake e Benny Slightman passaram a manhã daquele dia levando fardos de feno dos sótãos superiores dos três celeiros internos da Rocking B para os de baixo, depois abrindo-os. A tarde foi dedicada a nadar e à luta aquática no Whye, ainda bastante agradável se evitassem as partes fundas; aquelas haviam ficado frias com a estação.

Entre essas duas atividades, comeram um lauto almoço no alojamento dos empregados, com meia dúzia dos trabalhadores (não Slightman pai; ele fora a trabalho ao rancho Buckhead de Telford, fazer uma venda de gado).

— Nunca vi em toda a vida aquele garoto do Ben trabalhar tão duro — disse Cookie, servindo costeletas fritas na mesa e os garotos servindo-se, ávidos. — Você vai acabar com ele, Jake.

Era essa a intenção de Jake, claro. Após transportar feno de manhã, nadar de tarde e uma dezena ou mais de saltos do celeiro para cada um deles à luz avermelhada do crepúsculo, julgava que Benny ia apagar de sono. O problema era que poderia ocorrer o mesmo com ele. Quando saiu para lavar-se na bomba-d'água — o pôr do sol chegara e se fora àquela altura, deixando cinzas róseas mergulharem em verdadeira escuridão —, levou Oi consigo. Lavou o próprio rosto e salpicou com os dedos gotas d'água para o animal pegar, o que fez com grande alegria. Depois Jake abaixou-se sobre um joelho e prendeu com delicadeza os dois lados da face do malhado.

— Escute, Oi.

— Oi!

— Eu vou dormir, mas quando a lua se levantar, quero que me acorde. Sem fazer barulho, entende?

— Tende!

O que poderia significar alguma coisa ou nada. Se tivesse que apostar, Jake apostaria em alguma coisa. Tinha grande fé em Oi. Ou talvez fosse amor. Ou talvez aquelas coisas fossem iguais.

— Quando a lua subir. Diga lua, Oi.

— Lua!

Parecia ótimo, mas Jake acertaria seu alarme interno de despertador para acordá-lo ao nascer a lua. Porque queria sair e ir até o lugar onde vira o pai de Benny e Andy naquela outra vez. Aquele misterioso encontro inquietava cada vez mais sua mente com o passar do tempo, em vez de diminuir. Não queria acreditar que o pai de Benny estivesse envolvido com os Lobos — nem Andy—, mas precisava ter certeza. Porque era o que Roland faria. Por esse, se por nenhum outro motivo.

2

Os dois garotos deitaram-se no quarto de Benny. Só havia uma cama, que Benny, claro, tinha oferecido ao hóspede, mas Jake a recusou. Bolaram em vez disso um esquema pelo qual Benny ficava na cama no que chamava de "noites pares" e Jake nas "noites ímpares". Esta era a noite de Jake no chão, o que era ótimo para ele. O colchão de pena de ganso de Benny era macio demais. Considerando seu plano de acordar com a lua, o chão provavelmente era melhor. Mais seguro.

Benny deitou-se com as mãos atrás da cabeça, olhando o teto. Fizera com que Oi subisse na cama com ele, e o malhado jazia adormecido em um bola enroscada, o focinho sob a cauda enrodilhada.

— Jake? — Um sussurro. — Tá dormindo?

— Não.

— Nem eu. — Uma pausa. — Tem sido muito legal, você aqui.

— Tem sido muito legal pra mim — disse Jake, e foi sincero.

— Às vezes, ser filho único é solitário.

— Sei bem disso... Eu *sempre* fui o único. — Fez uma pausa. — Aposto que ficou triste depois que sua irmã morreu.

— Às vezes eu ainda fico triste. — Pelo menos disse isso em um tom prosaico, o que tornava mais fácil de ouvir. — Acha que vão ficar depois de vencer os Lobos?

— Provavelmente não por muito tempo.

— Vocês estão em uma jornada, não é?

— Acho que sim.

— Pra quê?

A missão era para salvar a Torre Negra neste onde e a rosa na Nova York de onde ele, Eddie e Susannah haviam vindo, mas Jake não queria dizer isso a Benny, por mais que gostasse dele. A Torre e a rosa eram coisas meio secretas. Assunto do ka-tet. Mas também não queria mentir.

— Roland não fala muito dessas coisas — disse.

Uma pausa mais longa. O ruído de Benny mudando de posição, sem fazer barulho para não perturbar Oi.

— Ele me assusta um pouco, seu dinh.

Jake pensou nisso e disse:

— Também me assusta um pouco.

— Assusta meu pai.

Jake ficou de repente muito alerta.

— Verdade?

— Sim. Ele disse que não ia se surpreender se, depois que vocês se livrassem dos Lobos, se voltassem contra nós. Depois disse que só estava brincando, mas que o velho caubói de aparência durona o assustava. Imagino que devia estar falando do seu dinh, não acha?

— Sim — disse Jake.

Começara a achar que Benny tinha pegado no sono quando o garoto perguntou:

— Como era o seu quarto lá de onde você veio?

Jake pensou no seu quarto e a princípio achou surpreendentemente difícil imaginá-lo. Fazia muito tempo que não pensava nele. E agora, ao fazê-lo, sentiu-se sem graça de descrevê-lo em detalhes para Benny. Seu amigo vivia bem, pelos padrões de Calla — Jake imaginava que houvesse muito poucos garotos de pequenas propriedades da idade de Benny com quartos só seus —, mas achava que o amigo pensaria que o quarto descrito por Jake só poderia ser de um príncipe encantado? A televisão? O rádio, com todos os seus discos e os fones de ouvido que ofereciam privacidade? Os pôsteres de Stevie Wonder e The Jackson Five? O microscópio, que lhe mostrava coisas pequenas demais para ver a olho nu? Devia falar àquele garoto de tais maravilhas e milagres?

— Era como este, só que eu tinha uma escrivaninha — acabou dizendo Jake.

— Uma mesa de *escrever*? — Benny levantou-se sobre um ombro.

— Bem, *é* — disse Jake, o tom insinuando *Nossa, o que mais seria*?

— Papel? Canetas? Penas de escrever?

— Papel — concordou Jake. Eis, afinal, uma maravilha que Benny poderia entender. — E canetas. Mas não de pena. Esferográficas.

— Canetas esferográficas? Não entendo.

Então Jake começou a explicar, mas na metade ouviu um ronco. Olhou para o outro lado do quarto e viu Benny ainda de frente para ele, mas agora de olhos fechados.

Oi abriu os olhos — brilhavam na escuridão —, depois deu uma piscadela para Jake.

Jake olhou para Benny por um longo tempo, profundamente perturbado de um jeito que não entendia com muita exatidão... ou não queria entender.

Por fim, também caiu no sono.

3

Após algum tempo escuro e sem sonhos, ele foi trazido de volta à consciência devido a uma pressão no pulso. Alguma coisa puxando-o. Dentes. De Oi.

— Oi, não, pare com isto — murmurou, mas Oi não parou.

Com o pulso de Jake nos maxilares, continuou a sacudi-lo delicadamente de um lado para o outro, parando de vez em quando para um rápido puxão. Só parou de vez quando Jake acabou se sentando e olhou, dopado, a noite inundada de prata lá fora.

— Lua — disse Oi, sentado no chão ao lado de Jake, maxilares abertos em um inconfundível sorriso, olhos brilhantes. *Tinham* de estar brilhantes; uma minúscula pedra branca ardia no fundo de cada um. — *Lua*!

— Sim — sussurrou Jake, e então fechou os dedos em volta do focinho de Oi. — Xiu!

Soltou-o e olhou para Benny, agora virado para a parede e ressonando profundamente. Jake duvidava que um morteiro o acordasse.

— Lua — disse Oi, muito mais baixo. Agora olhava pela janela. — Lua, lua. Lua.

4

Jake teria cavalgado sem a sela, mas precisava de Oi consigo, o que dificultava montar sem arreios, talvez impossível. Por sorte, o pequeno pônei malhado que sai Overholser emprestara para ele era tão manso quanto um gato doméstico, e havia uma velha e esfolada sela de treinamento na sala de apetrechos no celeiro que até um garoto manejava com facilidade.

Jake selou o cavalo e amarrou o saco de dormir atrás, na parte que os caubóis de Calla chamavam de barco. Sentia o peso da Ruger dentro do rolo — e, se apalpasse, também a forma. O poncho com o cômodo bolso na frente pendia de um prego na sala de apetrechos. Jake pegou-o, enrolou-o transformando-o em algo que parecia uma faixa larga e cingiu-o na cintura. Os garotos na escola às vezes usavam desse jeito as camisas longas em dias quentes. Como as lembranças de seu quarto, essa parecia muito distante, parte de um desfile circense que atravessava a cidade a marchar... e depois partia.

Aquela vida era mais rica, sussurrou-lhe uma voz no fundo da mente. *Esta é mais verdadeira*, sussurrou outra, ainda mais fundo.

Embora acreditasse na segunda voz, continuava com o coração pesado de tristeza e preocupação ao conduzir o pônei malhado para fora pelos fundos do celeiro e afastar-se da casa. Oi chapinhava na cola dele, olhando de vez em quando para o céu acima e murmurando: "Lua, lua", mas sobretudo farejando os cheiros no chão. Aquela viagem era perigosa. Só a travessia do Devar-Tete Whye — do lado Calla das coisas até o lado do Trovão — era perigosa, e Jake sabia. Mas o que realmente o afligia era a sensação de angústia. Pensou em Benny, dizendo em como fora legal ter Jake na Rocking B como amigo. Perguntou-se se Benny sentiria a mesma coisa dali a uma semana.

— Não faz diferença — suspirou. — Isto é ka.

— Ka — disse Oi e ergueu os olhos. — Lua. Ka, lua. Lua, ka.

— Cala a boca — disse Jake, mas sem raiva.

— Cala a boca, ka — disse Oi, amistoso. — Cala a boca lua. Cala a boca Aque. Cala a boca, Oi.

Fora o máximo que dissera em meses, e assim que estava do lado de fora ficou em silêncio. Jake conduziu o cavalo por mais dez minutos, passou pelo alojamento dos empregados e seus ruídos de roncos, grunhidos e peidos, depois pela ladeira seguinte. Naquele ponto, com a estrada do Leste à vista, julgou seguro cavalgar. Desenrolou o poncho, vestiu-o, depositou Oi no bolso e montou.

5

Tinha quase certeza de que poderia ir direto ao lugar onde Andy e Slightman haviam atravessado o rio, mas pensou que essa seria a sua única chance de fazer isso, e Roland teria dito que quase certeza não era o suficiente nesse caso. Por isso, preferiu voltar ao lugar onde ele e Benny haviam acampado, e dali ao afloramento de granito que lhe lembrara um navio parcialmente afundado. Mais uma vez, Oi ficou ofegando em seu ouvido. Jake não teve problema nenhum em avistar a pedra redonda com a superfície brilhante. O tronco morto arrastado contra ela também continuava lá, pois o rio nada fizera além de baixar nas últimas semanas. Não houvera chuva, e isso era uma das coisas com que Jake contava para ajudá-lo.

Subiu agachado de volta ao lugar horizontal acima onde ele e Benny haviam acampado. Ali deixara o pônei amarrado a um arbusto. Conduziu-o até o rio embaixo, pegou Oi e cavalgou para o outro lado. Embora o pônei não fosse grande, a água não batia muito acima de sua crina. Em menos de um minuto chegavam à margem oposta.

Parecia igual à do outro lado, mas não era. Jake percebeu de súbito. Com ou sem luar, era de algum modo escuro. Não exatamente da maneira como fora a Nova York todash, e não se ouviam sinos, mas mesmo assim havia semelhanças. Uma sensação de alguma coisa à espera, e olhos que podiam virar-se em sua direção se ele fosse tolo o bastante para alertar os proprietários de sua presença. Chegara à borda do Fim do Mundo. A pele de Jake irrompeu em arrepios e calafrios. Oi olhou para ele.

— Está tudo bem — sussurrou. — Eu precisava fazer alguma coisa.

Desmontou, largou Oi no chão e guardou o poncho na sombra da pedra redonda. Não achava que fosse precisar de casaco para aquela parte da excursão; estava suando, nervoso. O murmúrio do rio era alto, e ele lançava olhares o tempo todo ao outro lado, para certificar-se de que ninguém se aproximava. Não queria ser surpreendido. Aquela sensação de presença, de *outros*, era ao mesmo tempo forte e desagradável. Nada de bom vivia no outro lado do Devar-Tete Whye; disso Jake tinha certeza. Sentiu-se melhor após retirar o coldre do saco de dormir e prendê-lo com firmeza no lugar, e depois acrescentou a Ruger. A arma fazia-o sentir-se outra pessoa, alguém de que nem sempre gostava. Mas ali, no lado oposto do Whye, estava mais do que contente de sentir o peso da Ruger contra as costelas, e felicíssimo por ser aquela pessoa: aquele *pistoleiro*.

Alguma coisa mais distante a leste gritava como uma mulher agonizante, próxima da morte. Jake sabia que era apenas um gato-da-montanha — ouvira-os antes, quando estivera no rio com Benny pescando ou nadando —, mas ainda assim pôs a mão na coronha da Ruger até o som parar. Oi assumira a posição de vênia, patas dianteiras separadas, cabeça abaixada, traseiro apontado para o céu. Em geral isso significava que queria brincar, mas não havia nada de brincalhão em seus dentes expostos.

— Está tudo bem — disse Jake.

Remexeu mais uma vez no saco de dormir (não se dera ao trabalho de trazer um alforje) até encontrar um pano xadrez. Era o lenço de pescoço de Slightman pai, roubado quatro dias antes debaixo da mesa do alojamento, onde o capataz o deixara cair durante um jogo de Olho Vivo e depois o esquecera.

Que ladrãozinho sou eu, pensou Jake. *A pistola do meu pai, agora o lenço do pai de Benny. Não sei que tipo de pessoa estou me tornando.*

Foi a voz de Roland que respondeu. *Você está fazendo o que foi chamado a fazer aqui. Por que não para de ficar se culpando e coloca as mãos à obra?*

Jake segurou o lenço entre as mãos e olhou Oi embaixo.

— Isto sempre funciona nos filmes — disse ao malhado. — Não tenho a menor ideia se funciona na vida real... sobretudo depois que se passaram semanas. — Abaixou o lenço até Oi, que esticou o longo focinho e farejou-o delicadamente. — Encontre este cheiro, Oi. Encontre e siga-o.

— Oi! — Mas o malhado não saiu do lugar, com os olhos erguidos para Jake.

— Isto, bobão — disse Jake, deixando-o cheirar novamente. — Encontre-o! Anda!

Oi levantou-se, girou em volta duas vezes e saiu perambulando para o norte, ao longo da margem do rio. Baixava o focinho de vez em quando no chão rochoso, mas parecia muito mais interessado no uivo ocasional de mulher agonizante do gato-da-montanha. Jake olhava o amigo sentindo a esperança diminuir cada vez mais. Bem, ele tinha visto a direção que Slightman tomara. Ele próprio poderia seguir para lá, caminhar um pouco por ali, ver o que havia para ver.

Oi deu meia-volta, retornou novamente para perto de Jake e parou. Farejou um pedaço de terreno mais intensamente. O lugar por onde Slightman saíra da água? Talvez. Oi emitiu um uivo no fundo da garganta e voltou-se para a direita — leste. Encaminhou-se serpeando por entre duas pedras. Jake, agora sentindo ao menos uma pontada de esperança, montou e seguiu-o.

6

Não tinham ido muito longe quando Jake percebeu que Oi seguia na verdade uma trilha que contornava, sinuosa, a terra acidentada e rochosa daquele lado do rio. Começou a ver sinais de tecnologia: rebotalhos, uma bobina elétrica enferrujada, uma coisa que parecia um antigo quadro de circuito projetando-se da areia, minúsculas lascas de cerâmica e cacos de vidro. Na sombra de um pedregulho grande criada pelo luar, ele viu o que parecia ser uma garrafa inteira. Desmontou, pegou-a, despejou sabe lá Deus quantas décadas (ou séculos) de areia acumulada e examinou-a. Escrita no lado com letras em relevo uma palavra que ele reconheceu: Nar-izz Cola.

— A bebida preferida dos figurões em toda parte — murmurou Jake, e largou a garrafa. Ao lado dela, um maço de cigarros amassado. Ele o alisou, revelando a foto de uma mulher de lábios vermelhos usando um sofisticado chapéu vermelho. Segurava um cigarro entre dois dedos glamourosamente longos. PARTI parecia ser o nome da marca.

Oi, enquanto isso, uns dez metros adiante, olhava-o por cima de um dos ombros.

— Tudo bem — disse Jake. — Já vou.

Outras trilhas juntavam-se àquela em que estavam, e ele percebeu que se tratava de uma continuação da estrada Leste. Via apenas algumas pegadas de bota, dispersas, e pisadas menores, mais profundas. Encontravam-se em lugares protegidos por pedras altas — grutas laterais que os ventos predominantes não alcançavam com frequência. Deduziu que as pegadas de bota eram de Slightman, as pisadas profundas, de Andy. Não havia outras. Mas *haveria*, e não demoraria muitos mais dias. As pegadas dos cavalos cinzentos dos Lobos, vindos do leste. Também seriam pegadas profundas, pensou Jake. Profundas como as de Andy.

Mais adiante, a trilha chegava ao topo de uma colina. Dos dois lados, viam-se mandacarus extremamente disformes, cactos imensos com grandes braços grossos, que pareciam apontar para todos os lados. Parado ali, Oi olhava alguma coisa no chão, e mais uma vez pareceu sorrir. Quando Jake se aproximou dele, sentiu o cheiro dos cactos, amargo e penetrante. Lembrava-lhe os martínis do pai.

Emparelhou o pônei com Oi, examinando embaixo. No sopé da colina à direta, viu uma entrada de concreto para carros despedaçada. Um portão de correr imobilizara-se semiaberto, séculos atrás, provavelmente muito antes de os Lobos começarem a atacar a terra de fronteira Calla em busca de crianças. Mais adiante, um prédio com telhado de metal curvo. Janelas pequenas enfileiravam-se no lado que Jake via, e ele se animou à visão do firme brilho branco que as atravessava. Não havia lamparinas nem lâmpadas (o que Roland chamava de "luzes-faísca"). Apenas luzes fluorescentes lançavam aquele tipo de luz. Em sua vida de Nova York, as luzes fluorescentes faziam-no pensar sobretudo em coisas infelizes, tediosas: lojas gigantescas onde tudo estava sempre em liquidação e a gente nunca encontrava o que estava procurando, tardes sonolentas na escola quando a professora falava monótona e infindavelmente sobre as rotas comerciais da China antiga ou as jazidas minerais do Peru; e a chuva caía sem parar do lado de fora; e parecia que o sinal indicando o final da aula jamais tocaria; consultórios de médicos onde se deitava de cueca em uma mesa de exames coberta com papel, sentindo frio, constrangido e de algum modo convicto de que ia tomar uma injeção.

Nesta noite, contudo, aquelas luzes o animaram.

— Bom garoto! — disse ao malhado.

Em vez de responder, como em geral fazia, repetindo seu nome, Oi olhou atrás de Jake e iniciou um rosnado baixo. No mesmo momento, o pônei mudou de posição e soltou um gemido nervoso. Jake controlou-o com a rédea, percebendo que aquele amargo (mas não de todo desagradável) cheiro de gim e zimbro ficara mais forte. Olhou em volta e viu dois caules espinhentos do emaranhado de cactos à direita girando devagar e dirigindo-se indistintamente para ele. Ouviu-se um estalo trincado, e gotas de seiva branca começaram a escorrer pelo tronco central do mandacaru. Os espinhos nos braços balançando em direção a Jake pareciam longos e malignos ao luar. A coisa sentira o cheiro dele e estava faminta.

— Vamos — disse a Oi, e tocou de leve com as botas os flancos do pônei, que não precisava de mais nada para sair dali. Saiu apressado morro abaixo, não exatamente trotando, para o prédio com lâmpadas fluorescentes. Oi lançou ao cacto que se deslocava um último olhar cheio de desconfiança, depois os seguiu.

7

Jake chegou à entrada de garagem e parou a cerca de cinquenta metros adiante na estrada (agora dava para perceber bem que era uma estrada, ou pelo menos fora uma havia muito tempo), trilhos de trem cruzavam-na e depois corriam para o Devar-Tete Whye, onde uma ponte baixa os levava ao outro lado. A gente de Calla chamava aquela ponte de "passagem elevada". Os mais velhos em Calla chamavam aquela ponte de passagem elevada do *diabo*.

— Os trens que trazem os roonts de volta do Trovão vêm naqueles trilhos — murmurou a Oi.

E teria ele sentido o puxão do Feixe? Jake tinha certeza de que sentira. Achava que quando deixassem Calla Bryn Sturgis — *se* deixassem Calla Bryn Sturgis seria por aqueles trilhos.

Ficou onde estava por um momento a mais, os pés fora dos estribos, e depois conduziu o pônei acima pela entrada de garagem em ruínas rumo ao prédio. A Jake parecia uma barraca Quonset em uma base militar. Oi, com as pernas curtas, tinha dificuldade em seguir na superfície estropiada. Aquela pavimentação despedaçada seria perigosa também para o cavalo. Assim que o portão imobilizado ficou para trás, Jake desmontou e procurou um lugar para amarrar a montaria. Havia um arbusto próximo, mas alguma coisa lhe dizia que era perto *demais*. Saiu com o pônei até o terreno duro, parou e olhou para Oi:

— Fique!

— Fique! Oi! Aque!

Jake encontrou mais arbustos cerrados atrás de uma pilha de pedregulhos que pareciam uma série de imensos blocos de montar gastos pela erosão. Ali se sentiu tranquilo o bastante para amarrar o pônei. Assim que o fez, afagou o comprido e aveludado focinho.

— Não é por muito tempo — disse. — Vai ficar bem?

O pônei bufou pelas narinas e pareceu assentir. O que não queria dizer nada, sabia Jake. E provavelmente era uma precaução desnecessária, de qualquer modo. No entanto, o seguro morreu de velho. Voltou à entrada de veículos e curvou-se para pegar o malhado nos braços. Assim que se aprumou, uma série de luzes brilhantes acenderam-se em um lampejo, pregando-o como um percevejo em um palco microscópico. Segurando Oi na curva de um dos braços, ergueu o outro para proteger os olhos. O malhado ganiu e piscou.

Não houve nenhum grito de advertência nem exigência de identificação, apenas uma brisa leve. As luzes eram acesas por sensores de movimento, imaginou Jake. O que viria em seguida? Fogo de metralhadora dirigido por computadores? Uma corridinha de pequenos mas mortais robôs como aqueles que Roland, Eddie e Susannah haviam despachado na clareira, onde começara o Feixe que eles haviam seguido? Talvez uma enorme rede lançada de cima, como no filme de selva que ele vira uma vez na TV?

Jake ergueu os olhos. Nenhuma rede. Tampouco metralhadoras. Recomeçou a avançar, contornando os buracos e saltando sobre um vazamento de água. Além deste, embora inclinado e rachado, o terreno era mais inteiro.

— Pode descer agora — disse a Oi. — Menino, como você está pesado. Cuidado, senão vou ter de inscrevê-lo nos Vigilantes do Peso.

Mantinha os olhos direto em frente, franzindo-os e protegendo-os do clarão intenso. As luzes em série corriam abaixo do teto curvo da barraca Quonset. Projetavam sua sombra longa e escura atrás dele. Jake viu cadáveres de gatos-da-montanha, dois à esquerda e dois mais à direita. Três deles quase não passavam de esqueletos. O quarto achava-se em avançado estado de decomposição, mas ele viu um buraco que parecia grande demais para uma bala. Achou que fora feito por um disparo de bah. A ideia era reconfortante. Nada de armas de superciência em ação ali. Mesmo assim, ele era maluco por não estar batendo em retirada de volta ao rio e a Calla. Não era?

— Maluco — disse.

— Luco — disse Oi, chapinhando mais uma vez na cola dele.

Um minuto depois, chegaram à porta do galpão. Acima dela, em uma placa de aço enferrujada, lia-se o seguinte:

NORTH CENTRAL POSITRONICS, LTD.
Corredor Nordeste
Quadrante do Arco

POSTO AVANÇADO 16

Segurança Média
EXIGE-SE CÓDIGO DE
ENTRADA VERBAL

Na própria porta, agora pendendo torta com apenas dois parafusos, outra tabuleta. Uma brincadeira? Algum tipo de apelido? Jake achou que podia ser um pouco das duas coisas. Emboras as letras estivessem cobertas de ferrugem corroídas sabia Deus por quantos anos de açoite de poeira e grão de areia de cascalho, ele conseguiu lê-las:

BEM-VINDO A DOGAN

8

Jake esperava encontrar a porta trancada e não ficou decepcionado. A maçaneta de alavanca subiu e desceu apenas com um mínimo de folga. Ele imaginou que quando nova nem teria se mexido. À esquerda da porta havia um painel de aço enferrujado com um botão e um pequeno interfone. Abaixo deste, a palavra VERBAL. Jake estendeu a mão para apertar o botão, e de repente as luzes que contornavam o alto do prédio se apagaram, deixando-o no que de início pareceu ser um breu total. *São controladas por timer*, pensou, esperando que os olhos se ajustassem. *Com um tempo bastante breve. Ou talvez apenas estejam ficando cansadas, como tudo mais que o Povo Antigo deixou para trás.*

Assim que seus olhos se adaptaram ao luar, ele tornou a ver a caixa de entrada. Tinha uma boa ideia de qual seria o código verbal de entrada. Apertou o botão.

— BEM-VINDO AO POSTO AVANÇADO 16 DO QUADRANTE DO ARCO — disse uma voz.

Jake deu um salto para trás, sufocando um grito. Esperara uma voz, mas não tão sinistramente igual à do Mono Blaine. Quase esperava que passasse para uma voz arrastada de John Wayne e o chamasse de viajantezinho.

— ESTE É UM POSTO AVANÇADO DE SEGURANÇA MÉDIA. FAVOR DAR A SENHA DE ENTRADA VERBAL. VOCÊ TEM DEZ SEGUNDOS. NOVE... OITO...

— Dezenove — disse Jake.

— SENHA DE ENTRADA VERBAL INCORRETA. VOCÊ TEM MAIS UMA TENTATIVA. CINCO... QUATRO... TRÊS...

— Noventa e nove — disse Jake.

— OBRIGADO.

A porta abriu-se com um estalo.

9

Jake entrou com Oi em uma sala que lhe lembrava a imensa área de controle a que Roland o levara sob a cidade de Lud, ao seguirem a bala de aço que os guiara até o berço de Blaine. Esse espaço agora era menor, claro, mas vários dos mostradores e painéis pareciam os mesmos. Havia cadeiras em alguns dos consoles, daquelas que deslizam pelo piso para que as pessoas que trabalham ali se desloquem de um lugar ao outro sem ter de se levantar. Embora houvesse uma brisa constante de ar fresco, Jake ouvia ocasionais matraqueados brutos da maquinaria que o governava. E embora três quartos dos painéis estivessem acesos, ele percebeu que muitos estavam apagados. Velhos e cansados: estivera certo sobre isso. Em um canto, estendia-se um esqueleto sorridente nos resquícios de um uniforme cáqui.

Em um dos lados da sala ficava uma bancada de monitores de TV. Lembravam um pouco a Jake o escritório do pai em casa, embora o pai só tivesse três telas — uma para cada canal de televisão —, e ali havia... contou. Trinta. Três delas estavam pouco nítidas, mostrando imagens que ele não conseguia discernir. Duas deslizavam rápido para cima e para baixo, como se o controle vertical estivesse avariado. Quatro estavam inteiramente apagadas. As outras vinte e uma projetavam imagens, e Jake olhava-as com crescente espanto. Meia dúzia mostrava várias partes de deserto, entre elas o topo da montanha guardada pelos dois cactos disformes. Outras duas mostravam o posto avançado — a Dogan — de trás e do lado da entrada para carros. Abaixo destas, três telas mostravam o interior da Dogan. Uma exibia um cômodo que parecia uma pequena cozinha. A segunda mostrava um pequeno alojamento, parecendo equipado para oito pessoas dormirem (em um dos beliches superiores Jake viu outro esqueleto). A terceira tela do interior da Dogan apresentava aquele cômodo, de um ângulo alto. Jake via a si mesmo e a Oi. Havia uma tela com uma faixa dos trilhos da estrada, e outra mostrando o Pequeno Whye daquele lado, banhado de luar e lindo. Na extrema direita, estava a passagem elevada com os trilhos férreos cruzando-a.

Foram as imagens nas outras oito telas em operação que espantaram Jake. Uma mostrava o Armazém Geral de Took, agora escuro e deserto, fechado até o dia seguinte. Outra o Pavilhão. Duas a rua Alta de Calla. Outra, a igreja Nossa Senhora da Serenidade, e outra a sala da casa paroquial... *dentro* da casa paroquial! Jake conseguia até ver o gato do père, Snugglebutt, deitado dormindo na lareira. As outras duas mostravam o que Jake deduziu ser a aldeia dos mannis (ele não estivera lá).

Onde diabos ficam essas as câmeras?, perguntou-se Jake. *Como é que ninguém as vê?*

Porque são pequenas demais, supôs. E porque haviam sido escondidas. *Sorria, você está sendo filmado.*

Mas a igreja, a casa paroquial, eram prédios que nem *existiam* em Calla até poucos anos atrás. E *dentro*? *Dentro* da casa paroquial? Quem colocara a câmera ali, e quando?

Jake não sabia quando, mas tinha uma sensação terrível de que sabia quem. Graças a Deus, haviam feito quase toda a confabulação deles no alpendre ou no gramado do lado de fora. Mas, mesmo assim, até onde os Lobos — ou seus donos — saberiam? Até onde haviam as máquinas infernais daquele lugar, as *porras* das máquinas daquele lugar, gravado?

E transmitido?

Ele sentiu uma dor nas mãos e se deu conta de que as cerrara com força, as unhas cortando as palmas. Abriu-as com esforço. Esperava o tempo todo que a voz do interfone — a voz tão parecida com a de Blaine — o desafiasse, perguntasse o que fazia ali. Mas imperava um quase silêncio total naquele espaço não arruinado mas nem tanto; apenas o zumbido do equipamento e o ocasional silvo rascante de circuladores de ar. Olhou para a porta atrás e viu que se fechara em uma dobradiça automática. Não ficou muito preocupado a respeito; daquele lado onde ele se encontrava, na certa abriria com facilidade. Se não, o bom e velho noventa e nove o tiraria de novo dali. Lembrou-se de quando se apresentou ao povo de Calla naquela primeira noite no Pavilhão, uma noite que já parecia muito tempo atrás. *Sou Jake Chambers, filho de Elmer, a Linhagem de Eld. O ka-tet do 99*. Por que dissera isso? Não sabia. Só sabia que as coisas não paravam de reaparecer. Na escola, a sra. Avery lera um poema para eles, "O segundo advento", de William Butler Yeats. Falava alguma coisa sobre um falcão rodando e rodando em um imenso giro, que era — segundo a sra. Avery — uma espécie de círculo. Mas as coisas ali eram em uma espiral, não em um círculo. Para o ka-tet do 19 (ou do 99; Jake suspeitava que na verdade fossem os mesmos), as coisas iam ficando mais uniformizadas à medida que o mundo em volta delas envelhecia, afrouxava-se, fechava-se, perdia peças de si mesmo. Era como estar no ciclone que havia transportado Dorothy para a Terra de Oz, onde feiticeiras eram reais e errantes governavam. Para Jake, fazia total sentido que estivessem vendo as mesmas coisas repetidas vezes, e com frequência cada vez maior, porque...

O movimento em uma das telas atraiu seu olhar. Olhou-a e viu o pai de Benny e o Mensageiro Andy chegando ao topo do morro guardado pelos sentinelas cactos. Os braços de caule giraram para dentro a fim de bloquear a estrada — e talvez empalar a presa. Andy, contudo, não tinha motivo para temer espinhos de cacto. Girou um braço e quebrou um dos caules na metade do comprimento. O caule caiu no chão, esguichando gosma branca. Talvez nem fosse seiva, pensou Jake. Talvez fosse sangue. Em todo caso, Andy e Ben Slightman pararam por um momento, talvez para discutir a respeito. A resolução da tela não era clara o suficiente para mostrar se a boca do humano se movia ou não.

Jake foi tomado por um pânico terrível e sufocante. E seu corpo de repente pareceu pesado demais, como se estivesse sendo rebocado pela gravidade de um planeta gigantesco como Júpiter ou Saturno. Não conseguia respirar; tinha o peito inteiramente oco. *É como a Cachinhos Dourados deve ter se sentido*, pensou, de uma maneira distante e fraca, *se houvesse acordado na caminha do tamanho certo para ouvir os Três Ursos chegando no andar de baixo*. Ele não comera o mingau, não quebrara a cadeira do Ursinho, mas sabia de segredos demais. Reduziam-se a um *único* segredo. Um segredo monstruoso.

Agora eles estavam chegando pela estrada. Chegavam a Dogan.

Oi olhava-o, ansioso, o longo pescoço esticado ao máximo, mas Jake mal o via. Flores escuras desabrochavam em seus olhos. Logo desmaiaria. Iam encontrá-lo estendido ali no chão. Oi poderia tentar protegê-lo, mas se Andy não desse um jeito no malhado, Ben Slightman o faria. Havia quatro gatos-da-montanha mortos ali, e o pai de Benny despachara pelo menos um deles com seu bah certeiro. Um malhado rosnando não seria problema algum para ele.

Você seria tão covarde assim, então?, perguntou Roland dentro de sua cabeça. *Mas por que eles matariam um covarde como você? Por que não o mandam apenas para oeste com os estropiados como você que esqueceram o rosto de seus pais?*

Isso o trouxe de volta. Quase por completo, pelo menos. Inspirou profundamente, sorvendo ar até lhe doer o fundo dos pulmões. Soltou um explosivo sibilo. Depois se deu uns tapas no rosto, bons e fortes.

— *Aque!* — gritou Oi com uma voz reprovadora, quase chocada.

— Está tudo bem — disse o garoto.

Olhou para os monitores que mostravam a cozinha e o alojamento e decidiu-se pelo último. Não havia nada atrás do que se esconder na cozinha. Talvez houvesse um armário, mas e se não houvesse? Estaria fodido.

— Oi, a mim — disse, e atravessou a sala sob as fortes luzes brancas.

10

O alojamento guardava o fantasmagórico aroma de especiarias antigas: canela e cravo. Jake perguntou-se — de uma maneira distraída, do fundo da mente — se os túmulos embaixo das pirâmides exalavam aquele cheiro quando os primeiros exploradores entraram neles. Do beliche superior no canto o esqueleto deitado sorria como lhe dando boas-vindas. *A fim de um cochilo, viajantezinho? Estou tirando um dos longos!* Sua caixa torácica tremeluzia com sedosas camadas de teia de aranha, e Jake perguntou-se daquela mesma maneira distraída quantos filhotes de aranha haviam nascido naquela cavidade vazia. Em outro travesseiro jazia um maxilar, incitando uma lembrança espectral, apavorante, do fundo de sua mente. Outrora, em um mundo em que ele morrera, o pistoleiro encontrara um osso igual àquele. E usara-o.

A frente de sua mente martelou com duas perguntas frias e uma resolução ainda mais fria. As perguntas eram quanto tempo levaria para chegarem ali e se iam ou não descobrir seu pônei. Se Slightman estivesse montado em seu cavalo, Jake tinha certeza de que o amável poneizinho já teria relinchado uma saudação. Por sorte, Slightman estava a pé, como da última vez. Jake também teria vindo a pé, se soubesse que seu objetivo ficava apenas um quilômetro e meio a leste do rio. Claro, quando saíra às ocultas da Rocking B nem soubera com certeza de que *tinha* um objetivo.

A solução era matar os dois, o homem de lata e o de carne e osso, se fosse descoberto. Se conseguisse, quer dizer. Andy talvez fosse difícil, mas aqueles olhos de vidro azul esbugalhados pareciam um ponto fraco. Se conseguisse cegá-lo...

Haverá água, se Deus quiser, disse o pistoleiro que agora vivia em sua cabeça, para o bem e para o mal. *Sua tarefa agora é esconder-se, se puder. Onde?*

Não nos beliches. Todos eram visíveis no monitor que exibia aquele cômodo, e ele não tinha como se passar por um esqueleto. Debaixo de um dos estrados do beliche no fundo? Arriscado, mas serviria... a não ser que...

Jake avistou outra porta. Saltou à frente, abaixou a maçaneta e abriu-a. Era um armário, e os armários davam bons esconderijos, mas aquele estava cheio de equipamentos eletrônicos enferrujados, misturados de cima a baixo. Alguns caíram no chão.

— Caraca! — sussurrou ele em uma voz baixa, urgente.

Pegou o que caíra, jogou para os lados, depois tornou a fechar a porta. Tudo bem, teria de ser debaixo de uma das camas...

— BEM-VINDO AO POSTO AVANÇADO 16 DO QUADRANTE DO ARCO — troou a voz gravada. Jake recuou e viu outra porta, à sua esquerda e semiaberta. Tentar a porta ou se espremer debaixo de um dos estrados de beliche no fundo do quarto? Tinha tempo para tentar um ou outro esconderijo, mas não os dois. — ESTE É UM POSTO AVANÇADO DE SEGURANÇA MÉDIA.

Jake partiu para a porta e ainda bem que o fez, porque Slightman não deixou a gravação terminar o que falava.

— Noventa e nove — chegou a voz dele dos alto-falantes, e a gravação agradeceu.

Era outro armário, este vazio, a não ser por duas ou três camisas em um canto e um poncho pendurado em um gancho. O ar era quase tão empoeirado quanto o poncho, e Oi deu três espirros rápidos, delicados, ao entrar.

Jake abaixou-se sobre um joelho e passou o braço em volta do esguio pescoço do malhado.

— Não faça mais isso, a não ser que queira nós dois mortos — disse ele. — Calado, Oi.

— Alado, Oi — sussurrou de volta o trapalhão e deu uma piscadela. Jake estendeu a mão e puxou a porta a cinco centímetros de fechada, como estava antes. Pelo menos esperava que sim.

11

Ouvia-os com muita clareza — clareza *demais*. Jake percebeu que havia microfones e alto-falantes por todos os lados. A compreensão em nada contribuiu para sua paz de espírito. Porque se ele e Oi *os* ouviam...

Falavam, ou melhor, Slightman falava dos cactos. Chamava-os de flores peludas, e queria saber o que os deixara eriçados.

— Com quase toda a certeza, gatos-da-montanha, sai — disse Andy, com a voz complacente e meio afetada.

Eddie disse que Andy o fazia lembrar-se de um robô chamado C3PO em *Star Wars*, um filme que Jake tinha estado ansioso para assistir. Perdera-o por menos de um mês.

— É a época de acasalamento deles, sabe.

— O cacete isso — disse Slightman. — Vai me dizer que flores peludas não conseguem diferenciar gatos-da-montanha de algo que podem realmente agarrar e comer? Alguém esteve lá fora, estou dizendo. E não faz muito tempo.

Um pensamento desanimador esgueirou-se pela mente de Jake: o piso da Dogan estava empoeirado? Ficara ocupado demais olhando boquiaberto os painéis de controle e os monitores de TV para notar. Se ele e Oi tivessem deixado rastros, aqueles dois já poderiam ter percebido. Talvez só fingissem estar conversando sobre cactos, embora na verdade avançassem furtivamente para a porta do alojamento.

Jake tirou a Ruger do coldre embaixo do braço e segurou-a na mão direita com o polegar na trava de segurança.

— Uma consciência pesada não nos torna a todos covardes — disse Andy com a complacente voz de só-achei-que-você-gostaria-de-saber. — Esta é a minha adaptação livre de um...

— Cale a boca, seu saco de parafusos e fios — rosnou Slightman. — Eu...

Então ele gritou. Jake sentiu Oi enrijecer-se junto dele, o pelo começando a eriçar-se. O malhado se pôs a rosnar. Jake passou a mão em volta de seu focinho.

— Me largue! — gritou Slightman. — Tire a mão de mim!

— Claro, sai Slightman — disse Andy, agora parecendo solícito. — Só apertei um nervinho no seu cotovelo, você sabe. Não causaria danos duradouros, a não ser que eu exercesse no mínimo três quilogramas-força de pressão.

— Por que diabos faria isso? — Slightman parecia ofendido, quase gemendo. — Não estou fazendo tudo que você quer, e mais? Não estou arriscando a vida pelo meu filho?

— Sem falar em alguns extras — disse Andy docemente. — Seus óculos, a máquina de música que guarda no fundo de seu alforje... e, claro...

— Você sabe por que estou fazendo isso e o que teria acontecido comigo se eu fosse descoberto — disse Slightman. O gemido desaparecera da voz. Agora parecia íntegro e meio fatigado. Jake ouviu aquele tom com crescente consternação. Se saísse dessa e tivesse de denunciar o pai de Benny, queria denunciar um vilão. — É, aceitei alguns extrazinhos, você diz a verdade, eu agradeço. Óculos, para ver melhor e trair as pessoas que conheço minha vida inteira. Uma máquina de música para não ter de ouvir a consciência de que você fala com tanta facilidade e que não o impede de dormir à noite. Então belisca alguma coisa no meu braço que me faz sentir como se meus olhos de grife Riza fossem saltar direto da minha *cabeça* grife Riza.

— Eu aceito isso de todos os outros — disse Andy, e agora a voz mudara. Jake mais uma vez pensou em Blaine, e mais uma vez aumentou sua consterrnação. E se Tian Jaffords ouvisse *aquela* voz? E Vaughn Eisenhart? Overholser? O resto das pessoas? — Eles vivem sendo desrespeitosos comigo e eu jamais levanto uma palavra de protesto, quanto mais a mão. "Vem cá, Andy. Vai ali, Andy. Para com essa cantoria idiota, Andy. Acabe com esse falatório. Não nos conte do futuro, porque não queremos saber." Então eu não falo, a não ser dos Lobos, porque eles ouvem o que os deixa tristes, e eu falo, sim, falo; para os meus ouvidos cada lágrima é uma gota de ouro: "Você não passa de uma pilha imbecil de luzes e fios", dizem. "Diga-nos o tempo, cante pro bebê dormir, depois suma daqui." E eu deixo. Idiota de Andy que sou, brinquedo de toda criança e sempre vítima fácil de uma palavra dura. Mas não aceito palavras duras de *você*, sai. Espera ter um futuro em Calla depois que os Lobos ficarem longe dela por mais alguns anos, não?

— Você sabe que eu quero — disse Slightman, tão baixo que Jake mal o ouviu. — E eu mereço.

— Você e seu filho, digam os dois obrigado, passando os dias em Calla, digam os dois commala! E isso pode acontecer, mas depende de mais do que a morte dos forasteiros. *Depende do meu silêncio.* Se quer isso, exijo respeito.

— Mas que absurdo — disse Slightman após uma breve pausa. Do seu lugar no armário, Jake concordava categoricamente. Um robô exigir respeito *era* absurdo. Mas também era absurdo um urso gigantesco patrulhar uma floresta vazia, um bandido Morlock tentar desvendar os segredos de computadores bipolares ou um trem que só vivia para ouvir e resolver novas adivinhações. — E, além disso, eu peço que me escute, como posso respeitá-lo, quando não respeito nem a mim mesmo?

Houve um clique mecânico em resposta a isso, muito alto. Jake ouvira Blaine emitir um ruído semelhante quando ele — ou aquilo — sentira o absurdo fechando, ameaçando fritar seus circuitos lógicos. Então o robô disse:

— Sem resposta, dezenove. Conecte-se e informe, sai Slightman. Vamos acabar logo com isso.

— Está bem.

Foram trinta ou quarenta segundos de batidas de teclado, depois um sibilo alto, modulado, que fez Jake estremecer e Oi ganir no fundo da garganta. Jake jamais ouvira um som igual àquele; ele era da Nova York de 1977, e a palavra *modem* não teria nenhum significado para ele.

O guincho estridente interrompeu-se bruscamente. Fez-se um momento de silêncio. Depois:

— AQUI É ALGUL SIENTO. AQUI FINLI O' TEGO. POR FAVOR DÊ SUA SENHA. VOCÊ TEM DEZ SEGUNDOS...

— Sábado — respondeu Slightman, e Jake franziu a testa. Ouvira aquela bela palavra nesse lado? Achava que não.

— OBRIGADO. ALGUL SIENTO RECONHECE. ESTAMOS ONLINE. — Houve outro assobio estridente. Depois: — INFORME, SÁBADO.

Slightman falou que vira Roland e "o mais jovem" subirem até a Gruta das Vozes, onde havia algum tipo de porta, com grande probabilidade invocada pelos mannis. Disse que usara o visor de distância e assim tivera uma visão muito boa...

— Telescópio — disse Andy. Retornara à voz complacente e meio afetada. — Chamam-se telescópios.

— Gostaria de fazer meu relatório, Andy? — perguntou Slightman com frio sarcasmo.

— Rogo perdão — disse Andy, com uma voz sofrida. — Rogo perdão, rogo perdão, continue, continue, como quiser.

Houve uma pausa. Jake podia imaginar Slightman disparando um olhar furioso ao robô, um olhar tornado menos furioso pela maneira como o capataz precisaria ter esticado o pescoço para lançá-lo. Por fim, continuou:

— Eles deixaram os cavalos embaixo e subiram a pé. Levaram uma sacola cor-de-rosa que passavam de mão em mão, como se fosse pesada. Seja o que for que estava dentro, tinha bordas quadradas; deduzi isso pelo visor do telescópio. Posso oferecer dois palpites?

— SIM.

— Primeiro, talvez estivessem deixando dois ou três livros mais valiosos do père em segurança. Nesse caso, um Lobo devia ser mandado pra destruí-los depois de concluída a missão principal.

— POR QUÊ? — A voz foi inteiramente fria. Jake tinha certeza de que não era uma voz humana. O som o fez se sentir fraco e assustado.

— Ora, como um castigo, se faz favor — disse Slightman, como se devesse ser óbvio. — Como um castigo para servir de lição ao père!

— CALLAHAN MUITO EM BREVE ESTARÁ ALÉM DE CASTIGOS — disse a voz. — QUAL O OUTRO PALPITE?

Quando Slightman voltou a falar, parecia abalado. Jake esperava que o filho da puta do traidor *ficasse* abalado. Podia estar protegendo o filho, mas por que achava que isso lhe dava o direito de...

— Podem ser mapas — disse Slightman. — Sempre achei que um homem que tem livros é propenso a ter mapas. Talvez ele tenha lhes dado mapas das Regiões do Leste que levam ao Trovão... eles não têm se furtado a dizer que é onde planejam ir em seguida. Se forem mapas que levaram até a gruta, de nada vai lher ser útil, mesmo que sobrevivam. No próximo ano, o norte será leste, e provavelmente no ano seguinte trocará de lugar com o sul.

Na empoeirada escuridão do armário, Jake viu de repente Andy observando Slightman fazer seu relatório. Os olhos azuis elétricos do robô faiscavam. Slightman não sabia — ninguém em Calla sabia —, mas aqueles lampejos rápidos eram a maneira como DNF-44821-V-63 expressava humor. Ele estava, na verdade, rindo de Slightman.

Porque ele sabe mais das coisas, pensou Jake. *Porque sabe o que tem realmente naquela sacola. Aposto uma caixa de cookies que sabe.*

Poderia ter tanta certeza disso? Era possível usar o toque em um robô?

Se ele pensa, falou o pistoleiro em sua cabeça, *então você pode tocá-lo.*

Bem... talvez.

— O que quer que seja, é um ótimo indício de que eles realmente planejam levar as crianças para os arroios — dizia Slightman. — Não que vão colocá-las *naquela* gruta.

— Não, não, *naquela* gruta não — disse Andy, e embora sua voz fosse tão séria e afetada como sempre, Jake imaginou que os olhos faiscavam ainda mais rápido. Quase sem parar, de fato. — Vozes demais *naquela* gruta, iam assustar as crianças! Pode apostar!

Robô Mensageiro DNF-44821-V-63. *Mensageiro!* Você poderia acusar Slightman de traição, mas como alguém poderia acusar Andy? O que ele fazia, o que ele *era*, estivera estampado em seu peito para o mundo todo ver. Ali estivera, diante de todos eles. Deuses!

O pai de Benny, enquanto isso, continua a fazer seu relatório para Finli o'Tego, que se encontrava em algum lugar chamado Algul Siento.

— A mina que ele nos mostrou no mapa que os Tavery desenharam é a Glória, e a Glória fica apenas a menos de dois quilômetros da Gruta das Vozes. Mas o maldito é esperto. Posso dar outro palpite?

— SIM.

— O arroio que leva à mina Glória se bifurca para o sul após uns quinhentos metros. Há outra mina velha no fim do percurso. Chama-se Cardeal Dois. O dinh deles anda dizendo ao pessoal que pretende pôr as crianças na Glória, e acho que vai dizer o mesmo a eles na assembleia que convocará mais para a frente nesta semana, na qual pede licença para lutar contra os Lobos. Mas creio que, quando chegar a hora, ele vai ficar mesmo na Cardeal. Mandará as Irmãs de Oriza montar guarda, na frente e acima também, e faríamos bem em não subestimar aquelas mulheres.

— QUANTAS?

— Acho que cinco, se ele incluir Sarey Adams entre elas. Mais alguns homens com bahs. Vai pôr o bolinho de chocolate com elas, sabe, e ouvi dizer que ela é boa. Talvez a melhor de todas. Mas, de jeito ou de outro, sabemos onde vão estar as crianças. Colocá-las em um lugar daqueles é um erro, mas ele não sabe disso. Ele é perigoso, mas está envelhecendo nas ideias. Esse tipo de estratégia já deve ter funcionado pra ele antes.

E funcionara, claro. Na Garganta do Parafuso, contra os homens de Latigo.

— O importante agora é descobrir onde ele, o garoto e o rapaz jovem moço vão estar quando os Lobos chegarem. Talvez ele conte na assembleia. Se não, talvez diga a Eisenhart depois.

— OU A OVERHOLSER?

— Não. Eisenhart vai lutar com ele. Overholser, não.

— VOCÊ PRECISA DESCOBRIR ONDE ELES VÃO ESTAR.

— Eu sei — disse Slightman. — Nós vamos descobrir, Andy e eu, e vamos fazer mais uma excursão até este lugar profano. Então, juro pela Senhora Oriza e o Homem Jesus que terminei minha parte. Agora podemos sair daqui?

— Em um instante, sai — disse Andy. — Tenho de fazer o meu relatório, sabe.

Ouviu-se mais um daqueles guinchos longos e sibilantes. Jake rangeu os dentes e esperou que terminasse, e por fim terminou. Finli o'Tego se desconectou.

— Terminamos? — perguntou Slightman.

— A não ser que você tenha algum motivo para se demorar, creio que sim — disse Andy.

— Alguma coisa aqui lhe parece diferente? — perguntou de repente Slightman, e Jake sentiu o sangue gelar.

— Não — disse Andy —, mas tenho grande respeito pela intuição humana. Está tendo alguma intuição, sai?

Houve uma pausa que pareceu durar no mínimo um minuto inteiro, embora Jake soubesse que devia ser muito mais curta. Encostou a cabeça de Oi na coxa e esperou.

— Não — disse Slightman. — Acho que só estou ficando meio nervoso, agora que está perto do fim. Meu Deus, queria que já tivesse terminado. Odeio isso!

— Você está fazendo a coisa certa, sai. — Jake não sabia quanto a Slightman, mas o tom solidário o fez ranger os dentes. — A *única* coisa, na verdade. Não é sua culpa que seja pai do único gêmeo sem par em Calla Bryn Sturgis, é? Conheço uma cantiga que fala disso de uma forma particularmente comovente. Talvez queira ouvir...

— Feche a matraca! — gritou Slightman, a voz engasgada. — Feche a matraca, seu diabo mecânico! Eu vendi a porra da minha alma, não basta pra você? Preciso também ser zombado?

— Se o ofendi, peço desculpas do fundo do meu coração reconhecidamente hipotético — disse Andy. — Em outras palavras, rogo seu perdão.

Parecia sincero. Parecia acreditar em cada palavra dita. Parecia seguro de si. Mas Jake teve certeza de que os olhos do robô faiscavam em rajadas de silenciosas risadas azuis.

12

Os conspiradores saíram. Ouviu-se uma melodia estranha e sem sentido dos alto-falantes acima (sem sentido para Jake, pelo menos) e depois silêncio. Ele esperou que eles descobrissem seu pônei, voltassem, vasculhassem à sua procura, o encontrassem e o matassem. Após contar até cento e vinte, e não tendo eles voltado a Dogan, levantou-se (a dose excessiva de adrenalina em seu sistema deixou-o sentindo-se tão enrijecido quanto um velho) e voltou para a sala de controle. Chegou bem a tempo de ver as luzes do sensor de movimentos se apagarem. Olhou o monitor que mostrava o alto da colina e viu os visitantes mais recentes da Dogan caminhando entre as flores peludas. Desta vez os cactus não se mexeram, tendo aparentemente aprendido a sua lição. Jake observou Slightman e Andy se afastarem, achando uma graça sombria na diferença de alturas entre os dois. Sempre que seu pai via uma dupla assim de Mutt e Jeff, dizia inevitavelmente: *Ponha-os numa comédia de vaudeville*. Era o mais perto de uma piada que Elmer Chambers conseguia chegar.

Quando aquela dupla saiu de seu raio de visão, Jake olhou para o chão. Nenhuma poeira, claro. Nenhuma poeira e nenhum rastro. Ele deveria ter visto isso quando entrou. *Roland* teria visto. Roland teria visto tudo.

Jake queria sair, mas se forçou a esperar. Se eles vissem as luzes do sensor de movimentos tornarem a se acender atrás deles, *provavelmente* iam imaginar que se tratava de um gato-da-montanha (ou talvez o que Benny chamava de "armydillo"), mas provavelmente não era o suficiente. Para passar o tempo, olhou os vários painéis, muitos com o nome Indústrias LaMerk. Contudo, também viu os conhecidos logotipos da GE e da IBM, além de um que desconhecia — Microsoft. Toda a parafernália trazia inscritas as palavras MADE IN USA. Os produtos LaMerk não tinham essa inscrição.

Teve quase certeza de que alguns dos teclados que viu — pelo menos duas dezenas — eram computadores controlados. Que outras parafernálias havia ali? Quantas engenhocas ainda funcionavam? Teriam armas armazenadas ali? De algum modo achou que a resposta a essa pergunta era não — se *tivessem* existido armas, sem dúvida já haviam sido desativadas ou apropriadas, com grande chance por Andy, o Robô Mensageiro (Muitas Outras Funções).

Enfim decidiu que era seguro ir embora — se, quer dizer, fosse extremamente cuidadoso, cavalgasse lentamente de volta ao rio e se certificasse de voltar à Rocking B pelos fundos. Já quase alcançava a porta, quando lhe ocorreu outra questão. Haveria alguma gravação da visita dele e de Oi à Dogan? Estariam em uma fita em algum lugar? Olhou para as telas de TV em operação, poupando o último e demorado olhar para a que mostrava a sala de controle. Ele e Oi reapareceram mais uma vez enquadrados. Do ângulo alto da câmera, qualquer um naquela sala estaria naquela imagem.

Deixe isso pra lá, aconselhou-o o pistoleiro na cabeça. *Não há nada que possa fazer, então deixe pra lá. Se tentar remexer e espionar, é provável que deixe sinais. Talvez até dispare um alarme.*

A ideia de disparar um alarme convenceu-o. Pegou Oi no braço, mais por conforto do que por qualquer outra coisa, e se mandou. O pônei estava no lugar exato onde o deixara, pastando a sonhar no mato ao luar. Não havia rastros no pátio de montagem... mas, viu Jake, ele mesmo não deixava nenhum. Andy teria quebrado a superfície porosa o bastante para deixar rastros, mas não ele. Não era pesado o suficiente. O pai de Benny provavelmente também não era.

Esqueça. Se eles o houvessem farejado, teriam voltado.

Jake imaginou que era verdade, mas se sentia meio como Cachinhos Dourados saindo na ponta dos pés da casa dos Três Ursos. Conduziu o pônei de volta à estrada deserta, vestiu o poncho e pôs Oi no espaçoso bolso da frente. Ao montar, bateu com força o malhado no arção da sela.

— Ai, Aque! — disse Oi.

— Deixe disso, seu criançāo — disse ele, dando meia-volta no pônei em direção ao rio. — Precisa ficar calado, agora.

— Isso — concordou Oi, e deu-lhe uma piscadela.

Jake deslizou os dedos pelo espesso pelo do malhado e coçou o lugar que ele mais gostava. Oi fechou os olhos, esticou o focinho a uma distância quase cômica e sorriu.

Ao chegarem ao rio, Jake desmontou e perscrutou sobre uma pedra os dois lados. Embora nada visse, tinha o coração na garganta durante toda a travessia até o outro lado do rio. Não parava de pensar no que diria se o pai de Benny o saudasse e perguntasse o que fazia ali fora no meio da noite. Nada veio. Na aula de inglês, quase só tirava notas altas em seus deveres de redação criativa, mas agora descobria que medo e imaginação não se misturavam. Se o pai de Benny o saudasse, Jake seria apanhado. Simples assim.

Não houve nenhuma saudação; não enquanto atravessava o rio, nem na volta para a Rocking B, nem quando tirava a sela do cavalo e o afagava. O mundo estava em silêncio e para Jake estava ótimo assim.

13

Depois que Jake se enfiou de volta no colchonete e puxou as cobertas, Oi pulou para a cama de Benny e deitou-se, o focinho mais uma vez embaixo da cauda. Benny ressonava em sono profundo. Benny murmurou adormecido e estendeu uma mão, dando uma única afagada no dorso do malhado.

Jake ficou deitado olhando para o menino que dormia, sentindo-se perturbado. Ele gostava de Benny — de sua transparência, da ânsia por diversão, da disposição para trabalhar pesado quando havia tarefas a serem feitas. Gostava da risada trinada dele quando achava alguma coisa engraçada, e da forma como os dois combinavam em tantas coisas, e...

Até aquela noite, Jake gostara do pai de Benny, também.

Tentou imaginar como Benny iria olhá-lo quando descobrisse que (a) seu pai era um traidor e (b) seu amigo o delatara. Jake achava que suportava raiva. A mágoa é que ia ser difícil.

Acha que mágoa vai ser tudo? Apenas mágoa? É melhor pensar de novo. Não há muita sustentação no mundo sob Benny, e isso vai derrubar todos os suportes sob ele. Cada um.

Não é minha culpa que o pai dele seja espião e traidor.

Mas também não era de Benny. Se alguém perguntasse a Slightman, na certa ele diria que tampouco era *dele*, que fora obrigado a fazer isso. Jake suspeitava que fosse quase verdade. *Completamente* verdade, do ponto de vista de um pai. O que era que os gêmeos de Calla criavam e os Lobos precisavam? Alguma coisa no cérebro deles, muito provavelmente. Algum tipo de enzima ou secreção não produzida por crianças individuais; talvez o fenômeno da "telepatia de gêmeos". Fosse o que fosse, poderiam tirar de Benny Slightman, pois Benny Slightman só *parecia* individual. Sua irmã morrera? Bem, isso era duro, não era? *Muito* duro, sobretudo para o pai que amava o que restara. Que não suportaria separar-se dele.

E se Roland o matar? Como Benny vai olhar para você depois?

Uma vez, em outra vida, Roland prometera tomar conta de Jake Chambers e depois deixara-o cair nas trevas. Jake achara na época que não poderia haver pior traição que aquela. Agora não tinha tanta certeza. Não, certeza nenhuma. Esses pensamentos tristes mantiveram-no acordado por um longo tempo. Por fim, cerca de meia hora depois o primeiro laivo do alvorecer tocou o horizonte, ele caiu em um sono superficial e agitado.

4. O FLAUTISTA DE HAMELIN

1

— Nós somos ka-tet — disse o pistoleiro. — Somos um de muitos. — Ele viu o olhar de dúvida de Callahan, impossível não vê-lo, e assentiu. — Sim, père, você é um dos nossos. Não sei por quanto tempo, mas sei que é. E meus amigos também.

Jake fez que sim com a cabeça, assim como Eddie e Susannah. Estavam agora no Pavilhão; após ouvir o relato de Jake, Roland não quis mais se reunir na casa paroquial, nem sequer no alpendre dos fundos. Achava grande demais a probabilidade de que Slightman ou Andy — talvez até algum outro membro desconhecido e que fosse amigo dos Lobos — houvesse instalado grampos ali, além de câmeras. Acima, o céu era cinzento, ameaçando chuva, mas o tempo continuava surpreendentemente quente para tão tarde já na estação. Algumas senhoras ou cavalheiros bem-intencionados haviam retirado com ancinho as folhas caídas em um largo círculo em volta do palco onde Roland e seus amigos se haviam apresentado não muito tempo antes, e a relva embaixo deles era verde como no verão. Dali se via gente soltando pipa, casais passeando de mãos dadas, dois ou três comerciantes de rua com um olho à cata de fregueses e outro nas nuvens densas acima. No coreto da banda, o grupo de músicos que tocara com tanto brio quando eles haviam chegado em Calla Bryn Sturgis ensaiava algumas melodias novas. Em duas ou três ocasiões, o pessoal da cidade avançara em direção a Roland e seus amigos, a fim de passar algum tempo, e cada vez que isso aconteceu, Roland balançou a cabeça com um ar sério que os fizera dar uma meia-volta apressada. A hora da política do que-bom-conhecer-vocês havia passado. Chegavam quase ao que Susannah descrevia como hora da verdade.

Roland disse:

— Daqui a quatro dias, teremos a assembleia, desta vez com a cidade inteira, não apenas com os homens.

— E lógico que precisa ser a cidade inteira — disse Susannah. — Se está contando com o lançamento de prato das damas para compensar todas as armas que não temos, acho que não é nada de mais deixá-las entrar na porra do salão.

— Não vai ser no Salão da Assembleia, se for pra todo mundo — disse Callahan. — Não há espaço suficiente. Vamos acender as tochas e realizá-la aqui mesmo.

— E se chover? — perguntou Eddie.

— Se chover, as pessoas vão ficar molhadas — disse Callahan, dando de ombros.

— Quatro dias para a reunião e nove para os Lobos — disse Roland. — Esta talvez seja a nossa última chance de confabular como fazemos agora, juntos e de cabeça arejada, até tudo acabar. Não vamos ficar aqui muito tempo, portanto, que o façamos valer. — Estendeu as mãos. Jake pegou uma, Susannah a outra. Em um instante, todos os cincos se haviam juntado em círculo, mão na mão. — Estamos vendo uns aos outros?

— Vejo vocês muito bem — disse Jake.

— Muito bem, Roland — disse Eddie.

— Claros como o dia, docinho — concordou Susannah, sorrindo.

Oi, farejando o mato em volta, nada disse, mas olhou de fato em volta e deu uma piscadela.

— Père? — perguntou Roland.

— Vejo e ouço vocês muito bem — assentiu Callahan com um pequeno sorriso —, e fico feliz de ser incluído. Até aqui, pelo menos.

2

Roland, Eddie e Susannah haviam ouvido quase todo o relato de Jake; Jake e Susannah quase todo o de Roland e Eddie. Agora Callahan obtinha os dois — o que depois chamou de "sessão dupla". Escutava de olhos arregalados, muitas vezes boquiaberto. Persignou-se quando Jake contou de ter se escondido no armário. A Eddie, o père disse:

— Você não falava sério sobre matar as mulheres e crianças, não é? Era apenas um blefe?

Eddie ergueu os olhos para o céu carregado, pensando nisso com um leve sorriso. E tornou a olhar para Callahan.

— Roland me contou que para um sujeito que não queria ser chamado de padre, você adotou uma postura bastante eclesiástica recentemente.

— Se você se refere à ideia de pôr fim à gravidez de sua esposa...

Eddie levantou a mão.

— Digamos que eu não esteja falando de nada em particular. Só que nós temos um trabalho a fazer aqui, e precisamos que nos ajude a fazê-lo. A *última* coisa de que precisamos é que nos desvie de nosso objetivo com sua lenga-lenga católica. Portanto, digamos apenas que sim, eu estava blefando, e continuemos. Está bem assim, *padre*?

O sorriso de Eddie se tornara tenso e exasperado. Suas bochechas estavam coradas. Callahan analisou a aparência dele com grande cuidado e assentiu.

— Sim — disse. — Você estava blefando. Vamos então deixar isso pra lá e seguir em frente.

— Ótimo — disse Eddie. Olhou para Roland.

— A primeira pergunta é para Susannah — disse Roland. — Uma bem simples: como está se sentindo?

— Muito bem — respondeu ela.

— Diz a verdade?

Ela assentiu.

— Digo a verdade, digo obrigada.

— Nada de dores de cabeça aqui? — Roland esfregou a têmpora esquerda.

— Não. E as sensações de nervosismo que eu sentia, pouco depois do pôr do sol, pouco antes do amanhecer, se foram. E olhem pra mim! — Correu a mão desde a intumescência dos seios, passando pela cintura, até o quadril direito. — Perdi um pouco do inchaço, Roland. Eu li que às vezes os animais na selva, carnívoros como gatos selvagens, herbívoros como veados e coelhos, reabsorvem os filhotes quando as condições para parir são adversas. Você não acha... — A voz se extinguiu, ela olhava para ele esperançosa.

Embora desejasse poder apoiar aquela encantadora ideia, Roland não podia. E omitir a verdade dentro do ka-tet deixara de ser uma opção. Fez que não com a cabeça. A expressão de Susannah abateu-se.

— Ela tem dormido quietinha, pelo que eu sei — disse Eddie. — Nenhum sinal de Mia.

— Rosalita disse a mesma coisa — acrescentou Callahan.

— Você mandou aquela fulana me vigiar? — perguntou Susannah em um tom que se assemelhava suspeitosamente de Detta. Mas sorrindo.

— De vez em quando — confessou Callahan.

— Vamos deixar pra lá o tema do carinha de Susannah, se nos permitem — disse Roland. — Precisamos falar dos Lobos. Deles e de pouco mais.

— Mas Roland... — começou Eddie.

Roland ergueu a mão direita.

— Sei quantos mais assuntos há. Também sei o quanto são urgentes. E também sei que, se nos distrairmos, é provável que morreremos aqui em Calla Bryn Sturgis, e pistoleiros mortos não podem ajudar ninguém. Nem seguir seu caminho. Concordam?

Varreu-os com os olhos. Nenhum deles respondeu. De algum lugar ao longe veio o som de várias crianças cantando. Alto, alegre e inocente. Alguma coisa sobre commala.

— *Há* outro detalhe que precisamos tratar — continuou ele. — Envolve você, père. E o que agora se chama Gruta da Porta. Atravessaria aquela porta e retornaria ao seu país?

— Está falando sério? — Os olhos de Callahan iluminaram-se. — Uma chance de voltar, nem que por pouco tempo? É só você dar a ordem.

Roland assentiu.

— Mais tarde, talvez eu e você façamos um passeiozinho até lá, e o farei atravessar a porta. Sabe onde fica o terreno baldio, não?

— Claro. Devo ter passado por ali milhares de vezes, na minha outra vida.

— E sabe o que é código postal? — perguntou Eddie.

— Se o sr. Tower fez como você pediu, vai estar escrito no fim da cerca de tábuas, no lado da rua Quarenta e Seis. Aliás, foi uma ideia brilhante.

— Pegue o número... e a data também — disse Roland. — Temos de acompanhar o horário de lá e daqui, Eddie tem razão sobre isso. Pegue e volte. Depois, terminada a assembleia no Pavilhão, vamos precisar que você atravesse novamente a porta.

— Desta vez para seja lá qual for o lugar onde Tower e Deepneau estão na Nova Inglaterra — disse Callahan.

— Sim — disse Roland.

— Se os encontrar, vai precisar falar mais com o sr. Deepneau — disse Jake. Enrubesceu quando todos se voltaram para ele, mas não tirou os olhos dos de Callahan. — O sr. Tower pode ser teimoso...

— Esse é o eufemismo do século — disse Eddie. — Quando você chegar lá, ele na certa terá encontrado doze sebos e sabe Deus quantas primeiras edições de *O décimo nono colapso nervoso de Indiana Jones*.

— ... mas o sr. Deepneau vai ouvir — prosseguiu Jake.

— Ouvi, Aque! — disse Oi, e se deitou de barriga para cima. — Ouvi, calados!

Coçando a barriga de Oi, Jake disse:

— Se alguém pode convencer o sr. Tower a fazer alguma coisa, é o sr. Deepneau.

— Está bem — respondeu Callahan, assentindo. — Escuto bem você.

As crianças que cantavam estavam mais próximas agora. Susannah virou-se, mas não conseguia vê-las ainda; supôs que viessem pela rua do Rio. Se assim o fosse, surgiriam no campo visual assim que passassem a estrebaria e virassem na rua Alta, no Armazém Geral de Took. Algumas das pessoas na varanda ali já se levantavam para olhar.

Roland, enquanto isso, examinava Eddie com um sorrisinho.

— Uma vez, quando falei a palavra *presumir*, você me disse um ditado sobre ela e seu mundo. Gostaria de ouvi-lo de novo, se ainda lembra.

Eddie deu um largo sorriso.

— Se *presumir* tem sumir no final, então coisa boa não pode ser. É desse que está falando?

Roland assentiu.

— É um bom ditado. De qualquer modo, vou fazer uma presunção agora, martelá-la como um prego, depois pendurar nela todas as nossas esperanças de sair vivos dessa. Não me agrada muito, mas não vejo opção. A presunção é que só Ben Slightman e Andy estão trabalhando contra nós. Que se lidarmos com eles quando chegar a hora, podemos nos movimentar em segredo.

— Não o mate — disse Jake, em uma voz quase baixa demais para se ouvir. Trouxera Oi mais para junto de si e afagava o cocuruto dele e o pescoço longo com uma rapidez compulsiva, acelerada. Oi aguentava, paciente.

— Com o seu perdão, Jake — disse Susannah, curvando-se para a frente e pondo a mão atrás de uma orelha. — Eu não...

— Não o *mate*! — Desta vez, a voz saiu rouca e vacilante, à beira das lágrimas. — Não mate o pai de Benny. *Por favor*.

Eddie estendeu a mão e envolveu a nuca do garoto.

— Jake, o pai de Benny Slightman está disposto a mandar centenas de crianças para o Trovão com os Lobos, só pra poupar o próprio filho. E você sabe como eles voltam de lá.

— Sim, mas do ponto de vista dele não havia opção, porque...

— A opção dele podia ter sido resistir conosco — disse Roland. A voz insensível e tenebrosa. Quase morta.

— Mas...

Mas o quê? Jake não sabia. Repassara aquilo diversas vezes e continuava não sabendo. Lágrimas súbitas jorraram de seus olhos e escorreram pelo seu rosto. Callahan estendeu a mão para tocá-lo. Jake afastou-a.

Roland deu um suspiro.

— Faremos o que for possível para poupá-lo. Isso eu prometo. Não sei se será misericordioso ou não... Os Slightman estarão liquidados nesta cidade, se restar uma cidade na semana que vem, mas talvez se dirijam para o norte ou para o sul do Crescente e comecem uma vida nova. E, Jake, escute: não há necessidade de Ben Slightman jamais saber que você ouviu escondido Andy e o pai dele ontem à noite.

Jake olhava-o com uma expressão que parecia não querer ter esperanças. Não ligava nada para Slightman pai, mas não queria que Benny soubesse que foi ele. Imaginou que isso o tornava um covarde, mas não queria que Benny soubesse.

— Verdade? Com certeza?

— Nada disso é com certeza, mas...

Antes que pudesse terminar, as crianças que cantavam viraram na esquina. A conduzi-las, membros prateados e corpo brilhando suavemente na luz amortecida do dia, vinha o Robô Mensageiro Andy. Andava para trás, com um bastão em uma das mãos. A Susannah, parecia uma baliza do Quatro de Julho. Brandia o bastão exageradamente de um lado para o outro, regendo as crianças na música, enquanto um acompanhamento de gaita de fole de junco saía dos alto-falantes de seu peito e cabeça.

— Puta merda — disse Eddie. — É o Flautista de Hamelin.

3

"Commala-vem-um!
Mamãe teve um filho!
Passou um tempo com papai
se divertindo à beça!"

Andy cantava essa parte sozinho, depois apontava com o bastão o bando de crianças, que se juntavam a ele animadamente.

"Commala-vem-vem!
Papai teve um!
Passou um tempo com mamãe
se divertindo à beça!"

Gargalhada jubilosa. Não havia tantas crianças quanto Susannah imaginava, considerando do barulho que faziam. Ver Andy à frente delas, após ouvir o relato de Jake, gelou-lhe o coração. Ao mesmo tempo, sentiu uma pulsação raivosa começar a latejar na garganta e na têmpora esquerda. Que ele viesse à frente da banda na rua daquele jeito! Como o Flautista, Eddie tinha razão, o Flautista de Hamelin.

Agora ele apontava o bastão improvisado para uma bonita garota de treze ou catorze anos. Susannah achou que era uma das filhas de Anselm, da pequena propriedade logo abaixo da casa de Tian Jaffords. Ela cantou o verso seguinte límpido e claro àquele mesmo compasso, suavemente ritmado, que era quase (mas não exatamente) uma cantiga de pular corda:

"Commala-vem-dois!
Sabe o que faz!
Plante o arroz commala,
Não seja... nenhuma... idiota!"

Então, quando as outras tornaram a juntar-se ao coro, Susannah percebeu que o grupo de crianças era maior do que ela imaginara quando haviam contornado a esquina, muito maior. Os ouvidos dela haviam revelado mais a verdade que os olhos, e havia um motivo muito bom para isso.

"Commala-vem-dois! [cantam as crianças]
Papai de idiota não tem nada!
Mamãe planta commala,
pois sabe muito bem o que fazer!"

O grupo pareceu menor à primeira vista porque vários dos rostos eram iguais — o rosto da filha de Anselm, por exemplo, era quase o rosto do menino junto dela. O irmão gêmeo. Quase todas as crianças no grupo de Andy eram gêmeas. Susannah de repente percebeu como aquilo era sinistro, como se todos os duplos que eles haviam encontrado estivessem presos em uma garrafa. Seu estômago se revirou. E ela sentiu a primeira pontada de dor acima do olho esquerdo. Começou a erguer a mão até o ponto sensível.

Não, disse a si mesma, *Não estou sentindo isso*. Forçou a mão de novo para baixo. Não havia necessidade de esfregar a testa. Para que esfregaria o que não estava doendo.

Andy apontou o bastão para um menino rechonchudo, a pavonear-se, que não podia ter mais de oito anos. Ele cantou as palavras em um soprano agudo e infantil que fez o resto da garotada rir.

"Commala-vem-três!
Sabe o que vai ser!
Plante o arroz commala,
que o arroz livre o tornará!"

Ao que o coro respondeu:

“Commala-vem-três!
O arroz livre o tornará!
Quando planta o arroz da commala
Você sabe bem o que é!”

Andy viu o ka-tet de Roland e acenou alegremente com o bastão. Assim como as crianças — metade das quais voltaria babando e roont se tudo desse certo para o baliza que as conduzia. Iam crescer e ficar com dimensões gigantescas, gritar de dor e depois morrer cedo.

— Retribuam o aceno — disse Roland, e ergueu a mão. — Retribuam o aceno todos vocês, pelos seus pais.

Eddie disparou a Andy um sorriso radiante cheio de dentes.

— Como vai, sua engrenagem barata e escrota? — perguntou. A voz que saiu através do sorriso era baixa e furiosa. Deu a Andy um duplo polegar erguido. — Como vai, seu robô psicótico? Diga ótimo? Diga obrigado? Diga morda meu saco!

Jake desatou a rir. Todos continuaram acenando e sorrindo. As crianças acenavam e sorriam de volta. Andy também acenou. Conduziu sua animada banda pela rua Alta, cantando: *Commala-vem-quatro! O rio chega à porta!*

— Eles o adoram — disse Callahan, com uma expressão doentia de nojo no rosto. — Gerações de crianças amaram Andy.

— Isso — comentou Roland — está prestes a mudar.

4

— Mais perguntas? — disse o pistoleiro, quando Andy e as crianças desapareceram. — Perguntem agora, se vão perguntar. Talvez seja a última chance.

— E Tian Jaffords? — perguntou Callahan. — De uma maneira bastante concreta, foi Tian quem começou isso. Deveria haver um lugar pra ele no final.

Roland assentiu com a cabeça.

— Tenho um trabalho para ele. Um trabalho que ele e Eddie vão fazer juntos. Père, há uma excelente casinha sanitária abaixo do chalé de Rosalita. Alta. Forte.

Callahan ergueu as sobrancelhas.

— Ié, agradeço. Foi Tian e seu vizinho, Hugh Anselm, que a construíram.

— Poderia pôr uma fechadura no lado de fora nos próximos dias?

— Eu poderia, mas...

— Se tudo sair bem, não será necessário fechadura alguma, mas nunca se pode ter certeza.

— É — disse Callahan. — Imagino que não. Mas posso fazer isso se quiser.

— Qual o plano, doçura? — perguntou Susannah. Falou em uma voz baixa, estranhamente gentil.

— Há muito pouco planejamento. Quase sempre é para o bem. O mais importante que posso dizer é que não acreditem em nada que eu disser assim que nos levantarmos daqui, espanarmos a poeira, e nos reunirmos ao povo. Principalmente em nada que eu disser quando estiver na assembleia com a pena na mão. Quase tudo será mentira. — Deu-lhes um sorriso. Acima, os baços olhos azuis eram duros como pedras. — Meu pai e o pai de Cuthbert tinham uma regra entre eles: primeiro os sorrisos, depois, as mentiras. Por último, o tiroteio.

— Estamos quase lá, não? — perguntou Susannah. — Quase no tiroteio.

Roland fez que sim com a cabeça.

— E o tiroteio vai acontecer e acabar tão rápido que vocês vão se perguntar o motivo de tanto planejamento e confabulação, quando no fim tudo se resume aos mesmos cinco minutos de sangue, dor e estupidez. — Fez uma pausa e disse: — Sempre me sinto nauseado depois. Como quando eu e Bert fomos ver o homem enforcado.

— Eu tenho uma pergunta — disse Jake.

— Diga — disse Roland.

— Vamos vencer?

Roland ficou calado por tanto tempo que Susannah começou a sentir medo. Então ele disse:

— Sabemos mais do que eles acham que sabemos. *Muito* mais. Ficaram complacentes. Se Andy e Slightman forem os únicos delatores no grupo, e não houver demasiados deles na matilha dos Lobos, se não nos faltarem pratos e cartuchos... sim, Jake, filho de Elmer, vamos vencer.

— Quanto considera como demasiado?

Roland pensou, os olhos azuis baços olhando o leste.

— Mais do que você acreditaria — acabou dizendo. — E espero que muito mais do que *eles* acreditariam.

5

Mais tarde naquele dia, Donald Callahan parou diante da porta desconhecida, tentando concentrar-se na Segunda Avenida, no ano de 1977. Tinha a mente fixa no Chew Chew Mama's e em como às vezes ele, George e Lupe Delgado iam lá almoçar.

— Eu comia um peito bovino sempre que podia ir lá — disse Callahan, e tentou ignorar a voz berrando da mãe, elevando-se do ventre escuro da gruta. Quando entrara ali pela primeira vez com Roland, seus olhos haviam sido atraídos para os livros que Calvin Tower enviara. Tantos livros! O generosíssimo coração de Callahan ficou cobiçoso (e um pouco menor) à visão deles. Seu interesse, contudo, não durou, apenas o tempo suficiente para puxar um ao acaso e ver que era *O virginiano*, de Owen Wister. Era difícil folheá-lo quando os amigos e entes queridos mortos o chamavam com gritos lancinantes e o xingavam.

A mãe no momento perguntava-lhe por que deixara um vampiro, um imundo chupador de sangue, quebrar a cruz que lhe dera.

— Você sempre foi fraco de fé — disse ela, com pesar. — Fraco na fé e forte para a bebida. Aposto que gostaria de uma agora, não?

Querido Deus, como gostaria. Uísque. Doze anos. Callahan sentiu o suor brotar-lhe na testa. O coração martelava em compasso duplo. Não, *triplo*.

— O filé — murmurou. — Com um pouco daquela mostarda escura espalhada em cima.

Via até o frasco de plástico de apertar da mostarda e se lembrava do nome da marca. Plochman's.

— Como? — perguntou Roland atrás dele.

— Eu disse que estou pronto — disse Callahan. — Se vai fazer isso, pelo amor de Deus, faça já.

Roland abriu a caixa com um estalo. Os sinos no mesmo instante dispararam nos ouvidos de Callahan, fazendo-o lembrar-se dos homens nefastos em seus carros espalhafatosos. O estômago revirou na barriga e lágrimas revoltadas irromperam dos seus olhos.

Mas a porta abriu-se, e uma fatia de luz solar atravessou-a enviesada, dissipando as sombras da boca da gruta.

Callahan sorveu um profundo hausto de ar e pensou: *Ave-Maria, concebida sem pecado, orai por nós que a vós recorremos*. E entrou no verão de 77.

6

Era meio-dia, é claro. Hora do almoço. E claro que ele estava em pé diante do Chew Chew Mama's. Ninguém pareceu notar sua chegada. Os especiais do dia no cavalete, na saída da porta do restaurante, diziam:

EI, VOCÊ AÍ, BEM-VINDO AO CHEW-CHEW!
ESPECIAIS PARA 24 DE JUNHO

ESTROGONOFE DE CARNE
FILÉ DE PEITO BOVINO (C/ REPOLHO)
TACOS A RANCHO GRANDE
CANJA DE GALINHA

PROVE NOSSA TORTA DE MAÇÃ HOLANDESA!

Tudo bem, uma pergunta respondida. Era o dia seguinte àquele em que Eddie estivera ali. Quanto ao próximo...

Callahan virou-se de costas para a rua Quarenta e Seis por enquanto e seguiu pela Segunda Avenida. Olhou uma vez para trás e viu a porta de entrada da gruta seguindo-o tão fielmente quanto o malhado seguia o garoto. Viu Roland ali sentado colocar alguma coisa nos ouvidos para tapar o enlouquecedor repicar dos sinos.

Percorreu duas quadras exatas antes de parar, arregalando os olhos em choque, a boca pendendo aberta. Haviam dito que esperasse por aquilo, Roland e Eddie, mas no íntimo ele não acreditara. Achara que ia encontrar o Restaurante da Mente de Manhattan perfeitamente intato, naquele perfeito dia de verão, tão diferente do nublado outono de Calla que deixara. Ah, talvez houvesse um aviso na vitrine dizendo FECHADO PARA FÉRIAS ATÉ AGOSTO — alguma coisa do tipo —, mas que *estaria* lá. Ah, sim.

Mas não estava. Pelo menos não muito dele. A fachada da loja era uma casca queimada cercada por fita amarela dizendo: INVESTIGAÇÃO POLICIAL. Quando avançou um pouco mais, sentiu cheiro de madeira carbonizada, papel queimado e, muito fraco, o cheiro de gasolina.

Um engraxate idoso havia instalado uma cadeira e banco diante da sapataria Station Shoes & Boots, ali perto. Agora dizia a Callahan:

— Uma pena, não? Graças a Deus que a loja estava vazia.

— É, graças. Quando isso aconteceu?

— No meio da noite, quando mais? Acha que aqueles bandidões em bando vão atirar seus coquetéis Molotov em plena luz do dia? Não são gênios, porém são mais espertos que isso.

— Não poderia ter sido um problema de fiação? Ou quem sabe combustão espontânea?

O engraxate velho lançou a Callahan um olhar cínico. *Ah, por favor*, dizia. Usou o polegar manchado de graxa para indicar a ruína.

— Tá vendo aquela fita amarela? Acha que se põe fita amarela com INVESTIGAÇÃO POLICIAL em volta de um lugar que teve combustão espontânea? De jeito nenhum, meu amigo. De jeito nenhum, pode crer. Cal Tower estava encrencado com os bandidos. Até as sobrancelhas. Todo mundo no quarteirão sabia. — O engraxate mexeu as próprias sobrancelhas, bastas, brancas e emaranhadas. — Detesto pensar na perda dele. Tower tinha alguns livros muito valiosos nos fundos. Valiosíssimos.

Callahan agradeceu ao engraxate por sua informação, depois se virou e voltou a descer a Segunda Avenida. Não parava de apalpar-se furtivamente, tentando convencer-se de que aquilo estava mesmo acontecendo. Continuava sorvendo profundos haustos do ar da cidade, com seu cheiro típico de hidrocarbonetos, saboreando cada ruído, desde o ronco dos ônibus (alguns com anúncios de *As Panteras*) ao martelar das britadeiras e ao incessante estardalhaço das buzinas. Ao aproximar-se da Torre da Power Records, parou um pouco, hipnotizado pela música que vazava dos alto-falantes acima das portas. Um antigo sucesso que não ouvia fazia anos, popular em seus dias de Lowell. Alguma coisa sobre seguir o Flautista de Hamelin.

— Crispian St. Peters — murmurou. — Esse era o nome dele. Bom Deus! Homem Jesus, estou aqui mesmo. *Estou realmente em Nova York!*

Como confirmação, uma mulher passando com pressa disse:

— Tem gente que pode ficar parado por aí à toa o dia todo, mas algum de nós precisa chegar a lugares. Será que dá pra ir andando, ou pelo menos sair da frente?

Callahan pediu desculpas que duvidava terem sido ouvidas (ou apreciadas se fossem), e seguiu em frente. Aquela sensação de estar em um sonho — um sonho extraordinariamente *vívido* — persistiu até ele se aproximar da rua Quarenta e Seis. Então começou a ouvir a rosa, e tudo em sua vida mudou.

7

A princípio era pouco mais que um murmúrio, mas ao chegar mais perto achou que ouvia várias vozes, vozes *angelicais*, cantando. Elevando seus confiantes e alegres salmos a Deus. Nunca escutara nada tão doce, e começou a correr. Chegou à cerca e encostou as mãos nela. Começou a chorar, não pôde evitar. Imaginou que as pessoas o olhavam, mas não ligou. De repente entendeu muito sobre Roland e seus amigos, e pela primeira vez se sentiu parte deles. Não admira que tentassem com tanto afinco sobreviver e continuar! Não admira, quando *aquilo* estava em jogo! Havia alguma coisa no outro lado da cerca com seus cartazes esfarrapados... uma coisa total e completamente *maravilhosa*...

Um rapaz de cabelos compridos amarrados atrás com um elástico e usando chapéu de caubói de aba virada para trás parou e deu-lhe um leve tapinha no ombro.

— É legal aqui, não é? — disse o caubói hippie. — Não sei exatamente o motivo, mas realmente é. Venho uma vez por dia. Quer saber de uma coisa?

Callahan virou-se para o rapaz, enxugando os olhos molhados.

— Sim, acho que sim.

O rapaz correu os dedos pela testa, depois pela face.

— Eu tinha a pior acne do mundo. Sério, não era nem cara de pizza, a minha era uma *estrada* esburacada. Então passei a vir aqui em fins de março ou início de abril e... ficou toda lisa. — Ele riu. — O dermatologista a que meu pai me mandou disse que foi o óxido de zinco, mas acho que é este lugar. Alguma coisa neste lugar. Está ouvindo alguma coisa?

Embora a voz de Callahan estivesse ressoando com vozes docemente cantantes — era como estar na catedral de Notre-Dame, cercado por coros —, fez que não com a cabeça. Fazer isso não passou de um instinto.

— É — disse o hippie de chapéu de caubói —, eu também não. Mas às vezes tenho a *sensação* que sim. — Ergueu a mão direita para Callahan, os dois primeiros dedos esticados num V. — Paz, irmão.

— Paz — disse Callahan, e retribuiu o sinal.

Quando o caubói hippie se foi, Callahan passou a mão pelas tábuas cheias de farpas e um cartaz anunciando *Guerra dos zumbis*. O que queria acima de tudo era saltar para o outro lado e ver a rosa — possivelmente ajoelhar-se e venerá-la. Mas as calçadas estavam apinhadas de gente, e ele já atraíra olhares curiosos em excesso, alguns sem dúvida de pessoas que, como o caubói hippie, sabiam um pouco do poder daquele lugar. Melhor serviria àquela grande força cantante atrás da cerca (será uma rosa?, poderia ser apenas isso?) protegendo-a. E isso significava proteger Calvin Tower de quem quer que houvesse incendiado sua loja.

Ainda correndo a mão pelas tábuas ásperas, virou na rua Quarenta e Seis. Ali no fim desse lado da calçada ficava a maior parte verde vítrea do Hotel Plaza da ONU. *Calla, Callahan*, ele pensou, e depois: *Calla, Callahan, Calvin*. E depois: *Calla-vem-quatro, há uma rosa atrás da porta, Calla-vem-Callahan, e mais um, Calvin!*

Chegou ao fim da cerca. A princípio não viu nada, e seu coração afundou. Depois olhou para baixo: cinco números escritos em preto. Callahan enfiou a mão no bolso à cata do toco de lápis que sempre guardava ali, depois arrancou o canto de um cartaz de uma peça off-Broadway, chamada *Dungeon Plunger, A Revue*. Nele escreveu os cinco números.

Não queria ir embora, mas sabia que era preciso; era impossível estar com a cabeça desanuviada tão perto assim da rosa.

Eu vou voltar, disse a ela, e para seu espanto e satisfação um pensamento retornou, claro e verdadeiro: *Sim, padre, a qualquer hora. Vem-commala.*

Na esquina da Segunda com a Quarenta e Seis, olhou para trás. A porta da gruta continuava ali, a superfície inferior flutuando uns seis centímetros acima da calçada. Um casal de meia-idade, turistas a julgar pelos guias nas mãos, vieram andando da direção do hotel. Conversando um com o outro, chegaram à porta e a contornaram. *Não a veem, mas a sentem*, pensou Callahan. E se a calçada estivesse cheia e contorná-la tivesse sido impossível? Achou que, nesse caso, teriam atravessado direto pelo lugar onde ela pendia, a tremeluzir, talvez nada sentindo além de uma sensação momentânea de frio e tontura. Talvez ouvindo, fracamente, o amargo som característico de sinos e captando uma lufada de alguma coisa como cebola queimada ou carne estorricada. E naquela noite talvez tivessem sonhos com lugares muito mais estranhos que a Cidade da Diversão.

Ele podia ir até lá e cruzá-la, e provavelmente devia fazer isso; conseguira o que viera buscar. Mas uma caminhada rápida o levaria à Biblioteca Pública de Nova York. Ali, atrás dos leões de pedra, até um homem sem dinheiro no bolso poderia obter alguma informação. A localização de um certo código postal, por exemplo. E — diga a verdade e ao diabo com tudo — ainda não queria ir embora.

Acenou as mãos à frente até o pistoleiro notar o que estava fazendo. Ignorando os olhares dos transeuntes, Callahan ergueu os dedos no ar uma, duas, três vezes, sem saber se o pistoleiro entenderia. Roland pareceu entender. Deu um exagerado assentimento com a cabeça e ergueu os polegares para ter certeza.

Callahan partiu, andando tão rápido que quase fazia jogging. Não seria bom se demorar, não importa o quanto fosse bom estar em Nova York. Não devia ser agradável onde Roland estava à espera. E, segundo Eddie, talvez fosse perigoso também.

8

O pistoleiro não teve problema algum para entender a mensagem de Callahan. Trinta dedos, trinta minutos. O père queria mais meia hora no outro lado. Roland deduziu que ele encontrara um meio de transformar o número escrito na cerca em um lugar concreto. Se conseguisse fazer isso, seria tudo para o bem. Informação era poder. E às vezes, quando o tempo urgia, era rapidez.

As balas nos ouvidos bloqueavam as vozes por completo. Os sinos chegavam lá dentro, mas até mesmo eles estavam abafados. O que era ótimo, porque aquele barulho era muito pior do que o som da lúmina. Dois dias ouvindo aquele barulho e ele achou que estaria pronto para o sanatório, mas durante trinta minutos ficaria bem. Na pior das hipóteses, poderia atirar alguma coisa pela porta, atrair a atenção do père, e fazê-lo voltar antes.

Por algum tempo, Roland viu a rua descortinar-se diante de Callahan. As portas na praia haviam sido como olhar pelos olhos de seus três: Eddie, Odetta, Jack Mort. Aquela era um pouco diferente. Via sempre as costas de Callahan nela, ou seu rosto se ele se virava para olhar, como muitas vezes fazia.

Para passar o tempo, Roland levantou-se para dar uma olhada nos livros que tanto haviam significado para Calvin Tower, a ponto de ele tornar a segurança deles uma condição para sua cooperação. O primeiro que Roland retirou tinha a silhueta da cabeça de um homem. O homem fumava um cachimbo e usava um chapéu de caça. Cort tivera um parecido, e na infância Roland o julgara muito mais elegante que o chapéu velho da montaria diária do pai com suas manchas de suor e cordão desfiado. As palavras no livro eram do mundo de Nova York. Roland tinha certeza de que as teria lido sem dificuldade se estivesse no lado de lá, mas não estava. E assim sendo, conseguiu ler um pouco, e o resultado foi quase tão enlouquecedor quanto os sinos.

— Sir-lock Hones — leu em voz alta. — Não, *Holmes*. Como o sobrenome do pai de Odetta. Quatro... movelas. Movelas? — Não, era outra coisa, um **N**. — Quatro *novelas* de Sirlock Holmes.

Abriu o livro, passando uma mão respeitosa sobre a folha de rosto e depois a cheirando: o aroma levemente doce do papel bom e antigo. Decifrou o nome de uma das quatro novelas... *O signo dos quatro*. Além das palavras *Cão* e *Estudo*, os títulos das outras lhe eram ininteligíveis.

— Um sinal é um sigul — disse ele.

Pegou-se contando o número de letras do título, e teve de rir de si mesmo. Além disso, eram dezesseis. Pôs de novo o livro no lugar e pegou outro, este com a ilustração de um soldado na capa. Entendeu uma palavra do título: *Morto*. Olhou outro. Uma mulher e um homem se beijando. Sim, sempre havia homens e mulheres se beijando nas histórias; as pessoas gostavam disso. Devolveu-o ao lugar e ergueu os olhos para verificar o progresso de Callahan. Arregalou-os ligeiramente ao ver o père entrando em uma sala enorme cheia de livros e do que Eddie chamava de Revis-Tas... embora Roland não soubesse o que havia sido revisto, nem por que haveria tantos escritos sobre isso.

Puxou outro livro e sorriu para a ilustração na capa. Uma igreja, com o sol se pondo avermelhando ao fundo. A igreja parecia um pouco com a Nossa Senhora da Serenidade. Abriu-o e folheou-o. Um perfeito encadeamento de palavras, mas ele conseguiu entender apenas uma em cada três, se muito. Sem imagens. Ia repô-lo no lugar quando uma coisa atraiu seu olhar. *Saltou* aos olhos. Roland parou de respirar por um instante.

O pistoleiro recuou, não mais ouvindo os sinos todash, nem mais se importando com a enorme sala de livros onde Callahan entrara. Começou a ler o livro com a igreja na capa. Ou tentar. As palavras nadavam de maneira irritante diante de seus olhos, e ele não podia ter certeza. Não muita. Mas, deuses! Se via mesmo o que julgava estar vendo...

A intuição dizia-lhe que era uma chave. Mas para qual porta?

Não sabia, não conseguia ler palavras suficientes para saber. Mas o livro em suas mãos parecia quase zumbir. Roland pensou que talvez aquele livro fosse como a rosa...

... mas existiam rosas pretas, também.

9

— Roland, achei! É uma cidadezinha na parte central do Maine chamada East Stoneham, cerca de sessenta e cinco quilômetros a norte de Portland e... — Interrompeu-se, dando uma boa olhada no pistoleiro. — O que houve?

— O som de carrilhão — apressou-se a dizer Roland. — Mesmo com os ouvidos tapados, penetra.

A porta foi fechada e o carrilhão parou de ressoar, mas as vozes continuavam. O pai de Callahan perguntava se Donnie achava que aquelas revistas que encontrara debaixo da cama do filho eram coisas que um menino cristão deveria ter, e se a mãe as houvesse encontrado? E quando Roland sugeriu que saíssem da gruta, Callahan estava mais do que contente em concordar. Lembrava aquela conversa com o pai muito claramente. Haviam terminado rezando juntos ao pé de sua cama, e as três *Playboys* foram jogadas no incinerador dos fundos.

Roland tornou a guardar a caixa esculpida na sacola cor-de-rosa e mais uma vez a acomodou atrás da estante de livros valiosos de Tower. Já devolvera à estante o livro com a igreja, virando-o com o título para baixo, a fim de reencontrá-lo mais rapidamente.

Saíram juntos e ficaram lado a lado, respirando profundamente o ar fresco.

— Tem certeza de que eram apenas os sinos? — perguntou Callahan. — Cara, você parecia que tinha visto um fantasma.

— Os sinos todash são *piores* que fantasmas — disse Roland. Podia ou não ser verdade, mas pareceu satisfazer Callahan. Ao iniciarem a descida do caminho, Roland lembrou-se da promessa que fizera aos outros, e, mais importante, a si mesmo: não mais segredos no tet. Com que rapidez se vira pronto a quebrar aquela promessa! Mas achou que tinha o direito de fazê-lo. Ele *conhecia* pelo menos alguns dos nomes naquele livro. Os outros também iriam reconhecê-los. Mais tarde precisariam saber se o livro era tão importante quanto julgara que pudesse ser. Mas agora só iria desviá-los da situação dos Lobos que se aproximava. Se conseguissem vencer aquela batalha, então quem sabe...

— Roland, tem certeza de que está bem?

— Sim. — Bateu de leve no ombro de Callahan. Os outros teriam condições de ler o livro, e lendo-o poderiam descobrir o que significava. Talvez a história no livro fosse *apenas* uma história... mas como poderia ser, quando...
— Père?

— Sim, Roland.

— Um romance é uma história, não é? Uma história inventada?

— Sim, uma que é longa.

— Mas faz de conta.

— Sim, é isso o que significa ficção. Faz de conta.

Roland meditou sobre isso. *Charlie Chuu-Chuu* também fora faz de conta, só que, de várias formas, de várias formas *vitais*, não fora. E o nome do autor havia mudado. Existiam vários mundos diferentes, todos mantidos unidos pela Torre. Talvez...

Não, agora não. Não devia pensar nessas coisas agora.

— Fale-me da cidade pra onde foram Tower e seu amigo.

— Não sei, na verdade. Eu a encontrei em uma das listas telefônicas do Maine, só isso. E também um mapa simplificado de código postal que mostrava onde fica.

— Ótimo. Isso é ótimo.

— Roland, tem certeza de que está bem?

Calla, pensou Roland. *Callahan*. Obrigou-se a sorrir. A dar um tapinha no ombro do padre.

— Estou ótimo — disse. — Agora vamos voltar para a cidade.

5. A ASSEMBLEIA DO POVO

1

Tian Jaffords jamais se sentira tão assustado na vida como a subir no palco do Pavilhão, olhando o povo de Calla Bryn Sturgis embaixo. Sabia que provavelmente não deviam passar de quinhentas — seiscentas pessoas no máximo ali fora —, mas para ele parecia uma multidão, e o silêncio tenso das pessoas era enervante. Olhou para a esposa em busca de conforto e não encontrou nenhum. O rosto de Zalia parecia magro, sombrio e contraído, o rosto de uma velha em vez de uma mulher com ainda muitos anos para ter filhos.

Nem a aparência daquele fim de tarde o ajudou a encontrar calma. Embora o céu acima fosse um azul sem nuvens, translúcido, estava muito escuro para as cinco horas. Via-se uma imensa conjunção de nuvens a sudoeste, e o sol se escondera atrás delas assim que ele subira os degraus até o palco. Era o que seu grand-père teria chamado de tempo esquisito; *agourento*, agradeça. Na constante escuridão que era o Trovão, relâmpagos lampejavam como grandes faíscas.

Se eu soubesse que chegaria a isso, jamais teria dado o primeiro pontapé, pensou, tenso. *E desta vez não haverá père Callahan algum para tirar minhas tristes cinzas do fogo*. Embora Callahan estivesse ali, ao lado de Roland e seus amigos — os que portavam armas —, com os braços cruzados na camisa preta simples de colarinho cortado e sua cruz do Homem Jesus pendendo acima.

Disse a si mesmo para deixar de ser tolo, Callahan ia ajudar, e os forasteiros também. Estavam ali para ajudar. O código que seguiam exigia que *tinham* de ajudar, mesmo que isso significasse a destruição deles e o fim de qualquer jornada em que se encontrassem. Disse a si mesmo que só precisava apresentar Roland, e que o pistoleiro viria. Uma vez antes, o pistoleiro estivera naquele mesmo palco, dançara a commala e conquistara o coração de todos. Duvidava Tian que Roland conquistasse mais uma vez seus corações? Na verdade, não. O que temia em *seu* coração era que desta vez fosse uma dança da morte e não da vida. Porque era da morte que aquele homem e seus amigos tratavam; era o pão e o vinho deles. A sobremesa que comiam para limpar o paladar quando terminavam a refeição. Naquele primeiro encontro — poderia ter sido menos de um mês atrás? —, Tian falara por desespero e raiva, mas um mês era tempo suficiente para pensar nas perdas. E se fosse um erro? E se os Lobos incendiassem toda a Calla até o chão com seus bastões de luz, levassem as crianças que quisessem uma última vez e explodissem todos os que tivessem restado — velhos, jovens, na meia-idade — com suas bolas mortais que zumbem?

Esperavam ali para que ele abrisse a sessão, o povo de Calla reunido. Os Eisenhart, Overholser, Javier e os inúmeros Took (embora sem gêmeos entre estes últimos da idade que gostavam os Lobos, é, nada de gêmeos, que sortudos eram os Took); Telford em pé com os homens e sua esposa rechonchuda, mas de feições duras, com as mulheres; os Strong, Rossiter, Slightman, Hand, Rosario e Posella; os mannis mais uma vez agrupados como uma mancha escura de tinta, o patriarca Henchick em pé junto com o jovem Cantab, de quem todas as crianças gostavam tanto; Andy, outro preferido da garotada, afastado em um dos lados com os braços de metal magricelas nas cadeiras e os olhos elétricos azuis faiscando na obscuridade; as Irmãs de Oriza amontoadas como pássaros em uma cerca (a esposa de Tian entre elas); e os caubóis, os homens contratados, os rapazes diaristas, até o velho Bernardo, o bêbado da cidade.

À direita de Tian, os que haviam levado a pena arrastavam os pés, meio inquietos. Em circunstâncias normais, um par de gêmeos bastava para levar a pena de opopânax; na maioria dos casos, as pessoas sabiam com boa antecedência do que se tratava, e levar a pena não passava de uma formalidade. Dessa vez (fora ideia de Margaret Eisenhart), três pares de gêmeos haviam saído juntos com a pena consagrada, levando-a da cidade até as pequenas propriedades, os ranchos, as fazendas, em uma carroça conduzida por Cantab, sentado atipicamente silencioso e sem cantar até a fachada do Pavilhão, a fazer trotar uma parelha de mulas castanhas iguais que precisavam de quase nenhuma ajuda de gente como ele. Os mais velhos, aos vinte e três anos, eram os gêmeos Haggengood, nascidos no ano do último ataque dos Lobos (e feios como o pecado para a maioria do povo de Calla, embora excelentes trabalhadores esforçados, eu agradeço). Em seguida vinham os gêmeos Tavery, os belos jovens da aldeia, que desenhavam mapas. Por último (e os mais moços, embora os mais velhos da prole de Tian), vinham Heddon e Hedda. E foi Hedda quem o incitou a começar. Tian captou o olhar dela e viu que sua boa filha (embora de rosto sem graça) percebera o medo do pai e estava à beira das lágrimas.

Eddie e Jake não eram os únicos que ouviam vozes de outros na cabeça; Tian agora ouvia a voz de seu grand-père. Não como Jamie era hoje, senil e quase desdentado, mas como fora vinte anos atrás: velho, mas ainda capaz de lhe dar umas boas palmadas na estrada do Rio, se você falasse de maneira atravessada ou se fizesse corpo mole em uma arada difícil. Jamie Jaffords, que outrora enfrentara os Lobos. Disso Tian já duvidara em sua vida, porém não duvidava mais. Porque Roland acreditara.

Diabos, então!, rosnou a voz em sua mente. *Que tremelique e vacilo são esses que te deixam tão lerdo, imbecil? É apenas dizer o nome dele e ficar de lado, sacou? Então, pro bem ou pro mal, pode deixá-lo fazer o resto.*

No entanto, Tian examinou a multidão silenciosa por mais um instante, esta noite cercada por tochas que não mudavam de cor — pois não se tratava de uma festa —, mas apenas brilhavam intensamente alaranjadas. Porque ele queria dizer alguma coisa, talvez *precisasse* dizer alguma coisa. Ao menos para reconhecer que parte do crédito por aquilo lhe era devida. Para o bem ou para o mal.

Na escuridão ao leste, relâmpagos disparavam explosões silenciosas.

Roland, em pé com os braços cruzados como o père, captou o olhar de Tian e assentiu ligeiramente com a cabeça para ele. Mesmo perto do calor da tocha, o olhar firme do pistoleiro era frio. Quase tão frio quanto o de Andy. Mas era todo o encorajamento de que precisava Tian.

Ele pegou a pena e estendeu-a à sua frente. Até a respiração da multidão pareceu imobilizar-se. Em algum lugar além da cidade, um rustie relinchou como se para deter a noite.

— Não faz muito tempo desde que subi neste Salão da Assembleia e disse a vocês o que eu acreditava — começou Tian. — Que quando os Lobos vêm não levam apenas nossas crianças, mas nosso coração e nossa alma. Cada vez que roubam e nós ficamos de lado, eles nos cortam um pouco mais fundo. Se você corta uma árvore fundo demais, ela morre. Corte uma cidade fundo demais, e ela também vai morrer.

A voz de Rosalita Munoz, sem filhos a vida toda, ressoou com clara ferocidade na obscuridade feérica do dia.

— Você diz a verdade, agradeçam! Escute ele, pessoal! Escutem muito bem ele!

— Escutem ele, escutem ele. Escutem muito bem ele! — murmurou a multidão.

— Père levantou-se naquela noite e nos disse que vinham pistoleiros do noroeste, atravessando a Floresta Média pelo Caminho do Feixe. Alguns zombaram, mas o père disse a verdade.

— Nós agradecemos — responderam eles. — Père disse a verdade.

E a voz de uma mulher:

— Louvado seja Jesus! Louvada seja Maria, mãe de Deus!

— Eles têm estado entre nós todos esses dias desde então. Qualquer um que quis falar com eles falou. Eles nada prometeram, além de ajudar...

— E vão seguir adiante, deixando uma ruína sangrenta atrás, se formos tolos demais pra deixar! — bramiu Eben Took.

Ouviu-se um arquejo chocado da multidão. Quando se extinguiu, Wayne Overholser disse:

— Cale a boca, seu tagarela.

Took virou-se para Overholser, o maior fazendeiro de Calla e melhor freguês dele, com um ar de surpresa chocada.

Tian disse:

— O dinh deles é Roland Deschain, de Gilead. — Embora todos soubessem disso, a simples menção de nomes tão lendários provocou um murmúrio baixo, quase um gemido. — Do Mundo Interior que existiu. Ouviriam ele? Que dizem vocês, pessoal?

A resposta logo se elevou a um grito.

— Escutem ele! Escutem ele! Queremos ouvi-lo até o fim! Ouvi-lo muito bem, nós agradecemos!

E houve um ruído baixo, abafado, ritmado, que Tian a princípio não soube identificar. Depois percebeu o que era e quase sorriu. Era assim que soavam as batidas de botas, não nas tábuas do Salão da Assembleia, mas ali no gramado de Lady Riza.

Tian estendeu a mão. Roland avançou. O bater de botas tornou-se mais alto ao fazê-lo. As mulheres se juntavam, dando o melhor de si com seus sapatos macios. Roland subiu os degraus. Tian deu-lhe a pena e deixou o palco, tomando a mão de Hedda e fazendo sinal aos demais gêmeos para que fossem na frente. Roland ficou com a pena diante de si, segurando o antigo caule envernizado com mãos agora exibindo apenas oito dedos. Por fim, o bater dos sapatos e das botas se extinguiu. As tochas chiaram e cuspiram, iluminando o rosto das pessoas, revelando sua esperança e seu medo; mostrando muito bem as duas coisas. O rustie relinchou e calou-se. No leste, um grande relâmpago varou a escuridão.

O pistoleiro postou-se de frente, encarando-os.

2

Pelo que pareceu um longo tempo o pistoleiro apenas os encarou. Em cada olhar vidrado e assustado, leu a mesma coisa. Já vira aquilo muitas vezes antes, e a leitura era fácil. Aquela gente estava faminta. Compraria alegremente alguma coisa para comer, para encher a barriga nervosa. Lembrou o homem das tortas que percorria as ruas da cidade baixa de Gilead nos dias mais quentes do verão, e sua mãe o chamava de seppe-sai, por conta de como aquelas tortas podiam fazer adoecer as pessoas. *Seppe-sai* queria dizer o vendedor da morte.

Sim, pensou, *mas eu e meus amigos não cobramos.*

A esse pensamento o rosto dele se iluminou em um sorriso. Fez com que rejuvenescesse em anos, e um suspiro de alívio nervoso veio da multidão. Começou como fizera antes:

— Temos todos um encontro fortuito em Calla. Peço que me escutem.

Silêncio.

— Vocês se abriram conosco. Nós nos abrimos com vocês. Não é verdade?

— É, pistoleiro! — respondeu Vaughn Eisenhart. — Assim é!

— Vocês nos veem como somos e aceitam o que fazemos?

Foi Henchick dos mannis que respondeu desta vez.

— Sim, Roland, com exatidão, e nós agradecemos. Você é do Eld, o Branco vindo para lutar contra o Preto.

Desta vez, o suspiro da multidão foi longo. Em algum lugar próximo ao fundo uma mulher começou a chorar.

— Povo de Calla, vocês nos pedem ajuda e socorro?

Eddie enrijeceu-se. Esta pergunta fora feita a vários indivíduos durante as semanas deles em Calla Bryn Sturgis, mas achou que fazê-la ali era extremamente arriscado. E se dissessem não?

Um momento depois compreendeu que não precisava ter se preocupado com isso. Em entender a plateia, Roland foi tão astucioso como sempre. Alguns *de fato* disseram não — um punhado dos Haycox, uma pitada dos Took e um pequeno grupo dos Telford lideraram os contra —, mas a maioria do povo bramiu um caloroso e imediato *SIM, NÓS AGRADECEMOS!* Alguns outros — Overholser o mais destacado entre eles — não disseram nenhuma das duas coisas. Eddie achava que na maioria dos casos essa teria sido a atitude mais sábia. A atitude mais *política*, de qualquer modo. Mas não se tratava da maioria dos casos, e sim do mais extraordinário momento de decisão que quase todas aquelas pessoas teriam pelo resto de sua vida. Se o Ka-tet do 19 vencesse a luta contra os Lobos, as pessoas daquela cidade iriam lembrar-se dos que disseram não e dos que ficaram em silêncio. Perguntou-se se Wayne Dale Overholser continuaria sendo o grande fazendeiro daquelas bandas dali a um ano.

Mas então Roland começou a confabulação, e Eddie voltou toda a atenção para ele. Atenção *admiradora*. Criado onde e como fora, ouvira muitas mentiras. Dissera muitas ele mesmo, algumas delas ótimas. Mas quando Roland chegou à metade de seu discurso, Eddie compreendeu que jamais estivera na presença de um verdadeiro gênio da desonestidade até aquele início de noite em Calla Bryn Sturgis. E...

Olhou em volta, depois assentiu, satisfeito.

Eles engoliam cada palavra.

3

— Na última vez que estive neste palco diante de vocês — começou Roland — eu dancei a commala. Esta noite...

George Telford interrompeu. Era muito escorregadio para o gosto de Eddie e bastante sonso, mas não tinha como criticar a coragem do sujeito, falando como fez, quando a maré corria tão claramente na outra direção.

— É, nós nos lembramos, você a dançou bem! Como dançaria você a *mortata*, Roland, eu peço que me diga.

Murmúrios de desaprovação da multidão.

— Não importa como eu a danço — disse Roland, em nada incomodado —, pois meus dias de dança em Calla terminaram. Temos trabalho nesta cidade, eu e os meus. Vocês nos receberam bem, e nós agradecemos. Vocês nos chamaram, procuraram nossa ajuda e socorro, portanto eu peço que me escutem muito bem. Daqui a menos de uma semana vêm os Lobos.

Houve um murmúrio de concordância. O tempo talvez tivesse ficado escorregadio, mas mesmo gente humilde podia entender o que eram cinco dias.

— Na noite anterior à prevista para a chegada deles eu porei cada criança gêmea com menos de dezessete anos ali. — Apontou para a esquerda, onde as Irmãs de Oriza haviam armado uma tenda.

Naquela noite havia muitas crianças ali, embora nem de perto as cerca de centena que estava em risco. As mais velhas haviam recebido a tarefa de cuidar das menores pela duração da assembleia, e uma ou outra das Irmãs periodicamente inspecionava para certificar-se de que tudo continuasse bem.

— Não vão caber todas naquela tenda — disse Ben Slightman.

Roland sorriu.

— Mas vão caber em uma maior, Ben, e eu conto com as Irmãs para conseguirem encontrar uma.

— Sim, e dar-lhes uma refeição que jamais esquecerão! — gritou bravamente Margaret Eisenhart.

Risadas bem-humoradas saudaram isso, depois se desfizeram antes de aumentarem. Vários na multidão pareciam estar pensando que se os Lobos acabassem vencendo, metade das crianças que tivessem passado a noite da

Véspera do Lobo no Gramado não ia poder lembrar-se do próprio nome uma ou duas semanas depois, muito menos do que haviam comido.

— Eu faria com que dormissem pra dar início logo cedo na manhã seguinte — disse Roland. — Por tudo que me disseram, não há como saber se os Lobos virão cedo, tarde ou no meio do dia. Nós ficaríamos com a maior cara de idiotas do mundo se eles chegassem cedo demais e as pegassem bem aqui, no descampado.

— O que os impede de vir um *dia* antes? — gritou Eben Took, truculento. — Ou à meia-noite do que você chama de Véspera do Lobo?

— Não podem — disse apenas Roland. E, baseado no testemunho de Jamie Jaffords, eles tinham quase certeza de que isso era verdade. O relato do velho era seu motivo para deixar Andy e Ben Slightman circularem em liberdade pelos cinco dias e noites seguintes. — Eles vêm de longe, e nem toda a viagem é feita a cavalo. Seu horário é marcado com muita antecedência.

— Como é que sabe disso? — perguntou Louis Haycox.

— É melhor eu não dizer — respondeu Roland. — Os Lobos podem ter orelhas compridas.

Um silêncio pensativo recebeu isso.

— Na mesma noite, a Véspera do Lobo, porei uma dezena de carroças bucka aqui, as maiores de Calla, a fim de retirar as crianças para o norte da cidade. Vou designar os condutores. Também haverá pessoas que cuidam de crianças para acompanhá-las e ficar com elas quando chegar a hora. E não precisam me perguntar para onde elas vão; é melhor que não falemos disso também.

Claro que a maioria deles julgava já saber para onde as crianças iam ser levadas: a velha Glória. As notícias circulavam, como bem sabia Roland. Ben Slightman pensara um pouco adiante — até a Cardeal Dois, ao sul da Glória —, o que também era ótimo.

George Telford gritou:

— Não escute isso, pessoal, eu lhe peço. E mesmo que escutem, por suas almas e pela vida da cidade, não *façam* isso! O que ele está dizendo é loucura! Já tentamos esconder nossas crianças antes, *e não deu certo*! Mas ainda que desse, eles certamente viriam e incendiariam a cidade por vingança, arrasariam tudo...

— Silêncio, seu covarde. — Era Henchick, a voz seca como uma vergastada de chicote.

Telford teria dito mais de qualquer maneira, porém seu filho mais velho pegou-lhe o braço e o fez parar. O bater das botas recomeçara mais uma vez. Telford olhou para Eisenhart, incrédulo, o pensamento claro como um grito: *Você não pode realmente ter a intenção de fazer parte dessa loucura, pode?*

O grande rancheiro balançou a cabeça.

— Não adianta olhar pra mim assim, George. Eu apoio minha esposa, e ela apoia o Eld.

Aplausos saudaram suas palavras. Roland esperou que silenciassem.

— O rancheiro Telford fala a verdade. Os Lobos provavelmente *vão* saber onde as crianças foram abrigadas. E quando chegarem, meu ka-tet estará lá para recebê-los. Não será a primeira vez que enfrentamos gente da espécie deles.

Bramidos de aprovação. Mais bater de botas. Alguns aplausos ritmados. Telford e Eben Took olhavam em volta com olhos arregalados, como homens descobrindo que haviam acordado em um sanatório.

Quando o Pavilhão tornou a silenciar, Roland disse:

— Alguns da cidade concordaram em resistir conosco, gente com boas armas. Mais uma vez, não é algo sobre que precisam saber neste momento.

Mas claro que a formação feminina contou para quem já não sabia sobre as Irmãs de Oriza. Eddie mais uma vez teve de admirar a forma como ele os conduzia; não era lá muito acolhedor. Olhou para Susannah, que revirou os olhos e deu-lhe um sorriso. Mas a mão que ela pôs em seu braço estava fria. Queria que aquilo acabasse. Eddie sabia exatamente como ela se sentia.

Telford tentou uma última vez.

— Gente, me escute! *Tudo isso já foi tentado antes!*

Foi Jake Chambers quem falou:

— Não foi tentado por pistoleiros, sai Telford.

Um feroz bramido de aprovação recebeu isso. Ouviram-se mais bater de botas e aplausos. Roland acabou erguendo as mãos para silenciá-los.

— A maioria dos Lobos irá pra onde eles acham que estão as crianças, e lidaremos com eles lá — disse. — Grupos menores talvez ataquem de fato as fazendas ou ranchos. Alguns talvez entrem na cidade. E, sim, é possível que alguns ateiem fogo.

Eles ouviam silenciosa e respeitosamente, assentindo, adiantando-se a ele para o ponto seguinte. Como era o que o pistoleiro queria.

— Um prédio queimado pode ser substituído. Uma criança roont, não.

— Sim — disse Rosalita. — Nem um coração roont.

Houve murmúrios de concordância, sobretudo das mulheres. Em Calla Bryn Sturgis (como na maioria dos lugares), os homens em estado de sobriedade não gostavam muito de falar sobre seu coração.

— Agora, me escutem, pois vou lhes dizer pelo menos mais isto: sabemos exatamente o que são os Lobos. Jamie Jaffords nos disse o que já suspeitávamos.

Elevaram-se murmúrios de surpresa. Cabeças viraram-se. Jamie, em pé atrás do neto, conseguiu endireitar as costas curvadas por um ou dois segundos e chegou a estufar o peito encolhido. Eddie só torceu para que o velho abutre ficasse na dele com o que vinha depois. Se ficasse confuso e contradissesse o relato que Roland ia fazer, o trabalho deles se tornaria muito mais difícil. No mínimo significaria agarrar Slightman e Andy antes. E se Finli o'Tego — a voz a quem Slightman informara da Dogan — não tivesse novamente notícia dos dois antes do dia dos Lobos, haveria suspeitas. Eddie sentiu um movimento de mão em seu braço. Susannah acabava de cruzar os dedos.

4

— Não há criaturas vivas debaixo das máscaras — disse Roland. — Os Lobos são servos mortos-vivos dos vampiros que governam o Trovão.

Um murmúrio de assombro saudou essa afirmação bombástica, cuidadosamente articulada.

— São o que meus amigos Eddie, Susannah e Jake chamam de *zumbis*. Não podem ser mortos por flecha, por bah, nem por bala, a não ser se atingidos no cérebro ou no coração. — Roland bateu no lado esquerdo de seu peito para dar ênfase. — E claro que quando partem em seus ataques vêm usando pesada armadura sob as roupas.

Henchick assentia com a cabeça. Vários dos outros homens e mulheres mais velhos — habitantes que se lembravam bem não apenas de uma, mas de duas vindas anteriores dos Lobos — faziam o mesmo.

— Isso explica muita coisa — disse Henchick. — Mas como...

— Atingi-los no cérebro está além de nossa competência, por causa dos capacetes que usam sob os capuzes — continuou Roland. — Mas vimos criaturas assim em Lud. Os mortos-vivos não respiram, mas há uma espécie de guelra acima do coração deles. Se a tapam com armadura, morrem. É aí que vamos acertá-los.

Um baixo e pensativo zunzum de conversa recebeu isso. E então a voz de cana rachada e excitada do grand-père:

— Cada palavra é verdadeira, pois Molly Doolin acertou ela mesma com o prato um também, e nem mesmo certeiro, e no entanto a criatura caiu no chão!

Susannah apertou a mão no braço de Eddie, o bastante para ele sentir as suas unhas curtas, mas quando a olhou, ela dava um sorriso radiante. Ele viu uma expressão semelhante no rosto de Jake. *Lúcido o suficiente na hora*

H, velho, pensou Eddie. *Lamento ter duvidado de você. Que Andy e Slightman atravessem o rio e comuniquem de bom grado esse bando de merda!* Perguntara a Roland se eles (o *eles* sem rosto representados por alguém que chamava a si mesmo Finli o'Tego) iam acreditar em um lixo desses. *Eles atacam este lado do Whye durante mais de cem anos e perderam apenas um único combatente*, respondera Roland. *Acho que vão acreditar em qualquer coisa. A esta altura, o ponto* realmente *vulnerável deles é sua complacência.*

— Tragam seus gêmeos aqui por volta das sete da noite na Véspera do Lobo — disse Roland. — Haverá senhoras, as Irmãs de Oriza, vocês sabem, com listas nas placas de ardósia. Vão riscar cada par, à medida que chegarem. É minha esperança ter uma linha traçada em cada nome antes das nove.

— Não vão riscá linha nenhuma pelo nome dos meus! — gritou uma voz raivosa do fundo da multidão.

O dono da voz empurrou várias pessoas para o lado e avançou para junto de Jake. Era um posseiro com uma pequena propriedade de plantação de arroz mais afastada ao sul. Roland vasculhou o desarrumado depósito de sua memória recente (desarrumado, sim, mas nada era jamais jogado) e acabou vindo com o nome: Neil Faraday. Um dos poucos que não estavam em casa quando Roland e seu ka-tet chegaram para a visita; ou não estava em casa para eles, pelo menos. Um trabalhador esforçado, segundo Tian, mas um bebedor ainda mais esforçado. Com certeza parecia, com olheiras profundas e um emaranhado de veias arroxeadas em cada face. Muitíssimo desmazelado. Mas Telford e Took lançaram-lhe um olhar agradecido e surpreso. Outro homem são no hospício, dizia. *Graças aos deuses.*

— Vão levá os bebê de quarquer jeito e eles arrasá a cidade — disse, falando com um sotaque que tornava suas palavras quase incompreensíveis. — Mas eu perco um de cada dos meus gêmeos, mas ainda me sobra três, e na meió das hipótese eu num vaio nada, mas minha maloca, sim! — Faraday olhou a gente da cidade em volta com uma expressão de desdém sarcástico. — Eles arrasa e ao diabo cum vocês — disse. — Ninguém ganha.

E retornou para o fundo da multidão, deixando um surpreendente número de pessoas abaladas e pensativas. Fizera mais para virar a maré da multidão com seu desprezo e (ao menos para Eddie) discurso incompreensível do que Telford e Took haviam conseguido fazer juntos.

Talvez seja um pobre sem vintém, mas duvido que vá ter problema em conseguir crédito de Took pelo próximo ano, pensou Eddie. *Se o armazém ainda continuar de pé, quer dizer.*

— Sai Faraday tem direito à sua opinião, mas espero que a mude nos próximos dias — disse Roland. — Espero que vocês o ajudem a mudá-la. Porque, se ele não o fizer, é provável que não lhe reste nenhum dos três filhos. — Elevou a voz e dirigiu-a para o lugar onde se postara Faraday, exalando irritação. — Então vai ver como é trabalhar no cultivo de sua terra sem ajuda alguma, além de duas mulas e uma esposa.

Telford adiantou-se até a borda do palco, o rosto vermelho de fúria.

— Não há nada que não vá dizer pra que seu argumento vença, seu charlatão? Há alguma mentira que não vai contar?

— Eu não minto e não digo nada como certo — respondeu Roland. — Se dei a qualquer um a ideia de que sei todas as respostas quando há menos de uma estação eu nem sabia da existência dos Lobos, rogo seu perdão. Mas me permita contar uma história antes de me despedir. Quando eu era menino em Gilead, antes da chegada do Bom Homem e do grande incêndio que se seguiu, havia uma fazenda de árvores a leste da floresta do Baronato.

— Quem já ouviu falar em cultivar *árvores*? — perguntou alguém, escarnecendo.

Roland sorriu e assentiu com a cabeça.

— Talvez não árvores comuns nem mesmo pau-ferro, mas essas eram pau-bálsamo, de uma madeira maravilhosa, leve, mas forte. A melhor madeira para barcos que já existiu. Cresciam em milhares de hectares de terra, dez milhares de paus-bálsamo em fileiras perfeitas, todos supervisionados pelo guarda-florestal do Baronato. E a regra, jamais cedida, muito menos violada, era a seguinte: tire duas, plante três.

— Sim — disse Eisenhart. — É a mesma coisa com gado, e com *bezerros* o conselho é manter quatro pra cada um vendido ou abatido. Não que muitos possam se permitir isso.

Os olhos de Roland percorreram a multidão.

— Durante a estação do verão em que fiz dez anos, uma praga se abateu sobre a floresta de bálsamo. Aranhas teceram teias brancas pelos galhos superiores de algumas e aquelas árvores morreram das copas pra baixo, apodrecendo, tombando pelo próprio peso muito antes de a praga conseguir chegar às raízes. O guarda-florestal viu o que estava acontecendo e ordenou que cortassem imediatamente todas as árvores boas. Para salvar a madeira enquanto valia a pena salvá-la, entendem? Não havia mais isso de tire duas, plante três, porque a regra não fazia mais sentido. No verão seguinte, a floresta de bálsamo já havia desaparecido.

Total silêncio das pessoas. O dia escoara para um crepúsculo prematuro. As tochas sibilaram. Nem um único olho se desgrudou do rosto do pistoleiro.

— Aqui em Calla, os Lobos ceifam bebês. E nem precisam se dar ao trabalho de plantá-los, porque, me escutem, isso é com os homens e as mulheres. Até as crianças sabem. "Papai de idiota não tem nada, quando planta a commala do arroz, mamãe sabe o que deve fazer!"

Um murmúrio da multidão.

— Os Lobos tiram, depois esperam. Tiram... e esperam. Sempre funcionou às mil maravilhas para eles, porque homens e mulheres sempre plantam novos bebês, não importa o que mais aconteça. Mas agora vem uma coisa nova. Agora vem a praga.

Took começou:

— Sim, você diz a verdade, você é a praga, muito bem...

Então alguém derrubou no chão o chapéu de sua cabeça. Eben Took rodopiou, procurou o culpado, e se deparou com cinquenta rostos hostis. Agarrou o chapéu, levou-o ao peito e nada mais disse.

— Se virem que acabou o cultivo de bebês para eles aqui — continuou Roland —, desta vez não vão levar apenas gêmeos; desta vez vão levar cada criança em que puderem pôr as mãos enquanto a colheita ainda for boa. Portanto, tragam seus pequenos às sete da noite. Este é o meu melhor conselho pra vocês.

— Que opção você deixou pra eles? — perguntou Telford, branco de medo e fúria.

Roland já perdera a paciência com ele. Elevou a voz em um grito, e Telford recuou da força dos olhos azuis repentinamente faiscantes do pistoleiro.

— Nenhuma com que *você* tenha de se preocupar, sai, pois seus filhos são adultos, como todo mundo na cidade sabe. Já deu sua opinião. Agora, por que não fica de boca calada?

Uma explosão de aplausos e bater de botas saudou sua resposta. Telford engoliu o bramido e as vaias o máximo que aguentou, cabisbaixo, os ombros curvados como um touro prestes a atacar. Depois se virou e começou a abrir caminho aos empurrões pela multidão. Took o seguiu. Passados alguns momentos, já haviam desaparecido. Não muito depois, terminou a assembleia. Não houve votação. Roland não lhes dera nada para votar.

Não, Eddie pensou mais uma vez ao empurrar a cadeira de Susannah para os comes e bebes, realmente nada acolhedor.

5

Não muito depois, Roland procurou Ben Slightman. Parado sob uma haste da tocha, o capataz equilibrava uma caneca de café em um prato com um pedaço de bolo. Roland também se servira de café e bolo. Do outro lado do pátio gramado, a tenda das crianças havia se tornado no momento a tenda de comes e bebes. Uma longa fila de pessoas à espera serpeava diante dela. Ouvia-se conversa em voz baixa, mas poucas risadas. Mais perto, Benny e Jake lançavam uma bola elástica para a frente e para trás, de vez em quando deixando Oi brincar junto. O malhado latia alegremente, mas os garotos pareciam tão desanimados quanto as pessoas à espera na fila.

— Falou bem esta noite — disse Slightman, e bateu a caneca de café na de Roland.

— Acha isso?

— Sim. Claro que eles estavam prontos, como acho que você sabia, mas Faraday deve ter sido uma surpresa para você, porém lidou bem com ele.

— Eu só disse a verdade. Se os Lobos perderem bastante de sua tropa, vão pegar o que puderem e reduzir suas perdas. As lendas criam barbas, e vinte e três anos é tempo suficiente pra criar uma bem longa. O povo de Calla supõe que haja milhares de Lobos no Trovão, talvez milhões deles, mas não acho que isso seja verdade.

Slightman o encarava com franco fascínio.

— Por que não?

— Porque tudo está se desmantelando — disse Roland apenas, e depois: — Preciso que me prometa uma coisa.

Slightman olhou-o, cauteloso. As lentes dos óculos cintilavam à luz da tocha.

— Se eu puder, Roland, farei.

— Cuide pra que seu filho esteja aqui daqui a quatro noites. A irmã dele está morta, mas duvido que isto o torne não gêmeo para os Lobos. Continua havendo grande probabilidade de servir para o que eles querem.

Slightman não fez esforço algum para disfarçar seu alívio.

— Sim, ele estará aqui. Jamais pensei em outra opção.

— Ótimo. E eu tenho um trabalho pra você, se puder fazer.

O olhar cauteloso retornou.

— Que trabalho seria esse?

— A princípio achei que seis bastariam para cuidar das crianças enquanto lidamos com os Lobos, mas Rosalita me perguntou o que eu faria se elas ficassem assustadas e em pânico.

— Ah, mas você vai botá-las em uma gruta, não vai? — perguntou Slightman, baixando a voz. — Crianças não podem correr pra muito longe em uma gruta, mesmo que *fiquem* em pânico.

— Longe o bastante pra trombarem com uma parede e arrebentar o cérebro, ou cair em um buraco no escuro. Se alguma em pânico iniciar uma debandada por conta da gritaria, da fumaça e do fogo, talvez *todas* caiam em um buraco no escuro. Decidi que gostaria de ter dez pessoas cuidando das crianças. Gostaria que você fosse uma delas.

— Roland, fico lisonjeado.

— Isso é um sim?

Slightman assentiu com a cabeça.

Roland encarou-o.

— Você sabe que, se perdemos, os que estiverem cuidando das crianças têm chance de morrer?

— Se eu achasse que você fosse perder, jamais concordaria em ficar lá com as crianças. — Fez uma pausa. — Ou em mandar meu próprio filho.

— Obrigado, Ben. Você é um bom homem.

Slightman baixou mais ainda a voz.

— Qual das minas vai ser? A Glória ou a Cardeal? — E como Roland não respondeu de imediato: — Claro que entendo se preferir não dizer...

— Não é isso — disse Roland. — É que ainda não decidimos.

— Mas será uma ou outra.

— Ah, sim, onde mais? — disse Roland, distraído, e pôs-se a enrolar um cigarro.

— E você tentará pegá-los por cima?

— Não daria certo — disse Roland. — O ângulo é errado. — Deu um tapinha no peito acima do coração. — Temos de atingi-los aqui, lembre-se. Outros lugares... não adianta. Mesmo uma bala que atravesse a armadura não causaria muito dano a um *zumbi*.

— Isto é um problema, não?

— É uma *oportunidade* — corrigiu Roland. — Você conhece a ladeira coberta de seixos que se estende embaixo da passagem quase horizontal de acesso àquelas velhas minas de granada? Parece um babador de bebê?

— Sim?

— Vamos nos esconder ali. *Embaixo* dali. E quando eles avançarem a cavalo em nossa direção, nos levantaremos e... — Roland engatilhou um polegar e um indicador para Slightman e fez um gesto de apertar o gatilho.

Um sorriso se espalhou pelo rosto de Slightman.

— Roland, que ideia brilhante!

— Não — contradisse Roland. — Apenas simples. Mas simples em geral é melhor. Acho que vamos surpreendê-los. Encurralá-los e pegá-los. Já funcionou para mim antes. Não tem motivo para que não funcione de novo.

— Não. Imagino que não.

Roland olhou em volta.

— É melhor não falarmos dessas coisas aqui, Ben. Sei que *você* é confiável, mas...

Ben assentiu rapidamente.

— Não precisa dizer mais nada, Roland, eu entendo.

A bola rolou até os pés de Slightman. O filho ergueu as mãos para ela, sorrindo.

— Pai! Joga!

Ben jogou, com força. A bola saiu voando, igual ao prato de Molly no relato do grand-père. Benny saltou, pegou-a com uma das mãos e riu. O pai retribuiu-lhe o sorriso com afeto, depois voltou o olhar para Roland.

— Que dupla que eles formam, não? O seu e o meu?

— Sim — disse Roland, quase sorrindo. — Quase como irmãos, com certeza.

6

O ka-tet voltou sem pressa para a casa paroquial, cavalgando os quatro lado a lado, sentindo cada olhar da cidade que os acompanhava ir embora: morte na garupa de cavalo.

— Gostou de como tudo se passou, doçura? — perguntou Susannah a Roland.

— Vai servir — admitiu ele, e começou a enrolar um cigarro.

— Eu gostaria de experimentar um desses — disse Jake, de repente.

Susannah lançou-lhe um olhar ao mesmo tempo chocado e divertido.

— Morda a língua, doçura... você ainda não fez nem treze anos.

— Meu pai começou aos dez.

— E estará morto aos cinquenta — disse ela, severamente.

— Não será uma grande perda — resmungou Jake, mas deixou morrer o assunto.

— E Mia? — perguntou Roland, riscando um fósforo com a unha do polegar. — Continua quieta?

— Se não fosse por vocês, não sei nem se eu acreditaria até que *existiu* essa dona.

— E a barriga está quieta também?

— Está.

Susannah imaginou que todos tinham regras sobre mentir; a dela era que, se ia contar alguma, dava o melhor de si para mantê-la curta. Se tinha um carinha na barriga — alguma espécie de monstro —, ela os deixaria ajudá-la a preocupar-se com isso dali a uma semana. Se ainda tivessem condições de se preocuparem com alguma coisa, quer dizer. Por enquanto, não precisavam saber das pequenas cólicas que vinha tendo.

— Então está tudo bem — disse o pistoleiro. Cavalgaram em silêncio por algum tempo, e depois ele tornou a falar: — Espero que os dois rapazes aí saibam cavar. Haverá alguma escavação a ser feita.

— Sepulturas? — perguntou Eddie, sem saber se estava brincando ou não.

— As sepulturas vêm depois. — Roland olhou para o céu, mas as nuvens haviam avançado do oeste e roubado as estrelas. — Só se lembrem que são os vencedores que as cavam.

6. ANTES DA TEMPESTADE

1

Surgindo das trevas, dolorosa e acusatória, veio a voz de Henry Dean, o tremendo sábio e viciado de primeira:

— Estou no inferno, mano! Estou no inferno e não consigo arranjar um pico, e *é tudo culpa sua*!

— Quanto tempo acha que vamos ter de ficar aqui? — perguntou Eddie a Callahan.

Haviam acabado de chegar à Gruta da Porta, e o maninho do tremendo sábio já sacudia como dados um par de balas na mão direita... sete chama onze, o cara aqui precisa de um pouco de paz e silêncio. Era o dia seguinte ao da grande assembleia, e quando Eddie e o père haviam saído a cavalo da cidade, a rua Alta parecia extraordinariamente quieta. Era como se Calla se escondesse de si mesma, assustada com o que se comprometera a fazer.

— Receio que será por algum tempo — admitiu Callahan. Estava vestido com esmero (e sem chamar atenção, esperava). No bolso do peito da camisa levava todo o dinheiro americano que conseguira juntar: onze dólares amarrotados e duas moedas de vinte e cinco centavos. Achava que seria uma brincadeira de mau gosto se aparecesse em uma versão dos Estados Unidos onde se visse Lincoln na nota de um dólar e Washington na de cinquenta. — Mas acho que podemos fazer isso em etapas.

— Graças a Deus pelas pequenas misericórdias — disse Eddie, e arrastou a sacola cor-de-rosa de trás da estante de Tower.

Ergueu-a com as duas mãos, começou a virar-se, depois parou, franzindo as sobrancelhas.

— O que foi? — perguntou Callahan.

— Tem uma coisa aqui dentro.

— Sim, a caixa.

— Não, alguma coisa na *sacola*. Costurada no forro, acho. Parece uma pedrinha. Talvez tenha um bolso secreto.

— E talvez — disse Callahan — não seja hora de investigar.

Ainda assim, Eddie deu ao objeto mais um apertãozinho. Não *parecia ser* uma pedra, exatamente. Mas Callahan provavelmente tinha razão. Já tinham mistérios o suficiente nas mãos. Aquele ficava para outro dia.

Quando deslizou a caixa de madeira para fora do saco, um pavor doentio invadiu-lhe a cabeça e o coração.

— Odeio esta coisa. Não paro de sentir que vai se virar contra mim e me comer como uma tortilla.

— É muito provável que poderia — disse Callahan. — Se sentir uma coisa realmente ruim acontecendo, Eddie, feche a porra da coisa.

— E aí você ficaria preso do outro lado.

— Não como se eu fosse um estranho lá — disse Callahan, vigiando a porta desconhecida. Eddie ouvia o irmão; o père ouvia a mãe, falando sem parar com prepotência, chamando-o de Donnie. Sempre detestara ser chamado de Donnie. — Eu simplesmente espero ela se abrir de novo.

Eddie enfiou as balas nas orelhas.

— Por que está deixando-o fazer isso, Donnie? — gemeu a mãe das trevas. Balas no ouvido, é *perigoso*!

— Vá — disse Eddie. — Acabe logo com isso.

Abriu a porta. Os sinos atacaram os ouvidos de Callahan. E o coração também. A porta para todo lugar abriu-se com um estalo.

2

Ele atravessou pensando em duas coisas: o ano de 1977 e o banheiro masculino no andar principal da Biblioteca Pública de Nova York. Entrou em um banheiro com pichações nas paredes (BANGO SKANK estivera lá) e o ruído de uma descarga de mictório em algum lugar à esquerda. Esperou quem quer que fosse sair e retirou-se do reservado.

Levou apenas dez minutos para encontrar o que precisava. Quando atravessou de volta a porta para a gruta, segurava um livro debaixo do braço. Pediu a Eddie que saísse dali com ele e não precisou falar duas vezes. No ar puro e no brilho do sol fresco (as nuvens da noite anterior se haviam dissipado), Eddie retirou as balas das orelhas e examinou o livro. O título era: *Estradas norte-americanas*.

— O padre é um ladrão de biblioteca — comentou Eddie. — Você é exatamente o tipo de pessoa que faz as mensalidades aumentarem.

— Um dia eu devolvo — disse Callahan. E falava sério. — O importante é que dei sorte na minha segunda tentativa. Abra na página 119.

Eddie o fez. A fotografia mostrava uma igreja branca e modesta, encimando uma colina acima de uma estrada de terra. *Salão da Assembleia Metodista de East Stoneham*, dizia a legenda. Construída em 1819. Eddie pensou: *Somando os números e se chega em dezenove. Claro.*

Observou isso para Callahan, que sorriu e assentiu.

— Notou mais alguma coisa?

Claro que sim.

— Parece o Salão da Assembleia de Calla.

— Parece, sim. Idêntico, quase. — Callahan inspirou fundo. — Está pronto pro segundo round?

— Acho que sim.

— Este deve ser mais longo, mas você vai conseguir passar o tempo. Tem muita coisa para ler.

— Acho que eu não conseguiria ler — disse Eddie. — Estou nervoso pra caralho, perdoe meu palavreado. Talvez eu vá ver o que tem no forro do saco.

Mas Eddie esqueceu o objeto no forro do saco rosa; foi Susannah quem acabou encontrando-o, e quando o fez, não era mais ela mesma.

3

Pensando em 1977, com o livro aberto na fotografia do Salão da Assembleia Metodista de East Stoneham, Callahan atravessou a porta desconhecida pela segunda vez. Saiu em uma luminosa manhã ensolarada da Nova Inglaterra. A igreja continuava ali, mas fora pintada desde que a foto fora tirada para o *Estradas norte-americanas*, e a estrada pavimentada. Erguendo-se próximo, um prédio não existente na foto: o Armazém Geral de East Stoneham. Ótimo.

Ele se encaminhou para lá, seguido pela porta flutuante, lembrando-se de não gastar uma das moedas de vinte e cinco centavos que viera de seu cofrinho, a não ser que fosse absolutamente necessário. A de Jake datava de 1969, que era tudo bem. A sua, contudo, era de 1981, o que não era nada bom. Ao passar pelas bombas de gasolina Mobil (onde a comum era vendida a quarenta e nove centavos o galão), transferiu-a para o bolso de trás.

Quando entrou no armazém — que tinha o cheiro quase idêntico ao de Took —, uma campainha soou. À esquerda, havia uma pilha de *Press-Heralds* de Portland, e a data deu-lhe um choque desagradável. Quando pegara o livro da Biblioteca Pública de Nova York, pelo que para ele fora menos de meia hora atrás, era 26 de junho. A data nos jornais era 27 de junho.

Pegou um, leu as manchetes (uma enchente em Nova Orleans, os habituais distúrbios dos imbecis homicidas do Oriente Médio) e notou o preço: dez centavos. Ótimo. Ia receber troco de sua moeda de vinte e cinco de 1969. Talvez comprar um bom salame feito em terras americanas. O vendedor olhou-o com animação quando ele se aproximou do balcão.

— Só isso? — perguntou.

— Bem, vou te dizer — respondeu Callahan. — Me cairia muito bem uma indicação até a agência do correio, se não se importa.

O balconista ergueu uma sobrancelha e sorriu.

— Você parece ser destas bandas.

— É o que acha? — perguntou Callahan, também sorrindo.

— É. De qualquer modo, a agência postal é fácil. Menos de dois quilômetros seguindo por esta rua, à esquerda.

— Está ótimo. E você vende salame fatiado?

— Vendo de qualquer jeito que você quiser comprar — disse o balconista com simpatia. — Visitante de verão, é? — Saiu *vusutante de virão*, e Callahan quase esperou que acrescentasse: *Diga, eu lhe peço.*

— Acho que pode colocar dessa maneira — disse Callahan.

4

Na gruta, Eddie lutava contra o fraco mas enlouquecedor som estridente dos sinos e espiou pela porta semiaberta. Callahan seguia por uma estrada do campo. Que vida boa para ele. Enquanto isso, talvez o caçula da sra. Dean tentasse mesmo ler alguma coisa. Estendeu a mão fria (e ligeiramente trêmula) até a estante e retirou um livro, dois na frente de um que fora virado de cabeça para baixo, e que sem dúvida teria mudado seu dia se por acaso o pegasse. Retirou, em vez desse, *Quatro novelas de Sherlock Holmes*. Ah, Holmes, outro tremendo sábio e viciado de primeira. Eddie abriu em *Um estudo em vermelho* e começou a ler. De vez em quando, pegava-se olhando para a caixa, onde o Treze Preto emitia sua força misteriosa. Via apenas uma curva do vidro. Após um instante, desistiu de tentar ler, apenas olhando a curva do vidro e ficando cada vez mais fascinado. Mas os sinos estavam diminuindo, e isso era bom, não? Após mais um pouco, mal conseguia ouvi-los. Passado ainda mais um pouco, uma voz passou de mansinho pelas balas nas orelhas e começou a falar com ele.

Eddie ouviu.

5

— Perdão, senhora.

— Sim? — A funcionária na agência do correio era uma mulher na casa dos fins dos cinquenta ou início dos sessenta, vestida para receber o público com cabelos de um perfeito branco-azulado de salão de beleza.

— Eu gostaria de deixar uma carta para uns amigos meus — disse Callahan. — São de Nova York, e provavelmente clientes do serviço de Distribuição Geral de correspondência.

Argumentara com Eddie que Calvin Tower, na fuga de um bando de bandidos perigosos que com quase toda a certeza ainda adorariam acabar com ele, não faria a burrice de dar um endereço para correspondência. Eddie lhe lembrara como Tower ficara em relação à porra de suas preciosas primeiras edições, e Callahan acabara concordando em pelo menos fazer uma tentativa.

— Veranistas?

— É — concordou Callahan, mas não era exatamente isso. — Quer dizer, sim. Chamam-se Calvin Tower e Aaron Deepneau. Acho que não é o tipo de informação que é possível se dar a alguém que acabou de entrar da rua, mas...

— Ah, não nos incomodamos com essas coisas nestas partes. — Partes saiu como *paatis*. — Só me deixe verificar a lista... temos *tantos* entre o Memorial Day e o Dia do Trabalho...

Pegou de seu lado no balcão uma prancheta de mão com três ou quatro folhas de papel esfarrapado. Montes de nomes escritos à mão. Passou o dedo pela primeira folha, depois pela segunda e pela terceira.

— Deepneau! — disse. — Sim, há este. Agora... só me deixe ver se consigo encontrar o outro...

— Não precisa — disse Callahan.

De repente, sentia-se nervoso, como se alguma coisa tivesse dado errado no outro lado. Olhou para trás e não viu nada além da porta, e a gruta, e Eddie ali sentado de pernas cruzadas com um livro no colo.

— Tem alguém atrás do senhor? — perguntou a senhora do correio, sorrindo.

Callahan riu. Pareceu forçado e tolo aos próprios ouvidos, mas a funcionária do correio não demonstrou achar nada errado.

— Se eu escrevesse um bilhete para o Aaron e o pusesse em um envelope selado, poderia cuidar pra que ele receba quando vier aqui? Ou o sr. Tower?

— Ah, não precisa comprar selo — ela disse, à vontade. — É um prazer fazer isso.

Sim, *era* igual a Calla. De repente ele gostou muito daquela mulher. Gostou muitíssimo.

Callahan foi até o balcão perto da janela (a porta fazendo um perfeito dó-si-dó em volta dele quando se virou) e escreveu um bilhete, primeiro apresentando-se como amigo do homem que ajudara Tower com Jack Andolini. Disse a Tower e Deepneau que deixassem o carro onde estava e algumas das luzes acesas na casa em que estavam hospedados, e depois se mudassem para um lugar perto — um celeiro, um campo abandonado, até um galpão. E fizessem isso imediatamente. *Esconda um bilhete com indicações do lugar onde estão debaixo do tapete do banco do motorista, ou embaixo do degrau da varanda dos fundos*, escreveu. *Entraremos em contato.* Esperava estar fazendo aquilo da maneira certa; não haviam conversado sobre isso até então, e ele jamais esperara ter de fazer alguma coisa de trabalho de campo. Assinou como Roland lhe dissera: *Callahan, do Eld.* Depois, apesar da crescente agitação, acrescentou outra linha, quase retalhando as letras no papel: *E que essa ida à agência do correio seja sua* ÚLTIMA*! Como pode ser tão idiota???*

Pôs o bilhete em um envelope, fechou-o com cola e escreveu AARON DEEPNEAU OU CALVIN TOWER, DISTRIBUIÇÃO GERAL na frente. Levou-o de volta ao balcão.

— Eu posso comprar um selo — disse mais uma vez.

— Não, só dois centavos pelo envelope e estamos quites.

Ele deu-lhe a moeda que sobrou do armazém, pegou os três centavos de troco e dirigiu-se para a porta. A comum.

— Boa sorte — disse a funcionária da agência.

Callahan virou a cabeça para olhá-la e agradeceu. Captou um vislumbre da porta desconhecida ao fazê-lo, ainda aberta. O que não viu foi Eddie. Ele desaparecera.

6

Callahan virou-se para aquela porta estranha assim que saiu da agência do correio. Em geral, não era possível fazer isso, em geral ela girava junto da pessoa com tanta perfeição quanto um acompanhante de quadrilha, mas parecia saber quando a pessoa tinha a intenção de cruzá-la para voltar. Então se ficava de frente para ela.

No minuto em que voltou, os sinos todash agarraram-no, parecendo gravar desenhos a água-forte no seu cérebro. Das entranhas da gruta, sua mãe gritou:

— Taí, Donnie, você foi e deixou aquele rapaz simpático se suicidar! Ele vai ficar no purgatório pra sempre, e a culpa é sua.

Callahan mal ouviu. Saiu apressado para a boca da gruta, ainda com o *Press-Herald* que comprara no Armazém Geral de East Stoneham debaixo do braço. Havia tempo suficiente apenas para ver por que a caixa não fora fechada, deixando-o prisioneiro em East Stoneham, no Maine, por volta de 1977: um livro despontava para fora dela. Callahan teve tempo até para ler o título, *Quatro novelas de Sherlock Holmes*. Então irrompeu no brilho do sol.

A princípio, não viu nada além do pedregulho no caminho que levava à boca da gruta, e teve a nauseante certeza de que a voz de sua mãe dissera a verdade. Olhou à esquerda e viu Eddie a três metros, no fim da trilha estreita e oscilando na beira do precipício. A camisa fora da calça esvoaçava em volta da coronha do grande revólver de Roland. Seus traços bem definidos e atraentes agora pareciam inchados e inexpressivos. Era o rosto aturdido de um lutador prestes a cair. Os cabelos voavam em volta das orelhas. Ele oscilou para a frente — então a boca se contraiu e os olhos tornaram-se quase conscientes. Agarrou um afloramento de pedra e oscilou mais uma vez para trás.

Ele o está combatendo, pensou Callahan. *E tenho certeza de que está fazendo o melhor que pode, mas está perdendo.*

Chamá-lo poderia lançá-lo no precipício de vez; Callahan soube disso com a intuição de um pistoleiro, sempre afiada e confiável ao máximo em tempos de crise. Em vez de berrar, correu a toda o trechinho restante da trilha e passou uma das mãos na fralda da camisa de Eddie, no mesmo instante em que ele tornava a cambalear para a frente, agora retirando a mão do afloramento ao lado e usando-a para tapar os olhos em um gesto não intencionalmente cômico: *Adeus, mundo cruel.*

Se a camisa tivesse se rasgado, Eddie Dean sem a menor dúvida teria sido dispensado do grande jogo do ka, mas talvez até as fraldas de camisas caseiras de Calla Bryn Sturgis (pois era isso que ele estava usando) servissem ao ka. Em todo caso, a camisa não se rasgou, e Callahan fizera uso de grande parte da força física que desenvolvera durante seus anos na estrada. Puxou com força Eddie de volta e pegou-o nos braços, mas não antes de a cabeça do rapaz atingir o afloramento onde sua mão estivera alguns segundos antes. As pestanas adejaram e ele olhou Callahan com uma espécie de não reconhecimento aparvalhado. Disse alguma coisa que pareceu totalmente incompreensível a Callahan: *Eladi queu posvuu-aa pra-oo rre.*

Callahan agarrou-o pelos ombros e sacudiu-o.

— Como? Eu não te entendo! — Nem queria muito entender, mas tinha de fazer algum tipo de contato, trazer Eddie de volta do lugar aonde aquela coisa amaldiçoada na caixa o levara. — *Eu não... te entendo!*

Desta vez a resposta foi mais clara:

— Ela diz que eu posso voar para a Torre. Pode me soltar. Eu *quero* ir!

— Você não pode voar, Eddie. — Não teve certeza de que o rapaz o escutara, por isso baixou a cabeça até os dois ficarem testa com testa, como amantes.

— Ela estava tentando matar você.

— Não... — começou Eddie, e então a consciência retornou de vez aos seus olhos. A dois centímetros dos de Callahan, arregalaram-se de compreensão. — *Sim.*

Callahan levantou a cabeça, mas continuou a segurar os ombros de Eddie por precaução.

— Está tudo bem com você agora?

— Sim. Acho que sim, pelo menos. Eu estava levando tudo bem, padre. Juro que estava. Quer dizer, os sinos estavam me enchendo o saco, mas fora isso eu estava legal. Cheguei a pegar um livro e comecei a ler. — Olhou em volta. — Minha nossa, espero não o ter perdido. Tower vai acabar comigo.

— Você não o perdeu. Enfiou-o pela metade na caixa, e ainda bem que fez isso. Do contrário a porta teria se fechado e você virado geleia de morango uns duzentos metros lá embaixo.

Eddie olhou sobre a beira do precipício e ficou totalmente pálido. Callahan teve tempo apenas de lamentar as próprias palavras diretas antes de Eddie vomitar nas suas botas novas.

7

— Ela chegou de fininho em mim, padre — disse ele, quando conseguiu falar. — Me embalou e depois pulou.

— Sim.

— Chegou a conseguir alguma coisa no seu tempo lá?

— Se eles pegarem a minha carta e fizerem o que diz, muita coisa. Você tinha razão. Deepneau pelo menos se inscreveu para a Distribuição Geral de correspondência. Quanto a Tower, não sei. — Callahan balançou a cabeça, furioso.

— Acho que vamos descobrir que Tower convenceu Deepneau a fazer isso — disse Eddie. — Cal Tower ainda não consegue acreditar no que se meteu, e depois do que acabou de acontecer comigo, ou *quase* aconteceu comigo, começo a entender melhor esse tipo de pensamento. — Olhou para o que Callahan ainda mantinha debaixo de um braço. — O que é isso?

— O jornal — disse Callahan, e ofereceu-o a Eddie. — Está a fim de ler sobre Golda Meir?

8

Roland ouviu atentamente naquela noite Eddie e Callahan contarem suas aventuras na Gruta da Porta e além. O pistoleiro pareceu menos interessado na quase-morte de Eddie do que nas semelhanças entre Calla Bryn Sturgis e East Stoneham. Chegou a pedir a Callahan que imitasse o sotaque do balconista do armazém e da funcionária da agência do correio. Isso Callahan (ex-residente do Maine, afinal) conseguiu fazer muito bem.

— Ocê — e depois: — Ié. Ocê, ié — disse Roland sentado, pensativo, com um salto de bota apoiado no parapeito do alpendre da casa paroquial.

— Eles vão ficar bem por algum tempo, você não acha? — perguntou Eddie.

— Espero que sim — respondeu Roland. — Se quer se preocupar com a vida de alguém, se preocupe com a de Deepneau. Se Balazar não desistiu do terreno baldio, precisa manter Tower vivo. Deepneau agora não passa de um peão do jogo Olho Vivo.

— Podemos deixá-los para até depois dos Lobos?

— Não vejo que opção temos.

— Podíamos largar todo esse negócio aqui e ir até East Stoneham protegê-lo! — disse Eddie, acalorado. — Que tal? Escute, Roland. Vou te dizer exatamente por que Tower convenceu seu amigo a inscrever-se para a Distribuição Geral de correspondência: alguém tem um livro que ele quer, esse é o motivo. Estava pechinchando por ele e as negociações haviam chegado a um estágio delicado quando eu apareci e o convenci a partir pras montanhas. Mas Tower... cara, ele é como um chimpanzé com a mão cheia de grãos. Não vai desistir. Se Balazar sabe disso, e provavelmente sabe, não vai precisar de um código postal pra encontrar o sujeito, apenas uma lista das pessoas com quem Tower negociava. Espero muito que, se *existia* uma lista dessas, tenha se queimado no incêndio.

Roland assentia com a cabeça.

— Eu entendo, mas não podemos partir daqui. Nós prometemos.

Eddie pensou por um momento, exalou um suspiro e fez que não com a cabeça.

— Que porra, mais três dias e meio aqui, dezessete lá antes que expire a carta-acordo de Tower. As coisas provavelmente vão conseguir esperar esse tempo. — Fez uma pausa, mordendo o lábio. — Talvez.

— *Talvez* é o melhor que podemos fazer? — perguntou Callahan.

— Sim — disse Eddie. — Por enquanto, acho que é.

9

Na manhã seguinte, Susannah Dean, muitíssimo assustada, sentou-se na casinha sanitária no sopé da colina e curvou-se, esperando que o ciclo atual de contrações passasse. Já as vinha tendo fazia pouco mais de uma semana, mas aquelas foram de longe as mais fortes. Pôs as mãos na base da barriga. A carne ali estava alarmantemente dura.

Ai, meu Deus, e se eu o tiver logo agora? E se for isso?

Tentou dizer-se que *não podia* ser, a bolsa d'água não se rompera, e não se entrava pra valer em trabalho de parto enquanto isso não acontecesse. Mas o que sabia na verdade sobre ter filhos? Muito pouco. Mesmo Rosalita Munoz, parteira de grande experiência, não teria condições de ajudá-la muito, pois sua carreira fora parindo bebês *humanos*, de mães que pareciam verdadeiramente grávidas. Susannah parecia menos grávida agora do que quando haviam chegado a Calla. E se Roland tivesse razão sobre aquele *bebê*...

Não é um bebê. É um carinha, *e não pertence a mim. Pertence a Mia, quem quer que ela seja. Mia, filha de ninguém.*

As cólicas cessaram. A base da barriga relaxou, perdendo a rigidez. Ela pôs o dedo na fenda da vagina. Parecia a mesma de sempre. Com certeza, ia ficar tudo bem por mais alguns dias. *Tinha* de ficar. E embora concordasse com Roland que não devia haver mais segredos no ka-tet deles, sentiu que precisava guardar esse. Quando a luta finalmente começasse, seriam sete contra quarenta ou cinquenta. Talvez até setenta, se os Lobos se mantivessem juntos em uma única matilha. Eles teriam de estar na melhor de suas formas, no auge da concentração. Isso significava não ter quaisquer distrações. Também significava que precisava estar lá para ocupar seu lugar.

Puxou o jeans, abotoou-o e saiu para o luminoso brilho do sol, esfregando sem perceber a têmpora esquerda. Viu a nova fechadura na casinha — exatamente como Roland pedira — e começou a sorrir. Depois olhou sua sombra embaixo e o sorriso imobilizou-se. Quando entrara na casinha, sua Dama Sombria estendia-se no comprimento de nove horas da manhã. Agora dizia que se ainda não era meio-dia, logo ia ser.

Isto é impossível. Só fiquei lá dentro alguns minutos. O suficiente para fazer xixi.

Talvez fosse verdade. Talvez fosse Mia que estivera lá dentro o resto do tempo.

— Não — disse. — Não pode ser.

Mas Susannah achou que era. Mia não era ascendente — ainda não —, mas estava subindo. Preparando-se para assumir, se conseguisse.

Por favor, ela orou, colocando uma das mãos na parede da casinha para se apoiar. *Só mais três dias, meu Deus. Me dê mais três dias como eu mesma, permita-nos cumprir nosso dever para com as crianças deste lugar, e depois seja feita a Sua vontade. Seja qual for. Mas por favor...*

— Só mais três — murmurou. — E se eles nos liquidarem lá, não fará diferença de qualquer maneira. Mais três dias, meu Deus. Ouça-me, eu lhe peço.

10

Um dia depois, Eddie e Tian Jaffords saíram à procura de Andy e o encontraram parado em pé sozinho no largo e empoeirado cruzamento das estradas Leste com a do Rio, cantando a plenos...

— Não — disse Eddie, quando ele e Tian se aproximaram —, não posso dizer pulmões, ele não *tem* pulmões.

— Como disse? — perguntou Tian.

— Nada — respondeu Eddie. — Não tem importância. — Mas pelo processo de associação... pulmões com anatomia geral... ocorrera-lhe uma questão. — Tian, há algum médico em Calla?

Tian olhou-o, surpreso e meio divertido.

— Não nós, Eddie. Atiradores de tripa talvez sejam bons pra gente rica que tem tempo e dinheiro pra pagar, mas quando adoecemos, procuramos uma das Irmãs.

— As Irmãs de Oriza.

— Sim. Se o remédio é bom, e em geral é, melhoramos. Se não é, pioramos. No fim, a terra cura tudo, entende?

— Sim — disse Eddie, pensando em como devia ser difícil encaixar crianças roont nessa maneira de ver as coisas. Aqueles que retornavam roont acabavam morrendo, mas por muitos anos apenas... vagavam.

— De qualquer modo, só existem três caixas pra um homem — disse Tian, ao se aproximarem do solitário robô cantante.

Em um canto longe a leste, entre Calla Bryn Sturgis e o Trovão, Eddie via lenços de poeira subindo para o céu azul, embora estivesse perfeitamente parado onde se encontravam.

— Caixas?

— Sim, digo a verdade — disse Tian, tocando rapidamente a testa, o peito e o traseiro. — Caixa da cabeça, caixa da teta, caixa da merda. — E riu com vontade.

— Você diz isso? — perguntou Eddie, sorrindo.

— Bem... por aqui, entre nós, está bem — disse Tian —, embora eu imagine que nenhuma senhora aceitaria ouvir as caixas descritas assim à mesa. — Tocou mais uma vez a cabeça, o peito e a bunda. — Caixa do pensamento, caixa do coração, caixa do ki.

Eddie ouviu *key*, chave em inglês.

— O que quer dizer esta última? Que tipo de chave abre seu traseiro?

Tian parou. Os dois estavam à vista de Andy, mas o robô ignorou-os completamente, cantando o que parecia uma ópera em uma linguagem que Eddie não conhecia. De vez em quando, erguia os braços para o alto ou os cruzava, os gestos parecendo parte da música que cantava.

— Me escute — disse Tian, com delicadeza. — Um homem é empilhado. No topo ficam seus pensamentos, que é a melhor parte de um homem.

— Ou de uma mulher — disse Eddie, sorrindo.

Tian assentiu com a cabeça, sério.

— Sim, ou de uma mulher, mas usamos *homem* pra representar os dois, porque a mulher nasceu do sopro do homem, você sabe.

— É mesmo? — perguntou Eddie, pensando em algumas daquelas mulheres do movimento de liberação feminina que ele conhecera antes de partir de Nova York para o Mundo Médio. Duvidava de que fossem gostar daquela ideia muito mais do que da parte da Bíblia que dizia que Eva fora feita da costela de Adão.

— Que seja assim — concordou Tian —, mas foi Lady Oriza que deu à luz o primeiro homem, assim afirmam o pessoal mais velho. Dizem: *Canah, can-tah, annah, Oriza*: "Todo o alento vem da mulher".

— Então me fale dessas caixas.

— A melhor e mais alta é a cabeça, com todas as ideias e os sonhos da cabeça. Em seguida, o coração, com todos os nossos sentimentos de amor, tristeza, alegria e felicidade...

— As emoções.

Tian pareceu ao mesmo tempo intrigado e respeitoso.

— É assim que diz?

— Bem, de onde eu venho, dizemos, sim, portanto, que seja.

— Ah. — Assentiu Tian, como se o conceito fosse interessante, mas apenas não muito compreensível. Desta vez, em vez de tocar o traseiro, deu um tapinha na virilha. — Na última caixa, fica tudo que chamamos de commala-inferior: dar uma trepada, cagar, talvez querer fazer uma mesquinhez a alguém sem motivo algum.

— E se você tiver de fato um motivo?

— Ah, mas aí não seria mesquinhez, seria? — perguntou Tian, parecendo divertido. — Nesse caso, viria da caixa-coração ou da caixa-cabeça.

— É esquisito — disse Eddie, mas pensou que não fosse, não exatamente. Na mente conseguia ver três engradados empilhados à perfeição: cabeça em cima do coração, coração em cima das funções animais e raivas infundadas que às vezes as pessoas sentiam. Ficou sobretudo fascinado pelo uso da palavra *mesquinhez* por Tian, como se fosse algum tipo de referencial comportamental. Isso fazia sentido ou não? Teria de pensar atentamente, e aquele não era o momento.

Andy continuava brilhando ao sol, despejando grandes rajadas de música. Eddie teve uma vaga lembrança de alguns garotos no antigo bairro, berrando: *Sou o barbeiro de Sevi-i-lha, Você precisa experimentar meus talentos do caralho*, e depois saíam correndo, rindo feito loucos.

— Andy! — chamou Eddie, e o robô interrompeu-se no mesmo instante.

— Salve, Eddie, vejo-o bem! Longos dias e belas noites!

— O mesmo pra você — disse Eddie. — Como tem passado?

— Ótimo, Eddie! — disse Andy, exaltado. — Eu sempre adoro cantar antes das primeiras seminon.

— Seminon?

— É como chamamos as tempestades de vento que antecedem a chegada do verdadeiro inverno — explicou Tian, e apontou as nuvens de poeira muito além do Whye. — Lá vem a primeira; creio que chegará aqui no dia dos Lobos ou no seguinte.

— No dia dos Lobos, sai — disse Andy. — "Seminon chegando, dias quentes saem correndo." Assim dizem. — Curvou-se para Eddie. Cliques vieram de dentro de sua cabeça cintilante. Os olhos azuis faiscavam intermitentes. — Eddie, eu fiz um horóscopo fantástico, muito longo e complexo, e mostra vitória contra os Lobos! Uma grande vitória, de fato! Você vencerá seus inimigos e depois conhecerá uma bela dama!

— Eu já *tenho* uma bela dama — disse Eddie, tentando manter a voz agradável.

Sabia perfeitamente bem o que significavam aquelas luzes azuis faiscando rápido: o filho da puta estava rindo dele. *Bem*, pensou, *talvez você esteja rindo no outro lado da sua cara daqui a dois dias, Andy. Eu sem dúvida espero que sim.*

— É verdade, mas muitos homens casados dão os seus pulinhos, como eu disse a sai Tian Jaffords, não faz muito tempo.

— Não aqueles que amam suas esposas — disse Tian. — Eu lhe falei isso então e falo agora.

— Andy, meu chapa — disse Eddie, sério —, viemos aqui na esperança de que nos faça um favor na noite anterior à chegada dos Lobos. Que nos dê uma ajudazinha, entende.

Ouviram-se vários cliques no fundo do peito de Andy, e desta vez, quando os olhos faiscaram, quase pareciam alarmados.

— Farei, se puder, sai — disse Andy. — Ah, sim, não há nada que eu goste mais do que ajudar meus amigos, mas há muitíssimas coisas que não posso fazer, por mais que fosse gostar.

— Por causa da sua programação.

— Sim.

O tom arrogante de que-bom-ver-você desaparecera da voz de Andy. Ele parecia mais uma máquina agora. *Sim, esta é sua posição de recuo*, pensou Eddie. *É Andy sendo cauteloso. Você já os viu chegar e partir, não, Andy? Às vezes eles o chamam de saco inútil de parafusos e em geral o ignoram, mas em qualquer um dos casos você acaba andando sobre os ossos deles e cantando as suas músicas, não é? Mas não desta vez, cara. Não, acho que não.*

— Quando você foi feito, Andy? Estou curioso. Quando saiu rolando da linha de montagem da velha LaMerk?

— Faz muito tempo, sai. — Os olhos azuis faiscavam muito devagar agora. Não havia mais risadas.

— Dois mil anos?

— Há mais tempo, creio. Sai, conheço uma cantiga sobre bebida que talvez goste, é muito divertida...

— Quem sabe outra hora. Escute, companheiro, se você tem milhares de anos, como está programado em relação aos Lobos?

De dentro de Andy veio uma pancada profunda, reverberante, como se alguma coisa se houvesse quebrado. Quando tornou a falar, foi com a voz opaca, sem emoção, que Eddie ouvira pela primeira vez na borda da Floresta Média. A voz de Bosco Bob quando o velho Bosco se preparava para fechar a cara e partir para cima de você.

— Qual a sua senha, sai Eddie?

— Acho que já passamos por isso antes, não?

— Senha. Você tem dez segundos. Nove... oito... sete...

— Esta merda de senha é muito conveniente pra você, não é?

— Senha incorreta, sai Eddie.

— Meio como apelar para a Quinta Emenda.

— Dois... um... zero. Você tem mais duas tentativas. Quer tentar de novo, Eddie?

Eddie deu-lhe um sorriso animado.

— O seminon sopra no verão, camarada?

Mais cliques e estalos. A cabeça de Andy, inclinada para um lado, agora se inclinava para o outro.

— Não o estou entendendo, Eddie de Nova York.

— Desculpe. Só estou sendo um tolo e velho humano, não é? Não, não quero tentar de novo. Pelo menos não no momento. Deixe-me dizer no que gostaríamos que nos ajudasse, e você pode nos dizer se sua programação vai deixá-lo fazer. Parece justo?

— Justo como ar fresco, Eddie.

— Tudo bem. — Eddie estendeu a mão e pegou o fino braço de metal de Andy. A superfície era lisa e de algum modo desagradável ao toque. Besuntada. Oleosa. Ele a segurou, no entanto, e baixou a voz a um nível confidencial. — Só estou lhe dizendo isso porque você é claramente bom em guardar segredos.

— Ah, sim, sai Eddie! Ninguém guarda segredos como Andy! — O robô retornara ao que conhecia e ao seu antigo eu, esnobe e complacente.

— Bem... — continuou Eddie na ponta dos pés. — Curve-se até aqui.

Servomotores zumbiram dentro do revestimento de Andy — dentro do que seria sua caixa-coração, não fosse um homem de lata de alta tecnologia. Ele se curvou. Eddie, enquanto isso, esticou-se ainda mais, sentindo-se de uma maneira estranha como se fosse um menininho contando um segredo.

— O père conseguiu algumas armas do nosso nível da Torre — murmurou. — Das boas.

A cabeça de Andy girou em volta. Os olhos brilharam intensamente, com um brilho que só podia ser aturdimento. Embora conservasse uma expressão impassível, Eddie ria por dentro.

— Diz a verdade, Eddie?

— Digo, obrigado.

— O père disse que são poderosas — acrescentou Tian. — Se funcionarem, podemos usá-las pra explodir os Lobos pra todos os lados. Mas temos de pegá-las no norte da cidade... e são pesadas. Pode nos ajudar a carregá-las em uma bucka na Véspera do Lobo, Andy?

Silêncio. Cliques e estalos.

— Imagino que a programação não vai deixar — disse Eddie, pesaroso. — Bem, se a gente conseguir bastantes homens fortes...

— Eu posso ajudar vocês — disse Andy. — Onde estão essas armas, sais?

— Melhor não dizer já — respondeu Eddie. — Encontre-nos na casa paroquial do père na Véspera do Lobo, pode ser?

— A que horas querem que eu chegue?

— Que tal às seis?

— Seis será a hora. E quantas armas haverá lá? Só me conte esse tanto, pelo menos, para que eu possa calcular os níveis de energia necessários.

Meu amigo, é preciso um mentiroso para reconhecer mentiras, pensou Eddie, feliz da vida, mas com a expressão normal.

— Umas doze. Talvez quinze. Pesam noventa quilos cada. Conhece quilos, Andy?

— Sim, eu agradeço. Um quilo equivale aproximadamente a mil gramas. Mais ou menos trinta e cinco onças. Um quartilho é pouco mais que meio quilo, no mundo todo. São armas grandes, sai Eddie, disse a verdade! Será que atiram?

— Temos quase toda a certeza que sim — disse Eddie. — Não temos, Tian?

Tian assentiu com a cabeça.

— E você vai nos ajudar?

— Sim, com prazer. Seis horas, na casa paroquial.

— Obrigado, Andy — disse Eddie. Começou a afastar-se, depois olhou para trás. — Não fale disso de jeito nenhum com ninguém, está bem?

— Está, sai, se me pede pra não falar.

— É exatamente isso que estou lhe dizendo. A última coisa que queremos é que os Lobos descubram que temos armas grandes para usar contra eles.

— Claro que não — disse Andy. — Que boa notícia é essa. Tenham um maravilhoso dia, sais.

— Você também, Andy — respondeu Eddie. — Você também.

11

Voltando a pé para a casa de Tian — eram apenas uns três quilômetros e meio de distância de onde haviam encontrado Andy —, Tian perguntou:

— Será que ele acreditou?

— Não sei — disse Eddie —, mas quase morreu de surpresa... sentiu isso?

— Sim. Senti, sim.

— Ele vai estar lá pra ver por si mesmo, isso eu garanto.

Tian assentiu, sorrindo.

— Seu dinh é inteligente.

— Isso ele é — concordou. — Isso ele é.

12

Mais uma vez Jake ficou deitado, acordado, encarando o teto do quarto de Benny. Mais uma vez Oi ficou deitado na cama de Benny, enroscado, o focinho debaixo do rabo enrodilhado. Na noite seguinte Jake estaria de volta à casa do padre Callahan, de volta ao seu ka-tet, e não via a hora. O dia seguinte seria a Véspera do Lobo, mas aquela era apenas a *véspera* da Véspera do Lobo, e Roland achara que seria melhor ele passar a última noite na Rocking B.

— Não queremos levantar suspeitas tarde assim no jogo — dissera.

Jake entendeu, mas, cara, era doentio. A perspectiva de lutar contra os Lobos já era bastante ruim. O pensamento de como Benny poderia olhá-lo dali a dois dias, ainda pior.

Talvez todos sejamos mortos, pensou. *Então não vou ter de me preocupar com isso.*

Em sua aflição, a ideia chegava a ter um certo apelo.

— Jake? Está dormindo?

Por um momento ele pensou em fingir, mas alguma coisa no seu íntimo reprovou tal covardia.

— Não — disse. — Mas preciso tentar, Benny. Duvido que eu vá dormir muito amanhã à noite.

— Acho que *não* — sussurrou Benny de volta, respeitosamente, e depois: — Está com medo?

— Claro que sim — respondeu Jake. — O que acha que eu sou, louco?

Benny ergueu-se sobre um cotovelo.

— Quantos você acha que vai matar?

Jake pensou; nauseava-o até a boca do estômago pensar nisso, mas pensou de qualquer maneira.

— Não sei. Se são setenta, acho que tenho de tentar pegar dez.

Viu-se pensando (com uma leve sensação de espanto) na aula de inglês da sra. Avery. Os globos amarelos suspensos com moscas fantasmagoricamente mortas em seus bojos. Lucas Hanson, que sempre tentava dar-lhe uma rasteira quando descia o corredor entre as carteiras. Frases no quadro-negro: tome cuidado com o modificador colocado em lugar errado. Petra Jesserling, que sempre usava macacões evasês e que tinha uma queda por ele (ou assim afirmava Mike Yanko). A monotonia da voz da sra. Avery. Recreio ao meio-dia — um lanche sem graça em uma escola pública sem graça. Sentado à carteira depois e tentando ficar acordado. Iria aquele garoto, aquele bem-arrumado garoto do Colégio Piper, sair para o norte de uma cidade rural chamada Calla Bryn Sturgis a fim de lutar com monstros ladrões de crianças? Seria possível que aquele garoto dali a trinta e seis horas estivesse estendido, morto, com as tripas em uma pilha fumegante atrás, varadas a explodir das costas e caídas na terra por uma coisa chamada pomos dourados? Certamente não era possível, era? A governanta, sra. Shaw, cortava as cascas dos sanduíches e às vezes o chamava de Bama. Seu pai ensinara-o a calcular uma gorjeta de quinze por cento. Garotos assim sem a menor dúvida não saíam para morrer com armas nas mãos. Saíam?

— Aposto que pega *vinte*! — disse Benny. — Cara, quem dera que eu pudesse estar com você! A gente lutaria lado a lado. Pou! Pou! Pou! Depois recarregaria!

Jake sentou-se e olhou Benny com verdadeira curiosidade.

— Você *gostaria* de ir? — perguntou. — Se pudesse?

Benny pensou no assunto. O rosto mudou, ficando de repente mais velho e sensato. Ele balançou a cabeça.

— Não. Eu teria medo. Não está mesmo com medo? Diga a verdade.

— Morto de medo — disse Jake simplesmente.

— De morrer?

— Sim, mas ainda mais morto de medo de ferrar tudo.

— Você não vai.

Fácil para você dizer, pensou Jake.

— Se tenho de ir com os pequenos, pelo menos fico feliz que meu pai também vá — disse Benny. — Ele vai levar o bah dele. Já o viu atirar?

— Não.

— Bem, ele é bom com a arma. Se algum dos Lobos conseguir passar por vocês, ele vai acabar com eles. Vai encontrar aquele lugar-guelra no peito deles, e *pou*!

E se Benny soubesse que o lugar-guelra era uma mentira?, perguntou-se Jake. Uma informação falsa que esperava-se que o pai desse garoto passasse adiante? E se ele soubesse…

Eddie falou em sua cabeça, Eddie com seu sotaque de rua do Brooklyn no máximo. *Sim, e se os peixes tivessem bicicletas, toda porra de rio seria o Tour de France.*

— Benny, eu preciso mesmo tentar dormir um pouco.

Benny voltou a se deitar. Jake fez o mesmo e novamente se pôs a olhar o teto. De repente odiou que Oi estivesse na cama de Benny, que tivesse se apegado com tanta naturalidade ao outro garoto. De repente odiou tudo em tudo. As horas até o amanhecer, quando arrumaria as coisas, montaria no pônei emprestado e voltaria para a cidade, pareciam estender-se até o infinito.

— Jake?

— Que é, Benny, *que é?*

— Me desculpe. Eu só queria dizer que estou feliz por você ter vindo aqui. A gente se divertiu, não foi?

— Sim — disse Jake, e pensou: *Ninguém acreditaria que ele é mais velho que eu. Parece ter... não sei... cinco anos, ou por aí.* Era algo mesquinho de se pensar, mas Jake achava que, se não fosse mesquinho, poderia na verdade cair em prantos. Odiou Roland por sentenciá-lo àquela última noite na Rocking B.

— Sim, se divertiu muito muito.

— Vou sentir saudade de você. Mas aposto que vão colocar uma estátua de vocês, caras, no Pavilhão, ou qualquer coisa assim.

Caras era uma palavra que Benny pegara de Jake, e usava-a em toda oportunidade que tinha.

— Também vou sentir saudade de você — disse Jake.

— Você é sortudo, seguindo o Feixe e viajando por esses lugares. Eu provavelmente vou ficar nesta cidade de merda o resto da vida.

Não, não vai. Você e seu pai vão perambular bastante... se tiverem sorte e deixarem que saiam da cidade, isto é. O que vai fazer, acho, é passar o resto da vida sonhando com esta cidade de merda. Com um lugar que era um lar. E isso é obra minha. Eu vi... e contei. Mas que mais podia fazer?

— Jake?

Ele não aguentava mais. Aquilo ia fazer com que perdesse a cabeça.

— Vai dormir, Benny. E *me* deixe dormir.

— Está bem.

Benny virou-se para encarar a parede. Pouco depois, o ritmo de sua respiração diminuiu, e passado mais um instante, ele começou a ressonar. Jake ficou acordado até quase meia-noite, e então também adormeceu. E teve um sonho. Nele, Roland estava ajoelhado na poeira da estrada do Leste, diante de uma grande horda de Lobos próximos que se estendia dos penhascos até o rio. Tentava recarregar, mas tinha as duas mãos rígidas e uma sem dois dedos. As balas caíam, inúteis, na sua frente. Continuava tentando recarregar o grande revólver, quando os Lobos o atropelaram.

13

Amanhecer da Véspera do Lobo. Diante da janela do quarto de hóspedes do père, Eddie e Susannah olhavam a ladeira gramada embaixo até o chalé de Rosa.

— Ele encontrou alguma coisa com ela — disse Susannah. — Fico feliz por ele.

Eddie assentiu.

— Como está se sentindo?

Ela sorriu para ele.

— Ótima — disse, e era verdade. — E você, doçura?

— Vou sentir falta de dormir em uma cama de verdade com um telhado acima da cabeça, e estou ansioso pra chegar lá, mas fora isso também estou ótimo.

— Se as coisas derem errado, não terá de se preocupar com acomodações.

— É verdade — disse Eddie —, mas acho que não vão dar errado. Você acha?

Antes que ela pudesse responder, uma lufada de vento sacudiu a casa e assobiou embaixo do parapeito. O seminon lhe desejando um bom-dia, imaginou Eddie.

— Não gosto desse vento — disse ela. — É um curinga.

Eddie abriu a boca.

— E se você disser alguma coisa sobre ka, eu dou um soco no seu nariz.

Eddie tornou a fechar a boca e imitou fechá-la com um zíper. Susannah foi até seu nariz, de qualquer modo, um breve toque de nós dos dedos como uma pluma.

— Temos uma boa chance de vencer — disse. — Tudo tem dado certo pra eles há tempo demais, e isso os tornou obtusos. Como Blaine.

— Sim. Como Blaine.

Susannah pôs a mão no quadril dele e virou-o para ela.

— Mas as coisas *podem* dar errado, por isso eu quero te dizer uma coisa enquanto estamos só nós dois, Eddie. Quero dizer o quanto amo você — falou simplesmente, sem drama.

— Eu sei que me ama — disse ele —, mas diabos me levem se eu souber por quê.

— Porque você faz com que eu me sinta inteira. Quando eu era mais jovem, ficava dividida entre achar que o amor era esse grande e glorioso mistério e que era apenas uma coisa que um bando de produtores de Hollywood inventou pra vender mais ingressos na Depressão, quando tudo deu errado.

Eddie riu.

— Agora acho que todos nós nascemos com um buraco em nosso coração, e andamos por aí à procura da pessoa que possa preenchê-lo. Você... Eddie, você me preencheu. — Tomou-lhe a mão e começou a levá-lo para a cama. — E neste momento eu gostaria que me preenchesse do outro jeito.

— Suze, é seguro?

— Não sei — disse ela — e não ligo.

Os dois fizeram amor devagar, o ritmo aumentando apenas próximo ao fim. Ela gemeu baixinho contra o ombro dele, e no instante antes que seu próprio clímax obscurecesse qualquer tipo de pensamento, Eddie pensou: *Eu vou perdê-la se não tomar cuidado. Não sei como sei disso... mas sei. Ela simplesmente desaparecerá.*

— Eu também te amo — disse ele, depois que terminaram e se deitavam mais uma vez lado a lado.

— Sim. — Susannah pegou a mão dele. — Eu sei. E sou feliz.

— É bom fazer alguém feliz — disse Eddie. — Eu não costumava saber fazer isso.

— Está tudo bem — disse Susannah, e beijou-lhe o canto da boca. — Você aprende rápido.

14

Havia uma cadeira de balanço na salinha de estar de Rosalita. O pistoleiro sentou-se nela, nu, com um pires de cerâmica em uma das mãos. Fumava e olhava o sol nascer lá fora. Não tinha certeza de que algum dia voltaria a vê-lo daquele lugar.

Rosa saiu do quarto, também nua, e ficou no vão da porta a olhá-lo.

— Como estão seus ossos, me diga, eu lhe peço.

Roland assentiu.

— Essa sua gordura é uma maravilha.

— Não vai durar.

— É. Mas existe outro mundo, o dos meus amigos, e talvez eles tenham alguma coisa lá que vai. Tenho a sensação de que estaremos lá em breve.

— Mais luta?

— Acho que sim.

— De qualquer maneira, não vai voltar por aqui, vai?

Roland olhou-a.

— Não.

— Você está cansado, Roland?

— Morto — disse ele.

— Não quer voltar pra cama mais um pouco, então?

Ele esmagou a guimba e levantou-se. Sorriu. O sorriso de um homem mais jovem.

— Eu agradeço.

— É um homem bom, Roland de Gilead.

Ele pensou nisso, depois fez que não devagar com a cabeça.

— Toda a minha vida tive as mãos mais rápidas, mas sempre fui meio lento demais em ser um homem bom.

Ela estendeu-lhe a mão.

— Vem, Roland. Vem commala.

E ele a acompanhou.

15

No início daquela tarde, Roland, Eddie, Jake e père Callahan saíram a cavalo pela estrada do Leste — que na verdade era uma estrada do norte naquele ponto ao longo do Devar-Tete Whye —, com pás escondidas sob os sacos de dormir atrás das selas. Susannah fora dispensada dessa tarefa por conta da gravidez. Juntara-se às Irmãs de Oriza no Pavilhão, onde se erguia uma barraca maior e já se adiantavam os preparativos para uma imensa refeição noturna. Quando eles partiram, Calla Bryn Sturgis já se enchera como se fosse um Dia de Feira. Mas sem algazarra, gritaria, imprudente estalar de bombinhas ou cavalgadas no Gramado. Não haviam visto Andy nem Ben Slightman, e isso era bom.

— E Tian? — perguntou Roland a Eddie, quebrando o silêncio que pesava entre eles.

— Vai me encontrar na casa paroquial. Às cinco.

— Bom — disse Roland. — Se não tivermos terminado aqui às quatro, você está dispensado pra voltar sozinho.

— Vou com você, se quiser — disse Callahan.

Os chineses acreditavam que se você salva a vida de um homem é responsável por ele pra todo o sempre depois. Callahan jamais se detivera muito na ideia, mas após puxar Eddie da beira do precipício acima da Gruta da Porta, pareceu-lhe que talvez houvesse verdade nisso.

— É melhor ficar conosco — disse Roland. — Eddie pode cuidar disso. Tenho outro trabalho pra você aqui. Além de cavar, quer dizer.

— Ah? E que poderia ser? — perguntou Callahan.

Roland apontou os redemoinhos de poeira retorcendo-se e rodopiando acima deles na estrada.

— Reze pra que este maldito vento vá embora. E quanto mais cedo, melhor. Antes de amanhã de manhã, com certeza.

— Está preocupado com o fosso? — perguntou Jake.

— O fosso não vai ter problema — disse Roland. — Estou preocupado com as Irmãs de Oriza. Lançamento de prato é um trabalho delicado nas melhores das circunstâncias. Se estiver soprando um vento forte aqui quando os Lobos vierem, as possibilidades de as coisas darem errado... — Indicou com a mão o horizonte coberto de poeira, dando-lhe um distintivo (e fatalista) giro de Calla. — *Delah*.

Callahan, contudo, sorria.

— Terei muito prazer em fazer uma prece — disse —, mas olhe para leste antes de ficar preocupado demais. Por favor, eu peço.

Eles se viraram nas selas para aquele lado. O milho — a safra agora concluída, as plantas colhidas erguidas em fileiras esqueléticas, inclinadas — estendia-se até os arrozais. Além do arroz, ficava o rio. Além do rio, o fim das terras de fronteira. Ali, redemoinhos de poeira de mais de dez metros giravam, sacudiam-se e às vezes colidiam. Faziam os que dançavam no lado deles do rio parecerem crianças travessas em comparação.

— O seminon muitas vezes chega ao Whye e depois retorna — disse Callahan. — Segundo a gente antiga, Lorde Seminon pede a Lady Oriza que o receba bem quando ele alcançar a água e ela quase sempre lhe barra a passagem por ciúme. Veja bem...

— Seminon se casou com a irmã dela — disse Jake. — Lady Riza o queria pra si, um casamento de vento e arroz, e ela continua irritada por causa disso.

— Como soube disso? — perguntou Callahan, ao mesmo tempo divertido e espantado.

— Benny me contou — disse Jake, e nada mais disse.

Pensar nas longas discussões (às vezes no sótão de feno, outras ociosamente na margem do rio) e suas entusiásticas trocas de lendas entristecia-o e magoava-o.

Callahan assentia.

— É a história, sem tirar nem pôr. Imagino que seja na verdade um fenômeno meteorológico, ar frio do lado de lá, ar quente elevando-se da água, alguma coisa assim, mas, seja o que for, este vento mostra todo sinal de voltar para o lugar de onde veio.

O vento arremessou-lhe areia no rosto, como para provar que estava errado, e Callahan riu.

— Este terá acabado na primeira luz de amanhã, eu posso quase garantir. Mas...

— Quase não é bom o bastante, père.

— O que eu ia dizer, Roland, é que como sei que não é bom o bastante, farei com prazer uma prece ao céu.

— Eu lhe agradeço. — O pistoleiro virou-se para Eddie, e apontou os dois primeiros dedos da mão esquerda para o próprio rosto. — Os olhos, certo?

— Os olhos, certo — concordou Eddie. — E a senha. Se não for 19, será 99.

— Você não tem certeza disso.

— Tenho — disse Eddie.

— Mesmo assim... tenha cuidado.

— Vou ter.

Alguns minutos depois, chegavam ao lugar onde, à direita, uma trilha rochosa saía serpeando até o campo do arroio, rumo à Glória e às Cardeais Um e Dois. As pessoas imaginavam que as buckas iam ser deixadas ali, e estavam corretas. Também supunham que seus filhos e os acompanhantes fossem então subir a pé a trilha para uma mina ou para a outra. Nisso estavam erradas.

Logo três deles cavavam no lado oeste da estrada, enquanto o quarto ficava sempre de vigilância. Ninguém veio — os habitantes daquele extremo já se encontravam na cidade —, e o trabalho avançou com rapidez. Às quatro horas, Eddie deixou os outros terminarem e cavalgou de volta para a cidade, a fim de ir ao encontro de Tian Jaffords com um dos revólveres de Roland no quadril.

16

Tian trouxera seu bah. Quando Eddie lhe pediu que deixasse no alpendre do padre, o fazendeiro lançou-lhe um olhar inseguro, insatisfeito.

— Ele não vai ficar surpreso por me ver armado, mas poderia fazer perguntas se o visse com essa coisa — disse Eddie. Era isso, o verdadeiro início da luta, e agora que chegara, Eddie sentia-se calmo. O coração batia devagar e constante. A visão parecia ter-se clareado: via cada sombra projetada por cada lâmina de grama no gramado da casa paroquial.

— Andy é forte, pelo que eu soube. E muito rápido quando precisa. Deixe que eu faça.

— Então, por que estou aqui?

Porque mesmo um robô esperto não vai esperar problema se tenho um camponês rústico como você comigo era a verdadeira resposta, mas dá-la não seria muito diplomático.

— Garantia — disse Eddie. — Venha.

Encaminharam-se até a casinha sanitária. Embora Eddie a tivesse usado várias vezes durante as últimas semanas, e sempre com prazer — havia montes de relva macia para a fase de limpeza, e não havia por que se preocupar com relva venenosa —, até então não examinara o exterior atentamente. Era uma boa construção, alta e sólida, mas ele não teve a menor dúvida de que Andy poderia demoli-la rapidamente se quisesse de fato. Se lhe dessem chance.

Rosa chegou à porta dos fundos de seu chalé e olhou-os, colocando uma das mãos sobre os olhos para protegê-los do sol.

— Como vai você, Eddie?

— Até agora ótimo, Rosie, mas é melhor você voltar lá pra dentro. Vai haver uma briga.

— Diz a verdade? Tenho uma pilha de pratos...

— Acho que Riza não ajudaria muito neste caso — disse Eddie. — Mas talvez não faça mal se você ficasse por perto.

Ela assentiu e voltou para dentro sem outra palavra. Os dois homens sentaram-se, flanqueando a porta aberta da casinha com a fechadura nova. Tian tentou enrolar um cigarro. O primeiro se desfez em seus dedos trêmulos e ele teve de tentar de novo.

— Não sou bom nesse tipo de coisa — disse, e Eddie entendeu que não se referia à delicada arte da feitura de cigarro.

— Está tudo bem.

Tian examinou, esperançoso.

— Você diz isso?

— Digo, portanto, que seja.

Às seis em ponto (*o patife provavelmente tem um relógio acertado até milionésimos de segundo dentro dele*, pensou Eddie) Andy contornou a casa paroquial, sua sombra arrastando-se longa e em forma de aranha no gramado defronte dele. Viu-os. Os olhos azuis faiscaram. Ele ergueu a mão em saudação. O sol a se pôr refletiu-se de seu braço, fazendo-o parecer mergulhado em sangue. Eddie ergueu a própria mão em retribuição e levantou-se, sorrindo. Perguntou-se se todas as máquinas pensantes que ainda funcionavam naquele mundo dilapidado se haviam voltado contra seus mestres, e se assim fosse, por quê?

— Só fique tranquilo e me deixe guiar a conversa — disse, pelo canto da boca.

— Sim, tudo bem.

— Eddie! — gritou Andy. — Tian Jaffords! Que bom ver vocês dois! E armas pra usar contra os Lobos! Minha nossa! Onde elas estão?

— Empilhadas na casinha de cocô — disse Eddie. — Podemos trazer uma carroça até aqui assim que estiverem aqui fora, mas são pesadas e não tem muito espaço em volta pra se mover aí dentro...

Eddie afastou-se. Andy se aproximou. Embora os olhos continuassem faiscando, não mais sorriam. Brilhavam tanto que Eddie teve de estreitar os seus — era como olhar para lâmpadas de flash fotográfico.

— Tenho certeza de que consigo tirá-las daí — disse Andy. — Como é bom ajudar! Quantas vezes tenho lamentado o pouco que minha programação me permite…

Agora se postava na porta da casinha, curvando-se ligeiramente nas coxas para ficar com o barril de metal que era sua cabeça abaixo do nível do umbral. Eddie sacou a arma de Roland. Como sempre, o punho de sândalo pareceu-lhe macio e ávido na palma da mão.

— Perdão, Eddie de Nova York, mas não vejo arma nenhuma.

— Não — concordou Eddie. — Nem eu. Na verdade, só vejo a porra de um traidor que ensina cantigas às crianças e depois as manda para serem…

Andy virou-se com terrível rapidez ágil. Para os ouvidos de Eddie, o zumbido dos mecanismos do servossistema no pescoço do robô pareceu muito alto. Eles estavam a poucos metros um do outro, em um alcance de queima-roupa.

— Que lhe faça bem, seu escroto de aço inoxidável — disse Eddie, e disparou duas vezes.

Os disparos foram estrondosos no silêncio do fim de tarde. Os olhos de Andy explodiram e escureceram. Tian gritou.

— *NÃO!* — Andy gritou numa voz amplificada. Foi tão alto que fez os disparos da arma parecerem apenas rolhas estouradas em comparação. — *NÃO, MEUS OLHOS, NÃO VEJO NADA, AH, NÃO! VISÃO ZERO, MEUS OLHOS, MEUS OLHOS…*

Os descarnados braços de aço inoxidável lançaram-se para as cavidades oculares despedaçadas, onde centelhas azuis agora saltavam aleatoriamente. As pernas de Andy se endireitaram, e o barril de metal que era sua cabeça varou rasgando o topo da porta da casinha, atirando pedaços de madeira à esquerda e à direita.

— *NÃO, NÃO, NÃO, NÃO VEJO NADA, VISÃO ZERO, O QUE VOCÊ FEZ COMIGO, EMBOSCADA, ATAQUE, ESTOU CEGO, CÓDIGO 7, CÓDIGO 7, CÓDIGO 7!*

— Ajude-me a empurrá-lo, Tian! — gritou Eddie, largando o revólver de volta no coldre.

Mas Tian se imobilizara, olhando boquiaberto o robô (cuja cabeça agora desaparecera dentro do vão da porta quebrada), e Eddie não tinha tempo para perder. Mergulhou à frente e plantou as palmas estendidas na plaqueta que dava o nome, função e número de série de Andy. O robô era incrivelmente pesado (a primeira ideia de Eddie foi que era como empurrar um edifício-garagem), mas também estava cego, surpreso e desequilibrado. Tombou para trás e de repente as palavras amplificadas se desligaram. Substituiu-as uma sirene estridente sobrenatural. Eddie achou que ia rachar a sua cabeça no meio.

Agarrou a porta e fechou-a. Embora com uma enorme abertura esfrangalhada em cima, a porta fechou-se rente. Eddie passou o novo ferrolho, da grossura do seu pulso.

De dentro da casinha, a sirene guinchava e gorjeava.

Rosa chegou correndo com um prato em cada uma das mãos, os olhos imensos.

— O que é isso? Em nome de Deus e do Homem Jesus, *o que é isso*?

Antes que Eddie pudesse responder, uma tremenda pancada sacudiu a casinha fazendo-a tremer. Chegou a deslocá-la para a direita, expondo o buraco embaixo.

— É o Andy — disse ele. — Acho que acabou de receber um horóscopo que não gostou mui...

— *SEUS MALDITOS!* — A voz saiu totalmente diferente das três formas habituais de tratamento: bajuladora, convencida ou de falsa subserviência. — *SEUS MALDITOS! VOU MATAR VOCÊS! ESTOU CEGO, AH, ESTOU CEGO, CÓDIGO 7, CÓDIGO 7!*

As palavras cessaram e recomeçou a sirene. Rosa largou os pratos e tapou os ouvidos com as mãos.

Outra pancada forte atingiu a lateral da casinha, e desta vez duas das sólidas tábuas curvaram-se para fora. A segunda quebrou-as. O braço de Andy atravessou faiscando, a cintilar vermelho na luz, os quatro dedos juntos na ponta abrindo-se e fechando-se em espasmos. Eddie ao longe ouvia o violento latido de cachorros.

— Ele vai sair, Eddie! — gritou Tian, agarrando-lhe o ombro. — Ele vai sair.

Eddie se soltou da mão de Tian e avançou para a porta. Houve outra pancada estrondosa. Mais tábuas quebradas saltaram da lateral da casinha. O gramado agora enchia-se delas. Mas ele não conseguia gritar contra o uivo da sirene, era simplesmente alto demais. Esperou, e antes que Andy martelasse mais uma vez a lateral da casinha, a sirene desligou.

— *MALDITOS!* — gritou Andy. — *EU VOU MATAR VOCÊS! DIRETRIZ 20, CÓDIGO 7, ESTOU CEGO, VISÃO ZERO, SEUS COVARDES...*

— Andy, Robô Mensageiro! — gritou Eddie. Anotara o número de série em um dos preciosos pedaços de papel de Callahan, com seu toco de lápis, e agora lia-o. — DNF-44821-V-63! Senha!

Os golpes frenéticos e a gritaria amplificada cessaram assim que Eddie terminou de dar o número de série, embora mesmo o silêncio não fosse silencioso; seus tímpanos ainda ressoavam com o grito infernal e agudo da sirene. Ouviram-se o tinido de metal e o clique de transmissões. Depois:

— Aqui é DNF-44821-V-63! Por favor, dê a senha! — Uma pausa e então uma voz dissonante: — Seu maldito armador de emboscadas Eddie de Nova York. Você tem dez segundos. Nove...

— Dezenove — disse Eddie através da porta.

— Senha incorreta. — E, homem de lata ou não, era inconfundível o prazer furioso na voz de Andy. — Oito... sete...

— Noventa e nove.

— Senha incorreta.

Agora o que Eddie ouviu era triunfo. Teve tempo de se arrepender de sua insana arrogância na estrada. Tempo de ver o olhar de terror trocado entre Rosa e Tian. Tempo de perceber que os cães ainda latiam.

— Cinco... quatro...

Não 19; nem 99. O que mais havia? O que, em nome de Deus, desligava o escroto?

—... três...

O que lhe faiscou na mente, tão brilhante quanto os olhos de Andy antes de o grande revólver de Roland deixá-los escuros, foi o verso rabiscado na cerca em volta do terreno baldio, pintado com tinta de aerossol em letras fúcsias empoeiradas: *ó SUSANNAH-MIO, minha moça dividida, Done foi parar no DIXIE PIG, no ano de...*

—... dois...

Nem um nem outro; os *dois*. Por isso é que o maldito robô não o desconectara após uma única tentativa incorreta. Ele não fora incorreto, não exatamente.

— Dezenove-noventa e nove! — gritou Eddie através da porta.

Atrás dela, silêncio total. Ele esperou a sirene recomeçar mais uma vez, esperou Andy retomar sua pancadaria violenta para sair da casinha. Diria a Tian e Rosa para fugir, tentaria protegê-los...

A voz que saiu de dentro do prédio desmantelado era sem vida e monótona: a voz de uma máquina. Tanto a falsa bajulação quanto a fúria genuína haviam desaparecido. Andy, como gerações do povo de Calla o conhecera, desapareceu, e para sempre.

— Obrigado — disse a voz. — Sou Andy, robô mensageiro, Muitas Outras Funções. Número de série DNF-44821-V-63. Em que posso ajudar?

— Encerrando o funcionamento.

Silêncio da casinha.

— Entende o que estou pedindo?

Uma vozinha horrorizada respondeu.

— Por favor, não me mande fazer isso. Seu homem mau. Ah, seu homem mau.

— Encerre o seu funcionamento já.

Um silêncio mais longo. Rosa tinha a mão apertada na garganta. Vários homens surgiram, contornando o lado da casa do père, com várias armas artesanais. Ela fez um aceno para que fossem embora.

— DNF-44821-V-63, obedeça!

— Sim, Eddie de Nova York, vou encerrar minha atividade. — Uma horrível tristeza e autocomiseração se insinuaram na nova voz baixa de Andy. Fez a pele de Eddie arrepiar-se. — Andy está cego e vai se desativar. Está ciente de que, com minhas células de energia noventa e oito por cento esgotadas, eu talvez jamais consiga me ligar de novo?

Eddie se lembrou dos imensos gêmeos roont na pequena propriedade dos Jaffords — Tia e Zalman — e depois de todos os outros iguais a eles que aquela malfadada cidade conhecera ao longo dos anos. Demorou-se sobretudo nos gêmeos Tavery, tão brilhantes, rápidos e desejosos de ajudar. E tão lindos.

— Jamais não será longo o bastante — disse —, mas acho que terá de servir. Fim de conversa, Andy. Encerre.

Outro silêncio de dentro da casinha semidestruída. Tian e Rosa aproximaram-se furtivamente de cada lado de Eddie e os três ficaram ali juntos diante da porta trancada. Rosa agarrou o antebraço de Eddie. Ele soltou-se dela imediatamente. Queria a mão livre para o caso de precisar sacar. Embora não soubesse onde ia atirar agora que os olhos de Andy haviam desaparecido.

Quando Andy tornou a falar, foi em uma voz sem tom amplificada que fez Tian e Rosa arquejarem e recuarem um passo. Eddie ficou onde estava. Ouvira uma voz como aquela antes, na clareira do grande urso. A dicção de Andy não era exatamente a mesma, mas próxima o bastante para a semelhança.

— *DNF-44821-V-63 ENCERRANDO OPERAÇÃO! TODAS AS CÉLULAS SUBNUCLEARES E CIRCUITOS DE MEMÓRIA EM FASE DE ENCERRAMENTO! DESATIVAÇÃO TREZE POR CENTO COMPLETA! SOU ANDY, ROBÔ MENSAGEIRO, MUITAS OUTRAS FUNÇÕES! FAVOR COMUNICAR MINHA LOCALIZAÇÃO À NORTH CENTRAL POSITRONICS, LTD.! LIGUE 1-900-54! OFERECE-SE RECOMPENSA! REPITO, OFERECE-SE RECOMPENSA!* — Ouviu-se um clique enquanto a mensagem reciclava. — *DNF-44821-V-63 ENCERRANDO OPERAÇÃO! TODAS AS CÉLULAS SUBNUCLEARES E CIRCUITOS DE MEMÓRIA EM FASE DE ENCERRAMENTO! DESATIVAÇÃO TREZE POR CENTO COMPLETA! SOU ANDY...*

— Você *era* Andy — disse Eddie, baixinho. Virou-se para Tian e Rosa, e teve de sorrir do rosto de criança apavorada deles. — Está tudo bem. Acabou. Ele vai continuar berrando assim por algum tempo, depois estará acabado. Pode transformá-lo em uma, não sei, jardineira, ou qualquer coisa do gênero.

— Acho que vamos abrir o piso e enterrá-lo ali mesmo — disse Rosa, indicando com a cabeça a casinha.

O sorriso de Eddie abriu-se e tornou-se radiante. Gostou da ideia de enterrar Andy na merda. Gostou muito da ideia.

17

Quando caiu a tarde e a noite se intensificou, Roland sentou-se na borda do coreto e ficou vendo o povo de Calla comer o seu esplêndido jantar. Cada um deles sabia que talvez fosse a última refeição que fariam juntos, que no dia seguinte à noite àquela hora sua bela cidadezinha poderia jazer em ruínas fumegantes por todos os lados, mas mesmo assim estavam bem-dispostos. E não, pensou Roland, inteiramente por causa das crianças. Havia um grande alívio em finalmente resolver fazer a coisa certa. Mesmo quando as pessoas sabiam que o preço podia ser alto, vinha aquele alívio. Uma espécie de alegria. A maioria daquelas pessoas ia dormir no Gramado nessa noite, com seus filhos e netos na barraca próxima, e ali iam ficar, o rosto voltado para o nordeste da cidade, à espera do desfecho da batalha. Haveria tiroteios, imaginavam (um barulho que várias delas jamais tinham ouvido), e depois a nuvem de poeira que assinalava que os Lobos ou seriam barrados, tendo que dar meia-volta e refazer o caminho por onde haviam chegado, ou continuariam em direção à cidade. Se fosse a última opção, os habitantes iam dispersar-se e esperar o início do incêndio. Quando terminasse, seriam refugiados em sua própria cidade. Será que a reconstruiriam, se assim decidissem as cartas? Roland duvidava. Sem filhos para os quais construir — porque desta vez os Lobos *levariam* todas as crianças se vencessem, o pistoleiro não tinha a menor dúvida quanto a isso —, não haveria motivo. No fim do ciclo seguinte, aquele lugar seria uma cidade fantasma.

— Perdão, sai.

Roland olhou em volta. Em pé ali, com o chapéu nas mãos, Wayne Overholser parecia mais um vagabundo de sela errante com a sorte em baixa do que o grande fazendeiro de Calla. Tinha os olhos grandes e meio pesarosos.

— Não precisa se desculpar, quando ainda estou usando o chapéu de montaria diária que você me deu — disse Roland, com brandura.

— É, mas... — A voz de Overholser extinguiu-se, o homem pensou em como iria prosseguir, e depois pareceu decidir atacar direto o assunto. — Reuben Caverra era um dos sujeitos que você pretendia levar pra guardar as crianças durante a luta, não era?

— Sim?

— Suas vísceras explodiram esta manhã. — Overholser tocou a própria barriga inchada no lugar onde seu apêndice estaria localizado. — Está de cama em casa, febril e delirando. Provavelmente, vai morrer de nó nas tripas. Alguns melhoram, é, mas não muitos.

— Lamento saber disso — disse Roland, tentando pensar em quem seria melhor para substituir Caverra, um brutamontes que lhe parecera não conhecer muito sobre o medo, e provavelmente sobre covardia.

— Leve-me no lugar dele, faria isso?

Roland encarou-o.

— Por favor, pistoleiro. Não posso ficar de lado. Achei que poderia, que devia, mas não posso. Está me deixando doente. — E, sim, Roland pensou, ele *de fato* parecia doente.

— Sua esposa sabe, Wayne?

— Sabe.

— E concorda?

— Sim.

Roland assentiu com a cabeça.

— Esteja aqui meia hora antes do amanhecer.

Um olhar de intensa, quase dolorosa, gratidão encheu o rosto de Overholser e fê-lo parecer estranhamente jovem.

— Obrigado, Roland! Agradeço muitíssimo!

— Alegra-me ter você. Agora me escute um minuto.

— Sim?

— As coisas não vão ser do jeito que falei a eles no dia da grande assembleia.

— Por causa de Andy, quer dizer.

— Sim, em parte por isso.

— O que mais? Não quer me dizer que há *outro* traidor, quer? Não é isso que está dizendo?

— Só quero dizer que se quiser vir conosco terá de fazer o que pedirmos. Entende?

— Sim, Roland. Muito bem.

Overholser agradeceu-lhe mais uma vez a chance de morrer a norte da cidade e depois saiu apressado com o chapéu ainda nas mãos. Antes que Roland pudesse mudar de ideia, talvez.

Eddie aproximou-se.

— Overholser vai entrar no jogo?

— Parece que sim. Quanto problema você teve com Andy?

— Correu tudo bem — disse Eddie, não querendo admitir que ele, Tian e Rosalita provavelmente ficaram a um segundo de virarem saudade. Continuavam ouvindo-o berrar ao longe. Mas não deveria ser por muito tempo; a voz amplificada afirmava que o encerramento estava setenta e nove por cento completo.

— Acho que agiu muito bem.

Um elogio de Roland sempre fazia Eddie sentir-se o rei do mundo, mas ele tentou não demonstrá-lo.

— Desde que saiamos bem amanhã.

— Susannah?

— Parece bem.

— Nada de...? — Roland esfregou a sobrancelha esquerda.

— Que eu tenha visto, não.

— E nenhuma resposta curta e ferina?

— Não, ela está em forma pra isso. Praticou com os pratos o tempo todo que vocês ficaram cavando. — Eddie indicou com o queixo Jake, sentado sozinho em um balanço, Oi a seus pés. — É com aquele que estou preocupado. Ficarei contente de tirá-lo daqui. Tem sido duro pra ele.

— Vai ser mais duro para o outro garoto — disse Roland, e levantou-se. — Vou voltar pra casa do père. Dormir um pouco.

— *Consegue* dormir?

— Ah, sim — disse Roland. — Com a ajuda da gordura de gato de Rosa, vou dormir como uma pedra. Você, Susannah e Jake também deviam tentar.

— Tudo bem.

Roland assentiu, sombriamente.

— Eu te acordo amanhã de manhã. Vamos cavalgar juntos daqui.

— E vamos lutar.

— Sim — disse Roland. Olhou para Eddie, os olhos azuis cintilando no lume das tochas. — Vamos lutar. Até eles estarem mortos, ou nós.

7. OS LOBOS

1

Veja isto agora, veja muito bem:

Eis uma estrada tão larga e bem conservada quanto qualquer estrada secundária nos Estados Unidos, mas da terra compacta nivelada que o povo de Calla chama de oggan. Fossos para escoamento margeiam os dois lados; aqui e ali bueiros de madeira bem cuidados e conservados correm sob a oggan. Na fraca e sobrenatural luz que precede o amanhecer, uma dezena de carroças bucka — do tipo conduzidas pelos mannis, com capotas de lona arredondadas — andam ao longo da estrada. As lonas brilham de tão branquinhas, para refletir o sol e manter os interiores frescos nos dias quentes de verão, e parecem estranhas nuvens flutuando baixo. Como cúmulos, por assim dizer. Cada carroça é puxada por um grupo de seis mulas ou quatro cavalos. No assento de cada, conduzindo-a, estão dois dos combatentes ou dos que cuidam das crianças. Overholser dirige a que vai na frente, com a de Margaret Eisenhart atrás. Em seguida, na fila, vem Roland de Gilead ao lado de Ben Slightman. Em quinto, estão Tian e Zalia Jaffords. A sétima é de Eddie e Susannah Dean. A cadeira de rodas de Susannah segue dobrada na carroceria atrás dela. Bucky e Annabelle Javier comandam a décima. No assento alto da última, vão o padre Donald Callahan e Rosalita Munoz.

Dentro das buckas, encontram-se noventa e nove crianças. O gêmeo restante — que faz com que o número seja ímpar — é Benny Slightman, claro. Viaja na última carroça. (Ele não se sentiu à vontade em ir com o pai.) As crianças não falam. Algumas das mais novas voltaram a dormir; terão de acordar em breve, quando as carroças chegarem a seu destino. Adiante, agora a menos de dois quilômetros, fica um lugar onde a trilha para o campo de arroios se separa para a esquerda. À direita, as terras estendem-se por uma encosta suave até o rio. Nenhum dos condutores tira os olhos do leste, da constante escuridão que é o Trovão. À procura de alguma nuvem de poeira que se aproxima. Não veem nenhuma. Ainda não. Até os ventos seminons ficaram imóveis. As preces de Callahan parecem ter sido atendidas, pelo menos em relação a isso.

2

Ben Slightman, sentado ao lado de Roland no banco alto da bucka, falou em uma voz tão baixa que o pistoleiro mal conseguiu ouvi-lo.

— O que vai fazer comigo, então?

Se solicitado, quando as carroças partiram de Calla Bryn Sturgis, a dar as probabilidades da sobrevivência de Slightman naquele dia, Roland talvez as classificasse de cinco em cem. Com certeza, não melhores do que isso. Havia duas perguntas cruciais que precisavam ser feitas e respondidas corretamente. A primeira teria de vir do próprio Slightman. Roland não esperara que o homem fosse fazê-la, mas ali estava, saindo de sua boca. O pistoleiro girou a cabeça e olhou-o.

O capataz de Vaughn Eisenhart, embora muito pálido, tirou os óculos e enfrentou o olhar de Roland. Este não atribuiu nenhuma coragem especial ao gesto. Certamente Slightman pai tivera tempo para avaliar a postura de Roland e saber que *devia* olhar o pistoleiro no olho, se quisesse ter qualquer esperança, por menos que gostasse de fazer isso.

— Sim, eu sei — disse Slightman, a voz firme, pelo menos até então. — Sei o quê? Que *você* sabe.

— Imagino que desde que pegamos seu colega— disse Roland.

A palavra foi deliberadamente sarcástica (sarcasmo era a única forma de humor que Roland entendia de verdade), e Slightman retraiu-se a ela: colega. Seu colega. Mas assentiu com a cabeça, os olhos ainda firmes nos de Roland.

— Tive de imaginar que se você sabia sobre Andy, devia saber sobre mim. Embora ele nunca fosse ter me denunciado. Isso não estava em sua programação. — Por fim, tornou-se demais e ele não conseguiu mais suportar o olho no olho. Baixou os seus, mordendo os lábios. — Eu soube principalmente por causa de Jake.

Roland não foi capaz de disfarçar a surpresa no rosto.

— Jake mudou. Não pretendia, não sendo tão inteligente quanto é... e valente... como ele é... mas mudou. Não comigo, com meu garoto. Na última semana, semana e meia. Benny ficou apenas... bem, confuso, podemos dizer. Sentia alguma coisa, mas não sabia o que era. Eu, sim. Era como se o seu garoto não quisesse mais ficar por perto. Perguntei a mim mesmo o que poderia ter causado aquilo. A resposta pareceu clara como cerveja de farelo de trigo, entende.

Roland estava se afastando da carroça de Overholser. Sacudiu de leve as rédeas nos traseiros de seus animais, que avançaram um pouco mais rápido. De trás vinha o burburinho baixo das crianças, algumas falando agora, mas a maioria ressonando, e o mudo tilintar do rastro. Pedira a Jake que reunisse uma pequena caixa das posses das crianças e o vira fazendo-o. Era um bom garoto, que nunca se esquivava de uma tarefa. Naquela manhã, colocara um chapéu de dia para proteger os olhos do sol, e a arma do pai. Seguia no banco da décima primeira carroça, com um dos Estrada. Imaginou que Slightman também tinha um bom garoto, o que tornava aquilo a bagunça que estava.

— Jake esteve na Dogan uma noite quando você e Andy estavam lá, passando informações de seus vizinhos — disse Roland. No assento a seu lado Slightman retraiu-se como alguém que acabara de levar um soco na barriga.

— Então é isso — disse ele. — Sim, eu quase pude sentir... ou achei que podia... — Uma pausa mais longa e depois: — *Merda*.

Roland olhou para o leste. Um pouco mais claro ali agora, mas ainda sem poeira. O que era bom. Assim que ela surgisse, os Lobos viriam a toda. Seus cavalos cinzentos seriam velozes. Continuando a falar quase ociosamente, fez a outra pergunta. Se a resposta de Slightman fosse negativa, ele não viveria para ver a chegada dos Lobos, não importa quão rápido cavalgassem os cavalos cinzentos.

— Se tivesse descoberto, Slightman, se tivesse descoberto *meu* garoto, você o teria matado?

Slightman tornou a pôr os óculos, parecendo ter dificuldade com a pergunta. Roland não soube dizer se ele entendia ou não a importância da questão. Esperou para ver se o pai do amigo de Jake ia viver ou morrer. Teria de decidir rápido; aproximavam-se do lugar onde as carroças iam parar e as crianças saltar.

O homem enfim ergueu a cabeça e enfrentou mais uma vez o olhar. Abriu a boca para falar e não conseguiu. O fato em questão era muito claro: podia responder à pergunta do pistoleiro ou encará-lo de frente, mas não as duas coisas ao mesmo tempo.

Baixando o olhar de volta à madeira lascada entre os pés, Slightman disse:

— Sim, admito que o teríamos matado. — Uma pausa. Um balanço afirmativo da cabeça. Quando a mexeu, uma lágrima caiu de um olho e respingou na madeira do piso do banco. — Sim, que mais? — Agora erguia os olhos; conseguia novamente enfrentar o olhar de Roland, e ao fazê-lo viu que seu destino fora selado. — Faça com que seja rápido — disse — e não deixe meu filho ver acontecer. Eu lhe peço, por favor.

Roland açoitou de leve os traseiros da mula novamente.

— Não sou eu quem dará fim à sua infeliz respiração.

A respiração de Slightman *de fato* parou. Ao dizer ao pistoleiro que sim, teria matado um garoto de doze anos para proteger seu segredo, o rosto adquirira uma espécie de nobreza forçada. Agora substituída por esperança, e a esperança o tornara feio, quase grotesco. Depois exalou a respiração em um suspiro entrecortado e disse:

— Você está brincando comigo, me provocando. Vai me matar, com certeza. Por que não faria?

— Um covarde julga o que vê pelo que ele é — observou Roland. — Eu não o mataria, a não ser que tivesse de fazê-lo, Slightman, porque amo o meu garoto. Deve entender ao menos essa parte, não? Amar um garoto?

— Sim.

Slightman tornou a ficar cabisbaixo e começou a esfregar a nuca queimada de sol. Devia ter achado que seu pescoço terminaria naquele dia coberto de terra.

— Mas você precisa entender uma coisa. Para o seu próprio bem e o de Benny. Se os Lobos vencerem, você *vai* morrer. Disso pode ter certeza. Pode descontar no banco, como dizem Eddie e Susannah.

Slightman mais uma vez o encarava, os olhos estreitados atrás das lentes.

— Escute bem, Slightman, e entenda o que vou dizer. Não vamos estar onde os Lobos pensam que vamos estar, nem as crianças. Vençam ou percam, desta vez eles vão deixar alguns corpos pra trás. E vençam ou percam, saberão que foram induzidos em erro. Quem estava lá em Calla pra induzi-los em erro? Apenas dois. Andy e Ben Slightman. Andy está desativado, além do alcance da vingança deles. — Deu a Slightman um sorriso tão frio quanto o extremo norte da terra. — Mas você não. Nem o único com quem você se importa no buraco triste que tem como coração.

Slightman ficou refletindo sobre isso. Embora fosse claramente uma nova ideia para ele, assim que viu sua lógica, era inegável.

— Eles na certa vão achar que você mudou de lado de propósito — continuou Roland —, mas mesmo que consiga convencê-los de que foi um acidente, vão matá-lo de qualquer modo. E seu filho também. Por vingança.

Uma mancha vermelha difundira-se na face do homem enquanto Roland falava, rosa de vergonha, imaginou Roland, mas ao pensar na probabilidade do assassinato do filho nas mãos dos Lobos, ele empalideceu novamente. Ou talvez fosse a ideia de Benny sendo levado para o leste, levado para o leste e tornando-se roont.

— Eu sinto muito — disse ele. — Sinto pelo que fiz.

— Foda-se o seu sentimento — disse Roland. — O ka trabalha e o mundo segue adiante.

Slightman não respondeu.

— Estou disposto a mandar você com as crianças, como disse que faria — continuou Roland. — Se tudo sair como espero, você não vai precisar estar em nenhum momento no meio da ação. Se as coisas não saírem como eu espero, quero que se lembre que Sarey Adams é a chefe desse torneio de tiros, e se eu vier a falar com ela depois, é melhor torcer para que ela diga que você fez tudo o que lhe mandaram. — Como isso só recebeu mais silêncio de Slightman, o pistoleiro foi ríspido: — Diga se me entende, que os deuses o amaldiçoem. Quero ouvir: "Sim, Roland, eu entendo".

— Sim, Roland, eu entendo muito bem. — Houve uma pausa. — Se nós vencermos, acha que o povo vai descobrir? Descobrir sobre... mim?

— Não por Andy, não vão — disse Roland. — A tagarelice dele acabou. Nem por mim, se fizer como agora promete. E tampouco pelo meu ka-tet. Não por respeito a você, mas por respeito a Jake Chambers. E se os Lobos caírem na armadilha que aprontei pra eles, por que o povo iria suspeitar de outro traidor? — Avaliou Slightman com olhos frios. — É gente inocente. Confiante. Como bem sabe. Certamente fez uso disso.

O rubor retornou. Slightman baixou os olhos mais uma vez para o piso do banco da boleia. Roland olhou para cima e viu o lugar que estava à procura menos de quinhentos metros adiante. Ótimo. O horizonte no leste continuava sem nuvens de poeira, mas ele as sentiu avolumando-se em sua mente. Os Lobos estavam vindo, ah, sim. Em algum lugar do outro lado do rio, haviam saltado do trem, montado nos cavalos e cavalgavam a toda como o diabo. E disso ele não teve a menor dúvida.

— Eu fiz isso pelo meu filho — disse Slightman. — Andy me procurou e disse que com certeza iam levá-lo. Pra algum lugar ali, Roland. — Apontou para o leste, em direção ao Trovão. — Em algum lugar ali, existem criaturas infelizes chamadas Quebradores. Prisioneiros. Andy disse que são telepatas e psicocinéticos, e embora eu não conheça nenhuma dessas duas palavras, sei que têm a ver com a mente. Os Quebradores são humanos, comem tudo que nós precisamos para nutrir seus corpos, mas necessitam de outra comida, *especial*, para nutrir seja o que for que *os* torna especiais.

— Comida de cérebro — disse Roland, lembrando que sua mãe chamara peixe de comida de cérebro.

E depois, sem nenhuma razão aparente, viu-se pensando nas rondas noturnas de Susannah. Só que não era Susannah quem visitava aquele salão de banquete à meia-noite; era Mia, filha de ninguém.

— Sim, imagino que seja — concordou Slightman. — De qualquer modo, é alguma coisa que só os gêmeos têm, que os liga mente com mente. E esses sujeitos, não os Lobos, mas os que mandam os Lobos, a tiram. Quando a tiram, as crianças se tornam idiotas. Roont. É *comida*, Roland, entende? *Por isso* é que eles as levam! Pra alimentar seus malditos *Quebradores*. Não a barriga nem o corpo, mas a mente! E eu nem sei o que eles estão tentando quebrar!

— Os dois Feixes que ainda sustentam a Torre — disse Roland.

Slightman ficou estupefato. E temeroso.

— A Torre Negra? — sussurrou as palavras. — Você diz isso?

— Digo. Quem é Finli? Finli o'Tego?

— Eu não sei. Uma voz que recebe minhas informações, só isso. Um taheen, eu acho... Sabe o que é isso?

— Você sabe?

Slightman fez que não com a cabeça.

— Então deixemos pra lá. Talvez eu o conheça um dia e ele tenha de responder pessoalmente por tudo isso.

Slightman não respondeu, mas Roland sentiu sua dúvida. Estava tudo bem. Já haviam quase chegado, e o pistoleiro sentiu afrouxar-se uma faixa invisível que fora apertada em sua cintura. Virou-se inteiramente para o capataz pela primeira vez.

— Sempre houve alguém como você para Andy ludibriar, Slightman; não tenho a menor dúvida de que foi sobretudo pra isso que o deixaram aqui, assim como não tenho a menor dúvida de que sua filha, a irmã de Benny, não morreu em um acidente. Eles sempre precisam de um gêmeo restante e um pai fraco.

— Você não pode...

— Calado. Já disse tudo que é bom pra você.

Slightman ficou em silêncio ao lado de Roland no banco.

— Eu entendo a traição. Já fiz minha parcela dela, uma vez ao próprio Jake. Mas isso não muda o que você é; sejamos honestos. Você é um corvo que come carniça. Um rustie que se tornou abutre.

A cor voltara à face de Slightman, tingindo-a de um tom purpúreo.

— Fiz o que fiz pelo meu menino — disse, obstinadamente.

Roland cuspiu na mão em concha, ergueu-a e acariciou a face de Slightman, agora irrigada de sangue e quente ao toque. Depois o pistoleiro pegou os óculos que ele usava e balançou-os levemente no nariz do sujeito.

— Não se sustenta — disse, muito baixo. — Por causa destes. É desse jeito que marcam você, Slightman. É seu estigma. Você diz que fez isso pelo seu menino porque lhe permite dormir à noite. Eu digo a mim mesmo que o que fiz a Jake o fiz pra não perder minha chance na Torre... e isso *me* permite dormir à noite. A diferença entre nós, a *única* diferença, é que eu nunca aceitei um par de óculos. — Limpou a mão na calça. — Você se vendeu, Slightman. E esqueceu o rosto de seu pai.

— Me deixe estar — sussurrou Slightman. Limpou a mancha de cuspe do pistoleiro da face. Ela foi substituída por suas próprias lágrimas. — Pelo meu filho.

Roland assentiu.

— Tudo não passa disso, pelo seu filho. Você o arrasta atrás de si como uma galinha morta. Bem, não tem importância. Se tudo sair como espero, pode viver sua vida com ele em Calla e envelhecer com o respeito de seus vizinhos. Será um daqueles que resistiu aos Lobos quando os pistoleiros chegaram à cidade pelo Caminho do Feixe. Quando não puder andar, ele andará com você e o amparará. Eu vejo isso, mas não gosto do que vejo. Porque um homem que vende a alma por um par de óculos vai revendê-la por alguma outra coisa ainda mais barata, e cedo ou tarde seu filho vai descobrir o que você é, de qualquer modo. O melhor que poderia acontecer a seu filho hoje é você morrer como um herói. — E, então, antes que Slightman pudesse responder, Roland elevou a voz e gritou: — Ei, Overholser! Opa, a carroça! *Overholser!* Pare! Estamos aqui! Agradeça!

— Roland... — começou Slightman.

— Não — disse Roland, afrouxando as rédeas. — Acabamos a confabulação. Só se lembre do que eu disse, sai: se tiver uma chance de morrer hoje como herói, faça a seu filho um favor e agarre-a.

3

A princípio, tudo seguiu de acordo com o plano e eles chamaram isso de ka. Quando as coisas começaram a dar errado e começaram as mortes, também chamaram isso de ka. Ka, o pistoleiro poderia ter-lhes dito, era muitas vezes a última coisa que a gente tinha de superar.

4

Roland explicara às crianças o que queria delas quando ainda estavam na refeição em comum, sob as tochas em chamas. Agora, com a luz do dia clareando (mas o sol ainda à espera nos bastidores), ocuparam seus lugares perfeitamente, enfileirando-se na estrada dos mais velhos aos mais moços, cada par de gêmeos de mãos dadas. As buckas estavam estacionadas no lado esquerdo da estrada, as rodas pouco acima do fosso. A única abertura era onde a trilha para o campo do arroio se separava da estrada do Leste. Parados ao lado das crianças numa extensa fila encontravam-se os acompanhantes, o número agora aumentando para bem mais de doze com o acréscimo de Tian, père Callahan, Slightman e Wayne Overholser. Do outro lado, defronte a eles, posicionados em uma fila acima do fosso à direita, Eddie, Susannah, Rosa, Margaret Eisenhart e a esposa de Tian, Zalia. Cada mulher usava uma sacola de vime debruada de seda, cheia de pratos. Empilhadas no fosso abaixo e atrás deles estavam caixas contendo mais Orizas. Eram duzentos pratos ao todo.

Eddie olhou o outro lado do rio. Ainda nenhuma poeira. Susannah deu-lhe um sorriso nervoso, que ele retribuiu. Essa era a parte difícil — a parte apavorante. Ele sabia que mais tarde o nevoeiro vermelho ia envolvê-lo e transportá-lo. Agora ele estava consciente demais. Do que tinha mais consciência era de que naquele exato momento se achavam tão desamparados e vulneráveis como uma tartaruga sem o casco.

Jake chegou passando apressado pela fila de crianças, trazendo a caixa de miudezas: fitas de cabelo, um mordedor de bebê, um apito solto de uma língua de sogra, um sapato velho com quase toda a sola gasta, uma meia sem par. Devia haver talvez duas dúzias de artigos semelhantes.

— Benny Slightman! — bramiu Roland. — Frank Tavery! Francine Tavery! Aqui comigo!

— Mas o quê! — disse o pai de Benny Slightman, alarmado. — Por que está mandando meu filho sair da fila...

— Para fazer o dever dele, assim como você fará o seu — disse Roland. — Nem mais uma palavra.

As quatro crianças que Roland chamara apresentaram-se diante dele. Os Tavery ruborizados e ofegantes, olhos brilhando, ainda de mãos dadas.

— Escutem, agora, e não me façam repetir uma única palavra — disse Roland.

Benny e os Tavery curvaram-se para a frente ansiosamente. Embora com visível impaciência para partir, Jake estava menos ansioso; sabia dessa parte, e de quase tudo que se seguiria. Do que Roland *esperava* que se seguisse.

Roland falava com as crianças, mas alto o bastante para a fila tensa dos acompanhantes delas também ouvir.

— Vocês vão subir o caminho — disse — e a cada poucos passos deixar alguma coisa, como se houvessem caído em uma caminhada árdua, rápida. E eu quero que *vocês* façam uma caminhada árdua e rápida. Não corram, mas pouco menos que isso. Vejam onde pisam. Vão só até onde o caminho se bifurca, fica a uns quinhentos metros, e não além. Estão entendendo? *Nem mais um passo além.*

Eles assentiram ansiosamente. Roland desviou o olhar para os adultos em pé, tensos, atrás deles.

— Estes quatro têm dois minutos de vantagem. Depois vai o resto dos gêmeos, os mais velhos primeiro, os mais moços em seguida. Eles não vão longe; os últimos pares mal sairão da estrada. — Elevou a voz a um grito de comando. — *Crianças! Quando ouvirem isto, voltem! Voltem pra mim às pressas!* — Enfiou os dois primeiros dedos da mão esquerda nos cantos da boca e deu um assobio tão penetrante que várias crianças taparam os ouvidos.

Annabelle Javier perguntou:

— Sai, se pretende que as crianças se escondam nas grutas, por que as chamaria de volta?

— Porque elas não vão para as grutas — disse Roland. — Elas vão lá pra baixo. — Apontou para o leste. — Lady Oriza vai tomar conta das crianças. Elas vão se esconder nos arrozais, bem deste lado do rio. — Todos olharam para onde ele apontava, e foi assim que todos viram a poeira ao mesmo tempo.

Os Lobos estavam vindo.

5

— Nosso grupo a caminho, doçura — disse Susannah.

Roland assentiu e virou-se para Jake.

— Vá então, Jake. Exatamente como eu disse.

Jake retirou um punhado de coisas da caixa e estendeu-o aos gêmeos Tavery. Depois saltou o fosso à esquerda, gracioso como um gamo, e pôs-se a subir a trilha do arroio com Benny a seu lado. Frank e Francine vinham logo atrás; enquanto Roland olhava, Francine deixou um chapeuzinho cair da mão.

— Muito bem — disse Overholser. — Entendo parte disso, entendo, sim. Os Lobos vão ver o rebotalho e ter ainda mais certeza de que as crianças estão lá em cima. Mas por que mandar o restante delas para o norte, pistoleiro? Por que não levá-las direto para o arrozal agora?

— Porque temos de imaginar que os Lobos também possam farejar o rastro da presa da mesma maneira que fazem os lobos reais. — disse Roland. Elevou mais uma vez a voz. — *Crianças, subir o caminho! Os mais velhos primeiro! Segurem a mão do seu parceiro e não a soltem! Voltem ao meu assobio!*

As crianças deram a partida, ajudadas a transpor o fosso por Callahan, Sarey Adams, os Javier e Ben Slightman. Todos os adultos pareciam ansiosos; só o pai de Benny parecia também desconfiado.

— Os Lobos vão subir, porque têm motivos para acreditar que as crianças estão lá em cima — explicou Roland —, mas não são tolos, Wayne. Vão em busca de sinais e nós vamos dá-los a eles. Se farejarem, e aposto a última colheita de arroz desta cidade que vão fazê-lo, vão ter o cheiro além de sapatos e fitas caídos pra examinar. Depois que o cheiro do grupo principal acabar, o dos quatro que mandei primeiro vai levá-los ainda mais longe por algum tempo. Pode fazer com que andem ainda mais, ou pode não fazer. Mas a essa altura isso não deve importar.

— Mas...

Roland ignorou-o. Voltou-se para o seu pequeno bando de combatentes. Seriam sete ao todo. *Um bom número*, disse a si mesmo. *Um número de força.* Olhou a nuvem de poeira além. Elevava-se mais alta que qualquer dos rede-moinhos de poeira do seminon restante, e movia-se com terrível velocidade. Mas por enquanto Roland achou que estavam todos bem.

— Prestem atenção e escutem. — Era com Zalia, Margaret e Rosa que ele falava. Os membros de seu próprio ka-tet já conheciam essa parte, haviam sabido desde que o velho Jamie sussurrara seu segredo há muito guardado no ouvido de Eddie, no alpendre dos Jaffords. — Os Lobos não são homens nem monstros; são robôs.

— *Robôs!* — gritou Overholser, mais com surpresa que descrença.

— Sim, e de um tipo que o meu ka-tet já viu antes — continuou Roland. Pensava em uma certa clareira onde os últimos serviçais sobreviventes do grande urso haviam perseguido uns aos outros em um incessante e nervoso círculo.

— Eles usam capuzes pra ocultar minúsculas coisinhas enroscadas no topo da cabeça. São provavelmente desta largura e deste comprimento. — Roland mostrou-lhes uma altura de uns cinco centímetros e um comprimento de uns dez. — Foi o que Molly Doolin acertou e decepou com seu prato, faz muito tempo. Ela acertou sem querer. Nós vamos acertar de propósito.

— Chapéus-pensantes — disse Eddie. — A conexão deles com o mundo externo. Sem eles, são tão mortos quanto bosta de cachorro.

— Mirem aqui. — Roland ergueu a mão direita uns dois centímetros acima do cocuruto da cabeça deles.

— Mas os peitos... as guelras nos peitos... — começou Margaret, parecendo visivelmente desorientada.

— Bobagem total — disse Roland. — Mirem no topo dos capuzes.

— Um dia — disse Tian — vou saber por que precisou haver tantos disparates.

— Espero que *haja* um dia — disse Roland.

As últimas crianças do grupo, as mais jovens, acabavam de dirigir-se caminho acima, obedientemente de mãos dadas. Os mais velhos talvez já devessem estar duzentos metros adiante, o quarteto de Jake no mínimo outros duzentos além deles. Teria de ser o suficiente. Roland voltou a atenção para os acompanhantes delas.

— Agora elas vão voltar — disse. — Assim que chegarem, levem-nas para o outro lado do fosso e pelos pés de milho em duas filas de pares. — Indicou com o polegar atrás, sem olhar. — Preciso dizer como é importante que os pés do milho não sejam perturbados, sobretudo perto da estrada, onde os Lobos podem ver?

Fizeram que não com a cabeça.

— Na borda do arrozal — continuou Roland —, levem-nas para um dos riachos. Levem quase até o rio, depois as mandem deitar-se onde as plantas continuam altas e verdes. — Abriu as mãos, os olhos azuis em chamas. — Espalhem-nas. Os adultos ficam no lado delas do rio. Se houver problema, mais Lobos, alguma outra coisa inesperada, é deste lado que eles virão.

Sem lhes dar uma chance de fazer perguntas, enfiou mais uma vez os dedos nos cantos da boca e assobiou. Vaughn Eisenhart, Krella Anselm e Wayne Overholser juntaram-se aos outros no fosso e começaram a gritar aos pequenos para que dessem meia-volta e retornassem para a estrada. Eddie, enquanto isso, deu outra olhada para trás e surpreendeu-se ao ver a rapidez com que a nuvem de poeira avançara aproximando-se do rio. A rapidez com que se movimentavam fazia total sentido quando se conhecia o segredo; aqueles cavalos cinzentos não eram sequer cavalos, mas transportes mecânicos disfarçados para *parecerem* cavalos, não mais que isso.

— Roland, eles estão chegando depressa! Depressa pra burro!

Roland olhou.

— Estamos muito bem — disse.

— Tem certeza? — perguntou Rosa.

— Sim.

As crianças mais jovens agora voltavam correndo pela estrada, de mãos dadas, olhos arregalados de medo e excitação. Cantab dos mannis e Ara, sua esposa, conduziam-nas. Ela disse para que andassem no meio das fileiras e tentassem não esbarrar nem de leve nas plantas esqueléticas.

— Por que, sai? — perguntou uma criança, que não devia ter mais de quatro anos. Via-se uma suspeita mancha escura na frente de sua jardineira. — Dá pra ver que os milhos já foram todos colhidos.

— É um jogo — disse Cantab. — Um jogo de não-toque-no-milho. — Começou a cantar. Algumas das crianças juntaram-se a ele, mas a maioria sentia-se desorientada e assustada demais para isso.

Enquanto os pares iam atravessando a estrada, ficando mais altos e velhos quando se aproximavam, Roland lançou outro olhar ao leste. Calculou que os Lobos ainda estavam a dez minutos do outro lado do Whye, e dez minutos deveriam bastar, mas, deuses, eles eram *velozes*! Já lhe passara pela mente que talvez tivesse de manter Benny Slightman e os gêmeos Tavery ali em cima, com eles. Embora isso não estivesse no plano, quando as coisas chegavam àquele ponto, o plano quase sempre começava a mudar. *Precisava* mudar.

Agora os últimos dos gêmeos estavam atravessando, e só Overholser, Callahan, Slightman pai e Sarey Adams continuavam na estrada.

— Vão — disse-lhes Roland.

— Eu quero esperar meu filho! — contestou Slightman.

— *Vá!*

Slightman pareceu querer protestar, mas Sarey Adams tocou-lhe o cotovelo e Overholser chegou a segurar o outro.

— Venha — disse Overholser. — O homem vai cuidar do seu da mesma forma que do dele.

Slightman lançou a Roland um último olhar duvidoso, depois transpôs o fosso e começou a conduzir a ponta final da fila ladeira abaixo, junto com Overholser e Sarey.

— Susannah, mostre a eles o esconderijo — disse Roland.

Haviam tomado o cuidado de certificar-se de que as crianças cruzassem o fosso no lado do rio da estrada bem abaixo de onde haviam feito a escavação no dia anterior. Agora, usando uma das pernas inválidas e reduzidas, Susannah chutou para o lado um emaranhado de folhas, galhos e pés de milho mortos — aquela coisa que se esperaria ver deixada para trás em um fosso de escoamento na beira de estrada —, e revelou um buraco escuro.

— É só uma trincheira — disse, quase se desculpando. — Há tábuas em cima. Leves, fáceis de empurrar. É aí que vamos ficar. Roland fez um... ah, não sei como vocês o chamariam, nós chamamos de periscópio de onde eu venho, uma coisa com espelhos dentro que a gente pode ver através... e quando chegar a hora, simplesmente nos levantamos. As tábuas vão cair a nossa volta quando o fizermos.

— Cadê o Jake e os outros três? — perguntou Eddie. — Já deviam estar de volta.

— É cedo demais — disse Roland. — Acalme-se, Eddie.

— Não vou me acalmar e *não* é cedo demais. Vou até lá...

— Não, não vai — disse Roland. — Temos de ter o máximo de gente que pudermos antes que eles percebam o que está acontecendo. O que significa manter nosso poder de fogo aqui, nas costas deles.

— Roland, alguma coisa não está certa.

Roland ignorou-o.

— Damas-sais, por favor, entrem ali. As caixas de pratos extras vão ficar na sua ponta; só vamos chutar algumas folhas sobre elas.

Olhou para o outro lado da estrada quando Zalia, Rosa e Margaret começaram a rastejar para o buraco que Susannah revelara. O caminho até o arroio estava agora completamente vazio. Ainda não havia nenhum sinal de Jake, Benny e os gêmeos Tavery. Começou a achar que Eddie tinha razão; alguma coisa dera errado.

6

Jake e seus companheiros chegaram ao lugar onde a trilha se dividia, rápido e sem incidentes. Ele guardara dois objetos, e quando chegaram à bifurcação, atirou um reco-reco quebrado em direção à gruta Glória e um bracelete feminino de fios entrançados na Cardeal. *Escolham*, pensou, *e malditos sejam em qualquer uma das opções.*

Quando se virou, viu que os gêmeos Tavery já começavam a voltar. Benny esperava por ele, o rosto pálido e os olhos brilhando. Jake assentiu para ele e forçou-se a retribuir o sorriso de Benny.

— Vamos — disse.

Então ouviram o assobio de Roland e os gêmeos desembestaram a correr, apesar dos seixos e pedras tombadas que juncavam a trilha. Continuavam de mãos dadas, serpeando o caminho em volta do que não podiam simplesmente transpor.

— Ei, não corram! — gritou Jake. — Ele disse pra não correr e cuidado onde pis...

Foi quando Frank Tavery pisou no buraco. Jake ouviu o ruído triturado, estalado, que o tornozelo dele fez ao se quebrar, soube pela horrorizada contração no rosto de Benny que o amigo também vira. Então Frank soltou um grito lastimoso, baixo, e tombou para o lado. Francine tentou agarrá-lo e pegou-o pelo antebraço com a mão, mas o garoto era pesado demais. Escorregou pela mão dela como um contrapeso. O baque do crânio colidindo com o afloramento de granito foi mais alto que o feito pelo tornozelo. O sangue que na mesma hora começou a escorrer do ferimento na cabeça brilhou na luz do início da manhã.

Problema, pensou Jake. *E em nossa estrada.*

Boquiaberto, Benny ficou com a face pálida como se fosse cor de queijo cottage. Francine já se ajoelhava ao lado do irmão, estendido em um ângulo retorcido, horrível, com o pé ainda preso no buraco. Ela fazia ruídos agudos altos, ofegantes. Então, de repente, o ruído cessou. Os olhos dela reviraram e ela tombou para a frente sobre o irmão gêmeo, inconsciente, em um desmaio total.

— Vamos — disse Jake, e quando Benny ficou apenas ali parado, boquiaberto, Jake deu-lhe um soco no ombro. — Pelo seu pai!

Isso fez Benny mexer-se.

7

Jake via tudo com a visão clara e fria, de um pistoleiro. O sangue respingado na pedra. O tufo de cabelos colado nele. O pé no buraco. A saliva nos lábios de Frank Tavery. A curva do recém-nascido seio da irmã estendida desajeitadamente sobre ele. Os Lobos agora estavam chegando. Não foi o assobio de Roland que lhe disse, mas o seu toque. *Eddie*, pensou, *Eddie quer vir aqui.*

Jake jamais tentara usar o toque para transmitir, mas o fez então: *Fique onde está! Se não conseguirmos voltar a tempo, vamos tentar nos esconder enquanto eles passam,* MAS NÃO VENHA ATÉ AQUI! NÃO ESTRAGUE TUDO!

Não tinha a menor ideia se a mensagem fora transmitida, mas *sabia* sim que era só o que tinha tempo para fazer. Enquanto isso, Benny estava... o quê? Qual era *le mot juste*? A sra. Avery lá na Piper gostava sempre de falar na *le mot juste*. E ela lhe veio. Balbuciando. Benny balbuciava.

— O que vamos fazer, Jake? Homem Jesus, os *dois*! Estavam ótimos! Só correndo, e então... e se os Lobos chegarem? E se chegarem enquanto a gente ainda estiver aqui? Melhor deixá-los aí, não é?

— Não vamos deixá-los aí — disse Jake.

Curvou-se e agarrou Francine Tavery pelos ombros. Puxou-a para uma posição sentada, sobretudo para tirá-la de cima do irmão, para que Frank pudesse respirar. A cabeça dela balançou para trás, os cabelos flutuando como seda escura. As pálpebras adejaram, revelando o glabro branco embaixo. Sem pensar, Jake estapeou-a. E forte.

— Ai! *Ai!* — Os olhos abriram-se, azuis, lindos e chocados.

— Levante-se! — gritou Jake. — Saia de cima dele!

Quanto tempo se passara? Como tudo ficara quieto, agora que as crianças haviam voltado para a estrada! Nem um único pássaro cantava, sequer um pardal. Esperou que Roland tornasse a assobiar, mas o pistoleiro não o fez. E, na verdade, por que faria? Estavam sozinhos agora.

Francine rolou para o lado, depois levantou-se cambaleando.

— Ajude-o... por favor, sai, eu imploro.

— Benny. Precisamos tirar o pé dele do buraco. — Benny abaixou-se sobre um joelho no outro lado do garoto estendido de maneira desajeitada. Tinha o rosto pálido, mas os lábios comprimidos um no outro em uma linha reta que Jake achou encorajadora. — Pegue o ombro dele.

Benny segurou o ombro direito de Frank Tavery. Jake o esquerdo. Seus olhos se encontraram sobre o corpo do garoto inconsciente. Jake assentiu com a cabeça.

— *Já*.

Puxaram juntos. Os olhos de Frank Tavery abriram-se — tão azuis e lindos quanto os da irmã —, e ele deu um grito tão alto que saiu mudo. Mas o pé não se soltou.

Estava enterrado fundo.

8

Agora um vulto verde-acinzentado saía definindo-se da nuvem de pó, e ouviam o rufo ritmado de muitos cascos na terra dura. As três mulheres de Calla estavam no esconderijo. Apenas Roland, Eddie e Susannah ainda permaneciam no fosso, os homens em pé, Susannah ajoelhada com as fortes coxas abertas. Fitavam o outro lado da estrada e a trilha do arroio acima. A trilha continuava vazia.

— Ouvi alguma coisa — disse Susannah. — Acho que um deles se machucou.

— Foda-se, Roland, eu vou atrás deles — disse Eddie.

— É isso o que Jake quer ou o que *você* quer? — perguntou Roland.

Eddie ruborizou-se. Ouvira Jake em sua cabeça, não as palavras exatas, mas o essencial, e imaginou que Roland também ouvira.

— Há uma centena de crianças ali e apenas quatro lá — disse Roland. — Esconda-se, Eddie. Você também, Susannah.

— E quanto a você? — perguntou Eddie.

Roland sorveu um profundo hausto de ar, soltou-o.

— Vou ajudar se puder.

— Não vai atrás dele, vai? — Eddie olhava Roland com crescente descrença. — Não vai mesmo.

Roland deu uma olhada em direção à nuvem de poeira e o agrupamento verde-acinzentado embaixo, que se definiria em cavalos e cavaleiros individuais em menos de um minuto. Cavaleiros com cara de lobo rosnando, emoldurada em capuzes verdes. Mais que cavalgavam, estavam se precipitando em direção ao rio.

— Não — disse Roland. — Não posso. Esconda-se.

Eddie ficou onde estava por mais um momento, a mão na coronha do grande revólver, o rosto pálido pensativo. Então, sem dizer uma palavra, virou as costas para Roland e agarrou o braço de Susannah. Ajoelhou-se ao seu lado, depois entrou no buraco. Agora só havia Roland, com o grande revólver pendurado baixo em seu quadril esquerdo, olhando para o leito seco do arroio do outro lado da estrada.

9

Embora Benny Slightman fosse um jovem de boa constituição física, não seria capaz de empurrar a grande laje de pedra que prendia o pé do garoto Tavery. Jake viu isso na primeira tentativa. Sua mente (sua mente fria, fria) tentou julgar o peso do garoto aprisionado em contraposição ao da pedra aprisionadora. Imaginou que a pedra pesava mais.

— Francine.

Ela olhou-o com olhos agora úmidos e meio vidrados de choque.

— Você ama ele? — perguntou Jake.

— Sim, com todo o meu coração.

Ele é o seu coração, pensou Jake. *Ótimo*.

— Então nos ajude. Puxe-o com o máximo de força que puder, quando eu mandar. Não importa se ele gritar, puxe assim mesmo.

Ela fez que sim com a cabeça como se entendesse. Jake esperava que sim.

— Se não conseguirmos tirá-lo desta vez, vamos ter de deixá-lo.

— *Nunca!* — ela gritou.

Não era hora de discutir. Jake juntou-se a Benny ao lado da pedra branca plana. Além de sua borda denteada, a canela coberta de sangue de Frank desaparecia em um buraco negro. O garoto estava totalmente acordado agora, e ofegando. Revirava o olho esquerdo de terror. O direito achava-se enterrado em um sangue. Um pedaço de crânio com a pele pendia sobre a orelha.

— Vamos erguer a pedra e você vai puxá-lo — disse Jake a Francine. No três. Pronta?

Quando ela assentiu, os cabelos desceram em seu rosto como uma cortina. Ela não fez a menor tentativa de retirá-los, apenas segurou o irmão embaixo das axilas.

— Francie, não me machuque — gemeu ele.

— Calado — disse ela.

— Um — disse Jake. — Puxe esta porra, Benny, mesmo que estoure suas bolas. Está me ouvindo?

— Pode apostar, só *conte*.

— Dois. *Três*.

Eles puxaram, gritando do esforço. A pedra se mexeu, Francine deu um puxão no irmão para trás com toda a força, também gritando.

O grito de Frank Tavery quando o pé se soltou foi o mais alto de todos.

10

Roland ouviu gritos roucos de esforço sobrepujados por um grito de pura agonia. Algo acontecera lá, e Jake fizera alguma coisa para resolver. A questão era se fora suficiente para corrigir o que saíra errado.

Borrifos voaram na luz matinal quando os Lobos mergulharam no Whye e começaram a galopar do outro lado em seus cavalos cinzentos. Roland via-os claramente agora, vindo em grupos de cinco e seis, enfiando esporas nas montarias. Calculou o número em sessenta. No outro lado do rio, haviam desaparecido sob a banqueta de um penhasco coberto de grama. Depois reaparecendo, a menos de dois quilômetros. Desapareceriam mais uma vez, atrás de uma última colina — todos eles, se continuassem agrupados como estavam agora —, e essa seria a última chance para Jake chegar, para todos estarem escondidos.

Olhou fixo a trilha acima, torcendo para que as crianças surgissem — desejando que *Jake* aparecesse —, mas a trilha continuava vazia.

Os Lobos subiam a toda agora a margem oeste do rio, os cavalos lançando chuvaradas de gotas que cintilavam como ouro no sol da manhã. Voavam torrões de terra e jatos de areia. E então as batidas de cascos tornaram-se um trovão aproximando-se.

11

Jake pegou um ombro, Benny o outro. Carregaram Frank Tavery dessa maneira pela trilha, mergulhando à frente com uma rapidez desesperada, mal olhando até a confusão de pedras embaixo. Francine corria logo atrás deles.

Contornaram a última curva, e Jake sentiu uma onda de alegria quando viu Roland no fosso oposto, Roland imóvel, mantendo guarda com a mão esquerda boa na coronha do revólver e a aba do chapéu virada para trás da testa.

— É meu irmão! — gritava Francine para o pistoleiro. — Ele caiu! Ficou com o pé preso em um buraco!

Roland de repente saiu fora da visão.

Francine olhou em volta, não assustada exatamente, mas sem entender.

— Quê...?

— Espere — disse Jake, pois era tudo o que tinha para dizer. Não tinha nenhuma outra ideia. Se isso também se aplicava ao pistoleiro, então provavelmente todos iam morrer ali.

— Meu tornozelo... ardendo — ofegava Frank Tavery.

— Calado — disse Jake.

Benny riu. Uma risada de choque, mas também genuína. Jake olhou-o em volta de Frank Tavery soluçando, sangrando... e deu uma piscadela. Benny retribuiu. E, muito simples, eram mais uma vez amigos.

12

Ali deitada na escuridão do esconderijo, com Eddie à esquerda e o cheiro penetrante de folhas no nariz, Susannah sentiu uma cólica repentina apertar sua barriga. Teve apenas tempo de registrá-la até um furador de gelo de dor, indecente e violenta, mergulhar no lado esquerdo do seu cérebro, parecendo entorpecer todo aquele lado de seu rosto e de seu pescoço. No mesmo instante, a imagem de um grande salão de banquete tomou-lhe a mente: assados fumegantes, peixe recheado, filés defumados, litros de champanhe, fragatas cheias de molho, rios de vinho tinto. Ouviu um piano e uma voz carregada de terrível tristeza cantando.

— Alguém salvou, alguém salvou, alguém salvou minha viii-da esta noite — entoava.

Não!, Susannah gritou para a força que tentava engoli-la. E tinha nome aquela força? Claro que sim. Chamava-se Mãe, a mão que embalava o berço, e a mão que embala o berço governa o mun...

Não! Você precisa me deixar terminar isto! Depois, se quiser tê-lo, eu a ajudarei! Eu a ajudarei a tê-lo! Mas se tentar forçar isto em mim agora, vou lutar com unhas e dentes! E se isto chegar a me matar e matar seu precioso carinha junto comigo, eu o farei! Tá me escutando, sua escrota?

Por um instante, nada além da escuridão, a pressão da perna de Eddie, a dormência no lado esquerdo de seu rosto, o estrondo dos cavalos que se aproximavam, o cheiro penetrante das folhas e o som das Irmãs respirando, aprontando-se para sua própria batalha. Então, com palavras articuladas claramente de um lugar acima e atrás do olho esquerdo de Susannah, Mia falou com ela pela primeira vez.

Lute sua luta, mulher. Eu até ajudarei, se puder. E depois cumpra sua promessa.

— Susannah? — murmurou Eddie do lado dela. — Está tudo bem com você?

— Sim. — E estava.

O furador de gelo desaparecera. A voz desaparecera, assim como a terrível dormência. Mas, ali perto, Mia esperava.

13

Deitado de bruços no fosso, Roland agora vigiava os Lobos com um olho de imaginação e um de intuição, em vez de com os da cabeça. Os Lobos estavam entre o penhasco e a colina, cavalgando a toda carga com as capas flutuando atrás. Iam todos desaparecer atrás da colina por talvez sete segundos. *Se*, era isso, permanecessem agrupados e os líderes não começassem a avançar na frente. *Se* ele calculara corretamente a velocidade deles. *Se* estivesse certo, teria cinco segundos durante os quais poderia fazer sinal a Jake e aos outros para que viessem. Ou sete. *Se* estivesse certo, eles teriam aqueles mesmos segundos para atravessar a estrada. Se estivesse errado (ou os outros fossem lentos), os Lobos poderiam ver o homem no fosso, as crianças na estrada ou todos eles. As distâncias seriam provavelmente grandes demais para usarem suas armas, mas isso não teria muita importância, porque a emboscada cuidadosamente arquitetada iria por água abaixo. O inteligente seria ficar abaixado, e deixar as crianças se virarem sozinhas. Pensando bem, quatro crianças capturadas na trilha do arroio tornariam os Lobos mais seguros que nunca de que as demais estavam escondidas mais afastado, em uma das velhas minas.

Chega de pensar, disse-lhe Cort na cabeça. *Se pretende agir, seu verme, esta é sua única chance.*

Roland levantou-se de supetão. Do outro lado, bem defronte a ele, protegidos pelo amontoamento de pedregulhos tombados, encontravam-se Jake e Benny Slightman, com o garoto Tavery apoiado entre eles e sangrando em cima e embaixo, sabe-se os deuses o que acontecera com ele. A irmã olhava por cima de seu ombro. Naquele instante pareciam não apenas gêmeos, mas gêmeos siameses, ligados no corpo.

Roland sacudiu as duas mãos exageradamente acima da cabeça, como tentando agarrar um apoio no ar: *A mim, venham! Venham!* Ao mesmo tempo, olhou para leste. Nenhum sinal dos Lobos; ótimo. A colina *havia* tampado momentaneamente todos.

Jake e Benny atravessaram a toda a estrada, ainda arrastando o garoto entre eles. As botas de Frank Tavery cavaram novas ranhuras na oggan. Só restou a Roland torcer para que os Lobos não dessem nenhuma importância especial às marcas.

A garota veio por último, leve como uma fada.

— Pra baixo! — rosnou Roland, puxando-a pelo braço e estendendo-a no chão. — Pra baixo, pra baixo, *pra baixo*!

Jogou-se ao lado dela e Jake em cima dele. Roland sentia o coração do garoto batendo violentamente entre suas omoplatas, através das duas camisas, e teve um momento para apreciar a sensação.

Agora o tropel dos cavalos chegava intenso e forte, aumentando a cada segundo. Teriam sido vistos pelos cavaleiros vindo à frente? Era impossível saber, mas eles *iam* saber, e logo. Nesse meio-tempo, só podiam continuar como planejado. Iam ser acomodações apertadas no esconderijo com mais três pessoas ali, e se os Lobos tivessem visto Jake e os outros três atravessando a estrada, todos iam ser cozinhados onde se achavam sem um único tiro disparado nem prato atirado, mas não havia tempo para se preocupar com isso agora. Restava-lhes um minuto no máximo, calculou Roland, talvez apenas quarenta segundos, e essa fraçãozinha de tempo já escorria por entre seus dedos.

— Saia de cima de mim e se esconda — disse a Jake. — Já.

O peso desapareceu. Jake deslizou para o esconderijo.

— Você é o próximo, Frank Tavery — disse Roland. — E calado. Daqui a dois minutos pode gritar à vontade, mas por ora feche a matraca. Isso vale para todos vocês.

— Vou ficar calado — disse o garoto, enrouquecido. Benny e a irmã de Frank assentiram com a cabeça.

— Nós vamos nos levantar em um determinado momento e começar a atirar — disse Roland. — Vocês três, Frank, Francine, Benny, fiquem abaixados, colados no chão. — Fez uma pausa. — Por suas vidas, *fiquem fora de nosso caminho*.

14

Roland jazia estendido no escuro com cheiro de folhas e terra, prestando atenção na áspera respiração das crianças à esquerda. O som logo foi sobrepujado pelo dos cascos que se aproximavam. O olho da imaginação e o da intuição abriram-se mais uma vez, e maiores do que nunca. Em não mais que trinta segundos — talvez apenas quinze — a fúria rubra da batalha extinguiria tudo, menos a mais primitiva visão, mas por enquanto ele via tudo, e tudo que via era exatamente como queria que fosse. E por que não? Como visualizar planos que deram errado algum dia fez algum bem a alguém?

Viu os gêmeos de Calla deitados de pernas e braços abertos como cadáveres na vegetação cerrada, a parte mais úmida do arrozal, com a terra revirada penetrando em suas camisas e calças. Viu os adultos além deles, quase até o lugar onde o arroz se tornava margem de rio. Viu Sarey Adams com seus pratos, e Ara dos mannis — a esposa de Cantab — com alguns dos dela, pois Ara também lançava (embora, como membro do povo manni, não pudesse jamais fazer parte do grupo das outras mulheres). Viu alguns dos homens — Estrada, Anselm, Overholser — com seus bahs colados ao peito. Em vez de um bah, Vaughn Eisenhart abraçava o rifle que Roland limpara para ele. Na estrada, aproximando-se do leste, viu fileira atrás de fileira de cavaleiros com capas verdes em cavalos cinzentos. Diminuíam a velocidade agora. O sol acabava de subir e brilhava no metal de suas máscaras. A zombaria daquelas máscaras, claro, era que havia mais metal embaixo delas. Roland deixou o olho da imaginação elevar-se, à procura de outros cavaleiros — um grupo que se dirigia do sul para a cidade desguarnecida, por exemplo. Não viu nenhum. Em sua própria mente, pelo menos, todo o grupo de ataque concentrava-se ali. E se haviam engolido a isca que Roland e o ka-tet do 99 haviam elaborado com tanto cuidado, *deviam* estar ali. Viu as carroças buckas enfileiradas na estrada, do lado da cidade, e teve tempo para pensar que gostariam que tivessem apagado as pegadas, mas claro que assim parecia melhor, mais apressado. Viu a trilha que levava aos arroios, às minas ao mesmo tempo abandonadas e trabalhando, até a colmeia de grutas além delas. Viu os Lobos no comando puxando as rédeas ali com as mãos enluvadas, arrastando as bocas das montarias até torná-las rosnadas. Viu pelos olhos deles imagens não feitas de visão humana quente, mas fria, como nas Revis-Tas. Viu o chapéu infantil que Francine deixara cair. Sua mente tinha um nariz além do olho, e sentiu o aroma brando embora fecundo de crianças. O cheiro de alguma coisa rica e gordurosa — a substância que os Lobos iriam extrair das que raptassem. Sua mente tinha um ouvido além do nariz, e ele ouvia — fracamente — aqueles mesmos cliques e estalos que haviam emanado de Andy, o mesmo zumbido baixo de transmissores, servomotores, bombas hidráulicas, sabiam lá os deuses que outra maquinaria. O olho de sua mente viu os Lobos primeiro inspecionando os rastros misturados e confusos na estrada (*torcia* para que lhes parecessem uma confusão), depois olhando para a trilha do arroio. Porque imaginá-los olhando para o outro lado, aprontando-se para grelhar eles dez no esconderijo como galinhas em uma churrasqueira, não lhe faria bem nenhum. Não, olhavam a trilha do arroio acima. *Tinham* que estar olhando a trilha do arroio acima. Sentiam cheiro de crianças — talvez o medo delas, além da poderosa substância enterrada no fundo dos cérebros —, e viam os poucos vestígios de lixo e tesouros pessoais abandonados que suas presas haviam deixado para trás. Erguidos ali em seus cavalos mecânicos. Olhando.

Vão, exortou Roland em silêncio. Sentiu Jake se mexer um pouco a seu lado, a ouvir-lhe o pensamento. Sua prece, quase. *Vão. Vão atrás deles. Tratem de pegar o que querem.*

Ouviu-se um estalo alto. De um dos Lobos, seguido por um breve escape de sirene. À sirene, seguiu-se o asqueroso assobio gorjeado que Jake ouvira na Dogan. Depois, os cavalos recomeçaram a se mover. Primeiro com o baixo baque dos cascos na oggan, depois no terreno pedregoso mais afastado da trilha do arroio. E nada mais; aqueles cavalos não relinchavam, nervosos, como os ainda presos com arreios às buckas. Para Roland, bastava. Haviam engolido a isca. Ele retirou o revólver do coldre. A seu lado, Jake tornou a mexer-se, e Roland percebeu que fazia o mesmo.

Dissera-lhes a formação que esperava quando irrompessem do esconderijo: cerca de um quarto dos Lobos em um lado da trilha, voltado para o rio, um quarto dos seus voltado para a cidade de Calla Bryn Sturgis. Ou talvez alguns mais naquele lado, pois se houvesse problema, era da cidade que os Lobos — ou os programadores dos Lobos — racionalmente esperariam que viesse. E os outros? Trinta ou mais? Já trilha acima. Encurralados, entende.

Roland começou a contar até vinte, mas quando chegou a dezenove decidiu que já contara o bastante. Mexeu as pernas para ficar na posição adequada — sem nenhuma torção seca agora, nem uma pontada de dor sequer — e depois se lançou para cima com o revólver do pai empunhado alto na mão.

— *Por Gilead e Calla!* — bramiu. — *Agora, pistoleiros! Agora, vocês Irmãs de Oriza! Agora, já! Matem-nos! Sem sobreviventes! Matem todos eles!*

15

Lançaram-se para cima e para fora da terra como dentes de dragão. Tábuas voaram para os dois lados, junto com rajadas de ervas e folhas. Roland e Eddie tinham um dos revólveres grandes com punhos de sândalo. Jake, a Ruger do pai. Margaret, Rosa e Zalia seguravam cada uma um prato Riza. Susannah, dois, os braços cruzados nos seios como se ela estivesse com frio.

Os Lobos se haviam distribuído em formação de combate exatamente como Roland vira com o frio olho assassino de sua imaginação, e ele sentiu um momento de triunfo antes que todos os pensamentos e emoções menores se dissipassem sob a cortina rubra. Como sempre, nada o fazia sentir-se tão feliz por estar vivo quanto ao se preparar para lidar com a morte. *Os cinco minutos de sangue e estupidez*, dissera-lhes, e ali estavam aqueles cinco minutos. Também lhes dissera que sempre se sentia nauseado depois, e embora isso fosse verdade, jamais se sentia tão bem quanto nesse momento inicial; tão completa e verdadeiramente ele mesmo. Ali era onde residia a verdadeira glória. Não importava que fossem robôs; deuses, não! O que importava era que vinham atormentando os desamparados por infindáveis gerações, e desta vez haviam sido pegos total e completamente de surpresa.

— *No alto dos capuzes!* — gritou Eddie, quando na sua mão direita a pistola de Roland começou a trovejar e cuspir fogo. Os cavalos e mulas presos aos arreios recuaram nas pegadas; dois relincharam de surpresa. — *No alto dos capuzes, peguem os chapéus-pensantes!*

E, como para demonstrar sua afirmação, os capuzes verdes de três cavaleiros à direita da trilha retorceram-se como apanhados por dedos invisíveis. Cada um dos três Lobos caiu a pique, desmoronando da sela e batendo no chão. No relato do grand-père, do Lobo que Molly Doolin derrubara, o Lobo ficou se contorcendo depois, mas aqueles três jaziam sob as patas de seus cavalos empinados tão imóveis quanto pedras. Molly talvez não houvesse atingido em cheio o "chapéu-pensante", mas Eddie sabia no que estava atirando, e acertara.

Roland também se pôs a disparar, atirando do quadril, quase casualmente, mas cada bala encontrou seu alvo. Estava atrás deles na trilha, querendo empilhar os corpos ali, fazer uma barricada se conseguisse.

— *Riza voa verdadeira!* — gritou Rosalita Munoz.

O prato que segurava deixou a sua mão e arremeteu pela estrada do Leste com um incessante grito agudo. Varou o capuz de um cavaleiro na entrada da trilha do arroio onde ele tentava desesperadamente fazer a montaria dar meia-volta com as rédeas. A coisa tombou para trás, pés virados para o céu, e caiu de cabeça para baixo com as botas no chão.

— *Riza!* — Era Margaret Eisenhart.

— *Pelo meu irmão!* — gritou Zalia.

— *Lady Riza vem acabar com a sua raça, seus malditos!* — Susannah descruzou os braços e lançou os dois pratos. Eles voaram zunindo e entrecruzando-se em pleno ar, e acertaram os alvos. Fragmentos verdes esvoaçaram; os Lobos a quem haviam pertencido os capuzes tombaram com força.

Brilhantes bastões de luz agora cintilavam na luz matinal, quando os cavaleiros, atordoados e tentando se firmar nos lados da trilha, desembainharam suas armas. Jake acertou o chapéu-pensante do primeiro a desembainhá-lo e ele caiu em seu próprio bastão, chiando e ateando fogo na capa. O cavalo refugou de lado ao encontro do bastão de luz que estava descendo do cavaleiro à esquerda imediata. Sua cabeça foi decepada, revelando um ninho de faíscas e fios elétricos. Agora as sirenes começavam a balir ininterruptamente, alarmes de arrombamento no inferno.

Roland achara que os Lobos mais próximos da cidade poderiam tentar romper o cerco e fugir para Calla. Em vez disso, os nove que ainda restavam daquele lado — Eddie abatera seis com seus primeiros seis disparos — passavam a esporear os cavalos pelas buckas e partiam para cima deles. Dois ou três arremessaram bolas prateadas zumbindo.

— Eddie! Jake! Pomos dourados! Sua direita!

Eles giraram na mesma hora para aquela direção, deixando as mulheres a arremessarem pratos tão rápido quanto conseguiam retirá-los de suas sacolas revestidas de seda. Jake estava em pé com as pernas abertas e a Ruger estendida na mão direita, a esquerda envolta no punho direito. Os cabelos voavam para trás. Belo e de olhos arregalados e bonitos, ele sorria. Disparou três tiros rápidos, cada um uma vergastada no ar da manhã. Teve uma vaga e distante lembrança do dia nas matas em que fizera voar cerâmica pelos ares. Agora atirava em uma coisa muito mais perigosa, e sentia-se contente. *Contente*. As três primeiras bolas voadoras explodiram em brilhantes clarões de luz azulada. Uma quarta esquivou-se, depois se lançou a toda para ele. Jake se abaixou e ouviu-a passar bem acima da cabeça, zumbindo como uma espécie de torradeira enfurecida. Ia dar meia-volta, ele sabia, e retornar.

Antes que pudesse, Susannah rodopiou e disparou um prato na direção da bola. O prato voou em cheio para o alvo, uivando. Quando a atingiu, tanto ele quanto o pomo dourado explodiram. Choveu estilhaços nos pés de milho, deixando alguns em chamas.

Roland recarregou, o cano fumegante do revólver momentaneamente apontado para baixo entre os pés. Além de Jake, Eddie fazia o mesmo.

Um Lobo saltou a emaranhada pilha de cadáveres na nascente do arroio, a capa verde flutuando atrás, e um dos pratos de Rosa rasgou-lhe para trás o capuz, revelando por um instante o disco de radar lá dentro. Os chapéus-pensantes do séquito do urso moviam-se devagar e aos solavancos; este girava tão rápido que sua forma não passava de um borrão metálico. Depois desapareceu e o Lobo caiu aos trambolhões para o lado e em cima da parelha que puxara a carroça dianteira de Overholser. Os cavalos refugaram para trás, empurrando a bucka de encontro ao cavalo que vinha atrás, espremendo quatro animais que empinavam e relinchavam no meio. Estes tentaram fugir em disparada, mas não tinham para onde ir. O cavalo derrubado do Lobo foi para a estrada, tropeçou no corpo de outro Lobo ali estendido e acabou se estatelando na poeira, uma das pernas projetando-se torta para o lado.

A mente de Roland se fora; seu olho via tudo. Já recarregara. Os Lobos que haviam subido a trilha achavam-se encurralados atrás de uma emaranhada pilha de corpos, exatamente como ele esperara. O grupo de quinze no lado da cidade fora dizimado, restavam apenas dois. Os na direita tentavam flanquear a ponta do fosso, onde as três Irmãs de Oriza e Susannah estavam em formação. Roland deixou os dois Lobos restantes a seu lado ao encargo de Eddie e Jake, precipitou-se a toda até a trincheira para se postar atrás de Susannah e começou a disparar nos dez Lobos restantes que rumavam em direção a elas. Um ergueu um pomo dourado para arremessar, depois o largou quando a bala de Roland arrancou fora seu chapéu-pensante. Rosa pegou outro, Margaret um terceiro.

Margaret mergulhou para pegar mais um prato. Quando tornou a levantar-se, um bastão de luz decepou-lhe a cabeça, ateando fogo nos cabelos ao tombar dentro do fosso. E a reação de Benny foi compreensível; ela fora quase uma segunda mãe para ele. Quando a cabeça em chamas caiu a seu lado, o garoto bateu-a para o lado e saiu correndo do fosso, cego de pânico, uivando de terror.

— *Benny, não, volte!* — gritou Jake.

Dois dos Lobos restantes arremessaram suas bolas prateadas mortais no garoto que rastejava gritando. Jake acertou uma no ar. Não teve a menor chance com a outra. Ela atingiu Benny Slightman no peito e o garoto simplesmente explodiu para fora, um braço desprendendo-se do corpo e pousando com a palma virada para cima na estrada.

Susannah decepou o chapéu-pensante do que matara Margaret com um prato, depois fez o mesmo com o que matara o amigo de Jake com outro. Retirou duas Rizas novas da sacola e voltou-se mais uma vez para os Lobos que se aproximavam no momento em que um saltou no fosso, o peito do cavalo derrubando Roland estatelado. Ele brandiu a espada sobre o pistoleiro. A Susannah pareceu um brilhante tubo de néon vermelho-alaranjado.

— *Não, não vai mesmo, seu filho da puta* — gritou ela, e atirou o prato da mão direita. Varou o sabre brilhante e a arma simplesmente explodiu no punho, rasgando o braço do Lobo. No momento seguinte, os pratos de Rosa amputaram-lhe o chapéu-pensante e ele tombou de lado, espatifando-se no chão, a máscara brilhante sorrindo radiante para os gêmeos Tavery, deitados abraçados um ao outro. Um instante depois, começou a fumegar e derreter.

Chamando Benny com gritos estridentes, Jake atravessou a estrada do Leste, recarregando a Ruger no caminho, rastreando pelo sangue do amigo morto sem percebê-lo. À sua esquerda, Roland, Susannah e Rosa acertavam as contas com os cinco Lobos restantes no que fora a divisão norte do grupo atacante. Os atacantes giravam os cavalos em círculos agitados, inúteis, parecendo hesitantes sobre o que fazer nas circunstâncias em que se encontravam.

— Precisa de companhia, garotão? — perguntou-lhe Eddie.

No outro lado, todo o grupo de Lobos que se direcionara para o lado da cidade da trilha do arroio jazia morto. Apenas um deles havia conseguido chegar até o fosso; o que jazia com a cabeça encapuzada colidida com a terra recém-revolta do esconderijo e os pés calçados de botas na estrada. O resto do corpo achava-se envolto na capa verde. Parecia um inseto que morreu em seu casulo.

— Claro — disse Jake. Estava falando ou só pensando? Ele não sabia. As sirenes rajavam pelo ar. — Como quiser. Eles mataram Benny.

— Eu sei. Que merda.

— Devia ter sido a porra do *pai* dele — disse Jake. Estava chorando? Não sabia.

— Concordo. Tenho um presente.

Na mão de Jake, Eddie largou duas bolas de uns seis centímetros de diâmetro. As superfícies pareciam de aço, mas quando Jake as apertou, sentiu-as ceder um pouco... era como apertar um brinquedo infantil feito de uma borracha muito dura. Uma placa na lateral dizia:

> "POMO DOURADO"
> MODELO HARRY POTTER
>
> Serial # 465-11-AA HPJKR
>
> CUIDADO
> **EXPLOSIVO**

À esquerda da placa havia um botão. Uma parte distante da mente de Jake se perguntou quem seria Harry Potter. O inventor do pomo dourado, provavelmente.

Eles chegaram à pilha de Lobos mortos na nascente da trilha do arroio. Talvez máquinas não pudessem efetivamente morrer, mas Jake não conseguiu pensar nelas como estando outra coisa, tombadas e emaranhadas como estavam. Mortas, sim. E ficou brutalmente satisfeito. Da parte de trás deles veio uma explosão, seguida de um grito agudo de extrema dor ou extremo prazer. Por um momento, Jake não se importou com qual dos dois era. Toda a sua atenção se concentrava nos Lobos restantes encurralados no leito do arroio. Estavam entre cerca de dezoito e vinte e quatro Lobos restantes.

Na frente, postava-se um Lobo com seu bastão de luz erguido a chiar. Estava quase virado para os companheiros, brandindo agora o seu bastão de luz para a estrada. *Exceto que não era um bastão de luz,* pensou Eddie. *É um* sabre *de luz, como em* Star Wars. *Só que aqueles sabres de luz não são efeitos especiais — realmente matam. Que diabos está acontecendo aqui?* Bem, o sujeito na frente estava tentando reagrupar as tropas, isso era óbvio. Eddie decidiu abreviar o discurso. Apertou com o polegar o botão em um dos três pomos dourados que guardara para si. A coisa começou a zumbir e vibrar em sua mão. Era como segurar um botão de campainha.

— Ei, camarada! — chamou ele.

O Lobo no comando não virou a cabeça, e portanto Eddie simplesmente atirou o pomo dourado nele. Lançado de maneira tão displicente, devia ter atingido o chão a vinte ou trinta metros do amontoado de Lobos restantes e rolado até parar. Mas, ao contrário, foi pegando velocidade, subiu e atingiu o Lobo-chefe no centro exato do rosnado que era a sua boca. A coisa explodiu pescoço afora, chapéu-pensante e tudo mais.

— Vamos — disse Eddie. — Experimente. Usar a coisa deles contra eles próprios tem um prazer espe...

Ignorando-o, Jake largou os pomos dourados que Eddie lhe dera, saiu tropeçando sobre a pilha de corpos e foi na direção da trilha.

— Jake? Jake, acho que não é uma ideia muito boa...

Uma mão agarrou a parte superior do braço de Eddie. Ele girou, erguendo a arma, depois baixando-a mais uma vez quando viu Roland.

— Ele não pode ouvi-lo — disse o pistoleiro. — Venha. Vamos ficar ao lado dele.

— Espere, Roland, espere. — Era Rosa. Estava suja de sangue, e Eddie deduziu que fosse da pobre sai de Eisenhart. Não viu nenhum ferimento na própria Rosa. — Eu quero fazer parte — disse ela.

16

Eles alcançaram Jake assim que os Lobos restantes fizeram sua última investida. Alguns lançaram pomos dourados. Estes, Roland e Eddie lançaram pelos ares com facilidade. Jake disparou a Ruger em nove tiros firmes, espaçados, o pulso direito agarrado na mão esquerda, e cada vez que disparou um dos Lobos ou despencou para trás da sela ou caiu escorregando de lado, para ser pisoteado pelos cavalos que vinham atrás. Quando a Ruger ficou vazia, Rosa pegou um décimo, gritando o nome de Lady Oriza. Zalia Jaffords também se juntara a eles, e o décimo primeiro coube a ela.

Enquanto Jake recarregava a Ruger, Roland e Eddie, em pé lado a lado, entraram em ação. Eles quase sem dúvida poderiam ter liquidado juntos os oito restantes (não surpreendeu muito a Eddie que tivessem restado dezenove naquele grupo derradeiro), mas deixaram os dois últimos para Jake. Quando se aproximaram, balançando as espadas de luz acima da cabeça, de uma forma que teria certamente apavorado um bando de fazendeiros, o garoto atirou e arrancou o chapéu-pensante do da esquerda. Depois ficou de lado, esquivando-se quando o último Lobo sobrevivente fez um avanço desanimado sobre ele.

Seu cavalo saltou a pilha de corpos no fim do caminho. Susannah estava no outro lado da estrada, sentada nas ancas em meio a detritos de maquinaria revestida de capas verdes e máscaras podres, fundidas, tombadas. Ela também estava coberta de sangue de Margaret Eisenhart.

Roland entendeu que Jake deixara o último para Susannah, que teria tido muita dificuldade para se juntar a eles na trilha do arroio por causa das pernas que lhe faltavam. O pistoleiro assentiu com a cabeça. O garoto vira uma coisa terrível naquela manhã, sofrera um terrível choque, mas Roland achou que ele ficaria bem. Oi — à espera da volta deles na casa paroquial do père — sem dúvida iria ajudá-lo a suportar o pior de seu luto.

— *Lady Ó-RIZA!* — gritou Susannah, e lançou um prato final quando o Lobo deu meia-volta em seu cavalo, virando-o para leste, rumo ao que quer que chamava de lar. O prato subiu, gritando e cortando fora o topo do capuz verde. Por um momento aquele último ladrão de criança continuou sentado na sela, tremendo e ressoando seu alarme, pedindo por uma ajuda que não viria. Então caiu de repente para trás, dando uma cambalhota completa em pleno ar e se estatelando com um baque na estrada. Sua sirene desligou-se no meio da algazarra.

E assim, pensou Roland, *terminam nossos cinco minutos*. Olhou apático para o cano fumegante de seu revólver, depois o largou de volta no coldre. Um a um os alarmes disparados dos robôs derrubados silenciavam.

Zalia olhava-o com uma espécie de incompreensão aturdida.

— Roland! — disse.

— Sim, Zalia.

— Eles se foram? *Podem* mesmo ter ido? Realmente?

— Todos se foram — respondeu Roland. — Eu contei sessenta e um, e todos estão aqui ou na estrada em nosso fosso.

Por um momento, a esposa de Tian só ficou ali, processando essa informação. Depois fez uma coisa que surpreendeu um homem que não se surpreendia com muita frequência. Atirou-se a ele, apertando o corpo no dele, e cobriu-lhe o rosto com beijos famintos, molhados. Roland aguentou isso por algum tempo, depois a afastou. A náusea estava chegando. O sentimento de inutilidade. A sensação de que combateria aquela batalha ou outras iguais repetidas vezes por toda a eternidade, perdendo um dedo para as lagostrosidades aqui, talvez um olho para uma bruxa velha inteligente ali, e após cada batalha sentiria a Torre Negra um pouco mais distante, em vez de um pouco mais perto. E o tempo todo a torção seca se encaminharia para o coração.

Pare com isso, disse a si mesmo. *É absurdo, e você sabe.*

— Eles vão mandar mais, Roland? — perguntou Rosa.

— Talvez não tenham mais pra mandar — disse Roland. — Se o fizerem, com toda a certeza terá menos deles. E agora vocês conhecem o segredo pra matá-los, não?

— Sim — disse ela, e deu a ele um sorriso selvagem. Os olhos prometeram-lhe mais do que beijos depois, se ele a quisesse.

— Vão até o milharal — disse ele. — Você e Zalia. Diga a eles que é seguro sair agora. Lady Oriza permaneceu amiga de Calla neste dia. E da linhagem de Eld, também.

— Você não vem? — perguntou Zalia. Afastara-se dele, e tinha a face em chamas. — Não quer vir e deixar que eles o aclamem?

— Talvez mais tarde vamos todos ouvi-los nos aclamarem — disse Roland. — Agora precisamos conversar an-tet. O garoto teve um choque terrível.

— Sim — disse Rosa. — Sim, tudo bem. Vamos, Zee. — Estendeu o braço e tomou a mão de Zalia. — Me ajude a ser a portadora das boas-novas.

17

As duas mulheres atravessaram a estrada, fazendo um largo contorno em volta dos restos cobertos de sangue e tombados do pobre menino Slightman. Zalia achou que quase tudo que restara dele só estava unido pelas roupas, e estremeceu ao pensar na dor que o pai sentiria.

A dama-sai do homem mais moço estava na ponta do extremo norte do fosso, examinando os corpos dos Lobos ali espalhados. Ela encontrou um onde a coisinha giratória não fora inteiramente destruída, e continuava tentando girar. As mãos com luvas verdes do Lobo tremiam descontroladamente na poeira, como se estivesse tendo espasmos. Susannah pegou um grande pedaço de pedra e, fria como uma noite na Terra Plena, baixou-a sobre os restos do chapéu-pensante. O Lobo imobilizou-se imediatamente. O zumbido baixo que vinha dele cessou.

— Vamos contar aos outros, Susannah — disse Rosa. — Mas primeiro queremos parabenizar você pela boa execução. Como a amamos, digo a verdade!

Zalia assentiu com a cabeça.

— Nós agradecemos, Susannah de Nova York. Agradecemos muitíssimo mais do que algum dia pode ser expresso.

— Sim, você diz a verdade — concordou Rosa.

A dama-sai ergueu os olhos para ela e sorriu meigamente. Por um momento, Rosalita pareceu um pouco em dúvida, como se talvez tivesse visto alguma coisa que não devia naquele rosto marrom-escuro. Viu que Susannah Dean não estava mais ali, por exemplo. Então a expressão de dúvida foi embora.

— Vamos com boas-novas, Susannah — disse ela.

— Desejo-lhe alegria nisso — disse Mia, filha de ninguém. — Tragam eles de volta como quiserem. Digam-lhes que o perigo aqui acabou, e deixem que os que não acreditam contem os mortos.

— As pernas de sua calça estão molhadas, sabe — disse Zalia.

Mia assentiu, séria. Outra contração transformara-lhe a barriga em uma pedra, mas ela não deu qualquer sinal.

— É sangue, receio. — Indicou com a cabeça o corpo sem cabeça da esposa do grande rancheiro. — Dela.

As mulheres se puseram a descer pelo milharal, de mãos dadas. Mia viu Roland, Eddie e Jake atravessarem a estrada em sua direção. Esse seria o momento perigoso, bem ali. Mas talvez não perigoso demais, afinal; os amigos de Susannah pareciam aturdidos no desfecho da batalha. Se ela parecesse um pouco fora de si, talvez pensassem que o mesmo ocorria com ela.

Achava que seria sobretudo uma questão de esperar por uma oportunidade. Esperar... e depois se mandar sem ser vista. Nesse meio-tempo, aguentou a contração na barriga como um barco galgando uma onda alta.

Eles vão saber aonde você foi, sussurrou uma voz. Não uma voz na cabeça, mas da barriga. A voz do carinha. E aquela voz dizia a verdade.

Leve o globo com você, disse-lhe a voz. *Leve-o com você quando for. Não deixe para eles nenhuma porta aberta para segui-la.*

Sim.

18

A Ruger estalou um único disparo e um cavalo morreu.

De baixo da estrada, do arrozal, veio uma algazarra de alegria que não era muito surpreendente. Zalia e Rosa haviam transmitido as boas-novas. Então um grito lancinante de dor varou as vozes misturadas de felicidade. Haviam transmitido as ruins, também.

Jake Chambers sentou-se na roda da carroça capotada. Soltara os três cavalos que estavam bem. O quarto estivera estendido no chão com duas patas quebradas, espumando, desamparado, pelos dentes, a pedir ajuda ao garoto com os olhos. O garoto a dera. Agora fitava o amigo morto. O sangue de Benny empapava a estrada. A mão na ponta do braço jazia com a palma virada para cima, como se o amigo morto quisesse cumprimentar Deus. Que Deus? Segundo os rumores, o topo da Torre Negra estava vazio.

Do arrozal de Lady Oriza veio um segundo grito de dor. Qual fora o de Slightman e qual fora o de Vaughn Eisenhart? À distância, pensou Jake, não se podia diferenciar o rancheiro do capataz, o patrão do empregado. Haveria uma lição ali, ou era o que a sra. Avery, lá na boa e velha Piper, teria chamado de uma falsa prova parecendo real?

A palma apontando para o céu a iluminar-se, *isso* com certeza era real.

Agora o povo começava a cantar. Jake reconheceu a música. Era uma nova versão da que Roland cantara em sua primeira noite em Calla Bryn Sturgis:

"Isso-isso-é commala
O arroz chega ô pessoal
Eu vejo tudo brotar
Eles vêm ô pessoal
Nós fomos pro rio
'Riza nos deu kivva..."

O arroz ondulava com o povo cantando e chegando, ondulava como se estivesse dançando com a alegria deles, como Roland dançara para eles naquela noite iluminada pelas tochas. Alguns vinham com os filhinhos no colo, e mesmo com o peso balançavam de um lado para outro. *Todos dançamos esta manhã*, pensou Jake. Não sabia o que queria dizer com isso, só que era um pensamento verdadeiro. *A dança que fizemos. A única que sabemos. Benny Slightman? Morreu dançando. Sai Eisenhart também.*

Roland e Eddie aproximaram-se dele; Susannah também, mas um pouco atrás, como se decidisse que, pelo menos por enquanto, os rapazes deviam ficar juntos. Roland fumava, e Jake indicou com a cabeça o cigarro.

— Poderia enrolar um desses pra mim?

Roland virou-se na direção de Susannah, sobrancelhas erguidas. Ela deu de ombros e fez que sim com a cabeça. Roland enrolou um cigarro para Jake, entregou-lhe, depois riscou um fósforo nos fundilhos da calça e acendeu-o. Ali sentado na roda da carroça, Jake sugava a fumaça em baforadas ocasionais, prendia-a na boca, depois a soltava. A boca encheu-se de cuspe. Ele não se importou. Ao contrário de algumas coisas, a gente podia se livrar do cuspe. Não fez tentativa alguma de tragar.

Roland olhou colina abaixo, onde os primeiros dos homens que corriam acabavam de sair do milharal.

— Aquele é Slightman — disse. — Bom.

— Por que bom, Roland? — perguntou Eddie.

— Porque sai Slightman terá acusações a fazer — disse Roland. — Em sua dor, não vai ligar pra quem as ouvir, nem o que seu extraordinário conhecimento poderia dizer sobre sua parte no trabalho desta manhã.

— Dança — disse Jake.

Eles se viraram para olhá-lo, ali sentado na roda da carroça, pálido e pensativo, segurando o cigarro.

— A dança desta manhã — disse.

Roland pareceu pensar nisso e depois assentiu.

— Sua parte na *dança* desta manhã. Se chegar aqui cedo o suficiente, talvez possamos calá-lo. Se não, a morte do filho vai ser apenas o início da commala de Ben Slightman.

19

Slightman tinha quase quinze anos menos que o rancheiro, e chegou ao local da batalha bem antes do outro. Por um momento, só ficou na outra borda do esconderijo, examinando o corpo estraçalhado caído na estrada. Já não havia mais muito sangue, agora — a oggan o absorvera gulosamente —, mas o braço decepado continuava estendido onde estivera, e o braço decepado disse tudo. Roland não teria movido o braço dali antes da chegada de Slightman ao local tanto quanto não teria aberto a braguilha e mijado no cadáver de Slightman filho. Benny chegara à clareira no fim de seu caminho. O pai, como seu parente mais próximo, tinha o direito de ver onde e como isso acontecera.

O sujeito ficou quieto talvez por cinco segundos, depois inspirou fundo e exalou um grito lancinante, que gelou o sangue de Eddie. Ele olhou em volta à procura de Susannah e viu que ela não estava mais ali. Não a culpava por se mandar. Aquela era uma cena terrível. A pior.

Slightman olhou à esquerda, à direita, depois direto em frente e viu Roland, em pé ao lado da carroça virada com os braços cruzados. A seu lado, Jake estava sentado na roda, fumando seu primeiro cigarro.

— *VOCÊ!* — gritou Slightman. Portava seu bah; agora o tirava do ombro. — *VOCÊ FEZ ISTO! VOCÊ!*

Eddie puxou habilmente a arma das mãos de Slightman.

— Não, não vai, não parceiro — murmurou. — Não precisa disto agora, por que não deixa que eu a seguro pra você.

Slightman pareceu não notar. Por incrível que pareça, sua mão direita continuava fazendo movimentos circulares no ar, como se armando o bah para um disparo.

— *VOCÊ MATOU MEU FILHO! PARA SE VINGAR DE MIM! SEU DESGRAÇADO! DESGRAÇADO ASSASSI...*

Movendo-se com a assombrosa e fantasmagórica rapidez em que Eddie ainda não conseguia completamente acreditar, Roland agarrou Slightman pelo pescoço na curva de um braço e depois o puxou para a frente. O movimento ao mesmo tempo interrompeu o fluxo das acusações do sujeito e trouxe-o para perto.

— Ouça — disse Roland —, e ouça bem. Não dou a mínima para a sua vida nem para a sua honra, a primeira foi jogada fora e a outra há muito desapareceu, mas seu filho está morto, é a honra *dele* que me muito me importa. Se não se calar neste segundo, seu verme da criação, vou calá-lo eu mesmo. Então, o que vai ser? Dá no mesmo para mim. Digo a eles que você surtou ao ver seu filho, roubou minha arma do coldre e meteu uma bala na própria cabeça pra se juntar a ele. Qual das duas prefere? Decida.

Eisenhart, embora bastante exausto, continuava cambaleando e serpeando seu caminho pelo milharal, chamando roucamente o nome da mulher:

— *Margaret! Margaret! Me responda, querida! Me fale alguma coisa, eu lhe imploro, fale!*

Roland soltou Slightman e olhou-o severamente. Slightman desviou seus olhos medonhos para Jake.

— Seu dinh matou meu menino para se vingar de mim? Me diga a verdade, filho.

Jake deu uma última baforada no cigarro e atirou-o fora. A guimba caiu em brasas no chão, junto ao cavalo morto.

— Você chegou a olhar para ele? — perguntou ao pai de Benny. — Nenhuma bala já fabricada poderia fazer aquilo. A cabeça de sai Eisenhart caiu quase em cima dele, e Benny saiu rastejando para longe do... do horror daquilo. — Esta era uma palavra, percebeu, que ele jamais usara em voz alta.

Nunca *precisara* falar em voz alta. — Eles arremessaram dois pomos dourados nele. Eu peguei um, mas... — Engoliu em seco. Ouviu-se um estalo em sua garganta. — O outro... eu teria, você sabe... eu tentei, mas... — O rosto se contorcia. A voz se extinguia. Mas os olhos estavam secos. E de algum modo tão terríveis quanto os de Slightman. — Eu não tive nenhuma chance de pegar o outro — terminou, depois baixou a cabeça e caiu em prantos.

Roland olhou para Slightman, as sobrancelhas erguidas.

— Tudo bem — disse Slightman. — Eu entendo como foi. Sim. Me diga, ele foi valente até então? Me diga, eu lhe peço.

— Ele e Jake trouxeram de volta um daquele par — disse Eddie, gesticulando para os gêmeos Tavery. — O menino. Ficou com o pé preso em um buraco. Jake e Benny o puxaram, depois o carregaram. Nada além de coragem, seu garoto. Lado a lado e o tempo todo até a metade.

Slightman assentiu com a cabeça. Tirou os óculos do rosto e olhou para os óculos como se nunca os houvesse visto antes. Manteve-os assim, diante dos olhos, por um ou dois segundos, depois os largou na estrada e esmagou-os sob o salto de uma das botas. Olhou para Roland e Jake quase se desculpando.

— Creio que vi tudo o que precisava — disse, e depois se encaminhou para o filho.

Vaughn Eisenhart surgiu do milharal. Viu a esposa e soltou um uivo. Depois rasgou a camisa no meio e começou a martelar o punho direito acima de seu flácido peito esquerdo, gritando o nome dela a cada golpe.

— Ah, cara — disse Eddie. — Roland, você tem de parar com aquilo.

— Eu não — disse o pistoleiro.

Slightman pegou o braço decepado do filho e deu um beijo na palma com tamanha ternura que Eddie achou quase insuportável. Pôs o braço do garoto no peito, depois se encaminhou de volta para eles. Sem os óculos, seu rosto parecia nu e de algum modo amorfo.

— Jake, me ajudaria a encontrar uma manta?

Jake desceu da roda da carroça para ajudá-lo a encontrar o que ele precisava. Na trincheira descoberta que servira como esconderijo, Eisenhart embalava a cabeça queimada da esposa junto ao peito, balançando-a. Do milharal, aproximando-se, vinham as crianças e os acompanhantes cantando "A Canção do Arroz". A princípio, Eddie achou que o que ouvia vindo da cidade devia ser um eco daquela cantoria, e então compreendeu que eram o restante do povo de Calla. Eles sabiam. Eles haviam ouvido a música e sabiam. Estavam vindo.

Père Callahan saiu do campo com Lia Jaffords aninhada nos braços. Apesar do barulho, a menina dormia. Callahan olhou as pilhas de Lobos mortos, retirou uma das mãos debaixo das coxas da menina e desenhou uma lenta e trêmula cruz no ar.

— Deus seja agradecido — disse.

Roland foi até ele e pegou a mão que fizera a cruz.

— Coloque uma em mim — pediu.

Callahan olhou-o, sem compreender.

Roland indicou com a cabeça Vaughn Eisenhart.

— Aquele prometeu que eu deixaria a cidade com uma maldição sobre mim se algum mal acontecesse à sua esposa.

Poderia ter dito mais, porém não foi necessário. Callahan entendeu e fez o sinal da cruz na testa de Roland. A unha deixou um calor atrás que Roland sentiu por um longo tempo. E embora Eisenhart jamais cumprisse sua promessa, o pistoleiro nunca se arrependeu de ter pedido ao père por esse pouco de proteção extra.

20

O que se seguiu foi um jubileu confuso ali na estrada do Leste, misturado com a dor pelos dois que haviam tombado. Mas mesmo a dor tinha uma luz brilhando através dela. Ninguém parecia sentir que as perdas eram de qualquer modo iguais aos ganhos. E Eddie imaginou que isso fosse verdade. Se não fosse sua esposa ou seu filho que houvessem sido perdidos, quer dizer.

A cantoria dos que vinham da cidade ficou mais próxima. Agora eles viam poeira subindo. Na estrada, homens e mulheres se abraçavam. Alguém tentou tirar a cabeça de Margaret Eisenhart do marido, que por enquanto se recusava a soltá-la.

Eddie aproximou-se de Jake.

— Você nunca viu *Star Wars*, viu? — perguntou.

— Não, já te disse. Eu *ia* ver, mas...

— Partiu cedo demais. Eu sei. Aquelas coisas que eles estavam brandindo... Jake, eram desse filme.

— Tem certeza?

— *Sim*. E os Lobos... Jake, os próprios Lobos...

Jake assentia, muito devagar. Agora conseguiam ver as pessoas da cidade. Os recém-chegados viram as crianças — *todas* as crianças, ainda ali e ainda sãs e salvas — e gritaram vivas. As da frente puseram-se a correr.

— Eu sei.

— *Sabe?* — perguntou Eddie. Quase implorava com os olhos. — Sabe mesmo? Porque... cara, isso é tão *louco*...

Jake olhou para os Lobos amontoados. Os capuzes verdes. As longas leggings cinza. As botas pretas. As caras rosnantes em decomposição. Eddie já retirara uma daquelas caras de metal em putrefação e olhara o que tinha dentro. Nada, além de metal liso, além de lentes que serviam de olhos, uma malha gradeada que sem dúvida servia de nariz, dois microfones projetados nas têmporas como orelhas. Não, toda a personalidade que aquelas coisas tinham estava nas máscaras e na roupagem que usavam.

— Loucura ou não, eu sei o que eles são, Eddie. Ou pelo menos de onde vieram. Das revistas em quadrinhos da Marvel Comics.

Um olhar de alívio total encheu o rosto de Eddie. Ele curvou-se e beijou Jake no rosto. Um espectro de sorriso tocou a boca do garoto. Não era muito, mas um começo.

— As revistinhas do *Homem-Aranha* — disse Eddie. — Quando eu era garoto, comprava todas que conseguia.

— Eu não comprava — disse Jake —, mas Timmy Mucci na Mid-Town Lanes era completamente viciado nos gibis da Marvel. *Homem-Aranha*, *Quarteto Fantástico*, *O Incrível Hulk*, *Capitão América*, todas elas. Esses caras...

— Parecem o Doutor Destino — disse Eddie.

— Sim — disse Jake. — Não exatamente, tenho certeza de que as máscaras foram modificadas pra fazê-las parecerem um pouco mais como lobos, mas fora isso... os mesmos capuzes, as mesmas capas verdes. É, o Doutor Destino.

— E os pomos dourados — disse Eddie. — Já ouviu falar de Harry Potter?

— Acho que não. Você já?

— Não, e vou te dizer por quê. Porque os pomos dourados são do futuro. Talvez de um gibi da Marvel que vai sair em 1990 ou 1995. Entende o que estou dizendo?

Jake fez que sim com a cabeça.

— É tudo dezenove, não é?

— Sim — disse Jake. — Dezenove, noventa e nove e dezenove-noventa e nove.

Eddie olhou em volta.

— Cadê a Suze?

— Deve ter ido pegar a cadeira de rodas — disse Jake.

Mas antes que um dos dois pudesse pensar mais a fundo a respeito da questão do paradeiro de Susannah (e àquela altura provavelmente já era tarde demais), o primeiro do povo da cidade chegou. Eddie e Jake foram arrebatados para uma violenta comemoração improvisada — abraços, beijos, apertos de mão, risos, choros, agradecimentos, agradecimentos e agradecimentos.

21

Dez minutos depois da chegada do principal grupo do pessoal da cidade, Rosalita aproximou-se relutante de Roland. O pistoleiro ficou extremamente feliz em vê-la. Eben Took pegara-o pelos braços e dizia-lhe — ao que lhe parecia ser repetidas e infinitas vezes — o quanto ele e Telford tinham se enganado, que estavam total e completamente errados, e que quando Roland e seu ka-tet se dispusessem a partir, ele iria equipá-los de popa a proa sem pagarem nenhum centavo.

— Roland! — chamou Rosa.

Roland pediu licença e pegou-a pelo braço, levando-a um pouco adiante na estrada. Os Lobos haviam sido espalhados por toda parte e agora eram saqueados sem misericórdia de suas posses pelo povo, risonho e em delirante felicidade. Retardatários chegavam a cada minuto.

— Rosa, o que foi?

— É a senhora de vocês, Susannah.

— O que tem ela? — perguntou Roland. Franzindo o cenho, olhou em volta. Não viu Susannah, nem se lembrava de *quando* a vira pela última vez. Quando dera o cigarro a Jake? Tanto tempo assim? Achava que sim. — Onde ela está?

— É exatamente isto — disse Rosa. — Eu não sei. Por isso, fui ver na carroça em que ela veio, achando que talvez tivesse ido pra lá descansar. Que talvez estivesse fraca ou enjoada, você sabe. Mas não está lá. E Roland... a cadeira de rodas desapareceu.

— Deuses! — disparou Roland, e deu um soco na perna. — Ah, *deuses*!

— Rosalita recuou um passo, alarmada.

— Cadê Eddie? — perguntou Roland.

Ela apontou. Eddie estava tão enfurnado em um bando de admiradores e admiradoras que Roland achou que não teria avistado, não fosse pela criança encaixada em seus ombros; era Heddon Jaffords, um enorme e radiante sorriso no rosto.

— Tem certeza de que precisa incomodá-lo? — perguntou timidamente Rosa. — Talvez ela só tenha saído por um instante, para se recompor.

Saído por um instante, pensou Roland. Sentia uma sombra enchendo-lhe o coração. O coração que afundava. Ela saíra por um instante, com certeza. E ele sabia quem tinha vindo para tomar seu lugar. A atenção deles tinha se distraído no desfecho da luta... A dor de Jake... as congratulações do povo de Calla ... a confusão, a alegria e a cantoria... mas isso não era desculpa.

— *Pistoleiros!* — bramiu ele, e a multidão em júbilo calou-se de repente. Se tivesse se dado ao trabalho, teria visto o medo logo abaixo do alívio e da adulação. Não teria sido novidade para ele; as pessoas sempre temiam aqueles que chegavam portando grossos calibres. O que queriam quando o tiroteio estivesse concluído era oferecer-lhes uma refeição final, talvez um sexo final de gratidão e pegar mais uma vez suas ferramentas pacíficas de cultivo.

Bem, pensou Roland, *logo estaremos partindo. Na verdade, um de nós já se foi. Deuses!*

— *Pistoleiros, a mim! A mim!*

Eddie foi o primeiro a chegar junto de Roland. Olhou em volta.

— Onde está Susannah? — perguntou.

Roland apontou a terra pedregosa de penhascos e arroios, depois elevou o dedo até parar apontado para um buraco preto logo abaixo da linha do horizonte.

— Acho que ali — disse ele.

Toda a cor se esvaíra do rosto de Eddie.

— Está apontando para a Gruta da Porta — disse —, não é?

Roland assentiu com a cabeça.

— Mas o globo, o Treze Preto, ela não quis chegar nem *perto* dele quando estava na igreja de Callahan...

— Não — disse Roland. — *Susannah*, não. Mas ela não está mais no comando.

— Mia? — perguntou Jake.

— Sim. — Roland examinou o buraco preto com olhos baços. — Mia foi ter seu bebê. Foi ter seu carinha.

— Não — disse Eddie. As mãos serpearam e agarraram a camisa de Roland. Em volta deles, as pessoas em silêncio os observavam. — Roland, não diga isso.

— Vamos atrás dela, e esperemos que não seja tarde demais — disse Roland.

Mas em seu coração ele sabia que já era.

Epílogo

A GRUTA DA PORTA

1

Embora tivessem seguido rápido, Mia seguira mais rápido. A menos de dois quilômetros do lugar onde a trilha do arroio se dividia, eles encontraram a cadeira de rodas. Ela a empurrara rápido, usando os braços fortes para dar-lhe um ritmo violento contra o terreno inclemente. Acabara batendo em uma pedra saliente com força o suficiente para entortar a roda esquerda e inutilizar a cadeira. Era espantoso, realmente, que houvesse chegado tão longe nela.

— Commala da porra — murmurou Eddie, olhando a cadeira. Os amassados e os arranhões. Depois ergueu a cabeça, levou as mãos em concha à boca e gritou: — *Lute com ela, Susannah! Lute com ela! Estamos chegando!*

Ele empurrou a cadeira para o lado e seguiu acima na trilha, não parando para ver se os outros seguiam atrás.

— Ela não consegue subir a trilha até a gruta, consegue? — perguntou Jake. — Quer dizer, não tem as *pernas*.

— Seria de se imaginar que não conseguiria, não é mesmo? — perguntou Roland, mas tinha a expressão sombria.

Ele mancava. Jake começou a dizer alguma coisa sobre isso, mas pensou melhor e não falou nada.

— O que ela iria querer fazer lá, de qualquer modo? — perguntou Callahan.

Roland lançou-lhe um olhar singularmente frio.

— Ir a algum outro lugar. Certamente consegue entender isso. Vamos.

2

Quando se aproximaram do lugar em que a trilha começava a subir, Roland alcançou Eddie. Na primeira vez que colocou a mão no ombro do rapaz, Eddie se desprendeu dela. Na segunda se virou — relutante — para olhar seu dinh. Roland notou que havia sangue salpicado na frente da camisa de Eddie. Perguntou-se se era de Benny, de Margaret ou dos dois.

— Talvez seja melhor deixá-la sozinha um pouco, se for Mia — disse Roland.

— Perdeu o juízo? A batalha contra os Lobos afrouxou seus *parafusos*?

— Se a deixarmos sozinha, ela talvez termine o que tem a fazer e vá embora.

Mesmo enquanto falava, Roland duvidava das próprias palavras.

— É — disse Eddie, examinando-o com olhos em brasa —, ela vai terminar seu negócio, certo. Primeira parte, ter o guri. Segunda parte, matar minha esposa.

— Isso seria suicídio.

— Mas ela poderia fazer. Temos de ir atrás dela.

Render-se era uma arte que Roland praticava raramente, mas com certa habilidade, nas poucas ocasiões na vida em que fora necessário. Deu mais uma olhada no rosto pálido, decidido, de Eddie e a pôs em prática naquele momento.

— Está bem — disse —, mas precisaremos ser cuidadosos. Ela vai lutar para impedir que a levem. Vai matar se for preciso. Você antes de qualquer um de nós, talvez.

— Eu sei — disse Eddie, o rosto sombrio.

Olhou o caminho ascendente, mas uns quinhentos metros acima a trilha tomava a forma de um anzol para o lado sul do penhasco e saía da visão. Ziguezagueava de volta para o lado deles logo abaixo da boca da gruta. Aquele trecho estava deserto, mas que provava isso? Ela podia estar em qualquer lugar. Ocorreu a Eddie que talvez nem estivesse lá em cima, que a cadeira quebrada talvez tivesse sido tanto uma isca quanto as coisas que Roland espalhara ao longo da trilha do arroio.

Me recuso acreditar nisso. Há um milhão de tocas de rato nesta parte de Calla, e se eu achar que ela poderia estar em qualquer uma delas…

Callahan e Jake os haviam alcançado e parado ali olhando para Eddie.

— Vamos — disse ele. — Não importo quem ela seja, Roland. Se quatro homens de corpo em boa forma física não conseguem agarrar uma mulher sem pernas, devemos guardar nossas armas e nos aposentar.

Jake deu um sorriso amarelo.

— Estou comovido. Você acabou de me chamar de homem.

— Não deixe que isso lhe suba à cabeça, camarada. Vamos.

3

Eddie e Susannah falavam e pensavam um no outro como marido e mulher, mas ele não tivera exatamente condições de pegar um táxi até a Cartier e comprar-lhe um anel de brilhante e uma aliança de casamento. Já tivera um belo anel de formatura no ensino médio, mas perdera-o na areia em Coney Island, no verão em que fizera dezessete anos, o verão de Mary Jean Sobieski. Porém em suas jornadas desde o mar Ocidental, Eddie redescobrira seu talento como talhador de madeira ("bichinha entalhadora", teria dito o tremendo sábio e viciado de primeira) e talhara para sua amada um belo anel de salgueiro, leve como espuma, mas resistente. Este Susannah usava entre os seios, pendurado em uma laçada de couro cru.

Encontraram-no no pé da trilha, ainda na tira de couro. Eddie pegou-o, olhou-o com um ar sombrio por um momento, depois o passou pela cabeça e para dentro da camisa.

— Vejam — disse Jake.

Voltaram-se para um lugar logo ao lado da trilha. Ali, em uma área de mato ralo, havia um rastro. Não humano, nem animal. Três rodas em uma configuração que fez Eddie lembrar-se de um triciclo infantil. Que diabos?

— Vamos — disse ele, perguntando-se quantas vezes dissera isso desde que percebera que ela desaparecera. Também se perguntou por quanto tempo continuariam seguindo-o se não parasse de dizer isso. Não que fizesse diferença. Ele ia continuar em frente até estar novamente com ela ou ser morto. Muito simples. O que mais o assustava era o bebê... o que ela chamava de carinha. E se ele se voltasse contra ela? E suspeitava que pudesse fazer exatamente isso.

— Eddie — disse Roland.

Eddie olhou para trás e deu a Roland seu próprio giro impaciente da mão: *vamos logo.*

Em vez disso, Roland apontou para os rastros.

— Isso era algum tipo de motor.

— Você ouviu um?

— Não.

— Então não tem como saber disso.

— Mas eu sei — disse Roland. — Alguém mandou um veículo para ela. Ou alguma coisa.

— Você não pode *saber* disso, maldito seja!

— Andy pode ter deixado um veículo pra ela — disse Jake. — Se alguém o mandou fazer isso.

— Quem o mandaria fazer uma coisa dessas? — perguntou Eddie, irritado.

Finli, pensou Jake. *Finli o'Tego, quem quer que seja. Ou talvez Walter*. Mas não falou nada. Eddie já estava transtornado o suficiente.

Roland disse:

— Ela foi embora. Prepare-se para isso.

— Vai se foder! — rosnou Eddie, e voltou para a trilha que levava para cima. — Vamos!

4

Mas, em seu coração, Eddie sabia que Roland tinha razão. Seguiu a trilha para a Gruta da Porta não com esperança, mas com uma espécie de determinação desesperada. No lugar onde o pedregulho tombara, bloqueando quase todo o caminho, encontraram um veículo abandonado com três pneus-balão e um motor elétrico que ainda zumbia baixinho, com um constante e baixo *ummmmm*. Para Eddie, a engenhoca parecia uma daquelas coisas estranhas vendidas na Abercrombie & Fitch, feitas para quadriciclos que eram apropriados para todo tipo de terreno. Tinha um guidom e freios de mão. Ele curvou-se mais para perto e leu o que estava estampado no aço do lado esquerdo.

FREIOS "MÃO NA MASSA" DA NORTH CENTRAL POSITRONICS

Atrás do banco estilo bicicleta havia um pequeno compartimento. Eddie abriu-o e não se surpreendeu nem um pouco ao ver uma embalagem de seis latas de Nar-izz-Cola, a bebida preferida dos figurões em toda parte. Uma lata fora tirada da embalagem. Ela sentira sede, claro. Deslocar-se rápido fazia a gente ficar com sede. Sobretudo em trabalho de parto.

— Isto veio do lugar do outro lado do rio — murmurou Jake. — A Dogan. Se eu tivesse voltado, teria visto estacionado lá. Provavelmente uma frota inteira deles. Aposto que *foi* Andy.

Eddie tinha de admitir que fazia sentido. A Dogan era sem a menor dúvida algum tipo de posto avançado, na certa um que pré-datava os atuais desagradáveis residentes do Trovão. Era exatamente o tipo de veículo que seria necessário para fazer patrulhas, em vista do terreno.

Do ponto de visão privilegiada ao lado do pedregulho tombado, Eddie via o campo de batalha onde haviam enfrentado os Lobos, atirando pratos e chumbo. Aquele trecho da estrada do Leste estava tão cheio de gente que o fez pensar no Desfile do Dia de Ação de Graças da Macy's. Calla inteira se achava ali festejando, e, ah, como Eddie os odiou naquele momento. *Minha esposa foi embora por causa de vocês, seus filhos da puta desgraçados*, ele pensou. Era uma noção idiota, e tremendamente maldosa também, mas lhe dava uma certa satisfação odiosa. Qual era aquele poema de Stephen Crane que dizia, o que eles haviam lido no colégio? "Gosto porque é amargo e porque é meu coração." Bom o bastante para ser verdade.

Agora Roland parava ao lado do triciclo abandonado, a zumbir baixo, e se era solidariedade que ele via nos olhos do pistoleiro — ou, pior, pena —, não queria nada disso.

— Vamos, pessoal. Vamos procurá-la.

5

Desta vez a voz que os saudou das profundezas da Gruta da Porta era de uma mulher que Eddie jamais conhecera, embora tivesse ouvido falar dela... sim, muito, agradeça... e reconheceu a voz no mesmo instante.

— Ela se foi, seu grande imbecil guiado pela pica! — gritou Rhea do Cöos das trevas. — Foi fazer seu trabalho de parto em outra parte, sim! E não tenho a menor dúvida de que quando seu bebê canibal afinal sair, vai mastigar a mãe até em cima desde a boceta, vai, sim! — Deu uma gargalhada, um perfeito (e perfeitamente terrível) cacarejo de bruxa. — Nada de leite de teta para esse bebê, seu babaca perdido! Esse vai comer *carne*!

— Cale a boca! — gritou Eddie para a escuridão. — Cale a boca, sua... porra de *fantasma*!

E por mais incrível que fosse, o fantasma calou-se.

Eddie olhou em volta. Viu a maldita estante de dois andares de Tower — as primeiras edições sob vidro, que lhes façam bem —, mas nenhuma sacola de malha metálica com PISTAS DO MUNDO MÉDIO impresso; e tampouco a caixa de madeira. A porta desconhecida continuava ali, as dobradiças ainda enganchadas no nada, mas agora tinha uma estranha aparência baça. Não apenas desconhecida, mas não lembrada; apenas mais uma peça inútil de um mundo que seguira em frente.

— Não — disse Eddie. — Eu não aceito isso. O poder continua aqui. *O poder continua aqui.*

Virou-se para Roland, mas Roland não olhava para ele. Incrivelmente, o pistoleiro examinava os livros. Como se a busca por Susannah tivesse começado a entediá-lo e ele procurasse por uma boa leitura para passar o tempo. Eddie pegou o ombro dele, virou-o.

— O que aconteceu, Roland? Você sabe?

— O que aconteceu é óbvio — disse Roland. Callahan subira e estava a seu lado. Só Jake, que visitava pela primeira vez a Gruta da Porta, ficou na entrada. — Ela levou a cadeira de rodas o mais longe que pôde, depois foi de quatro até o pé da trilha, uma façanha e tanto para uma mulher provavelmente em trabalho de parto. No pé da trilha, alguém, que deve ter sido Andy, como disse Jake, lhe deixou um transporte.

— Se foi Slightman, eu vou voltar e matá-lo.

Roland fez que não com a cabeça.

— Slightman não.

Mas Slightman talvez soubesse com certeza, ele pensou. Provavelmente isso não tinha importância, mas ele não gostava de pontas soltas tanto quanto gostava de quadros tortos em paredes.

— Ei, mano, lamento dizer isto, mas sua puta está morta — gritou Henry Dean do fundo da gruta. Não parecia triste, mas cheio de alegria. — A coisa maldita comeu ela até em cima! Só parou o bastante a caminho do cérebro pra cuspir os dentes.

— *Cale a boca!* — gritou Eddie.

— O cérebro é a maior das comida do cérebro, sabe — continuou Henry. Assumira um tom maduro, professoral. — Reverenciado por canibais do mundo inteiro. Que carinha esse que ela teve, Eddie! Bonitinho mas *faminto*.

— Cale a boca, em nome de Deus! — gritou Callahan, e a voz do irmão de Eddie cessou. Por enquanto, pelo menos, todas as vozes cessaram.

Roland continuou como se não houvesse sido interrompido.

— Ela veio aqui. Pegou a sacola. Abriu a caixa para que o Treze Preto abrisse a porta. Mia, quer dizer... não Susannah, mas Mia. Filha de ninguém. E depois, ainda carregando a caixa aberta, ela atravessou. Já do outro lado, fechou a caixa, fechando a porta. Fechando-a contra nós.

— Não — disse Eddie, e agarrou a maçaneta de cristal com a rosa gravada em suas facetas geométricas. Ela não girou. Não cedeu nem um milímetro.

Das trevas, Elmer Chambers disse:

— Se tivesse sido mais rápido, filho, poderia ter salvado seu amigo. A culpa é sua. — E caiu mais uma vez em silêncio.

— Isso não é real, Jake — disse Eddie, e passou o dedo pela rosa. A ponta do dedo saiu empoeirada. Como se a porta desconhecida houvesse ficado ali, não usada além de desconhecida, por dezenas de séculos. — Só transmite a pior coisa que consegue encontrar na nossa cabeça.

— Eu sempre odiei suas tripas, branquelo azedo! — gritou, triunfante, Detta das trevas além da porta. — Ai, como estou contente de me ver livre de você!

— Assim — disse Eddie, apontando um dedo na direção da voz.

Jake assentiu com a cabeça, pálido e pensativo. Roland, enquanto isso, voltara para a estante de Tower.

— Roland? — Eddie tentou manter a irritação fora da voz, ou ao menos acrescentar-lhe uma pequena centelha de humor, e falhou nas duas coisas. — A gente está te entediando, aqui?

— Não — respondeu Roland.

— Então eu gostaria que parasse de olhar esses livros e me ajudasse a pensar em um jeito de abrir esta...

— Eu sei como abri-la — disse Roland. — A primeira questão é aonde ela nos levará agora que o globo desapareceu? A segunda é aonde queremos ir? Atrás de Mia, ou ao lugar onde Tower e o amigo dele estão escondidos de Balazar e os amigos *dele*?

— Vamos atrás de Susannah! — gritou Eddie. — Por acaso escutou alguma coisa do que aquelas vozes de merda estão dizendo? Estão dizendo que é um canibal! Minha esposa poderia estar dando à luz alguma espécie de monstro canibal *neste momento*, e você acha que tem coisa mais importante que...

— A *Torre* é mais importante — disse Roland. — E em algum lugar no outro lado dessa porta há um homem cujo *nome* é Tower. Um homem que tem um certo terreno baldio e uma certa rosa brotando lá.

Eddie olhou-o, inseguro. Assim como fizeram Jake e Callahan. Roland voltou mais uma vez para a estante. Parecia realmente fora de lugar, ali na escuridão rochosa.

— E é dono destes livros — meditou Roland. — Arriscou tudo para salvá-los.

— É, porque é um filho da puta obsessivo.

— No entanto todas as coisas servem ao ka e seguem o Feixe — disse Roland, e escolheu um livro da prateleira de cima da estante. Eddie viu que fora posto de cabeça para baixo, o que lhe pareceu muito com algo que Calvin Tower jamais faria.

Roland segurou o livro nas mãos marcadas, curtidas pelo tempo, parecendo debater a qual deles dá-lo. Olhou para Eddie, olhou para Callahan, e então deu o livro a Jake.

— Leia para mim o que está escrito na frente. As palavras do mundo de vocês fazem minha cabeça doer. Surgem com facilidade para os meus olhos, mas quando chegam à mente, elas fogem.

Jake prestava pouca atenção; tinha os olhos cravados na sobrecapa com a foto de uma igrejinha rural ao pôr do sol. Callahan, enquanto isso, adiantara-se à frente dele a fim de dar uma olhada mais de perto na porta ali parada na gruta sombria.

O garoto acabou erguendo os olhos.

— Mas... Roland, esta não é a cidade de que père Callahan nos falou? Aquela onde o vampiro quebrou a cruz dele e o obrigou a beber seu sangue?

Callahan virou-se e afastou-se da porta.

— *Como?*

Jake entregou-lhe o livro sem falar. Callahan pegou-o. Quase arrancou-o.

— *'Salem* — leu. — Um romance de Stephen King. — Ergueu os olhos para Eddie, depois para Jake. — Já ouviram falar nele? Algum de vocês? Não acho que seja da minha época.

Jake balançou a cabeça. Eddie ia começar a balançar também a sua e então viu alguma coisa.

— Essa igreja — disse. — Parece o Salão da Assembleia de Calla. O bastante pra ser quase sua gêmea.

— Também se parece com o Salão da Assembleia Metodista de East Stoneham, construído em 1819 — disse Callahan —, portanto eu imagino que desta vez temos um caso de trigêmeos.

Mas sua voz soou muito distante aos próprios ouvidos, tão oca quanto as vozes falsas que subiam flutuando do fundo da gruta. De repente sentiu-se falso a si mesmo, não real. Sentiu-se *dezenove*.

6

É uma piada, parte da sua mente tranquilizou-o. *Só pode ser uma piada, a capa do livro diz que é um romance, portanto...*

Então uma ideia ocorreu a ele, e ele sentiu uma onda de alívio. Embora um alívio *condicional*, era certamente melhor do que nada. A ideia foi de que as pessoas escreviam livros faz de conta sobre lugares reais. Era isso, com certeza. Só podia ser.

— Olhe na página 119 — disse Roland. — Eu pude entender um pouco, mas não tudo. Nem de longe o suficiente.

Callahan encontrou a página e leu o seguinte:

— "Nos primeiros anos de seminário, um amigo do padre..." — A voz se extinguiu, os olhos disparados sobre as palavras na página.

— Continue — disse Eddie. — Leia, padre, ou leio eu.

Devagar, Callahan recomeçou.

— "... um amigo do padre Callahan lhe dera um álbum com bordados blasfemos que lhe causara acessos de riso horrorizado na época, mas que pareciam mais verdadeiros e menos sacrílegos com o passar dos anos: *Deus dai-me* SERENIDADE *para aceitar o que não posso mudar,* TENACIDADE *para mudar o que posso e* SORTE *para não fazer muita merda.* Isso escrito em caligrafia antiga e rebuscada, com um sol nascente ao fundo.

"'Agora, diante dos parentes e amigos de Danny Glick... diante dos parentes e amigos de Danny Glick, a velha oração... a velha oração voltou a lhe ocorrer.'"

A mão que segurava o livro afrouxou-se. Se Jake não o houvesse pegado, o livro teria caído no chão da gruta.

— Você teve, não? — perguntou Eddie. — Você realmente teve um bordado de tapeçaria antiga dizendo isso.

— Frankie Foyle me deu — disse Callahan. A voz pouco mais que um sussurro. — No seminário. E Danny Glick... Eu oficiei o funeral dele, acho que já lhes contei isso. Foi quando as coisas pareceram mudar. Mas isso é um *romance*! Um romance é *ficção*! Como... como é que pode... — A voz de repente elevou-se em um sinistro uivo. Para Roland, pareceu sinistramente parecido com as vozes que subiam de baixo. — *Porra, eu sou uma* PESSOA DE VERDADE!

— Aqui está a parte onde o vampiro quebrou a sua cruz — informou Jake. — "'Enfim, juntos!', exclamou Barlow, sorrindo. Seu rosto era forte, inteligente e belo, mas brutal e sombrio. Quando a luz mudou de ângulo, pareceu..."

— Pare — disse Callahan, apaticamente. — Faz minha cabeça doer.

— Diz aqui que o rosto dele fazia você se lembrar do bicho-papão que morava em seu armário quando você era criança. O sr. Flip.

Callahan tinha agora o rosto tão pálido que poderia ter sido ele próprio vítima de um vampiro.

— Nunca contei a ninguém sobre o sr. Flip, nem para a minha mãe. Isso não pode estar no livro. Simplesmente não pode.

— Está — disse Jake apenas.

— Vamos entender aqui — disse Eddie. — Quando você era criança, *havia* um sr. Flip, e você *pensou* nele quando se deparou com esse vampiro Tipo Um, Barlow. Correto?

— Sim, mas...

Eddie virou-se para o pistoleiro.

— Você acha que isso está nos levando para mais perto de Susannah?

— Sim. Chegamos ao âmago de um grande mistério. Talvez *o* grande mistério. Acho que a Torre Negra está quase perto o bastante para a tocarmos. E se a Torre está perto, Susannah também.

Ignorando-o, Callahan folheava o livro. Jake olhava por cima do ombro do padre.

— E você sabe como abrir aquela porta? — Eddie apontou para ela.

— Sim — disse Roland. — Eu precisaria de ajuda, mas imagino que o povo de Calla Bryn Sturgis nos deva uma ajudazinha, não acham?

Eddie assentiu com a cabeça.

— Tudo bem, então me deixe dizer o seguinte: tenho quase certeza de que *já* vi o nome Stephen King antes, pelo menos uma vez.

— Na tabuleta dos Pratos Especiais do Dia — disse Jake, sem tirar os olhos do livro. — Isso, eu me lembro. Estava na tabuleta dos Especiais na primeira vez que fomos todash.

— Tabuleta dos Especiais? — perguntou Roland, franzindo o cenho.

— Tabuleta dos Especiais de Tower — disse Eddie. — Estava na vitrine, lembra? Parte de tudo aquilo do Restaurante da Mente.

Roland assentiu.

— Mas eu vou dizer a vocês uma coisa — disse Jake, agora tirando os olhos do livro. — O nome estava lá quando Eddie e eu fomos todash, mas *não* estava na tabuleta na primeira vez que fui lá. Quando o sr. Deepneau me contou a adivinhação do rio, era o nome de outra pessoa. Mudou, assim como aconteceu com o nome do escritor em *Charlie Chuu-Chuu*.

— Eu não *posso* estar em um livro — dizia Callahan. — *Não* sou uma ficção... sou?

— Roland. — Era Eddie. O pistoleiro virou-se para ele. — Eu preciso encontrá-la. Não me importa quem é real ou não. Não me interessam Calvin Tower, Stephen King, nem o papa de Roma. No que se refere à realidade, ela é tudo que eu quero. *Preciso encontrar minha esposa.* — Sua voz extinguiu-se. — Me ajude, Roland.

Roland estendeu a mão esquerda e pegou o livro. Com a direita, tocou a porta. *Se ela ainda estiver viva*, pensou. *Se conseguirmos encontrá-la e se ela voltar a si mesma. Se, se e se.*

Eddie tocou o braço de Roland.

— Por favor. Por favor, não me deixe tentar fazer isso sozinho. Eu a amo tanto. Me ajude a encontrá-la.

Roland sorriu. Isso tornava-o mais jovem. Parecia encher a gruta com a sua própria luz. Toda a antiga força do Eld estava naquele sorriso: a energia do Branco.

— Sim — disse ele. — Nós vamos.

E depois tornou a dizê-lo, toda a afirmação sendo necessária naquele lugar sombrio.

— *Sim*.

Bangor, Maine
15 de dezembro de 2002

NOTA DO AUTOR

Minha dívida para com o gênero de faroeste americano na composição dos romances de A Torre Negra deve ser óbvia sem que eu precise falar sobre; certamente Calla não aparece com a parte final de seu nome ligeiramente alterada por acidente. Mas deve-se salientar que pelo menos duas fontes de parte desse material não são em nada americanas. Sergio Leone (*Por um punhado de dólares*, *Por uns dólares a mais*, *Três homens em conflito* etc.) era italiano. E Akira Kurosawa (*Os sete samurais*), claro, japonês. Teriam esses livros sido escritos sem o legado cinematográfico de Kurosawa, Leone, Peckinpah, Howard Hawks e John Sturgis? Provavelmente não sem Leone. Mas sem os outros, eu diria que não *haveria* nenhum Leone.

Também devo minha gratidão a Robin Furth, que conseguia estar presente com a informação certa toda vez que eu precisava, e, claro, a minha esposa, Tabitha, que continua pacientemente me dando tempo, luz e espaço que necessito para fazer este trabalho com o melhor de minha capacidade.

S.K.

POSFÁCIO

Antes que leia este breve posfácio, peço-lhe que tome um momento (que lhe faça bem) para olhar mais uma vez a página da dedicatória no início da história. Eu espero.

Obrigado. Quero que saiba que Frank Muller leu vários dos meus livros em sua edição em áudio, a começar por *Quatro estações*. Conheci-o na Recorded Books em Nova York nessa época, e gostamos imediatamente um do outro. É uma amizade que dura há mais tempo do que o de vida de alguns dos meus leitores. No decorrer de nossa parceria, Frank gravou os primeiros quatro romances de A Torre Negra, e eu os ouvi — todas as cerca de sessenta fitas cassetes — enquanto me preparava para terminar a história do pistoleiro. O áudio é um veículo perfeito para uma preparação tão exaustiva, porque ele permite que absorvamos tudo; o olho apressado (ou de vez em quando a mente cansada) não pode saltar uma palavra sequer. Era isso que eu queria, uma imersão completa no mundo de Roland, e foi isso que Frank me deu. Ele me deu mais uma coisa também, uma coisa maravilhosa e inesperada. Uma sensação de novidade e frescor que eu perdera em algum lugar ao longo do caminho; uma sensação de Roland e de seus amigos dele como *pessoas reais*, com suas próprias vidas interiores. Quando digo na dedicatória que Frank ouve as vozes em minha cabeça, falo da verdade literal como a entendo. E, como uma versão mais benigna da Gruta da Porta, ele os trouxe plenamente a vida. Os livros restantes estão concluídos (este já no manuscrito final, os dois últimos em primeiras versões), e devo isso em grande parte a Frank Muller e às suas inspiradas leituras.

Eu esperava ter Frank a bordo para fazer as leituras de áudio dos três livros finais de A Torre Negra (leituras integrais; não permito condensações de minha obra e não as aprovo, como regra geral), e ele estava entusiasmado para fazê-las. Discutimos a possibilidade durante um jantar em Bangor em outubro de 2001, e no decorrer de nossa conversa ele descreveu as histórias da Torre como suas favoritas absolutas. Como lera mais de quinhentos romances para o mercado de áudio, fiquei extremamente lisonjeado.

Menos de um mês depois daquele jantar e daquela conversa otimista, voltada para o futuro, Frank sofreu um terrível acidente de moto em uma rodovia da Califórnia. Ocorreu apenas poucos dias após ele saber que seria pai pela segunda vez. Ele estava de capacete e isso provavelmente salvou a sua vida — motociclistas, por favor tomem nota —, mas mesmo assim sofreu ferimentos graves, vários deles neurológicos. No fim das contas, ele não vai gravar os romances finais de A Torre Negra. A obra final de Frank será quase com certeza sua criativa leitura de *O desfiladeiro do medo*, de Clive Barker, concluída em setembro de 2001, pouco antes do acidente.

Exceto por um milagre, a vida profissional de Frank Muller acabou. Seu trabalho de reabilitação, que quase certamente será para o resto da vida, apenas começou. Ele vai precisar de muito cuidado, tanto pessoal quanto profissional. Essas coisas custam dinheiro, e dinheiro não é uma coisa que, como regra geral, os artistas freelance tenham de sobra. Eu e alguns amigos formamos uma fundação para ajudar Frank — e, esperamos, outros artistas freelance de vários tipos que sofrem tragédias semelhantes. Toda a renda que receberei da versão em áudio de *Lobos de Calla* irá para a conta da fundação. Não será suficiente, mas o trabalho de criar a Fundação Wavedancer (*Wavedancer* era o nome do barco a vela de Frank), assim como o trabalho de reabilitação de Frank, só está começando. Se você tiver alguma grana sobrando e quiser ajudar a garantir o futuro da Fundação Wavedancer, não os mande para mim; mande-os para

The Wavedancer Foundation
c/o Mt. Arthur Green
101 Park Avenue
New York, NY 10001

A esposa de Frank, Erika, agradece. Eu também.
E Frank o faria, se pudesse.

Bangor, Maine
15 de dezembro de 2002

1ª EDIÇÃO [2006] 11 reimpressões
2ª EDIÇÃO [2025]

ESTA OBRA FOI COMPOSTA PELA ABREU'S SYSTEM EM WHITMAN
E IMPRESSA EM OFSETE PELA GRÁFICA SANTA MARTA SOBRE PAPEL PÓLEN NATURAL
DA SUZANO S.A. PARA A EDITORA SCHWARCZ EM SETEMBRO DE 2025